씨크릿 독트린

THE SECRET DOCTRINE

상징의 진화
&
세계 종교들의 태고의 상징

H. P. 블라바츠키

차 례

씨크릿 독트린 I

과학, 종교 & 철학의 종합

"진리보다 더 고귀한 종교(법칙)는 없다."

"사티아 나스티 파로 다르마."

상징의 진화

개략적인 순서

“나의 독트린은 나의 것이 아니라, 나를 보낸 그분의 것이다.”

— 요한복음 vii. 16.

1 장 상징과 그림문자

"상징은 보는 눈을 가진 사람에게는 언제나 신 같은 것에 대한 어떤 흐릿한 혹은 더 명확한 계시이다. 모든 것을 지나서 신성한 개념의 어떤 것이 희미하게 빛난다; 아니다, 인간이 십자가 자체 아래서 만나고 품었던 그 최고의 상징은 우연한 외적인 의미를 제외하고 어떤 의미가 없다."

- 칼라일 -

모든 종교 전통과 세속 전통 속에서, 큰 나라이건 작은 나라이건, 특히 동양의 전통 속에서, 숨겨진 의미를 연구하는 것이 현재 필자의 삶의 상당한 부분을 차지하였다. 그녀는 어느 민족의 민간전승에 있는 신화 이야기, 전통 속의 사건이 순수한 픽션이 아니라, 그런 이야기 모두가 하나같이 그것과 실제로 역사적인 선을 가지고 있다고 확신한 사람들 중에 한 명이다. 이런 점에서 필자는 상징학자들과 의견이 다르다. 그들의 명성이 아무리 높더라도, 그들은 모든 신화 속에서 고대인들의 미신적인 성향의 마인드에 대한 추가적인 증거들만 발견하고, 모든 신화는 *태양 신화*에서 나왔으며 그것을 토대로 세워졌다고 믿는다. 그런 피상적인 사상가들은 시인이자 이집트학자인 제랄드 메시 씨에 의해서 "고대와 근대의 달 숭배" 강연에서 훌륭하게 다루어졌다. 그가 날카롭게 지적한 비평이 아이시스 엔베일드가 쓰여진 1875년에 공개적으로 표현된 우리의 느낌을 너무 잘 표현하기 때문에 본서에서 다시 언급할 가치가 있다.

"30년 동안 맥스 뮬러 교수는 책과 강연에서, 타임즈와 다른 여러 신문에서, 왕립협회의 단상에서, 웨스트민스터 애비 연단에서 그리고 옥스포드에서, 신화는 언어의 질병이며, 고대의 상징은 원시적 일탈 같은 어떤 것의 결과였다고 가르쳐왔다.

"레노프가 히버트 강연에서 맥스 뮬러를 흉내내면서 말하길, '우리는 신화가 인간 문화의 특정한 단계에서 생겨나는 질병이라는 것을 안다.' 그것은 비진화론자의 얄팍한 설명이고, 그런 설명이 대리 사고를 하는 영국 대중에 의해서 아직도 받아들여지고 있다. 맥스 뮬러 교수, 콕스, 구버나티스 그리고 태양 신화를 옹호하는 다른 사람들은 그들 자신의 그림자를 멘탈 안개 위로 투사하면서 연기 혹은 최소한 구름에 대하여 교묘하게 말하는 일종의 독일화된 힌두 형이상학자로서 원시 신화 작가를 그렸다; 머리 위의 하늘은 원주민의 악몽의 표상으로 휘갈겨 쓴 채, 꿈나라의 지붕처럼 된다! 그들은 초기 인간을 그들 자신과 닮았다고 생각하고, 퐁트넬이 그랬듯이, 그를 '거기 없는 것을 바라보려는' 혹은 뒤틀리게 자기-신비화하려는 경향이 있는 것으로 간주한다. 그들은 처음부터 활발하지만 소박한 상상력으로 멍청하게 잘못 이끌려서 그들 자신의 일상의 경험과 직접적으로 그리고 지속적으로 모순되는 모든 종류의 오류를 믿는 것으로 태고의 인간을 잘못 나타냈다; 바다 밑에 가라앉은 바위 위에 자국을 만드는 부서지는 빙산처럼, 그의 경험을 자신 속으로 밀어 넣는 저 우울한 현실 가운데 있는 공상의 바보로 나타냈다. 미래 언젠가 번즈의 시인 윌리가 페가수스에 가까이 가지 못한 것처럼, 이렇게 받아들인 선생들이 신화와 언어의 시작에 근접하지 못했다는 것이 인정될 것이다. 내 대답은, 신화가 언어의 질병이거나 그 자신의 두뇌를 제외하고 어떤 다른 것의 질병이라는 형이상학 이론가의 꿈이다. 신화의 기원과 의미가 바로 이런 태양 신화 옹호자들과 날씨로 호도하는 사람들 때문에 완전히 이해되지 못하였다. 신화는 초기의 생각을 사고하는 원시적 방식이었다. 그것은 자연의 사실들에 토대를 두었고, 여전히 현상 속에서 입증 가능하다. 진화의 관점에서 볼 때 그리고 손짓언어로 표현하는 방식이 철저히 이해될 때, 신화에는 비이성적이거나 미친 것이 하나도 없게 된다. 정신이상이 그것을 인간의 역사 혹은 신성한 계시로 착각하는데 있다.[1] 신화는 인간의 가장 고대 과학의 저장소이고, 우리와 주로 관련 있는 것은 이것이다—다시 진실로 해석될 때, 그것이 무심코 탄생하게 만든 거짓 신학의 죽음으로 될 것이다.[2] 근대 표현에서 어떤 진술을 진실하지 않은 것에 비례하여 종종 신화처럼 말한다; 그러나 고대 신화는 그런 의미에서 거짓으로 말하는 체계나 방식이 아니었다. 그

---

1 *신성한 계시*라는 것에 우리는 동의한다. 그러나 *"인간의 역사"*라는 데에는 동의하지 않는다. . . 왜냐하면 인도의 대부분의 "신화"와 우화 속에는 "역사"가 있고, 사건들, 실제 사건들이 그것들 밑에 숨겨져 있기 때문이다.

2 "거짓 신학"이 사라질 때, 진정한 유사이전 실재, 특히 아리안—고대 힌두인 그리고 호머이전 헬레네인—신화 속에 간직된 실재가 발견될 것이다.

우화는 사실을 전달하는 수단이었다; 그것들은 조작도 소설도 아니었다. . . 예를 들면, 이집트인이 달을 고양이로 그렸을 때, 그들은 달이 고양이였다고 가정할 정도로 무지하지 않았다; 또한 그들의 방황하는 공상이 달 속에서 고양이와 비슷한 것을 본 것도 아니었다; 그리고 고양이 신화가 언어적 은유의 단순한 표현도 아니었다; 그들이 어떤 퍼즐이나 수수께끼를 만들려는 의도도 없었다. . . 그들은 고양이를 어둠 속에서 보았고, 그 눈이 둥글었다가, 밤이 되면서 가장 빛난다는 간단한 사실을 관찰하였다. 달은 하늘에서 밤에 보는 자였고, 고양이가 지상에서 그것에 상응하는 것이었다; 그래서 익숙한 고양이가 달의 살아 있는 그림 문자, 자연의 기호, 하나의 대표로 채택되었다. . . 그래서 밤에 지하 세계로 내려간 태양도 고양이라고 부를 수 있다. 왜냐하면 그것도 어둠 속에서 보았기 때문이다. 이집트어로 고양이 이름은 마우[mau] 이고, 그것은 보는 자[seer]를 나타낸다. 어느 신화 작가가 이집트인들은 고양이 눈의 동공, 즉 태양 뒤에 거대한 고양이가 있다고 상상했다고 주장한다. 그러나 이런 상상은 모두 근대 것이다. 그것은 뮬러의 재고품이다. 고양이로써 달은 태양의 눈이었다. 왜냐하면 그것이 태양빛을 반사하였기 때문이다. 그리고 그 눈이 거울 속에서 이미지를 되돌려주기 때문이다. 파슈트 여신 형태로, 고양이가 태양을 계속 지켜보며, 그 발로 영원한 적으로 부른 어둠의 뱀의 머리를 꽉 누르면서 타격을 가한다. . .”

이것이 천문학 측면에서 달-신화에 대한 매우 올바른 설명이다. 하지만, 월면학은 달 상징을 구분하는 비의에서 가장 덜 중요하다. 완전하게 숙달하기 위해서 신조어로 셀레노그노시스(Selenognosis)를 만든다면, 천문학 의미 이상에서 숙달해야 한다. 달 (7장 데우스 루너스)은, 1권 스탠저 6에서 보여주었듯이, 지구와 밀접하게 연결되어 있으며, 우리 지구의 오컬트 자매이자 또다른 자아(alter-ego), 비너스-루시퍼보다도 우리 지구의 모든 신비들과 직접적으로 더 관련 있다.

서구 상징학자들, 특히 독일의 상장학자들의 지치지 않는 연구 때문에 지난 여러 세기 동안 모든 오컬티스트와 가장 편견 없는 사람들이 상징의 도움 없이는 (근대인은 아무것도 모르는, 상징의 일곱 부문) 고대 성전을 정확하게 이해할 수 없다는 것을 이해하게 되었다. 상징은 여러 측면에서 연구될 수 있다. 왜냐하면 각각의 나라는 나름대로 독특한 표현 방법을 가지고 있기 때문이다. 간단히 말하면, 이집트의 파피루스, 인도의 두루마리, 앗시리아의 타일 혹은 헤브르의 스크롤을 글자 그대로 읽거나 받아들여서는 안 된다.

이것을 이제 모든 학자가 안다. 메시 씨의 훌륭한 강연만으로도 공정한 마인드를 가진 기독교인들에게 성서의 사문자를 받아들이는 것이 남해 제도의 야만인 두뇌로 지금까지 진화시킨 어떤 것보다도 더 조잡한 오류와 미신으로 빠지는 것과 같다는 것을 확신시키기에 충분하다. 그러나 심지어 가장 진리를 사랑하고 진리를 탐구하는 동양학자들—아리안 학자이건 이집트 학자이건—이 여전히 눈이 먼 것처럼 보이는 점은 파피루스나 올라 (질그릇)에 있는 모든 상징은 여러 측면의 다이아몬드이고, 그 하나하나가 여러 가지 해석을 가지고 있을 뿐만 아니라, 마찬가지로 여러 가지 과학과 관련 있다는 사실 때문이다. 이것이 고양이로 상징된 달에 관하여 방금 인용한 해석에서 보인다—천문-지상의 표상의 예; 달은 다른 나라에서는 이것 이외에도 많은 다른 의미를 가진다.

박식한 메이슨이자 신지학자인 케네스 멕켄지 씨가 그의 왕립 메이슨 백과사전에서 엠블럼(emblem)과 상징(symbol) 사이에 큰 차이가 있다는 것을 보여주었다. 엠블럼은 "상징보다 더 거대한 일련의 사상으로 구성되며, 상징은 어느 단 한 가지 특별한 개념을 설명하는 것"이라고 말한다. 몇몇 나라들의 상징은 (예를 들면 태양 혹은 달) 각각 그런 특별한 개념이나 일련의 개념을 설명하는 것으로 집합적으로 비의적 엠블럼을 형성한다. 상징은 "어떤 가르침을 받은 사람들 (입문자)이 알아볼 수 있는, 하나의 원리 혹은 일련의 원리를 나타내는 구체적이고 볼 수 있는 그림이나 기호"이다. 그것을 한층 더 분명하게 표현하면, 엠블럼은 비유적으로 설명된 일련의 생생한 그림들로, 파노라마 관점으로 어떤 개념을 하나 둘 펼치는 것이다. 이렇게 푸라나는 쓰여진 엠블럼이다. 모세경과 기독교 성서도 마찬가지이고, 다른 모든 대중 성전들도 그렇다. 그가 다음과 같이 보여준다:

"모든 에소테릭 협회, 예를 들면, 피타고라스 협회, 엘레우시스 협회, 이집트의 헤르메스 형제단, 장미십자회 그리고 프리메이슨이 모두 엠블럼과 상징을 사용하였다. 이런 많은 엠블럼을 일반인에게 누설하는 것이 적절하지 않고, *매우 작은 차이가 그 엠블럼이나 상징의 의미에서 크게 다를 수 있다*. 어떤 수의 원리를 토대로 세워진 마법 같은 문장이 이런 성격을 띄며, 지식 없는 사람들 눈에는 괴물 같고 터무니없을지라도, 그것을 알아보도록 수련 받은 사람들에게 가르침 전체를 전달한다."

위에 열거된 협회들은 비교적 근대에 속하고, 어느 것도 중세 이전까지 거슬러올라가지 않는다. 가장 오래된 고대 학파의 학생들이 이제는 "어릿광대(공공연한)"의 비밀로 되어버린 "메이슨 비밀들" 어느 것보다도 (대중의 손에 들어가면 위험하다는 의미에서) 인류에 훨씬 더 중요한 비밀들을 누설하지 않도록 신중해야 한다는 것이 얼마나 더 적절할까! 그러나 이런 제약은 상징과 엠블럼의 심리학적 의미 오히려 심리-생리학적 그리고 우주적 의미에서만 그리고 그것도 부분적으로만 적용될 수 있다. 초인은 해로운 결과뿐만 아니라 도움이 되는 결과를 만들 수 있는 원소들의 심령적 혹은 물리적 상관관계를 야기하는 조건과 수단을 제공하기를 거부해야만 한다. 그러나 그는 진실한 학생에게 신화의 상징 아래 숨겨진 역사와 관련 있는 어떤 것 속에 있는 고대 사상의 그 비밀을 제공하고, 그래서 인간의 기원, 인종의 진화 그리고 지구 구조학에 관한 유용한 정보를 갖고 있는 과거를 되돌아보는 관점에 대한 몇 가지 이정표를 더 제공할 준비가 되어 있다; 하지만 신지학자들 사이뿐만 아니라 그 주제에 관심 있는 몇몇 세속의 사람들 사이에서 외치는 불평이 있다. "왜 초인들은 그들이 아는 것을 드러내지 않을까?" 이것에 대답할 수 있다. "과학자는 누구도 제공된 사실을 이론이나 금언은 물론 심지어 가설로도 받아들이지 않을 것을 알기 때문에, 그분들이 왜 그래야 하는가? 여러분은 신지학자, 에소테릭 붓디즘 그리고 다른 문헌이나 간행물에 있던 오컬트 철학의 A B C를 받아들였거나 믿었는가? 심지어 주어진 적은 내용도 비웃고 조롱하였으며, 헉슬리의 동물 이론과 원숭이 이론—한편으로 헤켈 그리고 다른 한편으로 아담의 갈비뼈와 사과를—을 대면하게 하지 않았는가? 그런 부럽지 않는 전망에도 불구하고, 많은 사실이 본서에서 주어진다. 그리고 이제 인간의 기원, 지구와 인종의 진화가 필자가 다룰 수 있는 만큼 여기서 충분히 다루어진다.

오래된 가르침을 확증하기 위해서 가져온 증거들이 고대 문명의 오래된 성전에 두루 광범위하게 흩어져 있다. 푸라나, 젠다베스타 그리고 오래된 고전들이 그것들로 가득하다; 그러나 어느 누구도 그 사실들을 모아서 비교하는 수고를 하지 않았다. 그 이유는 그런 모든 사건들이 상징적으로 기록되었기 때문이다; 그리고 아리안 학자들과 이집트 학자들 사이에서 최고의 학자들, 가장 예리한 마인드들도 어느 한두 가지 선입견으로, 그리고 비밀 의미의 일방적인 관점으로 더 자주 어두워졌기 때문이다. 하지만 우화조차도 말로 표현된 상징이다: 어떤 사람들이 생각하는 소설이나 우화; 삶의 실재나 사건들 그리고 사실들에 대한 우화적 표상이라고 우리는 말한다. 그리고 항상 우화에서 교훈을 얻기 때문에, 그 교훈은 인간의 삶 속에 있는 실제 진리이자 사실이다. 마찬가지로 역사적 실제 사건—신관문자 과학에 정통한 사람들에 의해서—이 사원의 고대 기록보관소에 있는 어떤 엠블럼과 상징에서 추론되었다. 모든 국가의 종교적 비의적 역사가 상징 속에 내장되었다; 그것은 결코 많은 말로 표현되지 않았다. 초기 인종의 드러난 그리고 획득한, 모든 생각과 감정, 모든 배움과 지식이 그들의 그림 표현을 비유와 우화 속에 확립하였다. 왜? 왜냐하면 *말한 단어는* 근대 "성인"들이 *모르고, 생각지도 못하며, 믿지 않는, 효력을 가지고 있기 때문이다.* 왜냐하면 소리와 리듬은 고대인들의 4원소와 긴밀하게 연결되어 있기 때문이다; 그리고 공기 속에서 그런 진동이 확실히 상응하는 힘을 일깨우며, 그 힘과의 합일이 경우에 따라서 좋은 결과 혹은 나쁜 결과를 만들기 때문이다. 학생은 어느 누구도 역사적, 종교적 혹은 어떤 실제 사건을 너무 많은 말로 암송하는 것이 허락되지 않았다. 왜냐하면 그 사건과 연결된 힘이 다시 한번 끌려오지 않도록 하기 위해서 그랬기 때문이다. 그런 사건은 입문 동안에만 설명되었고, 모든 학생은 그것들을 결국 받아들이기 전에 자신의 마인드에서 끌어내고 나중에 그의 스승에게 검사받았던 상응하는 상징으로 기록해야 했다. 이렇게 때맞추어 중국 문자가 만들어졌고, 그 전에는 고대 이집트에서 신관문자 상징이 마련되었다. 중국 언어에서, 그 문자를 어떤 언어로 읽을 수 있고,[3] 고대 이집트 문자보다 약간 덜 오래되었지만, 모든 단어가 그림 형태로 필요한

3 이렇게 일본인이 중국어 한 마디도 이해하지 못하지만, 일본어를 들어본 적이 없는 중국인과 만나서 쓰면서 소통할 것이며, 서로를 완전하게 이해할 것이다—왜냐하면 그 쓰는 글이 상징이기 때문이다.

단어를 전달하는 상응하는 상징을 가지고 있다. 중국어는 그런 상징 문자 혹은 표의 문자가 수 천 가지이며, 각각이 전체 단어이다; 순수한 글자나 문자는 훨씬 뒤까지 이집트처럼 중국어도 존재하지 않는다.

주요 상징과 엠블럼에 대한 설명이 이제 시도될 것이다. 왜냐하면 인류발생론을 다루는 2권은 최소한 형이상학 상징을 아는 준비 단계가 없다면 이해하기가 가장 어려울 것이기 때문이다.

한때 보편적 신비 언어의 열쇠들 중에 하나인 도량형과 강력하게 서로 엮여 있는 고대 유대인 상징학의 주요 열쇠를 발견함으로써, 이번 세기에 가장 위대한 봉사를 한 사람에게 마땅한 명예를 표하지 않은 채 상징의 비의적 의미를 시작하는 것이 합당하지 않을 것이다. “유대인-이집트인 신비와 척도의 근원”의 저자인 신시네티의 랄스톤 스키너 씨에게 감사한다. 성향상 신비가이자 카발리스트인 그가 여러 해 동안 이 방향으로 수고하였다. 그의 노력이 확실히 거대한 성공으로 보답 받았다. 그의 말에서: ―

“필자는 근대에 그리고 지금까지 잃어버렸던 고대 언어가 있었다고 상당히 확신한다. 하지만 그 언어의 흔적이 풍부하게 존재한다 . . . 저자는 이 기하학 비율 (원의 둘레와 지름에 대한 숫자들의 적분 비율)은 매우 고대의 것이었고, 선형 척도의 신성한 기원이었다는 것을 발견하였다. 기하학, 숫자, 비율 그리고 척도의 거의 똑같은 체계가 알려졌고, 심지어 아래로 내려오는 셈족의 그 지식 이전에 북아메리카 대륙에서도 사용되었다는 것이 증명된 것처럼 보인다.”

“이 언어의 독특성은 숨겨진 채 그리고 인식되지 않게, 특별한 가르침의 도움을 통하는 것을 제외하고, 다른 것에 간직될 수 있다; 글자와 음절 기호가 숫자, 기하학 형태, 그림 혹은 그림문자와 상징의 의미나 힘을 가지고 있으며, 그것의 계획된 범위가 이야기의 여러 부분들 혹은 이야기의 형상 속에 있는 우화들에 의해서 결정적으로 도움을 받을 것이다; 반면에 그것은 별개로, 독립적으로 그리고 다양하게 그림으로, 석조물 혹은 흙건축에서 설명될 수 있다.”

“언어라는 용어에 대한 애매모호함을 명확히 하기 위해서: 주로 그 단어는 인간의 말로 개념 (이데아)을 표현하는 것을 의미한다; 그러나 이차적으로 그것은 다른 도구로 생각을 표현하는 것을 의미할 수 있다. 이 오래된 언어는 유대인 텍스트에서 쓰여진 문자를 사용하면 소리 기호를 읽음으로써 표현된 생각 이외에 분명하게 분리된 일련의 생각이 의도적으로 전달될 수 있도록 구성되어 있다. 이 이차 언어는 베일 속에서 일련의 개념들, 그림으로 그릴 수도 있으며 지각할 수 있는 사물들과 지각할 수 없지만 실재적으로 분류될 수 있는 사물들에 대한 상상 속에 있는 복사본을 제시한다; 예를 들면, 숫자 9가 지각할 수 있는 존재를 갖고 있지 않지만 실재로 받아들 수 있다. 마찬가지로 달의 회전도 그 회전을 만드는 달 자체와는 분리되었듯이, 그런 회전이 어떤 실체가 없더라도 하나의 실재 개념을 유발하는 혹은 일으키는 것으로 볼 수 있다. 이 개념-언어는 매우 제한된 범위의 개념을 갖는 그리고 아주 가치 없는 임의의 용어와 기호로 제한된 상징들로 구성될 수도 있고, 인간의 문명에 관하여 거의 측정할 수 없는 가치를 가진 어떤 현현 속에 있는 성질을 읽은 것일 수도 있다. 자연적인 어떤 그림이 수레바퀴처럼 다양한 방향으로 심지어 반대 방향으로 발산하면서 그리고 처음 그림을 읽을 때 명백한 경향과는 매우 생소한 여러 부문에 있는 자연적인 실재를 만들면서, 조정하는 주제에 대한 개념을 일으킬 수 있다. 겉으로 보기에 아무리 조화롭지 않더라도, 개념이 연결된 개념을 일으킬 수 있고, 결과로 모든 개념이 원래 그림에서 생겨나고 조화롭게 연결되거나 관련되어 있음에 틀림없다. . . 이렇게 그림으로 그려진 개념이 충분히 근원적이면, 구조에 대한 세부사항으로 그려진 대우주에 대한 상상도 생길 수 있다. 보통 언어를 그렇게 사용하는 것이 이제는 시대에 뒤처진 것으로 되었지만, 그 언어가 선택된 계급 혹은 카스트에 의해서 점점 더 고대 형태로 형성되었을지라도, 아주 먼 과거 한 때는 그것이 혹은 그런 용도가 세계의 언어이자 보편적인 용도가 아니었는지 필자에게 하나의 의문으로 되었다. 즉, 대중 언어나 지방어가 심지어 그 기원에서 개념을 전달하는 이런 독특한 방식의 매개체로써 사용되기 시작하였다는 것을 의미한다. 이것에 대하여 증거들이 매우 강력하다; 그리고 진실로 인류 역사에서 하여튼 현재는 추적할 수 없는 원인으로 원래의 완전한 언어와 완전한 과학 체계로부터 쇠태 혹은 파괴가 일어난 것처럼 보인다—그것들이 신성한 기원이자 들여온 것이기 때문에 완전한 것이라고 말할 수 있을까?”

"신성한 기원"은 여기서 천둥과 번개 속에서 산 위에 있는 인격신에서 나온 계시를 의미하지 않는다; 그러나 우리가 이해하듯이, 초기 인류의 눈에는 신성할 정도로 너무 고귀한 한층 더 진보한 인류가 초기 인류에게 전해준 언어와 과학 체계를 의미한다. "인류"는 간단하게 말하면, 다른 구체에서 온 존재들이다; 어떤 아이디어(개념)는 그 속에 어떤 초자연적인 것을 가지고 있지 않지만, 그것을 거부하거나 받아들이는 것은 그것을 언급한 사람의 마인드 속에 있는 오만과 자만의 정도에 달려 있다. 왜냐하면 근대 지식을 가진 교수가 그들이 육체를 벗은 인간의 미래에 대하여 모르더라도 혹은 아무것도 받아들이지 않는다 하더라도, 일단 그들의 자아가 조밀한 체들을 벗어버린다면, 이 미래는 놀라움과 예상치 못한 계시들로 가득 차 있을 것이라고 공언만 한다면, 물질주의 불신의 가능성이 지금보다 거의 없을 것이다. 이 지구의 생명 주기가 다 되어 어머니 지구가 마지막 잠 속으로 떨어질 때 무슨 일이 일어날지 그들 중에 누가 알 것이며 누가 말할 수 있을까? 우리 인류의 신성한 자아(Ego)들—최소한 다른 영역으로 넘어가는 많은 수 중에서 선택된 자아들—이 우리 지구의 체를 벗은 "원리들"에 의해서 생명과 활동으로 불러낸 새로운 지구에서 발생된 새로운 인류의 "신성한" 지도자로 되지 않을 것이라고 누가 대담하게 말할 수 있을까? (1권, 1부, 스탠저 VI.) 이 모든 것이 과거의 경험이었을 수 있고, 이런 신기한 기록들이 유사 이전 시대의 "신비 언어" 속에 내장되어 있으며, 그 언어가 이제는 "상징 체계"로 불린다.

2장 신비언어와 그 열쇠

위대한 수학자들과 카발리스트들이 최근 발견한 것으로, 모든 신학이, 가장 초기이자 가장 오래된 것부터 가장 최근에 이르기까지, 모두 공통의 근원의 추상적 믿음뿐만 아니라 보편적 비의적 혹은 "신비" 언어에서 나왔다는 것을 의심할 여지없이 증명한다. 이 학자들은 고대의 보편 언어에 대한 열쇠를 가지고, 신비의식의 전당으로 안내하는 밀폐되어 닫혀 있는 문을 한 번이지만 성공적으로 돌렸다. 유사이전 시대부터 성스러운 지혜 과학(Wisdom Science)으로 알려져 온 위대한 태고의 체계, 모든 고대 종교뿐만 아니라 모든 새로운 종교에 포함되어 있으며 추적될 수 있는 체계는, 보편 언어를 가졌고 여전히 가지고 있으며—메이슨 라곤이 의심한 것으로—일곱, 말하자면 일곱 "방언"을 가진 언어도, 각각이 대자연의 일곱 신비의 하나를 말하며, 특히 그것 각각에 사용된다. 각각은 나름대로 상징을 가졌다. 대자연을 이렇게 특별한 측면의 어느 하나 속에서 읽거나 그 온전함 속에서 읽을 수 있다.

이것의 증거는 지금까지 일반적인 동양학자, 인도학자 그리고 이집트학자가 특히 고대 이집트의 신관 기록과 아리안들의 비유적인 글을 해석할 때 경험하는 엄청난 어려움 속에 있다. 그들은 고대 모든 기록은 고대시대에 모든 나라에 알려진 보편적인 언어지만, 이제는 소수에게만 이해 가능한 언어로 쓰였다는 것을 결코 기억하지 못할 것이기 때문이다. 국가가 어디이건 분명한 아라비아 숫자처럼 혹은 영어의 *and 가 프랑스인에게 et 로, 독일인에게 und* 로, 그리고 모든 문명국가에서 간단한 표시 & 로 표현되듯이—그렇게 그 신비 언어의 모든 단어는 국가가 어디이건 사람들에게 똑같은 것을 상징하였다. 그런 보편적 *철학적* 언어를 다시 정립하려고 시도한 몇 명의 유명한 사람들이 있었다: 델가르메, 윌킨스, 라이프니쯔; 그러나 데메미오가 그의 *"보편 언어(Pasigraphie)"*에서 그 가능성을 증명한 유일한 사람이다. 그리스 알파벳 조합에 바탕을 둔 "그리스 카발라"로 불린 발렌티누스 체계가 하나의 모델 역할을 할 수 있다.

신비언어의 많은 측면 때문에 교회 의식의 통속성에서 광범위하게 다양한 도그마와 의례를 채택하도록 이어졌다. 기독교 교회 도그마의 대부분의 기원이 바로 그들이다. 예를 들면, 일곱 성사, 삼위일체, 부활; 일곱 대죄와 일곱 미덕. 하지만 신비 언어의 일곱 열쇠는 고대 입문한 사제들 중에서 최고자가 항상 지켜왔기에, 초기 교회 교부들—사원의 이전 입문자들—의 반역으로 나사렛파의 새로운 종파 수중으로 들어간 것은 일곱 개 중에 몇 개를 부분적으로 사용한 것이다. 초기 몇몇 교황들은 입문자였지만, 그들 지식의 마지막 단편이 이제는 주술 체계로 변형시켜버린 예수회의 손아귀로 떨어져버렸다.

인도 (현재 경계선이 아닌 고대 경계선을 포함하는 인도)만이 세계에서 여전히 초인이 있으며, 전체 체계에 대한 열쇠와 일곱의 모든 하위 체계에 대한 지식을 가지고 있는 유일한 나라라고 주장된다. 멤피스의 붕괴 이후, 이집트는 그 열쇠들을 하나씩 잃어버리기 시작하였고, 칼데아는 베로스 시대에 세 개만 가지고 있었다. 유대인에 대하여, 그들의 모든 문헌에서 인간을 상징하는 그리고 특히 *생리적* 기능을 상징하는 천문 체계, 기하학 체계 그리고 숫자 체계에 대한 완전한 지식밖에 보여주지 못한다. 그들은 더 상위 열쇠를 결코 가지고 있지 않았다.

위대한 프랑스의 이집트 학자이자 마리에트 베이의 계승자인 가스톤 마스페로가 쓴다:

“사람들이 이집트의 종교에 대하여 말하는 것을 들을 때마다, 그들이 말하는 것이 이집트의 어느 것을 말하는 것인가? 라고 묻고 싶다. 네 번째 왕조의 이집트 종교를 말하는 것인지, 아니면 프톨레마이 기간의 이집트 종교를 말하는 것인가? 일반 대중의 종교인가, 아니면 박식한 사람들의 종교인가? 헬리오폴리스 학교에서 배웠던 그것에 대하여, 혹은 테베의 성직자 계급의 마인드와 개념에 있던 것에 대하여? 왜냐하면 세 번째 왕조의 왕의 테두리 장식을 가진 멤피스의 첫 번째 무덤과 아라비안 케사르-필리푸스 하에서 에스네에 있는 마지막 석조물 사이에는 최소한 5천년 간격이 있기 때문이다. 유목민족의 침입, 이디오피아인 그리고 앗시리아인의 지배, 페르시아인의 정복, 그리스인의 식민화 그리고 수 천 번의 정치 혁명은 차치하더라도, 이집트는 저 5천년 동안 도덕적 정치적 삶의 수많은 흥망성쇠를 지나갔다. *사자의 서* 17장은 최초 왕조 동안 헬리오폴리스에서 이해된 세계의 체계에 대한 설명을 가지고 있는 것처럼 보이며, 우리에게는 11번째와 12번째 왕조의 몇 가지 사본만 알려져 있다. 그것을 구성하는 구절 각각은 이미 세 가지 혹은 네 가지 방식으로 번역되었다; 사실 그것이 너무 달라서 이 학파 혹은 다른 학파에 따라서 세계 형성자(Demiurge)가 태양불—*라-슈*(*Ra-shoo*) 혹은 원초의 물—이 되었다. 1500년 후에 그 책의 숫자가 상당히 증가하였다. 그 과정에서 우주와 우주를 지배한 힘에 대한 개념이 수정되었다. 기독교가 존재한 1800년 동안, 그것은 그 도그마 대부분을 계발하였고 변형하였다; 그렇다면 피라미드를 건축한 왕부터 테오도시우스까지 5천년 동안 이집트 사제가 그 도그마를 얼마나 많이 바꾸지 않았을까?"

여기서 우리는 저명한 이집트 학자가 너머 멀리 간다고 믿는다. 대중적 도그마는 자주 변경될 수 있지만, 비의 가르침은 결코 그렇지 않다. 그는 입문의 신비의식 동안에만 드러난 원초의 진리의 성스러운 불변성을 감안하지 않는다. 이집트 사제들은 *많이 잊어버렸지만, 그들은 아무것도 바꾸지 않았다.* 많은 양의 태초의 가르침의 상실은 위대한 사제가 계승자들에게 모든 것을 드러내 보여주기 전에 갑자기 죽었기 때문이다; 대부분 그 지식에 자격 있는 후계자가 없었기 때문이다. 그럼에도 그들은 그들의 의례와 도그마 속에 비밀 가르침의 주요 가르침을 보존하여 왔다. 이렇게 마스페로가 언급한 17장에서, 다음을 보게 된다: (1) 오시리스는 그가 *툼*(*Toum*) (모든 대존재, 영 그리고 인간에게 형태를 주는, 자연에 있는 창조력)이고, 스스로 발생하고, 자존하며, 태초의 신, 신들의 *아버지-어머니*로 불린, 천상의 강, *눈*(*Noun*)에서 나왔다고 말한다. 태초의 신은 보이지 않는 영에 의해서 잉태된 *심연*(*Deep*) 혹은 카오스(chaos)이다. (2) 오시리스는 여덟 도시 (선과 악의 두 *입방체*)에 있는 계단에서 *슈*(*Shoo*) (태양력)를 발견하였고, *눈*(*Noun*) (카오스) 속에 있는 반란의 아이들인 악의 원리를 전멸시켰다. (3) 그는 불(Fire)과 물(Water), 즉, 원초의 부모, 눈(Noun)이고, 그가 그의 사지에서 신들을 창조하였다—14 신 (7의 2배)의 일곱은 어두운 신 그리고 일곱은 빛의 신 (기독교의 실재의 일곱 영과 일곱의 어두운 악한 영). (4) 그는 대존재(Being)와 실존(existence)과 대법(Law) (10절), *벤누우*(*Bennoo*) (혹은 불사조, 영원 속에 있는 부활의 새)이고, 밤 다음에 낮이 오고,

낮 다음에 밤이 온다—우주의 부활과 인간의 재화신의 주기적인 주기에 대한 암시; 이것이 무엇을 의미할 수 있을까? "하나(One)의 이름으로 수 백만 년을 건너가는 나그네, 그리고 거대한 초록색(great green) (태초의 물 혹은 카오스)이 다른 것의 이름이다" (17절), 하나는 수 백만 년을 연속해서 만들고, 다른 하나는 그것들을 삼켜서 도로 회복시켜 놓는다. (5) 그가 그들의 주를 따르고, 정의를 수여하는 (아멘티에 있는 오시리스) 빛나는 일곱(Seven Luminous ones)에 대하여 말한다.

이 모든 것이 기독교 도그마의 원천이자 기원이었다는 것을 보여준다. 유대인이 모세와 다른 입문자들 통해서 이집트에서 가져온 것이 후대에 혼란스럽게 되었고 왜곡되었다; 그리고 교회가 이집트와 유대인으로부터 가져온 것이 한층 더 잘못 해석되었다.

그러나 그들의 체계가 이 특별한 상징 부문에서—즉 발생과 잉태의 신비와 연결된 천문학의 신비의 열쇠—고대 종교의 사상과 동일하고, 그것의 신학이 남근 요소를 발전시켜왔다는 것이 이제는 증명된다. 종교적 상징에 적용된 신성한 척도의 유대 체계가 기하학적 그리고 수리적 조합에 관한 한, 칼데아, 그리스 그리고 이집트 체계와 같은 것이다. 유대인은 그들이 노예와 포로로 잡혀 있는 동안에 그것을 채택하였다.[4] 그 체계는 무엇이었는가? "모세경은 예술 언어 방식으로 척도의 기원 역할을 해야 하는 정밀 과학의 기하학적 수리적 체계를 세우려는 의도였다"는 것이 "척도의 근원"의 저자의 개인적인 확신이다. 피아찌 스미스도 마찬가지로 믿는다. 이 체계와 이 척도가 거대한 피라미드 건축에 사용된 것들과 동일하다고 어떤 학자들이 발견하였다—그러나 이것은 부분적으로 그렇다. "척도의 근원"에서 "이 척도들의 토대는 파커 비율이었다"고 스키너 씨가 말한다.

---

4 아이시스에서 (2권, pp. 438~439) 말했듯이, "현재까지, 모든 모순과 연구에도 불구하고, 역사와 과학은 유대인의 기원에 대하여 여전히 어둠 속에 그대로 있다. 그들은 비나-스바타(Vina-Svata), 베다-브야샤 그리고 마누에서 언급된 "벽돌공," 즉 고대 인도의 추방당한 *찬달라(Tchandala)*이거나, 헤로도토스의 페니키아인 혹은 유세비우스의 힉소스 혹은 팔리 목동들의 후손 혹은 이 모든 것의 혼합일 수 있다. 성서는 티루스인을 동족으로 부르고, 그들에 대한 지배를 주장한다. . . 그러나 그들이 누구였건, 모세 이후 얼마 지나지 않아서 혼혈족으로 되었다. 성서에서 가나안 사람과만 결혼하는 것이 그들이 접촉한 모든 인종이나 다른 국가 사람들과 자유롭게 결혼하는 것을 보여준다."

매우 탁월한 이 작업의 저자는 뉴욕의 존 파커가 발견한 원의 지름과 원주의 적분 비율을 사용하는 데서 발견하였다. 이 비율은 지름이 6,561이고, 원주가 20,612이다. 게다가 이 기하학 비율은 매우 고대의 것이었고 (그리고 아마도) 통속적인 취급과 실제적 응용을 통해서 이제는 영국의 선형 척도가 된 것의 신성한 기원이었다는 것이다. 즉 "그것의 기본 단위, 즉 *인치(inch)*도 이집트 왕실의 *큐빗(cubits)*의 하나의 토대이자 로마 *피트(foot)*의 토대가 되었다. 그는 또한 그 비율의 수정된 형태의 비율, 즉 '113-355'가 있다는 것을 발견하였다 (그의 책에서 설명되었다); 그리고 이 마지막 비율이 그 기원을 통하여 정확한 적분 *파이(pi)* 혹은 6,561 대 20,612를 가리키지만, 그것은 또한 천문학 계산에서 기초 역할을 하였다. 저자는 이 비율에 토대를 둔 그리고 거대한 이집트 피라미드 건설에서 사용된 것으로 발견된, *기하학, 수리학 그리고 천문학의 정밀 과학* 체계가 유대어 성서의 말투 속에 숨겨져 있고 그리고 간직되어 있듯이 부분적으로 *이 언어*의 짐이었다는 것을 발견하였다. 원의 요소와 (1권 첫 페이지) 언급된 비율을 통해서 사용하기 위해서 번역된 인치와 24인치의 2피트 규칙이 이집트와 유대인의 자연스러운 과학 체계의 토대 혹은 기초에 있는 것이 보인다. 반면에 더욱이 체계 그 자체가 신성한 기원과 신성한 계시로 간주되었을 정도로 충분히 분명한 것처럼 보인다." 그러나 피아찌 스미스 교수의 피라미드 측량에 반대하는 사람들이 말하는 것을 보자.

페트리 씨는 그것들을 부인하는 것처럼 보이고, 성서와의 연관관계에서 피아찌 스미스의 계산을 쉽게 해결한 것처럼 보인다. 고대 예술과 과학에 대한 모든 문제에서 수년간 "우연론자"의 챔피언인 프록터 씨도 마찬가지이다. "피라미드 학자들이 피라미드를 태양계와 연결시키려고 노력하는 동안 나타난 피라미드와 독립적인 수많은 관계에" 대하여 말하면서, 그가 말하길, "이런 우연들은 피라미드와 천문학 숫자들 사이의 어떤 우연의 일치라기보다 더 이상하다: 피라미드가 실제처럼 더 가깝고 주목할 만하다" (즉, 만약 피라미드가 존재하지 않았다면 그대로 남아 있었을 그 "우연의 일치들"); *상상에* (?) 불과한 천문학적 숫자들은 학생들이 "날조(임시방편)"로 부르는 과정으로 세워졌고, 이제는 새로운 척도들이 그 작업을 다시 하게 남겨졌다. ("*아카데미에 쓴 페트리의 편지,*" 1881년 12월 17일) 이것에 대하여 스타니랜드 웨이크 씨가 그의 저서 "대피라미드의 기원과 중요성"에서 다음과 같이 합당하게 관찰한다 (런던, 1882년): "하지만 피라미드 건설자들이 완전한 방향과 받아들여진 다른 천문학적 특징으로 천문학 지식을 가졌다면, 그것들은 단순한 우연의 일치 이상이었음에 틀림없다."

그들은 그 지식을 가졌다; 그리고 바로 이 "지식"의 토대 위에 신비의식과 일련의 입문 프로그램이 놓여있다: 그래서 별들의 코스가 하늘에 있듯이, 피라미드 건설이 지상에 있는 이런 신비의식(Mysteries)과 입문(Initiations)의 영원한 기록이자 파괴할 수 없는 상징이다. 입문의 주기는 천문학자들이 태양년 혹은 항성년으로 부르는 일련의 거대한 우주의 변화를 축소 모형으로 재생한 것이다. 항성년 주기가 (25,868년) 끝날 무렵에, 천체들이 시작할 때 위치하고 있던 같은 상대적 위치로 돌아오듯이, 마찬가지로 입문의 주기가 끝날 무렵에 내면의 인간도 지상의 화신 주기를 시작한 신성한 순수성과 지식의 본래 상태를 다시 획득하였다.

모세는 이집트 비의 전수자로 그는 이 항성년 주기에서 파생된 똑같은 추상적 공식으로 그가 건국한 새로운 국가의 종교적 신비의 토대를 세웠으며, 그가 광야에 건설했다고 추정되는 이동 신전의 형태와 척도가 그것을 상징화하였다. 이 자료를 토대로, 후대 유대인 고위 사제들은 솔로몬 사원의 우화를 세웠다—그 건물은 솔로몬 왕처럼 실제로 결코 존재하지 않았고, 솔로몬 왕은 라곤이 잘 설명하였듯이, 메이슨들의 한참 후대의 히람 아비프 같은 태양 신화에 불과하다. 이렇게 이런 비유적 사원의 척도, 입문 주기의 상징이 거대한 피라미드 주기와 일치한다면, 그것은 전자가 모세의 이동 신전을 통하여 후자에서 유래하였다는 사실 때문이다.

우리의 저자가 그 열쇠들 중에 *하나* 그리고 심지어 *둘*을 틀림없이 발견하였다는 것이 방금 인용된 책에서 충분하게 드러난다. 두 성서의 비유와 우화에 숨겨진 의미가 이제 밝혀졌다는 커가는 확신을 느끼기 위해서 그 책을 읽기만 하면 된다. 그러나 그가 이런 발견을 한 것이 파커와 피아찌 스미스 보다 자신의 천재성 때문이라는 것이 확실하다. 왜냐하면 방금 보여주었듯이, 성서의 "피라미드 학자들"이 채택한 대피라미드의 척도가 올바른 것이라고 의심할 여지가 없는지는 확실하지 않기 때문이다. 이것의 증거가 소위 *편향되었다는* 이미 말한 계산에 반대하기 위해서 꽤 최근에 쓰여진 다른 책들 이외에 F. 페트리 씨가 쓴 "기자의 피라미드와 사원"이라는 책이다. 우리는 피아찌 스미스의 거의 모든 측정치가 페트리 씨가 신중하게 한 측정치와 다르다는 것을 수집한다. 페트리 씨는 그의 책 서문에서 이런 문장으로 결론을 내린다:

“전체 조사의 결과에 대하여, 아마도 많은 이론이 기자에 왔을 때 피라미드 이론을 훈훈하게 믿는 미국인에 동의할 것이다. 며칠 그와 같이 가게 되었고, 식사할 때 그가 슬픈 톤으로 나에게 말했다—'제가 마치 장례식에 온 것처럼 느낍니다. 우리가 성급하게 상처 입은 사람이 산채로 묻히지 않도록 조심해야 하지만, 어쨌든 과거 이론을 품위 있게 묻도록 합시다.'”

일반적으로 파커 씨의 계산과 특히 그의 세 번째 명제에 관하여, 저명한 수학자에게 상담하였고, 이것이 그들이 실질적으로 말한 것이다:

파커 씨의 추리는 수학적 고려보다 감상적 고려에 의존하며, 논리적으로 결론이 없다.

명제 III. 즉 “원이 모든 면적의 시작 혹은 자연적 토대이고, 사각형이 수학에서 그렇게 되었지만 인위적이고 임의적이다”—는 독단적인 명제의 설명으로, 수학적 추리에서 안전하게 의존할 수 없다. 같은 관찰이 다음 명제 VII에 더 강하게 적용된다. 그것은 이렇게 말한다:

“원이 성질상 1차 형상이기 때문에, 그래서 면적의 토대이다; 그리고 원은 반지름으로 원주의 절반의 비율로만 사각형과 같고, 그렇게 측정되기 때문에, 지름의 제곱이 아닌, 원주와 반지름이 면적의 자연스럽고 합당한 요소이다. 모든 정방형은 사각형 그리고 원과 동일하게 된다.”

명제 IX는 잘못된 추론의 놀라운 예이며, 파커 씨의 구적법이 주로 의존하는 예이다. 그것은 이렇다:

“원과 정삼각형은 그것을 만드는 모든 요소에서 서로 반대이고, 그래서 하나의 사각형 직경과 동일한 하나의 원의 분수 지름의 면적이 1인 정삼각형의 직경에 반제곱 비율이다” 등등.

논의를 위하여 삼각형이 원의 반지름—파커가 삼각형의 반지름으로 부른 것은 삼각형 속에 내접한 원의 반지름으로 삼각형의 반지름이 전혀 아니다—이라는 의미로 반지름을 가질 수 있다는 것을 인정하고 다른 기발한 수학 명제가 그의 전제에 결합되어 있다는 것을 인정할 경우, 만약 삼각형과 원이 그 구조의 모든 요소에서 반대라면, 정의된 어떤 원의 지름이 주어진 동일한 삼각형의 지름의 반제곱 비율이라고 왜 결론을 내려야 하는가? 전제와 결론 사이에 필요한 연결고리는 무엇인가? 그 추론은 기하학에서 알려지지 않은 종류이며, 엄격한 수학자들이 받아들이지 않을 것이다.

태고의 비의 체계가 영국의 인치의 기원이 되었는지 아닌지는 엄격하고 진실한 형이상학자에게는 중요하지 않다. 랄스톤 스키너가 성서를 비의적으로 읽는 것이 틀리지 않았다. 왜냐하면 피라미드 척도가 솔로몬 사원이나 노아의 방주 척도와 일치하는 것으로 발견되지 않을 것이기 때문이다; 혹은 파커 씨의 원의 구적법을 수학자들이 거부하기 때문이다. 왜냐하면 스키너 씨의 해석은 제일 먼저 카발라 방법과 헤브루 글자의 랍비식 값에 의존하기 때문이다. 그러나 아리안의 상징적 종교의 진화와 건설에서, 그들 사원 건설에서 사용된 척도가, 푸라나에서 주어진 숫자와 특히 연대기에서 주어진 숫자, 그들의 천문상의 상징, 주기의 지속기간 그리고 다른 계산들이 성서와 상형문자에서 사용된 척도와 같은 것인지 그렇지 않은 것인지 확인하는 것이 엄청 중요하다. 왜냐하면 유대인들이 이집트인들으로부터 그들의 성스러운 척도와 큐빗을 가져오지 않았다면 (모세는 사제의 입문자이다), 유대인들이 그 개념을 인도에서 가져왔다는 것을 증명할 것이기 때문이다. 하여튼 그들이 그것을 초기의 기독교도들에게 전해주었다. 그래서 오컬티스트와 카발리스트들이 성서에서 여전히 보이는 지식 혹은 비밀의 "진정한" 상속자들이다. 왜냐하면 그들만이 그것의 진정한 의미를 알기 때문이다. 반면에 보통의 유대인과 기독교인들은 거기에 있는 사문자와 껍질을 움켜쥐고 있다. 엘로힘과 여호와 같은 신의 이름을 발명하도록 남근사상으로 채택하게 만든 것이 척도 체계였고, 여호와가 오시리스를 바로 모방한 것이 아니라는 것이 "측정의 근원"의 저자가 이제 보여준다. 그러나 스키너와 피아찌 스미스 둘 다 (가) 유대인 언어가 신성한 언어이고, 그 체계의 우선순위가 고대 이스라엘에 속하며, (나) 이 보편적인 언어가 직접적인 계시라는 인상을 받는 것처럼 보인다!

후자의 가설은 이전 마지막 단락에서 보여준 의미에서만 맞다; 그러나 우리는 신성한 "계시자"에 대한 성질과 성격에 대하여 아직 동의하지 않았다. 우선순위에 대하여, 이것은 당연히 (가) 그 계시의 내적 및 외적 증거와 (나) 학자 개인의 선입관에 달려 있을 것이다. 하지만 이것 때문에 일신론적 카발리스트나 범신론적 오컬티스트가 자기 방식대로 믿는 것을 막을 수가 없다; 둘 다 상대방을 설득하지 않는다. 누가 옳은 것인지 회의론자에게 증명하기 위해서 역사가 제공한 정보가 둘 다에게 너무 적고 만족스럽지 않다.

한편 전통이 제공한 증거가 너무 지속적으로 거부되어서 현재 시대에 그 문제를 해결하기를 기대할 수가 없다. 반면에 물질 과학은 카발리스트와 오컬티스트 둘 다를 공정하게 비웃을 것이다. 그러나 많이 논의되고 있는 말한 우선순위 문제를 일단 잠시 접어두면, 과학은 문헌학과 비교 종교 부문에서 결국에는 비난받고 공통의 주장을 인정하지 않을 수 없을 것이다.[5] 위대한 학자들이 브라만 문학이

---

5 과학자 한 명씩 *씨크릿 독트린*에서 주어진 사실을 인정해야만 하기 때문에, 그 주장이 하나씩 받아들여지고 있다—그의 진술에서 예상되었다는 것을 거의 인정하지 않더라도. 이렇게 기자의 피라미드에 대한 피아찌 스미스의 권위가 전성시대에, 그의 이론은 왕묘실의 반암 석관이 "지구에서 가장 계몽된 국가들, 영국과 미국의 *측정 단위*이며," 그리고 "옥수수통"과 다르지 않았다. 그 당시 출판된 *아이시스 언베일드*에서 우리가 이것을 강력하게 거부하였다. 그래서 뉴욕 언론사—*"선(Sun)"*과 *"월드(World)"*—가 그런 박식한 스타를 비난하는 혹은 잘못을 정정하려는 우리에 대항하여 반기를 들고 일어났다. 1권 519페이지에서, 헤로도토스가 그 피라미드를 다룰 때 "외적으로 그것은 *대자연의 창조 원리*를 상징하였고, 또한 *기하학, 수학, 점성학 그리고 천문학의 원리*를 설명하였다고 부언했을 것이라고" 우리가 말했다. 내적으로 그것은 웅대한 신전으로, 우울한 후미진 곳에서 신비의식이 행해졌고, 그 벽들은 왕가의 입문 장면을 목격하였다. 스코틀랜드 왕립 천문대장인 피아찌 스미스 교수가 옥수수통으로 비하한 그 반암 석관은 *세례반*으로, 거기서 나오면서 신참자가 "다시 태어났고" 초인으로 되었다. 우리의 진술이 그 당시 비웃음을 받았다. 우리가 영국 작가 버나드 쇼의 "유행"에서 그 아이디어를 얻었다고 비난받았다. 그는 석관은 오시리스의 신비의식을 축하하기 위해서 사용되었다고 주장하였었다; (우리는 그 작가에 대하여 결코 들어보지 못했다!). 그리고 이제 6, 7년 후에, 이것이 스타니랜드 웨이크 씨가 그의 논문 "대피라미드의 기원과 중요성" 93페이지에서 쓴 것이다. "열광적인 피라미드 학자가 소위 왕묘실에 대하여 말하길, '윤기나는 벽, 섬세한 재료, 웅장한 면적 그리고 고귀한 장소가 다가올 영광에 대하여 유창하게 말한다'—그렇지 않다면, 꾸푸 무덤의 완벽한 묘실은 아마도 *입문자가 위로 향하는 좁은 통로를 지나간 후에 낮아지는 웅장한 긴 방으로 들어가서, 그곳에서 성스러운 신비의식(SACRED MYSTERIES)의 마지막 단계를 점진적으로 준비했던 곳이었다."* 스타니랜드 웨이크 씨가 신지학자였다면, 왕묘실로 가는 그 좁고 위로 올라가는 통로가 진실로 "좁은 문"이었으며, 마태복음 7장 13절 이하에서 예수께서 암시한 새로운 영적인 재탄생 혹은

일반적으로 취급되는 “터무니없는 픽션과 미신으로 뒤죽박죽” 된 것으로 깔보는 대신에 보편적인 상징 언어를 숫자 열쇠와 기하학 열쇠를 가지고 배우려고 노력할 것이다. 그러나 여기서 다시 만약 유대 카발라 체계가 전체 신비에 대한 열쇠를 가지고 있다는 믿음을 갖는다면, 그들은 거의 성공하지 못할 것이다: *왜냐하면 그것은 전체 신비에 대한 열쇠를 가지고 있지 않기 때문이다*. 현재 어떤 성전도 전체로 그 열쇠를 가지고 있지 않다. 심지어 베다도 완전하지 않다. 고대 모든 종교는 태고의 신비라는 전체의 한 두 장에 불과하다—동양의 *오컬티즘*만이 *일곱* 열쇠와 함께 전체 비밀을 가지고 있다고 자랑할 수 있다. 비교가 제시될 것이고, 가능한한 많이 본서에서 설명될 것이다—나머지는 학생의 직관에 맡겨 둘 것이다. 동양의 오컬티즘이 그 비밀을 가지고 있다고 말할 때, “완전한” 지식 혹은 심지어 대략 정도의 지식을 필자가 주장하는 것이 아니다. 그것은 터무니없는 것이다. 본인이 아는 것을 제공할 것이다; 설명할 수 없는 것은 학생 스스로 찾아야만 한다.

그러나 보편적 신비 언어의 전체 주기가 다가오는 전체 세기 동안 숙달되지 못할 것이라고 가정하더라도, 지금까지 성서 속에서 어떤 학자들이 발견해온 것조차 그 주장을 수학적으로 증명하기에 충분하다. 유대교는 일곱 가지에서 두 가지 열쇠를 이용하였고 그 두 개가 이제 재발견되었기에, 그것은 더 이상 개인의 추론의 문제가 아니라, 최소한 “우연”이 아니라, 산수에 익숙한 사람은 누구나 덧셈과 합을 계산하고 확인하는 것처럼, 성서 본문을 올바르게 읽는 문제로 되었다.[6] 그렇게 몇 해가 길어지면, 도그마를 적나라한 의미로 보여줌으로써 대중의 믿음의 사문자를 제거하듯이, 이 체계가 성서의 사문자를 없을 것이다.

그리고 나면 부인할 수 없는 이 의미가 아무리 불완전하더라도 존재의 신비를 밝힐 뿐만 아니라, 문화인류학, 인류학, 그리고 특히 연대학의 근대 과학 체계를 완전히 바꾸어 놓을 것이다. 모든 신 이름들과 구약성서 (그리고 어느 정도 신약에서도) 속에 있는 이야기 속에서 보인 남근 숭배 요소가 시간이 지나면 생물학과

“생명으로 어어지는” 똑같은 “좁은 문”이었다고 첨언하였을 것이다; 그리고 입문자가 말한 것이라고 주장된 그 말을 기록한 필자가 생각하는 것이 바로 입문 사원에 있는 이 문이다.

6 아이시스 언베일드에서 말한 모든 것이 “이집트인의 신비”에서 확인되었다; 혹은 “측정의 근원”에서 숫자와 기하학 열쇠를 가지고 성서를 읽는 것으로 확인되었다.

생리학에서 근대의 물질적 관점을 상당히 바꾸어 놓을 것이다.

그들의 근대 역겨운 조잡함을 빼앗아버리면, 천상의 천체들과 그들 신비에 대한 권위로 인간과 자연에 대한 그런 견해가 인간의 마인드의 진화를 밝힐 것이며 그런 사고의 경과가 매우 자연스럽다는 것을 보여줄 것이다. 소위 남근 상징은 물질성과 동물성 요소 때문에 불쾌하게 되었다. 남근 상징은 태고 인종에서 유래되었으며, 자웅동체 조상으로부터 그들의 개인 지식에서 나왔기에, 그들 시야에 성의 분리에 대한 최초의 현상적 현현이자 이어지는 창조에 대한 신비였다—그래서 그 상징은 자연스러운 것이었다. 만약 후대 인종 특히 "선택된 민족"이 그것을 타락시켰더라도, 이것은 그 상징의 기원에 영향을 주지 못한다. 작은 셈족—(거대 대륙의 침몰이후, 인도-유럽인과 몽골-우랄알타이족) 네 번째 다섯 번째 아인종의 혼합에서 나온 가장 작은 가지들 중에 하나이다—은 그것이 유래된 국가들이 전해준 정신으로 그 상징만 받아들일 수 있었다. 아마도 모세시대 초기에 그 상징이 모세오경 전체를 개조한 에즈라의 취급으로 나중에 조잡하게 된 것처럼 그렇지 않았다. 왜냐하면 파라오 딸의 그림문자 (여성), 나일강 (거대한 심연이자 물) 그리고 골품 바구니 속에서 떠있는 것으로 발견된 남자 아기가 원래는 모세를 위해서 혹은 모세가 쓰지 않았기 때문이다. 그것은 모세보다 훨씬 이전에 살았던 사르곤 왕의[7] 이야기 속에서,

7 조지 스미스의 *"앗시리아 고대유물,"* p. 224에서 말한다: "쿠윤직에 있는 세나케리브의 궁전에서, 사르곤의 기묘한 역사에 대한 또다른 단면을 발견하였다 . . . 그것은 성서 고고학 협회 의사록 1권 1부 46페이지에서 출판되었다." 바빌로니아인의 모세, 사르곤의 수도는 "셈족이 아카드—창세기에서 님로드의 수도로 언급된—로 부른 아가디(Agadi)라는 거대한 도시였다." (창세기 10:10.) . . . "아카드는 바빌론 북쪽과 유프라테스에 있는 *시파라* 도시 근처에 있다." (아이시스 언베일드, 2권, pp. 442-443 참조) 또다른 이상한 *우연*이 다음 사실 속에서 보인다. 위에서 언급된 이웃하는 *시파라(Sippara)* 도시의 이름이 모세 부인 이름 *지포라(Zipporah)*와 같다. (출애굽기 2장) 물론 그 이야기는 *그것을 모를 수가 없는* 에즈라가 영악하게 추가한 것이다. 이 이상한 이야기가 쿠윤직에서 나온 서판 단편 조각에서 보이며 다음과 같다:

1. 사르고나, 강력한 왕, 아카드의 왕이 나다.
2. 나의 어머니는 공주였고, 나의 아버지를 모른다; 내 아버지의 형제가 나라를 통치하였다.
3. 유프라테스 강변에 있는 아주피란 도시에서,
4. 나의 어머니 공주가 나를 잉태하였다; 어렵게 나를 낳았다.
5. 그녀는 골품 바구니 속에 나를 놓고, 역청으로 봉인하였다.
6. 나를 강으로 띄어 보냈으며, 익사하지 않았다.
7. 그 강은 나를 물을 나르는 여인, 아끼(Akki)에게 데려갔다.

바빌로니아 타일에 있는 단편에서 예견되어 왔다. 그럼 논리적 추론은 무엇인가? 그것은 모세에 대하여 에즈라가 말한 이야기로 바빌로니아에 있는 동안 배웠으며, 사르곤 왕에 대한 이야기를 모세에게 적용하였다고 분명하게 말할 수 있게 해준다. 간단히 말해서, 출애굽기는 모세가 결코 쓰지 않았고, 에즈라가 오래된 자료를 조작한 것이다.

그리고 만약 그렇다면, 남근 숭배 요소에서 훨씬 더 조잡한 다른 상징과 그림문자들이 후대 칼데아와 시바인의 남근 숭배에서 모세에게 추가되지 않았을까? 이스라엘인의 원초의 믿음이 탈무드학자들이 후대에 발전시킨 그리고 그들 이전 다비드와 히스기야가 발전시킨 믿음과 아주 달랐다고 배웠다.

두 성서에서 보이는 외적인 요소에도 불구하고, 이 모든 것은 성서를 비의적 서적으로 분류하고, 그 비밀 체계가 인도, 칼데아 그리고 이집트 상징과 연결되어 있다고 말하기에 충분하다. 천문상의 관찰—천문학과 신학이 긴밀하게 연결되어 있다—로 제시된 성서 그림문자와 숫자들의 전체 주기가 인도의 외적인 체계뿐만 아니라 비의적인 체계 속에서 보인다. 이 숫자들과 상징들, 12궁도, 행성, 행성의 측면과 마디(node)—마디라는 용어는 심지어 남성 식물과 여성 식물 (단성의 양성의, 암수한그루, 암수딴그루 등등)을 구분하는데 근대 식물학으로 전해졌다—가 6분위, 4분위 등이 알려져 있고 고대 국가들이 매우 오랜 세월동안 사용하여 왔으며, 한 가지 의미로 유대인 숫자들과 같은 의미를 갖는다. 기초 기하학의 가장 초기 형태가 천체와 천체 그룹의 관찰에서 확실히 암시되어왔다. 그래서 동양의 비의가르침에서 가장 고대 상징들은 원, 점, 삼각형, 평면, 사각형, 오각형, 육각형 그리고 다양한

---

8. 물을 나르는 여인, 아끼는 부드럽게 나를 들어올렸다 등등.
그리고 출애굽기(2장): "그리고 그녀가 (모세 어머니) 그를 더 이상 숨길 수 없게 되었을 때, 갈대 상자에 가져가서 역청과 나무 진을 칠하고, 그 속에 아기를 놓은 후에, 강가 갈대 사이에 놓았다." 스미스 씨가 계속 말하길, "그 이야기는 모세가 태어난 시대보다 훨씬 이전인 기원전 1600년에 일어났던 것으로 보인다. 사르곤의 명성이 이집트까지 도달한 것을 알기에, 이 설명이 출애굽기 2장에서 말한 사건과 연결관계가 있을 것이다. 왜냐하면 모든 행동은 한번 실행될 때 반복하려는 성향을 가지고 있기 때문이다." 그러나 세이스 교수가 용기있게 칼데아와 앗시리아 왕들의 기원을 2천년 이상 뒤로 밀었을 때, 사르곤은 모세보다 최소 2천년 앞섰음에 틀림없다. (세이스 교수의 강연 참조.) 그 진술은 암시적이지만, 숫자에서 영이 하나 혹은 두 개 부족하다.

각과 측면에 숫자가 있는 평면이다. 이것은 세계만큼이나 오래된 기하학 상징을 알고 있고 사용하였다는 것을 보여준다.

여기서 시작해서, 자연 자체가 태초 인류를 숫자 언어와 기하학 상징 언어의 첫 번째 원리를, 심지어 신성한 지도자의 도움 없이, 어떻게 가르칠 수 있었는지 이해하는 것이 쉬워진다.[8] 그래서 모든 고대 상징 성전에서 생각의 기록과 표현으로 사용된 숫자와 그림을 보게 된다. 그들은 어떤 변형이 최초 그림에서 나오지만 항상 똑같다. 이렇게 대우주의 신비, 그 성장과 발전의 진화와 상관관계—영적, 물리적, 추상적 그리고 구체적—가 처음에는 기하학 형상의 변화 속에 기록되었다. 모든 우주발생론은 원, 점, 삼각형 그리고 사각형으로 시작해서 숫자 9까지 올라갔으며, 그때 첫 번째 선과 원으로 통합된다—피타고라스의 신비한 *데카드(Decade)*, 전체 대우주의 신비를 표현하고 관련되는 만물의 합이다; 신비 언어를 이해할 수 있는 사람을 위해서 힌두 체계에서 한층 더 온전하게 수 백 번 표현되었다. 숫자 3과 4는 5, 6, 9 그리고 10 숫자처럼 그 합이 7로 오컬트 우주발생론의 주춧돌이다. 이 데카드와 수 천개 조합이 지구 모든 부분에서 발견된다. 이집트와 아메리카의 석판 및 피라미드처럼, 힌두스탄 지역과 중앙아시아의 동굴과 석굴 사원에서 그것을 보게 된다; 또한 오지만디야의 지하묘지에서, 코카서스의 눈 덮인 요새의 고분에서, 팔렝케의 폐허에서, 이스터 섬에서, 고대인들의 발길이 닿았던 모든 곳에서 보인다. 3과 4, 삼각형과 사각형 혹은 남성과 여성의 보편 그림문자가 진화하는 신의 첫 번째 측면을 보여주면서 이집트인의 *크럭스-안사타*처럼 하늘의 남십자성 속에 영원이 새겨져 있다. 잘 표현되었듯이, "펼쳐진 사각형은 *타오* 혹은 이집트 형태의 십자가 혹은 기독교 십자가 형태를 표시한 것이다. . . 첫 번째에 원이 붙으면 *고리 모양의 이집트 십자가*가 되고 . . . 십자가에서 숫자 3과 4를 세고, (지성소에 있는) 황금 촛대 형태를 보여주면서, 3 + 4 = 7 그리고 태양의 일곱 빛처럼 *1주일 원*에 있는 일수, 6 + 1 = 7의 형태를 보여준다. 마찬가지로 일곱 빛의 한 주가 *월*과 *해*의 기원이 되듯이, 그것은 *탄생의 시간 표시기*이다. . . 그러면 그 십자가가 113 : 355

---

8 환기시키는 것으로 모세의 비의 종교가 어떻게 여러 번 무너졌고, 다비드가 다시 정립한 여호와 숭배가 히스기야에 의해서 어떻게 놓이게 되었는지, 아이시스 언베일드, II, 436-442페이지를 보라. 거의 모든 사두개인들이 모세의 법을 고수하였고 탈무드와 유대교 예배당의 모세오경, "모세의 문헌"이라고 주장하는 것을 거절한 매우 좋은 이유가 확실히 있었음에 틀림없었다.

형태가 연결되어 사용되는 것으로 보여주며, 그 상징이 *인간을 십자가에 붙임*으로써 완성된다.[9] 이런 종류의 측정이 인간 생명의 *기원*에 대한 사상, 그래서 *남근 형태* 사상과 조정시키기 위해서 만들어졌다."[10]

스탠저가 십자가과 이 숫자들이 고대 우주발생론에서 두드러진 역할을 하는 것을 보여준다. 한편 지상 전체에 걸쳐 있는 상징과 비의적 의미의 동일성을 보여주기 위해서 똑같은 저자가 수집한 증거로 도움을 받을 것이다. 그는 그것을 "이 상징들의 원초적 흔적"이라고 올바르게 부른다.

"숫자 형태의 성질에 대하여 갖는 일반적인 견해 하에서 . . . 그것들의 존재와 용도가 언제 어디서 처음으로 알려졌는지가 엄청 흥미로운 연구의 관심사가 될 것이다. 인류의 시대를 생각할 때 대단히 근대의 주기인 우리가 역사시대로 아는 것에서 그것이 계시의 문제였을까? 사실 인간이 그것을 소유하게 된 시대에 대하여 고대 이집트인들이 우리와 떨어져 있는 것보다 그것을 소유한 시대가 과거 속에서 고대 이집트인들에서 훨씬 더 멀리 떨어져 있던 것처럼 보인다.

"중부 태평양에 있는 이스터 섬이 가라앉은 대륙에 있던 산 봉오리의 특징을 제시한다. 이 봉오리들은 폭넓게 확장된 지역을 차지하였던 밀집된 문명인들의 문명의 잔재들인 거대한 동상들로 빽빽하게 박혀 있다. 이 동상들 뒤에서 '고리 모양의 십자가'와 인간 형태의 윤곽으로 수정된 똑같은 것이 보인다. 땅을 보여주는 판, 빽빽하게 묻은 동상, 동상 복사본과 함께 자세한 설명은 런던 *건축가* 1870년 1월호에서 볼 수 있다:

"매사추세츠에 있는 살렘에서 출판된 초기 발행본 중에 하나인 *자연주의자*에서, 남아메리카 산의 정상 벽에 있으며 현재 살고 있는 인종보다 더 오래되었다고 단언하는 매우 고대의 기묘한 조각에 대한 어떤 설명이 발견된다. 이 흔적들의

---

9 힌두의 비또바가 공간 속에서 십자가에 못박히는 것을 기억하라; *스와스티카*, "성스러운 표시"의 중요성; 플라톤의 공간 속에 있는 십자형의 인간, 등등.
10 "측정의 근원."

기묘함은 일련의 그림으로 그것들이 십자가 위에[11] 펼쳐 있는 인간의 윤곽을 보여주고 있다는 점이다. 그리고 *인간* 그 형태에서 *십자가* 형태가 생겨나며, 그 십자가가 인간으로 여겨질 수 있거나 인간이 십자가로 간주될 수 있도록 그렇게 되어있다; 이렇게 형태들의 상호의존성의 상징적인 표시를 보여준다.

"아즈텍인들 사이에서 전통으로 *대홍수*에 대한 매우 완전한 설명이 전해졌다고 알려졌다. . . 최소한 북위 42도 높은 곳에 있는 아즈텍의 시초 나라인 아즈탈란을 찾아야 한다고 훔볼트 백작이 말한다; 거기서 계속 여행하면서 마침내 멕시코 계곡에 도착하였다. 그 계곡에서 먼 북쪽의 동쪽 산들이 유적이 발견되는 우아한 돌 피라미드와 다른 구조들로 되어 있다. 아즈텍 유적과 이집트 유적 사이의 대응은 잘 알려져 있다 . . . 앳트워터는 그것들 수백 개 유적을 조사해서 그들이 천문학에 대한 지식을 가졌다고 확신하였다. 아즈텍인들사이에 가장 완전한 피라미드 구조들 중 하나에 대하여, 훔볼트가 다음과 같이 묘사한다:

"7층을 가진 (파판틀라의) 이 피라미드 형태가 발견된 이런 종류의 다른 구조보다 끝이 점차로 더 가늘어진다. 그러나 그 높이는 57피트로 높지 않고, 바닥 양쪽은 25피트이다. 하지만 한 가지에서 대단한 것이 있다: 그것은 엄청난 크기의 돌을 깎아서 세워졌고 매우 아름답게 만들어졌다. 세 개 계단으로 꼭대기까지 가고, 그 계단들은 그림문자 조각들로 장식되어 있으며 작은 벽감들이 상당한 대칭으로 배열되어 있다. 이 벽감들 수가 그들의 상용 달력에 있는 *318개의 단순하고 복잡한 일수의 기호들을* 암시하는 것 같다."

"318은 크리스트의 그노시스 값이다"라고 저자가 말한다. 그리고 그것은 수련받은 혹은 할례를 받은 아브라함의 하인들의 유명한 숫자이다. 318이 *단일성*의 원주에 대한 지름 값을 표현하는 *추상적 값*이고 *보편적*이라는 것을 감안할 때, 상용 달력의 구성에서 그것의 용도가 분명해진다."

---

11 초기 아리안 입문에 대하여 주어진 심오한 설명에서: 십자가 형태의 윗가지 위에서 그의 광선을 빼앗긴 "비까르타나," 즉 태양을 십자가에 못 박는 비스바카르마(Visvakarma).

동일한 그림문자, 숫자들과 비의 상징들이 이집트, 페루, 멕시코, 이스터섬, 인도, 칼데아 그리고 중앙아시아에서 발견된다. 십자가에 박힌 사람들, 그리고 신들로부터 인류의 진화에 대한 상징들; 그리고 우리 이미지로 만들어진 하나 이상의 인류에 대한 사상을 반박하는 과학을 보라; 신학은 창조 해로 6천년을 고수하고 있다; 인류학은 우리가 원숭이에서 내려왔다고 가르친다; 그리고 성직자는 그 기원을 4,004년 기원전으로 거슬러올라간다!!

미신적인 바보 심지어 거짓말쟁이로 불리는 처벌을 받을까 두려워서, 증거를 제공하는 것을 꺼리는 것일까? 일곱 개 열쇠가 과학에서 아니 오히려 상징 부문에서 배우고 조사하는 사람들에게 전달되는 그날이 아직 밝아오지 않았기 때문에, 증거를 제공하기를 꺼리는 것일까? 인류의 고대유물에 대하여 지질학과 인류학의 결정적인 발견에 직면해서, 우리는—신학 혹은 유물주의가 만들어 놓은 익숙한 길을 벗어나는 모든 사람을 기다리는 처벌을 피하기 위하여—6천년과 "특별한 창조"를 고수해야 할 것인가 혹은 원숭이에서 진화하였다는 계통을 복종하는 숭배로 받아들여야 할 것인가? 비밀 기록이 인류의 기원에 대한 신비의 일곱 열쇠를 가지고 있다고 알려진 한 그렇지 않다. 과학 이론들이 오류가 있고, 물질적이며 편견이 있을지라도, 신학의 변덕보다는 진리에 수 천배 더 근접한다. 신학은 죽음의 고통 속에서 가장 타협하지 않는 고집불통의 광신자이다.[12] 그래서 우리는 과학의 추론을 맹목적으로 받아들이거나 그것과 단절하여, 결과를 충분히 감수한 채 씨크릿 독트린이 가르치는 것을 말하면서 두려움없이 그 얼굴과 직면하는 것 이외 선택의 여지가 없다.

그러나 과학이 물질주의적 추론으로 그리고 심지어 신학이 아담 이후 6천년을 찰스 라이엘의 "인류의 고대유물에 대한 지질학적 증거"와 중재하려는 가래 끓는 소리로 죽음을 각오한 싸움에서 우리에게 무의식적으로 도움의 손길을 주는지 보자. *복수의 아담의 창조* 가설을 받아들이지 않는다면, 민속학에 매우 박식한 애호가들의 고백을

---

12 그것의 옹호자들 중에 어떤 사람들은 그들이 이성을 잃었음에 틀림없다고 말할 것이다. 성서의 사문화된 불합리성에 직면하여, 이것들이 여전히 공공연하게 어느 때보다 더 결렬하게 지지받고 있으며, "성서가 과학 지식에 직접적으로 기여하는 것을 신중하게 자제하더라도, 다가오는 *과학의 빛을 따르지 않을 어떤 진술도 만나지 못했다*"고 신학자들이 주장하는 것을 볼 때, 무엇을 생각할 수 있을까? ("태초 인간," p. 14.)

토대로 민속학에서는 인류 속에서의 다양성을 설명하는 것이 불가능하다는 것을 발견하였다. 그들은 "흰 아담과 검은 아담, 붉은 아담 그리고 노란 아담"에 대하여 말한다.[13] 그들이 링가 푸라나에서 나오는 바마데바(Vamadeva)의 재탄생을 열거하는 힌두인이었다면, 조금 더 말할 수 있을 것이다. 시바의 반복된 탄생을 열거하면서, 힌두인들은 그를 어느 칼파에서 흰색으로, 다른 칼파에서는 검은 색으로, 또다른 칼파에서는 붉은색으로 보여주고, 그 이후 쿠마라가 "노란색의 넷의 젊은이로" 된다. 시바-쿠마라가 인간의 창세기 동안 인류를 비유적으로만 나타내기 때문에, 프록터 씨가 말하듯이, 이 이상한 우연의 일치가 과학적 직관에 유리하게 말한다. 그러나 그것은 신학적 대열에 있는 또다른 직관적 현상으로 이어졌다. "태초 인간"을 쓴 알려지지 않은 저자는 지질학과 인류학의 무자비한 설득력 있는 발견에서 신성한 계시를 가려내려는 필사적인 노력으로 "성서 옹호자들이 성전의 영감을 포기하거나 지질학자들의 결론을 거부하는 입장으로 내몰린다면, 불행할 것이다"라고 말하면서 타협을 찾았다. 아니다, 그는 이 사실을 증명하는데 두꺼운 책을 썼다: "아담은 이 지구에서 창조된 *최초 인간*이[14] 아니었다." . . . 아담 이전 인간에 대하여 발굴된 유물이 "성전에 대한 우리의 확신을 흔드는 대신에" 그것이 정확하다는 증거를 추가로 제공한다." (p. 194) 어떻게 그럴까? 상상할 수 있는 가장 단순한 방법으로; 왜냐하면 "우리 (성직자)는 이단의 두려움으로 과학자들을 억압하지 않은 채 그들이 연구를 추구하도록 놓아둘 수 있었다"고 저자가 주장하기 때문이다. . . (이것은 틀림없이 헉슬시, 틴달 씨와 그리고 라이엘 경에게 진실로 위안이 된다) . . . "성서의 이야기는 보통 가정하듯이 *창조로 시작하지 않고,* 우리 지구가 창조된 후 *수백만 년이 지나서* 아담과 이브의 형성으로 시작한다. 성전과 관련하여, 그것의 이전 역사는 아직 쓰이지 않았다." . . . . "다른 세계에 20가지 서로 다른 인종이 있을 수 있듯이, 아담 시대 이전에는 지상에서 하나 인종이 아니라 20가지 서로 다른 인종이 있었을 수도 있다." (p. 55) 저자가 아담이 *우리 인종의 최초 인간*이라고 여전히 주장하기 때문에, 그러면 그 인종들은 누구인가 혹은 무엇인가? 그것은 *사탄 종족이자 인종들이었다!* "사탄은 결코 하늘에 없었고, 천사와 인간 모두 한 종이다."

---

13 "드러난 태초 인간 혹은 성서의 인류학"; "별과 천사들"의 저자 1870년, p. 195.

14 특히 카인이 노드 땅으로 가서 거기서 부인과 결혼하는 것을 보여주는 특히 승인된 성서 창세기 4장 5:16과 17에서 제공된 증거에도 불구하고.

"죄지은 천사들"의 아담 이전 인종이었다. 사탄이 "이 세계의 첫째 왕자"였다고 읽었다. 그가 반발한 결과로 죽은 후에, 지상에서 *육체 없는 영*으로 남았으며, 아담과 이브를 유혹하였다. "사탄 종족의 초기 시대 그리고 특히 *사탄의 생애 동안* 족장 같은 문명과 비교적 휴식의 시기였을 수 있다—두발가인과 유발의 시대로, 과학과 예술이 저주받은 땅에 뿌리내리려고 하였을 때이다 . . . 어떤 서사시의 훌륭한 주제로 . . . 불가피한 사건들이 일어났음에 틀림없다. 우리 앞에서 . . . 덴마크의 오크글 아래에서 이슬 맺힌 저녁에 얼굴이 빨개진 신부를 유혹하는 태초의 유쾌한 연인을 보고, 지금은 오크 나무가 더 이상 자라지 않을 곳에서 그때 자랐다 . . . 유쾌한 태초의 족장 . . . 그 옆에서 순진하게 뛰어다니는 태초의 아이들 . . . 수 천 장의 그런 그림들이 우리 앞에서 솟아난다"! . . . (p. 206~207)

사탄이 순수한 시절에 이 사탄의 "얼굴 붉히는 신부"를 회고하는 시선으로 힐끗 보는 것으로 독창성에서 얻듯이 시에서 사라지지 않는다. 오히려 그 반대이다. 근대 기독교 신부—근대의 유쾌한 연인 앞에서 요즘은 얼굴을 붉히지 않는다—는 최초의 인간 전기 작가의 풍부한 공상 속에서 사탄의 이 딸로부터 도덕적 교훈을 얻을 수 있을 것이다. 이 그림들—그리고 그것들의 진정한 가치를 이해하기 위해서 그것들을 묘사하는 책에서 조사해야 한다—은 모두 계시받은 성전의 무류성과 라이엘 경의 "인간의 고대유물" 및 다른 과학 저작들과 조정하려는 목적으로 제시되었다. 그러나 이것은 이런 엉뚱한 것들 토대에서 진리와 사실이 나타나는 것을 막지 못하며, 저자가 그의 이름으로 혹은 심지어 빌려온 이름으로 그것에 감히 결코 서명하지 못했다. 왜냐하면 그의 아담 이전 인종—사탄 인종이 아니라 아틀란티스 인종 그리고 아틀란티스 인종 이전의 자웅동체들이다—이 씨크릿 독트린에 있듯이 성서를 비의적으로 읽을 때 언급되기 때문이다. 일곱 가지 열쇠가 일곱 칼파처럼 과거와 미래의 일곱 가지 위대한 근원인종들의 신비를 연다. 인간의 기원 그리고 심지어 비의 지질학이 사탄 인종과 아담 이전 인종처럼 과학에서 확실히 거부될 것이지만, 과학은 그들의 어려움에서 나올 다른 방법을 가지고 있지 않기 때문에, 둘 사이에 선택해야 한다면, 성전에도 불구하고, 일단 신비 언어가 거의 숙달되면, 받아들여야 할 것이 바로 고대의 가르침이라는 것을 우리는 확신한다.

3장 원초 질료와 신성한 생각

"우리가 존재하는 모든 원인을 이미 안다고 주장하는 것이 비이성적인 것처럼 보이기 때문에, 필요하다면 *완전히 새로운 동인을* 가정하는 것이 허락되어야 한다."

"아직은 엄밀하게 정확하지 않지만, 파동 가설이 모든 사실을 설명한다고 가정하면서, 파동 치는 에테르의 존재가 그것으로 증명되는지 결정해야 한다. *우리는 어떤 다른 가설이 그 사실들을 설명할 것이라고 긍정적으로 확인할 수 없다*. 뉴턴의 소립자 가설이 신의 간섭으로 무너졌다고 인정된다; 그리고 현재 어떤 다른 경쟁자가 없다. 여전히 그런 모든 가설들 속에서 가정된 에테르에 대한 기록 이외 어떤 증거, 부수적인 확증을 발견하는 것이 굉장히 바람직하다. . . 어떤 가설은 여러 체들의 미세한 구조와 작용에 대한 가정으로 구성된다. 그런 경우의 성질상, 이런 가설은 직접적인 수단으로 결코 증명될 수 없다. 그들의 유일한 장점은 *현상을 표현할 수 있는 적합성*이다. 그것이 대표적인 소설이다." — (알렉산더 베인, "논리," 2부, p. 133)

에테르(ether), 이 *가설상의* 프로테우스, 근대 과학의 *"대표적인 허구들"* 중에 하나—그럼에도 불구하고 오랫동안 받아들여졌다—는 고대의 *꿈들* 중에 하나이자, 이제는 근대 과학의 꿈이 된, 우리가 원초의 질료(PRIMORDIAL SUBSTANCE) (산스크리트어로 아카샤)라고 부르는 것의 낮은 "원리들" 중에 하나이다. 그것은 고대 철학자들의 남아있는 추론들 중에 가장 대담한 것이듯이, 가장 위대한 것이다. 왜냐하면 오컬티스트에게, 에테르와 원초의 질료는 실재이기 때문이다. 명확하게 표현하면, 에테르는 아스트랄 빛이고, 원초의 질료는 아카샤(AKASA), 신성한 생각(DIVINE THOUGHT)의 '*우파디(Upadhi)*'이다.

근대 언어로, 신성한 생각(DIVINE THOUGHT)은 우주의 개념작용(COSMIC IDEATION), 영(Spirit)으로 더 잘 부를 수 있다; 전자는 우주의 질료(COSMIC SUBSTANCE), 물질(Matter)이다. 이것들이 존재의 알파이자 오메가로, 하나의 절대적 대존재

(Absolute Existence)의 *두 가지 측면*이다. 하나의 절대적 대존재에 대하여 고대시대에는 비유를 제외하고 어떤 이름으로 결코 언급하지도 다루지도 않았다. 가장 오래된 아리안 인종인 힌두인 사이에서, 지식 계급의 숭배는 (그리스인처럼) 놀라운 형태와 예술에 대한 열렬한 숭배에 결코 있지 않았으며, 이것이 나중에 인격화로 되었다. 그런데 그리스 철학자는 형태를 숭배한 반면에, 힌두 성자만이 "지상의 아름다움과 영원한 진리의 진실한 관계"를 인식하였다—모든 나라의 교육을 받지 못한 사람은 어느 시대이건 이해하지 못하였다.

그들은 심지어 지금도 그것을 이해하지 못한다. 신-개념(GOD-IDEA)의 진화가 인간 자신의 지성적 진화와 함께 빠르게 나아간다. 어느 한 시대에 높이 솟아오를 수 있는 가장 고귀한 종교 정신의 이상이 다음 시대의 철학적 마인드에게는 조잡한 풍자 만화처럼 보일 것이 너무나 맞다! 철학자들 자신이 이런 가장 형이상학 주제와 관련하여 고대인들의 올바른 사상을 이해할 수 있기 전에 *지각적 신비(perceptive mysteries) 속으로 입문해야*만 한다. 그렇지 않으면—그런 입문 밖에서—카르마의 법칙으로 주기에서 인종이나 국가의 발전에 틀림없이 그리고 명확하게 있듯이, 모든 사상가에게도 그의 지성적 역량으로 그려진 "그대는 여기까지 갈 것이며 더 이상 갈 수 없을 것이다"가 있을 것이기 때문이다. 입문 밖에서, 동시대의 종교적 사상의 이상들은 항상 그 날개가 잘려서 더 높이 날아오를 수 없게 남아 있는다; 왜냐하면 이상적인 사상가와 현실주의적 사상가 둘 다, 그리고 심지어 자유 사상가조차도, 그들 각각의 환경과 시대의 자연적인 산물에 불과하기 때문이다. 둘의 이상은 그들 기질의 필요한 결과이고, 어느 국가가 집단으로 성취한 지성적 진보의 단계의 소산이다. 그러므로 이미 말했듯이, 근대 (서구) 형이상학의 최고의 비상은 진리에 한참 미치지 못한다. "제일 원인"의 존재에 대한 불가지론적 최근 추론의 많은 것이 베일로 가려진 유물론에 불과하다—용어만 서로 다르다. 심지어 허버트 스펜서 같은 위대한 사상가도 "불가지자(Unknowable)"를, 치명적인 시로코처럼, 현재 유행하는 존재론적 추론을 시들게 하여 말라 죽여버린 물질주의적 사상의 치명적 영향을 나타내는 용어로 말한다.[15]

---

15 예를 들면, 그가 "제일 원인"—불가지자(UNKNOWABLE)—을 "현상을 통하여 *현현하는* 어떤 힘" 그리고 "무한한 영원한 *에너지*"(?)라고 부를 때, 그가 존재의 신비의 *물질* 측면만—우주 질료

영(Spirit) 혼자만 숭배되었고 신비가 드러났을 때인 네 번째 근원인종 초기 시대부터, 기독교 시대 새벽인 그리스인 예술의 마지막 번영기에 이르기까지, 고대 그리스인들만이 대담하게 공공연히 미지의 신(UNKNOWN GOD)에게 바치는 제단을 만들었다. 성 바울이 아테네인에게 그들이 무지하게 숭배하는 이 "미지자"가 그 자신이 선언한 진정한 신이라고 선언할 때, 그의 심오한 마인드 속에서 무엇을 생각하고 있었건, 그 신은 *"여호와"가 아니었고* (*"지성소"* 참조), "세계와 만물의 조물주"도 아니었다. 왜냐하면 그것은 "이스라엘의 신"이 아니라 *손으로 만들어진* 사원에 거주하지 않는 고대인과 근대 범신론자의 "미지자"이기 때문이다. (사도행전, 7:48)

신성한 생각은 우주 질료의 수많은 현현을 제외하고, 정의될 수가 없고, 혹은 그 의미가 설명될 수도 없지만, 그 우주 질료 속에서 그것은 영적으로 감지할 수 있는 분들에 의해서 *감지된다*. 그것을 모든 우주발생론과 그후 진화의 뿌리에 놓아야만 하는 추상적, 초월적, 무성의, 미지의 신성으로 정의한 후, 이렇게 말하는 것은 아무것도 말하지 않는 것이나 마찬가지이다. 그것은 마치 미지수를 추론하기 위하여 많은 미지수를 가진 채, 집합의 진정한 값을 계산하기 위해서 초월방정식을 푸는 것과 같다. 그것은 고대 원시의 상징 차트에서 발견되며, 본문에서 보여주었듯이, 거기서 그것은 무궁한 암흑으로 나타내어지며, 그 바탕 위에서 최초의 중심점이 흰색으로 나타난다—이렇게 영원히 공존하는 영-물질이 그것의 최초 분화 이전에 현상계에 출현하는 것을 상징한다. "하나가 둘로 될 때," 그러면 그것이 *영과 물질*로 언급될 수도 있다. 활기 원리 속에서 그리고 대자연이 불변의 법칙의 웅대한 순서에 복종하는 것에서 증거가 되듯이, 반사적이건 혹은 직접적이건, 모든 의식의 현현과 *무의식적 합목적성* (서구의 철학에서 사용된 근대의 표현을 차용하면)의 모든 현현을 "영"으로 돌릴 수 있다. "물질(Matter)"은 그것의 가장 순수한 추상성에서 객관성으로 간주되어야 한다—이것은 자존하는 토대로 그것의 칠중 만반타라 분화가 의식적

의 에너지만—이해하였다는 것이 분명하다. 하나의 대실재(One Reality)—우주적 개념작용(Cosmic Ideation) (*본체*에 관하여, 위대한 사상가 마인드 속에는 *존재하지 않는* 것처럼 보인다)—의 영원히 공존하는 측면이 고려에서 절대적으로 생략되었다. 의심할 여지없이, 그 문제를 다루는 일방적인 면은 대체로 의식을 종속시키는 치명적인 서구의 관습 혹은 그것을 분자 운동의 "부산물"로 간주하는 것 때문이다.

존재 각 단계의 현상 근저에 놓여 있는 객관적 실재를 구성한다. 보편적 프랄라야 기간 동안에, 우주의 개념작용은 존재하지 않는다; 그리고 다양하게 분화된 우주 질료의 상태도 절대적 잠재적 객관성의 일차 상태 속으로 다시 녹아 들어간다.

만반타라 충동은 우주 개념작용 ("보편 마인드")과 미분화된 *프랄라야* 상태에서 나온 우주 질료—이것은 우주 개념작용의 만반타라 매개체이다—의 일차적 출현과 동시적으로 그리고 병행하여 다시 깨어나는 것으로 시작된다. 그러면 절대적 지혜가 자체를 그 개념 속에 반사한다; 그것은 인간의 의식으로 이해할 수 없는 그리고 위에 있는 초월적인 과정으로, 우주 에너지 (*포하트*)로 된다. 비활성 질료의 가슴을 지나서 고동치면서, *포하트*가 그것을 활동하게 추진시키고, 우주 의식의 모든 일곱계에서 그것의 일차적 분화를 안내한다. 이렇게 (지금 알듯이) *일곱 프로타일*이 있게 된다. 반면에 고대 아리안들은 그것들을 *상대적으로* 동질적 토대로서 몇 가지 역할을 하는 일곱 푸라크리티 혹은 성질들(Natures)로 불렀으며, 그것은 점점 더 이질성이 증가하는 과정에서 (우주 진화 속에서) 지각계에서 현상으로 제시된 굉장한 복잡성으로 분화된다. "상대적으로"라는 용어가 의도적으로 사용되었다. 왜냐하면 그런 과정의 바로 그 존재가 미분화된 우주 질료를 진화의 칠중 토대로 나누는 결과를 낳아서, 우리가 각각의 계의 *프로타일을*[16] 질료가 추상성 단계에서 객관성 단계로 지나가면서 그것이 취하는 *중개* 단계로만 간주하게 만들기 때문이다.

우주 개념작용은 프랄라야 기간 동안 존재하지 않는다고 말한다. 왜냐하면 그 영향을 지각할 아무것도 그리고 아무도 없기 때문이다. 물질의 매개체를 제외하고, 의식이나 반-의식 혹은 심지어 "무의식적 합목적성"의 현현이 있을 수 없기 때문이다; 즉, 여기 우리의 계에서는 인간의 의식이 정상 상태에서는 초월적 형이상학으로 알려진 것을 넘어서 솟아오를 수 없기에, 어떤 분자적 집합 혹은 구조를 통해서만 영이 개인의 주관성 혹은 하위-의식의 주관성의 흐름 속에서

---

16 프로타일 용어는 저명한 화학자 크룩스 씨 덕분이다. 그가 원자의 궁극적인 구성이 과학에서 실제로 아직 발견되지 않았지만 의심되는 태초의 동질적 질료를 그렇게 부를 수 있다면, *물질 이전 물질*(*pre-Matter*)에 그 이름을 붙였다. 그러나 태초 물질이 원자와 분자로 초기에 분리되는 것은 일곱 프로타일의 진화에 이어서 일어난다. 크룩스 씨가 찾고 있는 것이—우리 계에 그것의 존재 가능성을 최근 감지한 후에—이것의 마지막 단계이다.

솟아오른다. 그리고 지각과 분리되어 존재하는 물질은 단순한 추상성이기 때문에, 절대자의 이 두 측면—우주 질료와 우주 개념작용—은 상호 의존적이다. 엄격하게 정확히 말하면—혼란과 오해를 피하기 위하여—"물질(Matter)"이라는 용어는 지각 가능한 사물들의 집합에 적용되어야 하고, "질료(Substance)"가 *본체(noumena)*에 적용되어야 한다. 왜냐하면 우리의 계의 현상이 지각하는 자아(Ego)의 창조물인 한—자신의 주관성의 변형태—"지각된 사물들의 집합을 나타내는 물질의 모든 상태들"은 우리의 계의 어린이를 위해서 상대적이고 순전히 현상적인 존재만 가질 수 있기 때문이다. 근대 이상주의자들이 말하듯이, 주체와 객체의 협력이 현상 혹은 감각-대상을 낳는다. 그러나 이것은 필연적으로 다른 모든 계에서 똑같다는 결론으로 이어지지 않는다; 칠중 분화의 계에서 주체와 객체의 협력이 현상의 칠중 집합으로 되지만, 구체적인 실재들이 실체들에게 경험의 일부분을 구성할지라도, 그 칠중 현상은 *자체로* 존재하지 않는다. 마치 우리 주위의 바위와 강물이 형이상학자 관점에서 실재하지 않는 감각의 환영이더라도, 물리학자 관점에서 실재인 것과 같은 방식으로. 그런 것을 상상하거나 말하는 것이 잘못일 것이다. 최고의 형이상학 관점에서, 전체 우주는 신을 포함하여 하나의 환영이다; 그러나 자신 속에서 하나의 환영인 그 사람의 환영은 의식의 모든 계에서 서로 다르다; 그리고 우리가 우리의 지각을 의식의 방식에서 개미의 의식과 동일시하거나, 개미의 의식의 표준을 만들지 못하듯이, 우리는 예로 여섯 번째 계에서 자아(Ego)의 지각 능력의 가능한 성질에 대하여 독단적인 주장을 할 권리가 없다. 우리가 3차원의 세계에서 사는 동안, 의식과 분리된 순수한 대상은 알려지지 않았다;[17] 우리는 지각하는 자아 속에서 그것이 자극시키는 멘탈 상태만 안다. 그리고 주체와 객체의 대조가 지속하는 동안—즉, 우리가 오감을 즐기고, 모든 것을 지각하는 자아(Ego) (상위 자아)가 이런 감각들의 속박에서 분리시키는 방법을 모르는 한—그렇게 오랫동안 *개성의* 자아(Ego)가 *그것을 사물 자체에 (질료에)* 대한 지식과 분리시키는 장애물을 타개하는 것이 불가능할 것이다. 그 자아(Ego)는 상승하는 주관성의 원호를 그리며

---

17 우주 개념작용이 원리 혹은 우파디 (토대)에 집중되면 개인의 자아(Ego) 의식으로서 된다. 그 현현은 우파디의 정도에 따라서 다양하다. 즉, "마나스"로 알려진 그것을 통하여 그것은 마인드-의식으로 일어난다; "붓디"라는 더 섬세하게 분화된 조직(물질의 여섯 번째 상태)을 통하여 그 토대로서 마나스 경험에 의존한다—영적 직관의 흐름으로서.

발전하면서 모든 계에서 경험을 소진해야만 한다. 그러나 그 단위(Unit)가 이 계이건 어떤 다른 계이건 전체(ALL) 속으로 합쳐질 때까지, 그리고 주체와 객체가 니르바나 상태의 절대적 부정 속에서 (*우리의 계로부터만* 부정이다) 사라질 때까지, 전지(Omniscience)—사물 자체에 대한 지식—의 정점이 가늠되지 못한다; 그리고 한층 더 끔찍한 수수께끼에 대한 해결책에 다가가지 못하며, 그 수수께끼 앞에서 심지어 최고의 디얀 초한도 침묵과 무지로 고개 숙여야 한다—베단타학자들이 파라브라흐맘(Parabrahmam)으로 부르는 그것의 말할 수 없는 신비.

그러므로, 그렇기에, 인식될 수 없는 원리(Principle)에 이름을 붙이려는 모든 사람은 그것을 단순히 비하시키는 것이다. 심지어 우주 개념작용에 대하여 말하는 것—그것의 현상적 측면을 제외하고—도 원초의 카오스를 병 속에 넣으려고 하는 것 혹은 영원(Eternity)에 인쇄된 꼬리표를 붙이려는 것과 같다.

그러면 연금술에서 언제나 말하는 그리고 모든 시대에서 철학적 추론의 주제가 된, 그 신비스러운 사물, "원초의 질료"는 무엇인가? 심지어 그것은 그것의 현상적 분화 이전에 무엇이 될 수 있을까? 심지어 *그것이* 현현된 대자연 속에 있는 전부(ALL)이다. 그리고—우리 감각에는 *아무것도 없다.* 그것이 모든 우주발생론에서 다양한 이름으로 언급되며, 모든 철학에서 말해지고, 오늘날까지 대자연 속에서 영원히 이해를 벗어나는 프로테우스(PROTEUS)로 보여지고 있다. 우리는 그것을 닿지만 느끼지 못한다; 우리는 그것을 보지 못한 채 보고 있다; 우리는 그것을 들이마시지만 지각하지 못한다; 우리는 그것이 거기 있다는 것을 전혀 인식하지 못한 채 그것을 듣고 냄새 맡는다; 왜냐하면 그것은 우리의 환영과 무지로 우리가 여러 상태 속에 있는 물질로 간주하는 혹은 우리가 느낌, 생각, 감정으로 이해하는 그것의 모든 분자 속에 있기 때문이다. . . 간단하게 말해서, 그것은 모든 가능한 현상, 그것이 물질, 멘탈 혹은 심령 현상이건, 그것의 *"우파디"* 혹은 매개체이다. 칼데아 우주발생론처럼 창세기를 시작하는 문장에서; 인도의 푸라나에서 그리고 이집트의 사자의 서에서, 그것이 모든 곳에서 현현의 주기를 연다. 그것이 "카오스"로 불리고, 이름이 무엇이건, 미지자로부터 나오는 영이 잉태시킨 물의 표면이다. (*"카오스, 테오스, 코스모스" 참조.*)

인도의 신성한 성전의 저자들은 사물의 기원을 탈레스나 욥보다 더 깊이 들어간다. 왜냐하면 그들이 이렇게 말하기 때문이다: —

"그 속에서 둔함 (*타마스, 둔감성*)의 특질이 압도하는, *투사적 힘을 수반한* 무지(IGNORANCE) (*개성적* 신으로서, *이쉬와라*)와 연관된 대지성(INTELLIGENCE) (푸라나에서 마하트로 부른다)으로부터, *에테르*(*Ether*)가 나온다—에테르에서 공기가; 공기에서 열이; 열에서 물이; 그리고 물에서 "그 위에 모든 것을 가진" 흙이 나온다. "이것(THIS)에서, 이 똑같은 자아(SELF)에서, 에테르가 만들어졌다"라고 베다가 말한다. (*타이띠리야 우파니샤드, II*. 1)

그래서 그리스인들과 라틴인들이 "*전능한 아버지 아에테르*(*Pater omnipotens AEther*)"와 그 집합으로 "*매그너스 아에테르(Magnus AEther*)" 이름으로 숭배한 *신적인* 대실체(Entity), 높은 원리가 바로 이 에테르—"무지와 연관된" 대지성의 어떤 *발산*에서 나온 네 번째 등급에서 생긴 에테르—가 아니라는 것이 이렇게 분명해진다. 칠중의 등급, 그리고 우리의 과학이 너무 친숙한 그것의 외적인 영향의 가장자리부터, 한때 "공간의 에테르"로 받아들여졌다가, 이제는 거부되고 있는, 그 "헤아릴 수 없는 질료"에 이르기까지, 고대인들이 집합적으로 에테르의 힘 사이에 만든 수많은 하위 구분과 차이는 모든 지식 영역에서 언제나 당혹스러운 수수께끼였다. 우리 시대 신화학자와 상징학자도 한편으로 이런 이해할 수 없는 찬미와 다른 한편으로 똑같은 종교 체계 속에서 그리고 똑같은 신격화된 실체에 대한 타락으로 혼란스럽게 되어 가끔 가장 터무니없는 오류를 하게 내몰린다. 교회는 초기 해석의 오류 속에서 각자 그리고 모두가 바위처럼 확고하게 에테르를 사탄 군단의 거주처로 만들었다.[18] "추락" 천사들의 전체 하이어라키가 거기에 있다;

---

18 왜냐하면 교회가 에베소서 6장 12절을 이렇게 번역한다. "우리는 혈과 육에 대항하여 싸우는 것이 아니라, 이 세계의 어둠의 통치자들에 대하여, 권능에 대항하여, 통치자들에 대항하여 싸운다." 성 바오르가 계속 해서 영적 *악의*(*malices*) (영어 본문에서 "사악함)")가 공기 속에서 퍼진다고 말한다—"*천상의 영역에 있는 영적 사악함*" (에베소서 6장 12절), 라틴 본문은 이 "악의", 순수한 "엘리멘탈"에 대하여 다양한 이름을 제시한다. 그러나 교회가 그들 모두 악마로 부르는 것이 틀리지만, 교회가 이번에는 맞다. 아스트랄 빛 혹은 하위 에테르는 의식 그리고 준-의식적 그리고 무의식적 실체들로 가득하다; 교회만이 보이지 않는 미생물 혹은 모기에 대하여

우주 건설자들 (코스모크레이토레스)—혹은 "세계 운반자들" (보쉬에에 따르면); *문디 테넨테스(Mundi Tenentes)*—테르툴리아누스가 그들을 부르듯이, "세계 유지자들"; 그리고 *문디 도미니(Mundi Domini),* "세계 지배자들," *"쿠르바티(Curbati)"* 혹은 "굽은 자(Curved)" 등등, 이렇게 돌고 있는 별과 하늘의 구체들을 악마들(Devils)로 만든다!

고대인들의 아에테르(AEther)는 *보편적인 불(universal Fire)*인 반면에, 에테르(Ether)의 일곱 상태 (그 자체가 일곱 우주 원리들 중에 하나) 사이의 차이가 조로아스터와 프셀루스 각자가 말한 명령에서 볼 수 있다. 조로아스터가 말했다: "그것이 형태나 형상이 없을 때만 조언을 청하라." 즉 그것이 불꽃 혹은 타는 연료가 없다는 것을 의미한다. "그것이 형태를 가질 때—그것을 주의하지 마라"고 프셀루스가 가르친다; 그러나 "그것이 무형일 때, 그것에 복종하라. 왜냐하면 그때 그것은 *성스러운 불*이며 그것이 그대에게 드러낼 모든 것이 진실이기 때문이다."[19] 이것은 에테르가 자체로 아카샤의 한 측면으로 여러 측면 혹은 "원리를" 가지고 있다는 것을 증명한다.

고대 모든 국가들은 아에테르(AEther)를 그것의 헤아릴 수 없는 측면과 잠재성으로 신격화시켰다. 베르길리우스는 주피터를 *"전능한 아버지 아에테르,"* "위대한 아에테르"라고 부른다.[20] 힌두인들도 그것을 그들의 신들 사이에 놓았다; 아카샤(아에테르의 통합)의 이름으로. 그리고 *호모이오메리안* 철학 체계의 저자, 클라조메나의 아낙사고라스는 원소뿐만 아니라 만물의 영적인 원형은 그것들의 원소뿐만 아니라 그것들이 발생되고, 진화하여 나오며, 다시 돌아가는 무궁한 에테르 속에서 발견되었다고 확고하게 믿었다—오컬트 가르침이다.

이렇게 창조적 인격 신의 최초 개념이 생겨나온 것은 인격화된 최고의 통합적인 측면에서 에테르라는 것이 분명해진다. 철학적인 힌두인들에게 그 원소들은 *타마스*, 즉 "그것들이 흐리게 만드는, *지성으로* 밝혀지지 않은 것이다."

갖는 힘 보다 그들에 대하여 약한 힘을 가지고 있다.

19 *금언(Effatum)* XVI. "조로아스터의 신탁."

20 *전원시(Georgica)*. 2권.

이제는 우리는 "원초의 카오스(Primordial Chaos)"와 뿌리-원리(Root-Principle)의 신비한 의미의 질문을 철저히 규명해야 하고, 그것이 고대 철학에서 아에테르로 잘못 번역된 아카샤와의 관계 그리고 또한 *마야* (환영)와 어떻게 연결되었는지 보여주어야 한다—*이쉬와라*가 그것의 남성 측면이다. 그리고 우리는 보이는 물질 원소들 속에 있는, "*원초의* 카오스에서 솟아난," *지성적*인 "원리," 오히려 볼 수 없는 *비물질적* 속성에 대하여 말할 것이다.

"원초의 카오스가 아에테르가 아니면 무엇인가?"라고 아이시스 언베일스에서 묻는다. 근대의 에테르가 아니다; 지금 인정되는 그런 것이 아니라, 모세 시대 오래 전에 고대 철학자들에게 알려졌던 그것으로; 그러나 아에테르는 자체 속에 보편적 창조의 씨앗들을 간직하면서 모든 신비스러운 오컬트 속성을 가진다. *상위* 아에테르 혹은 아카샤는 존재하는 모든 형태와 존재의 어머니이자 천상의 처녀이며, 신성한 영(Divine Spirit)에 의해서 "부화"되자마자, 그것의 가슴으로부터, 물질(Matter)과 생명(Life), 힘(Force)과 활동(Action)을 존재하게 한다. 아에테르는 힌두인의 "아디티"이고 그것은 아캬샤이다. 심지어 신선한 사실들이 우리의 지식 범위를 지속적으로 확장시키고 있지만, 전기, 자성, 열, 빛, 그리고 화학 작용이 거의 이해되지 못하고 있다. 이 변화 무쌍한 거인—아에테르—의 힘이 어디서 끝나는지 누가 아는가; 혹은 그것의 신비스러운 기원은 어딘지 아는가? 그 속에서 작업하는 그리고 그것에서 보이는 모든 형태를 진화시키는 영을 누가 거부하는가?

전세계에 있는 우주발생론 전설이 그런 과학에 대한 고대인들의 어떤 지식에 토대를 두고 있으며, 고대인들의 과학이 우리 시대에 진화의 가르침을 지지하는 것에 협력한다는 것을 보여주는 것은 쉬운 일이 될 것이다; 그리고 더 깊은 조사를 해보면, 그 고대인들이 물질적 영적인 측면을 포함하는 진화 자체의 사실을 지금 우리보다 훨씬 더 잘 알았다는 것을 보여주는 것이 쉬울 것이다. "고대 철학자들에게, 진화는 보편적인 공리이며, *전체*를 포괄하는 가르침이고, 정립된 원리였다; 반면에 우리의 근대 진화론자들은 추론적 이론만을 제시할 수 있다; 그들은 전적으로 *부정적인* 이론들이 아니더라도, *특정한* 이론들만 제시할 수 있다. 근대 지혜의 대표자들이 훨씬 후대에 모세의 설명의 애매한 구절이 '정밀 과학'의 분명한 해설과 충돌하기 때문에 그 논쟁을 끝내고 그 질문이 해결된 것처럼 가장하는 것은 게으른 것이다." ("아이시스 언베일드")

"마누의 법"으로 관심을 돌리면, 이런 모든 생각들의 원형을 보게 된다. 그것의 원래 형태로 (서구 세계에서는) 대부분 잃어버렸고, 후대에 추가와 삽입으로 훼손되었지만, 그럼에도 불구하고 그것들은 그것의 성격을 보여줄 만큼 고대인의 정신을 상당히 충분하게 보존하여 왔다. "암흑을 제거하면서, 자존하는 신" (비쉬누, 나라야나, 등)이 현현하면서, 그리고 "그의 본질에서 존재들을 만들기를 원하면서, 태초에 물만 창조하였다. 그 속에 그가 씨앗을 뿌렸다. . . 그것이 황금 알로 되었다." (V. 6, 7, 8, 9.) 이 자존하는 신(Self-existent God)은 어디에서 온 것인가? 그것은 이것(THIS)으로 불리고, "마치 완전히 잠 속에 있듯이 발견할 수 없는, 뚜렷한 특질 없이, 감지할 수 없는, 어둠(Darkness)"으로 말해진다." (V. 5.) 그 알 속에서 신성한 한 해 전체 동안 거주한 후에, "세계에서 브라흐마로 불리는" 그가 그 알을 둘로 나누고, 그리고 윗부분에서 하늘을 형성하고, 아래 부분에서 땅을 형성하며, 중간 부분에서 하늘과 "물의 영원한 장소"를 형성한다. (12, 13.)

그러나 이 구절들을 직접 따라가보면, 그것이 우리의 비의 가르침을 확증하기에, 더 중요한 어떤 것이 있다. 14절부터 36절까지, 에소테릭 철학에서 묘사된 순서대로 진화가 제시된다. 이것이 쉽게 부정될 수 없다. 심지어 메드하티티, 비라스와민의 아들 그리고 "마누바시야," 그 주석의 저자가, 그의 연대가 서구의 동양학자들에 따르면 서기 1,000년으로 올라가는데, 그 진리를 명확하게 설명하는 그의 말이 우리를 도와준다. 그는 더 많은 것을 제공하기를 꺼렸다. 왜냐하면 그는 진리가 세속인으로부터 지켜져야 한다는 것을 알았고, 그렇지 않으면 그가 진실로 당황하였을 것이기 때문이다. 여전히 그가 준 것이 인간과 자연 속에 있는 칠중 원리를 충분히 명확하게 한다.

자존하는 신, 미지의 "암흑"의 *미현현한* 로고스가 황금 알 속에 현현된 이후, 마누의 "법" 1장으로 시작하자. 그것은 이 "알"로부터, —

(11.) 비분리된 (미분화된) 원인이고, 영원하며, *존재하고 존재하지 않는* 그것, 그것(It)으로부터 세계에서 브라흐마로 부르는 그 남성이 나왔다 . . .

여기서 우리는 모든 진정한 철학 체계에서처럼, "알(Egg)," 혹은 원 (혹은 제로), 그것(It)으로[21] 언급된 무궁한 무한성 그리고 결실을 맺게 하는 원리, *남성* 신으로 언급된 최초의 *단위(unit)*, 브라흐마를 보게 된다. 그것은 ⦶ 혹은 10 (십) 데카드이다. 칠중계 혹은 *우리의 세계에서만,* 그것은 브라흐마로 불린다. 대실재의 영역인 *통일된 데카드*(*Unified Decade*) 영역에서, 이 남성 브라흐마는 하나의 환영이다.

(14.) "*대아(atmanah)*에서 그가 마인드를 창조하였고, (1) *그것은 존재하며 존재하지 않는다(which is and is not)*; (2) 그리고 마인드에서, 자아-성(Ego-ism) (자아-의식(Self-Consciousness)) 통치자가; (3) 주(Lord)."

(1.) 마인드는 *마나스*(*Manas*)이다. 주석가 메드하티티는 여기서 그것이 뒤집어진 것이고 이미 삽입과 재배열을 보여준다고 합당하게 관찰한다; 왜냐하면 소우주 속에 있는 *마나스*가 마하트 혹은 *마하-붓디* (인간 속에 있는 붓디)에서 솟아나듯이, *마나스*가 *아함카라* 혹은 (보편적) 자아-의식에서 솟아나기 때문이다. 왜냐하면 마나스는 이중이고, 콜부룩이 번역으로 보여주었듯이, "*감각과 행동을 위해서 쓸모 있는 것이며*, 나머지와 같은 조상을 갖기에, 친화력에 의한 기관이기 때문이다." 여기서 "나머지"는 마나스, *다섯 번째* 원리가 (다섯 번째는 체가 첫 번째로 불렸으며, 진정한 철학적 순서의 반대이기 때문이다)[22] 아트마-붓디 그리고 하위 네 가지 원리와 서로 친하다(in affinity)는 것을 의미한다. 그래서 우리의 가르침이다: 즉, 마나스는 아트마-붓디를 따라서 데바찬으로 가고, 하위 (마나스의 찌꺼기) 마나스는 카마 루파와 함께 *림버스* 혹은 카마-로카, "껍질"들의 거주처에 남아 있게 된다는 것이다.

---

21 피타고라스 삼각형의 이상적인 정점: 2권 "십자가와 원" 그리고 "십자가의 가장 초기 상징" 참조.
22 A. 코크 버넬의 번역 참조. 홉킨스 박사 편집.

(2.) 그것이 마나스의 의미이며, “*존재하고, 그리고 존재하지 않는다.*”

(3.) 메드하티티는 그것을 “나(I)를 의식하는 하나” 혹은 자아(Ego)로 번역하며, 동양학자들이 말하는 “통치자”로 번역하지 않는다. 이렇게 그들은 16절을 번역한다: “그는 또한, 측정되지 않은 밝기의 그 여섯의 (위대한 대아(Great Self)와 다섯 감각 기관) 섬세한 부분을 만들고, 대아 (*아트마마트라수*)의 원소들 속으로 들어가서 만물을 창조하였다.”

메드하티티에 의하면, 그것은 “아트마마트라수(Atmamatrasu)” 대신에 *마트라-치트*(*matra-Chit*)로 읽어야 하며, 그래서 이렇게 말하게 된: —

“그가 측정되지 않은 밝기의, 그 여섯의 섬세한 부분들에 자아의 원소들로 스며든 후에, 만물을 창조하였다.”

이 후자가 올바른 것임에 틀림없다. 왜냐하면 그(he), *대아*(*Self*)가 우리가 아트마로 부르는 것이고, 이렇게 “여섯”의 통합, 일곱 번째 원리를 구성하기 때문이다. 그것이 *마나바-다르마 샤스트라* 편집자의 의견이다. 그가 버넬 박사인 “마누 법전”의 번역자보다 그 철학의 정신 속으로 훨씬 더 깊이 직관적으로 들어간 것처럼 보인다. 왜냐하면 그는 쿨루카 본문과 메드하티티의 주석 사이에서 거의 주저하지 않기 때문이다. 섬세한 원소 혹은 *탄마트라*와 쿨루카의 *‘아트마마트라수’*를 거부하면서, 그는 그 원리들을 우주의 *대아*(Cosmic *Self*)에 적용하면서 말한다: “그 여섯은 마나스와 에테르, 지, 수, 화, 풍의 다섯 원리처럼 보인다;” 이 여섯의 다섯 부분을 영적인 원소 (*일곱 번째 원리*)와 결합한 후에 그가 (이렇게) 존재하는 만물을 창조하였다;” 그러므로 *‘아트마마트라수’*는 기본의, 반사하지 않는 “자신의 원소들”에 반대되는 영적인 원자이다. 이렇게 그가 구절의 번역을 고친다—“17. 이 하나(This One)의 체의 형태들의 섬세한 원소들이 이 여섯에 의존하듯이, 현자는 그의 형태를 *샤리라*(*sharira*)로 부른다”—그리고 그는 “원소들(Elements)”은 여기서 부분 (혹은 원리)을 의미하며, 이렇게 읽는 것이 19절에서 지지된다: —

"19. 이 영원하지 않은 (대우주)가 바로 저 *일곱의* 매우 영광스러운 원리들의 형태들의 섬세한 원소들에 의해서 영원(Eternal)에서 생겨난다." (*푸루샤*)

그것에 대하여 주석을 달면서, 메드하티티에 의하면, 편집자가 "다섯 원소 더하기 마인드 (*마나스*) 그리고 자의식 (아함카라)을[23] 의미하는 것이다"라고 말한다; "섬세한 원소들은 형태의 다섯 부분" (혹은 원리)을 의미한다. 왜냐하면 20절에서 이것들, 다섯 원소들 혹은 "형태의 다섯 부분" (루파 *더하기 마나스* 그리고 자의식)에 대하여 그것들이 푸라나에서 "일곱 프라크리티"로 부른, *"일곱 푸루샤"* 혹은 *원리들을* 구성한다고 말할 때 이것을 보여주기 때문이다.

게다가, 이 "다섯 원소" 혹은 "다섯 부분"이 27절에서 "파괴 가능한 원자 부분으로 불려지는 그것들"로 말해진다—그러므로 *"니아야(nyaya)*의 원자들과 구분된다."

이 창조적 브라흐마는, 황금알 혹은 세계 알에서 나오면서, 자신 속에 남성 원리와 여성 원리를 결합한다. 그는 간단히 말해서 모든 창조의 최초 로고스들(Protologoi)과 똑같다. 하지만 브라흐마에 대하여, 디오니소스에 대하여 말한 것처럼 이렇게 말할 수 없다: "[*오, 최초로 태어나고, 세 번 낳은 바쿠스의 왕, 야생의, 형언할 수 없는, 숨기는, 두 뿔의 그리고 두 형태로 사는*]"—달의 여호와—방주에 있는 그의 *상징* 앞에서 알몸으로 춤추는 다비드와 함께, 진실로 바쿠스이다—왜냐하면 어떤 방탕한 디오니시스 축제가 그의 이름과 명예에서 세워지지 않았기 때문이다. ("바쿠스에게," *오르페우스의 신비한 찬가*, 30절) 그런 모든 대중적 숭배는 외적인 것이었으며, 위대한 보편적 상징이 보편적으로 왜곡되었다. 마치 크리슈나에 대한 상징들이 이제는 아기 신의 추종자들인 봄베이의 발라바차리야들이 한 것처럼. 그러나 이런 대중적인 신이 *진정한 신*인가? 그들이 인간을 포함한 칠중 창조의 정점이자 통합인가? 결코 아니다! 각각 그리고 모두가 이교도와 기독교를 포함한 신성한

---

23 아함카라 혹은 보편적 자-의식은 *마나스*처럼 세 가지 측면을 가지고 있다. 왜냐하면 "나(I)"에 대한 이 개념 혹은 자신의 *자아(Ego)*는 *사트바*, "순수한 고요"이거나 혹은 *라자스*, "활동적"으로 나타나거나, 혹은 *타마스*, 어둠 속에 "정체된" 것으로 남아 있기 때문이다. 그것은 하늘과 땅에 속하고, 둘의 특성을 취한다.

대의식의 칠중 사다리의 계단들 중에 하나이다. 왜냐하면 아인-소프도 *"여호와의 이름 일곱 글자"*를 통하여 현현한다고 말하고, 여호와는 미지의 무한자(Unknown Limitless)의 위치를 빼앗아서, 그 숭배자들에 의해서 *실재의 일곱 천사들*—그의 *일곱 원리들*—을 받았기 때문이다. 그러나 그들은 거의 모든 학파에서 언급된다. 순수한 상기야 철학에서 *마하트*, *아함카라* 그리고 다섯 *탄마트라*가 *일곱 프라크리티* (혹은 성질)로 불렸고, 그들은 *마하-붓디* 혹은 *마하트*에서 땅 (지구)까지 아래로 세어진 것이다. (*상기야 카리카* III과 주석 참조.)

그럼에도 불구하고, 에즈라가 지은 원본의 엘로힘 버전이 랍비들의 목적으로 아무리 손상되었더라도, 외적인 베일 혹은 망토보다 훨씬 더 혐오감을 주는 유대인의 두루마리에 있는 비의적 의미가 가끔 아무리 혐오감을 주더라도[24] —일단 그 *여호와적인* 부분이 제거되면, 모세경은 특히 1-6장에서 순전히 오컬트적 귀중한 지식으로 가득한 것이 보인다.

카발라의 도움을 받아서 읽으면, 상대가 없는 오컬트 진리의 사원, 어떤 구조 아래에 깊이 숨겨진 아름다움의 우물을 발견하며, 그 구조의 볼 수 있는 건축물은, 겉보기에는 대칭임도 불구하고, 차가운 이성의 비판을 견딜 수 없거나, 그것의 나이를 드러낼 수가 없다; 왜냐하면 그것은 모든 시대에 속하기 때문이다. 푸라나와 성서의 외적인 *우화들* 아래에 숨겨진 지혜가 세계의 문학 속에 있는 모든 대중적 사실과 과학 속에 있는 것보다 더 많이 있고, 모든 학술원에 있는 정밀 지식보다 더 진실한 오컬트 과학이 있다. 혹은 더 평범하고 더 강력한 언어로 말하면, 거대한 독단적인 종교와 특히 종파들의 사문화된 살인적 해석으로만 읽을 때, 그 속에서 넌센스와 의도된 유치한 공상이 있듯이, 대중적인 푸라나와 모세오경의 어떤 부분 속에는 더 많은 비의적 지혜가 있다.

누군가 창세기 1장 첫 구절을 읽고 그것을 숙고해보게 하라. 거기서 "신(God)"이 또 *다른* "신(god)"에게 명령하고, *그의 심부름을 한다*—심지어 제임스 첫 번째 판의 신중한 영어 번역에서도 보인다.

---

24 2권 "지성소" 참조.

"태초(beginning)"에, 유대 언어에는 영원(Eternity)의 [25] 개념을 표현하는 단어가 없기에, "신(God)"이 *하늘(heaven)*과 *땅(Earth)*을 형성한다; 그리고 땅은 "형태가 없고 허공"이며, 한편 하늘은 사실 하늘(Heaven)이 아니라, "심연(Deep)," 그 표면에 어둠이 있는 *카오스(Chaos)*이다.[26]

"그리고 신의 *영(Spirit* of God)이 물 표면 위에서" (v. 2) 혹은 무한한 공간의 거대한 심연 위에서 움직였다. 그리고 이 영은 *나라-야나(Nara-yana)* 혹은 비쉬누이다.

"그리고 신이 말했다, 하늘이 있으라 . . ." (v.6) 그리고 "신," 두 번째가 복종하였고 "하늘을 *만들었다.*" (v.7) "그리고 신이 빛이 있으라고 말했다" 그리고 "빛이 있었다." 이제 후자(빛)는 빛을 의미하는 것이 아니라, 카발라에서 자웅동체의 "아담 카드몬" 혹은 세피라 (*영적인 빛*)이다, 왜냐하면 그들은 하나이기 때문이다; 혹은 칼데아인의 "수의 서"에 따르면, 2차의 천사들이고, 첫째는 저 "형성하는" *신(god)*의 총합인 엘로힘이다. 왜냐하면 이 명령의 말을 누구에게 하는 것이겠는가? 그리고 명령하는 것은 누구인가? 명령하는 그것은 *영원한 대법*이고, 복종하는 그는 *엘로힘*, 즉 x로 알려진 지수 혹은 하나(ONE)의 거대한 힘의 *여러 힘들*, 미지수의 계수이다. 이 모든 것이 오컬티즘이고, 태고의 스탠저에서 발견된다. 우리가 이 "여러 힘들"을 디얀 초한으로 부르건, 성 요한처럼 *오파님*으로 부르건, 완전히 비물질적이다.

---

25 "영원(eternity)"은 기독교 신학자들이 "언제까지나(for ever and ever)"라는 용어를 번역한 단어로, 유대 언어에는 존재하지 않는다—단어 혹은 의미로서. 르 클레르가 말하길, *울람(Oulam)*은 시작이나 끝이 알려지지 않을 때 어떤 시간을 의미한다. 그것은 "무한한 기간"을 의미하지 않고, 구약성서에 있는 *영원히(for ever)*라는 단어는 "오랜 시간(long time)"만을 나타낸다. 푸라나에서도 기독교인이 사용하는 의미로 "영원"이라는 단어가 사용되지 않는다. 비쉬누 푸라나에서, 영원과 불멸은 "칼파가 끝날 때까지의 존재"만 의미한다고 명확하게 말한다. (2권, 8장.)

26 오르페우스 신통기는 그 정신에서 순전히 동양적이고 인도식이다. 그것이 겪은 연속적인 변형 때문에 심지어 그것을 헤시오도스의 신통기와 비교해 볼 수 있듯이, 이제는 고대 우주발생론의 정신에서 넓게 분리되었다. 그러나 진실로 아리안 힌두 정신이 헤시오도스의 신통기와 오르페우스 신통기 모든 곳에서 터져 나온다. (제임스 다르메스테테르의 굉장한 작품인 "동양의 에세이"에 있는 *아리안 우주발생론* 참조.) 이렇게 카오스에 대한 원래 그리스 개념은 비밀의 지혜 종교의 개념이다. 그러므로 헤시오도스에서, 카오스는 무한한, 무궁의, 끝없는 그리고 기간에서 시작이 없는, 가시적인 실재이면서 동시에 추상성이다. *우주 발생 이전* 상태에 있는 원초 물질인 암흑으로 가득 찬 공간이다. 왜냐하면 그것의 어원상 의미로, 아리스토텔레스에 의하면 카오스는 공간이고, 공간은 우리 철학에서 언제나 미지의 불가해한 신성(Unseen and Unknowable Deity)이기 때문이다.

"하나의 보편적인 빛(Universal Light)은, 인간에게는 *암흑*으로, 언제나 존재한다"고 칼데아인의 "수의 서"에서 말한다. 거기서 주기적으로 에너지(ENERGY)가 나오며, 그것은 "심연" 혹은 미래 세계 저장소인 카오스 속에 반사되고, 일단 깨어나면, 잠재하는 힘을 불러일으켜서 결실을 맺게 만들며, 이 잠재하는 힘들은 그 속에 언제나 실재하는 영원한 잠재성이다. 그러면 브라흐마과 붓다들—영원히 공존하는 거대한 힘—이 새로이 깨어나서 새로운 우주가 존재하게 된다 . . .

카발라의 창조의 서, *세페르 제지레*에서, 저자가 마누의 말을 분명하게 반복하였다. 거기서, 신성한 질료가 영원부터 무궁하게 절대적으로 홀로 존재해 온 것으로 나타내어진다; 그리고 자체에서 영을 발산한 것으로 나타내어진다.[27] "하나는 살아 있는 신의 영으로, 그것의(ITS) 이름이 축복되고, 영원히 산다! 소리(Voice), 영(Spirit) 그리고 말씀(Word), 이것이 성령이다;"[28] 그리고 이것이 카발라의 추상적 삼위일체로, 기독교 교부들이 버릇없게 인격화시킨 것이다. 이 삼중 하나(ONE)에서 전체 대우주가 발산하였다. 먼저 하나(ONE)에서 숫자 2(Two) 혹은 공기 (아버지), 창조적 원소가 나왔다; 그리고 숫자 3(Three), *물* (어머니)이 공기에서 나왔다; *에테르* 혹은 *불*이 신비한 넷, 아르바-일(Arba-il)을 완성한다.[29] "숨겨진 자의 숨겨진 자(Concealed of the Concealed)가 자신을 드러내길 원할 때, 그는 먼저 한 점 (원초의 점 혹은 첫째 세피로스, 공기 혹은 성령)을 만들었고, 성스러운 형태 (열 세피로스 혹은 천상의 인간)를 형성하였으며, 그리고 그것을 풍부하고 화려한 의상, 즉 *세계로* 덮었다."[30]

제지레에서 후대에 신격화된 원소들의[31] 우주적 인물을 보여주면서, "그는 바람을

---

27 *현현된* 영; 절대적, 신성한 영은 절대적 신성한 질료와 하나이다: 파라브라흐맘과 물라프라크리티는 본질에서 하나이다. 그러므로 우주 개념작용과 우주 질료는 원초 성질에서 또한 하나이다.
28 "세페르 제지레," 1장, 미쉬나(Mishna) ix.
29 같은 책. 아브람(Abram)이 *아르바(Arba)*에서 왔다.
30 "조하르," I., 2a.
31 "세페르 제지레," 미쉬나 ix., 19. 사도행전 모든 곳에서 두루, 바오르가 보이지 않는 우주적 존재를 "원소들(Elements)"로 부른다. (*그리스 사본 참조.*) 그러나 이제는 원소가 비하되어 지금까지 아무것도 아는 것이 없는 원자로 제한되었으며, "아이시스"에서 말했듯이, 에테르처럼 "필요의 아이들"일 뿐이다. "가련한 태초 원소가 오랫동안 유배되었고, 우리의 야심적인 물리학자들이 60 몇 개의 기초 질료라는 햇병아리에 누가 한 가지 더 추가할 것인지 결정하는

그의 메신저로, 타오르는 불을 그의 하인으로 만든다"고 말하고, 영이 대우주 속에 있는 모든 원자에 스며들어가 있다고 말한다.

이 "원초의 질료"를 어떤 사람들은 *카오스(Chaos)*로 부른다: 플라톤과 피타고라스학파는 그것이 원초의 물(Primeval Waters) 혹은 *카오스* 위를 배회하는 *그것*의 영에 의해서 잉태된 후에 그것을 *세계의 혼(Soul of the World)*으로 불렀다. 카발리스트는 배회하는 그 원리가 보이는 현현된 우주의 주마등을 *창조한* 것은 그 속에서 반사됨으로써 라고 말한다. 이전에는 *카오스*—"반영" 후에는 *에테르*; 그것은 여전히 모든 공간과 만물에 스며드는 신성이다. 그것은 볼 수 없고, 헤아릴 수 없는 사물의 영이며 건강한 자성적인 사람의 손가락에서 발산하여 나오는 볼 수 없지만 만져서 느낄 수 있는 유액이다. 왜냐하면 그것은 활력의 전기(Vital Electricity)—생명(Life) 자체이기 때문이다. 후작 드 미르빌이 "막연한 전능자"로 조롱하며 불렀지만, 그것은 오컬티스트와 신유가가 오늘날까지 "살아 있는 불(living Fire)"로 부르는 것이다; 그리고 새벽에 어떤 종류의 명상을 수행하는 힌두인은 모두 그것의 영향을 안다.[32] 그것은 "빛의 영(Spirit of Light)"이자 *마그네스(Magnes)*이다. 반대하는

경주를 한다." 한편 근대 화학에서 용어에 대한 전쟁이 일어난다. 우리에게 이 질료를 "화학 원소"로 부르는 권리를 주지 않는다. 왜냐하면 그것은 플라톤에 따르면, "우주가 형성된 자존하는 본질의 태초 원리"가 아니기 때문이다. *원소(element)*라는 단어와 연관된 그런 개념은 "고대 그리스 철학"에서는 충분하였지만, 근대 과학은 그것을 거부한다; 왜냐하면 쿠룩스 교수가 말하듯이, "그들은 불운한 용어이다" 그리고 실험 과학은 "그것이 볼 수 있고, 냄새 맡을 수 있으며, 맛볼 수 있는 것을 제외하고 어떤 종류이건 본질과는 아무 관계가 없을 것이다." 다른 것은 형이상학자들에게 맡겨 놓는다. . . ." 우리는 아주 많이 감사하게 느낀다.

32 이 주제에 대하여 "아이시스 언베일드"에서 쓸 때 그것에 대하여 이렇게 말했다: "고대인의 카오스, 조로아스터교인의 성스러운 불 혹은 파시교의 *아타쉬-베흐람(Atash-Behram)*; 헤르메스 불, 고대 독일인의 엘메즈-불(Elmes-fire); 키벨레의 번개(lightning of Cybele); 아폴로의 타오르는 횃불; 팬(Pan) 제단에 있는 불꽃; 아크로폴리스 사원과 베스타 사원에 있는 끌 수 없는 불; 풀루토의 조타의 불기둥(fire-flame); 디오스쿠리(Dioscuri) 모자, 고르곤(Gorgon) 머리, 팔라스(Pallas) 조타 그리고 머큐리 지팡이에 있는 찬란한 불꽃; 이집트의 푸타-라(Phtha-Ra); 파우사니아스의 제우스 *카타이바테스(Cataibates)* (하강하는 자); 오순절 불길(fire-tongues); 모세의 타오르는 덤불; 출애굽기의 불기둥과 아브람의 "타오르는 램프," "나락"의 영원한 불; 델파이 신탁의 수증기; 장비십자회의 항성의 빛(Sidereal light); 힌두 초인들의 아카샤; 엘리파스 레비의 아스트랄 빛; 자성학자의 신경-오라와 유액; 라이헨바흐의 *오드(od)*; 서리 교수의 염력(ectenic force)과 *사이코드(Psychod)*; 서전 콕스(Sergeant Cox)의 심령력과 어느 자연주의자들의 대기의 자성; 그리고 마지막으로 전기—이 모든 것이 많은 서로 다른 현현의 혹은 똑같은 신비한 만물에 스며들어가 있는

사람이 진실로 표현하였듯이, *마거스*(*Magus*)와 *마그네스*(*Magnes*)는 똑같은 줄기에서 자라나는 그리고 똑같은 결과를 나타내는 두 개의 가지이다. 그리고 "살아 있는 불"이라는 이 명칭에서, 우리는 *젠드-아베스트*에서 "미래에 대한 지식을 주는 어떤 불"이 있다고 말하는 당혹스러운 문장의 의미를 발견할 수도 있다. 과학과 상냥한 말은 사이빌(sybil), 민감한 사람 속에서 그리고 심지어 어떤 연설가 속에서 탁월한 웅변을 계발시킨다.

이 "불"은 모든 힌두 문헌뿐만 아니라 카발라 문헌에서도 말한다. 조하르는 그것을 *"흰 머리*(*Resha trivrah*) 속에 있는, 숨겨진 하얀 불"로 설명하고, 그것의 의지(Will)가 불 같은 유액을 우주의 모든 방향으로 370 전류로 흐르게 한다. 그것은 *시프라 디제니우타*의 "370 걸음으로 달리는 뱀"과 동일하며, "완전한 인간(Perfect Man)," 메타트론(Metatron)이 *올려질* 때, 즉, *신성한* 인간이 *동물* 인간 속에 내재할 때, 그것이, 즉 뱀이 세 가지 영, 즉 우리 신지학 용어로 아트마-붓디-마나스로 된다. (2권, 2부 3장 "많은 의미의 하늘에서의 전쟁" 참조)

그러면 영 혹은 우주 개념작용과 우주 질료—그 *원리들* 중에 하나가 에테르이다—가 *하나*이고, 성 바오르가 붙인 의미에서, 원소들을 포함한다. 이 원소들은 디얀 초한, 데바, 세피로스, 암샤스펜드, 대천사 등등을 나타내는 베일에 싸인 통합이다. 과학의 에테르—베로수스의 *이루스(Ilus)* 혹은 화학의 *프로타일*—는 말하자면 (상대적으로) *조잡한* 물질을 구성하며, 위에서 부른 "건설자들"이 영원히 신성한 생각 속에 있는 그들을 위해서 그려진 계획을 따르면서, 그것에서 우주 속에서 태양계를 형성한다. 그들은 "신화"라고 우리는 듣는다. "에테르와 원자처럼 더 이상 그렇지 않다"고 우리는 대답한다. 후자의 둘은 물질 과학에서 절대적으로 필요한 것이다; "건설자들"은 형이상학에서 절대적으로 필요한 것이다. *"당신은 그것을 결코 보지 못했다"*고 지껄이는 것을 듣는다. "당신도 에테르나 *원자* 혹은 *힘*을 본 적이 있는가?"라고 우리도 묻는다. 게다가, 근대 시대에 가장 위대한 서구의 진화론자 중에 한 사람, 다윈의 조수인 A.R. 왈라스 씨가 인간의 육체 형태를 설명하기

원인, 그리스의 *아르케우스*의 영향의 다양한 이름에 불과하다." 이제 추가한다—이것과 그리고 훨씬 더 있다.

위하여 자연 선택만의 부적합성을 논의할 때, "물질 우주를 지배하는 위대한 법칙의 필요한 부분으로서" "상위의 지성들"의 안내하는 활동을 인정한다. ("*자연 선택 이론에 대한 공헌*")

이 "상위의 지성들"이 오컬티스트가 말하는 "디얀 초한들"이다.

진실로 그 이름의 가치가 있는 종교체계 어느 것에서나 신화가 거의 없지만, *역사적* 토대뿐만 아니라 *과학적* 토대를 가지고 있다. 포코케가 제대로 관찰하듯이, "신화는 이제 *우리가 그것을 잘못 이해하는 것에 비례해서* 우화라고 증명된다; 그리고 *그것이 일단 이해된 것에* 비례해서 *진리*라고 증명된다."

한 가지 우세한, 가장 뚜렷한 개념—(오컬티스트가 사용하기에 이상한 단어인) 모든 *무기물* 및 유기물과 함께 우리 구체의 최초 "창조"와 우주의 진화에 대하여 모든 고대 가르침에서 발견되는—은 전체 우주가 신성한 생각(DIVINE THOUGHT)에서 나왔다는 것이다. 이 생각이 하나의 대실재(ONE REALITY)와 영원히 공존하는 물질을 잉태시킨다; 그리고 살며 숨쉬는 만물이 하나의 *불변자(Immutable)*—파라브라흠 = 물라프라크리티, 영원한 한-뿌리—의 발산에서 나온다. 말하자면, 파라브라흐맘은 인간 지성으로 접근 불가능한 영역 안으로 향한 중심점 측면이고, 절대적 추상성이다; 반면에 그 측면에서 *물라프라크리티*—만물의 영원한 뿌리—로서 그것은 최소한 존재의 대신비에 대한 어렴풋한 이해를 준다.

"그러므로 영과 물질의 볼 수 있는 이 우주는 이상적 추상성의 구체적인 이미지에 불과하다고 *내면의* 사원에서 가르친다; 우주는 최초 신성한 이데아의 모델 위에 세워졌다. 이렇게 우리의 우주는 영원부터 잠재성 상태 속에 존재하였다. 순전히 영적인 이 우주에 생명을 불어넣는 혼이 중심의 태양, 가장 높은 신성 자체이다. 그 개념의 구체적인 형태를 건설한 것이 하나(One)가 아니라, 최초 태어난 자였다; 그리고 그것이 12면체의[33] 기하학 형태 위에 건설되었기 때문에, 최초 태어난 자는 "그 창조에서 12,000년을 기쁘게 사용하였다." 이 숫자가 티레니아 우주발생론에서

33 플라톤: "티마이오스."

표현되며,[34] 거기서 인간이 여섯 번째 밀레니엄에 창조되었다는 것을 보여준다. 이것은 이집트인의 6,000년[35] 이론과 일치하고, 그리고 유대인 계산과 일치한다. 그러나 그 계산은 그것의 외적인 형태이다. *비밀* 계산에 따르면 12,000년과 6,000년은 브라흐마의 해라고 설명한다—브라흐마의 *하루는* 4,320,000,000년에 해당된다. 산초니아탄은[36] 그의 우주발생론에서 선언하길, 바람 (영)이 그 자신의 원리 (카오스)로 매혹되었을 때, 친밀한 합일이 일어났고, 그 연결관계를 *포토스(pothos)*라고 불렀으며, 이것에서 만물의 씨앗이 생겼다. 그리고 카오스는 그 자신의 산물을 몰랐다. 왜냐하면 그것은 *감각이 없기(senseless)* 때문이다; 그러나 바람과의 이런 포옹에서 모트(Mot) 혹은 이루스 (진흙)가 발생되었다.[37] 이것에서 창조의 홀씨와 우주의 발생이 나왔다.

"제우스-젠(Zeus-Zen) (에테르) 그리고 크토니아(Chthonia) (혼돈의 지구) 그리고 메티스(Metis) (물), 그의 부인들; 오시리스와 아이시스-라토나—앞의 신은 에테르를 나타낸다—지고의 신의 최초 발산, 아문(Amun), 빛의 원초 근원; 여신 지구와 다시 물; 미트라(Mithras),[38] 바위에서 태어난 신, 남성의 지상의 불 혹은 인격화된 원초의 빛의 상징, 그리고 미트라(Mithra), 불의 여신, 그의 어머니이자 그의 부인: 땅과 물 혹은 물질 (우주 발생의 여성 요소 혹은 수동적 요소)과 함께, 불의 순수한 원소 (활동적 혹은 남성 원리)가 빛과 열로 간주되었고, 미트라는 보르드지의 아들, 페르시아의 세계의 산,[39] 거기서 그가 빛의 찬란한 광선으로써 번쩍였다. 브라흐마, 불의 신 그리고 그의 다산의 배우자; 그리고 힌두의 아그니, 찬란한 신은 그의 체에서 수 천 가지 영광의 흐름과 일곱 불길이 나오며, 오늘날까지 어떤 브라만들은 그를 기리기 위하여 *영원한* 불을 보존한다; 시바는 힌두인의 세계의 산, *메루*로 인격화된다: 이 끔찍한 불의 신들은 전설에서 *불 기둥 속에서* 유대인의 여호와처럼

---

34 "수이다스" v. "티레니아."

35 독자는 "해(year)"가 단순히 13 음력달의 기간이 아니라, "대시대들(ages)"을 의미한다는 것을 이해할 것이다.

36 필로 비블루스의 그리스 번역 참조.

37 코리: "고대 단편."

38 미트라(Mithras)는 페르시아인들 사이에서 *바위의 신(Theos ekpetros)*으로 여겨졌다.

39 보르드지(Bordji)는 불의 산으로 불린다—화산; 그러므로 그것은 불, 바위, 땅 그리고 물을 가지고 있다: 남성 혹은 활동 원리 그리고 여성 혹은 수동 원소. 신화가 암시적이다.

그리고 많은 다른 태고의 자웅동체 신들처럼 하늘로부터 하강하였다고 말하며, 모두가 그들의 숨겨진 의미를 크게 외친다. 그리고 이 이중의 신화가 원초의 창조적 심리-화학적 원리 이외에 무엇을 의미할 수 있겠는가? 영, 힘 그리고 물질의 삼중 현현에서 *첫 번째 진화; 불*과 물의 결혼으로 비유된, 그 시작점에서 신성한 *상관관계*, 전기를 전달하는 영의 산물, 남성의 활동적 원리가 여성의 수동적 원소와의 합일이 지구 아이의 부모, 우주 물질, *원물질*(*prima materia*)로 되고, 그것의 혼이 아에테르이고, 그 그림자가 아스트랄 빛이다!" (아이시스 언베일드)

이제 우리에게 도달한 그 체계의 단편들이 터무니없는 우화로 거부된다. 그럼에도 불구하고 오컬트 과학—씨크릿 독트린, 성서 그리고 다른 성전을 제외하고, 대홍수 이전 거인들과 그들에 대한 기억을 침몰시킨 심지어 대홍수에서도 살아 남았다—은 여전히 세계 모든 문제에 열쇠를 가지고 있다.

이제 그 열쇠를 오랫동안 잊어버린 우주발생론의 희귀한 단편에 적용해서 흩어진 부분들로 다시 한번 씨크릿 독트린의 보편적 우주발생론을 다시 세워보자. 열쇠가 모든 것에 맞는다. 고대 철학을 진지하게 공부하는 사람은 그들 사이에 있는 개념의 놀라운 유사성—너무 자주 외적 형태에서, 변함없이 숨겨진 정신 속에서—이 단순한 우연의 일치가 아니라, 어떤 공존하는 디자인의 결과라는 것을 누구나 지각할 수 있다: 그리고 인류의 젊은 시절에, 교회가 없고, 신조나 종파도 없으며, 모든 사람이 자신의 사제였을 때, 하나의 언어, 하나의 지식, 하나의 보편 종교가 있었다는 것을 지각할 수 있다. 그리고 전통의 무성한 성장으로 우리의 시야에서 차단된 그 시대에 이미 인간의 종교적 생각이 지구 모든 부분에서 고른 호응으로 계발되었다는 것을 보여준다면, 그러면 어느 지방이건, 차가운 북쪽 혹은 타는 듯한 남쪽, 동양 혹은 서양이건, 그 사고가 똑같은 계시로 영감을 받았고, 인간이 똑같은 지식의 나무의 보호하는 그늘 아래에서 양육되었다는 것이 분명해진다.

4장 카오스, 테오스, 코스모스

이 셋은 공간의 용기 (그릇)이다; 혹은 박식한 카발리스트가 정의하였듯이, "공간, 만물을 담는 담기지 않는 것으로, 단순히 통일성(Unity)의 1차 구현 . . . . 무궁한 확장이다."[40] 그러나 그가 다시 묻는다: "무엇의 무궁한 확장?"—그리고 올바른 답을 한다—*"만물의 미지의 용기, 미지의 제일 대원인(Unknown FIRST CAUSE)."* 이것이 오컬트 가르침의 모든 측면에서 가장 비의적이고 진실한, 가장 정확한 정의이자 대답이다.

*공간(SPACE)*은 고대의 모든 철학의 개념을 파괴하려는 무지와 우상파괴적 성향에서 근대에 아는 체하는 사람들이 "추상적 개념"이고 *공(void)*이라고 선언한 것으로, 사실상 그것은 일곱 원리를 가진 *우주의 체*이자 그릇이다. 그것은 제한 없는 범위의 체로, 오컬트 표현으로 그것의 원리들(*PRINCIPLES*)—각각이 차례로 칠중이다—이 우리 현상계에서 *그것의 하위 구분의* 가장 조잡한 조직만을 현현한다. "어느 누구도 대원소들을 온전하게 본 적이 없다"고 가르친다. 우리는 태초 사람들의 원래의 표현들과 그들의 동의어들 속에서 지혜를 찾아야 한다. 심지어 그들 중에 가장 최근 사람인 유대인도 카발라 가르침에서 이 생각을 보여 준다. 즉, "대해(great Sea)"라고 부른 일곱 머리의 공간의 뱀. "태초에, *알힘*이 하늘들과 땅을 창조하였다; 여섯 (세피로스) . . . . 그들은 여섯을 창조하였고, 이것들 위에 모든 것들이 토대를 둔다. 그리고 여섯은 모든 위엄들의 위엄(Dignity of all Dignities)까지 *두개골의 일곱 형태들에* 의존한다. (*숨겨진 신비의 서*, i, 16장; 2부 2권 "고대의 구분과 신비의 수" 참조.)

이제 *바람, 공기 그리고 영*은 모든 국가에서 언제나 동의어였다. 그리스인의 뉴마 (영) 그리고 아네모스(Anemos) (바람), 라틴인의 *스피리투스*와 *벤투스*가 심지어 생명의 숨결이라는 원래의 개념에서 동떨어졌더라도 상호 사용 가능한 용어이다. 과학의 "힘"에서 우리는 네 번째 근원인종이 우리에게 전해준 원초의 사원소 중에

---

40 헨리 프라트, 의학박사의 "생명의 새로운 측면."

어느 하나의 *영적인 영향의 물리적인 효과*를 보게 된다. 그리고 우리는 여섯 번째 근원인종에게 에테르를 온전하게 (혹은 그것의 조밀한 하부구분) 전해줄 것이다. 이것이 본서에서 설명될 것이다.

고대인들은 "카오스"가 *"감각이 없다(senseless)"*고 부른다. 왜냐하면 그것은 (카오스와 공간은 동의어이다) 미분화된 미계발 상태에 있는 모든 원소들을 나타냈고 자체 속에 간직하고 있기 때문이다. 그들은 사원소의 통합, 다섯 번째 원소, 에테르를 만들었다; 왜냐하면 그리스 철학자들의 아에테르는 그것의 찌꺼기가 아니기 때문이다—그들은 그것에 대하여 과학이 지금 아는 것보다 더 많이 알았다. 그것이 지상에 현현하는 많은 힘의 동인으로써 작용하는 것으로 충분히 맞게 여겨진다. 그들의 아에테르는 힌두인의 *아카사*이다; 물리학에서 받아들여진 에테르는 우리 계에서 그것의 하위 구분들 중에 하나이다—모든 *사악한* 영향과 좋은 영향을 가진 카발리스트들의 *아스트랄 빛*이다.

아에테르의 대본질 혹은 보이지 않는 공간(Unseen Space) 때문에, 신의 베일로써 신성하게 간직되어 오면서, 그것은 이 생과 다음 생 사이의 매개체로 간주되었다. 고대인들은 안내하는 활동적 "대지성들" (신들)이 *우리 공간 속에* 있는 에텔 부분 어느 곳에서건 물러날 때—그들이 감시하는 네 영역이다—그때 그 특정 장소가 소위 *선(Good)*의 부재로 악의 소유로 된다고 생각하였다.

"영이 공통의 중개자, 에테르 속에 존재하는 것이 물질주의에 의해서 부인된다; 반면에 신학은 그것을 인격신으로 만들어버린다. 그러나 카발리스트는 에테르 속에서 원소들은 물질만—자연의 맹목적인 우주적 힘—을 나타낸다고 말하면서, 둘 다 틀렸다고 주장한다; 반면에 영은 그것들을 지시하는 지성을 나타낸다고 주장한다. 아리안, 헤르메스, 오르페우스 그리고 피타고라스파의 우주발생론 가르침뿐만 아니라, 베로수스와 산초니아탄 가르침도 모두 하나의 반박할 수 없는 공식, 즉 에테르와 카오스, 혹은 플라톤 언어로 마인드와 물질은 어떤 다른 것과 독립적인, 우주의 두 가지 태초의 영원한 우주의 원리들에 바탕을 두고 있다. 마인드는 만물을 활성화시키는 지성적 원리이다; 카오스, 무형의 액체 원리는 형태나 감각이 없으며,

이 둘의 합일에서 우주가 존재하게 되었다. 오히려 보편 세계, 최초의 자웅동체 신성이 존재하게 되었다—카오스 물질이 그것의 체이고, 에테르가 그것의 혼이다. *헤르미아스의 단편* 구절에 따르면, '카오스'가 영과의 이런 합일로부터 *감각(sense)*을 얻어서, 기뻐서 빛났고, 그리고 이렇게 *프로토고노스(Protogonos)* (최초 태어난 자) 빛이 만들어졌다.[41] 이것이 고대인들의 형이상학 개념에 토대를 둔 채, 유추에 의해서 대우주의 소우주, 지성과 물질의 복합체, 즉 인간을 보편적인 삼위일체로 만들었다." (아이시스 언베일드)

*"자연은 진공을 싫어한다(Nature abhors Vacuum)"*고 소요학파가 말했다. 물질주의자들이 그들 나름대로 이해하였지만, 소요학파는 데모크리토스가 그의 스승 레우시푸스와 함께 우주 속에 담긴 만물의 첫 번째 원리가 원자들과 *진공*이라고 가르친 이유를 아마도 이해하였다. 진공은 단순히 *잠재적* 신성 혹은 힘을 의미한다; 그것이 의지—최초 충동을 이 원자들에게 전달하는—로 되는 최초 현현 이전에, 그것은 거대한 *무(Nothingness)*, 아인-소프 혹은 아무것도 아니었다(NO-THING); 그러므로 그것은 모든 의미에서 공(Void)—혹은 카오스(Chaos)였다.

하지만 플라톤과 피타고라스 학파에 의하면, 그 카오스가 "세계의 혼(Soul of the World)"으로 되었다. 힌두 가르침에 따르면, 아에테르 (아카샤) 형상으로 신성이 만물에 스며든다; 그리고 그것은 신성한 작업자 (백마법사)들에 의해서 "살아 있는 불(living fire)", "빛의 영(Spirit of Light)"로 불렸고, 가끔 *마그네스(Magnes)*로 불렸다. 플라톤에 따르면, 우주를 12면체의 기하학 형태로 건설한 것은 최고의 신성 자체였다; 그리고 그것의 "최초 태어난 자"가 카오스와 원초의 빛 (중심의 태양)에서 태어났다. 하지만 이 "최초 태어난 자"는 "건설자들"의 무리의 총합일 뿐이며, 최초 건설하는 힘들(Forces)로 고대 우주발생론에서 (심연 혹은 카오스에서 태어난) *고대인(Ancients)* 그리고 "최초 점(First Point)"으로 불렸다. 그는 소위 일곱 하위 세피로스의 머리에 있는 테트라그라마톤이다. 이것이 칼데아인들의 믿음이었다. 유대인 필론은 그의 조상들의 첫 번째 교사 (지도자)에 대하여 경솔하게 말하면서

---

41 "신통기"에서 다마시우스는 그것을 디스(Dis), "만물의 처분자"로 불렀다. 코리의 "고대 단편," p. 314.

이렇게 쓴다: "이 칼데아인들은 *존재하는 사물들 중에서(?)* 대우주가 한 점이라는 의견이었고, 자체가 신 (테오스) 혹은 그 속에 만물의 혼을 포함하는 신(God)이 있다는 의견이었다." (그의 *"아브라함의 이주,"* p. 32 참고.)

카오스-테오스-코스모스는 그것들 통합인 공간의 세 측면이다. 이제는 사라진 심지어 고대 철학의 사문자를 움켜쥐는 것으로 이 *테트락티스(Tetraktis)*의 신비를 풀기를 결코 기대할 수가 없다. 그러나 심지어 이것들 속에서, 카오스-테오스-코스모스 = 공간이 일곱 번째 라운드 이전에는 아마도 결코 알려지지 않을 마지막 단어, 하나의 미지의 공간(One Unknown Space)으로써, 모든 영원 속에서 확인된다. 그럼에도 불구하고, 태초의 완전한 육면체에 대한 비유와 형이상학 상징들이 심지어 대중의 푸라나 속에서도 두드러진다.

거기서도 브라흐마가 *카오스(Chaos)* 또는 거대한 "심연(Deep)," 물에서 진화하여 나오는 *테오스(Theos)*이고, 그 물 위로 *아이아나(Ayana)*로 인격화된 영 = 공간—미래의 무궁한 대우주의 표면 위로 움직이는 영—이 다시 깨어난 최초 시간에 고요히 배회하고 있다. 그것은 또한 영원의 거대한 뱀, 아난타-사샤 위에서 잠자는 비쉬누이며, 성서의 비밀들을 여는 유일한 열쇠인 카발라를 모르는 서구의 신학에서는 그것을 악마(Devil)로 만들어버렸다. 그것이 무한한 원의 완전한 구적법을 통해서 "네 얼굴의 브라흐마(four-faced Brahma)"로 변형되기 전에, "*세 가지* 측면의 신," 피타고라스의 *삼개조* 최초 *삼각형*이다. 입법가인 마누가 말하길, "비-존재(not-being), 영원한 대원인(Eternal Cause)에서 존재하면서 존재하지 않는 그에서, 존재-푸루샤(Being-Purusha)가 태어난다."

*아이시스 언베일드*에서 이렇게 말한다: —

"이집트 신화에서, 네프(Kneph), *드러나지 않은* 영원한 신(Eternal *Unrevealed* God)은 그 숨결로 부화시키는 물 위로 그것의 머리가 배회한 채, 물항아리를 둘러싸고 있는 영원의 뱀의 상징으로 나타내어진다. 이 경우 그 뱀은 아가토데몬, 선한 영이다: 그 반대측면이 카코데몬, 나쁜 영이다. 스칸디나비아인의 *에다(Eddas)*에서, 창조로 바쁜

이그드라실 (벌들)과 신들의 과실, 꿀이 공기가 습기로 스며들 때인 밤 시간 동안에 떨어진다; 그리고 북유럽 신화에서, 창조의 수동적 원리로써, 그것은 *물에서 나온* 우주의 창조를 전형적으로 보여준다; 이 꿀은 그것의 조합들 중에 하나에서 아스트랄 빛이고, 창조적 그리고 파괴적 속성을 가지고 있다. 베로수스의 칼데아 전설에서, 오안네스(Oannes) 혹은 다곤(Dagon), 인간 물고기가 사람들을 가르치면서, 물에서 창조된 아기의 세계를 보여주고, 모든 존재가 이 *원물질(prima materia)*에서 유래한다고 보여준다. 모세는 흙과 *물*만이 살아 있는 혼을 가져올 수 있다고 가르친다: 그리고 우리는 성전에서 영원(Eternal)이 땅에 *비를 내리게* 할 때까지 초목이 자랄 수 없다고 읽는다. 멕시코 포폴-부에서, 인간이 물 아래서 가져온 *진흙 (백토)*에서 창조되었다. 브라흐마가 존재의 우선순위를 즐겼던 *영들(spirits)*을 창조한 후에, 그의 연꽃 위에 앉아 있는 위대한 무니(Muni) (혹은 최초 인간)를 창조하고, 그가 인간을 *물*, *공기* 그리고 *흙*에서 창조한다. 연금술사들은 원초의 지구 혹은 아담-이전 지구가 최초 질료로 변형될 때 깨끗한 물처럼 변형의 두 번째 단계에 있다고 주장하며, 첫 번째는 순수한 *알카헤스트*라고 주장한다. 이 원초의 질료가 자체 속에 인간을 구성하는 모든 것의 본질을 포함하고 있다고 말한다; 그것은 물리적 존재의 모든 원소뿐만 아니라, 심지어 깨어날 준비가 된, 잠재 상태에 있는 "생명의 숨결"도 가지고 있다. 이것은 물—카오스—의 표면 위에 있는 "신의 영(Spirit of God)"의 "배양"에서 유래한다: 사실 이 질료가 카오스 자체이다. 이것에서 파라겔수스가 "작은 인간 (호문쿨리)"을 만들 수 있다고 주장한 것이다; 그리고 이것이 위대한 자연 철학자인 탈레스가 *물(water)*이 자연 속에 있는 만물의 원리라고 주장한 이유이다[42] . . . 욥이 26장 5절에서, "죽은 사물이 물과 그곳의 거주자 아래서 형성된다"고 말한다. 원전에서 "죽은 사물" 대신에, 그것은 죽은 *르바임*(*Rephaim*) (거인 혹은 거대한 원시인)으로 쓰여 있고, 그것에서 언젠가 우리의 현재 인종의 진화를 추적할 수 있다."

---

42 그리스인들에게, "강의 신(River-gods)," 그들 모두는 태초의 대양의 아들들로 (남성 측면의 카오스) 고대 그리스 인종의 각각의 조상들이었다. 그들에게 대양(Ocean)은 신들의 아버지였다; 그리고 이렇게 그들은 이런 맥락에서 아리스토텔레스가 맞게 관찰한 탈레스의 이론을 예상하였다. (형이상학, 1권, 3, 5)

"창조의 원초 상태에서," 폴리에르의 *"인도의 신화"*에서 말하길, "물 속에 담가진, 시초의 우주가 비쉬누 품 속에서 휴식하였다. 이 카오스와 암흑에서 솟아난, 브라흐마, 세계의 건축가가 물과 암흑을 제외하고 아무것도 구분할 수 없이, 물 위에 떠 있던 (움직인), 연꽃 잎 위에서 자세를 취하였다." 그런 암울한 상태를 지각하면서, 브라흐마가 놀라며 혼잣말로 말한다: "나는 누구인가?" 나는 어디서 왔는가?" 그때 목소리를 듣는다:[43] "그대의 생각을 바가바트로 돌려라." 브라흐마가 수영하는 자세에서 일어나서 연꽃 위에 관조의 자세로 앉아서, 영원에 대하여 숙고하며, 영원은 이런 독실함의 증거로 기뻐하여 태초의 암흑을 흩어지게 하고 그의 이해를 열어 준다. "이 브라흐마가 보편 알 (무한한 카오스)에서 *빛*으로써 나온 후에, 이제 그의 이해가 열렸기 때문에, 그가 일하려고 한다: 그가 자신 속에 있는 신의 영과 함께 영원한 물 위로 *움직인다*; 그리고 이렇게 물을 *움직이는 자*(*mover*)의 역량에서 그가 비쉬누 혹은 *나라야나*(*Narayana*)이다." 이것은 물론 대중이 알고 있는 것이지만, 그것의 주된 사상은 이집트 우주발생론과 동일하다. 이집트 우주발생론의 시작하는 문장에서 아스토르(Athtor)[44] 혹은 어머니 밤(Mother Night) (끝없는 암흑을 나타낸다)을 카오스 속에 혼자 거주하는 영원(Eternal)의 보편 영과 물로 생명이 불어넣어진, 무한한 심연을 덮은 원초의 원소로써 보여준다. 비슷하게 유대 성전에서, 창조의 역사가 신의 영과 그의 창조적 발산—또 다른 신—으로 연다.[45]

조하르에서는 원초의 원소들—불, 공기 그리고 물의 삼위일체—네 가지 기본방위 그리고 대자연의 모든 힘이 절대적 침묵의 전체(Absolute Silent ALL)의 로고스, "말씀(Word)" 혹은 *멤라브*(*Memrab*) 대의지의 목소리(Voice of the Will)를 집합적으로 형성한다고 가르친다. "무한하고 불가해한, 불가분의 점"이 끝없는 공간 위로 스스로 펼쳐지며, 이렇게 이 절대적인 점을 숨기는 베일 (파라브라흠의 물라프라크리티)을 구성한다. (*아래 참조.*)

---

43 "영(Spirit)" 혹은 *만트라*의 숨겨진 목소리, 잠재하는 힘 혹은 오컬트 효능의 활발한 현현.
44 "고대의 사전"의 철자법.
45 우리는 현재의 혹은 받아들여진 성서를 의미하는 것이 아니라, 이제 카발라적으로 설명된 진정한 유대 성전을 말하는 것이다.

모든 나라의 우주발생론에서 데미우르고스(Demiurgos) (성서에서 "엘로힘")로 통합된 "건축가들"이 대우주를 카오스에서 형성하며, 그들이 집단의 *테오스(Theos)*, "남-여," 영과 물질이다. "*일련*(*yom*)의 *토대*(*hasoth*)로 *알힘*(*Alhim*)이 땅과 하늘을 있게 하였다." (창세기 2장 4절) 성서에서 그것은 *알힘*, 그리고 야흐바-알힘(Jahva-Alhim), 그리고 마지막으로 창세기 4장에서 성의 분리 후에 여호와(Jehovah)이다. 어디에서도, 나중을 제외하고, 우리의 다섯 번째 인종의 *마지막* 우주발생론에서, 형언할 수 없고(ineffable) 입 밖에 낼 수 없는(unutterable) 이름[46]—신비의식에서만 사용된, 미지의 신의 상징—이 우주의 "창조"와 관련하여 사용되지 않는다는 것이 주목할 만하다. 만반타라 법의 "메신저들," 형성하는 작업을 하는 "움직이는 자들(Movers)," "뛰는 자들(Runners)" ("뛰다(*theein*)"에서 유래한) *테오스들*(*theoi*)이 기독교에서 이제 "메신저" (말라킴)로 되었다; 그리고 힌두교나 초기 브라만교에서도 똑같은 것처럼 보인다. 왜냐하면 리그 베다에서 창조하는 것이 브라흐마가 아니고, 프라자파티(Prajapati), "존재의 주들"로, 그들은 *리쉬들 이기 때문*이다; 그리고 *리쉬* 단어가 (마하데오 쿤트 교수에 의하면) 움직이다(move), 이끌다(lead on)라는 단어와 연결되며, 성조들(Patriarchs)로써 그들이 무리를 일곱 강으로 이끌 때, 지상의 인물에 적용되었다.

더구나 "신(God)"이라는 바로 그 단어는 단수로 모든 신들—*데오이*(*theoi*)에서 온 *테오스*—을 포함하며 이상한 근원에서, 진실하고 자주 말해진 인도의 *링감*처럼 전적으로 그리고 탁월한 *남근 숭배* 근원에서, "우월한" 문명 국가로 왔다. 신(God)을 앵글로-색슨 동의어 "good(선한)"에서 유추하려는 시도는 이미 버려진 개념이다. 왜냐하면 그 용어가 페르시아의 코다부터 라틴의 *데우스*에 이르기까지 어떤 다른 언어에서도 신의 이름이 *선함(Goodness)*의 속성에서 유래된 것으로 보이는 예가 없기 때문이다. 그것이 아리안의 *디아우스*(*Dyaus*) (낮)에서 라틴 인종으로 온다; 그리스 바쿠스 (*바그-보그*)에서 슬라보니아인에게 온다; 그리고 유대인의 *요드*(*Yodh* 혹은 *Jod*)에서 앵글로-색슨으로 직접 온다. 요드 י, 숫자 글자 10, 남성과 여성

46 그것이 비-존재(non-existent)라는 단순한 이유 때문에 "입 밖에 낼 수 없는(unutterable) 것"이다. 그것은 결코 *어떤 이름*이나, 어떤 *말씀(word)*도 아니라, 표현될 수 없는 이데아였다. 우리 시대를 앞서는 세기에 그것을 대신하는 대리인이 창조되었다.

그리고 요드 남근 *갈고리* (*후크*): — 그래서 색슨의 *Godh*, 독일인의 *Gott*, 그리고 영어의 *God*가 되었다. 이 상징 용어가 지상계에서 물질 "인류"의 창조자를 나타낸다고 말할 수 있다; 그러나 확실히 그것은 대우주 혹은 신, 영의 "창조" 혹은 형성과는 아무런 관계가 없다!

카오스-테오스-코스모스, 삼중의 신은 *만물 속에 있는 만물(all in all)*이다. 그러므로 그것은 남성과 여성, 선과 악, 양과 음이라고 말한다: 대조된 특질의 전체 시리즈이다. 잠재할 (프랄라야) 때, 그것은 지각될 수 없고 *불가지의 신(unknowable Deity)*으로 된다. 그것은 활동적인 기능 속에서만 알 수 있다; 그래서 *물질-힘* 그리고 *살아 있는 영*으로써, 볼 수 있는 계에서, 궁극의 그리고 언제나-있는 미지의 통일성의 표현 혹은 상관관계이자 결과이다.

그 다음으로 이 삼중 단위가 네 가지 1차 "원소들"을[47] 만들고, 이것이 볼 수 있는 지상의 자연에서 일곱 원소 (지금까지 *다섯 원소*)로 알려지며, 그 각각이 49 (7x7) 하위 원소로 분리될 수 있고, 화학에서 알려진 약 70가지이다. 불, 공기, 물, 흙 같은 모든 우주 원소는 1차 원소의 특질과 단점을 가지고 있어서 그것들 성질 속에 선과 악, 힘 (혹은 영)과 물질 등등을 가지고 있다; 그러므로 각각이 동시에 생명과 죽음, 건강과 질병, 작용과 반작용이다. (14장 "사원소" 참조) 그것들은 "만물에 탄생과 생명을 주는 불멸의 신" 혹은 현상계에서 '아에테르'로 대표되는 한 가지 대원소 (*불가지자*)의 결코 멈춤 없는 충동 하에서 물질을 영원히 지속적으로 형성하고 있다.

"솔로몬 벤 예후다 이븐 가비롤의 철학 가르침"에서 (아이작 마이어 씨가 번역한 "*카발라*") 우주의 구조에 대하여 말한다: "R. 예후다가 시작하였다, 이렇게 쓰여 있다: — '엘로힘이 말했다: 물 가운데 하늘이 있으라.' 와서, 보라, 성스러운

---

47 사막에 세워진 모세의 우주적 성막은 *정방형*이었고, 조세푸스가 그의 독자들에게 말하듯이, 그것은 사원소와 사방위를 나타냈다. (*고대사 1, viii 22장*) 그것은 이집트와 티루스에 있는 피라미드에서 가져온 사상으로, 거기서 피라미드가 기둥이 되었으며, 천사들 혹은 수호신(지니)이 각각 네 지점에 거주처를 가지고 있다. (14장 *"사원소"* 참조.)

분(Holy)이 . . . 세계를 창조하였을 때에, 그분이 위에 일곱 하늘을 창조하였고, 아래 일곱 지구를 창조하였으며, 그 세계가 있어온 7바다, 7일, 7강, 7주, 7년, 7번, 그리고 7천년을 창조하였다. 성스러운 분은 만물의 *일곱 번째이다*," 등등. (p. 415)

이것은 푸라나의 우주발생론과 (예를 들면, 비쉬누 푸라나 1권) 이상하게 동일한 것을 보여줄 뿐만 아니라, "에소테릭 붓디즘"에서 간략하게 제시된 숫자 7에 관한 우리의 모든 가르침을 확인하게 된다.

힌두인들은 이 개념을 표현하는 끝없이 많은 비유를 가지고 있다. 원초의 카오스에서, 그것이 *일곱 대양* (삽타 사무드라)—*트리구나* (사트바, 라자스 그리고 타마스)로 구성된 *일곱 구나* (조건화된 특질)를 상징적으로 나타낸다—으로 발전되기 전에, *암리타* (불멸성)와 *비샤*(*Visha*) (독, 죽음, 악) 둘이 잠재하고 있다. 이 비유가 신들이 "대양을 휘젓다"는 데서 보인다. *암리타*는 구나를 넘어서는 것이다. 왜냐하면 그것은 자체로 무조건화된 것이기 때문이다; 하지만 현상계의 창조로 떨어지게 될 때 그것은 그 속에 *테오스*가 잠재된 채, 그리고 코스모스가 진화되기 전에, 악(Evil), *카오스*와 섞이게 되었다. 그래서 비쉬누—여기서 영원한 대법을 나타내는—가 대우주를 주기적으로 활동하도록 불러내는 것을 발견한다—*"태초의* 대양 (무궁한 카오스)에서 신과 데바들을 위해서만 준비해 둔 영원의 *암리타*를 휘젓는다;" 그리고 그는 그 과업에 *나가들과 아수라들*—대중 힌두교에서 악마들—를 이용해야 한다. 전체 비유가 고도로 철학적이며, 우리는 그것이 모든 철학 체계에서 반복되는 것을 본다. 플라톤은 피타고라스 사상—그 사상을 인도에서 가져왔다—을 온전하게 받아들여서 그리스 성인의 신비스러운 수 체계보다 더 지성적인 형태로 그것들을 편집하여 출판하였다. 이렇게 *코스모스*는 플라톤에게 "아들"이고, 그 아버지와 어머니가 신성한 생각(Divine Thought)과 물질(Matter)이다.[48]

"이집트인들은 더 나이든 호루스와 젊은 호루스를 구분한다; 전자는 오시리스의 *형제*이고, 후자는 오시리스와 아이시스의 *아들*이다"라고 던랩이[49] 말한다. 첫 번째는

48 플루타르크, "아이시스와 오시리스에 관하여" 1, vi.
49 "인간의 영의 역사," p. 88.

“세계 창조 이전에 암흑 속에서 태어난,” 데미우르고스 마인드(Demiurgic Mind) 속에 남아 있는 세계의 *이데아*이다. 두 번째 호루스는 로고스에서 나가는 이 “이데아”로 물질을 입게 되고 실제 존재를 취한다.[50]

*칼데아 신탁*에서, “세속의 신은 영원하고 무궁하며, 감기는 형태의 젊고 나이 들었다”라고[51] 말한다.

이 “감기는 형태(winding form)”는 아스트랄 빛의 진동하는 운동을 표현하는 모양이다. 그 이름이 마티니스트들에 의해서 발명되었지만, 고대 사제들은 그것을 완전하게 잘 알고 있었다.

이제 우주 숭배는 근대 과학이 그 미신을 경멸하는 손가락으로 되었다. 근대 과학은 프랑스 학자가 조언하였듯이, 그것을 비웃기 전에 “우주-성령론 교육 체계를 완전히 개조해야만 한다.” *많은 말, 너무 적은 지혜*(*Satis eloquentiae, sapientiae parvum*). 범신론처럼 우주 숭배에서 궁극의 표현으로 비쉬누에게 적용된 말들을 낳게 되었다. . . . “그는 창조 작업에서 창조될 *잠재성*(*Potencies*)의 *이상적* 원인(*ideal* Cause)에 불과하다; 그것들이 진정한 원인으로 된 후에, 창조될 잠재성이 그로부터 나온다. *그 하나의 이상적 원인을 제외하고*, 세계가 참고될 수 있는 다른 것이 없다. . . . *그 원인의 잠재성을 통해서*, 창조된 모든 것이 그것의 순수한 성질을 얻는다.” (산스크리트 원본, iv., 32, 33.)

---

50 무버, “페니키아인(Phoinizer),” p. 268.
51 코리, “단편,” p. 240.

5장 숨겨진 신성: 그 상징과 그림문자

모든 종교의 로고스(Logos) 혹은 창조 신(Creative deity), "육화된 말씀(Word made Flesh)"은 그것의 궁극의 근원과 본질까지 추적되어야 한다. 인도에서, 그것은 *개성적* 변형 각각에서 브라흐마-푸루샤부터 *신성한* 일곱 리쉬와 반정도 신성한 열(10) 프라자파티 (또한 리쉬)를 거쳐서 *신성한 인간* 아바타에 이르기까지, 1008가지 신성한 이름과 측면의 프로테우스이다. "많은 것 속에 하나(One in many)"와 하나 속에 다수라는 혼란스러운 똑같은 문제가 다른 판테온에서, 이집트, 그리스 그리고 칼데오-유대 체계에서도 보인다. 칼데아-유대 체계는 신을 장로들의 형상으로 역사화시켜서 제시함으로써 한층 더 혼란스럽게 만들어버렸다. 장로들이 이제는 로뮬루스를 하나의 신화로 거부하는 사람들에 의해서 받아들이며, 그들이 살아 있는 *역사적* 실체들로써 나타내어진다. *현자에게는 한 마디로 충분하다.*

조하르에서, 아인-소프(En-Soph)도 하나(ONE)이고 무한한 단일성(Unity)이다. 이것은 매우 소수의 박식한 교회 교부들에게 알려졌으며, 그들은 여호와가 *세 번째 등급의* 잠재성(*third rate* Potency)에 불과하며 "최고의" 신이 아니라는 것을 알고 있었다. 그러나 그노시스파에 대하여 심하게 불평하고 "우리의 이단자들도 프로페이터(PROPATOR)가 *독생자(Only begotten Son)*"[52] (나머지 중에 브라흐마), 즉 마인드 (누스)에게만 알려진다"는 것을 간직한다고 말하는 반면에, 이레네우스는 유대인도 그들의 실재 *비밀의* 문헌에서 똑같이 그랬다고 결코 언급하지 않았다. "그노시스의 가장 심오한 학자"인 발렌티누스는 "프로페이터로 불린 비토스(Bythos) 혹은 부톤(Buthon) (두 번째 로고스인 헤아릴 수 없는 자연의 첫 번째 아버지), 이전에 존재한 완전한 영원(AION)이 있다"고 생각하였다. 이 (*창조하지 않는*) 아인-소프에서 나온 하나의 광선(Ray)으로써 생긴 것이 바로 이 영원(AION)이고, 이 영원이 창조하고, 혹은 오히려 그를 *통해서* 모든 것이 창조되거나 진화한다.

---

52 물라프라크리티가 마드라스의 수바 로우 씨가 로고스(LOGOS)로 부르는 이쉬와라에게만 알려져 있듯이. (*바가바드 기타* 강연 참조.)

바실리디안들이 가르쳤듯이, "지고의 신, *아브락사스(Abraxax)*가 있었고, 그에 의해서 마인드가 창조되었다." (산스크리트어로 *마하트*, 그리스어로 *누스*) "마인드에서 말씀, 로고스가 나왔고, 말씀에서 섭리 (오히려, 신성한 빛)이, 거기서 천사, 권능, 권품 등등의 힘 (미덕)과 지혜가 나왔다." 이 천사들에 의해서 365 영겁(AEon)이 창조되었다. "가장 낮은 천사들 중에 그리고 이 세계를 만든 천사들 중에서, 그(바실리데스)가 유대의 신을 가장 마지막에 놓고, 그가 천사들 중에 하나라는 것을 확언하면서, 그가 신이라는 것을 (매우 맞게) 거부한다." 여기서 푸라나처럼 똑같은 체계를 보게 된다. 거기에서 불가해자가 씨앗을 떨어뜨리고, 그것이 황금알로 되어서, 거기서 브라흐마가 만들어진다. 브라흐마가 마하트 등등을 만든다. 그러나 진정한 에소테릭 철학은 대중 종교에서처럼 "창조"나 "진화"에 대하여 말하지 않는다. 이 모든 인격화된 힘들은 다른 하나에서 진화된 것이 아니라, 절대적 전체의 단 하나의 현현의 아주 많은 측면들이다. 그노시스와 똑같은 체계가 아인-소프의 세피로스 측면 속에서 우세하지만, 그럼에도 *이 측면들은 공간과 시간 속에 있기 때문에*, 그것들의 연속적인 출현 속에서 어떤 질서가 유지된다. 그러므로 조하르가 기독교 신비가들 세대의 취급 하에서 겪은 거대한 변화를 알아차리지 못하는 것이 불가능하게 된다. 왜냐하면 심지어 탈무드 형이상학에서도, "하위 얼굴(lower Face)"— 혹은 "더 작은 얼굴(Lesser) 얼굴"—마이크로소푸스를 상위 얼굴 혹은 "더 큰(Greater) 얼굴", 매크로소푸스와 같은 추상계에 놓을 수 없기 때문이다. 매크로소푸스는 칼데아 카발라에서 순수한 추상성이다; 말씀 혹은 로고스 혹은 (유대어로) 다바르(Dabar), 그 말씀이, 사실 복수로 되더라도, 혹은 "말씀들"—자체를 반사할 때, 혹은 (천사들 혹은 세피로스, "숫자들") 무리의 측면으로 떨어질 때, 다바림(D(a)B(a)Rim)이다—이 여전히 집합으로 하나(One)이고, 이상적인 계에서는 영(nought)—O, "아무것이 아님(No-thing)—이다." 그것(IT)은 "어떤 다른 것과 유사성을 갖지 않는" 형태도 존재도 없다. (프랭크, "*카발라*," p. 126.) 그리고 심지어 필로도 창조자를 신 옆에 서있는 *로고스*, "두 번째 신"으로 부르며, "두 번째 신은 그의 (최고의 신의) 지혜이다." (*필로, 질문과 대답*) 신성은 신이 아니다. 그것은 무(nothing)이자 어둠이다. 그것은 이름도 없고, 그래서 *아인-소프*로 부른다— "아인(Ayin)은 없음을 의미하는 단어이다." (프랭크, "*카발라*," p. 153 참조. 또한 12장 "창조신들의 신통기" 참조.) "최고신"(미현현 로고스)이 그것의 아들(Son)이다.

대부분의 그노시스 체계도 교회의 교부들에 의해서 훼손된 채 우리에게 내려왔기에 오리지널 추론의 왜곡된 껍질만큼이나 더 나을 것이 없다. 그들은 어느 시대이건 대중이나 독자에게 공개되지 않았다; 즉, 그들의 숨겨진 의미 혹은 비의 가르침이 드러났다면, 그것은 더 이상 비의 가르침이 아니었을 것이며, 이것이 결코 그럴 수 없다. (2세기, 마르코시아파의 수장) 마르크스 만이 그 신성을 *4음절*의 상징 하에서 보아야 한다고 가르쳤으며, 다른 그노시스파들보다 더 많은 비의적 진리들을 주었다. 그러나 심지어 그에 대해서도 결코 잘 이해하지 못했다. 왜냐하면 신이 사중체로, 즉, "형언할 수 없는 자(Ineffable), 침묵(Silence), 아버지(Father) 그리고 진리(Truth)"로 보이는 것은 그의 *계시*의 네 문자 혹은 표면에서만 그렇기 때문이다—사실상 그것은 상당히 틀린 것이고, 한 가지 더 비의적인 수수께끼를 누설한 것이다. 마르쿠스의 이 가르침은 초기 카발리스트와 우리의 가르침이었다. 왜냐하면 그는 신성(Deity)에 대하여 *4음절*로 숫자 30을 만들며, 그것을 비의적으로 번역하면, 삼개조 혹은 삼각형 그리고 사중체 혹은 사각형이 모두 *일곱* 속에 있는 것을 의미하고, 이것은 하위계에서 신의 이름을 구성하는 신성한 일곱 글자 혹은 비밀 글자를 만들기 때문이다. 이것은 증명이 필요하다. 그의 "계시록"에서, 글자들과 숫자들로 표현된 신성한 신비에 대하여 말하면서, "지고의 사개조(Tetrad)가 보일 수도 이름 부를 수도 없는 영역으로부터, *여성 형태로,* 그에게 내려왔고, 왜냐하면 *세계는 그녀가 남성 형태로 출현하는 것을 감내할 수 없었을 것이기 때문이며,* 그리고 그에게 신이나 인간에게 *이전에 밝히지 않은* 우주의 발생"을 어떻게 드러냈는지 마르쿠스가 이야기한다.

이 첫 번째 문장은 이미 이중의 의미를 가지고 있다. 왜 세계가 남성보다 여성을 더 쉽게 감내하거나 들을 수 있을까? 표면적으로 그것은 터무니없는 것처럼 보인다. 그럼에도 불구하고 그것은 신비언어에 익숙한 사람에게 상당히 간단하고 분명하다. *에소테릭 철학* 혹은 비밀의 지혜는 여성 형태로 상징되었고, 남성은 *"드러난"* 신비를 나타냈다. 그래서 세계는 그것을 받을 준비가 안 되었고, 감내할 수도 없어서, 마르쿠스의 계시록이 비유적으로 주어져야 했다. 그래서 그가 이렇게 쓴다:

"먼저 불가해자(Inconceivable), 무존자(Beingless) 그리고 무성자(Sexless)가 (카발리스트의 아인-소프) 산고를 시작하였고 (즉, 자신을 현현할 시간이 왔을 때)

그리고 그것의 형언할 수 없는 자(Its Ineffable)가 태어나길 (첫 번째 로고스 혹은 영겁) 원했을 때, 그것의 보이지 않은 것이 형태를 입어야 했으며, 그 입을 열어서 자신에서 말씀을 외쳐야 했다. 이 말씀 (로고스)이 보이지 않는 하나(Invisible One)의 형태로 자신을 현현하였다. (말할 수 없는) 이름을 (말씀을 통하여) 외치는 것이 이런 방식으로 일어났다. 그가 (지고의 로고스) 그의 이름의 첫 단어를 외쳤고, 그것은 *네 글자의 한 음절*이다. 그리고 4글자의 두 번째 음절이 추가되었다. 그리고 *10 글자*로 구성된 세 번째 음절이; 그리고 *12글자*를 간직하는 네 번째가 추가되었다. 이렇게 전체 이름은 *30글자*와 *4음절*로 구성된다. 각각의 글자는 나름의 엑센트와 쓰는 방식을 가지고 있지만, 전체 이름의 형태를 이해하지도 우러러보지도 못한다; 아니다; 심지어 그 자체(Itself) (무존자이자 불가해자에게) 옆에 서있는 글자의 힘도 마찬가지이다.[53] 이 모든 소리가 합쳐질 때 집합적인 무존자, 태어나지 않은 영겁(unbegotten AEon)이고, *이들은* 아버지의 얼굴을 언제나 우러러보는 천사들이다.[54] (필로에 의하면, 신, "불가해자," 옆에 서 있는 "두 번째 신," 로고스.)

이것은 고대 비의적 비밀처럼 분명하다. 그것이 카발라 같지만, 조하르보다는 덜 베일이 쌓여 있다. 조하르에서 신비의 이름들 혹은 속성들이 4음절어, 12음절, 42음절 그리고 심지어 72음절어이다! *4개조*가 알몸의 여인의 형상으로 마르쿠스에게 진리(TRUTH)를 보여주고, 그녀의 머리를 [오메가], 그녀의 목을 [사이(psi)], 어깨와 손을 [감마] 그리고 [카이(chi)] 등등으로 부르면서, 그 형상의 모든 팔다리를 글자로 넣는다. 이것에서 세피라가 쉽게 인식되며, 왕관(*케테르*) 혹은 머리, *하나(one)*; 두뇌 혹은 초크마, 2; 심장 혹은 지성 (비나), 3; 그리고 다른 일곱 세피로스가 체의 사지를 나타낸다. 세피로스 나무는 우주이고, 브라흐마가 인도에서 우주를 나타내듯이, 아담 카드몬이 서구에서 그것을 나타낸다.

처음부터 끝까지, 10 세피로스는 상위 셋 혹은 영적 *삼개조*와 하위 칠개조로 나누어진 것으로 나타내어진다. 성스러운 숫자 7의 진정한 비의적 의미가 조하르 속에 영리하게 숨겨져 있다; 그럼에도 "태초에(in the beginning)"를 쓰는 두 가지

---

53 이쉬와라 혹은 로고스는 파라브라흐맘을 볼 수 없고, 물라푸라크리티만 볼 수 있다고 바가바드 기타에 대한 네 강연에서 강연자가 말한다. (신지학자, 1887년 2월.)
54 기독교인들의 "얼굴의 일곱 천사(Seven Angels of the Face)."

방식으로 혹은 *Be-resheeth*와 Be-raishath로 드러났다. 후자 Be-raishath는 "더 높은 혹은 *상위* 지혜(*Upper* Wisdom)"이다. 맥그레고 매터스의 *카발라* (p. 47)와 T. 마이어의 *카발라*에서 보여주었듯이 (p. 233), 이 두 명의 카발리스트들은 최고의 고대 권위자들에 의해서 지지받았으며, 이 단어들은 이중의 비밀스러운 의미를 가지고 있다. *"Braisheeth bara Elohim* (태초에 엘로힘이 낳았다)"은 일곱 번째 세피로스가 그들 위에 서 있는 *여섯*이 하위의 물질 등급에 속한다는 것을 의미한다 혹은 저자가 이렇게 말한다: "일곱 . . . 하위 창조에 적용되고, 셋은 영적 인간, 천상의 원형 아담 혹은 첫 번째 아담에 적용된다."

신지학자와 오컬티스트가 신은 어떤 존재(BEING)가 아니라고 말할 때, 왜냐하면 그것(IT)은 아무것이 아니기(No-Thing) 때문에, 그들은 신을 그(HE)로 불러서, 거대한 남성으로 만드는 사람들보다 그 신성을 더 경건하게 그리고 종교적으로 존경한다.

카발라를 공부하는 사람은 그 저자들, 더 초기의 위대한 유대 입문자들의 궁극적인 생각 속에서 똑같은 개념을 발견할 것이며, 그들은 바빌로니아에 있는 비밀의 지혜를 칼데아 사제들로부터 얻었으며, 반면에 모세는 이집트에서 그의 지혜를 얻었다. 조하르의 모든 사상들이 기독교 개편자들의 견해와 *정책*에 맞도록 완화되었기 때문에, 라틴어와 다른 언어로 번역된 후에는 조하르를 잘 판단할 수 없다; 그러나 진실로 그 개념들은 다른 모든 종교 체계의 사상과 동일하다. 다양한 우주발생론에서 보여주길, 태고의 보편적인 혼이 모든 나라에서 데미우르고스 창조자의 "마인드"로서 간직되었다; 그리고 그것은 "어머니"로 불렸으며, 그노시스파는 '*소피아*' (혹은 여성 지혜), 유대인은 '*세피라*,' 힌두인은 '사라스와티' 혹은 '바크'로 불렀고, *성령은 여성 원리*이다.

그래서 그것에서 태어나서, *큐리오스(Kurios)* 혹은 로고스가 그리스인들에게 "신, 마인드" (누스) 이다. "이제 코로스(Koros) (큐리오스)는 순수한 그리고 섞이지 않은 지성의 성질—지혜—을 나타낸다"고 플라톤이 "크라틸러스"에서 말한다; 그리고 큐리오스는 머큐리, 신성한 지혜이고, "머큐리는 솔(Sol)" (태양)이며 ("*아르노비우스*" 6권 12장), 그로부터 토트-헤르메스가 이 신성한 지혜를 받았다. 모든 나라와 종교의 로고스들은 세계의 여성 혼 혹은 "거대한 심연(Great Deep)"과 (그들의 성적인 측면에서) 상관관계가 있는 반면에; *하나 속에 있는 이 둘*(*two in one*)이 그들의 존재를 갖게 되는 그 신성은 언제나 숨겨져 있어서 "숨겨진 하나(Hidden One)"로 불리며, 그것은 영원한 대본질(Eternal Essence)에 발산하는 이중의 힘을 통해서만 작용할 수 있기 때문에, 창조와 간접적으로만 연결되어 있다. [55] "만물의 구제주(Saviour of all)"로 불린 아스클레피우스도, 고대 고전에 따르면, 이집트인의 창조적 지성 (혹은 신성한 지혜)인 *프타*(*Phta*)와 동일하고, 아폴로, 바알(Baal), 아도니스 그리고 헤라클레스와 동일하다 (던랩의 "*아도니스의 신비*" 23, p. 95); 그리고 프타는 그것의 측면들 중에 하나 속에서 "애니마 문디," 플라톤의 보편혼(Universal Soul), 이집트인의 "신성한 영(Divine Spirit)," 초기 기독교인과 그노시스파의 "성령"이며, 힌두인의 *아카샤* 그리고 심지어 하위 측면의 *아스트랄 빛*이다. 왜냐하면 *프타*는 원래 "사자의 신(God of the Dead)"으로, 그의 품 속으로 죽은 자들을 받아들였고, 그래서 그리스 기독교인들의 *림버스* 혹은 아스트랄 빛이기 때문이다. *프타*가 태양신들과 같이 분류된 것은 훨씬 뒤이며, 그의 이름은 "여는 자(he who opens)"를 나타낸다. 그가 혼을 *그의 품에서 소생시키기 위해서* 죽은 미이라 얼굴을 벗기는 첫 번째로 보여지기 때문이다. (마스페로의 "불락 박문관") 네프(Kneph), *드러내지 않는 영원자*(Eternal *Unrevealed*)는 물항아리를 감싸는 영원의 뱀-상징으로 나타내고, 그것의 머리가 *그것이 그 숨결로 부화하는 "물" 위에서* 맴돈다—"어둠"의 똑같은 생각의 또다른 형태로, 그 광선이 물 위에서 움직인다 등등. "로고스-혼(Logos-Soul)"으로써, 이 *변형*이 프타라고 불린다; 로고스-창조자로써, 그가 *임호트-프*(*Imhot-pou*), 그의 아들 "잘생긴 얼굴의 신"으로 된다. 그들의 태초 성격에서 이 둘이 최초의 우주의 2개조, *누트*(*Noot*), "공간 혹은 *하늘*(*Sky*)" 그리고 *누*(*Noo*), "원초의 바다(primordial Waters)," 자웅동체의 통일성이며, 그 위에 *숨겨진* 네프의 숨결(Breath of Kneph)이 있다. 그리고 그들 모두는 그들에게 바쳐진 수생 동물과 식물을 가졌다. 즉, *아이비스, 백조, 거위, 악어* 그리고 *연꽃.*

카발라 신성으로 돌아가서, 이 숨겨진 단일성(Concealed Unity)은 *절대자*(*Absolute*)가 *오우롬*(*Oulum*),[56] 무궁한 기한 없는 시간 속에 있는 한, אירסוף =[*to pan(전체)*] =

55 우리는 받아들여진 그리고 사용이 승인된 용어를 사용하며, 그래서 독자에게 더 이해가능하다.
56 르 끌레르가 보여주듯이, 고대 유대인들에게 오우롬(Oulom) 단어는 시작이나 끝이 알려지지

[*apeiros(무궁한)*], 끝없는(Endless), 무궁한(Boundless), 비-존재(Non-Existent) אין 이다. 그것으로, 아인-소프가 창조자일 리가 없고 심지어 우주의 모형자가 될 수 없으며 *아우르(Aur)* (빛)도 될 수가 없다. 그러므로 아인-소프는 암흑이다. *불변의* 무한자이자 *절대적으로* 무궁자는 의지하거나, 생각할 수 없고, 행동할 수도 없다. 이런 것을 하기 위해서 그것은 유한하게 되어야 하고, 그것의 광선이 세계 알—무한 공간—속으로 꿰뚫고 들어가서 거기서 유한한 신으로써 발산함으로써 그것이 그렇게 한다. 이 모든 것이 하나 속에 잠재하는 그 광선에게 남겨진다. 기간이 될 때, 절대자의 의지가 내적인 궁극의 본질의 대법칙에 따라서 그 속에 있는 힘을 자연스럽게 확장한다. 유대인은 알을 상징으로써 채택하지 않았지만, 그것을 "이중의 하늘"로 대체하였다. 왜냐하면 "신이 하늘과 땅을 만들었다"는 문장을 올바르게 번역하면 이렇다: "(세계의 알) 하나의 자궁으로써 그 자신의 본질 속에서 그리고 그것에서, 신이 두 개의 하늘을 창조하였다." 그러나 기독교인들은 그들의 성령의 상징으로써 비둘기를 선택하였다.

"דה 메르카바와 *라가쉬* (비밀 언어 혹은 주문)에 정통한 사람은 누구나 비밀들의 비밀을 배울 것이다." *라가쉬는* 의미에서 만트라의 숨겨진 힘, *바크*와 거의 동일하다.

활동기가 왔을 때, 아인-소프의 영원한 본질 속에서, 세피라, 원초의 점(Primordial Point)으로 불린 활동적인 권능 그리고 *케테르,* 왕관이 나온다. 그녀를 통해서만 "경계 없는 대지혜(Un-bounded Wisdom)"가 추상적인 사고(Thought)에 구체적인 형태를 줄 수 있다. 상위 삼각형 두 면은 형언할 수 없는 본질과 우주—그것의 현현된 체—로 상징되며, 오른쪽과 밑면이 끊어지는 선으로 구성된다; 세 번째 면, 왼쪽 면은 점선으로 되어 있다. 세 번째 면을 통해서 세피라가 출현한다. 모든 방향으로 퍼져가면서, 그녀가 결국에는 전체 삼각형을 포괄한다. 이 발산 속에서 삼중의 삼개조가 형성된다. 상위의 *단일 삼개조(Uni-triad)*로부터 떨어지는 보이지 않는 이슬로부터 (이렇게 일곱 세피로스만을 남겨놓는다), "머리" 세피라가 태초의 바다를 *창조한다*, 즉, 카오스가 형상을 취한다. 영의 응고로 향하는 첫 번째 단계가

않은 시간만을 의미했다. 제대로 말하면, "영원(eternity)"이라는 용어는 베단타 학자가 파라브라흠에게 적용한 의미로 유대 언어에는 존재하지 않았다.

다양한 변형을 통해서 땅을 만들 것이다. *"살아 있는 혼을 만들기 위해서 흙과 물이 필요하다"*고 모세가 말한다. 그것을 물과 연결시키는 수중 새의 이미지가 필요하다. 물은 잉태시키는 새와 알을 가진 생산의 여성 요소이다.

세피라가 잠재하는 신성 속에서 활동적인 힘처럼 나타날 때, 그녀는 여성이다; 그녀가 창조자의 직책을 가질 때, 그녀가 남성으로 된다; 그래서 그녀는 자웅동체이다. 그녀는 힌두 우주발생론과 씨크릿 독트린의 "아버지이자 어머니 아디티"이다. 만약 가장 고대 유대인 두루마리가 보존되었다면, 근대 여호와 숭배자는 창조신의 상징들이 많고 적절하지 못했다는 것을 발견하였을 것이다. 달에 있는 개구리는 그의 발생적 성격을 전형적으로 나타내는 것으로 가장 빈번한 것이다. 모든 새들과 동물들이 성서에서 "깨끗하지 않은" 것으로 이제는 간직되는데 고대 시대에는 신성의 상징이었다. 그것들이 너무 신성하기 때문에 파괴로부터 그것들을 보존하기 위해서 불결함의 가면을 씌운 것이다. 만약 상징을 글자 그대로 받아들인다면, 놋뱀은 거위나 백조보다 더 시적이지 않다.

조하르에 있는 말이다: "불가분 점(Indivisible Point)이 그 순수와 밝기 때문에 이해될 수 없고 제한도 없으며 *외부로부터 확장하였고*, 하나의 베일로써 불가분 점 역할을 한 어떤 밝기를 형성한다;" 그럼에도 그 베일은 "측정 불가한 빛의 결과로 *보일 수 없다*. 그것도 *외부로부터 확장하였고*, 그리고 이 확장이 그것의 의상이었다. 이렇게 꾸준한 *융기(upheaving)* (운동)를 통해서 세계가 결국에는 기원하였다." (조하르 I. 20a) 무한한 빛(Infinite Light)이 내보낸 영적인 질료가 *첫째* 세피라 혹은 *쉐키나*이다: 세피라는 *대중적으로* 그녀 속에 다른 모든 아홉 세피로스를 간직한다. 비의적으로 그녀는 둘, 초크마 혹은 지혜, "신성한 이름이 *야(Jah)* (יה)인 남성의 활동적 효능" 그리고 비나, 여성의 소극적 효력, 신성한 이름이 *여호와* (יהוה)로 나타내는 대지성(Intelligence)을 간직한다; 둘의 효력이 세 번째인 세피라와 함께 유대인의 삼위일체 혹은 왕관, 케테르를 형성한다. 아버지를 *아빠(Abba)*로 그리고 어머니를 *아모나(Amona)*로 부른 이 두 가지 세피로스가 2개조 혹은 이중의 성의 로고스이고 거기서 다른 일곱 세피로스들이 나왔다. (조하르 참조) 이 첫 번째 유대인의 삼위일체가 (세피라, 초크마 그리고 비나) 힌두인의 *트리무르티*이다.[57] 심지어 조하르에서 그리고 한층 더 인도의 대중 판테온에서, 아무리 베일에 쌓여 있더라도, 하나와 연결된 모든 특정한 것이 다른 것 속에서 재생된다. *프라자파티*가 세피로스이다. 트리무르티와 카발라의 삼개조가 나머지에서 분리될 때, 브라흐마와 함께 열이 일곱으로 줄어든다. 일곱 건설자들 (창조자들)은 세피로스들이 창조자들로 되는 것과 똑같은 순서로 일곱 *프라자파티* 혹은 일곱 리쉬로 된다; 그리고 나서 장로들 등으로 된다. 두 가지 비밀 체계에서, 하나의 보편적 대본질(One Universal Essence)은 그것의 절대성에서 이해불가하고 *비활동*적이며, 간접적인 방식으로만 우주의 건설과 연결될 수 있다. 두 체계에서, 태초의 남성-여성 혹은 자웅동체 원리 그리고 그들의 열 그리고 일곱 발산 (한편에서 브라흐마-비라즈와 아디티-바크 그리고 다른 편에서 엘로힘-여호와 혹은 아담-아다미 (아담 카드몬)와 세피라 이브가) 프라자파티 그리고 세피로스들과 함께, 종합으로 모든 원형의 인간, 프로토-로고스(Proto-logos)를 나타낸다; 그리고 그들의 이차적 측면에서 그들이 우주의 힘 그리고 천문상의 체 혹은 별들의 구체로 된다. 만약 아디티가 신들의 어머니, *데바-마트리*라면, 이브는 모든 살아 있는 만물의 어머니이다; 그들은 "천상의 인간"의 여성 측면에서 *샤크티* 혹은 발생력이고, 그들은 모두 복합의 창조자들이다. 굽타 비디야" 수트라에서 말한다: "태초에, 파라마르티카 (하나만의 진정한 존재)에서 나오는 하나의 광선, 그것이 비야바하리카 (전통적인 존재)로 현현하게 되었으며, 이것이 보편 어머니 속으로 하강해서 그녀가 팽창하도록 (부풀어오르게) 만들기 위해서 *바한*으로써 사용되었다." 그리고 조하르에서 언급된다: "무한한 단일성(Infinite Unity)이, 무형의 그리고 유사성 없이, 천상의 인간 형태가 창조된 후에, 그것을 사용하였다. 미지의 빛(Unknown Light)[58] (암흑)이 אדמצואה (천상의 형태)를 מדבבה (전차)로 사용하였고 그것을 통해서 하강하여, 이 형태로 불리길 원했으며, 그것이 신성한 이름 여호와이다."

---

57 인도 판테온에서 이중의 성의 로고스는 브라흐마, 창조자로, 그의 일곱의 "마인드에서 태어난" 아들들이고 태초의 리쉬들—"건설자들"—이다.

58 랍비 시메온이 말한다: "아, 동료들, 동료들이여, 인간은 발산으로서 남자와 여자였다. '*아버지*' 쪽뿐만 아니라 '*어머니*' 쪽 둘 다이다. 그리고 이것이 그 말의 의미이다: '그리고 엘로힘이 말했다; 빛이 있으라, 그리고 빛이 있었다' . . . 그리고 이것이 *이중* 인간이다." ("조하르에서 발췌," pp. 13, 15.) 그리고 창세기에 빛은 자웅동체 광선(Androgyne Ray) 혹은 "천상의 인간"을 나타냈다.

조하르가 말한다: "태초에 어떤 다른 존재 이전에 왕의 의지(Will of the King)가 있었다. . . . 그것 (의지)이 숨겨져 있었지만 이제 보인 만물의 형태들의 밑그림을 그렸다. 그리고 아인 소프 머리로부터 봉인된 비밀로써 형상도 형태도 없는 물질의 흐릿한 불꽃이 나갔다 . . . 생명이 아래로부터 끌어당겨지고, 위로부터 근원이 자신을 새롭게 하며, 바다가 항상 가득 차 있고 그 물이 모든 것으로 퍼뜨린다." 이렇게 신은 끝없는 바다로 비유되고, "생명의 샘"인 물에 비유된다. (조하르 iii., p. 290) "일곱 번째 궁전, 생명의 샘은 위로부터 순서상 첫 번째이다." (ii. p. 261) 그래서 잠언 9장 1절에서 카발리스트적 솔로몬의 입으로 카발라 교리를 말한다: "대지혜가 그녀의 집을 지었다; 그것은 *일곱* 기둥을 잘라서 지었다."

그러면 원초에 보편적 계시가 없었다면 이 모든 개념들의 동일성은 어디서 온 것일까? 보여준 몇 가지 요점들은 작업이 진전되면서 보여줄 그것과 비교하면 건초더미 속에 있는 몇 개 지푸라기들과 같다. 만약 우리가 모든 우주발생론의 가장 흐릿한 것으로 가보면, 즉 중국 우주발생론으로 가보면, 심지어 거기서도 똑같은 개념을 보게 된다. 자존자는 미지의 어둠이고, 무궁한 대시대의 뿌리, 아미타바이며, 그리고 하늘이 나중에 왔다. 그의 "지푸라기들"에도 불구하고, 공자의 "태극(great Extreme)"도 똑같은 생각을 제공한다. 그의 지푸라기가 선교사들에게 상당한 흥미거리이다. 이들은 모든 "이교도 종교를 비웃고, 다른 명칭의 형제 기독교도들의 종교를 경멸하고 혐오하지만, 모두가 글자 그대로 그들 나름대로의 창세기를 받아들인다. 칼데아로 돌아보면, 그 속에서 *아누(Anu)*, 숨겨진 신성, 하나(One)를 보며, 더구나 그 이름이 산스크리트 기원이라는 것을 보여 준다. *아누*는 산스크리트어로 "원자," 작은 것 중에 가장 작은 것(aniyamsam aniyasam)을 의미하며 베다 철학에서 파라브라흠의 한 가지 이름이다; 파라브라흠이 가장 작은 원자보다 작다고 그리고 우주 혹은 가장 거대한 구체보다 크다고 묘사된다: *"가장 작은 원자보다 더 작고, 가장 거대한 구체나 우주보다 더 거대한(Anagraniyam and Mahatorvavat)."* 이것이 조지 스미스가 *"타버린 타일"*에 있는 설형문자 본문에서 발견한 *아카디안 창세기* 첫 구절로 제시한 것이다. 거기서 또한 우리는 *아누*가 아인-소프 혹은 수동적 신, *벨(Bel)*, 창조자, 물 위를 움직이는 신의 영(Spirit of God) (세피라), 그래서 물 자체 그리고 *헤아(Hea)*, 보편 혼 혹은 셋이 결합된 지혜라는 것을 본다.

첫 여덟 구절은 이렇다:

위에 있을 때, 하늘들이 올려지지 않았다;
그리고 아래 지상에 있을 때 식물이 자라지 않았다.
심연이 그 경계를 깨지 않았다.
카오스 (혹은 물) 티아마트 (바다)가 그들 전체를 만드는 어머니이다. (이것이 우주적 아디티이자 세피라이다.
태초에 그 물은 운명이 정해졌지만 —
나무가 자라지 않았고, 꽃이 개화하지 않았다.
신들이 하나도 일어나지 않았다.
식물이 자라지 않았고 질서가 존재하지 않았다.

이것이 발생이전 혼돈 기간이었다—이중 백조이고 검은 백조로, 빛이 창조될 때, 하얗게 된다.[59]

보편적 원리(Universal Principle)의 장엄한 이상을 위해서 선택된 상징이 그것의 성스러운 성격에 부응하도록 계산되지 않은 것처럼 보인다. 거위 혹은 심지어 백조가 영의 위엄을 나타내기에는 의심할 여지없이 적합하지 않은 것으로 보일 수 있다. 그럼에도 불구하고, 그것은 어떤 심오한 의미를 가졌음에 틀림없다. 왜냐하면 그것이 모든 우주발생론과 세계 종교에서 그려졌을 뿐만 아니라, 심지어 중세의 기독교인들, 십자군들이 구제주의 무덤을 아랍인의 손에서 빼앗기 위해서 군대를 팔레스타인으로 이끄는 것으로 여긴 성령의 *매개체*로서 선택하였기 때문이다. 만약 우리가 "유럽의 지성적 발전"에서 드레이퍼 교수의 진술을 신뢰한다면, 은둔자인 베드로가 이끄는 십자군은 군대 선두에 염소와 함께 흰 거위의 형상으로 성령이 앞에 섰다. 이집트인의 시간의 신(God of Time), 셉(Seb)이 그의 머리에 거위를 이고 다닌다. 주피터가 백조 형태를 취하고 브라흐마도 그렇다. 왜냐하면 이 모든 것의 뿌리가 신비들의 신비—세계 알—이기 때문이다. (앞 참조)

---

59 하늘에서 만사로바라(Mansarovara) 호수로 내려왔다고 믿어지는 일곱 스완 (백조)은 대중의 상상속에 있는 큰곰자리의 일곱 리쉬로, 베다가 쓰였 졌던 곳을 방문하기 위하여 그 형태를 취한다.

상징을 비하하기 전에 그것의 이유를 배워야 한다. 공기(Air)와 물(Water)의 두 원소는 아이비스, 스완, 거위 그리고 펠리칸, 악어와 개구리, 연꽃과 수련 등등의 원소이다; 그리고 그 결과로 근대 신비가 뿐만 아니라 고대 신비가들 사이에서 가장 어울리지 않는 상징을 선택하게 된 것이다. 자연의 위대한 신, 팬(Pan)은 수생 조류, 특히 거위와 연계되어 일반적으로 그려지고, 다른 신들도 그렇다. 만약 나중에 종교의 점진적인 쇠퇴로, 거위가 바쳐진 신들이 남근 숭배 신으로 되었다면, 심지어 고대에 대하여 비웃는 사람들이 그렇듯이 수생 조류들이 팬과 다른 남근 신들에게 바쳐졌다는 것이 도리에 맞지 않는다. (*페트로니 사티릭*, 136 참조); 그러나 출산 성질의 추상적 신성한 힘이 심하게 인격화되었다. "레다의 백조"도 남근적 행위와 그녀가 그것을 즐겼다는 것을" 보이지 않는다고 하그레이브 제닝이 담백하게 표현한다; 왜냐하면 신화는 우주발생론의 똑같은 철학적 사상의 또다른 버전에 불과하기 때문이다. 원소들로 분리되기 전에 백조와 아폴로가 물과 불(태양빛)의 상징이기 때문에, 백조가 아폴로와 연관되는 것이 빈번하게 보인다.

근대 상징학자들은 유명한 작가인 리디아 마리아 차일드 부인이 언급한 어떤 진술로 도움을 받을 수 있다. "옛날부터 힌두스탄 (인도)에서 상징은 생명의 기원 혹은 창조의 유형으로써 숭배되어 왔다. . . . 시바 혹은 마하데바가 인간 형태의 재생자일 뿐만 아니라, 우주에 두루 스며드는 발생의 힘, 결실을 맺게 하는 원리이다. 모성애 상징도 마찬가지로 종교적인 유형이다. 생명의 생산에 대한 이런 존중이 오시리스의 숭배 속으로 성적인 상징을 도입시켰다. 그들이 인간 탄생의 위대한 신비를 존중하면서 생각했다는 것이 이상한가? 이렇게 그것을 여기는 것이 불순한가? 아니면 그렇게 여기지 않는 우리가 불순한가? 그러나 *깨끗하고 사려 깊은 마인드는 그것을 그렇게 생각할 수 없다*. . . 고대 은둔자들이 그들의 성소의 엄숙한 곳에서 신과 혼에 대하여 처음 말한 이후, 우리는 멀리 여행하였고, 그 길이 깨끗하지 않았다. 무한하고 불가해한 대원인(Cause)을 자연의 모든 신비에 두루 걸쳐서 추적하는 그들의 방식에 비웃지 말자. 그렇게 함으로써 그들 선조의 단순함에 우리 자신의 조잡함의 그림자를 드리우지 않도록." ("*종교 사상의 진보*," 1권, p. 17 이하 참조.)

6장 세계 알

이 보편 상징은 어디서 온 것일까? 알은 지구의 모든 민족의 우주발생론에서 신성한 표시로 받아들여졌고, 그것의 형태와 내적인 신비 때문에 존경받아 왔다. 인간의 가장 초기 멘탈 개념에서부터, 그것은 존재의 비밀과 기원을 가장 성공적으로 나타낸 것으로 알려져 왔다. 닫혀진 껍질 속에서 감지할 수 없는 배아의 점진적인 계발; 열기를 제외하고 아무것도 필요 없는, 잠재하는 *무(nothing)*에서 활동적인 *어떤 것(something)*을 만드는, 겉보기에 외적인 어떤 힘의 간섭 없는, 내적인 작용; 그리고 점차로 구체적이고 살아 있는 피조물로 진화한 후에, 그 껍질을 부수고, 스스로 발생시킨 그리고 스스로 창조된 존재로 외적인 감각에 나타내는 것—이것이 처음부터 바래지 않는 기적임에 틀림없었다.

비밀의 가르침에서는 유사시대 이전 인종들의 상징으로 이런 존경의 이유를 설명한다. "제일 원인(First Cause)"은 시초에 이름을 가지고 있지 않았다. 나중에 그것은 사상가들의 공상 속에서 카오스 속으로 알을 떨어뜨린 언제나 보이지 않는 신비스러운 대붕으로 그려졌고, 그 알이 우주가 된다. 그래서 브라흠을 칼라한사, "공간과 시간 속의 백조"로 불렀다. 그는 "영원의 백조"로 되었고, 마하만반타라 시작 때마다 "황금알(Golden Egg)"을 낳는다. 그것은 거대한 원(Circle) 혹은 O을 전형적으로 보여주고, 그 자체가 우주와 타원형 체의 상징이다.

그것이 우주와 우리 지구의 상징적 표상으로 선택된 두 번째 이유는 그것의 형태 때문이다. 그것은 원(Circle)이고 구형(Sphere)이다; 그리고 우리 구체의 타원형이 상징 초기부터 알려져 왔음에 틀림없다. 왜냐하면 그것이 너무 보편적으로 채택되었기 때문이다. 알의 형태로 대우주의 최초 현현이 고대시대에 가장 폭넓게 확산된 믿음이었다. 브라이언트가 보여 주듯이 (iii, 165), 그것은 그리스인, 시리아인, 페르시아인 그리고 이집트인 사이에서 채택된 상징이었다. 이집트 사자의 서 54장에서, 시간과 지구의 신, 셉(Seb)이 알 혹은 우주를 낳은 것으로 말하며, 이 알은 "두 가지 힘이 하나되는 위대한 시간에 잉태된 알"이다. (V부, 2, 3, 등 참조)

라(Ra)가 우주의 알 속에서 잉태하는 브라흐마처럼 보인다. 사자는 "신비의 땅의 알 속에서 빛난다." (xxii, 1) 왜냐하면 이것이 "신들 사이에서 생명을 받은 알이기 때문이다." (xlii, 11) "그것은 매처럼 알에서 나온 셉의 알(Egg of Seb), 꼬꼬 우는 거대한 암탉의 알이기 때문이다." (lxiv, 1, 2, 3; lxxvii., 1)

그리스인에게는 오르픽 알이 아리스토파네스에 의해서 묘사되었고, 디오니소스 신비의식과 다른 신비의식의 일부분이었다. 그 신비의식 동안에 세계 알이 봉헌되었고 그것의 중요성이 설명되었다; 포르피리는 그것을 세계의 표상으로 보여준다. 파버와 브라이언트는 알이 노아의 방주를 상징하였다고 보여주려고 하였으나, 그것이 순전히 비유적 그리고 상징적으로 받아들여지지 않는다면, 그것은 많이 빗나간 믿음이다. 그것은 생명의 보편적인 씨앗을 실어 나르는 *아르가*, 달과 동의어로서만 방주를 상징하였을 수 있다; 그러나 성서에 있는 방주와는 확실히 아무 관련이 없다. 하여튼 우주가 태초에 알 형상으로 존재했다는 믿음이 일반적이었다. 그리고 윌슨이 말한다: "알의 형태 속에 원소들의 최초 응집에 대한 비슷한 설명이 인도 모든 푸라나에서 통상적인 명칭인 하이마(Haima), 혹은 마누에서 '황금색의', 히란야로 주어진다." 하지만 히란야는 위대한 인도 학자인 스와미 다야난드 사라스바티가 맥스 뮬러 교수와 미출간된 논쟁에서 증명하였듯이, "황금색"이라기보다, "빛나는," "찬란한"의 의미이다. 비쉬누 푸라나에서 말한다: "지성 (마하트) . . . (미현현된) 조밀한 원소를 포함한 채 하나의 알을 형성하였다 . . . 그리고 우주의 주(lord) 자신이 브라흐마의 성질로 그 속에 거주하였다. 그 알 속에는, 오 브라흐만, 대륙, 바다, 산, 행성과 우주의 구분, 신, 악마와 인류가 있었다." (i권 2장.) 그리스와 인도에서 최초로 보이는 남성 존재가 양성의 성질을 자신 속에서 결합한 채 그 알 속에 머물렀고 그것에서 나왔다. 그리스인들에게 "세상에 태어난 첫째"가 디오니소스였다; 세계 알에서 솟아난 신이자, 유한자와 불멸자가 유래한 곳이다. 사자의 서에서 (xvii, 50), 신 "라"가 그의 알 (태양)에서 빛나는 것으로 보여주며, 신 슈(Shoo) (태양 에너지)가 그를 깨워서 충동을 주자마자 움직이기 시작한다. "그는 태양알 속에, 신들 사이에서 생명을 준 그 알 속에 있다." (xlii, 13) 태양신이 외친다: "나는 천상의 심연의 창조 혼이다. 아무도 나의 둥지를 보지 못하고, 아무도 나의 알을 깰 수 없다. 나는 주(Lord)이다." (Lxxxv.)

이 원형 형태에 관하여, “I”이 “○” 혹은 알에서 나오는 것으로, 혹은 남성이 자웅동체 속에 있는 여성에서 나오는 것으로, 어떤 학자가 고대 아리안들이 십진법을 몰랐다고 말하는—가장 고대의 인도 사본에서 그것의 흔적이 보이지 않는다는 근거로—말하는 것을 보면 이상하다. 10은 우주의 성스러운 숫자로, 단위이자 *영(cipher)* 혹은 *제로*(*zero*), 원으로써, 비의적이고 비밀이었다. 더구나 맥스 뮬러 교수가 말하길, “두 단어 *사이퍼*와 *제로*는 하나이고, 우리의 숫자들을 아랍에서 빌려왔다는 것을 증명하기에 충분하다.”[60] 사이퍼는 아랍의 “사이프론(cifron)”이고, *공*(*empty*)을 의미하며, 산스크리트어 이름인 “순냐(sunya),” 영(nought)를 번역한 것이라고 그가 말한다.[61] 아랍인은 그들 숫자를 힌두인으로부터 가져왔으며, 그들이 발견하였다고 결코 주장하지 않았다.[62] 피타고라스 학파에 대하여, 피타고라스 학파의 숫자들[63] 중에서, 첫째이자 마지막 사이퍼로써 1과 *영*(*nought*)을 찾기 위하여, 6세기에 만들어진 보에티우스의 *기하학* 고대 사본에 의지할 필요가 없다. 그리고 포르피리가 피타고라스 학파의 *모데라투스*에서[64] 인용하여 말하길, 피타고라스의 숫자들은 “상형문자 상징으로,” 그것으로 그는 우주의 기원 혹은 “사물들의 성질에 관한 개념을 설명한다.”

이제 다른 한편으로 만약 가장 고대 인도 사본이 어떤 십진법의 기호의 흔적을 보여주지 않는다면, 그리고 맥스 뮬러가 지금까지 그는 (산스크리트 숫자의 첫 글자) 아홉 글자만을 발견하였다고 매우 명확하게 말한다; 반면에 우리는 원하는 증거를 제공할 수 있는 고대 기록을 가지고 있다. 우리는 극동의 가장 오래된 사원에 있는 성스러운 조각상과 조형물을 말하는 것이다. 피타고라스는 그의 지식을 인도에서 얻었다; 그리고 우리는 신피타고라스 학파가 그리스인과 로마인 사이에서

---

60 맥스 뮬러의 “우리의 숫자” 참조.

61 아랍의 사이프론이 인도의 *시니야*(*Synya*) 영(nought)에서 가져온 것처럼, 유대 카발리스트의 세피로스 (*세피람*)가 공의 의미가 아닌 그 반대로—진화에서 숫자와 등급에 의한 창조의 의미로—사이퍼 단어에서 가져왔다고 카발리스트가 믿으려는 경향이 있다. 그리고 세피로스는 10 혹은 ⦶이다.

62 맥스 뮬러의 “우리의 숫자” 참조.

63 킹의 “그노시스파와 그들의 유물.” 플레이트 xiii. 참조

64 “파타고라스의 생애.”

"연산하는(ciphering)" 최초 교사들이었다는 이 진술을 맥스 뮬러가 확증하는 것을 본다; "그들은 알렉산드리아에서 혹은 시리아에서 인도 숫자에 익숙하게 되었고, 그것을 피타고라스 주판에 적용하였다 (우리의 숫자 참조)." 이런 신중한 인정은 피타고라스 자신이 *아홉* 숫자를 잘 알았다는 것을 암시한다. 이렇게 고대 시대가 끝날 무렵에 살았던 피타고라스가 십진법을 알았다는 어떤 증거를 (*외적으로*) 가지고 있지 않더라도,[65] 우리는 보에티우스가 제시하였듯이, 심지어 알렉산드리아가 건설되기 이전에, 전체 숫자들이 피타고라스 학파에게 알려졌다는 것을 보여주는 충분한 증거를 가지고 있다고 합리적으로 대답할 수 있다.[66] 우리는 이 증거를 다음과 같이 말한 아리스토텔레스에서 본다. 즉, "어떤 철학자들은 이데아와 숫자가 동일한 성질이며, 모두 열(Ten)에 이른다고 생각한다."[67] 이것으로 십진법이 최소한 기원전 4세기에 그들 사이에서 알려졌다는 것을 보여주기에 충분할 것이다. 왜냐하면 아리스토텔레스가 그 문제를 "신피타고라스 학파"의 혁신으로써 다루지 않는 것처럼 보이기 때문이다.

그러나 우리는 그것 이상 알고 있다: 우리는 십진법이 가장 태고시대의 인류에게 알려져 왔음에 틀림없다는 것을 *안다.* 왜냐하면 비밀의 성직 언어의 전체 천문학적 부분과 기하학적 부분이 10이라는 숫자 혹은 남성과 여성 원리의 결합 위에 세워졌기 때문이고, "꾸푸"의 피라미드가 이 십진법의 측정 혹은 숫자들과 *영(nought)*과의 조합을 토대로 세워졌기 때문이다. 그러나 이것에 대하여, *아이시스 언베일드*에서 충분하게 말하였고, 똑같은 주제를 반복하는 것은 쓸모가 없다.

달의 신들과 태양 신들의 상징은 풀 수 없을 정도로 너무 얽혀 있어서, 알, 연꽃 그리고 "성스러운" 동물 같은 그림문자들을 서로 분리시키는 것이 거의 불가능하다. 예를 들면, *황새*가 황새 머리를 가진 것으로 자주 나타내는 아이시스에게 바쳐지며, 머큐리 혹은 토트에게도 바쳐진다. 왜냐하면 그 신이 타이폰으로부터 도망치는 동안 그것의 형태를 취하였기 때문이다—황새는 이집트에서 가장 숭배되는 것이었다. 그

---

65 기원전 608년.
66 이 도시는 기원전 332년에 세워졌다.
67 "형이상학" vii., F.

나라에는 두 종류의 황새가 있다고 헤로도투스가 (Lib. II. c. 75 *이하 참조*) 말한다: 하나는 *상당히 검정*이고, 다른 것은 검고 흰색이다. 전자가 매년 봄에 아라비아에서 와서 그 나라에 출몰한 날개 달린 뱀과 싸워서 전멸시키는 것으로 인정받는다. 다른 것은 달에게 바쳐진다. 왜냐하면 달은 외적인 면이 하얗고 빛나고, 지구로 결코 돌리지 않는 다른 면은 어둡고 검기 때문이다. 게다가, 황새는 땅의 뱀을 죽이고, 악어의 알을 가장 끔찍하게 망쳐서, 이렇게 그 끔찍한 파충류로 들끓는 나일강에서 이집트를 구한다. 그 새가 달빛 속에서 그렇게 하는 것으로 인정되며, 이렇게 그녀의 별의 상징인 달로써 아이시스에 의해서 도움을 받는다. 그러나 이 대중 신화들 근저에 놓여 있는 더 가까운 비의적 진리는, 아베네피우스가 (*이집트의 문화*) 보여주었듯이, 헤르메스가 그 새의 형태로 이집트인을 지켜보았고, 그들에게 오컬트 예술과 과학을 가르쳤다는 것이다. 이것은 *따오기*가 다른 새들처럼, 특히 탁월하게 알바트로스 그리고 신화 같은 흰 백조, 시간 혹은 영원의 백조, 칼라한사와 공통으로 "마법 같은" 속성을 가졌고 그리고 가지고 있다는 것을 단순히 의미한다.

그렇지 않았다면, 우리만큼이나 어리석지 않은 모든 고대인들이 어떤 새를 죽이는 것에 대한 미신 같은 공포를 가졌을까? 이집트에서 따오기나 황금매—태양과 오시리스의 상징—를 죽인 사람은 죽음을 감수하였고 죽음을 거의 피할 수 없었다. 어떤 나라에서 새에 대한 숭배가 조로아스터가 그의 계율에서 그것을 죽이는 것을 가증스러운 범죄로 금지할 정도였다. 우리 시대에는 모든 종류의 점치는 것을 비웃는다. 그렇지만 왜 그렇게 많은 세대들이 새로 점치는 것과 심지어 오르페우스로부터 전해졌다는 수이다스가 말한 동물점을 믿었을까? 그 알에서 태어난 새가 그 짧은 생 동안 주위에서 보았던 그것을 어떤 조건 하에서 알의 흰자와 노른자 속에서 지각하는 방법을 오르페우스가 가르쳤다고 말했다. 이 오컬트 예술은 3천년전에 가장 많은 배움과 가장 심오한 수학적 계산을 필요로 하였으나 이제는 타락의 심연 속으로 떨어졌다: 이제는 유리잔 속에 있는 알의 흰자로, 남편을 찾는 하녀들에게 그들의 미래를 말해주는 것이 나이든 요리사와 점쟁이들이다.

그럼에도 불구하고, 심지어 기독교인들도 오늘날까지 그들의 성스러운 새를 가지고 있다; 예를 들면, 성령의 상징인 비둘기. 그들은 성스러운 동물들을 무시하지도 않았다. *복음적* 동물 숭배—황소, 독수리, 사자 그리고 천사 (사실상 케룹 혹은 세라프로 불의 날개를 가진 뱀)—가 이집트인이나 칼데아인 만큼 이교도적이다. 사실상 이 네 가지 동물은 사원소의 상징이고, 인간 속에 있는 네 가지 *하위* 원리의 상징이다. 그럼에도 불구하고, 그것은 물리적으로 물질적으로 태양신의 *시종* 혹은 *수행원*을 형성하는 세 개 성운에 상응하고, 동지 동안에 황도대의 네 가지 기본점을 차지한다. 이 네 "동물"이 복음 전도자의 *초상화*가 주어지는 로마 카톨릭 신약성서 많은 곳에서 보일 수 있다. 그들은 에스겔의 메르카바의 동물이다.

라곤이 진실로 말했듯이, "고대의 대사제들은 그들의 종교 철학의 도그마와 상징을 너무 교묘하게 조합하였기에, 이 상징들은 *모든* 열쇠에 대한 지식과 조합으로만 충분하게 설명될 수 있다." 만약 이 일곱 체계 중에 세 개—인류학적, 심령적 그리고 천문학적—를 찾더라도, 그것들이 *대략적으로만* 해석될 수 있다. 두 가지 주요 해석, 가장 높은 것과 가장 낮은 것, 영적인 것과 생리적인 것을 그들은 최고의 비밀 속에서 보존하였고, 생리적인 것이 결국에는 세속인의 영역으로 떨어졌다. 이제는 이렇게 순전히 (혹은 불순하게) 남근 숭배로 되어버린 그것이, 유사이전 대사제들에게는 지금의 생물학과 생리학처럼 신비스럽고 심오한 과학이었다. 이것은 그들의 독점적인 소유, 그들의 연구와 발견의 과실이었다. 다른 둘은 창조신(신통기)과 창조적 인간, 즉 이상적 신비와 실천적 신비를 다룬 것들이다. 이 해석들이 너무 교묘하게 숨겨지고 조합되어서 많은 사람들이 한 가지 의미를 발견하였지만 다른 것의 중요성을 이해하는 데 당혹해하였고, 위험한 비밀을 누설할 만큼 충분히 그것을 결코 풀 수가 없었다. 최고의, 첫 번째 그리고 네 번째—인체 해부학과 관련된 신통기—는 이해하는 것이 거의 불가능하였다. 우리는 이것의 증거를 유대인의 "성전"에서 보게 된다.

뱀이 알에서 태어나기 때문에 그것이 지혜의 상징이자 로고스 혹은 *스스로 태어난 자*(*self-born*)의 상징이 되었다. 상이집트에 있는 필로에 사원에는, 다양한 향으로 만들어진 점토로 된 알이 인위적으로 만들어졌고, 뿔살모사가 태어났을 때, 독특한 과정으로 그것이 부화되게 만들어졌다. 고대 인도 사원에서도 코브라를 위하여 똑같은 것이 행해졌다. *창조* 신이 네프(Kneph)—날개 달린 뱀으로서—입에서 나온 알에서 나타난다. 왜냐하면 뱀은 전체-지혜(All-wisdom)의 상징이기 때문이다. 유대인들에게 그가 황야와 모세의 "날아다니는 불의 뱀"으로 상형문자화 되었고,

알렉산드리아 신비가들에게 그는 그노시스의 로고스, 오피오-크리스토스가 된다. 개신교도는 놋뱀의 비유와 "불의 뱀"의 비유가 크리스트와 십자가형의 신비를 직접 언급한 것이라는 것을 보여주려고 한다;[68] 그러나 그것은 중심의 배아를 가진 알 혹은 *중심의 점을 가진 원에서* 분리될 때, 실제로 *발생의 신비*와 훨씬 더 관련 있다. *놋뱀*은 그런 신성한 의미가 없었다; 또한 사실 그것은 *"불의 뱀"* 보다 찬양되지도 않았다. *왜냐하면 불의 뱀이 물면 자연스러운 치유만 있기 때문이다.* "놋(brazen)" 단어의 상징적 의미는 여성 원리이고, 불 혹은 "금"의 의미는 남성 원리이다.[69]

사자의 서에서, 보았듯이 알이 종종 언급되었다. 라(Ra), 강력한 자가 "반항의 자식들"과 *슈(Shoo)* (태양 에너지이자 어둠의 용) 사이에 싸우는 동안에 그의 알 속에 그대로 있다. (xvii장) 사자가 신비의 땅으로 넘어갈 때 그의 알 속에서 빛난다. (xxii. i.) 그는 셉의 알이다. (liv. 1~3) . . . 그 알은 *불멸*과 영원 속에 있는 생명의 상징이었다; 그리고 또한 발생적 매트릭스 (모태)의 상형문자로써; 그리고 *타오*가

---

68 그리고 이것은 놋뱀이 기둥 위로 올려졌기 때문이다. 그것은 오히려 신성한 *타오(Tau)*로 지지된 거꾸로 서있는 이집트인의 알 마이코(Mico)를 말한 것이다. 왜냐하면 알과 뱀은 이집트 고대 숭배와 상징에서 분리될 수 없고, 놋뱀과 "불의" 뱀은 *세라프*, "태우는 불의" 메신저 혹은 뱀의 신들(serpent Gods), 인도의 *나가*들이었기 때문이다. 그것은 알이 없는 순전히 남근 숭배 상징이었다. 반면에 그것과 연관되었을 때 그것은 우주 창조를 말한 것이었다.

69 "황동은 생명을 받는 자궁의 세계 . . . *지하 세계*를 상징하는 금속이었다. . . 뱀을 나타내는 단어는 유대어 *나카쉬(Nakash)*이지만, 이것은 황동과 같은 용어이다." 민수기(21장)에서 유대인들이 *황야에 물이 없다*고(5절) 불평하였다고 한다; 그후에 "주께서 불의 뱀을 보내서" 그들을 물게 하였고, 모세에게 은혜를 베풀어, 그에게 장대 위에 매달아 놓은 놋뱀을 보는 치료법을 준다; 그리고 그후 "황동 뱀을 보았을 때 누구나 . . . 살았다" (?). 그후에 "주께서" 브엘 우물에 사람을 모아서 그들에게 물을 주고(14-16절), 감사하는 이스라엘이 이 노래, "오, 우물아, 솟아라"를 노래하였다. (17절) 상징학을 공부한 후에, 기독교 독자가 이 세 가지 상징—물, 놋쇠, 뱀 그리고 몇 가지 더—의 가장 깊은 의미를 *성서에서 그들에게 주어진 의미대로* 이해하게 될 때, 그는 구세주의 성스러운 이름과 "놋뱀" 사건을 거의 연결하지 않을 것이다. 세라핌 שרפים (날개 달린 불의 뱀)은 케넬리의 아포칼립스에서 설명되었듯이, "영원의 뱀"—신—의 개념과 확실히 연결되어 있고 분리될 수가 없다. 그러나 케룹 단어는 그것의 직접적인 의미가 서로 다르더라도 한 가지 의미에서 또한 뱀을 의미하였다; 왜냐하면 *케루빔*과 페르시아의 날개 달린 "그리핀"—황금 산의 수호자—이 같은 것이고, 그들의 복합 이름이 그 성격을 보여준다. 즉 그것이 כר (kr) *원* 그리고 אוב "(aub)" 혹은 오브(ob)—뱀—으로 구성된다. 그러므로 "원 속에 있는 뱀"이다. 그리고 이것이 놋뱀의 남근 숭배적 성격을 해결하고, 히스기야가 그것을 파괴한 것을 정당화한다. (열왕기하, 18, 4 참조) *현자에게는 한 마디로도 충분하다(Verbum sat. sapienti)*.

그것과 연관되어 *발생* 속에 있는 생명과 탄생만의 상징이었다. 세계 알이 *크누움*(*Khnoom*), "공간의 물" 혹은 *추상적* 여성 원리 속에 놓여 있다 (크누움이 인류가 발생과 남근 숭배로 *떨어지면서* 암몬, *창조 신*으로 된다); 그리고 *프타*(*Phtah*), "불의 신"이 세계 알을 그의 손 안으로 가져갈 때, 그때 그 상징이 그것의 의미에서 상당히 세속적이고 구체적으로 된다. 오시리스-태양의 상징인 매와 함께, 그 상징은 이중이다: 그것은 유한자와 불멸자 둘 다를 말한다. 커쳐의 *이집트인의 오이디푸스* (3권, p. 124)에서 그 위에 조각된 파피루스 위에서 알이 미이라 위를 떠다니는 것을 볼 수 있다. 이것은 *오시리스화된* 사자를 위한 *두 번째 탄생*의 약속이자 희망의 상징이다; 그의 혼이 아멘티에서 마땅한 정화 후에 불멸의 이 알 속에서 잉태하여 거기에서 지상의 새로운 삶으로 다시 태어날 것이다. 비의 가르침에서 이 알은 지복의 거주처, *데바찬*이다; 날개 달린 스카라베도 마찬가지로 그것의 상징이다. "날개 달린 구체"는 또 다른 형태의 알이고, 인간의 재탄생뿐만 아니라 그의 영적 갱생을 말하는 *크호피로*(*Khopiroo*), 스카라베와 똑같은 의미를 갖는다 (어근 *'크호프로'*는 "되다," "재탄생하다" 의미이다).

모쿠스의 신통기에서, 우리는 먼저 아에테르를 보고, 그리고 공기, 공기에서 울롬(Ulom), *지성적*(*noetos*) 신 (볼 수 있는 물질의 우주)이 세계 알에서 태어난다. (무버, *페니키아인*, p. 282.)

오르픽 찬가에서, 에로스-파네스가 신성한 알에서 진화하여 나오며, *아에테르의 바람*(*AEthereal Winds*)이 이것을 잉태시키는데, 바람은 "미지의 암흑의 영"—"신의 영"이다 (K.O. 뮬러가 236페이지에서 설명하듯이); 플라톤이 말하는, "아에테르를 움직이게 한다고 말하는 신성한 이데아"이다.

힌두의 *카타코파니샤드*에서, 푸루샤, 신성한 영이 이미 원물질 앞에 서고, "그것의 합일에서 세계의 위대한 혼, 마하-아트마, 브라흐마, 생명의 영(Spirit of Life)[70] 등등이 생겨나온다."[71] 이것뿐만 아니라 브라만의 신성한 문헌들에 흩어져 있는 이 주제에

70 후자 명칭은 모두 애니마 문디 혹은 카발리스트와 오컬티스트의 아스트랄 빛, 혹은 "암흑의 알(Egg of Darkness)," "보편 혼(Universal Soul)"과 동일하다.
71 웨버, "아카데미 강연," p. 213, 214 이하 참조.

대한 많은 멋진 비유들이 있다. 어느 한 곳에서 그것은 여성 창조자로 먼저 배아가 되고, 그리고 나서 천상의 이슬 방울, 진주 그리고 알로 된다. 그 경우에—그것들을 분리해서 열거하기에는 너무 많다—그 알이 다섯 번째 원소, 에테르 속에 있는 사원소를 낳고, 일곱 덮개로 덮으며, 이것이 나중에 일곱의 상위계와 일곱의 하위계로 된다. 둘로 부서지면서, 그 껍질이 하늘로 되고, 알 속에 있는 알맹이가 땅으로 되며, 흰자가 지상의 물을 형성한다. 다시 손에 연꽃을 들고 알 속에서 나오는 것이 비쉬누이다. 닥샤의 딸이자 카시아파의 부인 (우리 세계의 일곱 "창조자들" 중에 하나로, "시간에서 솟아난 스스로 태어난 자"), 비나타(Vinata)가 알을 가져왔고 거기서 비쉬누의 매개체, 가루다가 태어났으며, 가루다가 거대한 대주기(Great Cycle)이기 때문에, 이 비유는 우리 지구와 관계가 있다.

그 알이 아이시스에게 바쳐진다; 이집트 사제들은 그런 이유 때문에 알을 결코 먹지 않았다.[72]

디오도로스 시켈로스는 오시리스가 브라흐마처럼 알에서 태어났다고 말한다. 밝은 쌍둥이자리인 카스토르와 폴룩스처럼, 아폴로와 라토나도 레다의 알에서 태어났다. 그리고 불교도들이 같은 기원을 그들 창시자로 돌리지 않더라도, 고대 이집트인이나 근대 브라만처럼, 그들이 알 속에 잠재하는 배아를 파괴하여, 그렇게 죄를 범하지 않도록, 그들은 알을 먹지 않는다. 중국인은 그들의 첫 번째 인간이 알에서 태어났다고 믿으며, *하늘*, 즉 신이 하늘에서 땅으로 물속으로 그 알을 떨어뜨렸다.[73] 어떤 사람은 이 상징이 생명의 기원의 사상을 나타내는 것으로 여전히 여기며, 인간의 난자가 육안으로는 보이지 않지만 과학적인 이론이다. 그러므로 우리는 가장 먼 과거부터 그리스인, 페니키아인, 로마인, 일본인 그리고 시암인, 남북 아메리카 부족 그리고 심지어 가장 먼 섬의 야만인들이 그것에 보인 경외를 본다.

---

72 아이시스는 한 손에 연꽃을 들고 다른 손에는 그녀에게 바쳐진 알, 원과 *크럭스 안사타*를 들고 있는 것으로 거의 항상 나타내어진다.

73 중국인은 이렇게 최초 살아 있는 배아가 지나가는 혜성에서 지구로 떨어뜨렸다는 윌리엄 탐슨 경의 이론을 예상한 것처럼 보인다. 의문! 왜 이것을 과학적이라고 부르고 중국인의 사상을 미신적인 어리석은 이론이라고 부르는가?

이집트인에게, 숨겨진 신은 암몬 (*몬*)이었다. 그들의 모든 신은 이중이었다: 성소를 위한 과학적 *실재*; 그것의 복체로, 대중을 위한 터무니없고 신화적인 실체. 예를 들면, "카오스, 테오스 그리고 코스모스"에서 보았듯이, 더 오래된 호루스는 "세계 창조 이전 암흑 속에서 태어난" 데미우르고스의 마인드 속에 남아 있는 세계에 대한 *이데아*였다; 두 번째 호루스는[74] *로고스*로부터 나가는 똑같은 *이데아로,* 물질을 입으며 실제의 존재를 취하게 된다. (무버, *"페니키아인,"* p. 268와 비교하라) *크누움*과 암몬도 똑같다;[75] 둘 다 숫양-머리로 나타내어지며, 그들의 기능이 서로 다르지만, 둘 다 자주 혼동된다. 크누움은 녹로 위에 있는 세계 알에서 인간과 사물을 형성하는 "인간의 형성자(modeler)"이다; 암몬-라, 발생자는 숨겨진 신성의 이차적인 측면이다. 크누움이 엘레판타와 필로에에서,[76] 암몬은 테베에서 숭배되었다. 그러나 입에서 불어서 알을 나오게 하는 것은 바로 하나의 지고의 *행성* 원리, 에메푸트(Emepht)이고, 그래서 그는 브라흐마이다. 알 속에 담긴 배아가 성숙할 때까지 그 알 위를 배회하고 활기를 불어넣는 영(Spirit)으로 골고루 스며들게 하는 그것의 그림자, 대우주와 보편적, 신성의 그림자는 그 이름을 말할 수 없는 *신비* 신이었다. 하지만 두 가지 작업을 시작하기 위해서 세계의 알에서 나아가는 생명과 죽음을 여는 자,[77] "여는 그(he who opens)," *프타(Phtah)*이다. (*민수기*)

그리스인에 따르면, 최고 하늘 영역의 에테르 파도 위에서 떠다니는 캐미스(Chemis) (*캐미*, 고대 이집트)의 유령 형태가 호루스-아폴로, 태양신에 의해서 존재하게 되었고, 그 태양신은 그것이 세계 알에서 나오게 만들었다.[78]

---

74 호루스(Horus)—"더 오래된(older)" 혹은 *하로이리(Haroiri)*는 태양신의 고대의 측면으로, *라(Ra)* 그리고 *슈(Shoo)*와 동시대이다; 하로이리가 종종 호르(Hor) 호르수시(Horsusi), 오시리스와 아이시스의 아들로 오해된다. 이집트인들은 태양 원반이 그 신의 매 머리에서 발견될 때, 활짝 핀 연꽃, 즉 우주에서 일어나는 더 오래된 호르(Hor)의 형태로 떠오르는 태양을 매우 자주 나타냈다. 하로이리는 크누움(Khnoum)이다.

75 암몬(Ammon) 혹은 *몬(Mon)*, "숨겨진 자", 지고의 영.

76 그의 삼위일체 여신은 *사티(Sati)*와 *아노키(Anouki)*이다.

77 *프타(Phtah)*는 원래 시바처럼 죽음의 신, 파괴의 신이었다. 그는 태양의 불고 활기를 불어넣을 뿐만 아니라 죽이는 태양신이다. 그는 멤피스의 국가 신, 찬란하고 "아름다운 얼굴의 신(fair-faced God)"이다. (이집트 북부 *사카라 조형*, *사이스 시대* 참조.)

78 *브라흐만다 푸라나*는 브라흐마의 황금알에 대한 신비를 온전히 담고 있다; 그리고 이것이 아마도 동양학자들이 그것에 접근할 수 없는 이유이다. 그들이 말하길, 이 푸라나는 스칸다처럼 "더

스칸디나비아 우주론—맥스 뮬러 교수가, 시간의 관점에서, “베다보다 훨씬 앞서는” 것으로 놓았다—에서 (여사제의 노래) 볼루스파의 시에서, 세계 알이 다시 우주의 환영-배아 속에서 발견되며, 그 우주가 *긴눙가가프*—환영의 컵(마야), 무궁하고 텅 빈 심연—속에 놓여 있는 것으로 나타낸다. 이 세계의 매트릭스 속에서, 이전에는 밤과 황량한 영역으로, *네벨하임* (지금은 아스트랄 빛 속에 있는 것으로 부르는 *성운,* 안개 지역)이 *차가운 빛의 광선*을 떨어뜨렸고 그것이 이 컵을 넘쳐서 그 속에서 얼어붙었다. 그리고 나서 *보이지 않는 자(Invisible)*가 얼어버린 물을 녹였으며 안개를 치워버린 몹시 뜨거운 바람을 불었다. 이 물(카오스)이 활력을 주는 물방울로 정제하는 *엘리바가르*의 강으로 불렸으며 내려서 지구와 거인 *이미르*를 창조하였고, 그는 “인간과 닮은 것” (천상의 인간)과 암소 *아우둠라* (“어머니” 혹은 아스트랄 빛, 우주의 혼)를 가졌으며, 그 암소의 젖에서 *네 가지* 우유의 강이 흘렀고 (사방위: 에덴의 네 개 강의 네 개 머리 등등) “넷”은 비유적으로 다양한 모든 신비적 의미에서 *정육면체*로 상징된다.

기독교인—특히 그리스와 라틴 교회—은 그 상징을 온전히 채택하였고, 그 속에서 영원한 생명, 구원 그리고 부활의 축제를 본다. 이것이 “부활절 알”을 교환하는 오랜 전통의 관습으로 확인된다. 이름만 들어도 로마를 두려움으로 떨게 만든 “이교도” 드루이드의 “알,” *앙귀눔*부터, 슬라보니아 농부의 붉은 부활절 알에 이르기까지, 한 주기가 지나갔다. 하지만 문명화된 유럽에서 혹은 중앙 아메리카의 천한 야만인 사이에서—우리가 착각하는 정신적 육체적 우월이라는 오만함 속에서—그 상징의 원래 사상을 손상시키지 않고 찾기만 한다면, 똑같은 고대의 원시 사상을 보게 된다.

이상 모음집으로 구할 수 없다”고 하지만, “그것에서 유래되었다고 추정하는 다양한 칸다들과 마하트미야들로 나타난다.” “브라흐만다 푸라나”는 “12,200절 속에 브라흐마의 알의 웅장함이 드러나는 그것으로 묘사되고, 그 속에서 미래 칼파에 대한 설명이 브라흐마가 드러냈듯이 담겨있는 것”으로 묘사된다. 상당히 그렇고, 아마도 훨씬 더 많이.

7장 브라흐마의 낮과 밤

이것은 만반타라 (*마누-안타라* 혹은 마누 사이)와 프랄라야 (붕괴)로 불리는 대기간에 붙여진 이름이다; 전자는 우주의 활동 기간을 말하고, 후자는 상대적으로 완전한 휴식기—브라흐마의 "낮(Day)" 혹은 "시대(Age)" 끝에 일어난다—를 말한다. 이 기간은 규칙적인 연속으로 따라오며 칼파로 불리고, 작은 칼파와 마하 칼파가 있다; 적합하게 말하면, 마하 칼파는 브라흐마의 "낮"이 아니라 브라흐마의 전체 생애 혹은 대시대이다. 왜냐하면 브라흐마 바이바르타에서 말한다: "연대학자들은 칼파를 브라흐마의 생으로 계산한다; 삼바르타와 나머지로서 마이너 칼파들이 많이 있다." 냉정하게 말하면 그것들은 무한하다; 그것들은 결코 시작이 없기 때문에, 즉, 영원 속에서 첫째 칼파가 없기 때문에, 마지막도 없을 것이다.

하나의 *파라다*(*Parardha*)—시간 측정에서 보통 받아들이는 의미로—혹은 (현재 *마하 칼파*에서) 브라흐마의 존재의 반이 이미 지나갔다; 마지막 칼파는 파드마 혹은 황금 연꽃의 칼파였다; 현재 칼파는 *바라하* ("수퇘지" 화신 혹은 아바타) 이다.[79]

푸라나에서 힌두 종교를 연구한 학자는 특히 한 가지를 주목해야 한다. 그는 거기서 발견한 진술들을 글자 그대로 그리고 한 가지 의미로만 받아들여서는 안 된다;

---

79 불교도의 비의 전통에 기묘한 정보가 있다. 고타마 붓다에 대한 우화적인 전기에서 이 위대한 성인이 돼지고기와 쌀을 먹고 소화불량으로 죽는다는 것을 보여준다. 매우 평범한 마무리로 장엄한 요소가 거의 없다. 이것은 그가 "수퇘지" 칼파 혹은 바라하-칼파에서 태어났다는 것을 우화적으로 말하는 것이다. 이 칼파에 브라흐마가 "공간의 바다"에서 지구를 들어올릴 때 그 동물 형태를 취했다고 설명한다. 그리고 브라만이 브라흐마에서 직접 하강하여 그와 동일시하고; 그리고 그들은 동시에 붓다와 불교의 적이기 때문에, 흥미로운 우화적 힌트와 조합을 보는 것이다. (수퇘지 혹은 *바라하 칼파*의) 브라만교는 인도에서 붓다 종교를 학살하였고, 인도에서 쓸어버렸다; 그러므로 그 철학과 동일시된 붓다가 야생 돼지 고기를 먹은 영향으로 죽었다고 말한다. 가장 엄격한 채식주의와 동물 생명에 대한 존중을 세웠던 분이—심지어 잠재하는 미래 생명의 매개체로서 알을 먹는 것도 거부한—고기 소화불량으로 죽는다는 생각은 터무니없게 모순적이고 동양학자를 당혹하게 만들었다. 그러나 이 설명이 우화를 밝히면서 나머지 모두를 설명한다. 그러나 *바라하*는 단순한 수퇘지가 아니고, 처음에는 "물에서 노는 것을 좋아하는" 대홍수 이전에 호수에 사는 동물을 의미한 것처럼 보인다.(*바유 푸라나*)

만반타라 혹은 칼파와 관련된 것들은 몇 가지를 언급한 것으로 이해해야 하기 때문이다. 그래서, 예를 들면, 이 기간들은 같은 언어로 거대한 기간과 작은 기간, 마하 칼파와 작은 주기를 말한다. *마츠야* (물고기) 아바타가 바라하 혹은 수퇘지 아바타 전에 일어났다; 그러므로 그 우화는 파드마와 현재 만반타라를 말하는 것이고, 지구와 세계들의 우리 체인이 다시 재출현 이후에 일어났던 작은 주기들도 말하는 것이다. 그리고 비쉬누의 마츠야 아바타와 바이바스바타 대홍수가 이번 라운드 동안에 우리 지구에서 일어났던 어떤 사건과 올바르게 연결되어 있기에, 그것이 우주 발생 이전 (우리의 우주 혹은 태양계라는 의미에서) 사건들을 말할 수도 있는 반면에, 그것은 한 가지 경우에 먼 지질 기간을 언급하는 것이 분명하다. 심지어 비의 철학도 유추적 추론을 제외하고 마지막 *마하 프랄라야* 이전과 우리 태양계 재출현 이전에 일어났던 것을 안다고 주장할 수 없다. 그러나 그것은 지구 축에서 첫 번째 지질상의 변동으로 태초 인종들과 함께 두 번째 대륙 전체를 바다 밑으로 휩쓸어가는 것으로 끝난 후 (연속되는 "지구들" 혹은 아틀란티스 대륙은 네 번째이다), 이전의 축 기울기로 빠르게 회복하면서 또 다른 혼란이 왔다고 명확하게 가르친다; 지구가 *물에서 다시 한번 올려졌을* 때 그리고—위에서처럼 아래에서도; 그 반대도. 당시 지상에는 우리가 지금 아는 인간이 아니라, "신들"이 있었다고 전통이 말한다. 2권에서 보겠지만, 대중 힌두교에서 기간의 계산은 거대한 우주 사건과 재앙 그리고 지상의 작은 사건과 재앙을 말하며, 똑같은 것을 이름에서도 보여준다. 예를 들면, 유디쉬티라—432,000년 지속하는 칼리 유가 시대를 연 *사케야*의 첫째 왕—는 "기원전 3,102년에 살았던 실제 왕이자 인간"으로 이름과 아틀란티스 첫 번째 침몰 시기에 있던 대홍수에 모두 적용된다. 그는 *"아무도 너머로 갈 수 없는* 세계의 극단에 있는 백 개 봉우리 산에서 태어난 유디쉬티라" 이다.[80] 그리고 "홍수 바로 직후"이다 (아시아 왕립협회 9권, p. 364). 우리는 기원전 3,102년에 "어떤 대홍수"가 없다는 것을 안다. 심지어 노아의 홍수도 아니다. 왜냐하면 유대-기독교 연대기에서도 그것은 기원전 2,349년에 일어났기 때문이다.

---

80 윌포드 대령에 의하면, "거대한 전쟁"의 끝은 기원전 1,370년이었다 (아시아 왕립협회, 9권 p. 116); 벤틀리에 따르면, 기원전 575년이다!! 아마도 금세기가 끝나기 전에 마하바라탄 서사시가 발견되어 위대한 나폴레옹 전쟁과 동일하다고 선언될 것이다.

이것은 다른 곳에서 설명된 신비이자 시간에 대한 비의적 구분을 말하는 것으로, 현재는 잠시 옆으로 놓아둘 수 있다. 이 시점에서 윌포드, 벤틀리 그리고 비의적 힌두 연대기의 오이드푸스들의 모든 상상력의 노력이 슬프게도 실패하였다고 말하는 것으로 충분하다. 매우 박식한 우리의 동양학자들은 만반타라 혹은 네 가지 유가에 대한 계산을 풀지 못했다. 그래서 그들은 전체가 "브라만의 두뇌에서 나온 허구"라고 선언하는 것으로 난제를 과감하게 해결하려고 하였다. 그렇다면 어쩔 수 없으며, 위대한 학자들이 편안히 쉬기를 바란다. 이 "허구"가 2권 인간기원론 서론 부분과 비의적인 부록 부분에서 주어진다.

그러면 세 종류의 프랄라야가 무엇인지 그리고 그것에 대한 대중적 믿음이 무엇인지 보자. 왜냐하면 한 번은 그것이 비의 가르침과 일치하기 때문이다.

프랄라야 이전에 14 마누가 주재하는 14번의 만반타라가 지나가고, 마누의 주재가 끝날 무렵에 "부수적인" 붕괴 혹은 브라흐마의 붕괴가 일어나는 것에 대하여, 비쉬누 푸라나에서 요약된 형태로 말하길, "브라흐마의 낮을 완성하는 네 개 유가의 수천 기간이 끝날 무렵에, 지구가 거의 녹초가 된다. 영원한 *아비예야(Avyaya)* (비쉬누)가 루드라 (파괴자, 시바)의 성격을 취하고, 그의 모든 피조물들이 자신 속으로 다시 결합된다. 그가 태양의 일곱 광선으로 들어가서 지구의 모든 물을 마셔버린다; 그가 습기를 증발시켜 버려서, 지구 전체를 마르게 한다. 대양과 강, 급류와 작은 개울이 모두 증발된다. 이렇게 풍부한 습기로 채워진 후 일곱 태양 광선이 팽창하여 일곱 태양으로 되고, 마지막에는 그들이 세계에 불을 붙인다. 하리(Hari), 만물의 파괴자는 시간의 불기둥, '*칼라그니(Kalagni)*'로 결국에는 지구를 소멸시킨다. 그러면 루드라가 자나르다나(Janardana)로 되면서 구름과 비를 호흡한다."

많은 종류의 프랄라야가 있지만, 세 가지 주요한 프랄라야가 특히 고대 힌두 문언에서 언급된다; 이것들에 대하여, 윌슨이 보여준다: 첫째가 *나이미띠카* [81]

---

81 베단타와 니야야에서 "니미따(nimitta)" (거기서 "나이미띠카"가 나왔다)가 물질 원인 혹은 물리적 원인인 *우파다나*와 대조될 때 *효율적* 원인으로 표현된다. 상기야에서 *프라드하나*는 브라흐마보다 열위의 원인이다. 오히려 브라흐마가 자신이 원인이기에 프라드하나보다 우위이다. 그래서 "부수적인"이라는 번역은 잘못된 것이고, 어떤 학자들이 보여주었듯이, "이상적인" 원인으로 번역

“브라흐마의 낮들” 사이에 일어나는 “부수적인” 혹은 “우발적인” 것이다; 그것은 피조물들의 파괴, 형태를 가진 그리고 살아 있는 모든 것의 파괴이며, 그 “밤”에 새로운 새벽이 올 때까지 *현상태*로 있는 질료의 파괴가 아니다. 다른 것은 *프라크리티카*이다—그리고 그것은 브라흐마의 삶 혹은 대시대가 끝나는 무렵에 일어나며, 그때 존재하는 모든 것이 원초의 원소 속으로 녹아 들어가서, 그 긴 밤이 끝날 무렵에 다시 형성된다. 그런데 세 번째인 *아티안티카(Atyantika)*는 세계 혹은 우주와 관련 없고, 어떤 사람들의 개체성만 관련 있다; 그것은 개인의 프랄라야 혹은 니르바나이다; 열반에 도달한 후에, *마하 프랄라야*가 끝날 때까지 더 이상의 재탄생, 가능한 미래 존재가 없게 된다. 마하 프랄라야는 311,040,000,000,000년 지속하는 기간으로, 운 좋은 *지반묵티*가 만반타라 초기에 열반에 도달할 경우에 그 기간이 거의 두 배가 되어, 끝이 없다고 할 수는 없지만 *영원하다고* 간주되기에 충분히 긴 기간이다. 바가바타 (12권, 4장 35절)에서 네 번째 종류의 프랄라야, *니티야* 혹은 지속적인 붕괴를 말하며, 그것을 이 우주 속에 있는 구체부터 원자에 이르기까지 만물 속에서 지각할 수 없을 정도로 일어나는 멈춤 없는 변화로 설명한다. 그것은 성장과 붕괴이다. (생과 사)

마하 프랄라야가 올 때, 스와르-로카 (상위 영역)의 거주자들이 대화재로 불안해져서 “피트리, 그들의 조상, 마누, 일곱 리쉬, 다양한 등급의 천상의 영들과 신들과 함께 마하르로카에서 피난처를 찾는다.” 마하르로카에 도달할 때, 위에 언급된 존재들 전체가 마하르로카에서 이주하여 “*그들의 섬세한 형태로*” 자나 로카로 간다. 그들은 “*다음 칼파가 시작될 즈음에 세계가 다시 소생될 때, 그들의 섬세한 형태가 이전처럼 비슷한 역량으로 다시-구체화되는(re-embodied) 운명이다.*” (바유 푸라나)

“. . . . 이 구름은 크기가 거대하고 천둥으로 시끄러우며 모든 공간을 채운다 (나바스-탈라)”고 비쉬누 푸라나에서 계속 말한다. — (6권, 3장) “물의 급류를 쏟아내면서, 이 구름이 끔찍한 불을 *끄고*, 그러면 (신의) 백 년 동안 멈춤 없이 비를 내리고, 전체 세계 (태양계)를 범람시킨다. 주사위 만한 방울로 쏟아 부으면서, 이 비가 지구를 온통 뒤덮고, 중간 지대 (*부바로카*)를 가득 채우며 하늘을 범람시킨다.

되어야 하며, 심지어 *실재(real)* 원인이 더 나았을 것이다.

세계가 이제 어둠으로 덮였고, 유기물 혹은 무기물, 만물이 사라졌으며, 구름이 계속 물을 쏟아 붓는다" . . . "그리고 브라흐마의 밤이 황량한 현장을 지배한다…"

이것이 비의 가르침에서 "태양계 프랄라야"로 부르는 것이다 . . . 그 물이 일곱 리쉬 영역까지 도달해서, 세계 (우리 태양계)가 하나의 대양이 될 때, 그 비가 멈춘다. 비쉬누 숨결이 강력한 바람으로 되어, 모든 구름을 흩어지게 할 때까지 (신의) 백 년 동안 분다. 그러면 그 바람이 다시 흡수된다: 그리고 "만물이 만들어진 그것(THAT), 만물을 존재하게 만든 주(Lord), 우주의 시작 없이, 상상할 수 없는 그(He)가 심연 가운데 있는 세샤 (무한성의 뱀) 위에서 잠자면서 휴식한다. *아디크리트* (창조자?) *하리*가 브라흐마 형태로 공간의 대양 위에서 잠잔다—사나카와[82] 자나-로카의 *시다* (성자들)들이 찬미하고, 자신의 환영의 천상의 전형이, 신비한 잠 속에 몰두한 채, 마지막 해방을 열망하는, 브라흐마-로카의 신성한 거주자들이 관조한다. . ." 이것이 부수적이라고 부르는 *프라티산차라* (붕괴?) 이다. 왜냐하면 *하리*(*Hari*)가 그것의 부수적인 (이상적) 원인이기 때문이다 . . ."[83] 보편 영이 깨어날 때, 세계가 다시 살아난다; 그가 눈을 감을 때, 만물이 신비한 잠자리에 든다. 마찬가지로 1,000 개의 대시대가 브라흐마의 하루의 낮을 구성하듯이 (원본에서 그것은 파드마-요니(Padma-yoni)로, *아브자요니*(*Abjayoni*)와 같다—브라흐마가 아니라, "연꽃에서 태어난"), 마찬가지로 그의 밤도 똑같은 기간을 구성한다. "밤이 끝날 무렵에 깨어나면서, 태어나지 않은 자가 . . . . 우주를 새로이 창조한다 . . ."(*비쉬누 푸라나*)

이것이 "부수적인" 프랄라야이다; 엘리멘탈 붕괴는 무엇인가? 파라사라가 마이트레야에게 말한다: "기근과 불로 모든 세계들과 파탈라 (지옥)가 쇠퇴할 때,[84] 엘리멘탈 붕괴의 진행이 시작된다. 그러면 먼저 물이 지구의 특성 (냄새의 근본)을 삼켜버리고, 지구가 이런 특성을 빼앗긴 채 파괴된다—그리고 물과 하나가 된다 . . . 우주가 이렇게 물 원소의 파도로 스며들 때, 그것의 근본적인 맛이 불의 원소에

---

82 창조하기를 거부한 최고 *쿠마라* 혹은 처녀-신 (디얀-초한). 똑같이 하기를 거부한 성 미카엘의 원형.

83 "카오스, 테오스, 코스모스" 결론 부분 참조.

84 이 전망은 기독교 신학과 거의 어울리지 않을 것이다. 기독교 신학에서 그 추종자들은 영원하고 영구히 지속하는 지옥을 선호한다.

의해서 가둬지고 . . . 그것 때문에 물 자체가 파괴되며 . . . 그리고 불과 하나가 된다; 그리고 우주가 점차로 전체 세계로 퍼져서 넘쳐나는 불기둥 (에테르)으로 완전히 가득 채워진다. 공간이 하나의 불기둥이 될 때, 바람 원소가 빛의 원인인 형태 혹은 근본 속성을 잡고, 그것이 철수하면 (*프라리나*) 만물이 공기의 성질로 된다. 형태의 근본이 파괴되고, *비바바수(Vibhavasu)* (불?)가 그 근본을 빼앗겨서, 공기가 불을 끄고 공간에 넘쳐나며, 불이 공기 속으로 합쳐질 때 빛을 빼앗긴다. 그러면 공기가 에테르의 근원인 소리가 동반된 채 열 개 영역으로 두루 퍼진다 . . . 에테르가 그것의 근본적인 속성인 응집성을 (*스파르사*—감촉?) 잡으며, 그 속성의 상실로, 공기가 파괴되고, 카(KHA)가 변형되지 않은 채 그대로 있는다; 형태, 맛, 감촉 (*스파르사*) 그리고 냄새가 결여된 채, 그것은 구체화되어 (*무르띠마트) 그리고* 광대하게 존재하며, 전체 공간에 스며든다. 아카샤가, 그 특징적 속성이자 근본이 소리 ("말씀")로, 전체 공간의 그릇을 차지한다. 그러면 원소들의 (*부타디*) 기원 (본체)이 소리를 삼켜버린다 (집합적 *데미우르고스*); 그리고 디얀 초한 무리들과 존재하는 모든 원소들(Elements)이[85] 그것들 본래 속으로 다시 합쳐진다. 1차 대원소, 대의식이 *타마사* (영적 암흑)와 결합되어 마하트 (보편 지성)에 의해서 자체가 분해되고, 마하트의 특징적 속성은 *붓디*이며, 땅과 마하트가 우주의 내적 외적 경계선이다." 이렇게 (태초에) "프라크리티 (자연)의 일곱 형태가 마하트에서 땅까지 간주되었듯이, 이 *일곱*이 차례로 서로 속으로 다시 들어간다."[86]

"브라흐마의 알 (*사르바-만달라*)이 그것을 둘러싸는 물 속에서 그것의 일곱 영역 (*드위파*), 일곱 대양, 일곱 지역 그리고 그들의 산과 함께 용해된다; 물의 옷이 불에 의해서 비워진다; 불의 기층이 공기 기층에 의해서 흡수된다; 공기가 에테르 (아카샤)와 섞인다; *부타디* (1차 원소의 기원 오히려 원인)가 에테르를 삼켜버리고

---

85 여기서 "원소들"이라는 용어로 보이는 물질 원소뿐만 아니라 성 바울이 원소로 부른 것—영적, 지성적 잠재성, 즉 만반타라 형태 속에 있는 천사와 데몬—을 의미하는 것으로 이해해야 한다.

86 동양학자들이 그것의 비의적 의미로 이 묘사를 올바르게 이해할 때 그때 세계-원소들의 이 우주적 상관관계가 지금 알려진 것보다 물질적 힘의 상관관계를 더 잘 설명할 수 있다는 것을 발견할 것이다. 하여튼, 신지학자들은 프라크리티가 "마하트부터 지구까지 간주할 때," *일곱 형태* 혹은 원리를 가진다는 것을 인식할 것이다. "물"은 여기서 신비한 "어머니"를 의미한다; 추상적 자연의 자궁으로, 그 속에서 현현된 우주가 잉태된다. 일곱 "지대"는 그 우주의 일곱 구분 혹은 그것을 존재하게 만든 힘의 본체를 말한다. 모든 것이 비유적이다.

(그 자체가) 마하트에 (위대한 마인드, 보편 마인드) 의해서 파괴되며, 이 모든 것과 함께 마하트가 프라크리티에 의해서 잡혀서 사라진다. 프라크리티는 분리된 것이건 그렇지 않은 것이건 본질적으로 똑같은 것이다; 분리된 것만이 결국에는 분리되지 않은 것 속으로 흡수되어 사라진다. 품스(PUMS) (*영*)도 하나의, 순수한, 사라질 수 없는, 영원한, 전체에 스며들어가 있는 것으로 만물인 저 지고의 영의 일부분이다. 그 영 (*사르베사*)은 (체를 입은) 영이 아니고, 그 속에는 이름, 종 (*나만* 그리고 *자티* 혹은 루파, 그래서 종이라기 보다 체이다) 등등의 속성이 없는 영으로 유일의 존재로서 (사따) 남아 있는다 . . . 프라크리티와 푸루샤 둘 다 결국에는 지고의 영(SUPREME SPIRIT) 속으로 녹아 들어간다 . . ." (비쉬누 푸라나에서, 윌슨의 오류를 여기서 고치고, 원래 단어를 괄호에 표시하였다.)

이것이 마지막 프랄라야[87]—대우주의 죽음—로 그 후에 영이 니르바나 속에서 휴식하거나, 낮고 밤도 없는 그것(THAT) 속에서 휴식한다. 다른 모든 프랄라야는 주기적이며 규칙적인 순서로 만반타라를 따른다. 모든 인간과 동물 식물의 낮 다음에 밤이 따라오듯이. 대우주의 *생명들*의 창조의 주기가 다 흘러갔고, 그 기간이 아무리 길더라도 모든 일시적인 것처럼, 현현된 "말씀"의 에너지가 그것의 성장, 절정 그리고 쇠퇴를 한다. 창조적 힘은 본체로서 영원하다; 그것의 측면에서 현상적 현현으로써, 그것은 *시작이* 있고, 그러므로 끝도 있다. 그 간격 동안에 그것은 활동 기간과 휴식 기간을 가진다. 그리고 이것들이 "브라흐마의 낮과 밤"이다. 그러나 브라흐마, 그 본체가 어느 곳이건 거기에 있다고 말할 수 없더라도, 그것(IT)은 결코 변하지 않고 언제나 있기 때문에, 결코 쉬지 않는다. . . .

유대 카발리스트들은 영원하고 무한한 신성 속에서 이런 *불변성*의 필요성을 느꼈고, 그래서 똑같은 생각을 인격신에게 적용하였다. 그 개념이 시적이고 그것을 적용하는 데 매우 적합하다. 조하르에서 우리는 다음과 같이 읽는다:

"모세가 구름으로 그의 시야에서 보이지 않는 신과 함께 시나이 산에서 밤을 샐 때,

---

87 여기서 묘사된 것이 소위 마지막 프랄라야 혹은 마하, 거대한 프랄라야이기 때문에, 모든 것이 그것의 원래의 한 가지 대원소(Element) 속으로 재흡수된다—"신들 자신, 브라흐마 그리고 나머지"가 그 긴 밤 동안에 죽어서 사라진다고 말한다.

그는 엄청 큰 두려움이 그를 압도하는 것을 느꼈고, 갑자기 물었다: '주여, 어디에 계십니까 . . . 오, 주여, 주무십니까? . . .' 그리고 *영(Spirit)*이 대답하였다: '나는 결코 잠자지 않는다: 내가 내 시간 전에 단 한 순간이라도 잠을 잔다면, 모든 창조가 단 한 순간에 무너져버릴 것이다.'"

"*내 시간 전에*"가 매우 암시적이다. 그것은 모세의 신이 남성인 브라흐마처럼 불변의 그것(THAT)의 측면이자 대리인, 일시적인 대체자라는 것만을 보여준다. 그러므로 그것(THAT)은 "낮"과 "밤"에 참여할 수 없고, 반응이나 붕괴와는 아무 관련이 없다.

동양의 오컬티스트들은 일곱 가지 해석의 방식을 가지고 있지만, 유대인들은 네 가지만 가지고 있다—즉, 실제 신비적, 비유적, 윤리적 그리고 글자 그대로 혹은 *파슈트(Pashut)*. 글자 그대로가 대중 교회의 열쇠이고 논의할 가치가 없다. 첫 번째 열쇠 혹은 신비적 열쇠로 읽을 때, 모든 성전에서 건설의 토대의 동일성을 보여주는 몇 개 문장들이 여기 있다. 그것이 카발라 작품을 잘 연구한 것처럼 보이는 T. 마이어 씨의 탁월한 책에서 주어진다. 글자 그대로 인용한다. *"시초에 신(들)이 하늘들과 땅을 창조하였다(B' raisheeth barah elohim ath hash ama yem v' ath haa' retz);"* (그 의미는 이렇다:) 건설의 여섯 세피로스,[88] *브라이쉬스*(*B'raisheeth*)가 그들을 지켜보고, *모두 아래에 속한다*. 그것이 여섯을 창조하였고 이것들 위에 만물이 있다. 그리고 그들은 모든 위엄들의 위엄까지 *두개골의 일곱 형태에* 의지한다. 그리고 두 번째 '지구'는 계산하지 않았고, 그래서 이렇게 말한다: '그리고 저주를 받은 그것 (그 지구)으로부터, 그것이 나왔다.' . . . . '그것 (지구)은 형태 없이 공허(void)하였다; 그리고 어둠이 심연의 표면 위에 있었고, 엘로힘의 영이 . . . 숨을 쉬고 있었다 (*me' racha' phath*)—즉, 맴돌고, 위로 떠다니며, 움직인다.' . . . 열 셋은 가장 훌륭한 위엄의 열 세 가지 형태에 의지한다. 6천년이 첫 여섯 단어 속에 걸려 있다 (언급된다). 그것 (저주받은 지구) 위에 일곱 번째 (천년, 밀레니엄)가 자체로(Itself) 강한 그것이다. 그리고 쓰여 있듯이, 열 두 시간 (낮) 동안 그것이 철저히 황폐해졌다 . . . . 열 세 시간에, 그 (신)가 만물을 회복시킬 것이고 . . . . 그리고 만물이 이전처럼 다시 소생될 것이다; 그리고 그 모든 여섯이 계속 될 것이다 . . . .

88 스탠저의 "건설자들."

등.” (*카발라*, p. 233, *시프라 드제니우타* (숨겨진 신비의 서), c. i., § 16, *s.* 9.)

“건설의 세피로스”는 여섯 디얀 초한 혹은 마누 혹은 프라자파티로, 일곱 번째 “브라이쉬스 (최초 발산 혹은 *로고스*)에 의해서 통합되며, 그래서 모두 아래에 속하는 물질 우주 혹은 하위 우주의 건설자들로 불린다.” 이 여섯 은 그 본질이 *일곱 번째의 성질로 우파디,* 객관적 우주가 세워지는 근본 초석, 만물의 *본체*이다. 그래서 그들은 동시에 자연의 거대한 힘들이고, 실재의 일곱 천사들, 인간 속에 있는 여섯 번째 그리고 일곱 번째 원리이다; 칠중 체인, 근원 인종 등등의 영적-심령적-물질적 구체들이다. 그들 모두는 최고까지 “두개골의 일곱 형태에” 의지한다. “*두 번째* 지구”는 “계산되지 않는다.” 왜냐하면 *그것은 지구가 아니라*, 공간의 심연 혹은 카오스로 그 속에 모형의 혹은 전형이 되는 우주가 그 위를 배회하는 대령(OVER-SOUL)의 개념작용 속에 쉬고 있기 때문이다. 여기서 “저주(Curse)”라는 용어가 매우 오해의 소지가 있다. 왜냐하면 그것은 단순히 *운명(doom)* 혹은 *숙명(destiny)* 혹은 객관적 상태로 *내보낸 그 필연성(fatality)*을 의미하기 때문이다. 이것이 “저주” 받은 그 “지구”가 “형태 없이 공허한” 상태로 묘사되는 것으로 보여지고, 그 깊은 심연 속에서 엘로힘 (집단 로고스)의 “대숨결”이 *존재하게 될 사물들에* 대한 최초 신성한 개념작용(IDEATION)을 만들거나 새겼다. 이런 과정이 새로운 만반타라의 시작 전에 혹은 유정의 개별 존재의 기간 전에 모든 프랄라야 후에 반복된다. “열 셋이 열 셋 형태에 의지한다”는 것은 열 네 번째 마누인 스와얌부바와 함께 열 셋 마누로 의인화된 열 셋 기간을 말한다 (14 대신에, 13은 추가적인 베일이다): 브라흐마의 “낮,” 마하유가 동안 통치하는 열 넷의 마누들. 객관적 우주의 이것들 (열 셋-열 넷)은 열 셋 (열 넷)의 *전형적, 이상적* 형태들에 의지한다. “첫 여섯 단어에 달려있는” “6천년”의 의미는 다시 인도의 지혜에서 찾아야 된다. 그들은 첫 번째 라운드 동안 우리 체인의 세계들 (구체)뿐만 아니라 이번 라운드의 원초의 인간을 나타내는 원초의 여섯 (일곱) “에돔의 왕들”을 말한다. 그들은 칠중의 *아담 이전* (혹은 세 번째의 *분리된* 인종 이전) 첫 번째 근원인종이다. 그들은 *그림자들*이고, 감각이 없었기 때문에 (그들은 아직 지식의 나무 과실을 먹지 않았다), 그들은 *파르구핌*을 볼 수 없고, 혹은 “얼굴이 얼굴을 볼 수 없다” (원초의 인간은 무의식이었다), “그러므로 원초의 (일곱) 왕들은 죽었다,” 즉 파괴되었다.

(*숨겨진 신비의 서* 참조) 그럼 그들은 누구인가? 그들은 왕들로 "일곱 리쉬, 어떤 (2차적) 신성들, 사크라(Sakra) (인드라), 마누 그리고 왕들 그의 아들들로, *어느 한 시기에 창조되고 사라진다*"라고 비쉬누 푸라나에서 말했다. (1권, 3장.) 일곱 번째 ("천년") (*대중적 기독교의 밀레니엄이 아니라, 인간발생론의 천년*)는 "창조의 일곱 번째 기간," 육체 인간의 창조 (비쉬누 푸라나) 그리고 일곱 번째 원리—소우주와 대우주—를 나타낸다—브라흐마의 "낮"과 똑같은 기간인 "밤," 일곱 번째 기간 후에 프랄라야처럼. "쓰여 있듯이, 열 두 시간 동안 그것은 완전히 황폐화되었다." 열 세 번째에 (두 번의 여섯과 통합) 모든 것이 회복될 것이고 "*여섯*이 계속할 것이다."

이렇게 카발라 저자가 꽤 진솔하게 말한다: "그의 (이븐 게비롤의) 시대 오래 전에 . . . 기독교 시대 이전 많은 세기 전에, 중앙 아시아에 '지혜 종교'가 있었다; 그것의 단편들이 이후에 태고의 이집트인들, 고대 중국인들, 힌두인들 등의 박식한 사람들 사이에 존재하였다 . . ." 그리고 . . . "카발라가 중앙아시아, 페르시아, 인도 그리고 메소포타미아를 거쳐서 아리안 원천에서 아마도 왔을 것 같다. 왜냐하면 우르(Ur)와 하란(Haran)에서 아브라함과 많은 다른 사람들이 팔레스타인으로 들어왔기 때문이다." (p. 221) 그리고 그것은 "그노시스와 그들의 잔재"의 저자인 C.W. 킹의 확고한 확신이었다.

바마데바 모델리는 다가오는 "밤"을 가장 시적으로 묘사한다. 그것이 아이시스 언베일드에서 제시되었지만, 여기서 반복할 가치가 있다.

"이상한 소리들이 모든 지점에서 나오면서 들린다 . . . 이것들이 브라흐마의 밤의 전조들이다; *황혼이 수평선으로 떠오르고,* 태양이 마카라 (황도대의 사인)의 13도 뒤로 사라지며, *미나스(Minas)* (*물고기자리*)에 더 이상 도달하지 않을 것이다. *라시차크르* (황도)를 지켜보도록 임명된 파고다의 구루들이 이제는 그들의 서클과 도구를 중단할 수 있다. 왜냐하면 앞으로 그것들이 쓸모 없기 때문이다."

"점차로 빛이 창백해지고, 열기가 줄어들며, 비거주지들이 지구에서 배가되고, 공기가 점점 더 희박해진다; 물의 샘이 마르고, 큰 강의 파도들이 사라지며, 대양이 모래 바닥을 보이고 식물들이 죽는다. 인간과 동물이 매일매일 크게 줄어든다.

생명과 운동이 그 힘을 잃어버리고, 행성들이 공간 속에서 거의 회전할 수가 없다; 그들은 마치 하인이 다시 채워 넣는 것을 방치한 램프처럼 하나씩 꺼진다. 태양이 깜빡이고 죽어가며, 물질이 붕괴되고, 브라흐마가 드야우스, 드러나지 않은 신(Unrevealed God) 속으로 합치고, 그의 직무가 성취되어서, 그가 잠든다. 또 하루가 지나갔고, 밤이 시작되며, 미래의 새벽까지 계속된다."

"그리고 신성한 마누가 말하듯이, 이제 다시 그가 존재하는 만물의 씨앗, 그의 생각의 황금 알 속으로 다시 들어간다. 그의 평화로운 휴식 동안, 활동의 원리를 부여받은 활기를 받은 존재들은 그들의 기능을 멈추고, 모든 느낌 (마나스)이 잠재상태로 된다. 그들이 지고의 혼 속으로 모두 흡수될 때, 모든 존재들의 이 혼이 그것의 형태를 다시 취하고, 태초 어둠에서 다시 깨어나는 날까지 완전한 휴식 속에서 잠잔다."[89]

"사티야-유가"가 네 유가에서 항상 첫 번째이듯이, 칼리 유가가 언제나 마지막에 온다. 칼리 유가가 지금 인도에서 최고로 우세하며, 서구 시대와 일치하는 것처럼 보인다. 하여튼 비쉬누 푸라나 작가가 이 칼리 유가의 어두운 영향과 죄를 마이트레야에게 예언할 때, 이 작가가 모든 것 속에서 매우 예언적이라는 것을 보는 것이 신기하다. 왜냐하면 "야만인들"이 인더스 강뚝, 카스메라와 찬드라바가의 주인으로 될 것이라고 말한 후에, 추가하여 말한다:

"지구를 통치하는 당대 군주들이 있을 것이다—격렬한 기질, 거짓과 사악함에 언제나 중독된, 촌뜨기 같은 영의 왕들이 있을 것이다. 그들은 여성, 어린이 그리고 암소에게 해를 줄 것이다; 그들은 그들 국민의 재산을 빼앗을 것이고, *다른 사람의 아내를 차지하려 할 것이다*; 그들은 무제한의 힘을 소유하고, 그들의 생은 짧을 것이며, 그들의 욕망이 충족되지 못할 것이다 . . . 다양한 나라 사람들이 그들과 섞이면서, 그들의 예를 따를 것이다; 그리고 야만인들이 그 왕자들의 후원으로 인도에서 강력해지고, 한편 더 순수한 부족은 무시당하는 동안, 사람들이 사라질 것이다. (혹은 주석가가 말하듯이, '야만인들이 중심에 있고, 아리안들이 끝에 있을

89 자콜리엇의 *"신의 아들들"*; "브라흐마의 인도," p. 230.

것이다.)[90] 세상이 완전히 부패될 때까지 부와 신앙심이 줄어들 것이다. 재산만이 자유를 부여할 것이다; 부가 헌신의 유일한 원천이 될 것이다. 격정이 남녀 사이에 합일의 유일한 결속이 될 것이다; 거짓이 고소에서 성공의 유일한 수단이 될 것이다; 그리고 여성이 감각적 충족의 대상으로만 될 것이다 . . . *외적 유형들이 삶의 몇 가지 등급의 유일한 구분으로 될 것이다*; . . . . 사람이 부자라면 순수하다고 명성을 얻을 것이다; 부정직 (*앤야야*)이 보편적인 생계 수단이 될 것이고, 나약함은 의존의 원인이 될 것이고, 협박과 뻔뻔함이 교육을 대체할 것이다; 자유분방함이 헌신을; 상호 동의가 결혼을; 섬세한 의상이 위엄을 대체할 것이다. 가장 강한 자가 지배할 것이다; 무거운 짐, *카라 바라* (세금의 징수)를 부담할 수 없는 사람들이 계곡으로 숨을 것이다 . . . 이렇게 칼리 유가에는 인류가 그 절멸 (*프랄라야*)로 다가갈 때까지, 부패가 꾸준히 진행될 것이다. . . 칼리 시대의 끝이 가까워질 때, 존재하는 신성한 존재의 한 부분, 그 자신의 영적인 성질의 그 부분이 여덟 가지 초인간 능력을 가진 (*칼키 아바타*) 지상으로 하강할 것이다. . . 그가 지상에 정의를 다시 세울 것이고, 칼리 유가 끝 무렵에 사는 사람들의 마인드가 깨어날 것이며 수정처럼 투명해질 것이다. 이렇게 변화된 사람들이 . . . *인류의 씨앗으로 될 것이고*, 순수의 시대인 크리타 유가의 법칙들을 따르는 인종을 낳을 것이다. 말했듯이, '태양과 달 그리고 달의 성상 광채 티쉬야(Tishya)와 행성 주피터가 하나의 저택에 있을 때, 크리타 혹은 사티야 유가가 돌아올 것이다.'"

"익쉬와쿠 가문의, 쿠루와 모루의 인종의, 데바피, 두 사람이 칼라파에 거주하면서 네 유가 내내 계속 살아있다.[91] 그들은 크리타 유가가 시작할 때 여기로 돌아올 것이다 . . . 모루[92] 시구루의 아들이 요가의 힘을 통해서 여전히 살고 있고 . . .

---

90 이것이 예언적이 아니라면, 무엇이겠는가?

91 마츠야 푸라나는 카파타(Katapa)를 제공한다.

92 맥스 뮬러는 그 이름을 찬드라굽타가 속했던 모리야 왕조의 모리야 (혹은 마우레야)로 번역한다. (산스크리트 문헌 참조) 마츠야 푸라나 272장에서, 열 개 모리야 왕조가 언급된다. 272장에서, 모리야들이 수 천년 뒤에 크샤트리야 인종을 회복한 후에 언젠가 다시 인도를 지배할 것이라고 말한다. 그 통치는 순전히 영적인 것이지 "이 세상에 대한 것이 아니다." 그것이 다음 아바타의 왕국이 될 것이다. 토드 대령은 모리야 이름을 라즈풋 부족인 모리(Mori)의 변조라고 믿는다. 그리고 마하반사에 대한 주석에서 어떤 왕자들이 모리라고 부른 그들의 마을에서 마우리야(Maurya) 이름을 가져왔거나, 혹은 맥스 뮬러 교수가 원본 마하반사를 따라서 더 정확한 모리야-나가라

그리고 태양 왕조의 크샤트리야 인종의 회복자가 될 것이다.[93] (바유 푸라나, 3권, p. 197)

후자의 예언이 맞건 틀리건, 칼리 유가의 축복이 잘 묘사되었고, 심지어 19세기에 그리고 20세기 계몽시대 새벽에 유럽과 다른 문명화된 기독교 나라에서 보고 듣는 것과 훌륭하게 들어맞는다.

(Morya-Nagara)를 가졌다고 생각한다. 마드라스의 데반 바드하두르 R. 라구나스 라오가 산스크리트 백과사전인 바차스파띠야는 카타파(칼라파)가 히말라야 북쪽, 그래서 티벳에 있다고 본다. 똑같은 것이 바가바드 3권 12장 p. 325에서 언급된다.

93 바유 푸라나는 모루(Moru)가 다가오는 19번째 유가에서 크샤트리야를 다시 세울 것이라고 선언한다. ("5년간의 신지학," p. 483 참조. "모리야와 쿠트후미.")

8장 보편 상징으로서 연꽃

고대의 상징 어떤 것도 심오한 철학적 의미가 붙여지지 않은 것은 없다; 그것의 중요성과 의미가 오랜 시간이 지나가면서 증가하고 있다. 그런 것이 바로 연꽃이다. 그것은 자연과 자연의 신들에게 바쳐진 꽃이고, 영적 성질과 물질적 성질의 생산적인 힘의 상징으로써 있으면서 추상적 그리고 구체적 우주를 나타낸다. 아리안 힌두인들, 이집트인들이 가장 먼 고대시대부터 그것을 성스러운 것으로 간직하였고, 그리고 불교도들이 그들 뒤를 따랐다; 중국과 일본에서 존경받았고, 그리스와 라틴 교회에서 기독교 상징으로써 채택되었으며, 지금 기독교인들처럼 그것을 메신저로 만들었으며, 그리고 그것을 수련으로 대체하였다.[94] 그것은 지구상 모든 나라에서 동일한 신비한 의미를 가졌고, 여전히 가지고 있다. 독자가 윌리암 존스 경을 참고하기 바란다.[95] 힌두인들에게, 연꽃은 불과 물 (영과 물질)의 인자를 통한 자연의 생산력의 상징이다. 바가바드 기타에 있는 어느 구절에서 말하길, "영원! 나는 브라흠 창조자가 연꽃 위에 있는 그대 속에서 왕좌로 앉아 있는 것을 본다"; 그리고 스탠저에서 주목하였듯이, 윌리엄 존스 경이 연꽃 씨앗은 심지어 싹이 트기 전에, 완전하게 형성된 잎, 미래에 완전한 식물로 될 복사판 형상을 간직하고 있다는 것을 보여 준다. 인도에서 연꽃은 다산의 지구의 상징이고, 게다가 메루 산의 상징이다. 하늘의 네 구역의 수호신 혹은 네 천사 (마하라자, 스탠저 참조)가 연꽃 위에 서 있다. 연꽃은 이중의 성인 인간의 자웅동체와 신의 자웅동체의 이중의 유형이다.

불 (혹은 열)의 영이 만물을 (그것의 이상적인 원형에서 나온) 부추기고 열매 맺게 만들어서 구체적인 형태로 발전시키며, 모든 것은 물 혹은 원초의 지구에서

---

94 기독교에서 수련 가지를 들고 있는 가브리엘 대천사가 성수태 고지에 관한 모든 그림에서 동정녀 마리에게 나타난다. 이 가지는 불과 물 혹은 창조와 발생의 사상을 전형적으로 보여주는데 고타마의 어머니 마하-마야에게 세계의 구세주 붓다의 탄생을 알리는 보살의 손에 있는 *연꽃과 똑같은 사상*을 상징한다. 이렇게 오시리스와 호루스도 연꽃과 계속 연관되어 있는 것을 이집트인이 나타냈다. 오시리스와 호루스 둘 다 태양신 혹은 불이다 (성령이 "불의 혀"로 상징된다). (사도행전)

95 윌리암 존스 경의 "아시아와 관련되는 논문."

태어나서, 브라흐마를 진화시켰다—힌두인들이 볼 때. 연꽃이 비쉬누의 배꼽—공간의 바다에서 휴식하는 그 신(God)이자 무한성의 뱀—에서 자라나오는 것으로 나타내는데, 이제껏 만들어진 가장 생생한 비유이다: 우주가 중심의 태양, 그 점(point), 언제나 숨겨진 씨앗에서 진화하여 나온다. 락쉬미는 비쉬누의[96] 여성 측면이고, *파드마*, 연꽃으로 불리는데 마찬가지로 "창조"에 연꽃 위에 떠있는 것으로 보이며, 공간의 "대양을 휘젓는" 동안, 거품에서 비너스처럼, "우유의 바다(sea of milk)"에서 솟아나온다.

". . . 그러면 연꽃에 앉은 채
미(Beauty)의 밝은 여신, 비견할 수 없는 스리(Sri)가, 솟아났다
파도로부터 . . . "

영국의 동양학자이자 시인이 노래한다 (모니에 윌리암 경).

이 상징 속에 놓여있는 생각이 매우 아름답고, 그것은 더 나아가 모든 종교 체계에서 동일한 태생을 보여준다. 연꽃 형상이건 수련 형상이건, 그것은 하나의 동일한 철학적 개념을 상징한다—즉, 주관성에서 객관성의 발산, 신성한 개념작용(Ideation)이 추상성에서 구체적 혹은 보이는 형태로 넘어가는 것. 왜냐하면 암흑(Darkness)—오히려 무지 때문에 "어둠"인 그것—이 영원한 빛의 자신의 영역에서 그것의 신성한 현현된 개념작용만을 뒤에 남겨놓은 채 사라지자마자, 창조하는 로고스들이 그들의 이해를 열었고, 그들은 (지금까지 신성한 생각 속에 숨겨진) 이상적인 세계에서 모든 것의 원형 형태들을 보고, 이 모델을 토대로 일시적이고 초월적인 형태들을 복사하고 건설하거나 형성해간다.

이 활동 단계에서, 세계 형성자(Demiurge)가[97] 아직은 건축가(Architect)가 아니다.

---

96 락쉬미는 비너스이다—아프로디테, 그리고 아프로디테처럼, 그녀는 손에 연꽃을 들고 대양의 거품에서 솟아나왔다. 라마야나에서 그녀를 파드마로 부른다.

97 비의 철학에서 창조자로 간주되는 세계 형성자(Demiurge) 혹은 로고스는 단순히 "군대" 같은 개념, 추상적 용어이다. 군대는 활동적인 힘 혹은 일하는 단위들—군인들—의 체를 모두 포괄하는 용어이다. 마찬가지로 세계 형성자도 다수의 창조자 혹은 건설자의 특질적인 복합이다. 브라흐마가 우주를 창조하지 않은 것처럼 지구를 창조하지 않았다고 말할 때, 위대한 동양학자 부르노프가

활동의 황혼에 태어나서, 그가 먼저 계획을 지각하고, 미래 연꽃 잎들, 순수한 꽃잎들이 그 식물의 씨앗 속에 숨겨져 있듯이, 그가 영원한 개념작용(Eternal Ideation)의 가슴 속에 묻혀 있는 이상적인 형태들을 인식해야 한다. . .

“연꽃으로의 변형”으로 부르는 (*사자의 서*) *의례*의 81장에서, 머리가 이 꽃에서 나오는데, 그 신이 외친다: “나는 빛나는 하나에서 나타나는 순수한 연꽃이다 . . . 나는 호루스의 메시지를 가지고 다닌다. 나는 태양 들판에서 오는 순수한 연꽃이다 . . .”

아이시스 언베일드에서 언급되었듯이, 연꽃 개념을 창세기 1장, 엘호힘 장에서도 흔적을 볼 수 있다.

이 개념 속에서 유대인의 우주발생론에 있는 “그리고 신이 말하길, 지구를 나오게 하라 . . . 씨앗이 자체 속에 있는, 같은 종류의 열매를 맺는 과실을” 구절의 기원과 설명을 찾아야 한다. 모든 원시 종교에서, “아버지의 아들”이 창조신이다—즉, 그의 생각이 보이게 되었다; 그리고 기독교 시대 이전에, 힌두의 트리무르티부터 유대인들이 설명한 성전의 카발라 수장 셋에 이르기까지, 모든 국가의 삼중 신격이 충분하게 정의되었고 그 비유 속에서 입증되었다.

그것이 동양인들이 갖고 있는 이 위대한 상징의 우주적 이상적인 의미이다. 그러나 실질적이고 대중적인 숭배에 적용되어—또한 그것의 비의적 상징을 가졌다—연꽃이 시간이 지나면서 더 지상의 개념을 포함하고 간직하는 것으로 되었다. 교조적인 종교는 어느 것도 그 속에서 성적인 요소를 피하지 못했다; 그리고 오늘날까지 그것이 근본 개념의 도덕적인 아름다움을 더럽힌다. 다음은 이미 언급된 똑같은 카발라 사본에서 인용된 것이다:

그 개념을 완전하게 이해하였다. “일단 제일 원인으로부터 분리되어, 세계의 혼에서 자신을 진화시킨 후에, 그는 자신으로부터 모든 자연을 발산하고 그 자연과 함께 사라진다. 그는 그 위에 있지 않고, 그것과 섞인다; 브라흐마와 우주가 하나의 존재를 형성하고, 그 입자는 그로부터 나온 본질적으로 브라흐마 자신이다.”

"비슷한 의미를 가리키는 것이 나일강에서 자라는 연꽃이다. 그것의 성장 방식이 발생적인 활동들의 상징으로써 독특하게 적합하였다. 연꽃은 재생산을 위한 씨앗의 전달자이며, 성숙의 결과로써, 긴 코드 같은 줄기, 배꼽으로 나일강, 즉 자궁의 물을 통해서, 아이시스 자궁 혹은 어머니-지구와 태반 같은 부착으로 연결된다. 어떤 것도 그 상징만큼 더 명확한 것이 있을 수 없으며, 그것의 의도한 의미에서 더 완전하게 만들기 위하여, 아이가 종종 꽃 속에 앉아 있거나 거기서 나오는 것으로 나타내어진다.[98] 이렇게 오시리스와 아이시스, 크로노스의 아이들, 혹은 끝없는 시간이 그들의 자연력의 발전 속에서, 이런 그림으로 호루수 이름 하에 인간의 부모가 된다." (9장 "데우스 루너스" 참조)

"우리는 상징적인 언어와 과학적인 예술-말의 토대로써 이 생식 기능의 용도를 아무리 강조해도 지나칠 수가 없다. 그 개념에 대한 생각이 창조적 원인의 주제에 대한 숙고로 즉시 이어진다. 대자연의 작용 속에서 부가된 살아 있는 혼에 지배되는 살아있는 놀라운 메커니즘 조각을 형성한 것으로 관찰된다; 그 혼의 생명의 발전과 역사는, 혼의 근원, 현재 그리고 미래에 대하여, 모든 인간의 지성의 노력을 넘어선다.[99] 새로운 탄생은 언제나 순환하는 기적으로, 자궁의 작업장 속에서 지성적 창조적인 거대한 힘(Power)이 살아있는 혼을 물리적인 기계에 고정시키기 위하여 개입하였다는 증거이다. 이런 사실의 놀라운 경이로움 때문에 재생산의 기관과 연결된 모든 것에 신성의 명백한 건설적인 개입의 거주처이자 장소로써 성스러운 신성함을 둔다."

이것이 유사이전 시대의 태고의 철학자들의, *초월적이고* 경건한, 순전히 범신론적

---

98 인도 푸라나에서 그것은 비쉬누, 첫째이고 두 번째 로고스인 브라흐마 혹은 이상적 실질적 창조자들로, 하나는 연꽃을 현현시키는 것으로 그리고 다른 것은 연꽃에서 나오는 것으로 각각 나태내어진다.

99 동양의 형이상학과 창조적 대자연의 신비 속으로 들어가는 입문자의 숙련된 심령 능력의 "노력"이 아니다. 우주 창조의 순수한 이상을 단순한 인간 재생산과 성적인 기능의 상징으로 비하시킨 것은 과거 시대의 세속인들이다: 신학적 종교가들과 성직의 종교가들이 그것을 대중 도그마와 인격화에 조잡하고 천박하게 적용함으로써 너무 슬프게 통속화된 원시적 개념을 다시 한번 회복하고 고상하게 만드는 것이 그 사명인 미래의 입문자들과 비의 가르침이다. 추상적 혹은 *본체적* 대자연의 고요한 숭배, 유일한 신성한 현현이 인류를 고상하게 하는 하나의 종교이다.

개념의 근저에 놓여 있는 고대 사상을 올바로 표현한 것이다. 그러나 죄 많은 인류에게 적용될 때, 개성이 붙여진 조잡한 개념에 적용될 때, 그렇지 않다. 그러므로 범신론 철학자는 진정한 종교의 성스러움에는 위험하다는 것을 제외하고, 유대인 상징의 인격화를 나타내고 그리고 우리의 물질주의적 시대에만 적합한, 그 인격화된 인물의 직접적인 산물이자 결과이자 위의 말을 따르는 발언들을 틀림없이 발견할 것이다. 왜냐하면 이것이 구약성서의 전체 정신이자 본질의 기조이기 때문이다. "그러므로" 성서의 예술 언어의 상징을 다루는 사본에서 계속 말한다:

"*자궁*의 위치는 가장 신성한 장소, 지성소(SANCTUM SANCTORUM)이며 살아 있는 신의 *참다운* 사원(*veritable* TEMPLE OF THE LIVING GOD)으로 간주되어야 한다.[100] 남성에서 여성의 소유는 둘에서 하나를 만들기 위하여 자신의 본질적인 부분으로써 항상 간주되어 왔으며, 성스러운 것으로 빈틈없이 보호되어 왔다. 심지어 일반 가정이나 집에서 부인의 거주처로 바쳐진 그 부분을 *안채*, 성스러운 혹은 비밀의 부분으로 불렀고, 그래서 성스러운 건축물의 지성소라는 비유가 생산 기관의 신성함이라는 생각에서 따온 것이다. 그 묘사를 은유로 극단까지 가져가면,[101] 집의 이런 부분이 성스러운 문헌에서 "집의 허벅지 사이로" 묘사되며, 가끔 그 개념이 교회의 측면 지지대 사이 안쪽에 놓인 거대한 입구에서 건설적으로 이행된다.

고대 원시 아리안들 사이에서는 "극단으로 가져간" 그런 생각이 언제나 존재하지 않았다. 베다 시기에 그들의 여성들이 *안채* 혹은 "여성의 거처(Zenanas)"에서 남성과 떨어져 있지 않았다는 사실로 증명된다. 이슬람인들—기독교 교회주의 다음으로 유대 상징의 다음 상속자들—이 인도를 정복해서 점차로 그들의 방식과 관습을

---

100 확실히 기독교의 *원시적* 신비 속으로 들어간 고대 입문자의 말들이, 즉 "*여러분이 신의 사원이라는 것을 알아라*" (고린도전서 3:16)가 *이런 의미에서 인간*에게 적용될 수 없을까? 그 의미가 구약성서를 편집한 유대 편찬자들 마인드 속에 부인할 수 없게 있어왔고 그리고 있었다. 그리고 여기에 신약성서와 유대 규범의 상징 사이에 놓여 있는 심연이 있다. 만약 기독교—특히 그리고 가장 눈에 띄게 라틴교회—가 그 위로 다리를 세우지 않았다면, 이 간격이 그대로 있었을 것이고 언제나 넓어졌을 것이다. 근대 로마 카톨릭은 두 가지 동정녀 잉태의 도그마로, 그리고 그것이 신의 어머니에게 부여한 의인화된 그리고 동시에 우상숭배적 성격으로 이제는 그것을 완전히 걸치게 하였다.

101 유대 성서와 그것의 독창성 없는 복사판인 기독교 신학에서만 그렇게 극단으로 갔다.

힌두인에게 강요하였을 때, 여성들의 격리가 시작되었다. 베다 시대 전후 여성은 남성처럼 자유로웠다; 그리고 어떤 불순한 세속적인 생각이 초기 아리안들의 종교적 상징과 결코 섞이지 않았다. 그 개념과 적용은 순전히 셈족의 특징이다. 강렬하게 박식한 그리고 카발라 계시의 작가가 위의 인용된 구절을 다음과 같이 추가하면서 마무리할 때, 이것이 확증된다:

"창조적 우주적 동인 (대리인)의 상징으로써 이 기관들에게 측정과 시간-기간의 기원에 대한 개념이 붙여질 수 있다면, 그러면 진실로 여호와 혹은 신의 거주처로써 사원의 건설에서, 지성소 혹은 가장 성스러운 곳(Most Holy place)으로 지정된 그 부분이 그것의 타이들을 측정뿐만 아니라 창조적 원인의 상징으로써 간주된 그 발생 (생식) 기관의 인정된 신성함에서 빌려야 한다. 고대 현자들에게, *제일 원인에 대한 상징이나 개념이나 이름도 없다."* . . .

가장 단연코 그렇지 않다. 그 상징을 의인화 형태로 끌어내림으로써 *이상들의 이상*(*Ideal of Ideals*)의 성스러움을 비하시키기 보다, 오히려 초기 범신론자들이 그랬듯이, 그것에 대한 어떤 생각을 결코 하지 말고 영원히 *이름 없이* 놓아두어라! 여기서 다시 아리안의 종교적 사고와 셈족의 종교적 사고 사이의 엄청난 간격을 보게 된다: 두 가지 반대 극—진실과 은폐. 인류의 자연스러운 출산 기능에 "원죄" 요소를 결코 입히지 않았던 브라만들에게, 아들을 갖는 것은 *종교적인 의무*이다. 고대 시대 브라만은 인간의 창조자라는 그의 임무를 수행한 후에 정글로 물러나서 남은 생을 종교적인 명상으로 보냈다. 그는 유한한 인간과 그 협력자로써 자연에 대한 그의 의무를 다하였고, 그때부터 그는 자신 속에 있는 불멸의 영적인 부분에 그의 모든 생각을 주었으며, 속세의 것을 일시적인 꿈, 단순한 환영으로 간주하였다—그리고 그것은 그렇다. 셈족에게, 그것은 다른 것이었다. 그는 에덴 정원에서 육체의 유혹을 고안하였다; 그리고 그의 신이 (비의적으로 대자연의 통치자이자 유혹자) 어떤 행위를 *영원히* 저주하는 것으로 보여주었지만, 그 행위는 그 성질의 논리적인 프로그램 속에 있었던 것이다.[102] 이 모든 것은 창세기와

102 똑같은 개념이 이집트의 사건들 속에서 대중적으로 수행되었다. 주 신(Lord God)이 파라오를 심하게 시험하고, 그 왕이 처벌을 피하지 못하도록, "그를 엄청난 전염병으로 괴롭히며," 이렇게

나머지의 사문자와 망토 속에 있듯이 외적인 것이다; 그리고 동시에 *비의적으로* 그는 그 신을 나타내는 가장 적합하고 가장 성스러운 상징으로써, 그 *원죄*의 하수인인, 그 기관을 선택할 만큼, 추정된 *죄*와 *추락*을 성스러운 행위로 간주하였으며, 그 신이 기능 속으로 들어가는 것을 불복종과 영원한 죄로 낙인 찍는 것으로 보여준다.

셈족 마인드의 모순의 깊이를 누가 이해할 수 있을까? 그리고 이 모순적인 요소가 가장 깊은 의미가 빠진 채 이제 전적으로 기독교의 신학과 도그마 속으로 들어가버렸다!

초기 교부들이 유대 성서 (구약)의 비의적 의미를 이해하였는지, 혹은 소수만이 그것을 알았고, 다른 사람들은 그 비밀을 몰랐는지는, 후대가 결정할 것이다. 하여튼 한 가지가 확실하다. 신약성서의 비의 가르침이 유대인의 모세경의 비의 가르침과 완전하게 일치하듯이; 그리고 동시에 순전히 이집트인의 많은 상징들과 이교도 도그마들이 전반적으로—예를 들면 삼위일체—복사되어 성 요한과 공관 복음서 속으로 합쳐졌기 때문에, 그 상징들의 동일성이 그들이 누구이건 신약성서 작가들에게 알려졌다는 것이 명백하다. 그들은 또한 이집트인의 비의 가르침이 우선한다는 것을 알았음에 틀림없다. 왜냐하면 그들은 순전히 이집트인의 개념들과 믿음들—그것들의 외적인 그리고 내적인 의미에서—을 대표하는 그리고 유대 캐논에서 발견되지 않는 그런 몇 가지 상징들을 채택하였기 때문이다. 그런 것 중에 하나가 초기 표상에서 대천사가 동정녀 마리에게 나타날 때 대천사의 손에 들고 있는 수련이다; 그리고 이 상징적 이미지들이 그리스 교회와 로마 교회 도상 연구에서 오늘날까지 보존되었다. 이렇게 물, 불, 십자가, 그리고 비둘기, 양과 다른 성스러운 동물들은 그것들 조합과 함께 비의적으로 동일한 의미를 가져오며, 순수하고 단순한 유대교에 대한 발전으로써 받아들여 졌음에 틀림없다.

연꽃과 물은 가장 오래된 상징들이고, 다섯 번째 인종으로 나누어지는 동안 그것들이 공통의 소유물로 되었지만, 그 기원에서는 순전히 아리안에 속한다. 한

그의 "선택된 민족"에게 한 번 더 승리를 위한 어떤 핑계를 제공하지 않는다.

가지 예를 제시하겠다. 글자들은 숫자만큼 그것을 조합하건, 분리하여 개별적으로 보건, 모두 신비하다. 모든 것 중에서 가장 신비한 것이 M이다. 그것은 남성과 여성, 혹은 자웅동체이고, 그 기원에서 거대한 심연, 물을 상징하게 만들어졌다. 그것은 동서양 모든 언어에서 신비하고, 파도를 나타내는 상형문자로 보인다. 그래서 이렇게 된다: . 아리안 비의 가르침에서, 셈족처럼, 이 글자는 항상 물을 상징하였다; 즉, 산스크리트어 마카라(makara)—황도대의 열 번째 사인—는 악어를 의미하거나, 오히려 항상 물과 관련된 수생 괴물을 의미한다. 마(MA) 글자는 숫자 5에 해당하고 상응한다—분리된 양성의 상징인 *2개조*와 2개조의 자손, 세 번째 생명의 상징인 *3개조*로 구성된다. 다시 이것은 종종 *펜타곤* (오각형)으로 상징되며, 펜타곤은 성스러운 사인으로 신성한 모노그램이다. 마이트레야는 *다섯 번째* 붓다의 비밀 이름이고, 브라만들의 *칼키* 아바타이다—거대한 주기의 정점에 올 마지막 메시아이다. 그것은 또한 *신성한 지혜* 혹은 그리스의 메티스(Metis)의 첫 글자이다; "말씀" 혹은 *로고스(Logos)*인 *밈라(Mimra)* 그리고 *모나드*, *미스터리*, *미트라(Mithras)* (*미르(Mihr)*)의 첫 글자이다. 이 모든 것이 거대한 심연 속에서 그리고 심연으로부터 태어나고, *마야—마더(Mother)*—의 아들들이다; 이집트에서는 *마우스(Mouth)*, 그리스에서는 *미네르바* (신성한 지혜), *마리*, *미리암*, *미르라(Myrrha)* 등등; 기독교인 로고스의 어머니, 그리고 붓다의 어머니인 *마야*. *마다바(Madhava)*와 *마다비(Madhavi)*는 힌두 판테온의 가장 중요한 신들과 여신들의 칭호이다. 마지막으로 *만달라*는 산스크리트어로 "원" 혹은 구체(orb)이다 (*리그 베다*의 열 가지 구분). 인도에서 가장 성스러운 이름은 일반적으로 이 글자로 시작한다—최초 현현된 지성, *마하트*부터, 대양을 휘젓기 위하여 신이 사용한 거대한 산, *만다라(Mandara)*와 천상의 *강가* (갠지스)인 *만다킨(Mandakin)*, *마누* 등등에 이르기까지.

이것을 우연의 일치라고 부를 것인가? 그러면 진실로 이상한 것은 심지어 이름 속에 상징적 자음을 가진—나일강에서 발견된—모세를 볼 때이다. 그리고 파라오의 딸이 "그의 이름을 모세(Moses)로 불렀다 . . . 왜냐하면" 그녀가 말하길 *"나는 그를*

물에서 건져냈기 때문이다." (출애굽기 2:10) [103] 게다가 이 글자 M을 적용한 유대인의 성스러운 신의 이름은 *메보라*(*Meborach*), "성스러운(Holy) 분" 혹은 "복된 자(Blessed)"이고 *홍수*의 물을 나타내는 이름이 *맙불*(*M'bul*)이다. 십자가형에 있던 "*세 명*의 마리, 그리고 *마르*(*Mar*), 바다 혹은 물과의 연결 관계를 환기시키는 것으로 이 예를 맺을 수 있다. 이것이 유대교와 기독교에서 *메시아*가 항상 물, 세례, *물고기*(산스크리트어로 *미남*(*Meenam*)으로 부르는 황도대 사인)와 항상 연결되고, 심지어 *마츠야* (물고기) 아바타 그리고 연꽃—자궁의 상징—혹은 수련과 연결되는 이유이다.

고대 이집트 유물 속에서, 발굴된 유물의 봉헌된 상징들과 표상들이 더 고대일수록, 태양신과 연관되어 발견된 물과 연꽃이 더 자주 발견된다. 탈레스가 가르쳤듯이, *크눔 신*(god *Khnoom*)—습기력—물이 만물의 원리로 연꽃 속에 간직된 왕좌 위에 앉아 있다. (사이스 시대*, 세라페움*) 베스 신(god Bes)이 그의 자손을 삼켜버릴 준비를 한 채 연꽃 위에 서 있다. (같은 책, 아비도스) 토트, 신비와 지혜의 신, 태양 원반을 머리에 쓰고 있는 아멘티의 성스러운 필경사가 활짝 핀 연꽃 위에 황소 머리와 (토트의 한 형태인 멘데스의 성스러운 황소) 인간의 육체를 가지고 앉아 있다. (*4장 왕조*) 마지막으로 여신 *히케*가 개구리 형상으로 연꽃 위에서 휴식하며, 이렇게 물과 관련성을 보여 준다. 그리고 이 개구리 상징이 이집트 신들 중에서 가장 고대라는 것을 부인할 수 없다. 그 시적이지 않은 형상에서 이집트 학자들은 그녀의 신비와 기능을 풀려고 하였으나 모두 허사였다. 초기 기독교인들이 교회에서 그것을 채택한 것이 그들이 그것에 대하여 근대 동양학자들보다 더 잘 알았다는 것을 보여준다. "개구리 혹은 두꺼비 여신"은 수륙 양생의 성질 때문에, 그리고 오래된 벽과 바위 속에 간직된 오랜 세월의 고독한 삶 후에 뚜렷하게 부활하기 때문에, 창조와 연결된 주요 우주 신들 중에 하나였다. 그녀는 *크눔*과 함께 세계를 조직하는데 참여하였을 뿐만 아니라 *부활의 도그마*와도 연결되었다. [104] 이 상징에 붙여진 매우 심오하고 성스러운 의미가 있었음에 틀림없다. 왜냐하면 역겨운 형태의 동물 숭배로 비난받을

---

103 심지어 물을 길러온 미디안 사제의 일곱 딸들에게 모세가 그들의 양무리에게 물을 먹이게 하였고, 그 봉사로 미디안 사제가 모세에게 지포라(Zipporah) (*시파라*(*sippara*)*=빛나는 파도*)를 부인으로 준다. (출애굽기 2장) 이 모든 것은 똑같은 비밀의 의미를 가지고 있다.

104 이집트인에게 그것은 데바찬에서 혹은 "지복의 장소에서" 3000년의 정화 후에 재탄생하는 부활이었다.

위험에도 불구하고, 초기 기독교인들은 그들의 교회에서 그것을 채택하였기 때문이다. 연꽃 속에 간직된 개구리 혹은 두꺼비 혹은 간단히 연꽃 상징 없이 *교회 램프를 위해서* 선택된 형태였고, 그 램프 위에 *"나는 부활이다"* 라는 말이 조각되었었다.[105] 이 개구리 여신들은 또한 모든 미이라에서 발견된다.

---

105 그런 "개구리 여신들"이 카이로 박물관에 있는 블라 구역에서 볼 수 있다. 교회 램프와 조각에 대한 진술은 블락 박물관의 박식한 이전 관장인 가스톤 마스페로 씨가 말했다. (참고 그의 *"블락 박물관 방문자 가이드,"* p. 146.)

9장 데우스 루너스, 달, 달의 신, 포이베

이 고대의 상징은 모든 상징들 중에서 가장 시적이고 가장 철학적이다. 고대 그리스인들이 그것을 유명하게 만들었으며, 근대 시인들은 그것을 너무 오래 사용해서 누더기로 만들어버렸다. 밤의 여왕은 하늘에서 비길 데 없는 그녀의 빛의 웅장함 속에서 돌면서, 모든 것, 심지어 헤스페로도 어둠 속으로 던지고, 그녀의 은빛 망토를 전체 하늘 세계에 펼치면서, 밀턴과 셰익스피어부터 최근 시인에 이르기까지, 기독교계의 모든 시인들이 가진 언제나 가장 좋아하는 테마였다. 그러나 셀 수 없는 많은 별들의 수행원과 함께 밤의 찬란한 램프는 세속인의 상상력만 발휘하게 하였다. 최근까지, 종교와 과학은 아름다운 신화와 아무 관련이 없었다. 그렇지만, 쉘리의 시로, 그녀, 차갑고 순결한 달은—

. . . . "그녀가 미소 짓는 모든 것을 아름답게 만들고
부드럽지만, 차가운 불꽃의 방랑하는 신전,
언제나 변형되지만, 여전히 똑같은,
그리고 따뜻하게 하지만, 환하게 밝히지 않는다." . . . .

다른 어떤 구체보다도 지구와 더 밀접한 관계 속에 있다. 태양은 전체 행성계에 생명을 주는 자이다; 달은 우리 지구에 생명을 주는 자이다; 그리고 초기 인종들은 그것을 이해하였고, 심지어 인류의 유아기에서 그것을 알았다. 그녀는 여왕이고 왕이며, 그녀가 포이베(Phoebe)와 순결한 다이아나(Diana)로 변형되기 전에, 소마(Soma) 왕이었다. 그녀는 모세와 카발라 유대인을 통해서 탁월하게 기독교인의 신성이지만, 문명 세계는 오래 세월 동안 그 사실에 무지한 채 있어 왔다; 사실 입문한 마지막 교부가 죽은 이후, 그가 이교도 사원의 비밀을 그의 무덤으로 가져가버린 이후 무지한 채로 있어 왔다. "교부들"—오리겐 혹은 클레멘스 알렉산드리누스 같은—에게 달은 여호와의 살아 있는 상징이었다: 생명의 제공자이자 죽음을 주는 자, 존재의 처리자이다—*우리의* 세계에서. 왜냐하면 만약 아르테미스가 하늘에 있는 *루나(Luna)*였다면, 그리고 그리스인에게는 아기-탄생과

생명을 주관하는 지상에 있는 '다이아나'였다: 이집트인에게, 그녀는 지옥에 있는 *헤카테*, 죽음의 여신으로, 마법과 주술을 주관하였다. 이것 이상이다: 의인화된 달로써, 그 현상이 삼중으로, 다이아나-헤카테-루나는 *하나 속에 셋이다.* 왜냐하면 그녀는 *태어날 때부터 삼중 형태의 여신*(*Diva triformis, tergemina, triceps*)으로, 브라흐마-비쉬누-시바처럼, 하나의 목 위에 세 개의 머리가 있다.[106] 그래서 그녀는 우리의 삼위일체의 원형으로, 항상 전적으로 남성이 아니었다. 숫자 7은 성서에서 두드러지고, 일곱 번째 안식일에 너무 성스러워서 고대시대에서 유대인에게 왔으며, 그것의 기원은 음력 한달의 28일 속에 있는 4중의 7 숫자에서 기원하였고, 그것의 칠중 부분 각각이 달의 4분의 1을 전형으로 보여주는 것으로 상징되었다.

우리 지구 편에서 역사상 고대시대에 달의 숭배와 신화의 기원 및 발전에 대한 개략적인 그림을 본서에서 제시하는 것이 가치가 있다. 그것의 더 초기 기원은 전통을 부인하기 때문에 정밀 과학으로 추적될 수가 없다; 반면에 신학은 교활한 교황들의 안내 하에 로마 교회의 출판 승인을 받지 않은 모든 문헌들에 낙인을 찍었기에, 그것의 태고의 역사는 봉인된 서적이다. 이집트인의 종교 철학 혹은 아리안 힌두의 종교 철학 중에 어느 것이 더 고대의 것이건—씨크릿 독트린은 후자라고 말한다—이 예에서 중요하지 않다. 왜냐하면 달과 태양 "숭배"가 세계에서 가장 고대의 것이기 때문이다. 둘 다 살아 남았고, 오늘날까지 전세계에서, 어떤 곳에서는 공공연하게, 다른 곳에서는 비밀리에—예를 들면 기독교 상징 속에서는—유행하고 있다. 고양이는 달의 상징으로 아이시스에서 바쳐졌다. 오시리스가 태양인 것처럼, 아이시스는 어떤 의미에서 달 자체이기 때문이다. 고양이가 여신의 손에 있는 타악기인 *시스트럼* 꼭대기에 있는 것을 종종 보게 된다. 이 동물은 부바스티스 시에서 상당히 존경받았다. 거기서는 모든 성스러운 고양이의 죽음 후에 깊은 애도를 표하였다. 왜냐하면 아이시스가 달처럼 이 신비의 도시에서 특히 숭배되었기 때문이다. 그것과 연결된 천문학 상징이 1장 "상징 체계"에서 이미 제시되었고, 메시 씨가 그의 강연과 "자연의 창세기"에서 그것을 가장 잘 묘사하였다. 고양이 눈이 달의 성장과 쇠퇴의 단계를 따라가는 것처럼 보이고, 그것의 구체 (눈)가 밤의 어둠 속에서 두 개의 별처럼 빛난다고 말한다. 그래서 다이아나가 다른 신들과 함께

---

106 알카메네스의 조각상에 있는 [*세 가지 형태*(*Τρίμορφος:Trimorphos*)] 여신.

타이폰의 추적을 피하려고 할 때, 다이아나가 달 속에 있는 고양이의 형상 하에 숨는 것을 보여주는 신화상의 비유가 있는 것이다. (*오비드의 변용 참조*) 이집트에서 달은 "호루스의 눈"이자 "오시리스의 눈," 태양이다.

*시노세팔루스(Cynocephalus)*도 마찬가지이다. 시노세팔루스가 *종교적 상징보다는 더 헤르메스적 상징이지만*, 개머리 원숭이은 태양과 달을 상징하는 그림문자였다. 왜냐하면 연금술사들이 말하듯이, "머큐리 (수성) 없이는 아이시스나 오시리스가 위대한 작업에서 아무것도 성취할 수 없기에, 머큐리 (수성)가 *아이시스의 대행자로서, 아이시스 근처에 언제나 있어야* 하기 때문에," 그것은 연금술 철학자들의 머큐리 (수성)처럼, 행성인 수성의 상형문자이기 때문이다. 시노세팔루스는 카드세우스 (헤르메스 지팡이), 초승달 혹은 연꽃과 함께 나타날 때마다 "철학적인" 머큐리의 그림문자이다; 그러나 갈대나 양피지 두루마리를 가지고 보일 때, 하누만(Hanuman)이 라마(Rama)와 같은 직책을 맡았듯이, 그는 아이시스의 비서이자 고문, 헤르메스를 나타낸다.

규칙적인 태양 숭배자들인 파시는 소수지만, 힌두 신화와 역사의 상당 부분이 이 두 가지 숭배에 바탕을 두고 서로 혼합되어 있을 뿐만 아니라, 기독교 종교 자체도 마찬가지이다. 그것들의 기원부터 근대 시대까지 그것은 로마 카톨릭 교회와 개신교 교회의 신학을 채색하였다. 둘의 근본적인 개념들만을 고려한다면, 아리안 힌두 믿음과 아리안 유럽인의 믿음 사이의 차이가 매우 적다. 힌두인들은 자신을 (*태양*과 *달* 왕조의) *수리야(Suryas)*이자 *찬드라반시*라고 부르는 것을 자랑스러워한다. 기독교인은 그것을 우상숭배로 간주하는 척하지만, 그들은 태양과 달 숭배에 전적으로 토대를 둔 종교를 고집한다. 개신교 교회와 로마 카톨릭 교회가 신학에서 "태양"-크리스트와 달의 삼위일체를 받아들였고, 그들 자신이 탁월한 달의 신, 여호와를 숭배할 때, 개신교도가 달의 여신에 대한 고대의 컬트에 바탕을 둔 로마 카톨릭의 "성모 마리아 숭배"를 격렬히 반대하는 것은 쓸모 없고 헛된 일이다.

칼데아인의 달 숭배, 그리스인이 "데우스 루너스(Deus Lunus)"로 부른 바빌로니아인의 신, *신(Sin)*에 대하여 알려진 것이 매우 적으며, 그리고 그 적은 부분도 그 상징들의 비의적 의미를 이해하지 못하는 세속의 학생을 오도하기 쉽다.

고대의 세속 철학자들과 작가들에게 널리 알려졌듯이 (왜냐하면 입문한 사람들은 침묵을 맹세하였기 때문이다), 칼데아인은 달을 *남성*과 *여성*의 다양한 이름으로 숭배한 달 숭배자들이었다. 그들 다음에 온 유대인도 마찬가지였다.

이미 언급된, 예술 언어에 관한 미출판된 사본에서, 고대의 (상징적) 언어의 형성에 대한 열쇠를 제공하는데, 이 이중 숭배에 대하여 논리적인 존재이유가 제시된다. 그것은 포괄적인 가설 형태로 제시하는 놀랍도록 박식하고 예리한 학자이자 신비가에 의해서 쓰여 졌다. 하지만 이 포괄적인 가설 형태는 고대 상징의 비밀을 힐끗 본적이 있는 사람 누구에게나 인간의 사고 속에 있는 종교 진화의 역사 속에서 강력하게 증명된 사실이 된다. 이렇게 그가 말한다:

"실제 필요한 직업들과 연결된 인간의 첫 번째 직업 중에 하나는 시간 기간들을[107] 지각하는 것으로, 이것들은 수평선이나 잔잔한 물 위로 떠오르는 그리고 솟아난 하늘의 둥근 천장에 표시된다. 시간 기간들은 낮과 밤 기간, 달의 위상 변화들의 기간, 달의 자전 기간 그리고 계절의 순환을 가진 태양년 기간으로 표시되었고, 그리고 밤과 낮의 자연스러운 측정 기간이나 빛과 어둠으로 나누어진 하루의 기간에 적용하는 것으로 표시되었다. 태양년 기간 속에 가장 긴 태양일과 가장 짧은 태양일이 있고, 동일한 길이의 낮과 밤이 되는 2일이 있다는 것을 발견하게 될 것이다; 그리고 한 해 속에 있는 이것들의 지점들이 하늘이나 성운의 별자리 그룹 속에서 가장 정확하게 표시될 수 있으며, 그것의 역행 운동에 따라서, 시간이 지나면서 윤달로 교정될 필요가 있다. 예로 대홍수를 설명할 경우, 600년 기간 동안에 150일의 수정을 하고, 그 기간 동안 경계표들의 혼란이 증가하였었다 . . . 이것은 모든 시간 속에 있는 모든 인종에게 자연스럽게 일어날 것이다. . . ; 그리고 그런 지식이 역사 기간으로 부르기 이전에 인류 속에 내재하여 왔음에 틀림없다. . ."

이 토대로, 저자는 인류가 공통으로 가지고 있으며, 주기적인 현현과 연결된 어떤 자연적 육체적 기능을 찾는다. 그래서 "두 종류의 현상 사이의 연결고리가 대중이

---

107 고대 신화는 고대 점성학뿐만 아니라 고대 천문학도 포함한다. 행성들은 우리 태양계 지침면에서 어떤 주기적 사건을 가리키는 바늘 침이었다. 이렇게 수성은 매일 태양과 달의 현상 기간 동안 시간을 지키기 위하여 지명된 *메신저*였고, 그렇지 않으면 빛의 여신 및 신과 연결되어 있다.

사용하도록 고정되었다." 그는 그것을 다음에서 본다. (a) 매월 28일 마다 혹은 각 7일의 4주마다 일어나는 여성의 생리적 현상에서 그것을 발견하며, 그래서 그 기간의 13번이 364일에 일어나며, 이것이 각 7일의 52주인 태양의 한 주의 해이다. (b) 태아의 태동이 126일 혹은 각 7일의 18주에 나타난다. (c) "생존력의 기간"으로 불리는 그 기간이 210일 혹은 각 7일의 30주이다. (d) 분만 기간이 280일 혹은 각 7일의 40주 혹은 각 28일의 10개월 혹은 각 31일의 9개월에 이루어진다. 저 연속하는 불가사의한 신비이자 기적, 즉 자궁의 어둠에서 의식적인 존재의 영광과 빛으로 가로지르는 기간을 측정하기 위해서 하늘의 로얄 아치에 의존한다. . . . 이렇게 탄생 기능의 작동을 표시하는 시간의 관찰 기간들이 자연스럽게 천문학 계산의 토대가 된다. . . 우리는 이것이 모든 국가에서 독립적으로 혹은 교육에 의한 간접적으로 그리고 중개적으로 계산하는 방식이라는 것을 거의 확언한다. 그것이 유대인이 가진 방식이었다. 왜냐하면 심지어 오늘날에도 그들은 음력 354일과 355일로 달력을 계산하기 때문이다. 그리고 우리는 그것이 고대 이집트인들의 방식이었다는 특별한 증거를 가지고 있다. 그 증거는 다음과 같다:

"유대인의 종교 철학 근저에 놓여 있는 기본 사상은 신이 자신 속에 만물을 간직하고 있다는 것이었다;[108] 그리고 인간은 그의 이미지였다. . . 유대인에게 남자와 여자의 위치는 이집트인 사이에서 오시리스와 아이시스에게[109] 바쳐진 황소와 암소가 차지하고 있다. 오시리스와 아이시스는 황소 머리를 가진 남자와 암소 머리를 가진 여자로 각각 나타내며, 그 상징이 숭배되었다. 악명높게 오시리스는 태양과 나일강, 365일의 태양년이었다. 그 숫자는 *네일로스* 단어의 값이며, 그는 불과 생명을 주는 힘의 원리였기 때문에, 황소였다. 반면에 아이시스는 달, 나일강의 바닥, 혹은 어머니 지구였다. 왜냐하면 물이 출산 에너지의 필수였고, 354-364일 태음년, 임신기간을 결정하는 기간과 암소는 초승달로 혹은 그것으로 표시되었기 때문이다."

"그러나 유대인이 여성을 나타내는 것을 이집트인이 암소를 사용하는 것은 의미의 어떤 과격한 차이가 아니라, 의도된 가르침 속에 있는 동시 발생이었으며, 공통의

108 자체가 무궁한 우주로써 자체 속에 전체 우주를 간직하고, 그래서 *자체 밖에는 아무것도 존재하지 않는* 파라브라흐맘에 대한 풍자적으로 일그러진 베단타 개념.
109 오늘날까지 인도에서 그렇듯이, 시바의 황소와 암소는 여신인 여러 *샤크티*를 나타낸다.

의미를 가진 상징의 대체로써, 즉, 암소와 여성의 분만 기간이 똑같은 기간 혹은 280일 혹은 각 4주의 음력 10개월이라고 간직되었다. 그리고 이 동물 상징의 본질적 가치는 이 기간에 있었으며, 그 표시는 초승달의 표시였다.[110] . . . 이 분만 기간과 자연 기간이 전세계 상징의 주제들이었다는 것이 발견된다. 그것들은 이렇게 힌두인에 의해서 사용되었고, 리차드슨과 제스트 태블릿에서 그리고 팔렌케 십자가에서, 고대 아메리카인들이 가장 분명하게 제시한 것으로 보인다; 그리고 유카탄 반도의 마야인, 힌두인, 앗시리아인 그리고 고대 바빌로니아인뿐만 아니라 이집트인과 고대 유대인의 달력 형태가 형성되는 토대를 분명하게 놓았다. 자연의 상징들은 . . . 남근 혹은 팰러스와 요니이다 . . . 혹은 *남성*과 *여성*이다. 진실로 창세기 1장 27절에서 일반화하는 용어 남성과 여성으로 번역된 단어들은 *sacr* 와 *n'cabrah* 혹은 글자 그대로 남근과 여음이며,[111] 한편 남근 상징의 표현이 인체의 생식기 부분을 거의 나타내지 않는 반면에, 그것들의 기능과 그것들에서 나오는 씨앗-소낭의 발달을 고려할 때; 그때 달의 시간의 측정 방식과 달의 시간을 통해서 태양의 시간의 측정 방식을 나타냈을 것이다." . . .

이것이 달 상징의 생리학적 혹은 인류학적 열쇠이다. 신통기의 신비 혹은 만반타라 신들의 진화의 신비를 여는 열쇠는 더 복잡하고, 그 속에 남근적인 것이 전혀 없다. 모든 것이 거기서 신비하고 신성하다. 그러나 유대인들은 여호와를 생식의 신으로써 달과 직접 연결시키는 것을 넘어서, 더 높은 하이어라키들을 무시하는 것을 선호하였고, 그들 중 일부를 (12궁 성좌와 행성의 신들) 그들의 성조로 만들었으며, 이렇게 순전히 신지학적 개념을 역사적 인물로 해석하면서, 그것을 죄 많은 인류 수준으로 끌어내렸다. (2권 "상징"에 있는 *"지성소"* 부분 참고.) 위 내용이 발췌된 사본은 여호와가 어느 신들의 하이어라키에 속하는지 그리고 이 유대 신이 누구였는지 매우 분명하게 설명한다; 왜냐하면 그것은 필자가 항상 주장해왔던 것을 분명한 언어로 보여주기 때문이다. 즉, 기독교인들이 스스로 짐을 지고 왔던 그 신(God)은 성질상 재생산 기능 혹은 생식 기능을 나타내는 달의 상징과 다름없다는 것이다. 그들은 심지어 가장 초기 카발라 개념과 신비 개념으로 파라브라흐맘 만큼

---

110 그래서 유대인들이 달을 숭배하는 것이다.
111 "*남성 그리고 여성*, 그가 그들을 창조하였다."

웅대한 아인-소프라는 카발리스트들의 유대인 비밀의 신조차 무시하였다. 그러나 어느 누구에게도 못지 않은 형이상학적이고 철학적인 시몬 벤 로차이의 진정한 원래 가르침을 줄 수 있는 것이 로젠로스의 카발라가 아니다. 그리고 카발라의 학생들 중에서 왜곡된 라틴 번역을 제외하고 그것에 대하여 알았던 학생이 얼마나 있을까? 이제 고대 유대인들이 언제나 "불가지자"의 대체자를 채택하도록 만들었고, 그래서 기독교인들이 그 대체자를 실재로 착각하도록 오도하게 만들었던 그 개념을 보자.

"이 기관들 (남근과 여음)에게 창조적 우주의 대리인의 상징으로써 시간 기간들의 개념이 붙여질 수 있다면, 그러면 진실로 신성의 거주처 혹은 여호와의 거주처로써 사원의 건설에서, 지성소 혹은 가장 높은 곳으로써 지칭된 그 자리가 창조의 대원인뿐만 아니라 측정의 상징들로써 간주된, 인식된 생식 기관의 신성함으로부터 그것의 타이틀을 빌려와야 한다."

"고대 전반에서 어떤 제일 원인에 대한 어떤 이름도, 개념도 그리고 상징도 없다.[112] 유대인에게, 그런 간접적인 개념이 이해를 부정하는 용어로 표현된다—즉, *아인-소프* 혹은 무경계(Without Bounds). 그러나 *그것의 최초의 이해가능한 현현*의 상징은 기하학적, 남근적 그리고 천문학적 개념을 전하는 지름을 가진 원의 개념이었다. . . . (1권 1부, 프로엠 참조) 왜냐하면 하나가 원 혹은 영(naught)에서 탄생하고, 원이 없으면 그것은 존재할 수 없으며, 하나 혹은 태초의 하나에서, 아홉 숫자들이 생겨나서, 기하학적으로 모든 계가 형성된다. 그래서 카발라에서 지름을 가진 이 원이 열(10) 세피로스 혹은 발산의 그림으로, 아담 카드몬, 원형 인간, 만물의 창조적 기원을 구성한다. . . . 원과 지름을 연결하는 이 개념, 즉, 숫자 10이 재생산 기관의 의미와 가장 성스러운 곳으로 거대한 피라미드의 지성소 혹은 왕의 방에서, 모세의 성막에서, 그리고 솔로몬 신전의 지성소에서 건설적으로 수행되었다. . . . 그것은 *이중-자궁의 그림*이다. 왜냐하면 히브리어에서 *헤(he)* ה 글자가 숫자 5인 동시에 자궁의 상징이고, 5의 두 배는 10 혹은 남근 숫자이기 때문이다."

---

112 왜냐하면 그것은 너무 신성하기 때문이다. 베다에서 "그것(That)"으로 언급된다: 그것은 "영원한 대원인(Eternal Cause)"이고, 그래서 한번은 어떤 원인의 부재를 암시하는 용어인 "제일 원인"으로 말해질 수 없다.

이 “이중의 자궁(double womb)”은 또한 가장 높은 영계에서 가장 낮은 지상계까지 전달된 개념의 이원성을 보여준다; 그리고 유대인들은 후자로 제한하였다. 그러므로 그들에게 숫자 7이 외적인 형태들과 텅 빈 의례의 컬트인 그들 대중 종교에서 가장 두드러진 위치를 획득하였다; 예를 들면, 안식일로서 일곱 번째 날이 그들의 신, 생식력을 가진 여호와를 상징하는, 달에게 바쳐진다. 반면에 다른 국가들에서 숫자 7은 신통기의 진화, 주기, 우주계 그리고 무궁한 전체로써 대우주 속에 있는 일곱 가지 힘과 오컬트 힘의 전형이었고, 그것의 첫 번째 상위 삼각형은 유한한 인간의 지성으로는 도달할 수 없었다—그러므로 다른 국가들은 공간과 시간 속에 있는 대우주의 유효한 제한 속에서 일곱 가지 현현계에서만 분주한 반면에, 유대인들은 이것을 달에만 집중하고, 그들의 모든 성스러운 계산을 그것에 토대를 두었다. 그래서 유대인의 도량형을 언급하는 데, 방금 인용한 사본의 저자가 다음과 같이 말하는 것을 볼 때 사려 깊다는 것을 보게 된다: “만약 20,612에 4/3를 곱하면 *그 값은 달의 평균 자전의 값을 확인하는 토대를 제공할 것이고*, 이 값에 다시 4/3을 곱하면, 이렇게 나온 값은 태양년 평균값의 정확한 기간을 찾는 토대를 제공할 것이다 . . . 이런 형태가 천문 시간 기간을 찾는데 매우 유용하게 될 것이다.” 이 이중 숫자 (남성과 여성)는 또한 잘 알려진 우상 속에서 상징된다: 예를 들면, “아르다나리-이슈와라, 힌두인의 아이시스, 에리다누스 혹은 아르단, 혹은 유대인의 요르단 혹은 *하강의 근원*. 그녀가 물 위에 떠 있는 연꽃 잎 위에 서 있다. 그러나 그 의미는 그것이 남녀양성 혹은 자웅동체이고, *남근과 여음*이 합쳐진 것, 숫자 10, 유대인 글자 요드(Jod) י, *여호와의 그릇*이다. 그녀 아니 오히려 그녀-그(she-he)가 360도의 똑같은 원의 (각도의) 분을 준다.”

“여호와”는 가장 좋은 측면에서 비나(Binah)로, “중재하는 상위의 어머니, *대해(Great Sea)* 혹은 성령이다;” 그러므로 오히려 그의 아버지 보다는 예수의 어머니, 메리(Mary)와 동의어이다; 그리고 “어머니(Mother)는 라틴어로 *마레(Mare)*로,” 그 대해가 여기서 또한 비너스, *스텔라 델 마레* 혹은 “대해의 별(Star of the Sea)”이다.

신비스러운 아카디안들의 선조들—*찬드라* 혹은 *인도반사스*, 달의 왕들로 전통에서 우리 시대 이전 시대에 프라야그 (알라하바드)에서 통치하는 것으로 보여준다—은 인도에서 왔으며, 그들 선조의 숭배, 소마와 그의 아들 부다(Budha)를 가지고 왔다.

나중에 이것이 칼데아인의 숭배로 되었다. 하지만 그런 숭배는 대중적인 별자리 숭배 및 태양 숭배와는 별개로 전혀 우상 숭배가 아니었다. 하여튼 로마 카톨릭의 동정녀 마리—시리아인과 그리스인의 *마그나 메이터*—와 달을 연결하는 근대 로마 카톨릭 상징과 다를 게 없다.

이런 숭배에 대하여, 가장 독실한 로마 카톨릭 사람들은 상당히 자부심을 갖고, 그것을 대놓고 인정한다. 프랑스 아카데미에 대한 회고록에서, 마퀴 더 미르빌이 말한다:

"기독교인들의 *마그나 메이터*가 정확하게 *그녀가 잉태한 그 아들의 배우자이기 때문에*, 무의식적 예언으로써 암몬-라(Ammon-Ra)가 *그의 어머니의 남편*이 되어야 한다는 것이 자연스럽다 . . . 하늘의 여왕인 동정녀가 *네이트(Neith)처럼* 찬란한 빛으로 자신을 덮고, 다음으로 크리스트-아들을 입히기 때문에, 우리 (기독교인)는 *이제 왜 네이티스(Neithis)가 달로 있으면서 태양에게 찬란한 빛을 던지는지 이해할 수 있다.* "*당신이 태양을 덮고 태양이 당신을 덮는다*"가 . . . 예배 동안에 로마 카톨릭 사람들이 노래하며, 그가 추가한다:

"또한 글자 그대로 번역된 이 문장이 *무염시태 날에 교회에서 부른 것의 요약이라는* 것을 감안할 때, 사이스 도시에 있는 유명한 글귀가 '어느 누구도 나의 페플럼(베일)을 들어올린 적이 없다'라로 말했어야 한다는 것을 우리 (기독교인들)는 이해한다." (동정녀 어머니 고고학, p. 117.)

확실히 이것보다 더 진실한 것이 없다! 그것은 제랄드 메시 씨가 "고대와 근대 달 숭배"에 관한 강연에서 말한 것을 전적으로 정당화한다:

"달에 있는 사람 오시리스-수트(Osiris-Sut), 여호와-사탄, 크리스트-유다 그리고 다른 달 쌍둥이들)이 종종 나쁜 행동을 하는 것으로 비난 받는다. . . . 달 현상에서 달은 달로써 하나였고, 성에서 이중이었으며, 인물에서는 삼중이다—어머니, 자식 그리고 성인 남성. 이렇게 달의 아이가 자신의 어머니의 배우자로 되었다! 어떤 재생산이 있었다면, 피할 수 없었을 것이다. 그가 자신의 아버지로 되지 않을 수 없다! 이 관계는 후대 사회학에서 거부되었고, 달에 있는 태고 인간이 금기시되었다. 그러나 가장 최근의 불가해한 단계에서, 이것이 세계가 보아왔던 가장 역겨운 미신의 중심 가르침으로 되었다. 왜냐하면 이 달의 현상과 그들을 인간적으로 나타낸 관계가 근친상간을 포함하여 통일성 속에 있는 기독교 삼위일체의 바로 그 토대이기 때문이다. 상징에 대한 무지로, 초기의 단순한 표상이 근대 달숭배의 가장 심오한 종교적 신비로 되어버렸다. 로마 카톨릭은 그 증거를 부끄러워하지 않은 채, 태양과 배열된 동정녀 마리—어머니 달의 아이이자 배우자로서—와 그녀 팔에 달의 아이—어머니 달의 배우자이자 아이로서—를 안고서 뿔 달린 달을 밟고 서있는 것으로 그린다. 어머니, 아이 그리고 성인 남성이 근본적인 것이다."

"이런 방법으로 우리의 크리스트학이 미이라처럼 된 신화이자 전설 같은 민간 전승으로, 구약성서와 신약성서에서 신의 바로 그 음성으로 말해진 신성한 계시로써 우리에게 속여 팔아 왔다는 것이 증명될 수 있다."

멋진 비유가 *조하르*에서 보인다. 유대 카발리스트의 원시 개념으로 여호와 혹은 야훼(YHVH)의 진정한 성격을 어느 것보다 더 잘 드러낸 비유이다. 그것이 이제는 아이작 마이어가 번역한 이븐 게비롤의 카발라 철학에서 보인다. "르헤즈 퀴 야가 쓴 매우 오래된 그리고 조하르 브로디 판 일부분을 구성하는 (I, 5b. sq.) 소개말에서, 랍비 압바와 R. 쉼-온(Shim-on) b. 로하이(lohai)의 아들인 R. 엘아자르가 떠난 여행에 대한 설명이 있다." 그들은 무거운 짐을 진 사람을 만나서 그의 이름을 물었다; 그러나 그는 이름을 말하는 것을 거부하였고 토라(법)를 계속 설명하였다. "그들이 물었다: '누가 당신에게 그렇게 무거운 짐을 들고 걸어가게 했나요?': 그가 답했다: '글자 י (요드 = 10 그리고 케테르의 상징 글자이며 신성한 이름 יהוה (YHVH)의 본질이자 배아이다) . . . . 그들이 그에게 말했다: '만약 당신이 당신 아버지의 이름을 말하면, 우리가 당신 발의 먼지에 입맞춤할 것입니다.' 그가 대답했다: '나의 아버지에 관하여, *그분은 대해(Great Sea)에 거주처가 있고, 그 속에 있는 물고기였으며* (비쉬누 그리고 다곤 혹은 오아네스처럼), 그것이 (먼저) 대해를 파괴하였다' . . . . 그리고 그분은 그 대해 속에 있는 다른 모든 물고기를 삼킬 때까지, 위대하고 엄청나며 '옛날부터 계신 분이었다' . . . 엘아자르가 들었고 그에게 말했다:

‘당신은 신성한 불기둥의 아들(Son of the Holy Flame), 당신은 랍 함(Rab Ham)의 아들입니다—'*눈*-아 사바흐(*nun*-ah Sabah) [고대: 아랍어나 칼데아어에서 *물고기는 눈*(*nun*)이다] 당신은 토라의 빛의 아들입니다.” (다르마) 등등. 그리고 나서 저자가 여성 세피로스, 비나가 대해라고 카발리스트가 부른다고 설명한다: 그러므로 비나는 그 신성한 이름이 여호와, 야(Yah) 그리고 엘로힘으로, 단순히 칼데아인의 티아마트, 여성적 힘, 베로소스의 탈라뜨(Thalatth)로, 카오스를 주재하고, 기독교 신학에 의해서 나중에 뱀이자 악마로 만들어졌다. 그녀-그(Yah-hovah) (야-호와)는 천상의 (헤(Heh)와 이브(Eve))이다. 이 야-호와(Yah-hovah) 혹은 여호와가 물질계에서 그리고 순전히 물질계에서 우리의 카오스—아버지, 어머니, 아들—와 동일하다. *데몬*과 *데우스*는 하나이자 똑같은 것이다; 태양과 달, 선과 악, 신과 악마.

달의 자성은 심령적으로 그리고 물질적으로 생명을 발생시키고, 그것을 보존하며 파괴한다. 그리고 천문학적으로 달이 고대 세계의 일곱 행성 중에 하나라면, 신통기에서 그녀는 거기 일곱 행성들 중에 하나이다; 기독교인들은 이교도와 마찬가지로 전자에는 그들 대천사 중에 하나의 이름으로 말하고, 후자에는 그들 신 중에 하나로 말한다.

그러므로 달의 *아이돌* (*우상*)에 의해서 가르침을 받은 꾸-타미에 대하여, 아랍어로 번역된 고대 칼데아어 사본에서 추월슨이 번역한 “요정 이야기”의 의미가 쉽게 이해된다. (3권 참조) 셀데누스가 그 비밀뿐만 아니라 마이모니데스를 우리에게 말한다. (*“당혹해하는 자를 위한 안내서(More Nevochim)”*, 3권, 30장) *테라핌* (유대인 신탁) 숭배자들은 “조각상을 새겼으며 주요 별들의 (행성들의) 빛이 이것을 관통하여 지나가면서, 역천사들 (혹은 별들과 행성들의 섭정자들)이 그들과 대화하였고, 그들에게 많은 유용한 것들과 예술들을 가르쳤다고 주장하였다.” 그리고 셀데누스가 *테라핌*은 어떤 행성들, 그리스인들이 [*스토이케이아* (원소)]라고 불렀던 행성들의 위치를 따라서, 그리고 하늘에 놓여 있는 그리고 [*알렉세테로이*] 혹은 *후원하는 신들*로 불린 숫자들에 따라서, 세워지고 조정되었다고 설명한다. [*스토이케이아*]를 추적하는 사람을 *[점성가]* 혹은 예언가(diviners)로 불렀다. (*시리안 신들에 대하여*), *태라핌에 의한 점성*, II. *신태그마타*, p. 31.)

하지만 과학자를 놀라게 만들었고 그들이 그 책은 “학술원 회원이 주목할 만한 가치가 없는 요정 이야기 혹은 *외경*”이라고 선언하게 만든 것이 “나바테아인 농업”에 있는 바로 그런 문장이다. 보여주었듯이, 동시에 질투하는 로마 카톨릭과 개신교가 그것을 비유적으로 산산조각 내버렸다; 전자는 “그것이 악마의 숭배를 묘사했기” 때문이고, 후자는 그것이 “신을 받아들이지 않기” 때문이다. 그들 모두 틀렸다. 그것은 요정 이야기가 아니다; 그리고 경건한 교인에 관하여, 번역으로 아무리 많이 훼손되었을지라도, 똑같은 숭배가 성전에서 보일 수 있다. 태양 숭배와 달 숭배뿐만 아니라 별과 엘리멘트 숭배가 기독교 신학 속에서 추적되고 두드러진다; 카톨릭 신자들이 옹호하였듯이, 개신교도들이 그것들을 위험을 무릅쓰고 완강하게 부인하였다. 두 가지 예가 제시될 수 있다.

암미아누스 마르켈리누스는 고대 점성은 항상 *“원소들의 영(*Spirits of the Elements*)”*의 도움으로 이루어졌다고 가르친다. (1. I., 21)

그러나 행성, 원소 그리고 황도대가 *“원소들의 신비”*라고 불린 열 두 개 돌로 헬리오폴리스뿐만 아니라, 솔로몬 사원에서도 그려졌으며, 다양한 작가들이 지적하였듯이, 몇몇 고대 이탈리아 교회들과 심지어 오늘날까지 볼 수 있는 파리 노트르담 성당에도 그려졌다는 것이 보인다.

어떤 상징—태양을 포함해서—도 달의 상징만큼 그 많은 의미에서 더 복잡한 상징은 없다. 성은 물론 이중이다. 어떤 국가에게 그것은 남성이다. 예를 들어, 힌두의 “소마 왕” 그리고 칼데아인의 *신(Sin)*; 다른 국가들에서 그것은 여성이고, 아름다운 여신 다이아나-루나, 에일레이티아, 루시나이다. 타우리스에서, 인간 제물들이 달 여신의 형태인 아르테미스에게 바쳐졌다; 크레타인들은 그녀를 딕티나로 불렀고, 콜로에의 비문이 보여주듯이 [*Artemidi ‘Anaeiti*], 메데인과 페르시아인들은 아나이티스로 불렀다. 그러나 우리는 지금 처녀 여신들 중에서 가장 순결하고 순수한 것, 팜포스가 [*가장 아름다운(Kalliste)*] 별명을 지은 첫 번째이자 히포리투스가 [*지금까지 모든 처녀들 중에 가장 아름다운(Kallista polu Parthenon)*]으로 쓴 루나-아르테미스에만 관심 있다. (파우사니아스 viii, 35, 8 참조.) 이 아르테미스-로키아는 임신과 출산을 주재한 여신으로 (일리아드, 파우사니아스 등등) 그녀의 기능에서 그리고 삼중 헤카테로써 오르페우수 신, 랍비들과 기독교 이전 카발리스트들의 신의 전임자 그리고 그의 달의 유형이다. 그 여신 [*세 가지 형태(Τρίμορφος)*]는 달의 세 단계 각각을 나타낸 다양하고 연속적인 측면들의 인격화된 상징이었다; 그리고 이 해석은 이미 스토아 학파의 해석이었고 (코르누투스, *신들의 성질에 대하여*, D. 34, 1), 반면에 오르페우스를 믿는 사람들은 그 별칭 (*세 가지 형태*)을 그녀가 통치한 세 가지 자연계로 설명하였다. 시기질투하는, 피에 굶주리고 복수하려는 헤카테-루나는 유대인 선지자들의 "질투하는 신"에 대응하는 것이다.

이제 교회에서 추적되는 태양 숭배와 달 숭배의 전체 수수께끼가 진실로 아주 오래된 달 현상의 신비에 달려 있다. "밤의 여왕" 속에 있는 상호 의존적인 힘이 근대 과학에서는 잠자고 있지만 동양의 초인들 지식에서는 온전히 활동하고 있으며 고대인들이 달을 나타낸 천 한 가지 이미지를 잘 설명한다. 그것은 또한 고대인들이 근대 천문학자들보다 월면학 신비에 얼마나 심오하게 박식하였는지 보여준다. 달의 신들과 여신들 전체 판테온, 한편에는 네프티스 혹은 네이트, 프로세르피나, 멜리따, 키벨레, 아이시스, 아스타르테, 비너스 그리고 헤카테 그리고 다른 한편에는 아폴로, 디오니시우스, 아도니스, 바쿠스, 오시리스, 아티스, 탐무즈, 등등, 모두가 그들 이름과 타이틀의 표면 상에서—그들 어머니의 "남편"과 "아들"의 이름—기독교 삼위일체와의 동일성을 보여준다. 모든 종교 체계에서 신들은 아버지, 아들 그리고 남편으로써 그들의 기능이 하나로 합쳐지고, 여신들은 남성 신의 "부인, 어머니 그리고 자매"로서 확인된다; 전자는 인간의 속성들을 "태양, 생명을 주는 자"로서 통합하고, 후자는 모든 다른 타이틀을 통칭인 마이아, 마야, 마리아 등등으로 알려진 웅대한 통합 속에서 합친다. 마이아(Maia)는 어원상 어근 (ma) (유모)에서 그리스인에게 "어머니"을 의미하게 되었고, 심지어 5월에다 그것의 이름을 주었으며, 5월(May)이 메리(Mary)에게 봉헌되기 전에 모든 여신들에게 바쳐졌다.[113] 그러나 그것의 원시적 의미는 *마야, 두르가로,* 동양학자들이 "접근 불가능한"으로

---

113 로마 카톨릭은 5월을 동정녀에게 봉헌한다는 생각을 이교도 플루타르크에게 빚졌다. 그는 "메이(May)가 *마이아(Maia)* 혹은 베스타 (*아울루스 겔리우스*, 단어 마이아)—우리의 어머니-지구, 우리의 유모이자 양육자가 인격화된 것—에게 바쳐지는 것을 보여준다.

번역하였지만, 환영의 인격화, 주문의 근원이자 원인으로써, 환영과 비실재의 의미에서 사실은 *"도달할 수 없는(unreachable)"*을 의미한다.

종교 의식에서 달은 이중의 목적을 하였다. 대중적 목적을 위해서 여성의 여신으로서 혹은 비유와 상징에서 남성 신으로서 인격화되었지만, 오컬트 철학에서 우리의 위성은 잘 연구되어야 하는 무성의(sexless) 잠재성(Potency)으로 간주되었다. 왜냐하면 그것을 두려워해야 했기 때문이다. 입문한 아리안들, 칼디 (칼데아인), 그리스인과 로마인에게, 소마, 신(Sin), 아르테미스 *소테이라(Soterira)* (그 속성이 수금(lyre)인 자웅동체의 아폴로이자 활과 화살을 가진 수염 있는 다이아나), *데우스 루너스(Deus Lunus)* 그리고 특히 오시리스-루너스와 토트-루너스는[114] 달의 오컬트적 잠재성이었다. 그러나 달이 남성이건 혹은 여성이건, 토트 혹은 미네르바이건, 소마 혹은 아스토레스이건, 달은 신비들 중에 오컬트 신비이고, 선의 상징보다 더 악의 상징이다. 달의 일곱 단계 (원래의 비의적 구분)가 세 가지 천문학 현상과 네 가지 순전히 심령적인 단계로 나누어진다. 달이 항상 숭배되지 않았다는 것이 신비의식에서 보이며, 그 속에서 달-신의 죽음 (점진적 쇠퇴의 세 단계와 마지막 소멸)이 빛과 생명을 주는 신 (태양)을 당분간 승리하는 *악의 수호신*을 나타내는 달로 비유되었고, 마법에서 고대 사제들의 모든 스킬과 학식이 이 승리를 패배로 바꾸는데 요구되었다.

그것은 가장 고대의 숭배였고, 우리 라운드의 *세 번째* 근원인종, 자웅동체들의 숭배로, 소위 "추락" 후에 성이 분리되었을 때, *남성*-달이 그것에 바쳐졌다. 그리고 나서 "데우스 루너스가 자웅동체, 남성과 여성으로 차례로 되었다; 마지막으로 네 번째 근원 인종, 아틀란티안에게 *주술 목적을 위해서* 이중의 힘으로 역할을 하게 되었다. 우리 인종인 다섯 번째 인종에서 달-태양 숭배가 국가들을 두 가지 구분되는 적대적 진영으로 나누었다. 그것은 오랜 세월 후에 마하바라탄 전쟁에서 묘사된 사건들로 이어졌고, 이것이 유럽인에게는 터무니없겠지만, 힌두인과 오컬티스트들에게는 *수리야반사*와 *인도반사* 사이의 역사적인 싸움으로 이어졌다. 달의 이중 측면, 여성 원리와 남성 원리 각각의 숭배에서 기원하지만, 그것은 독특한

114 토트-루너스는 인도의 "부다-소마(Budha-Soma)" 혹은 "수성과 달"이다.

태양 컬트와 달 컬트로 끝났다. 셈족 사이에서, 태양은 매우 오랫동안 여성이었고 달은 남성이었다—후자의 개념은 그들이 아틀란티안 전통에서 채택한 것이다. 달은 쉐메쉬(Shemesh) 숭배 전에, "태양의 주," *벨-쉬메쉬(Bel-Shemesh)*였다.[115] 그런 구분을 하는 초기 이유들에 대한 무지와 오컬트 원리에 대한 무지 때문에 국가들이 의인화된 우상 숭배를 하도록 만들었다. 그러나 모든 고대 국가의 종교는 이제 "신(God)"이라고 부르는 순전히 추상적인 힘 혹은 원리의 오컬트 현현에 주로 토대를 두고 있다. 그런 숭배를 정립한 것을 보면 자연의 주관적 객관적 체계를 진화시킨 철학자들이 그 세부사항과 의례에서 심오한 지식을 가졌으며 과학적인 성질의 많은 사실에 익숙하였다는 것을 보여준다. 순전히 오컬트적인 것 이외에, 달 숭배의 의례는 방금 보여주었듯이, 관찰된 자연적 그리고 과학적 사실을 기록하는 그림문자들인 상징과 숫자에 (우리처럼 상당히 근대 과학인) 생리학, 심리학, 신성 수학, 기하학 그리고 계측학을 올바로 적용하는 지식에 토대를 두고 있다; 간단히 말하면, 자연에 대한 가장 미세하고 심오한 지식에 토대를 두고 있다. 달의 자성은 생명을 발생시키고, 생명을 보존하며 죽인다. *소마*는 *트리무르티*의 삼중 힘을 구체화한다; 오늘날까지 속세 사람들이 그것을 알아보지 못한 채 지나간다. 또다른 만반타라에서 (즉, 우리 행성계 발생 이전 시대에) 신들이 *생명의 대양* (*공간*)을 휘저어 만들어진 달, 소마를 만드는 비유와 "리쉬가 지구에 젖을 먹이는 데, 그 송아지가 소마, 달"이었다는 것을 보여주는 다른 비유는 심오한 우주구조학적 의미를 가진다; 왜냐하면 젖을 먹는 것이 지구가 아니고, 우리가 송아지로 아는 달도 아니었기 때문이다.[116] 우리의 현명한 과학자들이 고대 아리안들이 알았던 만큼

---

115 모세 경에 없는 그 기간 동안—에덴 추방부터 비유적 대홍수까지—유대인은 셈족의 *다야니시(Dayanisi)* דיזניסי "인간의 통치자," "심판관" 혹은 태양을 숭배하였다. 유대인 성전과 기독교가 태양을 성경에 있는 "신"과 여호와로 만들었지만, 기독교는 여호와 태양이었던 자웅동체 신과 여성 측면에서 아스토레스 달에 대한 무분별한 흔적들로 가득하고, 그것에 주어진 현재의 비유적 요소에서 상당히 자유롭다. 신은 "태우는 불"이고, 불 *속에서* 나타나며, 불로 둘러싸여 있다. 에스겔이 (8장 16절) "태양을 숭배하는" 유대인을 본 것이 비전에서만이 아니다. 이스라엘의 *바알*(모압인들의 쉬메쉬이고 암몬인들의 몰록)은 동일한 "태양-여호와"였고, 아스토레스가 "하늘의 여왕"—혹은 달—이었듯이, 그가 지금까지 "하늘의 무리의 왕," 태양이다. "정의의 태양"이 *이제는 비유적 표현으로만 되었다.*

116 지구는 비유에서 그녀를 쫓아오는 푸리투(Prithu)보다 앞서서 목숨을 걸고 도망친다. 그녀는 암소 형태를 취하고, 공포에 떨면서 도망가서 브라흐마 영역에서 숨는다. 그러므로 그것은 우리의 지구가 아니다. 다시 모든 푸라나에서 송아지는 이름을 바꾼다. 어느 곳에서 그것은 마누 스와얌

자연의 신비에 대하여 많이 알았다면, 그들은 달이 지구에서 투사되었다고 확실히 결코 상상하지 않았을 것이다. 다시 한번, 고대인들의 상징 언어를 이해하고자 한다면, 신통기에 있는 변형들 중에 가장 오래된 것, 즉 아들이 자신의 아버지가 되고 어머니가 그 아들에 의해서 발생되는 것이 기억되고 고려되어야 한다. 그렇지 않으면 신화가 "인간 문화의 특정 단계에서 생기는 질병으로" 동양학자를 언제나 괴롭힐 것이다! — 레노푸가 히버트 강연에서 심각하게 관찰하듯이.

고대인들은 말하자면 신들의 자동-발생을 가르쳤다: 하나의 신성한 본질이 *미현현된 채*, 끊임없이 두 번째 자아를 낳고, *현현된 채*, 그 두 번째 자아는 성질상 자웅동체로, 이 우주 속에 있는 대우주적 소우주적 만물을 *순결한 방법으로 낳는다*. 이것이 이전 페이지에서 신성한 숫자 10 혹은 원과 직경 속에서 보인다.

그러나 우리의 동양학자들은 자연 속에 있는 하나의 동질적 *원소*를 찾으려는 엄청난 욕망에서 그것을 보지 못할 것이다; 그들 연구에서 그런 무지로 경련을 일으켜서, 그들—아리안 연구자들과 이집트 연구자들—은 그들의 추론에서 진리로부터 지속적으로 벗어나게 된다. 이렇게 드 루즈는 그가 번역한 본문에서 암몬-라가 (멤논으로 추정되는) 아메노페스 왕에게 "그대는 나의 아들이다, 내가 너를 낳았다"고 말하는 것의 의미를 이해할 수 없다; 그리고 그가 많은 텍스트 속에서 그리고 다양한 형태 하에서 똑같은 개념을 보면서, 이 기독교의 동양학자가 결국에는 다음과 같이 외치지 않을 수가 없었다. "이 개념이 신성 문자의 학자 마인드로 들어가기 위해서, *신성하고 순결한 화신이 인간의 형태로 일어날 수 있다는 것을 가능한 하나의 사실로써 나타내는* 어느 정도 명확한 가르침이 그들의 종교 속에서 있었음에 틀림없다." 정확히 그렇다. 그런데 전체 비밀이 이전 종교를 복사하는 후대 종교로 설명될 때, 왜 불가능한 예언에 대하여 설명을 하는가?

그 가르침은 보편적이었고, 그것을 진화시킨 것은 어느 한 사람의 신성 문자 학자의 마인드가 아니었다; 왜냐하면 인도인의 *아바타*들이 그 반대되는 증거이기 때문이다.

부바이고, 다른 곳에서 인드라, 또 다른 곳에서 히마바트(Himavat)이며, 반면에 메루가 젖을 내는 곳이다. 이것은 생각보다 더 심오한 비유이다.

그 이후에 이집트인들에게 "신성한 아버지와 아들이" 무엇이었는지 "더 명확하게 인식되었을지라도,"[117] 드 루즈는 그 원초의 발생에서 *여성* 원리에 부여된 기능들이 무엇이었는지 인식하고 설명하는 데 여전히 실패한다. 그는 사이스의 네이트 여신에서 그것을 발견하지 못한다. 그러나 그는 캠비세 왕을 사이스 사원에 소개할 때 그 사령관이 그 왕에게 한 문장을 인용한다: "나는 사이스의 위엄을 폐하께 알렸습니다. 그것은 네이트의 거주처, 위대한 (여성) 생산자, *태양의 어머니*로, 그는 *첫째로 태어나고, 생긴 것이 아니라, 나왔으며,"* 그래서 *순결한 어머니*의 과실이다.

고대 이교도들의 *순결한 동정녀*와 근대 카톨릭 개념 사이에 실재 차이—그것을 이해하고 음미할 수 있는 사람은 누구에게나—가 매우 더 웅대하고 철학적이며 시적이다. 고대 이교도들의 경우, 언제나 젊은 어머니 자연, 그녀의 원형의 본형, 태양과 달이 그녀의 "마인드에서 태어난" 아들, 우주를 *생성하고 낳는다*. 태양과 달이 남성-여성 신으로써 소우주의 어머니인 지구를 비옥하게 만들고, 지구가 차례로 잉태하고 낳는다. 기독교인에게, "첫 번째 태어난 자" (*프라이모제니투스*)는 진실로 발생된다, 즉 "*낳아진 것이지 만들어지는 것이 아닌*(*genitum, non factum*)", 긍정적으로 *잉태되어 나온 것이다*—"*처녀가 낳는다*(*Virgo pariet*)"고 라틴 교회가 설명한다. 이렇게 라틴 교회는 동정녀 마리아의 고귀한 영적인 이상을 지상으로 끌어내려서, 그녀를 "흙의 지상에 속하게 만들며," 그 이상을 오합지졸의 인격화된 여신들 중에 가장 낮은 것으로 비하시킨다.

진실로 네이트, 아이시스, 다이아나 등등 그들 각자는 "데미우르고스 여신들로, 볼 수 있고 볼 수 없는, 하늘에서 그녀의 위치를 갖고 있으며, *종의 발생을 도와주는* 여신"이었다—간단히 말해서 달이다. 그녀의 오컬트 측면과 힘은 셀 수 없으며, 그것들 중에 하나에서, 달이 아이시스의[118] 또 다른 측면, 이집트인들의 하토르로 되며, 그리고 이 두 여신들이 호러스에게 젖을 먹이는 것으로 보여준다. 대영 박물관 이집트관 홀에서 그녀와 하늘의 주 사이에 서 있는 파라오 토트메스가 숭배한

---

117 그가 그것을 명확하게 인식한 것은 이집트인들이 여호와(!)와 그의 화신한 구세주(선한 뱀) 등등을 *예언하였다*는 것이다; 심지어 타이폰과 에덴 동산의 *사악한* 용을 동일시하였으며, 이것이 진지한 그리고 온전한 *과학*으로 통한다.

118 하토르는 *지옥의* 아이시스, 압도적으로 서방의 혹은 지하 세계의 여신이다.

하토르를 보라. 그 조각상은 카르낙에서 가져왔다; 그리고 그 같은 여신은 그녀의 왕관에 다음과 같은 전설이 새겨진 것을 가졌다: "신성한 어머니이자 숙녀, 혹은 하늘의 여왕;" 또한 "아침 별" 그리고 "바다의 빛." 모든 달 여신들은 이중의 측면을 가지고 있다—하나는 *신성한* 측면, 다른 하나는 *지옥의* 측면. 모두가 *순결하게* 태어난 아들—태양—의 처녀 어머니였다. 라울 로체티가 아테네인의 달-여신—팔라 혹은 키벨레, 미네르바 혹은 다이아나—이 그녀의 어린 아들을 무릎에 안고 있는 것을 보여주며, 열 두 명으로 둘러싸인 채 그리고 사자 위에 앉아 있는, *"한 분의 신의 어머니"*[*Monogenes Theou*]로서 그녀의 축제에서 기원한다; 여기서 오컬티스트는 위대한 열 두 신을 알아보고, 경건한 기독교 동양학자는 사도들을, 오히려 거기서 그리스 이교도의 예언을 알아본다.

그들 둘 다 맞다. 왜냐하면 라틴 교회의 순결한 *여신*은 더 오래된 이교도 여신을 충실하게 복사한 것이기 때문이다; 사도 숫자(12)는 열 두 종족의 숫자이고, 열 두 종족은 위대한 열 두 신과 황도 십이궁의 인격화이다. 기독교 도그마에 있는 거의 모든 세부사항을 이교도에서 빌려왔다. 세멜레는 *태양*인 바쿠스의 어머니이자 주피터의 *부인*으로, 논노에 따르면, 그녀의 사후에 하늘로 승천하거나 "데려가서," 그곳에서 그녀는 세계의 여왕 혹은 우주의 여왕(*panbasileia*)이라는 이름으로 마르스(화성)와 비너스 (금성) 사이에서 주재한다; "그 이름으로, 하토르, 헤카테 그리고 다른 지옥의 여신들의 이름처럼, 모든 악마들을 덜덜 떨게 만든다."[119]

"*세멜레가 영들을 떨게 만들었다*(*Semelen premousi daimones*)." 드 미르빌이 (113, *동정녀 어머니의 고고학*) 말해주듯이, 작은 사원에 있던 이 그리스 글귀는 어떤 사람이 발견한 작은 돌 위에 재생되어서 몽포꽁이 복사한 것으로, 고대 세계의 *마그나 메이터*는 교회의 *순결한 동정녀 어머니에 대한, 악마가* 저지른, 뻔뻔한 *표절이라는* 놀라운 사실을 알려준다. 그렇건 혹은 그 반대이건 중요하지 않다. 주목할 만한 것은 고대 복사본과 근대 원본 사이에 완전한 동일성이라는 것이다.

공간이 허락한다면 로마 카톨릭 교회 추종자들이 과거의 폭로와 대면할 때 드러낼

---

119 이것이 드 미르빌로, 자랑스럽게 유사성을 실토하며, *그는 당연히 알 것이다.*

상상할 수 없는 무관심과 냉정함을 보여줄 수 있을 것이다. "동정녀가 세레스와 비너스의 성역을 모두 가졌고, 그 여신들을 기리기 위하여 실천하고 선언한 이교도의 의례가 크리스트 어머니에게 상당 부분 옮겨졌다"는 머레이의 언급에, 로마 옹호자가 다음과 같이 대답한다:

"그것이 사실이고, 당연히 그래야 하며 아주 자연스러운 것이다. 1862년 로마 사도 교회가 공언한 도그마, 전례 그리고 의례가 *거의 대홍수 이후가 아닌* 원통과 파피루스와 기념비에 조각되어 있는 것으로 발견되었기 때문에, 유사이전 (로마) 카톨릭이 먼저 존재하였다는 것을 부인하는 것이 불가능한 것처럼 보인다. 그리고 지금의 우리 카톨릭은 그것의 충실한 연속에 불과하다. . . . 그러나 이전 카톨릭이 악마와 흑마법 주술의 뻔뻔함의 극치, 정점인 반면에 . . . . 후자 카톨릭은 *신성하다*. 우리 (기독교) 계시록에서 (요한계시록 1권) 태양으로 옷을 입고 달을 발 아래 밟고 있는 마리아가 *나사렛의 겸손한 종*과 공통적인 것이 없다면, 그것은 그녀가 이제는 우리 우주에서 신학적 우주적 권능의 가장 위대한 존재로 되었기 때문이다." (*동정녀 어머니의 고고학*, pp. 116, 119.)

핀다르의 *"미네르바 찬가"* (p. 19) 이후 바로 그렇다. . . . "그녀는 그녀 아버지 주피터 *오른쪽에* 앉으며, 다른 모든 신(혹은 천사)들보다 더 강력해서" 동정녀에 마찬가지로 적용된다. 코넬리우스 아 라피데를 인용하면서 동정녀 마리아를 다음과 같이 말하게 만든 것이 바로 성 버나드이다:

"*태양-크리스트(Sun-Christ)*가 그대 속에 살고 그대는 그 속에 산다." (신성한 동정녀에 대한 설교)

똑같은 순진한 성자에 의해서 동정녀가 달이라고 인정된다. 출산 중에 있는 교회의 *루시나(Lucina)*이기에, 베르길리우스의 구절이 그녀에게 적용된다—*"순수한 루시나, 자비를 베푸소서, 그대 자신의 아폴로가 이제 왕입니다(Casta fove Lucina, tuus iam regnat Apollo)*." "달처럼, 동정녀가 하늘의 여왕이다"라고 순진한 성인이 추가한다. (*코넬리우스 아 라피데* 주석, 계시록 xii장.)

이것으로 문제를 해결한다. 드 미르빌 같은 작가에 따르면, 이교도 개념과 기독교 도그마 사이에 더 많은 유사성이 존재하면 존재할수록, 기독교가 더 신성하게 보이고, 특히 로마 카톨릭 형태로 진실로 유일하게 영감을 받은 것으로 더 보인다. 신성한 영감의 정반대를 라틴 교회에서 본다고 생각하는, 그리고 사탄 같은 표절의 속임수를 예상대로 믿지 않는, 과학자들과 학자들은 심하게 비난받을 것이다. 하지만 그들은 "아무것도 믿지 않고 *'나바테아인 농업'*조차도 미신적인 터무니없는 꿈같은 얘기로 거부할 것이라고" 회고록 학자는 불평한다. "그들의 왜곡된 의견으로, 꾸-타-미의 '달 우상'과 마돈나 조각상은 하나이다!" 고귀한 마퀴는 로마 카톨릭이 영감과 계시를 받은 종교라는 것을 보여주기 위한 단 하나의 목적으로 20년전에 "프랑스 아카데미 회고록"으로 부르는 여섯 권의 대작을 썼다. 그 증거로 그는 수많은 사실을 제공하며, 고대 세계 전체가, 심지어 대홍수 이후, 악마의 도움으로 수 세기 이후에 태어날 미래 로마 카톨릭의 의례, 의식 그리고 도그마를 체계적으로 표절해왔다는 것을 보여주려는 것이다. 그의 동료 종교학자—대영박물관의 저명한 이집트학자, M. 르노프—가 저명한 강연에서 "유태인도 그리스인도 그들의 사상을 이집트에서 가져오지 않았다"고 선언하는 것을 들었다면 이 충실한 로마 카톨릭의 아들이 무엇이라고 말했을까?[120]

그러나 아마도 M. 르노프가 말하고자 했던 것이 이것일 것이다—즉, 그들의 사상을 라틴 교회에서 빌려온 것은 이집트인, 그리스인 그리고 아리안들이다. 그리고 만약 그렇다면, 논리의 이름으로, 모든 것이 로마 카톨릭의 달 숭배가 이 세계—사바교와 성신 숭배에 대하여—만큼이나 오래되었다는 것을 보여주는 데, 왜 로마 카톨릭은 오컬티스트가 달 숭배에 대하여 그들에게 제공하는 부가적인 정보를 거부하는가?

초기 기독교와 후대 로마 카톨릭의 성신 숭배 혹은 태양과 달의 상징적 숭배의 이유—조로아스터교의 "태양 숭배"보다는 덜 철학적이고 덜 순수하지만, 그노시스파의 숭배와 동일하다—가 그 탄생과 기원에서 자연스러운 결과이다. 라틴 교회가 물, 불, 태양, 달 그리고 별 그리고 다른 많은 상징을 채택한 것은 이교도 국가들의 고대 숭배를 초기 기독교인들이 계속한 것에 불과하다. 이렇게 오딘은 세

120 제랄드 메시 씨 강연에서 인용됨.

번이나 현명한 *조툰*(thrice-wise *Jotun*), 미미르(Mimir)의 발 아래 앉음으로써, 그의 지혜, 권능 그리고 지식을 얻었다. 조툰은 태초 지혜의 샘 근처에서 그의 삶을 보냈고, 그것의 수정 같은 물이 그의 지식을 나날이 증가시켰다. 미미르는 "그 샘에서 최고의 지식을 퍼 올렸다. 왜냐하면 세계가 물에서 태어났기 때문이다; 그래서 태초 지혜가 그 신비스러운 원소 속에서 발견되었다." ("아스가드와 신," p. 86.) 오딘이 그 지식을 얻기 위하여 담보로 잡힌 그 눈은 "만물을 꿰뚫고 깨우치게 만드는 태양일 것이다; 그의 다른 눈은 달로, 그 반사가 심연에서 내다보며, 결국 질 때 대양 속으로 가라앉는다." (같은 책) 그러나 그것은 이것 이외에 더 많은 어떤 것이다. 불의 신, 로키가 물 속뿐만 아니라 달 속에서 빛을 주는 자(light-giver)를 숨겼다고 말한다. 그 빛의 반사를 그 속에서 그가 발견하였다; 그리고 그 불이 물 속으로 피난했다는 이 믿음은 고대 스칸디나비아인들로 제한되지 않았다. 그것은 모든 국가에서 공유되었고 결국에는 성령을 "불의 혀처럼 갈라진"—아버지-태양의 숨결—불의 형상으로 상징화한 초기 기독교인들이 채택하였다. 이 "불"이 물 속으로 혹은 바다 속으로 하강한다: *마르*(*Mar*), 마리아. 비둘기는 여러 국가에서 혼의 상징이었고, 그것은 바다 거품에서 태어난 여신, 비너스에게 바쳐졌다. 그리고 그것은 나중에 기독교인의 *애니마 문디* 혹은 성령의 상징이 되었다.

"사자의 서"에 있는 가장 오컬트적인 장 중에 하나는 "어둠의 길에 빛을 비추는 신으로 변형하기 위하여"라고 제목이 달린 80장으로, 거기서 "그림자의 여성-빛(Woman-light of the Shadow)"이 달에 있는 토트의 피난처에서 토트를 섬긴다. 토트-헤르메스가 거기에 숨었다고 말한다. 왜냐하면 그가 비밀의 지혜의 대표자이기 때문이다. 그가 달 반대편 반구로 물러날 때, 그는 빛 측면의 현현된 로고스, 숨겨진 신성 혹은 "어두운 지혜(Dark Wisdom)"가 된다. 그녀의 권능을 말할 때, 달은 자신을 반복해서 부른다: "어둠 속에서 빛나는 빛," "여성-빛(Woman-Light)." 그래서 그것이 동정녀-어머니 여신의 받아들여진 상징으로 되었다. 사악한 "악"의 영이 옛날에 달에 대항해서 싸웠듯이, 그들은 달, 마리아, 실제 하늘의 여왕에 대항해서 승리하지 못한 채, 지금도 계속 싸우는 것으로 되어 있다. 그래서 달은 모든 이교도 신통기에서 그녀의 영원한 적, 용과 긴밀하게 연결되어 있다; 동정녀 혹은 마돈나가 그 형태 하에 있는 신화의 사탄 위에 서 있으며, 그녀의 발 아래서 눌러 부숴고 무력하게 만들었다. 이것은 오늘날까지 동양 천문학에서 달이 상승하고 하강하는 마디(교점)를 나타내는 용의 머리와 꼬리 때문에 고대 그리스에서 두 개 뱀으로 상징되었다. 헤라클레스는 그가 태어난 날에 그들을 죽인다. 그리고 동정녀 어머니 품 속에 있는 아기도 그렇다. 제랄드 메시 씨가 이런 맥락에서 적절하게 관찰한다: "그런 모든 상징은 처음부터 그들 자신의 사실을 그림으로 보여주었고, 전혀 다른 순서의 다른 것을 미리 그리지 않았다. 도상학 (그리고 또한 도그마도)이 기독교 이전 시기부터 로마에서 살아 남았다. *유형을 위조하거나 삽입한 것이 없다; 그 의미의 왜곡과 함께 이미지의 연속성만 있다.*"

10장 나무, 뱀, 그리고 악어 숭배

"인간은 공포의 대상 혹은 숭배의 대상으로 뱀에 대하여 달래기 어려운 혐오를 갖고 있거나, 그 수호신 앞에 엎드린다. 거짓이 그것을 부르고, 신중함이 그것을 주장하고, 시기가 그것을 가슴 속으로 가져가며, 달변이 그 지팡이 위로 가져간다. 지옥에서 그것은 복수의 여신들(Furies)의 채찍으로 무장한다; 하늘에서 영원(Eternity)이 그것의 상징이다."

– 드 샤토브리앙.

오파이트파는 신부터 인간까지 여러 종류의 지니(genii)가 있다고 주장하였다; 이들의 상대적인 우위성은 각자에게 부여된 빛의 정도로 지배된다고 한다; 그리고 그들은 뱀이 지속적으로 불려 나오고 그것이 인류에게 준 현저한 봉사 때문에 감사 받아왔다고 주장하였다. 왜냐하면 그것은 아담이 선과 악의 지식의 나무의 과실을 먹는다면, 그가 이렇게 획득할 배움과 지혜로 그의 존재를 엄청나게 올릴 것이라고 아담을 가르쳤기 때문이다. 그것이 대중적으로 제시된 이유였다.

이렇게 뱀의 야누스 같은 이중 성격—선한 면과 나쁜 면—의 태초 개념이 어디서 왔는지 보는 것은 쉽다. 이 상징은 가장 고대의 상징 중에 하나이다. 왜냐하면 파충류가 조류보다 앞서고, 조류가 포유류보다 앞서기 때문이다. 그래서 원시 부족들은 그들의 조상들의 혼이 이 형태로 산다고 생각하는 믿음 혹은 미신, 그리고 뱀과 나무를 연관시키게 된 것이다. 그것이 나타내는 다양한 것들에 대한 전설들은 수없이 많다; 그러나 그것들 대부분은 비유이기 때문에, 이제는 그것들이 무지와 어두운 미신에 토대를 둔 우화들의 부류로 들어가버렸다. 예를 들면, 필라스트로토스가 인도와 아라비아의 원주민들은 모든 동물의 언어를 배우기 위해서, 뱀이 그 기능을 가졌다고 생각되었기에, 뱀의 심장과 간을 먹었다고 말할 때, 그는 확실히 그의 말이 글자 그대로 결코 받아들여질 것을 의도하지 않았다. (*티아나의 아폴로니우스에 대하여*, 1권, c. xiv. 참고) 앞으로 가면서 한번 이상 발견될 것이지만,

"뱀(Serpent)"과 "용(Dragon)"은 "현자들(Wise Ones)," 고대 시대의 입문 받은 초인들에게 주어진 이름이다. 그들을 따르는 사람들이 삼키거나 흡수하는 것이 바로 그들의 지혜와 학식이며, 그래서 거기서 비유가 온 것이다. 스칸디나비아의 시구르드가 그가 죽인 용, 파브니르의 심장을 구워 먹어서 가장 현명한 인간이 되었다고 우화를 말할 때, 그것도 똑같은 것을 의미하였다. 시구르드가 룬 마법과 마법 부적에 박식하였다; 그는 그 이름의 입문자 혹은 마법사로부터 "말씀"을 받았고, 그후 많은 경우처럼 "말씀을 전한" 후에, 마법사는 죽었다. 에피파니우스가 그노시스파의 *이단들*을 색출하려다가 그노시스파의 비밀을 누설한다. 그가 말하길, 그노시스 오파이트파가 뱀을 존경하는 이유를 가졌다: *그것은 그가 태초 인간에게 대신비(Mysteries)를 가르쳤기 때문이다*. (*반 이단론*, 37) 바로 그렇다; 그러나 그들은 이 도그마를 가르칠 때 아담과 이브가 정원에 있는 것을 염두에 두지 않았고, 단순히 위에 언급된 것이다. 힌두와 티벳의 *나가(Nagas)*는 파충류가 아닌 인간 *나가* (뱀)였다. 게다가 뱀은 언제나 불멸(IMMORTALITY)과 시간(TIME), 연속적인 혹은 일련의 재생의 유형이었다.

"자연의 창세기"에서 주어진 뱀 숭배에 대한 사실들과 해석들 그리고 수많은 그러면서 엄청 흥미로운 읽을 거리들은 매우 독창적이며 과학적으로 옳다. 그러나 그것은 암시된 의미의 전체를 커버하기에는 많이 부족하다. 그것은 어떤 우주적 현상과 함께 천문학적 그리고 생리학적 신비만을 밝힌다. 가장 낮은 물질계에서 뱀은 의심할 여지없이 "신비 속에 있는 위대한 신비"였으며, "허물을 벗고 자기 재생하는 것 때문에 여성의 사춘기 유형으로 채택되었다." 하지만 그것은 지상의 동물적 생명에 관한 신비에 관해서만 그렇다. 왜냐하면 "(보편적) 신비에서 다시 입고 재탄생하는" 상징으로써 그것의 "*마지막 단계*"[121] —혹은 오히려 그것의 시작하는 정점의 단계들—는 물질계에 속한 것이 아니기 때문이다. 그들은 이상적인 빛의 순수 영역에서 발생되었고, 각색과 상징의 전체 주기의 순환을 성취한 후에, 그 "신비들"은 그것이 온 곳—*비물질적* 인과성의 본질 속으로—으로 돌아갔다. 그들은 최고의 그노시스에 속했다. 그리고 확실히 이것이 생리적 그리고 특히 여성적 기능 속으로 꿰뚫고 들어가기 때문에 그것의 이름과 명성을 결코 얻을 수가 없을 것이다!

---

121 제랄드 메시, 자연의 창세기, 1권, p. 340.

상징으로써 뱀은 나무 자체만큼이나 많은 면들과 오컬트 의미들을 가졌다; "생명의 나무(Tree of Life)"와 그것이 전형적으로 그리고 거의 풀 수 없을 정도로 연결되었다. 그것을 형이상학 상징으로써 혹은 물리적 상징으로써 보건, 나무와 뱀은 함께 혹은 별개로 진리를 위해서가 아니라 더 조잡한 물질을 미화하기 위해서 우상 파괴의 우리 시대에 지금처럼 고대에는 결코 그렇게 비하되지 않았다. "생명의 강(The Rivers of Life)"에 있는 계시와 해석이 고대 칼데아인과 이집트인의 지혜 시대에 있는 나무와 뱀의 숭배자들을 깜짝 놀라게 했을 것이다; 그리고 심지어 초기 시바파도 말한 문헌 저자의 이론들과 암시들에 공포로 움츠러들었을 것이다. "십자가 혹은 타오(Tau)는 삼중 형태로 남성 기관의 복사판에 불과하다는 페인 나이트와 인만의 개념은 철저하게 거짓이다"라고 말한 것을 증명하는 제랄드 메시 씨가 쓴다. 그러나 이것은 고대 상징에 대한 거의 모든 근대 해석에 합당하게 적용될 수 있는 진술이다. "자연의 창세기"는 기념비적 연구와 사상의 작품으로, 그 주제에 대하여 지금까지 출판된 가장 완전한 것으로, 그것은 폭넓은 영역을 망라하고 지금까지 써왔던 모든 상징학자들보다 훨씬 더 많은 것을 설명하지만, 그것은 여전히 고대 사상의 "심령적-유신론적" 단계를 넘어가지 못한다. 페인 나이트와 인만이 전적으로 틀린 것은 아니다; "생명의 나무"를 십자가와 남근 숭배로써 그들의 해석은 생명 제공자(Giver of Life)의 개념에 대한 진화상의 발전의 가장 낮은 그리고 마지막 단계에서만 그 상징에 적합하고 그것에 근접한다는 것을 전적으로 이해하지 못한 것을 제외하면 틀리지 않는다. 그것은 동물, 곤충, 새 그리고 심지어 식물 속에 있는, 자연의 마지막이자 가장 조잡한 물질적 변형이다; 왜냐하면 반대되는 것을 끌어당기는 형태로 혹은 성적 분극으로 둘을 하나로 결합시키는 창조적 자성이 인간의 구성 요소에서처럼 파충류와 조류의 구성 요소 속에서도 작용하기 때문이다. 게다가 근대 상징학자들과 동양학자들은—처음부터 끝까지—오컬티즘이 드러낸 실재의 신비에 무지하기 때문에 필연적으로 이 마지막 단계만 볼 수 있다. 존재의 전체 세계가 지금 이 지구에서 공통으로 가지고 있는 이런 출산 방식이 지나가는 단계에 불과하고, 생명에 조건을 제공하고 생명의 현상을 만드는 물리적인 수단이 바뀔 것이며 다음 근원인종과 같이 사라질 것이라고 듣는다면, 그들은 그런 비과학적이고 미신적인 사상을 비웃을 것이다. 그러나 가장 박식한 오컬티스트들은 *그것을 알기 때문에* 이것을 주장한다. 살아 있는 존재들의 우주, 그들의 종을 출산하는 모든 것의 우주가 동물과 인간의 종 그리고 인종의 진화에서 다양한 출산 방식에 대한 살아 있는 증인이다; 그리고 자연학자는 이 진리를 보여줄 수는 없지만 직관적으로 감지한다. 그리고 현재 사고 방식으로 그가 어떻게 그럴 수 있을까! 과거의 태고 역사의 랜드마크들이 드물고, 과학계 사람들이 우연히 마주친 그것들이 우리의 작은 시대의 길안내표지들로 오해된다. 심지어 소위 "보편의 (우주의)"(?) 역사는 우리의 최근 다섯 번째 근원인종의 탐험하지 않은 영역의 거의 무궁한 공간 속에 있는 작은 영역을 포함하는 것에 불과하다. 그래서 발견되는 모든 새로운 길 이정표, 백발의 과거에 대한 모든 새로운 상형문자가 이전에 존재하는 개념들과 똑같은 선상에서 해석되고, 그 특정한 상형문자가 속할 수도 있는 그 특별한 사상의 주기에 대하여 참고하지 않은 채, 정보의 오래된 재고에 추가된다. 만약 이런 방법이 결코 바뀌지 않는다면 어떻게 진리가 드러날 수 있을까!

이렇게 불멸의 대존재의 상형문자로써 그것들의 공동 존재의 초기에, 나무와 뱀은 진실로 신성한 표상이었다. 나무는 거꾸로 되었으며, 그 뿌리가 하늘에서 발생되었고 모든 존재의 뿌리 없는 뿌리(Rootless Root)에서 자라나왔다. 그것의 줄기는 플레로마 여러 계들을 가로지르면서 성장하고 발전하였으며, 처음에는 거의 분화되지 않는 물질계에서 그리고 아래로 그것이 지상계를 접촉할 때까지, 무성한 가지들을 가로질러 뻗었다. 이렇게 아스바타(Asvattha), 생명과 존재의 나무를 파괴하는 것만이 불멸로 이끌어서 바가바드 기타에서 그것의 뿌리가 위에서 자라고 그것의 가지가 아래에서 자란다고 말한다. (15장) 뿌리들은 지고의 존재 혹은 제일 원인(First Cause), 로고스를 나타낸다; 그러나 사람은 자신을 크리슈나와 합일하기 위해서 그 뿌리들 너머로 가야 하며, 아르주나가 말하길 (11장), "브라흐만보다 위대하고, 제일 원인 . . . 파괴할 수 없는 자, 존재하는 그것, 존재하지 않는 그것 그리고 그것들 너머에 있는 것"이다. 그것의 가지들은 히란야가르바 (그의 최고 현현으로 브라흐마 혹은 브라흐만이라고 스리다라 그리고 마두수다나는 말한다), 최고의 디얀 초한 혹은 데바들이다. 베다는 그것의 잎들이다. 뿌리 너머로 가는 자만이 결코 돌아오지 않을 것이다. 즉 브라흐마의 이 "시대"에 더 이상 재화신하지 않을 것이다.

그 순수한 가지가 우리 아담 인종의, 에덴 정원의 지상의 흙을 접촉하였을 때만 이 나무가 그 접촉으로 더럽혀졌고 그것의 본래의 순수성을 잃어버렸다; 그리고 영원의 뱀(Serpent of Eternity)—하늘에서 태어난 로고스—이 결국 추락하게 되었다. 고대 시대에—지상에 신성한 왕조가 있던—지금은 비하된 파충류가 신성한 대신비의 심연에서 발산한 첫 번째 한 줄기 빛으로써 간주되었다. 그것이 취하게 된 형태들은 다양하였고, 시간의 영겁을 가로지르면서 그것에 채택된 자연의 상징도 많았다: 무한한 시간 자체—칼라—로부터 그것이 인간의 추측에서 나온 시간과 공간 속으로 떨어졌다. 이 형태들은 우주적 천문학적, 유신론적 범신론적, 추상적 구체적인 형태들이었다. 그것들이 차례로 북극용과 남십자성, 피라미드의 *용자리 알파*(*Alpha Draconis*) 그리고 힌두-불교의 용이 되었으며, 그것은 일식 동안에 태양을 언제나 위협하지만 결코 삼키지 않는다. 그때까지 나무는 언제나 푸른 상태로 있었다. 왜냐하면 그것은 생명의 물로 뿌려졌기 때문이다; 그리고 거대한 용은 그것이 항성 영역 경계선 안에서 지켜지는 동안 언제나 신성하였다. 그러나 나무가 자랐고 그 낮은 가지들이 마침내 지옥의 영역—우리 지구—을 접촉하였다. 그래서 거대한 뱀 니드호그—악행을 한 자들이 맹렬히 타오르는 (인간의 격정의) 가마솥인 "흐베르겔미르" 속으로 던져지자마자 "비애의 전당(Hall of Misery)" (인간의 삶)에서 그들의 시체를 삼키는 자—가 세계-나무를 갉아먹었다. 물질성의 벌레들이 한때 건강하고 웅대한 뿌리를 덮었고, 이제는 줄기를 따라서 점점 더 위로 상승하고 있다; 한편 미드가르드-뱀은 바다 바닥에서 똬리를 틀고, 지구를 둘러싸며, 그 독을 뿜어내는 숨결을 통해서, 자신을 방어하려는 그녀를 무력하게 만든다.

그들은 모두 일곱 머리로, 고대시대의 뱀들과 용들이다—"한 개 머리마다 한 가지 인종이고, 모든 머리는 일곱 머리카락을 가진다"라고 비유가 말한다. 그렇다, 아난타, 비쉬누를 만반타라 내내 운반하는 영원의 뱀부터, 일곱 머리가 푸라나 공상에서 "천 개 머리"로 되는 원래의 태초 세샤부터, 일곱 머리를 가진 아카디안의 뱀에 이르기까지. 이것은 자연과 인간에 두루 걸쳐 있는 일곱 원리를 전형적으로 보여주는 것이다; 가장 높은 혹은 중간에 있는 머리가 일곱 번째이다. 필론이 세계가 "숫자 6의 완전한 성질에 따라서" 완성되었다고 말할 때, 그는 그의 세계 창조에서 말한 것이 모세의 유대인 사바스가 아니다. 왜냐하면 "숫자 7에 따라서 신성한 그 이성 (누스)이 혼으로 들어갔을 때 (오히려 살아 있는 체), 숫자 6이 이렇게 잡히고, 그리고 그 숫자가 만드는 모든 유한한 것들이 잡히게 된다." 다시: "숫자 7은 세계의 탄생일, 모든 지구의 축제날이다. 누가 숫자 7을 적합한 용어로 기념할 수 있을지 모르겠다.” (단락. P. 30와 p. 419) 자연의 창세기 저자는 “큰곰자리 (삽타르쉬)에서 보이는 별들의 칠중구조와 일곱 머리 용이 위의 시간에 대한 상징적 7의 가시적인 기원을 제공하였다”고 생각한다.

그가 추가한다: -

“일곱 별들의 여신은 캡(Kep)처럼 시간의 어머니였다; 거기에 캡티(Kepti)와 셉티(Sebti)가 두 번 그리고 숫자 7이 있다. 이렇게 이것은 이름으로 일곱(7)의 별이다. 세베크(Sevekt) (크로누스), 그 여신의 아들도 7번째 혹은 일곱(7)의 이름을 가지고 있다. 지혜 (소피아)가 일곱 기둥을 가지고 그녀의 집을 지었듯이, 높은 곳에 집을 지은 세페크 아부(Sefekh Abu)도 마찬가지다. . . 1차 크로노타입은 7이었고, 이렇게 하늘에서 시간의 시작이 별의 시연 때문에 7의 이름과 그 숫자에 바탕을 두었다. 일곱 별이 매년 회전하면서 오른손 집게 손가락으로 계속 가리키면서 위 하늘과 아래 하늘 속에서 원을 그렸다.[122] 숫자 7은 자연스럽게 일곱으로 측정하는 것을 암시하였고, 그것이 칠등분(Sevening)으로 이어졌으며, 일곱 개의 거대한 성운에 할당된 상응하는 일곱 구분으로 표시하고 지역을 나누는 것으로 이어졌다; 그리고 이렇게 하늘에서 이집트의 천상의 헵타노미스(heptanomis)가 형성되었다. . . . 별의 헵타노미스가 깨져서 네 영역으로 나누어졌을 때, 그것은 4로 곱해졌고, 28개궁이 1차 일곱 성운을 대신하였으며, 28일의 달의 12궁이 기록된 결과가 되었다.[123] . . . 중국식 배열에서 넷의 일곱이 네 개 기본방위를 주재하는 사천왕에서 주어진다. . . (중국 불교와 비의 가르침에서, 사천왕은 스탠저의 “마하라자”인 넷의 용으로 나타낸다) “일곱의 북쪽 성운이 현무(Black Warrior)를 구성한다; 일곱의 동쪽이 (중국인의 가을)이 백호(White Tiger)를 구성한다; 일곱의 남쪽이 주작(Vermilion Bird)이다; 그리고 일곱의 서쪽이 청룡(Azure Dragon)이다. 이 사천왕 각각이 음력 1주 동안 그 헵타노미스를 주재한다. 첫 번째 헵타노미스 (일곱 별의 타이폰)의 속격이 이제 달의 성격을 취하였다; . . . 이 단계에서 우리는 여신 세페크를 보게 되며, 그

122 똑같은 이유로 인간의 원리의 구분이 상위 성질과 하위 성질 속에 있는 같은 원을 그리듯이, 이렇게 생각된다.
123 이렇게 칠중구분이 가장 오래되었고 사중구분보다 앞섰다. 그것은 고대 분류의 뿌리다.

이름이 숫자 7을 나타내고, 시간의 어머니 대신에 여성의 말씀 혹은 로고스로, 일곱 별득의 여신으로써 더 초기의 말씀(Word)이었다.” (“시간의 위상학” 2권, p. 313, 자연의 창세기)

저자는 이집트에서 가장 초기부터 “살아 있는 말씀(Living Word)”이 시간의 어머니이자 큰곰자리의 여신이었고, “그 유형이 악어-용, 새턴(Saturn)의 행성이전 형태인 세페크-크로누스(Sevekh-Kronus)가 아들이자 배우자로 불렸다는 것을 보여준다; 그가 그녀의 말씀-로고스(Word-Logos)였다.” (1권, p. 321.)

위의 내용은 상당히 분명하다. 그러나 고대인들이 칠등분 과정을 하게 만든 것이 천문학 지식만이 아니었다. 원초의 원인은 훨씬 더 깊이 들어가고 적절한 곳에서 설명될 것이다.

위의 인용은 내용을 벗어난 것이 아니다. 그것들은 다음을 보여주기 위하여 가져온 것이다. 가) 왜 온전한 입문자가 “용,” “뱀” 혹은 “나가”로 불렸는지; 그리고 나) 우리의 칠중 구분이 우리와 똑같은 이유와 똑같은 토대로 이집트의 가장 초기 사제들에 의해서 사용되었다는 것. 하지만 이것은 더 깊은 설명을 필요로 한다. 이미 말했듯이, 제랄드 메시 씨가 사방위의 사천왕으로 부른 그것; 그리고 중국인의 현무, 백호, 주작 그리고 청룡이 비밀 문헌에서는 “넷의 숨겨진 지혜의 용(Four Hidden Dragons of Wisdom)” 그리고 “천상의 나가(Celestial Nagas)”로 불린다. 보여 주었듯이, 일곱 머리의 혹은 칠중의 용-로고스(Dragon-Logos)는 시간이 지나면서 말하자면 네 가지 헵타노미 부분 혹은 28부분으로 나누어졌다. 각각의 음력 주간은 태음월에서 독특한 오컬트 특징을 가진다; 28일의 태음일 각각은 특별한 특이성을 가진다; 12 성운 각각이 다른 사인과 분리되어 혹은 다른 사인들과 함께 좋은 혹은 나쁜 오컬트 영향을 가진다. 이것이 인간이 지구에서 획득할 수 있는 지식의 합계를 나타낸다; 하지만 그것을 획득한 사람이 거의 없고, 보이는 이 사인들의 영적인 로고스, 위대한 뿌리 용(Root Dragon)으로 상징된 지식의 뿌리까지 가는 현자는 훨씬 더 드물다. 그러나 “용”이라는 이름을 받은 사람들은 “28가지 능력 혹은 속성의 사성제 아라한들”로 항상 불려 왔다.

알렉산드리아 신플라톤주의자들은 진정한 칼데아인 혹은 마기가 되기 위해서, 모든 지혜가 그 속에 있는 세계의 일곱 섭정자들(Seven Rectors)의 기간에 대한 과학 혹은 지식을 숙달해야 한다고 주장하였다. “티마이오스의 프로클로스” b. 1에서 이암블리쿠스가 의미를 바꾸지 않는 또 다른 버전을 가지고 있다고 한다. 그가 말한다: “앗시리아인들은 7과 21가지 무수히 많은 해에 대한 기록을 보존하였을 뿐만 아니라, 히파르코스가 말하듯이, 그들은 마찬가지로 세계의 일곱 통치자들의 전체 회귀들(apocatastase)과 기간들에 대한 기록을 보존하였다.” 문명화되건 야만이건 모든 국가와 부족의 전설들이 뱀의 위대한 지혜와 교묘함에 대한 하나의 보편적인 믿음을 가리킨다. 그들은 “마법을 사용하는 사람들(charmers)”이다. 그들은 그들의 눈으로 새를 최면에 걸리게 하고, 인간 자신은 그런 최면 거는 영향력을 느끼지 못한다; 그러므로 그 상징이 가장 적합한 상징이다.

악어는 이집트인의 용이다. 그것은 하늘과 땅, 태양과 달의 이중 상징이었고, 수륙 양생 성질의 결과로 오시리스와 아이시스에게 바쳐졌다. 유세비우스에 따르면, 이집트인들은 배에 있는 태양을 조타수로서 나타냈고, 이 배를 악어가 “공간 속에서 태양의 운동을 보여주기 위해서” 끌고 간다. (복음을 위한 준비, 1, 3, c. 3) 게다가 악어는 이집트 자체의 상징이었다—두 나라 중에서 더 습기가 많은 곳이기 때문에 더 낮다. 연금술사들은 또 다른 해석을 주장한다. 그들은 공간 에테르 위에서 배 속에 있는 태양의 상징은 헤르메스 물질이 금 혹은 철학적 태양의 토대 혹은 원리를 의미하였다고 말한다; 물은 그 속에서 악어가 헤엄치는데 그 물질 혹은 그 물이 액체로 된 것이다; 배 자체는 자연의 그릇을 나타내고, 그 속에 태양 혹은 유황의 불의 원리가 조타수로서 활동한다: 왜냐하면 습기 혹은 머큐리(수은)에 그의 작용으로 그 작업을 수행하는 것이 바로 태양이기 때문이다. 위 내용은 연금술사들만을 위한 것이다.

뱀은 중세시대 동안에 악마의 상징 그리고 악의 유형과 상징으로 되었다. 초기 기독교인들—오파이트 그노시스파 뿐만 아니라—은 이중의 로고스를 가졌다: 선한 뱀과 악한 뱀, 아가토데몬과 카코데몬. 이것은 마르쿠스, 발렌티누스 그리고 다른 많은 사람들의 글과 특히 피스티스 소피아—확실히 가장 초기의 기독교 문서—에서 드러난다. 포르타 피아 근처에서 1852년에 발견된 무덤의 대리석 석관 위에서,

마기의 기도 장면 "혹은 그 장면의 원형, '새로운 태양의 탄생'을 본다"고 C. W. 킹이 "그노시스파"에서 말한다. 모자이크의 바닥은 (a) 아이시스가 아기 하르포크라테스에게 젖을 물리는 것 혹은 (b) 마돈나가 아기 예수에게 젖을 주는 것을 나타냈을 수 있는 기묘한 디자인을 나타냈다. 더 큰 석관을 둘러싸는 작은 석관에서, 두루마리처럼 말아진 열 한 개의 동판이 발견되었고, 그 중에 세 개가 해독되었다. 이것들의 내용을 매우 당혹스러운 문제의 마지막 증거로 간주해야 한다. 왜냐하면 그것들이 6세기까지 초기 기독교인들이 진실한 이교도들이었거나, 독단적인 기독교가 도매로 차용되었고 기독교 교회 속으로 온전하게 전제되었다는 것을 보여주기 때문이다—태양, 나무, 뱀, 악어 그리고 모든 것.

"첫 번째 두루마리 위에서 아누비스가 . . . 두루마리를 내밀고 있는 것이 보인다; 그의 발 밑에는 두 개 여성 흉상이 있다; 모든 것 밑에는 휘감고 있는 두 마리 뱀이 있다 . . . 시체가 미이라처럼 붕대로 감겨져 있다. 두 번째 두루마리에서 . . . 아누비스가 "생명의 표시," 십자가를 내밀고 있다. 그의 발 밑에는 거대한 뱀의 수많은 겹 속에 에워싸인 시체, 아가토데몬, 사자의 수호자가 놓여 있다. . . 세 번째 두루마리에서, 아누비스가 그의 팔 위에 . . . 완전한 라틴 십자가 . . . 윤곽을 지니고 있다 . . . 신의 발 밑에는 마름모형, 이집트인의 '세계 알'이 있고, 그것을 향해서 뱀이 원으로 똬리를 튼 채 기어간다 . . . 흉상 밑에는 '이름들' 중에 하나를 상기시키는 한 줄로 일곱 번 반복된 [오메가] 글자가 있다 . . . 첫 번째 아누비스 다리 위에 분명히 팔미라의 문자들의 선이 매우 주목할 만하다. 뱀의 그림에 관하여, 이 부적들이 아이시스 숭배가 아니라 더 새로운 오피스파 신조에서 나온다고 가정한다면, 그 뱀이 "참되고 완전한 뱀(True and perfect Serpent)"을 나타낸다고 하는 것이 무리가 아니다. 그 뱀은 육체의 이집트에서 나온 그를 신뢰하는 모든 이의 혼을 이끌고, 죽음의 홍해를 지나서 약속의 땅으로 이끌면서, 가는 길에서 광야의 뱀들로부터, 즉 별들의 통치자들로부터 그들을 구한다." (킹의 "그노시스파," p. 366) 그리고 이 "참되고 완전한 뱀"은 일곱 글자의 신으로 이제는 여호와로 그리고 그와 하나인 예수라고 생각된다. 성 요한의 계시록보다 더 초기이자 똑같은 학파의 작품인 피스티스 소피아에서, 이 일곱 모음의 신에게 크리스토스(Christos)가 입문의 후보자를 보낸다. "일곱 천둥의 뱀이 이 일곱 모음을 말했다," 그러나 "일곱 천둥이 말한 것들을 봉인하라, 그리고 그것들을 쓰지 마라"라고 계시록이 말한다. "그대가 이 신비를 추구하는가?"라고 피스티스 소피아에서 예수가 묻는다. "어떤 신비도 그것들 (일곱 모음)보다 더 탁월하지 않다: 왜냐하면 그것들은 그대의 혼을 빛들의 빛(Light of Lights)으로 데려갈 것이기 때문이다"—즉, 진정한 지혜. "그러므로 어떤 것도, *일곱 모음(Seven Vowels)과 49개 권능(Powers)의 신비*와 그 숫자들을 제외하고, 그대가 추구하는 신비보다 더 탁월한 것은 없다."

인도에서, 그것은 똑같은 *일곱 불(Seven FIRES)과 49개 불 혹은 측면* 혹은 "그것의 구성원들"의 신비였다.

이 일곱 모음은 인도에서, 비의 불교도들, 이집트, 칼데아 등등에서 그리고 모든 다른 나라의 입문자들 사이에서, 영원의 뱀(Serpent of Eternity)의 일곱 머리의 왕관 위에 있는 스와스티카 기호로 나타내어진다. "인간"이 그의 "혼들" (혹은 원리들) 중에 하나를 각각 남겨 놓고 떠나는 곳이 바로 헤르메스 글에서 사후 승천의 일곱 영역이다; 모든 영역들 위에 있는 계에 도달할 때까지 그는 절대적 지혜의 거대한 무형의 뱀으로써 혹은 신성 자체로 남아 있는다. 일곱 머리의 뱀은 아케인 가르침에서 한 가지 의미 이상을 가진다. 그것은 일곱 머리의 드라코(Draco)로, 그 머리의 각각은 작은 곰자리의 별이다; 그러나 그것은 또한 두드러지게 어둠의 뱀으로 (즉, 상상도 할 수 없고 이해 불가한) 그것의 일곱 머리는 일곱 로고스였으며, 하나의 최초 현현된 빛—보편 로고스—의 반영이었다.

11장 데몬은 데우스가 뒤집어진 것이다

이 상징적인 문장은 그것의 많은 면의 형태들로 모든 이원론적인 후대 종교들—오히려 신학—에 직면해서 확실히 가장 위험하고 성상파괴적이다. 그리고 기독교에서 보면 특히 그렇다. 그렇지만 사탄을 생각해내고 낳은 것이 기독교라고 말하는 것은 정당하지도 옳지도 않다. “상대방(adversary)”으로써, 반대되는 거대한 힘이 대자연 속에서 조화와 균형으로 필요하기에—열기의 위안을 더 음미할 수 있도록 해주는 냉기처럼, 대낮의 더 큰 위안을 가져오기 위한 밤처럼, 그리고 빛을 한층 더 밝게 빛내기 위한 그림자처럼—사탄은 언제나 존재하였다. 동질성은 하나이자 분리 불가능한 것이다. 그러나 만약 동질적 하나이자 절대자가 단순한 말의 비유가 아니고, 이질성이 그 이중 측면에서 그것의 자식—두 가지 그림자 혹은 반영—이라면, 그러면 심지어 그 신성한 동질성이 자체 속에서 선과 악의 본질을 간직해야만 한다. 만약 “신”이 절대적이고 무한하며 대자연과 우주 속에 있는 만물의 보편적 뿌리라면, 악(Evil) 혹은 악마(D’Evil)도 절대자의 똑같은 “황금 자궁(Golden Womb)”에서 나오지 않았다면 어디서 오는 것인가? 이렇게 우리는 존재 나무(Tree of Being)의 똑같은 줄기의 가지들로써 아가토데몬과 카코데몬, 선과 악의 발산을 받아들이거나, 두 가지 영원한 절대자를 믿는 어리석음에 체념해야 한다.

그 개념의 기원을 인간 마인드의 바로 그 시작으로 거슬러 올라가야 하지만, 속담 형태로 표현된 악마에게도 그의 마땅한 몫을 주는 것이 한편으로 합당하다. 고대에는 어떤 분리된, 철저하게 절대적으로 나쁜 “악의 신”을 알지 못했다. 이교도 사상은 선과 악을 같은 어머니—대자연—에서 태어난 쌍둥이로 나타냈다; 그 생각이 더 이상 고대의 사상이 아니게 되자마자, 지혜도 철학으로 되었다. 처음에는 선과 악의 상징들은 단순한 추상 개념, 빛과 어둠이었다; 그리고 그것들의 유형이 가장 자연스럽고 언제나 되풀이되는 주기적인 우주 현상—낮과 밤 혹은 태양과 달—속에서 선택되었다. 그리고 태양의 신들과 달의 신들의 무리들이 그것을 나타내게 하였고, 어둠의 용이 빛의 용과 대비되었다. (1권 스탠저 V, VII) 사탄의 무리가 신의 아들(Son of God)이며, 브니 알힘(B’ni Alhim)의 무리와 못지않을 정도로, 이 신의 자식들이 “그들 아버지 주 앞에 모습을 드러낸다.” (욥기 2장) “신의 아들들”은 인간의 딸들이 *아름답다는* 것을 인식한 후에만 “추락 천사들(Fallen Angels)”로 된다. (창세기 6장) 인도 철학에서, *수라(Suras)*가 가장 초기의 가장 밝은 신들이고, 브라만의 공상으로 퇴위되었을 때만 *아수라(Asuras)*로 된다. 사탄은 인간에 의해서 *“살아 있는* 하나의 인격신”의 창조가 이루어졌을 때까지, 결코 인격화된, 개별의 형상을 취하지 않았다; 그리고 단순히 가장 중요한 필요성의 문제로써 그런 형상을 취하였다. 차단막이 필요했다; 절대적 완성, 자비 그리고 선함을 주장하는 그가 저지른 너무 명백한 불의, 큰 실책들과 잔인성을 설명하기 위한 희생양이 필요했다. 이것이 철학적, 논리적 범신론을 포기한 첫 번째 카르마의 영향으로, 게으른 인간을 위한 지지대로써 “하늘에 계신 자비로운 아버지”를 세우는 것이며, “훌륭하지만 돌처럼 차가운 어머니,” *창조 원리의 자연(Natura naturans)*으로써 그의 매일 매시간의 작용은 가정과 모순되는 것이다. 이것은 초기의 쌍둥이, 오시리스-타이폰, 오르마즈드-아흐리만 그리고 마지막으로 카인-아벨 그리고 정반대 되는 것들을 모아 놓은 것으로 되었다.

대자연과 동의어로 시작해서, “신,” 창조자가 그것의 저자로 끝나고 말았다. 파스칼은 그 어려움을 매우 교묘하게 정리한다: “대자연은 그녀가 신의 이미지라는 것을 보여주기 위해서 완전성을 가지고 있다: 그리고 그녀가 신의 이미지에 불과하다는 것을 보여주기 위해서 결점들을 가지고 있다”라고 그가 말한다.

유사 이전 시대의 어둠 속으로 더 깊이 물러나면 물러날수록, 후대 사탄의 원형 이미지가 더욱 더 철학적으로 나타난다. 고대 푸라나 문헌에서 보는 개별의 인간 형태의 최초 “상대방(Adversary)”은 가장 위대한 리쉬들과 요기들 중에 하나이다— “싸움꾼(Strife-maker)”으로 별명이 붙여진 나라다(Narada).

그리고 그는 브라흐마푸트라, 브라흐마의 아들, 남성이다. 그러나 그에 대해서는 나중에 설명할 것이다. 그 위대한 “사기꾼(Deceiver)”이 진실로 누구인지 고대 모든 성전과 우주발생론에서 *열린 눈*과 편견 없는 마인드를 갖고 찾아보면 확인할 수 있다.

그가 대표하고 통합하는 동료-창조자들의 집합적 무리에서 분리되었을 때, 그것이 하늘과 땅의 창조자, 인격화된 *데미우르고스*이다. *그것*이 이제는 신학의 신으로 된다. "생각은 소망의 아버지이다." 먼 옛날에 철학적인 상징이 비뚤어진 인간의 공상으로 남겨졌다; 나중에 사악하고 기만적인 교활한 질투의 신으로 만들어졌다.

용들과 다른 추락 천사들은 본서 다른 부분에서 설명될 것이기에, 많은 중상을 받는 사탄에 대하여 몇 마디로 충분할 것이다. 학생이 기억하는 것이 나은 것은 기독교 국가들을 제외하고, 모든 민족에서, 악마는 오늘날까지 소위 창조자의 이중적 성질 속에 있는 반대측면에 있는 실체에 불과하다는 것이다. 이것이 자연스러운 것이다. 신이 전지전능하고 무한한 것으로 전체 우주의 통합자로써 주장하고, 그리고 나서 그가 악과는 구분된다고 할 수 없다. 이 세계에 선보다 악이 훨씬 더 많기 때문에, 신이 악을 포함하거나, 혹은 그것의 직접적인 원인으로써 있거나, 그렇지 않으면 절대성에 대한 그의 주장을 포기해야만 한다. 고대인은 이것을 너무 잘 이해하였기에 당시 철학자들은—이제는 카발리스트들이 쫓아서—악을 선(Good) 혹은 신(God)의 안감으로 정의하였다: 매우 오래된 금언인 *데몬은 데우스가 뒤집어진 것이다(Demon est Deus inversus)*. 진실로 악은 자연 속에서 적대적으로 작용하는 맹목적인 힘에 불과하다; 그것은 *반작용*, *반대* 그리고 *대조*이다—어떤 사람에게는 악이고, 다른 사람에게는 선이다. *악 그 자체(malum in se)*는 없다: 단지 빛의 그림자이고, 그것이 없다면 빛도 심지어 우리의 인식에서 존재할 수 없다. 만약 악이 사라졌다면, 선도 그것과 함께 지상에서 사라질 것이다. "고대의 용(Old Dragon)"은 그가 물질로 되기 전에 순수 영이었고, *활동적으로* 되기 전에 *수동적이었다*. 시리아-칼데아 마법에서 오피스(Ophis)와 오피오모포스(Ophiomorphos)가 자웅동체의 *처녀궁-천갈궁*, 12궁에서 결합된다. 지상으로 추락 전에 "뱀"은 *오피스-크리스토스(Christos)*였고, 추락 후에 그것은 *오피오모포스-크레스토스(CHRESTOS)*가 되었다. 모든 곳에서 카발리스트들의 추론은 악(Evil)을 하나의 힘으로 다루며, 그것이 적대적이지만, 동시에 선(Good)에 본질적인 것으로, 그래서 그렇지 않았다면 결코 가질 수 없던 활기와 존재를 선에게 주는 것으로 다룬다. *죽음이* 없다면 (*마야적* 의미에서) *삶*이 가능할 수 없고, 파괴 없이 갱생과 재건이 가능할 수 없다. 식물은 영원한 햇빛 속에서 사라질 것이며, 그리고 인간도 빛만 가졌다면 그 햇빛을 향한 열망과 자유 의지를 사용하지 못한 채 그것의 존재와 가치를 잃어버리는 자동 기계가 될 것이다. 선(Good)은 우리로부터 영원히 숨겨진 것 속에서만 무한하고 영원하며, 이것이 우리가 그것이 영원하다고 상상하는 이유이다. 현현계에서, 하나가 다른 것과 균형을 이룬다. 인격신을 믿는 사람들과 유신론자들 중에 사탄을 신의 그림자로 만들지 않는 사람은 거의 없다; 혹은 둘 다를 혼동해서, 그들이 그들의 사악하고 잔인한 행위의 사면과 예배를 위해서 도움과 보호를 요청하면서 그 우상에게 기도할 권리를 가지고 있다고 믿지 않는 사람도 거의 없다. “우리를 시험에 들게 하지 마소서”를 수 백 만의 기독교인들의 가슴이 악마가 아니라 “하늘에 계신 아버지”에게 매일 말한다. 그들은 그들의 구세주가 말한 바로 그 말을 반복하면서 그렇게 하며, 그 의미가 “주의 형제”인 제임스 (야고보)에 의해서 단도직입적으로 반박된다는 사실에 대하여 단 한 번의 생각도 하지 않는다. “그가 시험받을 때, 신이 시험한다고 말하게 하지 마라: 왜냐하면 신은 악으로 시험받을 수 없으며, 인간도 시험하지 않기 때문이다.” (야고보의 편지, 1장 13절) 그러면 교회가 시험하는 것이 신이라고 *크리스트의 권위를 바탕으로* 우리를 가르칠 때, 우리를 시험하는 것이 악마라고 말하는가? “유혹(temptation)”이라는 단어가 신학적 의미로 정의된 경건한 책 어떤 것이건 펼쳐보라 그러면 두 가지 정의를 볼 것이다: (1) “*신이 그의 사람들을 시험하는* 문제들과 고통들;” (2) 악마가 인류를 사로잡고 *유혹하기 위해서* 사용하는 유혹들과 수단들. (야고보의 편지, 1장 2절, 12절 그리고 마태복음, 6장 13절) 글자 그대로 받아들인다면, 크리스트와 제임스의 두 가지 가르침이 서로 모순되며, 오컬트 의미를 거부한다면, 그 둘을 어떻게 조화시킬 수 있을 것인가?

양자택일의 유혹 사이에서, 신이 악마를 위한 여지를 만들기 위해서 사라지는 곳을 결정할 수 있는 철학자가 현명할 것이다! 그러므로 “악마는 거짓말쟁이고 그것의 아버지이다,” 즉 화신한 거짓이라고 읽고, 사탄—악마—은 신의 아들이었고 그의 대천사들 중에서 가장 아름다웠다고 동시에 들었을 때, 오히려 아버지와 아들이 거대한 의인화된 영원한 거짓이라고 믿기보다, 우리는 정보를 위해서 오히려 범신론과 이교도 철학에 의지할 것이다.

일단 창세기의 열쇠가 우리 손 안에 있게 되면, 그 비밀을 푸는 것은 과학적 상징적 카발라이다. 에덴 정원의 거대한 뱀과 “주 신(Lord God)”이 동일하고, 여호와와 카인도 하나이다—신학에서 “살인자”이자 신에 대한 거짓말쟁이로서 언급되는 그 카인이다! 여호와는 이스라엘 왕을 유혹하여 인구를 세라고 시키고, 사탄도 다른 곳에서 똑같은 것을 하도록 유혹한다. 여호와는 그가 불쾌하게 여기는 사람들을 무는 불의 뱀으로 변한다; 그리고 여호와가 그들을 치유하는 놋뱀을 알려준다.

구약성서에 있는 짧지만 모순처럼 보이는 이 진술들은 (두 개 거대한 힘이 똑같은 하나의 두 측면으로 간주되는 대신에 분리되었기 때문에 모순처럼 보이는 것이다) 태고 현자들이 너무 잘 이해한 자연 속에 있는 보편적 철학적 도그마—신학과 통속주의로 알아보지 못하게 왜곡된—의 메아리이다. 우리는 푸라나에서 몇 가지 의인화의 똑같은 기초 작업을 발견하지만, 훨씬 더 풍부하고 철학적으로 암시적이다.

이렇게 플라스티야, “신의 아들”—첫째 후손 중 한 명—이 데몬들, 락샤사들, 인간을 유혹하는 자들이고 삼키는 자들의 선조로 되었다. *피사차* (여성 악마)는 닥샤의 딸로, 역시 “신의 아들”이고 신이며, 모든 피사차들의 어머니이다. (*파드마 푸라나*) 푸라나에서 부르는 악마들은 이런 피조물들에 대한 유럽인과 정통주의 관점에서 판단할 때 매우 특별한 악마들이다. 왜냐하면 그들 모두—다나바, 다이티야, 피사차 그리고 락샤사—는 베다의 금언을 따르는 지극히 경건하다고 나타내고, 그리고 심지어 그들 중 어떤 것은 위대한 요기이기 때문이다. 그런데 그들은—성숙한 요기가 오늘날까지 인도에서 하듯이—성직자와 의례의식, 희생과 형태를 반대하고, 그들이 카스트나 의례를 따르는 것이 허락되지 않지만, 그들은 그것에 못지 않게 존경받는다; 그래서 푸라나의 모든 거인들과 타이탄들이 악마라고 불린다. 힌두 전통이 유대 성서의 반영에 불과하다는 것을 보여주려고 언제나 경계하고 있는 선교사들은 플라스티야와 카인, 락샤사와 노아 홍수의 원인인 “저주받은 자,” 카인파와 동일하다고 주장하는 전체 로맨스를 진화시켰다. (플라스티야의 이름을 “거부된 자” 그래서 카인의 의미라는 것으로 “어원 연구를 한” 수도원장 고레시오 작품 참고) 플라스티야는 *케다라(Kedara)*, 즉 “파헤쳐진 곳”, 광산에 거주한다고 그가 말하고, 카인이 전통과 성서에서 최초 금속 노동자이자 광부로서 보인다.

성서의 *깁보림* (거인)이 힌두의 락샤사일 것 같지만, 둘 다 아틀란티안 인종이고, 가라앉은 인종에 속한다는 것이 한층 더 확실하다. 어찌 되었든, 기독교 신학자들이 모든 악의 아버지로서 사탄을 저주하는 것보다 어떤 사탄도 그의 적을 비방하는데 더 끈질기거나 그의 적을 혐오하는데 더 악의적이지 않다. 악마에 대하여 주어진 신학자들의 독설과 의견을 푸라나의 성자들의 철학적인 관점과 크리스트 같은 그들의 온순함을 비교해보라. 파라사라의 아버지가 락샤사에 의해서 잡아 먹혀서 파라사라가 전체 인종을 (마법으로) 파괴하려고 준비하고 있을 때, 그의 조부인 바시쉬타(Vasishta)가 그에게 몇 가지 엄청 암시의 말을 한다. 그는 성난 현자에게 자신의 고백으로 *악과 카르마*가 있지, “사악한 영(evil spirits)”은 없다는 것을 보여준다. “그대의 분노를 가라앉히라”고 그가 말한다. “락샤사는 책임이 없다; 그대 아버지의 죽음은 *카르마의 작용이었다*. 분노는 바보들의 격정이다; 그것은 현명한 사람에게 어울리지 않는다. *누구에 의해서 어떤 사람이 죽을 수 있는가? 물을 수 있다*. 모든 사람은 *자신의 행위들의 결과를 수확한다*. 나의 아들이여, 분노는 인간이 얻는 모든 것을 파괴하고 . . . 해방의 성취를 막는다. 현자는 분노를 피한다. 나의 아이여, 그것의 영향에 종속되지 마라. *해를 주지 않는* 저 어둠의 영이 소모되게 하지 마라; 그대의 희생을 멈추라. 자비는 정의로운 자의 강력한 힘이다.” (비쉬누 푸라나, i권, i장.) 이렇게 그런 모든 “희생” 혹은 신에게 도움을 요구하는 기도는 *흑마법 행위와 다를 게 없다*. 파라사라가 기도한 것은 그의 개인적인 복수를 위해서 어둠의 영의 파괴였다. 그가 이교도라고 불리고, 기독교인들은 그를 영원한 지옥 형벌에 처하도록 선고한다. 그런데 모든 전쟁에 앞서서 그들의 적의 파괴를 위해서 기도하는 장군들과 통치자들의 기도가 어떤 면에서 더 나은가? 그런 기도는 모든 경우에 악마 “하이드 씨”가 성인인 척하는 “제킬 박사”로 가장한 최악의 *흑마법*이다.

인간 성질에서, 악은 물질과 영의 극성, 시간과 공간 속에서 두 가지 현현된 원리 사이에 생존 경쟁만을 나타내며, 그 원리들은 절대자 속에 뿌리를 두고 있기에 자체로 하나이다. 대우주에서, 균형이 유지되어야 한다. 두 가지 상반되는 것의 작용은 원심력과 구심력처럼 “둘이 살기 위해서” 서로에게 필요한—상호 의존하는—조화를 만든다. 만약 하나가 정지되면, 다른 것의 작용이 즉시 자기 파괴적으로 될 것이다.

사탄으로 불리는 전형이 세 측면에서—구약성서, 기독교 신학 그리고 고대 이교도의 생각의 태도에서—충분히 분석되어왔기 때문에, 그것에 대하여 더 많은 것을 배우려는 사람은 아이시스 언베일드 2권 10장을 참고하면 된다. 또한 본서 2권 2부에 있는 서너 장을 참고하라. 현재의 주제가 다루어졌고 상당히 훌륭한 이유로 신선한 설명들이 시도되었다. 우리가 육체 인간과 *신성한* 인간의 진화에 접근할 수 있기 전에, 먼저 주기적인 진화의 개념을 숙달해야 하고, 현재의 우리 인종보다 앞섰던 네 개 인종의 철학과 믿음에 익숙해야 하며, 저 타이탄들과 거인들—멘탈적으로 그리고 육체적으로 진짜 거인들—의 사상이 무엇이었는지 배워야 한다. 고대 전체가 영이 물질 속으로 하강하는 진화, 점진적으로 하강하는 주기적 하강 혹은 활동적 자의식적 진화를 가르치는 그 철학으로 스며들어 있다. 알렉산드리아 그노시스파는 입문의 비밀을 충분히 누설하였고, 그들의 기록들은 천사의 대존재들(Angelic Beings)과 대기간들(Periods)의 이중의 필요조건 속에서 *"영겁*이 미끄러져 내려가는 것(sliding down of *AEons*)"으로 가득하다. 하나는 다른 것의 자연적인 진화이다. 한편 "흑해" 양쪽에 있는 동양 전통—두 개의 동양을 나누는 해양—은 플레로마의 낙하, 신들과 데바들의 낙하에 대한 비유들로 가득하다. 그것들 모두다, 그들은 *배우고 지식을 획득하려는 욕망으로써—알기 위해서*—그 추락(FALL)을 비유로 설명하였다. 이것이 멘탈 진화의 자연스러운 순서이고, 영적인 것이 물질적인 것으로 변환되는 것이다. 기독교 시대 동안에도 물질성 속으로 하강과 영성으로 재상승의 똑같은 법칙이 주장되었다. 우리 자신의 특별한 *아인종*에서 그 반응이 이제 멈췄다.

아마도 1만년 전에 *피만더*에서 삼중 성격의 해석으로 비유되었던 그것이 천문학, 인류학 그리고 심지어 연금술의 사실의 기록으로써 의미하였다. 즉 일곱 지배자가 일곱 불의 원을 깨고 지나가는 비유가 하나의 물질적 인격화된 해석—*천사들의 반항과 추락*—으로 일그러졌다. 여러 가지 의미를 가진 심오하게 철학적인 이야기가 "하늘과 땅의 결혼," 신성한 형태를 향한 자연의 사랑 그리고 자연 속에 비춰진 자신의 아름다움에 도취된 "천상의 인간"—즉, 영이 물질 속으로 이끌렸다—의 시적인 형태 하에서 이제는 신학적 처리 하에서 다음과 같이 되었다: "일곱 통치자가 여호와에 반항하고, 자화자찬이 사탄 같은 오만을 만들어서, 그들의 추락으로 이어져서, 여호와가 자신을 제외한 어떤 숭배도 허락하지 않는다." 간단히 말하면, 아름다운 행성-천사들(Planet-Angels), 고대인들의 영광스러운 주기적 영겁들이 그 이후 가장 정통적인 형태로 탈무드에 나오는 악마들의 수장, "그의 추락에서, 자신 뒤에 태양계 혹은 타이탄을 끌어내린 *열 두개 날개*를 가진 저 거대한 뱀," 사마엘 속에서 통합되었다. 그러나 *쉬말(Schemal)*—사마엘의 시바인의 유형이자 *또 다른 자아*—은 그것의 철학적 비의적 측면에서 점성학의 악의 측면에 있는 그 "해(year)", 자연 속에 있는, 피할 수 없는 악의 12개 날개 혹은 12개월을 의미하였다; 비의 신통기에서 (추월슨의 "나바테아인 농업" 2권, p. 217) 쉬말과 사마엘은 특정한 신성을 나타냈다. 카발리스트들에게 그들은 "지구의 영(Spirit of the Earth)," 지구를 지배하는 인격신으로, 사실상 여호와와 동일하다. 왜냐하면 탈무드 연구가들은 사마엘이 일곱 엘로힘 중의 하나의 신의 이름이라고 인정하기 때문이다. 더구나 카발리스트들은 쉬말과 사마엘을 새턴 (사투르누스), 크로노스의 상징 형태로써 보여주며, 12개 날개가 12개월을 나타내며, 그 상징은 집합적으로 *인종의 주기*를 나타낸다. 여호와와 새턴은 상형문자에서 동일하다.

다음으로 이것이 로마 카톨릭 도그마에서 나온 매우 기묘한 추론으로 이어진다. 라틴 교회에 속하는 많은 저명한 작가들은 우라니아의(Uranian) 타이탄들, 대홍수 이전의 거인들 (역시 타이탄) 그리고 로마 카톨릭이 신화상의 함의 후손들을 보는 대홍수 이후의 거인들 사이에 차이가 존재하고, 그리고 차이가 있어야 한다는 것을 인정한다. 더 명확하게 말하면, 원초의 대립하는 *우주의* 힘—주기적인 법칙으로 안내되는—아틀란티안 인간 거인들 그리고 우도이건 좌도이건 대홍수 이후의 위대한 초인들 사이에 차이가 있다. 동시에 그들은 "전투하는 천상의 군대의 *총사령관(generalissmus)*, 여호와의 *경호원(bodyguard)*"인 미카엘도 (드 미르빌 참고) 타이탄으로, 이름 앞에 "신성한(divine)"이라는 형용사를 가지고 있다는 것을 보여준다. 이렇게 모든 곳에서 "신성한 타이탄들"로 불린, 그리고 크로노스 (새턴)에 대항해서 사마엘 (하나의 엘로힘이자 그 집합으로 여호와와 동일하다)의 적들로 보인 "천상의 거주자들(Uranides)"은 미카엘과 그의 무리와 동일하다. 간단하게 말하면, 역할이 뒤바뀌었고, 모든 전투원들이 혼란스럽게 되었으며, 학생이 뭐가 무엇인지 분명하게 이해할 수 없게 되었다. 하지만 비의적 설명이 이런 혼란에서 어느 정도 질서를 가져올 수 있다. 너무 독실한 광신자들이 이교도의 모든 신 속에서 악마를 보려는 무분별한 노력 때문에, 그 속에서 여호와가 새턴으로 되고, 그리고 미카엘과 그의 군대로, 사탄과 대항하는 천사로 된다. 진정한 의미는 훨씬 더 철학적이고, 천사들의 최초 "추락"의 전설이 올바르게 이해될 때 과학적인 색채를 띠게 된다.

크로노스는 시작이 없고, 끝도 없으며, 나누어진 시간 너머 그리고 공간 너머, 끝없는 (그래서 움직일 수 없는) 지속기간(Duration)을 나타낸다. 그 "천사들," 지니 혹은 데바들이 *공간과 시간 속에서 활동하기 위해서* 태어나서, 즉 *초-영계의 일곱 원을* 돌파해서 현상계 혹은 둘러싸인, 초-지상의 영역으로 들어가기 위해서 태어나서, 비유적으로 크로노스에 *반발하여* 살아 있는 하나의 최고 신과 싸웠다고 말한다. 다음으로, 크로노스가 그의 아버지 우라누스를 절단하는 것으로 나타낼 때, 이 절단의 의미는 매우 간단하다: 절대적 시간(Absolute Time)이 유한하고 조건화된 것으로 되는 것이다; 일부분을 전체에서 빼앗는 것으로, 이렇게 신들의 아버지, 새턴이 *영원한 지속기간*에서 제한된 기간(Period)으로 변형되었다는 것을 보여주고 있다. 크로노스가 그의 낫을 가지고 심지어 가장 길고 그리고 (우리에게) 겉보기에 끝없는 주기들이지만, 그럼에도 불구하고, 영원 속에 제한되어 있는 주기들을 자르고, 같은 낫으로 가장 강력한 반항자들을 진압한다. 그렇다. 단 하나도 시간의 낫을 피하지 못할 것이다. 신 혹은 신들을 찬양하거나 하나 혹은 둘을 조롱하라, 그러면 그 낫이 상승하거나 하강하는 과정에서 일초의 일백 만분의 일초도 떨게 되지 않을 것이다.

헤시오도스의 신통기에 나오는 타이탄들은 인도의 *수라들과 아수라들에서* 그리스가 복사한 것이다. 이 헤시오도스의 타이탄들, *천상의 존재들*은 한 때 여섯만 있다고 하였지만, 그리스 신화에 관한 오래된 단편에서 최근 일곱—포레그(Phoreg)로 불리는 일곱 번째—인 것으로 발견되었다. 이렇게 그들이 일곱 통치자와 동일하다는 것이 충분히 드러났다. "하늘에서의 전쟁(War in Heaven)"과 추락(FALL)의 기원을 우리의 생각 속에서 인도로 추적해 가지 않을 수 없다. 그리고 아마도 거기 나오는 푸라나 설명 보다 훨씬 더 이전으로 추적해가야 한다. 왜냐하면 타라마야(TARAMAYA)는 후대 시대에 있고, 세 가지 설명이 있고, 각각이 구분되는 전쟁으로, 거의 모든 우주발생론에서 발견되기 때문이다.

첫 번째 전쟁이 시간의 밤 속에서 신들과 아-수라들 사이에 일어났으며, 1년의 "신성한 해"[124] 기간 동안 지속되었다. 이 경우에 신들이 흐라다의 리더십 아래 다이티아들에게 패배하였다. 그 후, 정복된 신들이 도움을 요청한 비쉬누의 계략으로, 아수라를 패배시켰다. 비쉬누 푸라나에서 두 전쟁 사이에 어떤 간격이 보이지 않는다. 비의 가르침에서, 전자의 전쟁은 태양계 건설 이전에 일어났다; 후자는 인간의 "창조"에서 지상에서 일어났다; 세 번째 전쟁은 네 번째 근원인종이 끝날 무렵에 네 번째 근원인종 초인들과 다섯 번째 근원인종 초인들 사이에, 즉, "성스러운 섬"의 입문자들과 아틀란티스의 마법사들 사이에 일어났다고 언급되었다. 의도적으로 합쳐 놓은 두 가지 설명을 분리하려고 하면서, 우리는 파라사라가 이야기한 첫 번째 싸움을 주목할 것이다. 다이티아와 아수라가 그들 각자 등급의 의무를 하느라 바빴고, 또한 종교적 고행을 실천하면서 (만약 그들이 주장하듯이 *우리의 악마와 동일하다면*, 악마들에게 기괴한 일이다), 신성한 경전에서 규정한 길들을 따랐을 때—신들이 그들을 파괴하는 것이 불가능했다. 신들이 비쉬누에게 요청한 기도들이 의인화된 신과 관련된 사상을 보여주듯이 기묘하다. 그들의 패배 후에, 은하수 대양 (아틀란티스 대양)[125] 북쪽 해변으로 달아난 후, 당황한 신들이

---

124 "브라흐마의 하루는 4,320,000,000년 지속하고, 이것을 365일 곱하라. 여기 아수라 (신은 아니지만 악마)는 여전히 *수라들*이고, 베다에서도 언급되지 않은 이차적인 신보다 위계에서 높은 신이다. 그 전쟁의 지속기간이 중요성을 보여주며, 그들이 의인화된 우주의 힘일 뿐이라는 것을 보여준다. 비쉬누가 취한 환영 형태, *마야모하를 그*것이 윌슨의 공상이 아니었다면 오래된 구절을 나중에 재배열할 때 비쉬누 푸라나에 있는 붓다와 다이티야 탓으로 돌렸다는 것은 분명히 종파적 목적과 *신학자 사이의 반감* 때문이었다. 그는 바가바드 기타에서 불교에 대한 암시를 찾았다고도 공상했지만, K.T. 텔랑이 증명하였듯이, 불교도와 고대 차르바카(Charvaka) 물질주의자를 혼동한 것에 불과하였다. 윌슨 교수가 주장하듯이, 그 추론이 "비쉬누 푸라나에" 있더라도, 그 버전은 다른 푸라나 어디에도 존재하지 않는다; 특히 3권 18장의 번역에서 그 동양학자가 임의대로 붓다를 소개하고 그가 다이티아들에게 불교를 가르친다는 것은 반스 케네디 대령과 또 다른 "큰 싸움"을 하게 만들었다. 반스 케네디는 푸라나 구절을 의도적으로 왜곡한다고 윌슨을 공개적으로 비난했다. "1840년 봄베이에서 대령이 쓰길, "푸라나에는 윌슨 교수가 언급한 것이 없다는 것이 포함되어 있지 않다는 것을 단언한다. . . . 그런 구절이 나올 때까지 이전의 결론, 즉, 현존하는 푸라나는 (서기?) 8세기와 9세기 사이에 편찬되었다는 윌슨 교수의 의견은 오로지 이유 없는 가정과 근거 없는 주장이며 그것을 지지하는 그의 주장은 헛되고 논리적으로 틀리고 모순적이거나 개연성이 없다는 것을 반복한다." (윌슨 번역, 피츠에드워드 홀 편집 "*비쉬누 푸라나*" 5권 부록 참조)

125 지상의 대륙들, 바다 그리고 강들이 그것과 연관되어 언급되기 때문에, 이 진술은 세 번째 전쟁에 속한다.

"존재들의 첫째, 신성한 비쉬누에게" 많은 탄원을 말한다. 그리고 다른 것들 중에 하나가 이것이다: "당신에게 영광을, 성자들과 하나이며, 그들의 완전한 성질은 언제나 축복받습니다. . . . 당신에게 영광을, 당신은 부로 가득하고 *즐거움에 만족할 줄 모르는, 잔인하고, 충동적이며, 위선적인 뱀-인종*과 하나입니다. . . . 당신에게 영광을, 오, 주여, 당신은 *색깔도 없고 확장도 없는, 크기(ghana)도 없고 단정할 수 있는 어떤 특질도 없는*, 그리고 순수한 자 중에 가장 순수한, 그 에센스 (루파)를 성스러운 *파라마르쉬* (성자들 혹은 리쉬들 중에 가장 위대한 분)만이 알아볼 수 있습니다. . . . *우리의 여러 체들 속에 있고 다른 모든 체들 속에 있으며, 살아 있는 모든 피조물들 속에 있는*, 그리고 그것 외에 아무것도 존재하지 않는, 창조되지 않고, 붕괴하지 않는, 브라흐마 성질 속에 있는, 당신에게 인사드립니다. 영원하고, 태어나지 않은, 붕괴가 없는, 만물의 씨앗, 토양 없이 존재하는, 만물의 주, 저 바수데바를 칭송합니다; 본질에서 *파라마파탓트마바트* (영의 상태 너머)이고 본질과 질료에서 이 우주 전체, 바수데바에게 영광을 돌립니다." (3권, 17장, 비쉬누 푸라나.)

단순한 외적인 증거를 바탕으로 다른 종교를 판단하는 편협한 유럽인이 하는 부정적이고 잘못된 비판에 대하여 푸라나가 제공한 광대한 영역의 설명으로써 윗부분이 인용되었다. 자신이 읽은 것을 신중하게 분석하는 것에 익숙한 사람은 누구나 일반적으로 인정된 "불가지자(Unknowable)," 무형의 그리고 무속성의 절대자(ABSOLUTE), 베단타 학자가 부르는 브라흐마를 "위선적이고, 잔인하며 만족할 줄 모르는 뱀-인종과 하나로" 말하는 그래서 추상적인 것과 구체적인 것을 연관시키고, 어떤 제한이건 자유롭고 조건 없는 그것에 종속적인 것을 부여하는 부조화를 한 순간에 볼 것이다. 심지어 윌슨 박사도 인도에서 오랫동안 브라만들과 학자들로 둘러싸여 살아온 후에 더 잘 알게 되었을 것이다—심지어 그 학자는 이 설명에 대한 힌두 성전을 비판하는 기회를 잃지 않았다. 이렇게 그가 외친다:[126]

"푸라나들은 서로 양립할 수 없는 가르침을 지속적으로 가르친다! 이 구절에 따르면, 지고자는 창조만의 비활성 원인이 아니라, 적극적 섭리의 기능을 행사한다. 주석가는

---

126 1권 17장에서, 프라흐라다(Prahlada)—푸라나에 있는 사탄, 비쉬누의 거대한 적이자 삼계의 왕, 히란니아카시푸의 아들—의 심장 속으로 비쉬누가 들어갔다는 이야기를 한다.

이 견해를 지지하는 베다의 구절을 인용한다: '보편혼이 인간 속으로 들어가서 그들의 행동을 지배한다.' 그러나 불일치들이 푸라나처럼 베다에서도 자주 보인다…"

냉정하게 말해서, 모세경보다 덜 빈번하다. 그러나 우리 동양학자들 가슴 속에서 편견이 크다—특히 존경하는 학자들 속에서. 보편 혼(UNIVERSAL SOUL)은 창조의 불활성 원인 또는 (파라) 브라흐마가 아니라, 현현된 존재계에 있는 지성적 대우주의 여섯 번째 원리로 부르는 그것이다. 그것은 마하트 혹은 *마하붓디*, 위대한 혼, 영의 매개체, 무형의 대원인(CAUSE)의 최초 원초의 반영, 그리고 심지어 영(SPIRIT) *너머* 있는 그것이다. 윌슨 교수의 쓸데없는 방종은 그만하자. 패배한 신들이 비쉬누에게 겉보기에 조리에 맞지 않는 호소에 대하여, 동양학자들이 알아차리기만 한다면, 비쉬누 푸라나 구절에 그 설명이 있다.[127] 브라흐마로서 비쉬누가 있고, 두 가지 측면의 비쉬누가 있다고 철학에서 가르친다. *"본질적으로 프라크리티(prakriti)*이자 *영(Spirit)*," 등등 하나의 브라흐마만 있다.

그러므로 *활동적인* 섭리의 기능을 행사한 것은 비쉬누—"창조의 불활성 원인"—가 아니라, 보편혼으로, 엘리파스 레비가 그것의 물질 측면에서 *아스트랄 빛*으로 부르는 그것이다. 그리고 이 "혼"이 영과 물질의 이중 측면에서 유신론자들의 진정한 인격신이다; 이 신이 진실로 이 마야의 세계에서 현현된 상태와 분화 때문에—신과 악마—순수하고 불순한 둘 다의 보편적 창조 대리인이 *인격화된* 것이다. 그러나 윌슨 박사는 이런 성격의 비쉬누가 이스라엘의 주와 얼마나 긴밀하게 닮았는지, "특히 그의 속임수, 유혹 그리고 교활함에서" 이해하지 못하였다.

비쉬누 푸라나에서 이것이 가능한 매우 분명하게 되어 있다. 왜냐하면 거기서 이렇게 말하기 때문이다: "그들의 기도 (*스토트라*)가 끝날 무렵에 신들은 *가루다를*

---

127 이 무지는 (비쉬누 푸라나 1권 4장에서) 브라흐마 요기를 "지구의 지지자(upholder of the earth)"로 칭송하는 데 진실로 아름답게 표현된다: "헌신을 실천하지 않은 사람들은 세계의 성질을 잘못 생각한다. 이 우주는 지혜의 성질이라는 것을 인식하지 못하고, 그것을 지각의 대상으로만 판단하는 무지한 사람은, 영적 무지의 대양에서 길을 잃는다. 그러나 진정한 지혜를 아는 자, 그리고 마인드가 순수한 자는 이 전체 세계를 신성한 지식을 가진 하나로, 오 신이여, 그대와 하나로 우러러본다. 호의를 주소서, 오 보편 영이여!"

타는, 나팔, 원반 그리고 전곤으로 무장한 통치의 신 하리(Hari) (비쉬누)를 우러러보았다.” 지금 “가루다”는 보여주겠지만 만반타라 주기이다. 그러므로 비쉬누는 *공간과 시간 속에 있는* 신성이다; 바이쉬나바 (비의 철학에서 부르는 *부족*의 신 혹은 *인종*의 신)의 독특한 신이다: 즉 많은 디야니 혹은 신들 혹은 엘로힘들 중에 하나로, 그들 중에 하나가 특별한 이유로 어느 국가나 부족에 의해서 일반적으로 선택되었고, 이렇게 점차로 여호와, 오시리스, 벨 그리고 *일곱* 섭정자들 어느 하나로써 “*모든* 신들 *위의* 신(God *above all* Gods)”으로 (연대기 하, 2:5) “최고 신”으로 되었다.

“나무는 그 열매로 안다”—신의 성질은 그의 작용 (활동)으로 안다. 그 신의 작용을 우리는 사문화된 설명으로 판단하거나, 혹은 비유적으로 받아들여야 한다. 만약 우리가 그 둘을 비교한다면—패배한 신들의 보호자이자 챔피언으로서 비쉬누; 그리고 “선택된” 민족의 옹호자이자 챔피언으로서 여호와, 소위 뜻을 반대로 사용하면, 의심할 여지없이 그 “질투의” 신을 선택한 것은 바로 유대인이듯이—둘 다 속임수와 교활함을 사용한다는 것을 발견하게 될 것이다. 그들은 그들 각자의 적들이자 상대자들—악마들—을 이기기 위해서 “수단을 정당화하는 목적”의 원칙 위에서 그렇게 한다. 이렇게 (카발리스트에 따르면) 여호와가 에덴 정원에서 유혹하는 뱀의 형상을 취하는 한편; 욥을 유혹하기 위한 특별한 미션을 갖고 사탄을 보낸다; 그리고 아브라함의 부인은 사라이와 함께 파라오를 괴롭히고 지치게 하며, 그의 희생자들을 “거대한 전염병”으로 *시달리게 만들* 기회가 없지 않도록 모세에 대항하는 파라오의 가슴을 “*굳어지게 만든다.*” (창세기 12장, 출애굽기)—비쉬누는 그의 푸라나에서 존경할 만한 신에 걸 맞는 속임수를 사용하는 것으로 그려진다.

패배한 신들이 “오 주여, 우리에게 자비를 가지고, 다이티야 (악마)로부터 구원을 위해서 당신에게 온 우리를 보호 하소서”라고 기도한다. “그들은 삼계를 장악하였고, *베다의 금언을 어기지 않으려고 하는* 우리의 몫인 공물을 착복하였습니다. *우리 뿐만 아니라 그들도 당신의 일부분이지만*[128] . . . . 그들이 신성한 경전에서 제시한

128 “신의 아들들이 주(Lord) 앞에 오고, 사탄이 그의 형제들과 주 앞에 왔던 날이 있었다.” (욥기 2장, 심연, 이디오피아 텍스트.)

길에 있더라도 . . . . 우리가 그들을 파괴하는 것은 불가능합니다. 그 지혜를 측정할 수 없는 (*아메이아트만*) 그대가 신들의 적을 우리가 전멸시킬 수 있는 어떤 장치를 우리에게 가르쳐 주소서!"

"웅대한 비쉬누가 그들의 간청을 들었을 때, 그는 그의 체에서 *환영* 형태—*마야모하*, "환영으로 현혹시키는 자"—를 방출하였고, 그가 그것을 신들에게 주면서 이렇게 말했다: "이 *마야모하*가 다이티야를 전부 다 현혹시킬 것이며, 그래서 그들이 베다의 길에서 벗어나서, 죽게 될 것이다. . . . 그래서 가라 그리고 두려워하지 마라. 이 현혹시키는 비전이 그대 앞에 나가게 하라. 그것이 그대들에게 큰 봉사를 할 것이다, 오 신들이여!"

"이 일 후에, 거대한 환영, *마하모하*가 지구로 하강하면서, 금욕의 고행을 하는 다이티야를 지켜보았고, 머리를 깎은 *디감바라* (벌거벗은 탁발승) 모습으로 그들에게 다가 가면서. . .그가 그들에게 이렇게 부드러운 소리로 말했다: "아, 다이티야 인종의 주들이여, 그대들이 이 고행을 수행하는 이유가 어디에 있는가?" 등 (2권, 18장)

마침내 다이티야들은 이브가 뱀의 조언에 유혹되었듯이, 마하모하의 교활한 말에 빠졌다. 그들은 베다의 변절자가 되었다. 뮤어 박사가 그 구절을 번역하였다:

"거대한 사기꾼이 환영을 실행하면서 다음으로 다른 다이티야들을 많은 유형의 이단으로 현혹시켰다. 매우 짧은 시간에, 이 아수라들 (다이티야들)이 사기꾼 (비쉬누)에 현혹되어 삼중 베다의 규정의 토대로 세워진 전체 체계를 버렸다. 어떤 이들은 베다를 비방하였고, 다른 이들은 신들을 비방하였으며, 또 다른 이들은 희생의 의식을 그리고 다른 이들은 브라만들을 비방하였다. 이것은 논의 가치가 없는 가르침이라고 그들이 외쳤다. 짐승을 희생으로 도살하는 것은 종교적 공과에 도움이 되지 않는다. 버터를 불로 태워서 봉헌하는 것이 미래의 어떤 보상을 만든다고 말하는 것은 어린애 주장이다. . . . 만약 제물로 도살된 짐승이 숭고하게 되어 하늘로 올라가는 것이 사실이라면, 숭배자는 왜 그의 아버지를 도살하지 않는가? . . . . 결코 틀리지 않는 발언이 위대한 아수라를 하늘에서 떨어지게 하지 않는다; 나와 여러분처럼 지성인들이 받아들이는 것은 추론에 바탕을 둔 주장일 뿐이다. 이렇게 많은 방법으로 다이티야들이 거대한 사기꾼(이성)에 동요되었다. . . . 그들이 오류의 길로 들어갔을 때, 신들은 모든 에너지를 모아서 싸우기 위해 접근하였다. 그리고 나서 신들과 아수라들 사이의 전투가 따라왔다; 그리고 올바른 길을 버린 아수라들은 신들에 의해서 때려 넘어졌다. 이전에 그들은 그들이 입은 정의의 갑옷으로 보호되었지만, 그것이 파괴되었을 때, 그들도 죽었다." (*왕립 아시아 학회지*, 19권, p. 302.)

힌두인들에 대한 생각이 무엇이건, 그들의 적은 그들을 바보로 간주할 수 없다. 성스러운 사람들과 성자들이 인간의 마인드에서 발산해서 나왔던 가장 위대하고 가장 지고한 철학을 세상에 남긴 민족은 옳고 그름의 차이를 알고 있음에 틀림없다. 심지어 야만인도 희고 어두운 것, 선과 악, 그리고 사기와 성실 및 진실을 구분할 수 있다. 그들 신의 전기에서 이런 사건을 이야기했던 사람들은 이 경우에 우두머리의 사기꾼(arch-Deceiver)인 그 신, 그리고 "베다의 금언을 결코 어기지 않은," 이 거래에서 밝은 쪽에 있었으며, 진정한 "신들"이었던 다이티야들이라는 것을 보았음에 틀림없다. 그러므로 이 비유 밑에 숨겨진 비밀의 의미가 있음에 틀림없고 그것이 있다. 어느 사회 계층에서, 어느 나라에서도 사기와 교묘함이 *신성한* 미덕으로 간주되지 않는다—아마도 신학자들과 근대 예수회 사제 계급에서는 예외일 것이다.

비쉬누 푸라나는[129] 이런 종류의 다른 모든 문헌들처럼 후대에 사원의 브라만들 수중으로 들어갔고, 고대 사본들이 의심할 여지없지 종파에 의해서 다시 변조되었다. 그러나 푸라나가 비의 문헌인 때가 있었고, 그리고 그것들은 그들 수중에 열쇠를 가지고 그것들을 읽는 입문자들에게 여전히 그렇다.

브라만 입문자들이 이 비유들의 충분한 의미를 제공할 것인지 아닌지는 작가가 관심 없는 문제이다. 현재의 목적은 *창조적인 권능들을* 많은 형태들로 존중하지만, 현재의 "우월하고 문명화된" 기독교 인종들에 속하는 어떤 철학자들을 제외하고, 어떤

129 "비쉬누 푸라나"가 우리 시대 산물이고, 현재 형태로 그것은 8세기와 17세기(?) 사이보다 더 빠르지 않다는 윌슨의 의견은 알아차릴 수 없게 터무니없다.

철학자도 진정한 영의 비유를 받아들일 수 있거나 받아들인 적이 없다는 것을 보여주는 것이다. 왜냐하면 보여 주었듯이, 여호와는 윤리의 세계에서 비쉬누보다 조금도 우월하지 않기 때문이다. 이것이 오컬티스트들이 그리고 심지어 어떤 카발리스트들이 그 창조적인 거대한 힘을 *살아 있고 의식적인 대실체들*로 간주하건 그렇지 않건—그리고 그들이 그렇게 받아들이지 않을 이유가 없다는 것을 본다—원인과 결과를 결코 혼동하지 않을 것이고, 지구의 영을 파라브라흠 혹은 아인-소프로 받아들이지 않을 것이라는 이유이다. 하여튼 그들은 소위 그리스인들의 아버지-아에테르(Father-AEther), 주피터-타이탄 등등의 진정한 성질을 잘 알고 있다. 그들은 아스트랄 빛의 혼이 신성하고, 그것의 체 (하위계에서 빛의 파장)가 지옥 같다는 것을 안다. 이 빛은 조하르에서 "마법의 머리"로, 이중 피라미드에 있는 이중의 얼굴로 상징된다: 검은 피라미드가 *검은색 삼각형 속에 흰색 머리와 얼굴을 가지고* 순수한 백색 바탕을 배경으로 떠오른다; 흰색 피라미드는 뒤집어진 것이다—*흰색 얼굴의 어두운 반사*를 보여주는 어두운 물 속 있는 첫 번째의 반사이다. . . .

이것이 "아스트랄 빛" 혹은 데몬은 데우스가 뒤집어진 것이다(DEMON EST DEUS INVERSUS).

12장 창조신의 신통기

모든 고대 우주론 근저에 놓여 있는 사상을 철저히 이해하기 위해서는 고대의 모든 종교들을 비교 분석하여 연구할 필요가 있다; 이런 방법으로만 근본 사상이 분명해질 것이다. 정밀 과학에서는—자연의 작용을 궁극의 원래 근원까지 추적하면서, 아주 높이 날아오를 수 있다면—이 사상을 힘들의 하이어라키로 부를 것이다. 원래의 초월적 그리고 철학적 개념은 하나였다. 그러나 여러 체계들이 매시대마다 국가들의 특이성들을 점점 더 반영하기 시작하였다; 그리고 국가들이 분리 후에 구분되는 그룹들로 정착하면서, 각각의 그룹은 나름대로의 민족 혹은 부족의 관례를 따라서 진화하면서, 인간의 공상의 과도한 성장과 함께 점진적으로 주된 사상을 가지게 되었다. 어떤 나라에서 그 거대한 힘 오히려 자연의 지성적 거대한 힘이 거의 받을 자격이 없는 신성한 영예를 받았으며, 다른 나라에서는—지금 유럽과 문명화된 땅에서처럼—그 힘이 지성을 가지고 있다는 그런 생각이 터무니없는 것처럼 보이고, 비과학적이라고 선언한다. 그러므로 W.S.W. 안선의 "아스가드와 신들: 북부 선조들의 전통과 이야기" 서론에서 보이는 그런 진술에서 안도를 찾게 된다. 저자는 3페이지에서 말한다: "중앙아시아에서 혹은 인더스 강가에서, 피라미드의 땅에서 그리고 그리스와 이탈리아 반도에서, 심지어 켈트족, 튜톤족 그리고 슬라브족이 방랑했던 북부에서, 그 사람들의 종교적 개념들이 서로 다른 형태를 취했더라도, 그것들의 *공통의 기원*을 여전히 지각할 수 있다. 신들의 이야기와 그 속에 간직된 심오한 생각 사이의 이런 연결 관계 그리고 그것들의 중요성을 지적해서, 독자가 *그것이 그의 앞에 열리는 변덕스러운 공상의 마법 세계가 아니라, 생명과 자연이 이런 신성들의* 존재와 작용의 토대를 형성하였다는 것을 볼 수 있을 것이다." 그리고 오컬티스트나 동양의 비의가르침 학생이라면 누구나 "고대 가장 유명한 국가들의 종교적 개념이 독일 인종 사이에서 문명의 시작과 연결되어 있다"는 이상한 생각에 동의하는 것이 불가능하더라도, 그는 여전히 다음과 같이 표현된 그런 진리를 찾게 되어 기쁘다: "이 요정 이야기는 게으른 자들의 즐거움을 위해서 쓰여진 무의미한 이야기가 아니다; 그것들은 우리 선조들의 심오한 종교를 구체화한다. . ."

정확히 그렇다. 그들의 종교뿐만 아니라 그들의 역사도 마찬가지이다. 왜냐하면 신화는 그리스어 미토스[μῦθος, mythos]로 한 세대에서 다음 세대에게 입에서 입으로 전해진 구전 전통을 의미하기 때문이다; 그리고 심지어 근대 어원학에서도 그 용어가 어떤 중요한 진리를 전달하는 우화 같은 진술을 나타낸다; 어느 탁월한 개인의 이야기로 그 일대기가 연속되는 세대들의 존경 때문에 풍부한 대중적 공상으로 너무 무성하게 자랐지만, 그것은 도매급 우화가 아니다. 우리 선조들인 원시 아리안들처럼, 우리도 자연 속에서 하나의 현상을 만드는 거대한 힘 이상의 지성과 개성을 확고하게 믿는다.

시간이 지나면서, 태고의 가르침이 점점 더 희미해졌다; 그리고 그 국가들은 만물의 한 가지 최고 원리를 어느 정도 잊어버렸으며, "원인 없는 원인"의 추상적 속성을 원인 있는 결과—그 다음 원인으로 되는—인 우주의 창조적 권능(Power)으로 이동하기 시작하였다: 거대한 국가들은 그 사상을 모독하지 않을까 두려움에서 그랬고, 그리고 작은 국가들은 그것을 이해하지 못했거나 그것을 순결한 순수성 속에서 보존하는데 필요한 철학적 개념의 힘이 부족하였기 때문이다. 그러나 최근 아리안들을 제외하고, 하나같이 모두가 이제 유럽인과 기독교인처럼 되었고, 그들의 우주론에서 이런 존경을 보여준다. 그리스 단편 번역가들 중에서 가장 직관적인 토마스 테일러가[130] 보여주듯이, 어느 국가도 하나의 원리를 보이는 우주의 직접적인 창조자로 생각한 적이 없었다. 왜냐하면 온정신의 사람이라면 누구도 기획자와 건축가가 그가 감탄하는 구조물을 자신의 손으로 지었다고 하지 않을 것이기 때문이다. 다마시우스의 증언에서 *"첫째 원리에 대하여"*, 그들은 그것을 "미지의 암흑(Unknown Darkness)"으로 말했다. 바빌로니아인들은 이 원리를 침묵 속에서 지나갔다: 포르피리우스가 쓴 "동물 음식의 절제에 대하여"에서 "만물 위에 있는 그 신에게, 외적인 말로 부르지 말아야 하고, 내적은 것으로도 안 된다 . . ." 헤시오도스는 그의 신통기를 이렇게 시작한다: "만물의 카오스가 첫째로 만들어졌다," [131] 이렇게 그 원인 혹은 생산자가 존경하는 침묵 속에서 지나가야

130 1797년 4월 "월간 매거진," v. 3 참조.
131 *"만물의 카오스가 생성된 첫째이다[Etoi men protista chaos genet; geneto]"*에서 고대에는 "생성되었다(was generated)"를 의미하였고 단순히 있었다(was)가 아니다. (*"테일러의 플라톤의*

한다는 추론을 허용한다. 호머는 그의 시에서 *밤*(*Night*)보다 더 높이 올라가지 않으며, 그가 제우스를 공경하는 것으로 나타낸다. 고대 모든 신학자들에 따르면, 그리고 피타고라스와 플라톤의 가르침에 따르면, 우주의 직접적인 고안자 혹은 제우스가 *최고 높은 신이 아니다*; 마치 육체적 인간적 측면의 크리스토퍼 렌 경이 그의 위대한 예술 작품을 만든 그 속에 있는 마인드가 아닌 것처럼. 그러므로 호머는 첫 번째 원리에 관하여 침묵하였을 뿐만 아니라, 첫 번째 원리 바로 다음의 두 가지 원리, 오르페우스와 헤시오도스의 *아에테르*(*AEther*)와 *카오스*(*Chaos*) 그리고 피타고라스와 플라톤의 *경계*(*bound*)와 무한성(Infinity)에 대해서도 마찬가지이다.[132] . . 프로클로스는 이 최고 원리에 대하여 이렇게 말한다: 그것은 . . . "단일성들 중에 단일성(Unity of Unities), 그리고 최초 아디테(adyte)를 넘어서 . . . 모든 침묵 보다 더 형언할 수 없는, 그리고 모든 본질보다 더 오컬트적인 . . . 지성적 신들 사이에 숨겨져 있다." (*위의 책*.)

1797년에 토마스 테일러가 쓴 것, 즉 "유대인은 우주의 *직접적인* 고안자보다 더 높이 올라가지 못한 것처럼 보인다"; "모세가 그것의 존재의 원인이 있었다는 것을 넌지시 암시하지 않은 채, 심연 위에 있는 암흑을 소개하듯이,"[133] 어떤 것을 더 추가할 수도 있을 것이다. 유대인은 그들의 성서—순전히 비의적, 상징적 문헌이다—에서 그들의 은유적 신성을 기독교인이 여호와를 한 분의 살아 있는 *인격신*으로 받아들이는 것만큼 그렇게 심오하게 비하시키지 않았다.

이 첫 번째 원리 오히려 하나의 원리가 "하늘의 원(circle of Heaven)"으로 불렸으며, 원 혹은 정삼각형 속에 있는 한 점의 신성 문자로 상징되고, 그 점은 로고스이다. 이렇게 리그 베다에서, 심지어 브라흐마가 언급되지 않으며, 우주론이 *히란냐가르바*, "황금 알"과 프라자파티 (나중에 브라흐마)로 서두를 꺼내고, 프라자파티로부터 "창조자들"의 모든 하이어라키가 발산하여 나온다. 모나드 혹은 점이 원본이고 단위이며 거기서 전체 수 체계가 따른다. 이 점(Point)이 제일 원인이지만, 그것이

파르메니데스 서론" p. 260 참조.)

132 카필라가 신비적 비전 속에서 "최고의 하나(Highest One)"를 본다고 주장한 브라만 요기와의 논쟁에서 냉소로 흥분한 것은 "*무한자(infinite)*"와 혼동한 "*경계*" 때문이다.

133 T.M. 존슨이 편집한 *플라톤주의자*에서 인용된 월간 매거진에 있는 타일러 글 참고.

발산하여 나온 그것 혹은 그것의 표현인 로고스가 침묵으로 넘어간다. 그 다음으로 보편적 상징, *원 속에 있는 점*은 아직 건축가가 아니라, 그 건축가의 원인이다; 그리고 헤르메스 트라이메기스터스에 따르면, 점 자체가 정의될 수 없는 원의 *원주*와 갖는 관계처럼 건축가의 원인이 건축가와 똑같은 관계를 갖는다. 포르피리우스가 피타고라스의 모나드와 듀아드는 "필레보스"에서 플라톤의 *무한자(infinite)* 그리고 *유한자(finite)*—혹은 플라톤이 무한자[ἄπειρον] 그리고 유한자[πέρας]로 부른 것—와 동일하다. 후자 (어머니) 만이 실질적(substantial)이고, 전자는 *"만물의 척도이자 모든 통일성의 원인"*이다 (*피타고라스의 삶,* p. 47); 이렇게 듀아드 (물라푸라크리티, 베일)가 로고스의 어머니로 보여지고, 동시에 그의 딸—즉, 그의 지각의 대상—생산된 생산자 그리고 그것의 이차 원인이다. 피타고라스 학파에서, 모나드는 삼개조를 진화시키자마자 침묵과 암흑 속으로 돌아가고, 그 *삼개조*로부터 현현된 우주의 토대에 있는 열 개 숫자의 나머지 일곱 숫자가 발산하여 나온다.

북유럽 우주론에서도 똑같다. "태초에 거대한 카오스가 있었고, 낮도 밤도 존재하지 않았다; 그 심연은 크게 벌어져 있는 깊은 구멍, 긴눙가가프, 시작도 없고, 끝도 없었다. 만물의 아버지(All Father), 창조되지 않은 자, 보이지 않는 자가 '심연'의 깊이 (공간) 거주하였고 의도하였으며, 의도된 것이 존재하게 되었다." ("*아스가드와 신들*" 참조.) 힌두 우주론에서처럼, 우주의 진화가 두 가지 행위로 나누어진다: 인도에서 *프라크리티* 창조와 *파드마* 창조라고 부른다. "찬란하게 빛나는 집(Home of Brightness)"에서 쏟아져 나오는 따뜻한 광선이 공간의 거대한 바다(Great Waters of Space) 속에서 생명을 일깨우기 전에, 첫 번째 창조의 원소들이 보이고, 그것에서 거인 이미르 (또한 오르겔미르)—카오스에서 분화된 원초의 물질 (글자 그대로 *펄펄 끓는 진흙*)—가 형성된다. 그리고 영양분 공급자인[134] 암소 아우둠라가 오고, 거기서 부리(Buri) (생산자)가 태어나며 그는 "얼음 거인들(Frost-Giants)" (이미르의 아들들)의 딸인 베스틀라(Bestla)와 세 아들, *오딘(Odin), 윌리(Willi)* 그리고 *위(We),* 혹은 "영(Spirit)," "의지(Will)," 그리고 "신성(Holiness)"을 가졌다. (본서의 원초 인종들의

134 바크(Vach)—리그 베다에서 묘사되었듯이, 우리에게 "자양분과 영양분을" 제공하는 그리고 "영양분과 물을 주는 아름다운 선율의 암소."

발생과 비교해보라.) 암흑이 여전히 공간을 지배하였을 때, 창조력 (디얀 초한), 아세스(Ases)가 아직 진화하여 나오지 않았을 때, 그리고 위그드라실, 시간과 생명의 우주의 나무가 아직 자라지 않았을 때, 그리고 영웅들의 전당(Hall of Heroes) 혹은 왈할라(Walhalla)가 아직 없을 때, 이랬다. 우리 지구와 세계에 대한 스칸디나비아의 창조 전설은 *시간*과 인간의 생명으로 시작한다. 그것을 선행하는 모든 것이 그들에게 "암흑"이고, 그 속에 만물의 아버지, 만물의 원인이 거기에 거주한다. "아스가드와 신들"의 편집자가 관찰하였듯이, 이 전설들이 그 속에 만물의 원래의 원인, 전체-아버지(ALL-FATHER)를 가지고 있더라도, "그가 그 시에서 거의 언급되지 않는다." 왜냐하면 그가 생각하기에, 복음을 전파하기 전에, 그 개념이 "영원(Eternal)에 대한 구분되는 개념까지 올라갈 수 없기 때문이 아니라," 그것의 위대한 비의적 성격 때문이다. 그러므로 모든 창조의 신들 혹은 인격신들은 우주 진화의 이차적 단계에서 시작한다. 제우스가 크로노스—시간—에서 그리고 그 속에서 태어난다. 브라흐마도 "영원과 시간," 즉 "칼라의 발산이자 소산이며, 칼라는 비쉬누의 이름들 중에 하나이다. 그래서 우리는 브라흐마가 *신들과 아수라들*의 아버지이듯이, 오딘(Odin)이 *신들과 아세스의 아버지라는 것을* 보며, 그래서 그리스의 두 번째 모나드부터 세피로스의 아담 카드몬, 베다의 브라흐마 혹은 프라자파티-바크 그리고 플라톤의 자웅동체에 이르기까지 인도 상징의 또 다른 버전에 불과한 것으로 모든 우두머리 창조신들의 자웅동체의 특징을 보게 된다.

베단타 정신으로 태초 신통기에 대한 최고의 형이상학적 정의를 수바 로우 씨의 "바가바드-기타에 대한 주석"에서 볼 수 있다. (1887년 "신지학자" 2월호 참조) 그가 청중에게 말하듯이, 파라브라흐맘, 미지자 그리고 불가지자는:

". . . . 자아(Ego)가 아니고, 그것은 비자아도 아니며, 그것은 의식도 아니다 . . . . 그것은 심지어 *아트마*도 아니다" . . . . "그러나 그 자체가 지식의 대상이 아니지만, 그것은 지식의 대상이 되는 모든 종류의 대상과 존재를 지탱할 수 있고 낳을 수 있다. 그것은 하나의 본질로, 에너지 센터를 존재하게 하며 . . . ." 우리가 *로고스(Logos)*로 부르는 것이다.

이 로고스는 힌두인의 *사브다 브라흐맘*(*Sabda Brahmam*)으로, 그 용어가 사람들 마인드 속에서 혼란을 만들지 않도록, 그가 심지어 *이스와라*(*Eswara*) ("주(lord)" 신)로 부르지도 않는다. 그러나 그것은 힌두인의 *아발로키테스와라*, 신학적 결함이 아닌, 진정한 비의적 의미에서 기독교인의 *말씀*(*Verbum*)이다.

"그것은 대우주 속에 있는 자아(Ego) 혹은 *그냐타*(*Gnatha*)이고, 모든 다른 자아는 . . . . 그것의 반영이자 현현이다 . . . . 그것은 프랄라야 시간에 파라브라흐맘 가슴 속에서 잠재 상태로 존재한다 . . ." (만반타라 동안에) "그것은 나름대로의 개체성과 의식을 가진다." (그것은 에너지 센터이지만) . . . "그런 에너지 센터들은 파라브라흐맘 가슴 속에 무수히 많이 있다 . . ." "심지어 로고스가 창조자라고, 혹은 그것이 그냥 하나의 에너지 센터라고 추정하지 말아야 한다 . . . 그것의 숫자는 거의 무한이다." 그가 추가하길, "이 자아가 대우주 속에서 나타나는 첫 번째이고, 모든 진화의 끝이다. 그것은 추상적 자아이다" . . . . "이것이 파라브라흐맘의 첫 번째 현현(혹은 측면)이다." "그것의 객관적 관점에서 . . . 일단 그것이 의식적 존재를 시작할 때, *파라브라흐맘*이 *물라프라크리티*로써 나타난다." "이것을 명심하세요" 라고 강연자가 말한다. "왜냐하면 여기가 베단타 철학에 대한 다양한 작가들이 느낀 *푸루샤*와 *프라크리티*에 대한 전체 어려움의 뿌리이기 때문이다. 어떤 물질적 대상이 우리에게 물질이듯이, 이 *물라프라크리티는* 그것 (로고스)에게 물질이다. 어떤 기둥의 속성들의 덩어리가 기둥 자체가 아니듯이, *물라프라크리티*가 마찬가지로 *파라브라흐맘*이 아니다; 파라브라흐맘은 절대적 무조건의 실재이고, 물라프라크리티는 그것 위로 드리워진 일종의 베일이다. 파라브라흐맘은 홀로 있는 그대로 볼 수 없다. 그것 위로 드리워진 베일을 가지고 로고스가 보며, 그 베일은 광대한 영역의 우주 물질이다 . . ." "파라브라흐맘은 한편 자아로써 그리고 다른 한편 물라프라크리티로써 나타난 후에 *로고스*를 통해서 하나의 에너지로 작용한다."

그리고 그것이 훌륭한 직유법으로 만물이지만, 강연자는 그가 의미하는 것을 *아무것이 아닌 것*(*nothing*)인 어떤 것의 작용으로 설명한다. 그는 로고스를 빛과 열이 발산하는 태양에 비유한다. 그러나 그 에너지, 빛 그리고 열이 공간 속의 알려지지 않은 어떤 상태 속에 존재하고 공간 속에서 볼 수 있는 빛과 열로써 분산되며, 태양은 그것의 대리인일 뿐이다. 이것이 첫 번째 삼개조 위격(hypostasis)이다.

사중체는 로고스가 비춘 *활성화시키는 빛*으로 구성된다.

유대인 카발리스트들은 베단타와 비의적으로 동일한 형상으로 그것을 제시한다. 아인-소프는 만물의 원인 없는 원인이지만, 이해될 수 없고, 위치를 찾을 수 없으며, 이름 지을 수가 없다. 그래서 그 이름—아인-소프(AIN-SOPH)—이 부정의 용어이다. 즉, "헤아릴 수 없는(inscrutable), 인식할 수 없는(incognizable), 이름 붙일 수 없는(unnamable)." 그러므로 그들은 그것을 인간의 지성이 최고로 확장해서 하늘의 둥근 천장으로만 지각할 수 있는 영역, 무궁한 원으로 만들었다. 카발라 체계에서 그것의 수와 기하학 비의 가르침에 있는, 그 의미 중에 하나에서 철저하게 많은 것을 풀어낸 사람의 말로 표현하면 이렇다: — "그대의 눈을 감아라, 그리고 그대 자신의 지각 의식으로부터 사방으로 가장 극한의 한계까지 밖으로 생각하려고 노력하라. 그대는 동등한 지각의 선 혹은 광선이 사방으로 균등하게 확장해서, 지각하려는 궁극의 노력이 *구체의 둥근 천장*에서 끝난다는 것을 발견할 것이다. 이 구체의 한계가 필연적으로 거대한 *원*(*Circle*)이 될 것이고, 어느 방향이건 그리고 모든 방향으로 생각의 직접적인 광선이 그 원의 *직선 반지름*임에 틀림없다. 그러면 인간적으로 말해서, 이것이 극한까지 만물을 포괄하는 *의식에 나타난* 아인-소프 개념으로, 그것은 자신을 *기하학 형태*, 즉 둥근 원주와 반지름으로 나누어진 직경의 요소를 가진 원의 형태로써 나타내는 것이 틀림없다. 그래서 기하학 도형이 아인-소프와 인간의 지성 사이에 첫 번째로 인식할 수 있는 연결 수단이다."[135]

이 거대한 원 (동양의 비의가르침은 무궁한 원 속에 있는 점으로 줄인다)이 아발로키테스와라, 수바 로우 씨가 말한 *로고스* 혹은 *말씀*(*Verbum*)이다. 그러나 이 원 혹은 현현된 신은 우리의 최고 개념으로 더 가능한 혹은 더 쉬운 하나로써 그것의 *현현된* 우주를 통해서만 우리에게 알려진다. 프랄라야 동안 파라브라흐맘의 가슴 속에서 잠자는 이 로고스가, 우리의 "*자아*(Ego)가 *수슙티* 시간에 (우리 속에) 잠재하듯이, 잠잔다"; 로고스는 파라브라흐맘을 물라프라크리티—이것은 "우주 물질의 엄청난 광활한 공간"인 우주의 베일이다—를 제외하고 다르게 인식할 수 없으며, 이렇게 물라프라크리티는 우주 창조에서 하나의 기관이며, 그것을 통해서

135 1886년 6월 메이슨 리뷰에서 발췌.

우리에게 알려지지 않았듯이, 로고스에게 알려지지 않는, 파라브라흐맘의 지혜와 에너지가 발산한다. 더구나, 파라브라흐맘이 사실상 로고스에게 알려지지 않듯이, 로고스가 우리에게 알려지지 않기에, 동양의 비의 가르침과 카발라—로고스를 우리 개념 영역 속으로 가져오기 위해서—는 추상적 통합을 구체적 이미지들로 분해하였다; 즉, 그 로고스 혹은 아발로키테스와라, 브라흐마, 오르마즈드, 오시리스, 아담 카드몬, 이 이름들—그것의 측면 혹은 만반타라 발산은 디얀 초한, 엘로힘, 데바, 암샤스펜드 등등이다—중에 어느 것으로 부르건 그것의 반영들 혹은 증가된 측면들로 분해하였다. 형이상학자들은 만반타라 발산의 뿌리이자 씨앗을 파라브라흐맘의 첫 번째 현현으로써, "우리가 이해할 수 있는 최고의 삼위일체"로써 설명한다. 이것은 물라프라크리티 (베일), 로고스 그리고 로고스의 의식적 에너지 혹은 그것의 힘이자 빛[136]; 혹은 "물질, 힘 그리고 자아(Ego), 혹은 모든 다른 종류의 자아가 그 현현이자 반영인 자아의 한 가지 뿌리." 멘탈 그리고 물질적 지각의 바로 이 (의식의) "빛" 속에서만 실천적 오컬티즘이 이것을 기하학 도형들로 가시화시킬 수 있다; 그것이 세밀하게 연구될 때 로고스의 이 빛, 즉 "신성한 소피아의 일곱 아들들(Seven sons of the divine Sophia)"의 실재적 객관적 존재에[137] 대한 과학적인 설명을 줄 뿐만 아니라, 아직 발견되지 않은 다른 열쇠들로 인류에 관하여 이 "일곱 아들들"과 그들의 무수히 많은 발산들, 개성화된 에너지의 센터들이 절대적으로 필요하다는 것을 보여줄 것이다. 그것들을 없애라 그러면 대존재와 인류의 신비가 *결코 풀릴 수 없을 것이고, 심지어 가까이 접근조차 하지 못할 것이다.*

이 빛을 통해서 모든 것이 창조된다. 멘탈 자아의 이 뿌리가 또한 육체 대아의 뿌리이다. 왜냐하면 이 빛은 베다에서 *아디티(Aditi)*로 부르는 물라프라크리티가 현현된 세계에서 변형된 것이기 때문이다. 아이시스가 호루스인 오시리스의 어머니이자 딸인 것처럼, 그리고 *마우트(Mout)*가 이집트 상형문자에서 암몬(Ammon)의 어머니이자 부인이고 딸이듯이, 그것의 세 번째 측면에서 그것이 로고스의 어머니이자 딸, 즉 *바크(Vach)*로[138] 된다; 카발라에서, 세피라는 쉐키나와

---

136 바가바드-기타에서 *다이비프라크리티*로 부른다.
137 객관적—당연히 마야의 세계에서 그렇다; 여전히 우리만큼이나 실재이다.
138 "우주 현현 과정에서, 이 *다이비프라크리티*는 로고스의 어머니가 되는 대신에 엄격하게 말하면 그의 딸이 되어야 한다." ("바가바드-기타에 관한 주석," p. 305.)

같고, 또 다른 통합에서 "천상의 인간", 아담 카드몬의 부인, 딸 그리고 어머니이며, 심지어 그와 동일하다. 마치 바크가 브라흐마와 동일하고 여성 로고스로 불리는 것처럼. 리그 베다에서, 바크는 "신비한 말(mystic speech)"로, 그것에 의해서 오컬트 지식과 지혜가 인간에게 소통되고, 이렇게 바크가 "리쉬들에게 들어갔다"고 말한다. 그녀는 "신들에 의해서 생성된다"; 그녀는 신성한 바크—"신들의 여왕"—이다; 그리고 그녀는 창조 작업에서—세피라가 세피로스와 갖는 관계처럼—프라자파티와 관련된다. 더구나, 그녀는 "베다의 어머니(mother of the Vedas)"로 불린다. "왜냐하면 그녀의 (신비적인 말로써) 힘을 통해서 브라흐마가 그들을 드러냈고, 또한 그녀의 힘 때문에 그가 우주를 만들었기 때문이다."—즉, 말과 ("말씀(word)"으로 통합된) *말씀들(words)* 그리고 숫자를 통하여.[139]

그러나 바크가 닥샤—"모든 칼파에서 사는 신"—의 딸로 말해지기에, 그녀의 마야 같은 성격이 그것으로 보인다: 프랄라야 동안 그녀는 사라지고, 모든 것을 삼키는 광선인 하나 속으로 흡수된다.

그러나 자연 속에 있는 여성 힘의 모든 인격화 속에서, 즉, *현상적 측면*과 *본체적 측면에서,* 동서양의 보편적인 비의 가르침에서, 두 가지 구분되는 측면이 있다. 하나는 순전히 형이상학 측면으로, "바가바드-기타에 관한 주석"의 박식한 강연자가 묘사한 것이다; 다른 하나는 지상의 물리적 측면으로, 동시에 실천적 인간의 개념과 오컬티즘 관점에서 *신성한* 측면이다. 그것들 모두는 *카오스(Chaos)*, "거대한 심연(Great Deep)" 혹은 원초의 공간의 바다(Primordial Waters of Space), 창조의 로고스와 인식 불가자 사이의 뚫을 수 없는 베일의 인격화이자 상징이다. "자신을 그의 마인드를 통해서 바크와 연결하면서, 브라흐마 (로고스)가 원초의 바다를 창조하였다." 카타카 우파니샤드에서 그것이 더 명확하게 언급되었다: "프라자파티가 이 우주였다. 바크는 그에게 두 번째였다. 그는 그녀와 관련되었고 . . . . 그녀가 이 피조물들을 만들었으며 다시 프라자파티로 들어갔다."[140]

---

139 이해할 수 없는 것을 유형의 형태로 만드는 설계를 발명한 근대 사람들 중에 스탠니 제본스 같은 현명한 사람은 숫자와 기하학 도형에 의존하는 것으로 그렇게 할 수만 있다.

140 이것이 바크와 세피라를 대중 불교에서 *혼의 신성한* 목소리, "자비로운 어머니", 관-음 여신과 연결한다; 그리고 *관-세-음의 여성 측면,* 로고스, 창조의 *말씀(verbum)*, 그리고 동시에 비의

그리고 여기서 인도에 있는 경건하고 선한 선교사들이 인도의 종교에 대하여 행하는 많은 부당한 경멸 중에 하나를 지적할 수 있다. “사타파타 브라흐마나”에 있는 이 비유, 즉 브라흐마가 인간의 아버지로서 산디야 (황혼) 그리고 *사타루파* (백 가지 형태)로 부르는 그의 딸, 바크와 근친상간으로 창조 작업을 수행하였다는 이 비유가 “혐오스럽고 거짓된 종교”를 비난하는 것으로써 브라만들의 입 속으로 끊임없이 던져지고 있다. 원로 롯(Lot)이 인간 형태로 똑같은 범죄를 저질렀다는 것을 유럽인들이 편리하게 잊어버렸고, 반면에 브라흐마 오히려 프라자파티가 수사슴 형태로 암사슴 (*로히트*) 형태인 그의 딸과 근친상간을 했다는 사실 외에, 창세기를 (3장) 비의적으로 읽으면 똑같다는 것을 보여준다. 더구나, 바크가 아디티와 물라프라크리티 (카오스)의 치환이고 브라흐마가 자연으로 들어가서 비옥하게 만드는 신의 영, 나라야나의 치환이기 때문에, 인도 우화에는 확실히 생리학적 의미가 아닌 우주적 의미가 있다; 그러므로 그 개념 속에는 남근 숭배 같은 것이 전혀 없다.

이미 언급하였듯이, 아디티-바크(Aditi-Vach)는 여성 로고스 혹은 *말씀*이다; 카발라에 있는 세피라도 똑같은 것이다. 이 여성 로고스들은 *본체적* 측면에서 빛(Light)과 소리(Sound) 그리고 에테르(Ether)의 상관 관계로, 고대인들이 (근대인에게 이제 알려지듯이) 물질 과학과 영계 및 아스트랄계에서 그 과학의 탄생에 대하여 얼마나 잘 알고 있었는지 보여준다.

“우리의 고대 작가들이 *바크*는 네 종류라고 말한다 . . . . *파라, 파시안티, 마디야마, 바이카리* (우파니샤드와 리그 베다에서 보이는 진술) . . . . 바이카리 바크가 우리가 말하는 것이다.” 우리의 육체적 감각들 중에 하나에 포괄적이고 객관적으로 되는 것이 바로 소리, *말*(*speech*)이며 지각의 법칙 하에 올 수 있다. 그래서: “모든 종류의 *바이카리*-바크는 마디야마 속에 . . . . 파시안티와 궁극적으로 파라 형태 속에 존재한다 . . . 이 *프라나바*(*Pranava*)가[141] 바크로 불리는 이유는 이것이다. 즉, 거대한

불교에 따르면, 입문자에게 들리게 말하는 그 목소리와 연결한다. 사원의 베일 속에 있는 자비의 자리(mercy seat)에서 대답하는 유태인의 신성한 목소리의 딸, 바스 콜(Bath Kol) (*filia Vocis*)이 하나의 결과이다.

141 *프라나바*(*Pranava*)는 옴(Om)처럼 요기가 명상 중에 소리내는 신비한 용어이다; 그 용어에 대하여 대중 주석가들에 따르면, *비아흐리티스*(*Vyahritis*) 혹은 “옴(Om), 부르(Bhur), 부바(Bhuva),

대우주의 이 네 가지 원리가 바크의 이 네 가지 형태에 상응하기 때문이다 . . . . 객관 형태의 전체 대우주가 바이카리 바크다; 로고스의 빛이 *마디야마* 형태이다; 그리고 로고스 자체가 *파시안티* 형태이다; 반면에 파라브라흐맘은 그 바크의 *파라* (모든 본체들의 본체 너머) 측면이다." (*바가바드-기타에 관한 주석*)

이렇게 세계에 있는 가장 (외관상) 비슷하지 않은 세 가지 종교 철학—힌두 철학, 그리스 철학 그리고 칼데아 유대 철학—에서 예를 본다면, 바크, 쉐키나 혹은 피타고라스의 "구체들의 음악(music of the spheres)"은 하나이다. 이 의인화와 비유를 네 가지 (주요) 측면과 세 가지 (작은) 측면 혹은 비의 가르침처럼 모두 일곱 가지로 볼 수 있다. *파라* 형태는 언제나 주관적이고 잠재하는 빛과 소리로, 불가지자의 가슴 속에 영원히 존재한다; 로고스의 개념작용 혹은 그것의 잠재하는 빛으로 바뀔 때, 그것을 *파시안티*로 부르며, 그것이 표현된 빛으로 될 때, 그것은 *마디야마*이다.

이제 카발라에서는 정의를 이렇게 제공한다: "세 종류의 빛이 있고 그것들을 침투하는 네 번째가 있다; (1) 깨끗하고 침투하는 *객관적 빛*, (2) *반사된 빛*, (3) *추상적 빛*. 열 개 세피로스, 셋과 일곱을 카발라에서 10 단어, 다바림(Dabarim), 숫자들과 천상의 빛의 발산으로 불리며, 이것은 아담 카드몬이자 세피라 혹은 (브라흐마) 프라자파티-바크다. 빛, 소리, 수는 카발라에서 세 가지 창조 인자들이다. 파라브라흐맘은 빛나는 점(Point) (로고스)을 통해서만 알 수 있으며, 이것은 *파라브라흐맘*이 아니라 *물라프라크리티만을* 안다. 마찬가지로 아담 카드몬은 아인-소프의 매개체였지만 쉐키나만 알았다. 그리고 아담 카드몬으로서, 그는 비의 해석에서 숫자 10, 세피로스의 종합이다 (그 자신이 삼위일체 혹은 하나(One) 속에 있는 불가지 신성의 세 가지 속성).[142] "천상의 인간 (혹은 로고스)이 먼저 왕관

스바르(Swar)" (옴, 땅, 상공, 하늘)—프라나바가 아마도 가장 신성하다. 그것들은 호흡이 억제된 상태로 소리낸다. 마누 II 76-81와 *야즈나바흐키야-수리티*, I, 23에 대하여 주석을 단 미탁샤라 참조. 그러나 비의적 설명은 훨씬 더 깊이 간다.

142 "비쉬누의 세 걸음"이 의미하는 것이 바로 이 삼위일체이다; (대중 가르침에서 비쉬누를 *무한자*(*Infinite*)로 여긴다)—파라브라흠에서 물라프라크리티, 푸루샤 (로고스) 그리고 프라크리티가 나왔다: (자신과 함께 통합인) 바크의 네 팔이다. 그리고 카발라에서—아인-소프, 쉐키나, 아담 카드몬 그리고 세피라, 넷—혹은 세 가지 발산이 구분되면서—여전히 하나이다.

(케테르)[143] 형태를 취하고 자신과 세피라를 동일시하였을 때, 일곱 가지 눈부신 빛이 왕관에서 발산하도록 하였으며," 그것이 전체에서 열(10)이었다; 마찬가지로 브라흐마-프라자파티가 바크와 동일하지만 일단 분리되었다면, 일곱 리쉬, 일곱 마누 혹은 프라자파티가 그 왕관에서 나오게 하였다. 대중 가르침에서는 세피로스 혹은 프라자파티의 10과 7을 항상 발견할 것이다; 비의 표현에서는 항상 7과 3을 발견할 것이고, 그래서 또한 10을 가져온다. 현현된 영역에서 3과 7로 나누어질 때만, 그것들은 자웅동체 와 혹은 현현되고 분화된 그림 X를 형성한다.

이것이 피타고라스가 신 (로고스)을 왜 *단일성의 센터*이자 "조화의 근원"으로 존중하였는지 학생이 이해하도록 도와줄 것이다. 이 신성이 로고스였으며, 고독과 침묵 속에 거주하는 모나드가 아니라고 말한다. 왜냐하면 피타고라스는 단일성은 나눌 수 없기에 *수가 아니다(no number)*라고 가르쳤기 때문이다. 그리고 이것이 그의 학교에 입학을 지원한 후보자가 수학의 네 구분으로 간직된 산술학, 천문학, 기하학 그리고 음악을 예비 단계로써 이미 공부했어야 하는 이유이다.[144] 다시 이것이 피타고라스 학파에서 수에 대한 가르침——비의가르침에서 가장 으뜸이다— 이 천상의 신성들에 의해서 인간에게 드러났다고 주장한 이유이다; 그리고 세계가 소리 혹은 조화에 의해서 카오스에서 불려 나왔으며, 음악적 비율의 원리에 따라서 건설되었다고 주장한 이유이다; 또한 인간의 운명을 통치하는 일곱 행성들이 다양한 소리들을 너무 완전하게 일치해서 소리내면서 음악의 높낮이에 상응하는 조화로운 운동과 간격을 가져서, 우리의 귀가 수용할 수 없는 그 소리의 거대함 때문에, 우리에게 들릴 수 없는 가장 감미로운 멜로디를 만든다고 주장한다." (*센소리누스*)

피타고라스 학파 신통기에서 천상의 무리와 신들의 하이어라키가 숫자로 표시되고 숫자적으로 표현된다. 피타고라스는 비의 과학을 인도에서 공부하였다; 그러므로 그의 제자들이 "모나드 (현현된 하나)가 만물의 원리이다"라고 말하는 것을 보게 된다. 모나드와 불확정한 듀야드 (카오스)에서, 숫자들이 나온다; 숫자들에서 *점들이*;

143 칼데아인의 *수의 서*. 최신 카발라에서 여호와 이름이 아담 카드몬을 대신한다.
144 저스틴 마터가 이 네 개 과학에 대한 무지 때문에, 그가 그 학교 입학 지원자로서 거부되었다고 말한다.

점들에서 *선들이*; 선들에서 *표면들이*; 표면들에서 입체들이; 이 모든 것에서 고체들이 나오고, 그 원소가 넷이다—지, 수, 화, 풍; 세계가 변형되고 (상관관계를 갖는) 그리고 전적으로 변한 모든 것으로 구성된다." (디오게네스 라에르티우스, *"피타고라스의 생애"*에서)

그리고 그것이 그 신비를 완전히 풀지는 못하더라도, 모든 브라만 여신들 중에서 가장 신비스러운 존재, 바크 위로 드리워진 저 놀라운 비유에서 베일의 모서리를 들어올릴 수 있다. 그녀는 "자양분과 물을 짜낸 *감미로운* 암소"로 불린다 (그녀의 모든 신비스러운 힘을 가진 지구); 그리고 다시 그녀는 "우리에게 영양분과 자양분을 준다" (물질 지구). 아이시스도 신비한 대자연이자 지구이다; 그리고 그녀의 암소의 뿔이 그녀를 바크와 동일시한다. 바크는 *파라(para)*로써 그녀의 최고 형태 속에서 인식된 후에 창조의 낮은 끝 혹은 물질적 끝에서 *바이카리*로 된다. 그래서 그녀는 그녀의 모든 마법 같은 방법과 특성을 가진 물질적이지만 신비한 대자연이다.

다시, 말(Speech)과 소리(Sound)의 여신이자 아디티의 변형으로써, 그녀는 한 가지 의미에서 *카오스*이다. 하여튼, 그녀는 "신들의 어머니"이고, 실재의 *현현된* 신통기가 시작하는 것이 아담 카드몬과 세피라인 것처럼 브라흐마 (이쉬와라 혹은 로고스)와 바크부터이다. 그 너머, 모든 것이 암흑이자 추상적 추론이다. 디얀 초한 혹은 신들과 함께, 현자들, 선지자들 그리고 초인들이 대체로 확고한 바탕 위에 있다. 아디티로서 혹은 그리스 그노시스파의 신성한 소피아이건, 그녀는 일곱 아들들의 어머니이다: "얼굴의 천사," "심연"의 천사 혹은 "사자의 서"의 "위대한 푸른 하나(Great Green One)." 잔 (명상을 통한 지식)의 서에서 말한다: —

"위대한 어머니가 △, 그리고 | 그리고 □, 두 번째 | 그리고 ☆를[145] *그녀의 가슴 속에 품은 채, □△ || (혹은 4,320,000, 주기)의 씩씩한 아들들을 낳을 준비를 한 채 누워 있으며, 그것의 맞이 둘은 ○ 와 • (점)이다."*

---

145 31415 혹은 파이(pi). 로고스와 점 속에서 *통합된 무리* 혹은 총합이 로마 카톨릭에서 "얼굴의 천사"로 불리고 유대어에서 현현된 표상인 "신으로써 (신과 같은)" מִיכָאֵל 이다.

모든 4,320,000 주기 시작에, 일곱의 (혹은 어떤 나라에서는 그것이 여덟이다) 위대한 신들이 사물들의 새로운 질서를 세우고 새로운 주기에 충동을 주기 위하여 하강하였다. 마치 고대 그리스인들의 신성한 삼위가 교회에서 이제는 세 가지 구분되는 인물로 간주되듯이, *그 여덟 번째* 신은 대중 가르침에서 그것의 무리와 구분되고 분리된, 통합하는 *원*(*Circle*) 혹은 로고스였다. "강력한 자들이 그들의 위대한 작업을 수행하고, 그들이 우리의 마야 같은 베일 (대기) 속으로 뚫고 들어올 때마다, 그들의 방문을 기념하기 위해서 뒤에 영속적인 기념비들을 남긴다"고 주석에서 말한다.[146] 이렇게 우리는 "*드루바* (당시 북극성)가 가장 낮은 자오선에 있었고, 크리띠카 (플레이아데스)가 거인들의 작업을 지켜오기 위해서 그의 머리 위로 살필 때 (같은 자오선에 있지만 위에 있을 때)", 거대한 피라미드들이 그들의 직접적인 지도 하에서 세워졌다고 배운다. 이렇게 첫 번째 피라미드가 드루바 (알파 폴라리스) 아래서 항성년이 시작할 때 세워졌기에, 그것은 31,000년 (31,105) 전 이상이 되었음에 틀림없다. 분센이 이집트가 21,000년 넘는 고대라고 인정할 때 옳았지만, 이런 인정이 이 질문에 있는 사실과 진리를 거의 규명하지 못한다. "이집트 사제들과 다른 사람들이 이집트에서 시간을 기록하는 것에 대하여 말한 이야기가 성서의 속박을 피한 모든 사람의 눈에 이제는 거짓말이 아닌 것처럼 보이기 시작한다"고 "자연의 창세기"의 저자가 쓴다. "이제는 6,000년전이지만 당시 기록된 두 가지 천낭성 주기를 언급하는 비문이 사카라에서 최근 발견되었다. 이렇게 헤로드토스가 이집트에 있었을 때, 이집트인들은—지금 알려져 있듯이—최소한 다섯 번의 다른 1,461년의 천낭성 주기를 관찰하였다. 사제들이 그들이 오랫동안 시간을 계산하여 왔기에 당시 태양이 졌을 때 태양이 두 번 떠올랐고, 그것이 떠올랐을 때 두 번 졌다고 그리스 탐구자에게 알려줬다. 이것은 . . . 두 가지 세차 주기 혹은 51,736년 기간으로 자연 속에 있는 하나의 사실로 인식될 수만 있다." (ii권, p. 318. 그러나 SD 2권의 "브라만의 연대기"를 보라)

모르 아이작 (커쳐의 오이디푸스, 2권, p. 425 참조)이 고대 시리아인들이

---

146 모든 항성년 (25,868년)처럼, 주기의 시작에 나타나면서, *카베이리*(*Kabeiri*) 혹은 *카바림*(*Kabarim*)은 *코브*(*Kob*)—하늘의 척도 그리고 우림(Urim)—로부터 *하늘의 척도*를 의미하기 때문에 그 이름을 칼데아에서 받았다.

"통치자들"과 "활동하는 신들"의 이런 세계를 칼데아인들과 같은 방식으로 정의하는 것을 보여 준다. 가장 낮은 세계는 첫째 등급 혹은 가장 낮은 등급의 "천사들"이 지켜본 달 아래 세계—우리 세계—이다; 다음으로 온 세계는 "대천사들"이 통치한 머큐리이다; 다음으로 비너스가 왔으며, 거기 신들은 권품천사이다; 네 번째는 태양의 세계, 모든 나라들의 태양신, 우리 태양계의 가장 높고 가장 강력한 신들의 영역이자 지역인 태양의 세계이다; 다섯 번째는 마르스로 "역천사"가 지배한다; 여섯 번째—벨(Bel) 혹은 주피터 세계—는 주품천사가 지배하였다; 일곱 번째—새턴의 세계—는 좌품천사가 지배하였다. 이것들은 형태의 세계이다. 그 위로 네 가지 상위 세계가 오며, 세 가지 *가장 높은* 계는 "말할 수 없고 발음할 수도 없기" 때문에, 이렇게 다시 일곱을 만든다." 여덟 번째는 1,122별로 구성되어 있으며, 케루빔의 영역이다; 아홉 번째는 그들의 거리 때문에 *걸어 다니는* 셀 수 없는 별들에 속하며 세라핌이 있다; 열 번째에 대하여—모르 아이작을 인용하면서, 커쳐가 말하길, 그것은 "우리가 구름들로 착각할 수 있는 보이지 않는 별들로 구성되어 있다—그것들이 그 지역에서 너무 밀집되어 있어서 우리가 *비아 스트라미니스*, 은하수라고 부른다"; 그리고 그는 "이것들이 끔찍한 난파선에서 루시퍼와 함께 삼켜버린, 루시퍼의 별들"이라고 서둘러 설명한다. 열 번째 세계 (우리의 사중체 혹은 아루파 세계) 너머에 그리고 그 다음에 오는 것에 대하여 시리아인들은 말하지 않는다. 그들이 알았던 모든 것은 거기서 경계나 끝도 없는 진정한 신성의 거주처, 무한자의 이해 불가능한 광대한 대양이 시작한다는 것이다.

샹폴리옹은 이집트인들 사이에 있는 똑같은 믿음을 보여준다. 헤르메스가 아버지-어머니와 아들을 말하면서 그 영이 (집합으로 신성한 명령) 우주를 형성한다고 말한다: — "*일곱 대리인들* (매개체들)이 또한 물질계 (혹은 현현계)를 그들 각각의 *원* 속에 간직하기 위해서 형성하였고 이 대리인들의 작용을 운명으로 불렀다." 그리고 그는 여기서는 길게 자세하게 설명할 수 없는 일곱 그리고 열 그리고 열 두 개 등급을 열거한다.

"브라흐만다 푸라나"와 함께 "리그 비다나" 그리고 그런 모든 문헌들이, 리그-베다 만트라의 마법 같은 효과를 묘사하건 미래 칼파를 설명하건, "아마도 푸라나 시대에만 속하는" 최근 편집 자료라고 웨버 박사와 다른 사람이 선언하기 때문에,

독자에게 그것들의 신비적인 설명을 참조하는 것이 쓸모가 없다; 그리고 동양학자들에게 전혀 알려지지 않은 고대의 문헌들에서 단순히 인용하는 것이 더 나을 것이다. 이 문헌들은 학자들을 너무 당혹하게 만드는 그것을 설명한다. 즉, 브라흐마의 "마인드에서 태어난 아들들," *삽타리쉬*는 *사타파타 브라흐마나*에서 한 가지 조합의 이름으로 언급되고, *마하바라타*에서 또 다른 조합으로 언급되며, 그리고 바이유 푸라나에서는 브리구와 닥샤 이름을 그 리스트에 추가해서 심지어 일곱 리쉬 대신에 아홉 리쉬를 만든다는 것이다. 그러나 모든 대중에게 알려진 성전에서는 똑같다. 씨크릿 독트린은 리쉬들에 대한 긴 계보를 제시하지만, 그것들을 많은 등급으로 나눈다. 일곱 등급 심지어 12 등급으로 나누어진 이집트의 신들처럼, 인도의 리쉬들도 그 하이어라키에서 마찬가지이다. 첫 번째 세 그룹은 신성한 그룹, 우주 그룹 그리고 달 아래 그룹이다. 다음으로 우리 태양계의 태양신들, 행성, 하위-속세 그리고 순전히 인간 그룹—영웅들과 *마누쉬(Manoushi)*—이 온다.

그러나 현재 우리는 우주발생 이전, 신성한 신들, 프라자파티 혹은 "일곱 건설자들"에만 관심을 갖고 있다. 이 그룹은 모든 우주발생론에서 틀림없이 발견된다. 이집트의 고대 문서들의 소실 때문에—M. 마스페로에 따르면, "이집트에서 종교적 진화의 역사를 연구하기 위해서 수중에 있던 역사상 자료와 자료들이 완전하지 않거나 이해 불가능하기 때문에"—씨크릿 독트린에서 가져온 진술들을 부분적으로 그리고 간접적으로 확증하기 위해서, 고대의 찬가들과 무덤의 비문들에 의존해야만 한다. 하여튼 그런 한 가지 진술은 오시리스가 브라흐마-프라자파티, 아담 카드몬, 오르마즈드 그리고 다른 많은 로고스들처럼 "창조자들" 혹은 건설자들 그룹의 통합이자 수장이라는 것을 보여 준다. 오시리스가 "하나(One)"이자 이집트의 최고 신이 되기 전에, 그는 세 개 등급의 상위 그룹에 속하는 천상의 건설자들 무리의 수장 혹은 리더로서 아비도스에서 숭배받았다. 아비도스 무덤에 봉헌된 돌기둥에 새겨진 찬송가가 오시리스에게 이렇게 말한다: "*시부*(*Sib*)의 맏이, 오시리스에게 경의를 표한다; 그대는 여신 *누우*(*Noo*) (원초의 물)로부터 나온 여섯 신들보다 높은 가장 위대한 자, 그대의 아버지 *라*(*Ra*)가 가장 아끼는 자; 아버지들의 아버지, 지속기간의 왕(King of Duration), 영원 속의 주인 . . . . 이것들이 당신의 어머니 가슴에서 나오자마자 모든 왕관을 모아서 *우라에우스* (뱀 혹은 나가)를[147] 그대 머리에 붙였다; *그 이름이 알려지지 않은 그리고* 마을과 도시에 많은 이름을 가진 많은 형상의 신. . .” 우주불의 뱀 상징인 *우라에우스*를 왕관으로 쓴 채 원초의 물에서 나오면서, 그리고 자신에 *누우*(*Nou*)와 *누트*(*Nout*)(하늘), 아버지-어머니(Father-Mother)에서 나온 여섯의 1차 신들 위의 일곱 번째로, 우두머리 프라자파티, 우두머리 세피로스, 우두머리 암샤스펜드-오르마즈드 이외에 누가 오시리스가 될 수 있겠는가! 이 후자의 태양신이자 우주신이 종교적 진화 초기에 “그 이름이 비밀이었던” 대천사과 같은 위상에 있었다는 것이 확실하다. 이 대천사는 *숨겨진* 유대인의 신, 미카엘의 지상에서 대표였다: “불기둥”처럼 유대인 앞에서 사라졌다는 것이 그의 “얼굴”이다. 브르노푸가 말한다: “일곱 암샤스펜드는 가장 확실하게 우리의 대천사들로 신성한 미덕들의 의인화를 지칭한다.” (*야크나에 대한 주석*, p. 174) 그리고 이 대천사들은 오시리스의 경우처럼 그들 모두는 “마을과 도시에서 너무 많은 이름을 가지고 있기 때문에,” 각각을 이교도의 원형과 대응하는 것으로 분류하는 것이 거의 불가능하지만, “확실히” 힌두의 *삽타리쉬*(*Saptarishi*)이다. 하지만 가장 중요한 어떤 것이 그들의 순서에서 보일 것이다.

이렇게 한 가지가 부인할 수 없게 증명된다. 그들의 하이어라키를 공부하고 그들의 신원 (독자성)을 찾으면 찾을수록, 역사의 가장 초기부터 우리에게 알려진 과거와 현재의 인격신들 중에 단 하나도 우주의 현현의 세 번째 단계에 속하지 않는 것이 없다는 증거를 더 많이 얻는다. 모든 종교에서 정지작업을 형성하는 숨겨진 신을 본다; 그러면 광선이 거기로부터 원초의 우주 물질 (최초 현현) 속으로 떨어진다; 그리고 나서 자웅동체의 결과, 남성 여성 이중의 추상적 힘이 인격화된다 (두 번째 단계); 이것이 자체가 결국에는 세 번째 단계에서 모든 고대 종교들에서 창조의 권능(Powers)으로 부르고 기독교인들이 “신의 힘들”로 부른 일곱 가지 힘으로 나누어진다. 후대의 설명과 형이상학적 추상적 자격조건이 로마 교회와 그리스 교회가 이 “힘들(Virtues)”을 일곱 대천사의 이름으로 구분하는 이름과 의인화로 숭배하는 것을 결코 막지 못했다. 탈무드에 있는 *드루심*의 서에서 (첫째 논고 p. 59), 맞는 카발라적 설명인 이 그룹들 사이의 어떤 구분이 주어진다. 그것은 말한다:

---

147 이집트어 나자는 인도인의 나가, 뱀-신을 많이 생각나게 한다. 브라흐마와 시바 그리고 비쉬누 모두 나가를 장식하고 나가와 연결되어 있다—그들의 주기적 우주적 성격의 표시.

"세 그룹의 *세피로스들이* 있다. 첫째. "신성한 속성들(attributes)" (추상적)으로 부르는 세피로스. 둘째. 물질적 혹은 항성적 세피로스 (인격적)—한 그룹의 일곱, 다른 그룹의 열. 셋째. 형이상학적 세피로스 혹은 *여호와의 우회적 표현*(*periphrasis of Jehovah*)으로 첫 번째 세 가지 세피로스 (케테르, 초크마 그리고 비나)이고, 나머지 일곱은 실재(Presence)의 (또한 행성들의) 일곱 영 (인격)이다."

그 의미를 비의적으로 번역하려면, 모든 신통기에서 똑같은 구분이 1차, 2차, 그리고 3차 신들의 진화에 적용되어야 한다. 우리는 신의 추상적 속성들의 순전히 형이상학적 의인화와 그들의 반영—별의 신들—과 혼동해서는 안 된다. 하지만 이 반영은 사실상 추상성의 객관적 표현이다: *살아 있는* 실체들이고 그 신성한 원형 위에 형성된 모형들이다. 더구나, 세 가지 형이상학적 세피로스 혹은 *"여호와의 우회적 표현"*은 여호와가 아니다; 바로 그것은 여호와 자신으로 아도나이, 엘로힘, 사바오스 그리고 그에게 후하게 준 많은 다른 이름들의 칭호를 가진 것으로, 그가 샤다이(Shaddai), שדי , 전능자의 우회적 표현이다. 그 이름은 진실로 완곡한 표현이며, 너무 풍부한 유대인의 수사적 표현으로 오컬티스트들이 항상 반대해온 것이다. 유대 카발리스트와 심지어 기독교 연금술사와 장미십자회원에게, 여호와는 많은 날개를 접으면 하나로 통합되고 대리자로서 채택된 편리한 장막이었다: 개별 세피로스의 한 가지 이름이 비밀을 가진 사람들에게 또 다른 이름과 마찬가지이다. 테트라그라마톤, 형언할 수 없는 자(Ineffable), 별의 "총합(Sum Total)"은 다른 목적 없이 세속인을 오도하고 생명과 발생을 상징하기 위해서 발명된 것이다.[148] 실재 비밀이자 *발음할 수 없는* 이름—"말씀이 아닌 말씀(the word that is no word)"—은 첫 번째 일곱 발산의 일곱 이름들 혹은 모든 거대한 국가들의 비밀 성전에 있는 그리고 심지어 모든 것 중에 가장 작은 카발라 전통인 유대인의 조하르에 있는 "불의

---

148 아비케브론의 "카발라" 번역자가 이 "총합"에 대하여 말한다: "케테르 글자는 י (요드), 비나 글자는, ה (헤), 야(Yah)와 함께 여성 이름이다; 호크마 글자인 세 번째 글자는 ו (보)가 테트라그라마톤, יהוה (야훼:YHVH)의 יהו YHV를 만들고 그 효력의 완전한 상징이다. 이 말할 수 없는 이름의 마지막 ה (헤)는 *항상 여섯 하위와 마지막에 적용되며, 일곱과 함께* 세피로스로 그대로 남아있는다." . . . 이렇게 테트라그라마톤은 그 추상적 통합에서 신성하다. 하위 일곱 세피로스를 포함하는 사중체로서, *그것은 남근 숭배적이다.*

아들들" 속에서 찾아야 한다. 이 단어는 각각의 언어에서 일곱 글자로 구성되어 있는데 세계에 있는 모든 웅대한 건물의 건축 유적 속에서 구체화된 것이 보인다; 이스터 섬에 있는 키클로프의 유적에서부터 (2만년 보다 4백만년[149] 전에 바다 속으로 침몰된 대륙의 일부분) 가장 초기 이집트 피라미드에 이르기까지.

이 주제에 대하여 한층 더 충분히 들어가서 그 문헌에서 언급된 진술을 증명하기 위하여 실질적인 설명을 해야 할 것이다.

현재 몇 가지 예들을 들어서 이 논고의 시작에서 주장한 것의 진리를 보여주는 것으로 충분하다. 즉, 기독교를 유일하게 제외하고, 전세계에 있는 그 어떤 우주발생론도 우리의 지구, 인간 혹은 이것과 연결된 모든 것의 직접적인 창조를 이 하나의 최고 원인, 보편적 신성 원리에 두지 않는다는 것이다. 만약 창세기가 완전하게 이해되었다면 그리고—한층 더 중요하게—올바르게 번역되었다면,[150] 이

---

149 물론 그 진술은 비상식적이고 터무니없으며 단순히 조롱받을 것이다. 그러나 에소테릭 붓디즘에서 가르쳤듯이 (점진적인 최초 침몰이 에오세 동안에 시작되었다), 아틀란티스의 마지막 침몰이 85만년 전에 있었다는 것을 믿는다면, 세 번째 근원인종의 대륙인 레무리아가 처음에는 화산 폭발로 거의 파괴되었고 마지막에는 가라앉았다는 진술을 받아들여야 한다. 이것이 주석에서 말하는 것이다: "최초 지구는 49가지 불로 정화되었으며, 사람들은 불과 물에서 태어나서 죽을 수 없다. . . 등등; (인종과 함께) 두 번째 지구는 수증기가 공기 중에서 사라지자 사라져버렸다. . . 세 번째 지구는 *분리 후에* 지상에 있는 모든 것을 태워버렸고, 낮은 심연 (대양) 속으로 내려갔다. 이것이 *두 번의* 82주기년 전이었다." 여기서 주기년은 항성년이고, 각각 25,868년인 춘분점의 진행 과정 위에서 보인다. 그리고 전체가 4,242,352년이다. 더 자세한 내용은 2권에서 볼 것이다. 한편 이 가르침이 "에돔의 왕들"에서 구체화되어 있다.

150 똑같은 판단 보류가 탈무드와 일신론 혹은 다신론이건 모든 종교 체계 속에서 보인다. "케테르 말쿠트"에 있는 카발리스트 랍비 솔로몬 가비롤이 지은 훌륭한 종교적 시에서 키뿌르(Kippur)의 기도에서 주어진 몇 가지 정의를 선택한다 . . . . "당신은 하나, 모든 수들의 시작 그리고 모든 건물의 토대이다; 당신은 하나, 그리고 당신의 단일성(Unity) 비밀 속에서 가장 현명한 사람들도 길을 잃는다. 왜냐하면 그들은 그것을 모르기 때문이다. 당신은 하나, 그리고 당신의 단일성이 결코 줄어들지 않고, 결코 확장되지 않으며, 변할 수도 없다. 당신은 하나지만, *수의 요소가 아니다; 왜냐하면 당신의 단일성은 배수, 변화 혹은 형태를 허용하지 않기 때문이다.* 당신은 존재한다; 하지만 유한자들의 이해와 비전은 당신의 존재에 다다를 수 없고, 당신 대신에 어디에, 어떻게 그리고 왜를 결정할 수 없다. 당신은 존재하지만, 당신 속에서만, 당신과 존재할 수 있는 다른 것이 아무것도 없다. 당신은 모든 시간 이전에 그리고 장소 없이 존재한다. 당신은 존재하고, 당신의 존재가 너무 심오하고 비밀스러워서 아무도 당신의 비밀을 꿰뚫어서 발견할 수 없다. 당신은 살아 있지만, 고정시킬 수 있거나 알려진 시간 속에 있지 않다. 당신은 살아 있지만, 영 혹은 혼에 의

진술은 창세기에서도 유효한 것처럼 유대인 카발라 혹은 칼데아 카발라에서도 유효하다. 모든 곳에서 로고스—진실로 "암흑 속에서 빛나는 *빛*(*Light* shining in Darkness)"—혹은 세계들의 건축가는 *비의적으로* 복수 숫자이다. 언제나 역설적인 라틴 교회는 창조자의 호칭을 여호와에게만 적용하면서, 여호와가 작업하는 힘들을 나타내는 전체 신들의 이름들을 채택하여, 그 이름들이 비밀을 드러내고 있다. 왜냐하면 만약 말한 힘들이 소위 "창조"와 아무 관계가 없다면, 왜 그들을 복수로 *엘로힘* (알힘)으로 부를까; "신성한 일꾼들(divine workmen)"이고 *에너지들*(*Ενεργεία*), *눈부시게 빛나는 천상의 돌들*(lapides igniti coelorum) 그리고 특히 "세계의 *지지자들*(*Κοσμοκράτορες*)," *세계의 통치자들 혹은 관리자들*(*rectores mundi*), 세계의 "수레바퀴들"(*Rotae*), 오파님(Ophanim), 불기둥들(Flames)과 권능들(Powers), "신의 아들들(*B' ne Alhim*)," "경계하는 조언자들(Vigilant counsellers)" 등등.

인도만큼이나 오래된 국가인 중국이 우주발생론을 가지고 있지 않다고 (종종 부당하게) 전제되어왔다. "그것이 공자에게 알려지지 않았고, 불교도들이 인격신을 도입하지 않은 채 그들의 우주발생론을 확장하였다"고 불평하였다.[151] 역경, "고대 사상의 본질과 가장 존경받은 성현들의 합작품이 뚜렷한 우주발생론을 보여주지 못한다." 그럼에도 불구하고, 하나가 있으며, 매우 뚜렷한 하나가 있다. 오직 공자가 미래 생을 인정하지 않았고,[152] 중국 불교도들이 *하나의* 창조자의 개념을 거부하고, 하나의 원인과 그것의 수많은 영향들을 받아들이면서, 그들은 *인격신*을 믿는 사람들에 의해서 오해를 받았다. 공자학파처럼 미덕 자체를 사랑하고 보상과 이익을 영원히 바라지 않고 이타적으로 선을 행하는 사람들에게, "이주"(transmigration)의 시작으로써 "태극"이 가장 짧고 아마도 모든 우주발생론에서 가장 암시적이다. 공자의 "태극"이 "양의"를 만든다. 이 "양의"가 다음으로 "사상"을 낳고, 이것이

해서가 아니다. 왜냐하면 당신은 당신 자신, 모든 혼의 혼이기 때문이다" 등등. 이 카발라의 신과 아브람, 이삭 그리고 야곱의 신, 아브람을 유혹하고 야곱과 씨름했던 신, 즉 성서의 여호와 사이에 거리가 있다. 베단타 학자들은 누구도 그런 파라브라흠을 부인하지 않는다.

151 조셉 에드킨, "우주발생론에 대하여," p. 320. 그리고 매우 현명하게 그들은 행동하였다.

152 만약 공자가 그것을 거부하였다면, 그것은 인간의 변화—다른 말로 하면 재탄생—와 지속적인 변형으로 부르는 것 때문이었다. 그는 우리가 인간의 불멸을 부인하듯이, 인간의 *개성의* 불멸을 부인하였다.

"팔괘"를 만든다. 공자학파들이 그것들 속에서 "축소된 하늘, 땅 그리고 인간"을 보지만" . . . 우리는 그것 속에서 우리가 좋아하는 것 어느 것이든 볼 수 있다고 불평한다. 의심할 여지없이, 그리고 많은 상징과 관련하여 그렇고, 특히 가장 최근 종교의 상징들에서 그렇다. 그러나 오컬트 숫자들에 대하여 아는 사람들은 이런 "양의" 속에서 하늘과 땅에 있는 대우주와 그것의 존재들의 조화로운 점진적인 조잡하더라도 진화의 상징을 본다. 그리고 (공자와 동시대 사람인) 피타고라스의 태초 우주발생론에서 숫자의 진화를 공부한 사람은 누구나 하나의 단 하나의 모나드에서 나오는 *삼개조*(*Triad*), *사개조*(*Tetractis*) 그리고 *데카드* 속에서 틀림없이 똑같은 개념을 볼 수 있다. 공자가 "점치는 것(divination)을 말해서" 그의 기독교 전기 작가가 이 구절 전후에 그를 비웃으며, 다음과 같이 말하는 것으로 나타냈다: "팔괘는 길흉을 결정하고, 이것들이 대업으로 이끈다. 하늘과 땅만큼 모방할 수 있는 더 큰 상(image)은 없다. 사계절 (사방위 등)만큼 더 큰 변화는 없다. 태양과 달만큼 더 밝은 멈춘 상은 없다. *사용하기 위해서 사물을* 준비할 때, *성인만큼 더 큰 사람은 없다*. 길흉을 결정할 때, *시초(divining straw)와 거북이만큼* 더 큰 것은 없다."[153]

그러므로 "시초"와 "거북이," "선들의 상징적 세트" 그리고 그것들이 하나와 둘로, 그리고 둘이 넷으로, 넷이 여덟으로 되고, 그리고 다른 조합의 "셋과 여섯"이 되면서 그것들을 보는 위대한 성인을 비웃었다. 단지 그의 현명한 상징을 이해하지 못하였기 때문이다.

그렇게 그 저자와 그의 동료들은 우리 문헌에서 제시된 스탠저를 틀림없이 비웃을 것이다. 왜냐하면 그것들은 정확히 똑같은 사상을 나타내기 때문이다. 오래된 태고의 우주발생론 지도는 공자학파 스타일에 있는 동심원과 점들로 된 *선*들로 가득 차 있다. 그러나 이 모든 것들은 우리 우주의 우주발생론의 가장 추상적이고 철학적인 개념을 나타낸다. 하여튼 그것이 성 어거스틴과 "가경자 비드(Venerable Bede)"의 우주발생론 논문보다 우리 시대의 과학적 목적과 필요조건에 더 잘 일치할 수 있다. 그들의 논문이 공자학파보다 천년 이후에 출판되었다.

---

153 개신교도들이 그를 비웃을 수도 있다; 그러나 로마 카톨릭은 신성 모독의 죄 없이 그를 비웃을 권리가 없다. 왜냐하면 로마 카톨릭이 공자를 중국의 성인으로 시성화한 이후 200년이 넘었기 때문이고, 그렇게 해서 무지한 유학자들 사이에서 많은 개종자를 얻었다.

공자는 고대 세계의 가장 위대한 성현들 중에 한 분으로 고대의 마법을 믿었고, "만약 *킨-유*(*Kin-yu*)의 진술을 당연한 것으로 받아들인다면" 그 자신이 그것을 실천하였다. . . 그리고 "그가 그것을 *이-킨*(*Yi-kin*)에서 극구 칭송하였다"고 존경하는 그의 비평가로부터 듣는다. 그럼에도 불구하고, 심지어 그의 시대에—즉 기원전 600년에—공자와 그의 학파는 지구의 타원형과 태양중심설을 가르쳤다; 반면에 중국 철학자 이후 1800년경에, 로마 교황은 똑같은 것을 주장하는 "이교도들"을 위협하였고 심지어 불태워 죽였다. 공자가 "성스러운 거북이(Sacred Tortoise)"를 말하는 것 때문에 조롱받았다. 편견 없는 사람은 신성의 후보자로써 거북이과 양 사이의 어떤 차이를 볼 수 없고, 둘 다 상징이며 그 이상도 아니다. 황소, 독수리,[154] 사자 그리고 종종 비둘기가 서구의 성서에 나오는 "성스러운 동물들"이며, 첫 세 가지가 복음서에서 그룹으로 보인다; 그리고 네 번째 (인간 얼굴)은 세라프, 즉 불의 뱀, 아마도 그노시스파의 아가토데몬이다.[155] 설명하였듯이, "성스러운 동물들"과 "신성한 넷(Holy Four)" 속의 불기둥(Flames) 혹은 "불꽃(Sparks)"은 *신성한 생각*(*Divine Thought*), 뿌리(ROOT) 속에 있는 우주에서 발견되는 모든 것의 원형을

---

154 성서에서 신성하다고 간주된 동물이 소수가 아니다: 승리의 신 혹은 *아자즈-엘*(*Azaz-el*)을 위한 염소. 아벤 에즈라가 말한다: "만약 그대가 아자젤의 신비를 이해할 수 있다면, 그의 (신의) 이름의 신비를 배울 것이다. 왜냐하면 그것은 성전에서 유사한 관계를 갖고 있기 때문이다. 그대에게 그 신비의 일부분을 암시로 말할 것이다; 그대가 *33살이 될 때* 그대는 나를 이해할 것이다." 거북이의 신비도 마찬가지이다. 성서의 은유의 시를 읽으면서 기뻐하고, "눈부시게 빛나는 돌들(incandescent stones)," "신성한 동물" 등등과 연관시키고 그리고 *드 방스 성서*에서 (19권, p. 318) 인용하면서, 프랑스의 경건한 작가가 말한다: "진실로 그들 모두는 그들 신처럼 *엘로힘*이다; 왜냐하면 이 천사들이, *성스러운 강탈을 통하여,* 그들이 여호와를 대표할 때마다 여호와의 매우 신성한 이름을 사용하기 때문이다." (영물학, 2권, p. 294) 어느 누구도 무한자, 하나의 불가지자(One Incognizable)로 가장해서, *말라킴* (메신저)이 하강하여 인간과 마시고 먹었을 때, 그 이름이 사용되었다고 의심하지 않았다. 그러나 만약 엘로힘이 (그리고 심지어 다른 하위 존재들이) 신의 이름을 가장하면서 여전히 숭배되었고 숭배된다면, 똑같은 엘로힘이 다른 신의 이름으로 나타날 때 왜 악마라고 불러야 하는가?

155 그 선택이 신기하고, 초기 기독교들이 그 선택에서 매우 모순적이라는 것을 보여준다. 왜냐하면 신약성서에서 독수리가 한번 만 언급되었고, 예수께서 그것을 썩은 고기를 먹는 새로 말할 때, (마태복음 24:28), 그들은 왜 이집트 이교도의 상징을 선택하였을까? 그리고 구약성서에서 그것이 지저분하다고 말했다; 사자를 사탄과 비교하며, 둘 다 인간을 잡아먹으려고 포효한다; 그리고 황소들이 사원에서 쫓겨난다. 한편 지혜의 모범으로써 따라야 할 뱀이 이제는 악마의 상징으로 간주되고 있다. 기독교 신학 속으로 비하된 크리스트 종교의 비의적 진주가 진실로 이상하고 맞지 않는 껍질 속에서 태어나서 그것에서 진화하는 것을 선택하였다고 말할 수 있다.

말하는 것이며, 이 뿌리는 완전한 입방체, 혹은 개별적으로 그리고 집합적으로 대우주의 토대이다. 그것들은 모두 원초의 우주 형태들과 그것이 최초 구체화된 것들, 작업 그리고 진화를 오컬트적으로 말하는 것이다.

가장 초기 힌두의 대중 우주발생론에서, 심지어 창조하는 것이 데미우르고가 아니다. 왜냐하면 푸라나 중에 하나에서 다음과 같이 말하기 때문이다: "세계의 위대한 건축가가 각 행성과 체를 돌아가며 밟아서 우리 행성계의 회전 운동에 최초 충동을 준다." "각각의 구체가 자전하고, 모두가 태양 둘레를 돌게 만드는 것이" 바로 이런 작용이다. 그 작용 후에, 각각의 구체들 (지구와 행성들)을 "칼파가 끝날 때까지 떠맡는 것이 바로 *브라흐만디카*, 즉 태양의 주들과 달의 주들 (디얀 초한들)이다." 창조자들은 리쉬들이다; 그들 대부분은 리그 베다의 찬송 혹은 만트라의 저자로 인정된다. 그들이 "존재들의 주," *프라자파티*로 될 때, 가끔 일곱, 어떤 때는 열이다; 그러면 그들은 대존재의 일곱 주기와 열 넷 주기의 ("브라흐마의 낮") 대표자로써, 다시 일곱 마누 그리고 열 넷 마누가 된다; 이렇게 일곱 *영겁*(*Aeon*)에 부합하게, 진화 첫 단계가 끝날 무렵에 그들은 일곱 별의 리쉬들, 삽타리쉬로 변형된다; 반면에 그들의 인간 복체들은 여기 지상에서 영웅들, 왕들 그리고 현자들로 나타난다.

동양의 비의 가르침이 그 기조를 제공하고 이룬 후에—그 가르침은 볼 수 있듯이 우의적인 옷을 입은 채 철학적이며 시적인 만큼 과학적이다—모든 국가가 그것의 모범을 따랐다. 비의적인 진리가 거부되지 않도록, 우리가 비의적인 진리에 의지하기 전에 먼저 대중적 종교로부터 뿌리의 사상을 파내야만 한다. 게다가, 모든 상징—모든 국가의 종교에 있는—을 비의적으로 읽을 수 있으며, 아무리 많은 상징들과 그림문자들이 그들 사이에서 다양할지라도—모두의 탁월한 일치로—그것을 상응하는 숫자들과 기하학 형태들로 바꾸어 씀으로써 그것을 올바르게 읽는 증거가 제시될 수 있다. 왜냐하면 기원에서 그 상징들은 모두 동일하기 때문이다. 다양한 우주발생론에서 시작하는 문장들을 예로 들어보자: 모든 경우에, 그것은 *원*, *알* 혹은 *머리*이다. 암흑은 항상 이 첫 번째 상징과 관련 있으며 그것을 둘러싸고 있다—힌두, 이집트, 칼데아-유대 그리고 심지어 스칸디나비아 체계에서 보여주었듯이—그래서 검은 까마귀, 검은 비둘기 검은 물 그리고 심지어 검은 불기둥; 아그니의 *일곱 번째* 혀, 검게 깜빡이는 불꽃으로 불리듯이, "*칼리*"라고 불리는 *불의 신*(*fire-god*). 두 마리

검은 비둘기가 이집트에서 날아서 도도나의 참나무 위에 앉아서 그들의 이름을 그리스 신들에게 주었다. 노아도 대홍수 이후에 검정 까마귀를 내보냈으며, 그것은 우주 프랄라야를 나타내는 상징이다. 그 이후 우리 지구와 인류의 실재적인 창조 혹은 진화가 시작되었다. 오딘의 검정 까마귀가 사가(Saga) 여신 주위에서 펄떡거렸고 "과거와 미래에 대하여 그녀에게 속삭였다." 그 모든 검정 새들의 진정한 의미가 무엇인가? 그것들은 모두 태초의 지혜와 연결되어 있고, 그것이 머리(Head), 원(Circle), 알(Egg)로 상징된 채, 만물의 우주 이전 근원에서 흘러나온다; 그리고 그것들은 모두 동일한 의미를 가지며 만물의 창조적 기원인 원초의 원형 인간 (아담 카드몬)을 말하며, 그것은 우주적 권능들의 무리(Host of Cosmic Powers)—창조적 디얀 초한으로—구성되어 있고, 그 너머는 모든 것이 암흑이다.

최소한 "까마귀"라는 단어의 근접한 의미를 수의 언어로 설명하기 위해서 카발라의 지혜—심지어 지금은 그것이 왜곡되고 베일로 가려졌더라도—를 탐구해보자. 이것은 "측정의 근원"에서 주어진 값이다.

"까마귀 용어는 한 번만 사용되며, *에트-호레브* 678= את-הערב 혹은 113 x 6으로 본다; 반면에 비둘기는 다섯 번 언급된다. 그것의 값은 71, 그리고 71 x 5 = 355이다. 여섯 직경 혹은 까마귀가 교차하면 355원의 원주를 12부분으로 나눈다; 그리고 355가 각 단위를 6으로 세분하면 213-0 혹은 창세기 첫 번째 구절에 있는 *머리* ("시작")와 같다. 이것을 똑같은 방식으로 2로 혹은 355/12로 나누면 213-2 혹은 라쉬(ב-ראש :*B'rash*) 혹은 전치사 접두어를 가진 창세기 첫 단어를 줄 것이다. 이것은 한 가지가 의도된 천문학적으로 똑같은 구체화된 일반 형태를 나타낸다." 이제 창세기 첫 구절의 비밀스러운 의미는 이렇다: "라쉬(*B'rash*) 혹은 머리 속에서, 신들, 하늘들 그리고 지구가 계발되었다"—대홍수 (노아의 홍수)의 유사한 의미가 일단 확인되면, 까마귀의 비의적 의미를 이해하기가 쉽다. 이 상징적 비유의 많은 다른 의미가 무엇이건, 그것의 *주요* 의미는 새로운 주기이자 새로운 라운드 (우리의 *4번째* 라운드)이다. [156] "까마귀" 혹은 "에트-호레브"는 "머리"와 똑같은 수치를

---

156 브라이언트가 다음과 같이 말할 때 옳았다: "두루이드 바데신은 노아가 그 속에서 1년 그리고 하루 머문 후에, 즉 364 + 1 = 365일 후에, 방주에서 나왔을 때 (새로운 주기의 탄생) 넵튠이

낳으며, 방주로 돌아가지 않았다. 반면에 비둘기가 올리브 가지를 가지고 돌아왔고, 그때 새로운 근원 인종 (그 원형이 바이바스바타 마누이다)의 새로운 인간, 노아가 그 방주를 떠날 준비가 되었을 때, 지상의 자연의 자궁 (혹은 *아르가*)은 첫 셋의 근원인종들의 순전히 영적인, 무성(sexless)의 자웅동체 인간의 상징이며, 그들은 지상에서 영원히 사라졌다. 숫자적으로 보면 여호와, 아담, 노아는 카발라에서 하나이다: 기껏해야 그것은 자연적인 과정을 통해서, 인간 속에서 그의 이미지로 화신하기 위해서, 아라라트 (나중에 시나이 산)로 하강하는 신성이다 그래서: 어머니의 자궁은 창세기에서 그 상징이 방주이며, 시나이 산, 등등이다. 유대인의 비유는 천문학적이고, 의인화라기 보다 순전히 생리학적이다.

그리고 여기서 두 체계 (아리안과 셈족)가 똑같은 토대 위에서 세워졌지만 그 둘 사이에는 심연이 있다. 카발라 옹호자가 보여주었듯이, "유대인 철학 근저에 놓여 있는 기본 사상은 신이 만물을 자신 속에 간직하며 (자웅동체로서) 남성이 *그의 이미지*였다; 여성을 포함하는 남성 (자웅동체로서);" 그리고 "기하학과 숫자들 (그리고 천문학에 적용할 수 있는 척도들)이 *남성*과 *여성*이라는 용어 속에 간직되어 있다; 그리고 외관상 그런 방식의 불일치는 만삭 기간에 의해서 남성과 여성을 숫자들과 척도들 그리고 기하학의 특정 체계와 연결하는 것을 보여줌으로써 제거되며, 이것이 보여준 사실들과 용어들 사이의 연결시키는 고리를 제공하였고, 사용된 방식을 완전하게 만들었다." 원초의 원인은 절대적으로 인식 불가하기에 "그것의 최초 *이해 가능한 현현*의 상징은 기하학, 남근 숭배 그리고 천문학 개념을 전달하기 위해서 지름을 가진 원의 개념이었다;" 그리고 이것이 마지막으로 "단순히 인간의 생식 기관의 의미에" 적용되었다고 주장한다.[157] 그래서 아담과 장로들과 노아에 이르기까지 사건들의 전체 주기가 남근 숭배 용도와 천문학적 용도에 적용되었고, 달의 기간처럼 전자가 후자를 조절한다. 그래서 또한 그들의 창세기는 방주에서 나온 후 그리고 대홍수의 *끝*—네 번째 근원인종—에서 시작한다. 아리안 체계는 그것과 다르다.

노아에게 *행복한 새해(happy New Year)*를 기원하면서 대홍수 물에서 탄생한 것을 축하하였다." "해" 혹은 주기는 비의적으로 성의 분리 후에 *여성에서 태어난* 인간의 새로운 인종이었고, 그것은 *이차적인* 의미의 비유이다: 그것의 주된 의미는 네 번째 라운드 혹은 *새로운* 창조의 시작이다.
157 미출판된 사본. ("측정의 근원" 참조)

동양의 비의 가르침은 하나의 무한한 신성, 만물의 그릇을 그런 용도로 결코 비하시키지 않는다; 그리고 이것은 리그 베다에 브라흐마의 부재로 보여지고 적당한 위상을 거기서 루드라와 비쉬누가 차지한 것으로 나타내어지며, 그들은 많은 세월 후에 대중 종교의 "무한자들," 강력하고 위대한 신들로 되었다. 그러나 심지어 그들, "창조자들"도 셋이 있듯이, 직접적인 창조자이자 "인간의 선조들"이 아니다. 인간의 선조들은 한층 더 낮은 위치를 차지하는 것으로 보여주고, 프라자파티, 피트리스 (우리의 달 선조들) 등등으로 불린다—결코 "하나의 무한한 신"이 아니다. 에소테릭 철학은 *육체적* 인간만을 신의 *이미지로* 창조된 것으로 보여 준다: 그러나 여기서 신은 *"작은 신들"*이다. 그것은 홀로 신성하고 신(god)인 실재의 자아(Ego), 상위 자아(Higher-Self)이다.

13장 일곱 창조

"낮도 밤도, 하늘도 땅도, 어둠도 빛도, 지성으로 이해할 수 없는 단 하나(ONE), 혹은 브라흐마이자 품스(Pums) (영)이고 프라드하나 (조잡한 물질)인 그것(THAT)을 제외하고 아무것도 없었다;" (*베다. "비쉬누 푸라나 주석"*); 혹은 글자 그대로: "하나의 프라드하니카(Pradhanika) 브라흐마 영: 그것(THAT)이 있었다." "프라드하니카 브라흐마 영"은 물라프라크리티이고 파라브라흐맘이다.

비쉬누 푸라나에서, 파라사라가 그의 제자인 마이트레야에게 말한다: — "나는 탁월한 무니, 그대에게 이렇게 여섯 창조를 설명하였다. . . 아르박스로타스 존재들의 창조가 일곱 번째였고, 인간의 창조였다." 그리고 나서 그가 계속해서 주석가들이 다양하게 해석한 두 가지 추가적인 매우 신비스러운 창조에 대하여 말한다.

오리게네스가 그의 반대자인 셀수스가 쓴 책에 대하여 논평하면서—신중한 교부들이 모두 파괴한 책들—분명하게 그의 반대자의 반대에 답하고 동시에 그의 체계를 드러낸다. 이것은 분명히 *칠중*이었다. 그러나 그의 신통기, 별 혹은 행성의 발생, 소리와 색의 발생, 모두가 대답으로 비꼬았고, 더 나은 것이 없었다. 보다시피 셀수스는 "그의 학식을 자랑하고 싶어서" *일곱 개 문*이 있는 창조의 사다리에 대하여 말하고, 그 꼭대기에 여덟 번째가 영원히 닫힌 채 있다. 페르시아인의 미트라(Mithras) 신비가 설명되고 "게다가 음악적인 이유들이 추가된다." . . . 그리고 이것들에다 그가 다시 "음악의 고려사항과 연결된 두 번째 설명을 덧붙이려고 한다"[158] — 즉 일곱 음계, 별들의 일곱 영 등등.

발렌티누스는 위대한 *일곱*의 힘에 대하여 상세히 설명하며, 그들은 그 이름이 일곱 글자로 구성된 형언할 수 없는 자(Ineffable) 혹은 *아르헤토스(Arrhetos)*가 첫 번째 *헤브도마드(hebdomad)*를 나타낸 후에 이 우주를 낳기 위하여 호출되었다. 이 이름 (아르헤토스)은 하나 (로고스)의 칠중 성질을 나타내는 이름이다. "*티마이오스*"에서

---

158 오리게네스의 "셀수스에 반박하여(Contra Celsum)," b, vi, 22장.

(p. 121) 프로클루스가 말한다: "여신 레아는 모나드, 듀아드 그리고 헵타드로," 그녀 속에 모든 타이탄들(Titanidae)을 포함하며, "그들은 일곱이다."

*일곱 창조*는 거의 모든 푸라나에서 발견된다. 그것들 모두는 윌슨이 "나누어지지 않은 원리(indiscrete Principle)"로 번역한 것이 선행되며, 이것은 감각의 대상과의 관계가 무엇이건 독립적인 절대적 영이다. 그것들은—

1) 마하따뜨바(Mahattattwa), 보편적 혼, 무한한 지성, 혹은 신성한 마인드;
2) 부타(Bhuta) 혹은 *부타사르가*, 엘리멘탈 창조, 보편의 비분리적 질료의 최초 분화;
3) 인드리야 혹은 *아인드리야카*, 유기적 진화. "이 셋이 푸라크리타 창조이고, 비분리적 원리가 선행하는 *비분리적 성질의 계발*이다";
4) 묵기야, 지각 가능한 사물들의 근본적인 진화는 활기 없는 체들의 진화이다;[159]
5) 타이리아교냐, 혹은 *티리약스로타스(Tiryaksrotas)는* 동물들의 창조이다;
6) 우르드와스로타스(Urdhwasrotas), 혹은 신성들의 창조[160] (?);
*7) 아르박스로타스(Arvaksrotas)*는 인간의 진화이다. (*비쉬누 푸라나 참조.*)

이것이 대중 문헌에서 주어진 순서이다. 비의 가르침에 따르면, 1차 일곱 "창조"와, 2차 일곱 "창조"가 있다; 전자는 하나의 원인 없는 힘에서 *스스로 진화하는* 거대한 힘들이다; 후자는 이미 분화된 *신성한* 원소들로부터 발산하는 현현된 우주를 보여준다.

비의적으로 그리고 대중적으로, 위에 열거된 모든 창조는, 브라흐마의 "낮(Day)" 혹은 "시대(Age)" 후이건, 진화의 일곱 기간을 나타낸다. 이것은 오컬트 철학의 탁월한 가르침이지만, 오컬트 철학은 "*1차(primary)* 창조에 대하여" 결코 "창조(creation)"라는 단어나 심지어 진화라는 단어를 사용하지 않는다: 그런 모든 힘들을 "*원인 없는 거대한 힘들의 측면들*"로 부른다. 성서에서 일곱 기간들이 창조의

---

159 본문에서 말한다: "그리고 네 번째 창조는 *여기서* 1차(primary) 창조이다. 왜냐하면 움직일 수 없는 *사물들*이 1차 창조라고 강력하게 알려지기 때문이다." (*피츠에드워드 홀의 정정 참조.*)
160 어떻게 신성이 동물 다음에 창조될 수 있을까? "동물"이라는 표현의 비의적 의미는 인간을 포함한 *모든 동물 생명의 씨앗*이다. 인간을 *희생적인 동물*로 부르며, 신에게 희생하는 동물 창조 중에서 유일한 동물이다. 더구나 "신성한 동물"은 언급했듯이 성전에서 황도대 십이궁을 종종 의미한다.

6일과 일곱 번째 휴식일로 축소되었으며, 서구 사람들은 그것을 글자 그대로 고수한다. 힌두 철학에서, 활동적인 창조자가 신들의 세계, 미분화된 모든 원소들의 씨앗과 미래 감각들의 기초를 만들었을 때 (간단히 말하면, 본체의 세계), 우주는 "브라흐마의 낮" 동안, 즉 4,320,000,000년 동안 바뀌지 않은 채 그대로 있다. 이것이 활동적인 진화의 여섯 기간 후에 따라오는 동양 철학의 "안식일" 혹은 일곱 번째 수동적인 기간이다. *사타파타 브라흐마나*에서 "브라흐마" (중성), 모든 원인들의 *절대적 원인*이 신들을 *발산한다.* (내재하는 성질을 통해서) 신들을 발산한 후에, 그 작업이 중단된다. 마누의 서 1권에서 말하길, "매일 밤 (프랄라야)이 끝나면, 잠자던 브라흐마가 깨어나고, 그리고 *운동 에너지만을 통해서* 자신으로부터 본질에서 존재하는 그리고 존재하지 않는 영을 발산하게 만든다."

카발라의 창조의 서, *세페르 예지라*에서, 저자가 마누의 말씀을 분명히 반복한다. 그 속에서 신성한 질료가 절대적이고 무궁한 영원부터 홀로 존재하여 온 것으로 그리고 자체인 영에서 발산하여 나온 것으로 나타내어진다. "하나(One)는 살아 있는 신의 영(Spirit)이다, 영원히 사는 그의 이름에 축복이 있기를! 목소리(Voice), 영(Spirit) 그리고 말씀(Word), 이것이 성령이다." (*세페르 예지라, 1장, 미쉬나 IX.*) 그리고 이것이 교부들이 버릇없게 의인화시킨 카발라의 추상적 삼위일체이다. 이 삼중 하나(ONE)에서 전체 우주가 발산하였다. 먼저 하나로부터 둘 혹은 창조적 엘리멘트, 공기가 발산하였다; 그리고 셋, *물*이 공기로부터 나왔다; *에테르* 혹은 *불*이 신비한 넷, 아르바-일(Arba-il)을 완성한다. 동양의 가르침에서 불이 첫 번째 엘리멘트이다— (그것이 모든 것을 간직하고 있기 때문에) 전체를 통합하는 *에테르*이다.

비쉬누 푸라나에서, 전체 일곱 기간이 주어졌고, "영-혼(Spirit-Soul)"의 점진적 진화와 물질 (혹은 원리)의 일곱 형태의 점진적 진화가 보인다. 여기서 그것들을 열거하는 것은 불가능하다. 독자가 푸라나들 중에 하나를 숙독할 것을 권한다.

R. 예후다가 시작했고, 이렇게 쓰였다: "엘로힘이 말했다: 물 가운데, 하늘이 있으라. . . . 성스러운 분이 . . . . 세계를 창조했을 때, 그 (그들)는 위에 일곱 하늘을 창조하였다. 그는 아래에 일곱 지구 (땅), 일곱 바다, 일곱 날, 일곱 강, 일곱 주, 일곱 해, 일곱 번 그리고 세계가 . . . 모든 밀레니엄의 일곱 번째였던 7천년을

창조하였다. 그래서 여기 아래에 일곱 지구가 있고, 그것들은 위에 있는 것들을 제외하고 모두 거주하였고, 그것들은 . . . 아래에. 그리고 . . . 각각 지구 사이에, 하늘이 서로 사이에 펼쳐 있다. . . . 그리고 그것들 (이 지구들) 속에 서로 다르게 보이는 피조물들이 있다. . . 그러나 그대가 반대하며 세계의 모든 아이들이 아담으로부터 나왔다고 말한다면, 그렇지 않다. . . . 그리고 하위 지구들, 그것들은 어디서 왔을까? 그것들은 *지구의 체인에서* 오고, 아래 하늘에서 온다." 등등.[161]

그노시스파가 진정한 비의적 의미를 매우 신중하게 베일로 가리면서 똑같은 체계를 가르쳤다는 우리의 증인이 바로 이레네우스이다 (그리고 매우 꺼리는 증인이기도 하다). 하지만 이런 "베일로 가리는 것"이 비쉬누 푸라나와 다른 것들의 베일과 동일하다. 이렇게 이레네우스는 마르코시안에 대하여 쓴다: "그들은 먼저 사원소, 불, 물, 흙 그리고 공기가 위에 있는 1차 *테트라*의 이미지로 만들어졌고, 그리고 그것들의 작용, 즉 열기, 냉기, 건조 그리고 습기를 추가한다면, 오그도아드와 정확히 닮은 것이 제시된다고 주장한다." (B. i. 17장.)

단지 이런 "닮음"과 *오그도아드* 자체는 하나의 눈가림이다. 마치 비쉬누 푸라나의 일곱 창조에서, 두 개의 창조가 더 추가되고 아누그라하로 부르는 여덟 번째가 "선함과 어둠의 특질을 소유한다"는 것은 푸라나 사상이라기 보다 상기아 사상처럼. 왜냐하면 이레네우스가 다시 이렇게 (b. i. 30장. 6) 말하기 때문이다: "그들 (그노시스파)은 선하고 악한, 신성하고 인간적인 비슷한 여덟 번째 창조를 가졌다. 그들은 인간이 *여덟 번째 날*에 형성되었다고 확언한다. 그들은 종종 인간이 *여섯 번째 날*에 만들어졌다고 확인하고, 다른 곳에선 여덟 번째 날에 만들어졌다고 한다; 만약 인간의 지상 부분이 여섯 번째 날에 형성되고 그의 육체 부분이(?) 여덟 번째 날에 형성되었다는 것이 아니라면, 이 두 가지가 그들에 의해서 구분되는 것이다."

그것들이 그렇게 "구분되었다", 그러나 이레네우스가 제시한대로 그렇게 구분되지 않았다. 그노시스파는 하늘에 상위의 *헤브도마드*와 열위의 *헤브도마드*를 가졌다; 그리고 세 번째 지상의 *헤브도마드*가 물질계에 있다. 이이아오(Iao), 오리게네스

---

161 마이어의 카발라, pp. 415~416.

차트에서 제시되었듯이, 달의 섭정자이자 신비 신으로, 이 상위 *"일곱 하늘"*의[162] 우두머리였고, 그래서 달의 피트리들의 우두머리와 동일하며, 그들이 그 이름을 달의 디얀-초한에게 준 것이다. "그들은 이 일곱 하늘이 지성적이라고 확언하며, *그것들을 천사들이 있는 것으로 말한다*"고 이레네우스가 쓰고 있다; 그리고 이런 이유 때문에 그들은 이이아오를 헤브도마스로 부르며, 그의 어머니를 *"오그도아스(Ogdoas)"*로 부른다. 왜냐하면 그가 설명하듯이 "그녀는 *플레로마의 첫째로 낳은 1차 오그도아드의* 수를 보존하기 때문이다." (b. i, 5장 2)

이 "첫째로 낳은 *오그도아드*"가 (a) 신통기에서 *두 번째 로고스*였고 (현현된) 왜냐하면 그가 칠중의 *첫 번째 로고스*(Seven-fold *first Logos*)에서 태어났기 때문이며, 그래서 그는 이 현현계에서 여덟 번째이다; 그리고 (b) 천체 숭배에서, 그것은 태양, 마르딴다(Marttanda)이다—아디티의 여덟 번째 아들로, 그녀가 그녀의 일곱 아들들, *행성들을* 지키는 반면에 그것을 물리친다. 왜냐하면 고대인들은 태양을 결코 행성으로 간주하지 않았고, *중심의 고정된 별*로 여겼기 때문이다. 그래서 이것이 일곱 행성이 아닌 *일곱 광선의* 하나(*Seven-rayed* one), 아그니, 태양 등등에서 태어난 두 번째 헤브도마드로, 수리야의 형제들이며, 그의 아들들이 아닌, 일곱 행성들이다. 이 *아스트랄* 신들은 그 우두머리가 그노시스의 일다바오스로[163]—일다(Ilda) "아이," 그리고 바오스(Baoth) "알"에서 온—소피아 (지혜)의 딸인 소피아 아카모스(Sophia Achamoth)의 아들이며, 그의 영역이 플레로마이고, 그의 (일다바오스) 아들들이었다. 그는 자신으로부터 이 여섯 별의 영을 만든다: *조부(Jove)* (여호와), *사바오스*, *아도나이*, *엘로이(Eloi)*, *오스라이오스(Osraios)*, *아스타파이오스(Astaphaios)*[164] 그리고 두 번째 혹은 열위의 헤브도마드가 바로 그들이다. 세 번째에 대하여, 그것은 첫째 헤브도마드가 투사한, 달의 신들의 그림자들, 원초의 일곱 인간으로 구성된다. 이것에서 그노시스파는 그것을 베일로 가렸다는 것을 제외하고 비의 가르침과 많이 다르지 않는다. 여섯 번째 날에 창조되는 인간과 여덟 번째 날에 창조된 인간에 관하여, "이교도들"의 진정한 가르침을 분명히 모르는 이레네우스가 한 비난에

---

162 단지 지구의 "하늘들(Heavens)" 혹은 영들(Spirits)보다 우수한.

163 "아이시스 언베일드" 2권, p. 183.

164 킹의 그노시스파 참조. 다른 파는 여호와를 일다바오스 자신으로 간주하였다. 킹은 그를 새턴(Saturn)과 동일시한다.

대하여, 이것은 내면의 인간의 신비와 관련 있다. 독자가 2권을 읽고, 비의 가르침의 인간발생론을 잘 이해한 후에만, 그것이 이해 가능하게 될 것이다.

일다바오스는 마누의 복사판이다. 마누가 자랑한다. "오, 두 번 태어난 인간들 중에 최고! 저 남성 비라즈(Viraj)가 . . . 자발적으로 만든, 이 모든 세계의 창조자, 내(마누)가 그라는 것을 알아라." (I., 33절) 그가 먼저 존재의 열 주들(ten lords), 프라자파티를 창조하며, 36절에서도 말하듯이, 프라자파티가 "일곱의 다른 마누들을 만든다." ("*마누의 법전*") 일다바오스도 마찬가지로 한다: "나는 아버지이고 신이며, 그래서 내 위에는 아무도 없다"고 그가 외친다. 그의 어머니가 이렇게 말하면서 그를 차갑게 가라앉힌다: "일다바오스, 거짓말하지 마라, 왜냐하면 만물의 아버지, *최초 인간(Anthropos)이 그대 위에 있으며, 그리고 최초 인간의 아들(Son of Anthropos)도 마찬가지이다.*" (이레네우스, b. i, 30장, 6절) 이것이 (첫째에서 태어난 일곱에다가) 셋의 로고스가 있었다는 훌륭한 증거이고, 이들 중에 하나가 *태양로고스*이다. 그러면 일다바오스 보다 훨씬 더 높은 "*인간(Anthropos)*"은 누구였나? 그노시스 기록들만이 그 수수께끼를 풀 수 있다. *피시티스 소피아*에서 네 모음의 이름 IEOY 가 각각의 경우에 "원초의(Primal) 혹은 첫째 인간(First man)"이라는 형용사를 수반한다. 이것은 그노시스가 우리의 고대 가르침의 메아리였다는 것을 다시 보여준다. 파라브라흠, 브라흠 그리고 마누 (최초로 *사고하는* 인간)에 대응하는 이름들은 단모음, 세 모음 그리고 일곱 모음의 소리로 구성된다. 그 철학이 다른 것보다 확실히 더 피타고라스 학파 철학인 마르코가 일곱 하늘이 일곱 (천사) 하이어라키들의 일곱 이름들을 발음할 때 각각의 모음 하나를 소리내는 일곱 하늘이 그에게 준 계시를 말한다.

영이 우주의 일곱 원리의 가장 미세한 원자에 스며들었을 때, 그러면 *2차* 창조가 위에서 말한 휴식 기간 후에 시작된다.

"창조자들 (엘로힘)이 *두 번째* '시간'에 인간의 형상을 대략 그린다"라고 랍비 시미온이 말한다 (*유대인의 낮과 밤*). "낮에는 12시간이 있고, 이 시간 동안에 창조가 이루어진다"고 *미쉬나*가 말한다. "낮 12시간"은 축소된 복사판으로, 원초의 지혜의 희미하지만 충실한 메아리이다. 그것들은 신들의 12,000 신성년처럼,

주기적인 블라인드이다. 모든 "브라흐마의 낮"은 14마누가 있고, 유대인 카발리스트들은 칼데아인들을 따라서 "12시간"으로 가장하였다.[165] 티아나의 아폴로니우스의 *낮과 밤(Nuctameron)도 같은 것이다.* 카발리스트들은 "12면체가 완전한 정육면체 속에 숨겨져 있다"고 말한다. 이것의 신비적 의미는 영이 물질 속으로 들어가는 12가지 위대한 변형이 (12,000 신성년) 첫 번째 *마하유가* 혹은 네 가지 위대한 시대에 일어난다는 것이다. 그것은 형이상학적 초-인간으로 시작해서, 그것이 대우주와 인간의 물질적 순전히 인간적 성질에서 끝난다. 동양 철학은 가시적인 것과 비가시적인 것의 영적 물질적 진화의 선을 따라서 흐르는 인간의 여러 해들의 숫자를 제시할 수 있다. 반면에 서양의 과학은 그렇게 하지 못한다.

1차 창조는 *빛 (영)의 창조*로 부른다; 그리고 *2차* 창조—어둠 (물질)의 창조.[166] 둘 다 창세기 1장 v. 2와 2장 시작에서 보인다. 첫째가 스스로 태어난 신들 (엘로힘)의 발산이다; 둘째가 물질 성질의 발산이다.

이것이 조하르에서 이렇게 말한 이유이다: — "오, 동료들이여, 동료들이여, 발산으로서 인간은 남성과 여성이었다; 그리고 아버지 측면이자 어머니 측면이었다. 그리고 이것이 말씀들의 의미이다: — 그리고 엘로힘이 말했다: '빛이 있으라 그리고 빛이 있었다!' . . . 그리고 이것이 '두 겹의(two-fold) 인간'이다." 게다가 우리 계의 빛은 상위계에서 *어둠*이다.

"아버지 측면에 있는 남성과 여성" (영)은 1차 창조를 말한다; 그리고 어머니 측면 (물질)은 2차 창조이다. 두 겹의 인간은 아담 카드몬, 남성과 여성의 추상적 원형이자 *분화된* 엘로힘이다. *인간이* 디얀 초한에서 나오고, 볼 수 있듯이, 망명 중인 신, "추락 천사(Fallen Angel)"이다.

인도에서 이런 창조들을 다음과 같이 묘사한다: —

---

165 하지만 다른 곳에서 정체성이 드러난다. 이븐-가비롤과 그의 일곱 하늘, 일곱 지구 등등에서 인용한 위 참조.
166 이것을 *우주 이전* "암흑(Darkness)" 즉 신성한 전체(Divine all)와 혼동해서는 안 된다.

(I.) *마하트-타뜨바* 창조—왜냐하면 그것은 마하트, "의식적 지성적 신성한 마인드(Mind)"가 되어야 하는 그것이 원초에 스스로 진화한 것이기 때문이다; 비의적으로 "보편 혼의 *영*(*spirit* of the Universal soul)." . . "고행자들 중에 가장 훌륭한 고행자, 그 잠재성 (*그 원인의 잠재성*)을 통해서; *만들어진* 모든 원인은 그것의 적절한 성질을 얻는다." (비쉬누 푸라나) "모든 존재들의 잠재성이 *그것* (브라흐마)에 대한 지식을 통해서만 이해되고, 그것은 추론, 창조 등등을 넘어서 있다는 것을 보면서, 그런 잠재성은 브라흐마에 속한다고 할 수 있다." 그러면 그것이 현현보다 앞선다. "최초가 *마하트*였다"라고 *링가 푸라나*가 말한다; 왜냐하면 하나 (그것)는 *처음*도 *마지막*도 아니라, 모든 것이기 때문이다. 그러나 대중적으로 이 현현은 "지고의 하나(Supreme One)" (오히려 영원한 원인의 자연적인 *결과*)의 *작업*이다; 혹은 주석가가 말하듯이, 그러면 브라흐마가, 마하트, 활동적 지성 혹은 지고자의 작동하는 의지와 동일시되면서, 창조되었다는(?) 것을 의미하는 것으로 이해될 수도 있다. 비의 철학은 그것을 "작동하는 법(operating law)"으로 표현한다.

세 가지 베단타 종파들—아드바이타, 드와이타 그리고 비시쉬타드바이타—사이에 있는 불화의 사과가 달려 있는 것이 바로 브라흐마나와 푸라나 속에 있는 이 가르침에 대한 올바로 이해이다. 아드바이타가 올바르게 주장하길, 절대적 전체로써 파라브라흐맘은 현현된 세계와 아무 관계를 갖지 않으면서—무한자는 유한자와 어떤 연결 관계가 없다—*의지하거나 창조할* 수도 없다; 그러므로 브라흐마, 마하트, 이쉬와라 혹은 창조적 힘을 어떤 이름으로 부르건, 창조신과 만물은 단순히 상상하는 사람들의 개념 속에 있는 파라브라흐맘의 환영적 측면이다; 반면에 다른 파들은 초월적 (비인격적) 대원인을 창조자 혹은 이쉬와라와 동일시한다.

하지만 바이쉬마나들에게, *마하트* (혹은 마하-붓디)는 *활동적 작용 속에 있는* 신성한 마인드로, 혹은 아낙사고라스가 말하듯이, "질서정연하게 배치하는 마인드로, 그것은 만물들의 원인이었다."

윌슨은 페니키아인의 모트(Mot) 혹은 무트(Mut) 사이의 암시적인 연결 관계를 보았고, 이것은 이집트인에게 여성—여신 마우트(Mout), "어머니(Mother)"—으로, 그것은 "마하트처럼," 그가 말하길, "영과 물질의 혼합의 최초 산물이자, 창조의 최초

기초였다: "그 영과의 합일에서 모트(Mot)가 나왔다 . . . . 그의 씨앗에서 모든 살아 있는 것들이 창조되었다"고 브럭커가 반복한다 (I., 240)—그것에 한층 더 물질적인 의인화의 색채를 준다.

그럼에도 불구하고, 그 가르침의 비의적 의미가 원초 창조를 다루는 고대 산스크리트 본문 바로 그 표면에 있는 모든 외적인 문장을 통해서 보인다. "지고의 혼, *만물에 스며드는* (사르바가) 세계의 질료, 물질 (푸라크리티)과 영 (푸루샤) 속으로 들어가서 (*이끌려서*), *변이 원리와 불변의 원리를 휘저었으며*, 창조의 계절 (만반타라)이 오고 있다."[167] . . .

비의 가르침에서 디얀 초한은 신성한 지성 혹은 원초 마인드의 집합적 종합이고, 최초 마누들—"마인드에서 태어난" 일곱의 영적 대지성들—이 이들과 동일하다고 가르친다. 그래서 "관-세-음"—스탠저 III에서 "일곱의 황금 용(golden Dragon)"—은

---

167 그리스인의 *누스(nous)*는 (영적 혹은 신성한) 마인드 혹은 *멘즈(mens)*, "마하트"로 물질에 똑같은 방식으로 작용한다; 그것은 "물질 속으로 들어가서" 그것을 *휘젓는다*:

"내면의 영이 지탱하고, 그 부분을 스며드는 마인드가,
전체를 흔들고 거대한 뼈대와 섞인다."— 베르길리우수, *아에네이드,* 6. 726-7

페니키아 우주론에서도, "자신의 원리와 섞이는 영이 창조를 낳는다"; (브럭커, I., p. 240); 오르페우스의 삼중체가 동일한 가르침을 보여준다: 왜냐하면 *파네스(Phanes)* (혹은 에로스), 천연 그대로의 *미분화된* 우주 물질을 포함하는 *카오스* 그리고 *크로노스* (시간), 이 셋이 협력한 원리로, "창조" 작업을 만드는 불가해하고 숨겨진 *점(point)*에서 발산한다. 그리고 그들은 힌두의 *푸루샤* (파네스), *프라드하나* (카오스) 그리고 *칼라* (크로노스) 혹은 시간이다. 윌슨 교수는 기독교 성직자처럼 그 생각을 좋아하지 않는다. 그가 말하길, "지금 설명되듯이, (지고 영 혹은 혼)의 *혼합은* 기계적이 아니다; 그것은 결과를 만드는 *중간적 대리인에 미친 영향 혹은 결과*이다." 비쉬누 푸라나에 있는 문장: "향기가 마인드 자체에 즉각 작용하기 때문이 아니라, 가까이 있어서 마인드에 영향을 주듯이, 마찬가지로 지고자가 창조 요소에 영향을 주었다," 박학한 산스크리트 학자가 올바르게 설명하듯이: "향기가 실제 접촉해서 마인드를 즐겁게 하는 것이 아니라 후각에 인상을 줌으로써 마인드에 전달하여 마인드를 즐겁게 하듯이," 부언하면, "지고자가 영과 물질 속으로 들어가는 것은, 지고자와 동일시된, 영이 푸라크리티 혹은 물질속으로만 주입된 것처럼, 그것에 대한 관점보다 덜 이해될 수 있다." 그는 *파드마 푸라나*에 있는 구절을 선호한다: "푸라크리티의 남성 (영)으로 부르는 그 . . . 그 똑같은 신성한 비쉬누가 푸라크리티 속으로 들어갔다." 이 "관점"은 성서에 있는 롯(Lot) (창세기 19장, 34-38)같은 원로에 대한 그리고 심지어 아담 (4장, 5장, 1절)과 한층 더 인격적 성질의 다른 것에 대한 어떤 구절의 유연한 성격과 확실히 비슷하다. 그러나 인류를 *남근 숭배*로 이끈 것이 바로 그것이었고, 기독교는 창세기 첫 장부터 계시록까지 그것으로 스며 들어 있다.

원초의 로고스 혹은 브라흐마, 최초 현현된 창조 권능이다; 그리고 디야니-에너지는 마누들 혹은 *집단적으로 마누-스와이얌부바*이다. 게다가 "마누들"과 "마하트" 사이에 직접 연결관계를 보기 쉽다. *마누*(*Manu*)는 어근 만(man), "생각하다"에서 나온다; 그리고 사고는 마인드에서 나온다. 그것은 우주론에서 *성운 이전* 기간이다.

(II.) "두 번째 창조," "부타(Bhuta)"는 기초 원리들 (탄마트라)의 창조였고, 그래서 엘리멘탈 창조로 불린다. (*부타-사르가*)[168] 그것은 *우주 이전* 엘리멘트들 혹은 물질의 분화의 최초 호흡의 기간이다. *부타디*(*Bhutadi*)는 글자 그대로 "엘리멘트들의 기원"이고, 원초의 "아카샤" (카오스 혹은 진공) 속에 있는 그 엘리멘트들의 분화 혹은 "창조"—*부타-사르가*—를 선행한다.[169] 비쉬누 푸라나에서 자아성(Egotism)으로 번역되지만, 오히려 번역할 수 없는 용어인 "나는 있음(I-am-ness)," "마하트" 혹은 신성한 마인드에서 최초로 나온 그것, *아한카라*의 삼중 측면을 따라서 진행되고 그리고 그것에 속한다고 말한다; 그것은 자아-상태의 최초의 그림자 같은 윤곽이다. 왜냐하면 "순수한" 아한카라가 "격정적(passionate)"으로 되어 결국에는 "근보적(rudimental)"으로 (시초의) 되기 때문이다; 비의학파에서는 우리의 환영계이자 무지계를 제외하고 어떤 것이 "무의식적"이라는 사상을 거부하지만, 그것은 모든 무의식적 존재처럼 의식적 존재의 기원이다. 두 번째 창조 단계에서, 마누들의 두 번째 하이어라키, 형태(루파)의 기원인 데바들 혹은 디얀 초한들이 출현한다: *치트라시칸디나* (밝은 깃장식을 한 존재) 혹은 *릭샤*—(큰곰자리의) 일곱 별의 생명을 불어넣는 혼들이 된 그 리쉬들.[170] 천문학과 우주론 언어로 이 창조는 원자들이 *라야*에서 나올 때 혼돈 단계 후에,[171] *불-안개*기간, 우주적 생명의 첫 단계를 말한다.

---

168 이 모든 문장은 "비쉬누 푸라나," 1권 2장에서 인용되었다.

169 비쉬누는 부테사, "원소들과 만물의 주"이자 비스와루파, "보편 질료 혹은 혼"이다.

170 그것의 *사후-유형*에 대하여 트리테미우스(Trithemius) (아그리파의 스승, 16세기)가 쓴 논고 참조. "신을 따라서 우주를 활성화시키는 일곱 이차존재 혹은 영적 지성들에 대하여;" 세계의 과정(코스)의 칠중 단계를 주재하고 안내하는 엘로힘 혹은 지니(Genii)에 대한 어떤 사실과 믿음에다가 비밀 주기와 몇 가지 예언을 제시한다.

171 처음부터 동양학자들은 푸라나 창조 속에 있는 어떤 가능한 질서에 관하여 그들이 거대한 어려움으로 둘러싸였다는 것을 발견하였다. 브라흐마를 너무 자주 브라흐마와 윌슨이 혼동하였으며, 그의 후계자가 그것을 비난하였다. 비쉬누 푸라나 번역을 위하여 피츠워드 홀 씨가 선호한 "산스크리트 원문"이 윌슨이 사용한 것보다 선호된다. "윌슨 교수가 지금 인도 철학 학생이 갖는 그런 이점을 가졌었다면, 의문의 여지없이 그가 다르게 표현했을 것이다"라고 그의 작품

(III.) 세 번째 (*인드리야*)는 "나(I)"에 대한 개념 (*"아함"*에서 온 "나(I)"), *아한카라*의 변형된 형태로, 유기적 창조 혹은 감각들의 창조이다. (*아인드리야카*) "이 세 가지가 푸라크리타 창조로, 비분리적 원리가 선행된 비분리적 성질의 (분리의) 계발이다." 여기서 "선행된"이라는 구절이 붓디로 "시작하는"으로 대체되어야 한다; 왜냐하면 붓디는 분리적 (별개의) 혹은 *비분리적 양*이 아니라, 대우주처럼 인간 속에서 둘의 성질에 함께 하기 때문이다: 하나의 단위—환영계에 있는 인간 모나드—로 아한카라의 세 형태로부터 일단 자유롭게 되어 지상의 마나스로부터 해방될 때, *붓디*가 지속기간과 확장 속에서 진실로 지속되는 어떤 양으로 된다. 왜냐하면 붓디는 영원하고 불멸하기 때문이다. 이전에 *세 번째* 창조는 "선의 특질이 풍부하며, *우르드바스로타스*로 불렸다; 그리고 두 세 페이지 뒤에서 *우르드바스로타스* 창조를 "여섯 번째 창조 . . . 신성들의 창조"로 언급되었다. (p. 75) 이것은 일반인이 진리를 인식하지 못하도록 막기 위하여 이전 만반타라 뿐만 아니라 나중 만반타라가 의도적으로 혼란스럽게 되었다는 것을 분명하게 보여준다. 이것을 동양학자들이 "불일치"이자 "모순"이라고 부른다.[172]

불멸자들의 "창조," *"데바-사르가"*가 첫 번째 시리즈의 마지막이고, 보편적으로 말하는 것이다; 즉, 일반적으로 진화를 말하는 것이지, 구체적으로 우리의 *만반타라*가 아니다; 그러나 후자는 그것이 몇 가지 구분되는 칼파들을 말하는 것을 보여주면서, 반복해서 똑같이 시작한다. 왜냐하면 "과거 (파드마) 칼파가 끝날

편집자가 말했다. 토마스 테일러 옹호자들 중에 한 명이 플라톤 번역을 비난한 학자들에게 제시한 대답 중에 하나를 기억하게 만든다. "토마스 테일러가 그를 비난한 비평가들보다 그리스에 대한 지식이 적었을 수 있지만, 그는 그들보다 플라톤을 훨씬 더 잘 이해하였다"고 그가 말했다. 윌슨이 부인할 수 없게 매우 증대한 오류를 저질렀지만, 현재 동양학자들은 윌슨 보다 산스크리트 본문의 신비적 의미를 훨씬 더 왜곡시킨다.

172 "대지성(Intelligence)으로 시작하는 세 가지 창조는 엘리멘탈이지만, 지성이 첫째인 일련의 창조에서 나오는 여섯 창조는 브라흐마의 작업이다." (*바이유-푸라나*) 여기서 "창조"는 모든 곳에 있는 진화의 단계들을 의미한다. *마하트* 혹은 "대지성" 혹은 마인드 (마나스에 상응하는 것으로, 전자는 우주계에서 그리고 후자는 인간계에 있다)는 여기서 붓디 혹은 초-신성한 대지성(Supra-divine Intelligence)보다 낮은 위치에 있다. 그러므로 *링가 푸라나*에서 "최초 창조가 마하트 창조였고, 대지성이 최초 현현이다"라고 읽을 때, 그 (구체화된) 창조를 우리 태양계 혹은 심지어 우리 지구의 최초 진화로 봐야 한다. 푸라나에서는 이전 태양계 혹은 지구에 대하여 논의되거나 심지어 암시되지도 않는다.

무렵에 신성한 브라흐마가 밤 잠에서 깨어났고 우주가 텅 빈 것을 보았다"고 말하기 때문이다. 그리고 나서 브라흐마가 객관계에서 첫 세 가지 창조를 반복하면서, 진화의 2차 단계에서 "일곱 창조"를 다시 한번 반복하는 것을 보여준다.

(IV.) *묵기야(Mukhya)*, 네 가지 창조 시리즈를 시작하는 1차(Primary) 창조. 윌슨이 번역한 "무생물(inanimate)"의 여러 체 혹은 *움직일 수 없는(immovable)* 사물들이라는 단어가 사용된 산스크리트 용어에 대한 올바른 생각을 주지 못한다. 비의 철학이 어떤 원자이건 그것이 *무생물(inorganic)*이라는 생각을 거부하는 유일한 것이 아니다. 왜냐하면 그것이 정통 힌두교에서도 발견되기 때문이다. 게다가 윌슨 자신도 말한다 (그의 전집, 3권, p. 381): "모든 힌두 체계는 식물체가 생명을 부여받았다고 여긴다 . . ." 그러므로 *차라차라(Charachara)* 혹은 동의어 *스타바라(sthavara)*와 *잔가마(jangama)*는 "생물과 무생물," "지각있는 존재" 그리고 "무의식적" 혹은 "의식적 그리고 무의식의 존재들" 등등으로 부정확하게 표현된 것이다. 나무들이 혼을 가지고 있다고 간주되기 때문에, "움직이는(locomotive) 그리고 고정된"이라는 용어가 더 나을 것이다. *묵기야*는 식물계의 유기적 진화 혹은 창조이다. 이 *2차* 시기에, 이 세계에서 세 등급의 엘리멘탈계가 진화되며, 그것은 브라흐마 활동의 1차 시기 동안 세 가지 푸라크리티 창조에 순서상 *거꾸로* 상응한다. 그 기간 동안에 비쉬누 푸라나에서 말한다: "첫 번째 창조는 마하트 (대지성)의 창조였고, 두 번째는 탄마트라 (기초 원리들)의 창조, 그리고 세 번째는 감각들 (아인드리야카)의 창조였다"; 이것에서 엘리멘탈 힘의 순서는 이렇다: (1) *발생하는* 힘 센터 (지성적 그리고 물리적); (2) 기초 원리—말하자면 *신경의 힘*; 그리고 (3) 발생하는 *통각(apperception)*으로, 특히 세 번째 등급의 엘리멘탈 속에서 계발된 하위 왕국의 마하트이다; 이것들 다음으로 객관적 광물계가 오고, 이것 속에서 그 통각이 전적으로 잠재하고 있으며, 식물 속에서만 다시 계발해야 한다. 그래서 *묵기야* "창조"는 세 가지 하위 왕국과 세 가지 상위 왕국 사이의 중간 지점으로, 이것이 지구처럼 대우주의 비의적 일곱 왕국을 나타낸다.

(V.) *티리약스로타스—혹은 타이리야그요냐(Tairyagyonya)*—창조,[173] "신성한 동물"의

---

173 데바에 대한 진실이 매우 분명하게 설명되었지만, 윌슨 교수는 동물들이 신성 혹은 천사보다

창조는 지구에서만 동물 창조에 상응한다. *1차* 창조에서 "동물"이 의미하는 것은 지구상에 있는 어떤 민감한 식물들 속에서 그리고 희미하게 추적 가능하고 원생생물[174] 속에서 한층 더 구분되는 그것, 깨어나는 의식 혹은 통각의 씨앗이다. 우리 구체에서, 첫 번째 라운드 동안에, 동물 "창조"가 인간의 창조보다 선행한다. 반면에 네 번째 라운드에서 포유류가 인간에서 진화하여 나온다—물질계에서: 첫 번째 라운드에 동물 원자들이 인간의 육체 형태의 응집력 속으로 이끌려 들어온다; 반면에 네 번째 라운드에 삶 기간 동안 계발된 자성적인 조건에 따라서 그 반대가 일어난다. 그리고 이것이 *혼의 이주(metempsychosis)*이다. ("5년간의 신지학"에 있는 "광물 모나드," p. 276 참조.) 대중적으로 "창조"라고 부르는 이 다섯 번째 진화 단계를 1차 기간과 2차 기간 속에서 볼 수 있다. 하나는 영적 우주적, 다른 것은 물질적 지상의 기간으로. 그것이 일곱 계에서 생명의 *현현*에 관한한, *아치바이오시스* 혹은 생명-기원이다. 바로 이 진화 기간에 비의 철학 언어로 "거대한 대숨결(GREAT BREATH)"이라고 부르는 그것, *절대적으로 영원한* 보편 운동 혹은 진동이, 원초의 최초 현현된 원자 속에서 분화시킨다. 물질 과학과 화학이 발전할수록, 점점 더 이 오컬트 금언이 지식의 세계에서 그 확증을 찾는다: 심지어 가장 단순한 물질 원소도 성질에서 동일하고 질료 입자 혹은 분자 속에 있는 *원자*들의 분포의 다양성 때문에만 혹은 *그 원자의 진동* 방식 때문에만 서로 다르다는 과학적인 가설이 매일 점점 더 확증을 얻는다.

이렇게 생명의 원초의 씨앗의 분화가 1차 창조에서 존재의 하이어라키 혹은 *세 번째* 그룹의 디얀 초한의 진화보다 선행하기 때문에, 그 신들이 형태로 (그들의 최초 에테르 형태로 구체화되기) 될 수 있기 전에, 동물 창조가 똑같은 이유로 지상에서 *신성한* 인간보다 *선행해야* 한다. 그리고 이것이 우리가 푸라나에서 찾은 이유이다: "다섯 번째 창조는 동물 창조였다, 그리고—

"창조" 등급에서 더 상위에 있는 것처럼 그것을 번역한다. 본문에서 말하길, 이 "창조"는 1차(*프라크리타*)와 2차 (*바이크리타*) 이다. 브라흐마에서 나온 신들의 기원은 후자이다 (우리 물질 우주의 *인격화된 창조자*); 첫째 원리의 즉각적 생산이 루드라에 영향을 주는 전자(1차) 이다. 루드라는 시바의 칭호만이 아니라, 나중에 볼 것이지만, 창조 대리인들, 천사와 인간을 포함한다.

174 식물도 동물도 아닌, 둘 사이의 존재.

(VI). *우르드바스로타스(Urdhvasrotas) 창조*, 혹은 신성의 창조. (비쉬누 푸라나, 1권, 1장) 그러나 이 (신성)은 단순히 첫 번째 인종의 원형, *부드러운* 뼈를 가진 "마인드에서 태어난" 자손의 아버지들이다.[175] 이들이 바로 "땀에서 태어난(Sweat-born)"—2권에서 설명된 표현—*전개자들(Evolvers)*이 되었다. 마지막으로 여섯째 "창조"가 따라왔고, 일반적인 창조가 다음으로 끝난다—

(VII.) *아르박스로타스(Arvaksrotas)* 존재들의 진화가 일곱 번째였고, 인간의 창조였다. (비쉬누 푸라나, 1권)

언급된 "여덟 번째 창조"는 창조가 전혀 아니다; 그것은 블라인드이다. 왜냐하면 그것은 순전히 멘탈 과정을 말하기 때문이다: "아홉 번째" 창조의 인식이며, 그것은 다음으로 어떤 결과로, 1차 (프라크리타) 창조에서 "창조"였던 그것을 2차 속에서 현현하는 것이다.[176] 그러면 *여덟 번째, 아누그라하(Anugraha)*로 불렸는데—*프라티야야사르가* 혹은 *카리카* 5권 46절 146페이지에서 설명된 상기야의 *지성적* 창조—비의적 측면에서 *"우리가 인식하는 그* 창조이고" 그리고 "우리가 *유기적 창조*와 대조해서 지성적 동의를 하는 (아누그라하) 창조이다." 그것은 우리가 "신들(gods)"의 전체 영역과 갖는 그리고 특히—소위 "아홉 번째 창조"로 부르는—*쿠마라들*과 우리가 갖는 관계를 올바르게 인식하는 것으로 그것은 사실상 우리 만반타라 (바이바스바타)에서 여섯 번째의 측면 혹은 반영이다. "쿠마라 창조인 *아홉 번째* 창조가 있으며, 그것은 1차이자 2차 창조이다"라고 그런 문헌들 중에서 가장 오래된 비쉬누 푸라나에서 말한다.[177] 비의적 본문에서 설명하길, "*쿠마라들*은 지고한

---

175 "창조된 존재들"은 파괴 시기에 (개별 형태들이) 파괴되지만 이전 *존재*의 선한 행동 혹은 악한 행동으로 영향을 받으며, 그 결과들로부터 결코 자유롭지 않다"고 비쉬누 푸라나가 설명한다. "그리고 브라흐마가 세계를 새롭게 만들 때, 그들은 그의 의지의 자손이다 . . ." *"그의 마인드를 자체 속으로 모으면서 (요가 의지)*, 브라흐마가 존재들의 네 등급을 창조하였다. 즉, 신, 악마, 조상 그리고 *인간(MEN)*" . . . "조상"은 인간의 첫째 근원인종의 원형이자 진화자들이다. 조상들은 피트리스이고 일곱 등급이다. 그들은 대중 신화에서 아담 갈비뼈에서 나온 이브처럼 브라흐마 옆구리에서 태어났다고 말한다.

176 윌슨 박사가 말하길, "이 개념들, 루드라와 성인들의 탄생은 시바파(Saivas)에서 *빌려온* 것처럼 보이고, 바이쉬나바 체계에 어색하게 접목된 것처럼 보인다." 그런 가성을 세우기 전에 그 비의적 의미를 상담 받았어야 했다.

177 베다의 리쉬, 파라사라는 풀라스티야로부터 비쉬누 푸라나를 받아서 마이트레야를

원리에서 바로 유래된 디야니들로, 인류의 진보를 위해서 바이바스바타 마누 기간에 재출현한다."[178] 비쉬누 푸라나의 주석가가 "이 *성자들*은 브라흐마 만큼이나 오래 산다; 그리고 그들의 세대가 *바라하* 칼파 혹은 *파드마* 칼파 (2차)에서 매우 공통적으로 그리고 일관성 없게 소개되었지만, 그들은 첫 번째 칼파에서 브라흐마에 의해서 창조되었다"고 말함으로써 그것을 확언한다. 이렇게 쿠마라들은 대중적으로 "브라흐마의 마인드에서 태어난 어떤 다른 아들들의 창조, 그리고 브라흐마에 의한, 시바의 한 형태, 즉 니라로히타 혹은 루드라의 창조"이다. 그러나 비의 가르침에서, 그들은 육체 인간 속에 있는 진정한 영적 자아의 조상들—상위 프라자파티—이다. 반면에 피트리들, 혹은 하위 프라자파티는 "그들의 이미지로" 만들어진 그의 육체 형태의 유형 혹은 모형의 *아버지들*에 불과하다. 넷이 (종종 다섯) 대중적인 문헌들 속에서 자유롭게 언급되며, 셋의 쿠마라는 비밀이다.[179] (2권 "추락 천사"에서 말한 것과 비교해 보라.)

대중적으로 언급하는 넷은: 사나트-쿠마라, 사난다, 사나카 그리고 사나타나; 그리고 비의적 셋은: 사나(Sana), 카필라 그리고 사나트-수자타(Sanat-sujata). 이 등급의 디얀 초한들에게 다시 한번 특별한 주의를 두어야 한다. 왜냐하면 1권에서 암시된 유전과 발생의 신비가 여기에 있기 때문이다. (*네 등급의 천사 존재들; 스탠저 VII 주석 참조*) 2권에서는 신성한 하이어라키에서 그들의 위상을 설명한다. 한편, 대중 문헌에서 그들에 대하여 말하는 것을 보자.

가르쳤는데, 동양학자들은 그를 다양한 시대에 놓는다. 힌두 고전 사전에서 올바르게 보이듯이: "그의 시대에 대한 추론이 기원전 575부터 1391년까지 광범위하게 다르며, *신뢰할 수가 없다.*" 그렇다; 그러나 자의적인 공상으로 유명한 산스크리트학자들이 지정한 다른 날짜만큼이다 적지 않다.

178 그들은 진실로 "특별한" 혹은 남다른 창조를 표시한다. 왜냐하면 그들 자신이 첫째, 둘째 근원인종 그리고 상당 부분의 셋째 근원인종의 무감각한 인간 껍질 속에서 화신함으로써 말하자면 *새로운 인종—사고하고, 자의식적인 신성한 인간*—을 창조하였기 때문이다.

179 "넷 쿠마라는 브라흐마의 마인드에서 태어난 아들들이다. 어떤 사람들은 *일곱이라고 명기한다.* (힌두 고대 사전), "조물주의 아들들(Maker's Sons), 쿠마라들의 아버지 이름을 딴 이름, 이 일곱 바이다트라(Vaidhatra)가 이쉬와라 크리쉬나의 "상기아 카리카"에서 그것에 첨부된 샹카라차리아의 *파라구루*의 주석과 함께 언급되고 묘사되었다. 그것은 쿠마라의 성질을 논의한다. 일곱 쿠마라들 이름을 언급하는 것을 억제하지만, 대신에 그들을 "브라흐마의 일곱 아들"로 부르고, 그들은 브라흐마에 의해서 루드라 속에서 창조되었다. 그것이 제시하는 이름: 사나카, 사난다나, 사나타나, 카필라, 리부후, 그리고 판차시카. 그러나 이것은 모두 *가명*이다.

그것들은 많은 것을 말하지 않는다; 행간을 읽지 못하는 사람에게는 아무것도 없다. “여기서 이 용어를 명확하게 하기 위하여 다른 푸라나들에 의지해야 한다”고 윌슨이 말한다. 그는 그가 “어둠의 천사들,” 그의 교회의 신화 같은 “거대한 적”이 있는 곳에 있다는 것을 단 한 순간도 의심하지 않았다. 그러므로 이 신성들이 *자손을 창조하기를 거부하면서*[180] (그리고 이렇게 브라흐마에 반항하면서), 첫째의 이름이 암시하듯이, 언제나 소년들, 즉 쿠마라들로 남아있었다는 것만 궁리한다: 즉, 언제나 순수하고 죄 없는, 그래서 그들의 창조가 “쿠마라”라고 불린다. (1권, 5장, 비쉬누 푸라나) 하지만 푸라나가 약간 더 많은 빛을 줄 수 있다. “그가 태어났을 때처럼 언제나 그렇듯이, 그는 여기서 젊은이로 불린다; 그래서 그의 이름이 사나트-쿠마라로 잘 알려져 있다.” (링가 푸라나. 이전 부분 LXX. 174) 사이바 푸라나에서, 쿠마라들은 요기들로 항상 묘사된다. 쿠르마 푸라나는 그들을 열거한 후에 말한다: “이 다섯은, 오 브라만들이여, 요기들로, 격정으로부터 완전한 면제를 얻었다.”

---

180 동양학자들의 어떤 번역은 너무 신뢰할 수 없어서 *하리-밤사*를 프랑스어로 번역한 것에서 “일곱 푸라자파티, 루드라, 스칸다 (그의 아들) 그리고 사나트-쿠마라가 존재들을 창조하기 위하여 나갔다” 반면에, 윌슨이 보여주듯이, 원본은 이렇다: “이 일곱은 . . . 후손을 창조하였다; 그리고 루드라도 그렇다. 하지만 스칸다와 사나트 쿠마라는 *그들의 힘을 자제하면서* 창조를 *억제하였다.*” “존재들의 네 등급”을 종종 “암밤시(Ambhamsi)”로 말하고, 윌슨은 그것을 “글자 그대로 바다(Waters)”로 표현하며, 그것이 “신비 용어”라고 믿었다. 의심할 여지없이 그것은 신비 용어이다; 그러나 그는 진정한 비의적 의미를 이해하는 데 분명히 실패하였다. “바다”와 “물(water)”은 아카샤, “공간의 원초적 대양(primordial Ocean of Space)”를 나타내고, 그 위에서 스스로 태어난 영, 나라야나가 움직인다; *그의 자손인* 그것에 의지하면서. (*마누 참조*) “물은 나라의 체이다; 이렇게 우리는 물의 이름이 설명된 것을 들었다. *브라흐마*가 물 위에서 쉬기 때문에, 그러므로 그가 *나라야나*로 불린다” (*링가, 바이유 그리고 마르칸데야 푸라나*) “. . . 순수하고, 푸라샤가 순수한 물을 창조하였다 . . .” 동시에 물은 물질 우주에서 세 번째 원리이고, 영적 영역에서 세 번째: 불의 *영*(spirit of Fire), 불기둥(Flame), 아카샤, 에테르, 물, 공기, 땅이 우주적, 항성의, 심령적, 영적 그리고 신비적 원리이며, 존재의 모든 계에서 *탁월하게 오컬트* 원리이다. “신, 데몬, 피트리스 그리고 인간”이 암밤시 용어가 적용되는 존재들의 네 등급이다 (베다에서 그것은 신과 동의어이다): 왜냐하면 그들은 모두 (신비적으로) 물, 아카샤, 대양 그리고 자연에 있는 세 번째 원리의 산물이기 때문이다. 피트리와 지상의 인간은 상위계에 있는 신과 데몬(영)의 변형 (재탄생)이다. 다른 의미로 물은 여성 원리이다. 기독교인의 동정녀 마리가 마레(Mare) (바다), 사랑, 자비 그리고 자선의 신의 어머니이듯이, 비너스 아프로디테는 의인화된 바다이고, 사랑의 신의 어머니, 모든 신들의 발생자이다. 만약 비의 철학의 학생이 그 주제에 대하여 깊이 생각한다면, 그는 암밤시 용어가 하늘에 있는 동정녀(Virgin in Heaven), 연금술사의 천상의 처녀(Celestial Virgin) 그리고 심지어 근대 침례파의 “은총의 바다(Waters of Grace)”와 갖는 많은 관계 속에서 그 용어의 모든 암시를 틀림없이 찾을 것이다.

그들은 *다섯*이다. 왜냐하면 쿠마나들 중에 둘이 *떨어졌기* 때문이다.

거대한 일곱 구분의 디얀 초한들 혹은 데바들 중에서, 인류가 쿠마라들보다 더 관련 있는 것은 아무것도 없다. 기독교 신학자들은 그들을 경솔하게 *추락* 천사로 비하시켰으며, 이제는 그들을 "사탄"으로 그리고 악마로 부른다; 그리고 *창조하길 거부한* 이 천상의 거주자들 중에서, 대천사 미카엘—용을 정복하는 지상의 성 조지 이름과 성 미카엘의 두 가지 이름으로 동서양 교회의 가장 위대한 후원자 성인—에게 가장 두드러진 자리 중에 하나가 허락되었다. (*II*, "*성스러운 용과 그 살육자들.*")

쿠마라들, *브라흐마-루드라 (혹은 시바)*의 "마인드에서 태어난 아들들" 상위의 영적 지각의 계발과 *내면의* 영원한 인간의 성장을 언제나 방해하는 *인간의 격정들과 육체 감각들*의 으르렁거리는 끔찍한 *파괴자로* 신비적으로,[181] 시바의 자손, *마하 요기*(*Maha Yogi*), 인도의 모든 신비가들과 요기들의 위대한 후원자이다. 그들 자신이 "동정의-고행자(Virgin-Ascetics)"이기 때문에 *물질* 존재인 인간을 창조하기를 거부한다. 그들이 기독교인의 대천사 미카엘, *아포피스 용*(Dragon *Apophis*)의 "동정녀 투사(Virgin Combatant)," 그 용의 희생자는 불멸의 영(Spirit)에 너무 느슨하게 결합되어 있는 모든 혼으로, 그노시스파가 보여주었듯이, 쿠마라처럼 *창조하길 거부한* 그 천사와 직접적인 관계가 있는지 의심받을 수 있다. (*2권, "신비한 용과 그 살육자들" 참조.*) . . . 유대인의 후원 천사가 새턴 (시바 혹은 루드라)을 *주재하고* 그리고 사바스(Sabbath)가 새턴의 날이 아닌가? 그가 그의 아버지 (새턴)와 똑같은 본질이라고 보여주고, "시간의 아들(Son of Time)," *크로노스* 혹은 *칼라* (시간), 브라흐마 (비쉬누와 시바)의 형태로 불리지 않았는가? 그리고 큰 낫과 모래시계를 가진 그리스인들의 "옛날(Old Time)"이 카발리스트들의 "옛날부터 계신 분"과 동일하지 않은가? 후자의 "고대인(Ancient)"은 힌두의 "옛날부터 계신 분," 브라흐마 (그의 삼중 형태로), 그 이름이 또한 "사나트" 고대인과 동일하지 않은가? 모든

---

181 비쉬누가 보존자이듯이, 시바-루드라는 *파괴자*이다; 그리고 둘 다 영적 물질적 성질을 갱생시키는 자이다. 식물로 살기 위하여, 씨앗은 죽어야 한다. 영원 속에 있는 의식적 실체로서 살기 위해서, 인간의 격정과 감각이 육체보다 먼저 죽어야 한다. "사는 것이 죽는 것이고, 죽는 것이 사는 것이다"를 서구에서는 거의 잘 이해하지 못하였다. 파괴자, 시바는 자연의 선한 정원사이듯이, 영적 인간의 구제주이자 창조자이다. 그는 인간과 우주 식물을 추려내고, 영적 인간의 지각을 살리기 위하여 육체 인간의 격정을 죽인다.

쿠마라는 *사나트*와 *사나*의 접두사를 가진다; 그리고 사나이샤라(Sanaischara)는 새턴(Saturn), 사니(Sani)와 사라(Sarra) 행성, 이집트에서 그의 비서가 토트-헤르메스 첫째였던 새턴 왕이다. 그들은 행성과 신(시바)과 동일시되고, 그들은 다음으로 새턴의 원형을 보여주며, 새턴은 벨(Bel), 바알(Baal), 시바(Siva) 그리고 여호와 사바오스로, *그 얼굴의 천사가* 미카엘 ("신과 같은" מיכאל)이다. 대니엘이 말하듯이 (5장 21절), 그는 유대인의 수호 천사이자 후원자이다; 그리고 쿠마라라는 이름을 모르는 사람들이 쿠마라들을 악마이자 추락 천사로 비하시키기 전에, 로마 카톨릭 교회가 원시 그리스 교회에서 분리와 단절이후 오컬트 경향의 로마 카톨릭 교회의 전임자들이자 선구자들인 그리스의 오파이트파는 미카엘을 반항하고 적대하는 영, *오피오모르포스(Ophiomorphos)*와 동일시하였다. 이것은 오피스(Ophis)—신성한 대지혜 혹은 크리스토스—의 (상징적으로) 반대측면에 불과하다. 탈무드에서, *미카엘은* "물의 왕자"이고 일곱 영들의 우두머리이다. 비쉬누 주석에 따르면, 그의 원형 (많은 다른 것들 중에서) 사나트-수자타(Sanat-Sujata)—쿠마라들의 우두머리—가 암밤시, "바다(Waters)"로 불리는 것과 똑같은 이유로. 왜? 왜냐하면 "바다"는 "거대한 심연(Great Deep)", 공간의 원초의 바다 혹은 *카오스*의 또 다른 이름이고, 또한 "어머니," *암바(Amba)*를 의미하며, 보이는 우주의 천상의 처녀-어머니(Celestial Virgin-Mother), 아디티와 아카샤를 의미하기 때문이다. 게다가 "범람의 바다(Waters of the flood)"는 "거대한 용(Great Dragon)" 혹은 오피스(Ophis), 오피오-모르포스(Ophio-Morphos)로 불린다.

루드라들은 2권 스탠저에 첨부된 상징에서 "불-영(Fire-Spirits)"의 칠중의 성격 속에서 주목될 것이다. 거기서 태초 형태와 후대 형태의 십자가 (3 + 4)를 검토할 것이고, 비교 목적으로 피타고라스의 수를 유대 도량형과 나란히 사용할 것이다. 자연의 근원의 수로서 칠(7)이라는 수의 엄청난 중요성이 이렇게 분명해질 것이다. 그리고 그것이 기원전 수 천 년에 이집트에서 존재하였고, 그노시스 기록에서 다루었듯이, 우리는 그것을 베다와 칼데아 관점에서 조사할 것이다; 그리고 우리는 기본 수로서 그것의 중요성이 물질 과학에서 어떻게 인식하게 되었는지 보여줄 것이다; 그리고 고대시대 내내 숫자 칠(7)에 붙여진 중요성이 교양 없는 사제들의 공상 때문이 아니라, 자연 법칙에 대한 심오한 지식 때문이라는 것을 증명하려고 할 것이다.

14장 사원소

형이상학적으로 그리고 비의적으로 자연 속에는 하나의 대원소(ONE ELEMENT)만 있고, 그것의 뿌리에 신성(Deity)이 있다; 소위 일곱 원소가 *그 신성의 베일*, 옷이며, 그 중에 다섯 가지가 현현하였고 그것들의 존재를 주장하였다; 그 본질로부터 직접, 인간이, 물질적으로, 심령적으로, 멘탈적으로 그리고 영적으로 고려하건, 온다. 4원소만이 후기 고대에는 일반적으로 얘기하고, 다섯 가지 원소가 철학에서만 인정되었다. 왜냐하면 에테르의 체가 아직 충분하게 현현되지 않았고, 그 본체가 여전히 "전능한 아버지(Omnipotent Father)—아에테르(AEther), 나머지의 총합"이기 때문이다. 그러면 화학과 물리학에서 수많은 하위 원소들, 심지어 전체 숫자를 포함하지 않는 것으로 의심되는 60개 혹은 70개를 포함하는 이 "원소들"은 무엇인가? 하여튼 그것들의 진화를 *역사적인* 시작부터 따라가보자.

플라톤이 4원소는 "*복합체를 구성하고 분해시키는 그것*"이라고 말했을 때 그것의 특징을 충분히 말한 것이다. 그래서 우주 숭배는 심지어 최악의 측면에서도 어떤 대상의 수동적인 외적 형태와 물질을 숭배하는 주물 숭배가 결코 아니었으며, 언제나 그 속에 있는 *본체*를 바라본 것이었다. 불, 공기, 물, 흙은 볼 수 있는 옷에 불과하고, 형태를 채우는 볼 수 없는 혼 혹은 영들의 상징들이었다—무지한 사람들은 숭배하지만, 현명한 사람들은 단순히 경의를 표하고 인정한다. 그 다음으로 본체의 원소들의 *현상적인* 하위 구분이 엘리멘탈, 소위 낮은 등급의 "자연령"으로 형태 속에 채워졌다.

모쿠스의 *신통기*에서 먼저 에테르를 발견하고, 그리고 공기를 본다; 그 두 가지 원리로부터 유롬(Ulom), 이해할 수 있는 신(Intelligible god) (볼 수 있는 물질 우주)이 태어난다.[182]

---

182 무버: "페니키아인," p. 282.

오르페우스 찬가에서, 에로스-파네스(Eros-Phanes)가 영적인 알(Spiritual Egg)에서 전개하여 나오며, 아에테르 바람이 그것을 잉태시키는데, 그 바람은 "신의 영(Spirit of God)"으로 "카오스 위를 배회하는" 아에테르 속에서 움직인다고 말한다—신성한 "이데아(Idea)". 힌두인의 카타코파니샤드에서, 푸루샤, 신성한 영이 이미 원물질 이전에 서있고, 그 둘의 합일로부터 위대한 세계혼, "마하 = 아트마, 브라흠, 대생명의 영(Spirit of Life)"이[183] 솟아나온다; 이 후자의 명칭은 보편 혼(Universal Soul) 혹은 애니마 문디, 신성 마법사와 카발리스트의 아스트랄 빛과 동일한 것으로, 아스트랄 빛은 그것의 마지막이자 가장 낮은 구분이다.

플라톤과 아리스토텔레스의 *원소들[στοιχεῖα]*은 이렇게 우리 우주 세계의 네 가지 거대한 구분에 붙여진 *실체 없는 원리들*이었고, 크레져가 그 원시 믿음을 *일종의 마기즘, 심령적 이단주의 그리고 효력의 신격화로* 공정하게 정의한다; 신봉자들을 이런 효력과 밀접한 공동체로 결속시켰던 하나의 영성화이다." (9권, p. 850) 사실 너무 밀접해서 이 효력 혹은 거대한 힘의 하이어라키가 점진적인 일곱 등급 상에서 숙고할 수 있는 것에서 숙고할 수 없는 것까지 분류되어 왔다. 그것들은—이해를 돕기 위한 인위적인 도움으로써가 아니라—그것들의 화학적 (혹은 물질적) 구성요소부터 순전히 영적 구성요소에 이르기까지 실제 *우주적* 등급에서 칠중이다. 무지한 대중들에게 *신들(Gods)*은 독립적이고 지고한 *신들(gods)*이다; 그들이 지성적일지라도, *많은 것으로 이루어진 하나(in pluribus unum)*라는 철학적 문장의 영(Spirit)을 이해할 수 없는 광신자들에게는 데몬이다. 헤르메스 철학자에게 그것들은 그가 다루는 원리에 따라서 *상대적으로 "맹목적인"* 혹은 *"지성적인"* 힘들(FORCES)이다. 문명화된 우리 시대에 그것들이 결국에는 단순한 화학 원소들로 격하되기까지 길고 긴 밀레니엄이 걸렸다.

하여튼 선한 기독교인들과 특히 개신교도들은 그들이 모세를 존경한다면 사원소에 대하여 더 많은 존경을 보여야 한다. 왜냐하면 모세5경 모든 페이지에서 유대의 법 제공자(모세)가 간직했던 신비적 중요성과 참작을 성서가 보여주기 때문이다. 지성소를 간직한 장막은 "우주적 상징으로, 그것의 여러 의미들 중에 하나로, 원소들,

---

183 웨버: "아카데미 강연," 213, 214, 등등.

사방위 그리고 에테르에게 바쳐진 우주적 상징"이었다. 조세푸스는 그것이 에테르의 색인 백색으로 건설되었다는 것을 보여준다. 그리고 이것은 또한 유대 사원과 이집트 사원에서—클레멘스 알렉산드리누스에 의하면—다섯 기둥으로 지탱된 거대한 커튼이 *지성소*를 분리시켰으며 (지금은 기독교 교회에서 제단으로 나타내어진다), 세속인이 접근가능한 부분부터 사제들만 그 속으로 들어가는 것이 허락된 이유를 설명한다. 커튼의 *네 가지* 색은 주요 사원소를 상징하였고, *오감* 때문에 인간이 *사원소*의 도움으로 획득할 수 있는 신성에 대한 지식을 나타냈다. (잡록 I., v. § 6)

코리의 *고대 단편모음*에서, "칼데아인의 신탁들" 중의 하나에서 우리 시대 저명한 두 과학자가 쓴 *"보이지 않는 우주"* 같은 독창적인 언어로 원소들과 에테르에 대한 생각들을 표현한다.

거기서 말한다: "에테르에서 만물이 나왔고, 그것으로 만물이 돌아갈 것이다; 만물의 이미지가 지울 수 없게 그것에 각인된다; 그리고 그것은 볼 수 있는 모든 형태들과 형태 심지어 이데아들의 나머지의 저장소 혹은 씨앗들의 저장소이다. 우리 시대에 발견된 것이 무엇이건 그것이 '단순한 마인드를 가진 선조들'에 의해서 수 천 년 전에 예상되어 왔다는 우리 주장을 이 경우가 이상하게 확증하는 것처럼 보인다."-(아이시스 언베일드)

사원소와 유대인들의 *'말라킴'*은 어디에서 왔는가? 그것들은 랍비들과 후대 교부들의 신학적 술책으로 여호와로 합쳐졌지만, 그것의 기원은 다른 모든 나라들의 우주적 신의 기원과 동일하다. 그들의 상징은 옥수스 강변에서 태어났건, 상이집트의 불타는 모래에서 혹은 눈 덮인 신성한 테살리아 산의 정상과 비탈길을 덮고 있는 기괴하고 얼음의 야생 숲 속에서 태어났건 혹은 아메리카의 팜파스에서 태어났건, 반복하지만, 그들의 상징은 그 원천을 추적해볼 때 언제나 하나이자 동일하다. 이집트인이건 펠라스기인이건, 아리안이건 셈족이건, *지역의 수호신*은 그것의 통일성에서 모든 자연을 품었다; 그러나 특히 나무, 강, 산 혹은 별 같은 사원소의 창조물 중의 하나가 사원소가 아니듯이 그것은 사원소가 아니다. *지역의 수호신*—원래의 웅장한 의미가 거의 사라졌을 때인 다섯 번째 근원인종의 마지막 아인종이 늦게 덧붙인 것—은 누적된 칭호에서 언제나 그의 모든 동료들의 대표자였다. 그것은 천둥으로 상징된 주피터 혹은 아그니처럼 *불*의 신이었다; 그것은 바루나, 넵튠 등처럼 어느 신성한 강이나 산 혹은 하류의 황소로 상징된 *물*의 신이었다; 그것은 바이유와 인드라처럼, 허리케인과 폭풍우 속에서 나타나는 *공기*의 신이었다; 그리고 플루토, 야마처럼, 지진에서 나타난 *땅*의 영 혹은 신이었다.

이들은 우주의 신들로, 모든 우주론 혹은 신화에서 발견되는, 하나 속에 모두를 언제나 통합한다. 이렇게 그리스인들은 도도나의 주피터를 가졌으며, 그는 자신 속에 사원소와 사방위를 포함하였고 고대 로마에서 "*주피터 문더스(Jupiter Mundus)*"라는 범신론 칭호로 인식되었다; 그리고 이제 근대 로마에서는 *데우스 문더스(Deus Mundus)*, 하나의 세속의 신으로 되었으며, 특별한 성직자들의 독단적인 결정으로 그가 가장 최근 신화에 있는 다른 모든 것을 삼켜버리는 신으로 되었다.

불, 공기, 물의 신으로써, 그들은 *천상의* 신이었다; *하위 영역*의 신으로써, 그들은 *지옥의* 신들이었다; 뒤의 형용사(지옥의)는 단순히 *지구*에 적용되는 것이다. 그들은 "하위 왕국의 주(Lord), 등등", 야마, 플루토, 오시리스라는 각각의 이름으로 "지구의 영들(Spirits of the Earth)"이었고, 그들의 지상의 특징이 그것을 충분이 증명해준다.[184] 고대인들은 사후에 지구에 있는 *림버스*, 즉 카마로카 보다 더 나쁜 거주처를 알지 못했다. 도도나의 주피터가 지하 세계의 왕인 아이도네우스 그리고 로마의 풀루토 혹은 디스(Dis) 그리고, 크레우저에 따르면 (I, vi, 1장), 신탁이 주어지는 지하세계인 디오니시우스 크토니오스와 동일하다고 주장된다면, 그러면 아이도네우스와 디오니시우스가 아도나이 또는 아담의 서 (코덱스 나자레스)에서 여호와를 부르는 "주르보 아도나이"의 토대라는 것을 증명하는 것은 오컬티스트의 즐거움이 될 것이다. "그대는 태양을 숭배하지 말아야 한다, 그는 아도나이로 불리며, 그의 이름은 또한 *카두쉬(Kadush)*와 엘-엘(El-El)" 이고, (코덱스 나자레우스, I, 47; 시편 89, 18)

---

184 성서의 *게헨나*(고난의 땅)는 예루살렘 근처에 있는 계곡이었다. 만약 선지자 예레미야의 말을 믿는다면, 그곳에서 단일신을 믿는 유대인들이 몰록에게 그들 아이를 제물로 바쳤다. 스칸디나비아의 *헬(Hel)* 또는 *헬라(Hela)*는 몹시 추운 지역—다시 카마로카—이었고 이집트인의 아멘티 정화의 장소였다. (아이시스 언베일드, 2권, p. 11 참조)

또한 "주 바쿠스(Lord Bacchus)"이다. 바빌론 이전의 대신비 혹은 *소드(Sods)*의 바알-아도니스가 마소라로 아도나이가 되었고, 나중에 모음화된 여호와가 되었다. 그래서 로마 가톨릭이 맞다. 이 모든 주피터들은 같은 가족이다; 그러나 그것을 완전하게 만들기 위하여 그 속에 여호와가 포함되어야 한다. 주피터-*에어리오스* 혹은 *팬(Pan)*, 이집트인의 주피터-암몬, 그리고 칼데아인의 주피터-벨-몰록은 모두 상관관계가 있으며 주르보-아도나이와 하나이다. 왜냐하면 그들은 모두 어떤 우주의 성질이기 때문이다. 지상의 구체적인 상징을 창조하는 그 성질과 힘 그리고 그 힘의 물리적 물질적 직물이 그것을 통해서 *외부로* 현현하는 에너지라는 것을 증명한다.

쉘링이 말했듯이, 원시 종교는 물리적인 현상에 대한 단순한 집착보다 더 나은 어떤 것이었다; 그리고 근대의 우리 사두개인들이 아는 것보다 더 고양된 원리들이 "천둥, 바람, 그리고 비 같은 단순한 자연의 신성의 투명한 베일 밑에 숨겨져 있다." 고대인들은 자연의 힘 속에서 *물질* 원소와 *영적* 원소를 알았고 구분할 수 있었다.

사중의 주피터, 네 얼굴의 브라흐마처럼—공기의, 지상의, 빛나는 그리고 해상의 신—사원소의 주(lord)이자 주인이 모든 국가의 위대한 우주적 신의 대표자로 선다. 불에 대한 힘을 헤파이스토스-벌컨에게 넘겨주고, 바다에 대한 힘을 포세이돈-넵튠에게, 땅의 것을 풀루토-아이도네우스에게 넘겨주지만, 공기의 주피터는 이 모든 것이었다; 왜냐하면 아에테르(AETHER)가 최초부터 모드 원소들의 통합이었고, 그것들보다 우위를 가졌기 때문이다.

전통에서 중앙 아시아 사막에 있는 거대한 동굴인 어떤 석굴을 가리킨다. 그 속으로 빛이 십자 형태로 사방위 지점에 놓인 얼핏 보기에 네 개의 자연적인 구멍을 통해서 쏟아져 들어온다. 정오부터 일몰 한 시간 전까지 어떤 자연적인 혹은 인위적으로 준비된 토양과 초목 상태에 따라서 그 빛이 네 가지 다른 색으로—적색, 파란색, 오렌지-황금색 그리고 흰색—흘러 들어온다. 그 빛은 위에 지구를 나타내는 구체가 있는 하얀 대리석 기둥으로 둘러 쌓인 중심에 집중된다. 그곳을 "짜라투쉬타의 석굴"이라고 부른다.

네 번째 인종인 아틀란티안의 예술과 과학 아래 포함될 때, 우주 신을 믿는 사람들이 그 신들의 지성적 간섭으로 합당하게 돌렸던 사원소의 현현이 과학적인 성격을 띠었다. 고대 사제들의 *마법*은 그 당시에는 *그들의 신에게 신의 언어로* 이야기하는 것이었다. "지상의 인간 언어는 주들(Lords)에게 도달할 수 없다. 각자가 각 원소의 언어로 이야기해야 한다"—의미가 많이 담긴 문장이다. 인용된 *"규칙의 서(Book of Rules)"*는 그 *원소*-언어의 성질에 대한 설명으로서 추가한다: "그것은 단어들이 아닌, *소리들*로 구성되어 있다; 소리, 숫자 그리고 그림으로 구성되어 있다. 이 셋을 어떻게 합치는지 아는 사람은 주관하는 거대한 권능(Power) (필요한 구체적인 원소를 섭정하는 신)의 반응을 불러올 것이다."

이렇게 이런 "언어"는 인도에서 *주문*이나 만트라의 소리로, 소리가 *가장 강력하고 효과적인 마법 인자이며, 유한자와 불멸자 사이에 소통의 문을 여는 열쇠들 중에 첫 번째이다.* 성 바울의 말씀과 가르침을 믿는 사람은 그가 받아들이기로 선택한 문장들만 뽑고 다른 것은 거부할 권리가 없다; 그리고 성 바울은 우주적 신의 존재와 우리 속에서 그들의 실재를 가장 부정할 수 없게 가르친다. 이교주의는 이중의 동시적 진화를 가르쳤다: 로마 교회의 도래 아주 오래 전에 "창조"—로마 교회가 갖고 있듯이 *"영적 그리고 세속적."* 대중적 어법은 이교주의 또는 "우상숭배"의 가장 번성한 시대 이후 신성한 하이어라키에 관하여 거의 변하지 않았다. 이제는 허위의 가식으로 되어버린 주장들과 함께, 이름들만이 바뀌었다. 왜냐하면 예를 들어 플라톤이 최고 원리—"아버지 아에테르(Father AEther) 혹은 주피터—의 말로 이 말들을 표현하였을 때: "내가 모든 신들의 작업의 아버지이듯이 나는 신들(gods)의 신들(gods)을 만든 자이다"; 그는 이 문장의 진의를 충분히 알았지만, 성 바울이 다음과 같이 말할 때 의심스럽다: "하늘이건 땅이건 신이라고 부르는 것이 있더라도, 많은 신들과 많은 주들이 있으나," . . . . 등등 (고린도전서 8:5).[185] 둘 다 그런 조심스러운 용어로 제시한 것의 취지와 의미를 알았다.

---

185 우리가 해석하듯이, 개신교도는 고린도서에 있는 그 구절을 해석하는 일을 우리에게 떠넘길 수 없다; 왜냐하면 영어 성서에 있는 번역이 애매하게 되었더라도, 원래 구절에서는 그렇지 않으며, 로마 교회는 사도의 말을 그 진정한 의미도 받아들이기 때문이다. 그 증거로 로마 교회가 저작을 승인한 후작 드 미르빌이 확인해주었듯이, "그 사도에 의해서 직접 영감을 받은" 그리고 "그의 구술을 받아쓴" 존 크라이소스톰의 *성 바울의 사도에 대한 주석*을 참고하라. 그리고 그 특별한

왕립학회 회원인 W. R. 그로브 경이 힘의 상관관계에 대하여 말하면서 이렇게 말한다: "고대인들은 보통의 유추에서 동떨어진, 그리고 그들에게 알려진 어떤 기계적 작용으로 설명되지 않는, 어떤 자연 현상을 목격하였을 때, 그들은 그것을 혼 혹은 영적, 초자연적 힘으로 말했다. . . . 공기와 기체도 처음에는 영적인 것으로 간주되었으나, 후에 그것들은 더 물질적 성격을 입게 되었다; 그리고 똑같은 단어 뉴마(πνεῦμα) 영 등도 혼이나 기체를 나타내는데 사용되었다; *가이스트(geist)*에서 온 가스, 고스트 혹은 영어 단어도 영적 개념이 점차로 물리적 개념으로 변형되는 예를 제공한다 . . ." (p. 89.) 이 위대한 과학자는 ("물리적 힘의 상관관계" 5판 서문에서) 이것을 원인들과는 간섭할 일이 없는 정밀 과학의 유일한 관심사로 여긴다. 그가 설명하길, "그러므로 원인과 결과는 이 힘과 추상적 관계에 있으며, 단어들은 오직 편리성 때문이다. 우리는 그것 각각과 모두를 *발생시키는 궁극의 힘*을 전혀 알지 못하고, 아마도 계속 그럴 것이다; 우리는 그것의 작용의 기준만을 확인할 수 있다; 우리는 그것의 원인을 하나의 전능한 영향으로 겸손하게 돌려야 하고, 그것의 영향을 연구하고 실험으로 그것의 상호 관계를 발전시키는 것에 만족해야만 한다." (xiv 페이지.)

이 정책을 받아들이고, 위에 인용된 말, 즉 "발생시키는 궁극의 힘"의 *영성*의 체계를 사실상 인정한다면, *물질의 원소,* 오히려 그것들의 복합물—불, 공기, 물 혹은 땅에 실재하듯이—속에 내재하는 이 특질을 인정하길 거부하는 것이 더 비논리적일 것이다. 고대인들은 이 힘들을 너무 잘 알았다. 그래서 그들은 그것의 진정한 성질을 다양한 비유들로 숨기면서, 일반 대중의 혜택을 위해서 (혹은 손해를 주면서), 그들은 그것을 거꾸로 뒤집으면서, 생각한 다수의 목적에서 결코 벗어나지 않았다. 그들은 그 상징으로 숨겨진 진리의 핵에 두꺼운 베일을 드리우려고 하였지만, 미래 세대의 현명한 사람들이 터무니없는 비유나 그림문자 형태 뒤에 있는 그 진리를 구분할 수 있도록 충분히 투명하게, 미래 세대를 위한 어떤 *기록으로써* 그 상징을

구절을 언급하면서 성 크라이소스톰이 말하길, "그리고 사실 신으로 불리는 그것이 있지만 . . . 왜냐하면 실제로 몇몇 신이 있는 것처럼 보인다—동시에 그리고 그럼에도 불구하고, 신-*원리*(God-*principle*)와 우위의 신은 본질적으로 하나이자 불가분인 채 그대로 남아있는 것을 멈추는" . . . 이렇게 나이든 입문자들도 작은 신을 숭배하는 것이 신 *원리*에 결코 영향을 줄 수 없다는 것을 알면서 말했다. (드 미르빌, "영에 관하여," 2권, 322.)

보존하려고 언제나 노력하였다. 고대인들인 고대 현자들이 쉽게 믿는 성향과 미신 때문에 비난받는다; 그리고 근대 예술과 과학에 박식하고, 그들 세대에서 현명하고 교양 있는 바로 그 국가들이 유대인의 인격화된 "여호와"를 그들의 하나의 살아 있는 무한한 신으로써 오늘날까지 받아들이면서, 이렇게 비난한다.

"미신"이라고 주장된 것은 무엇이었나? 예를 들어, "바람들은 거인 티포이우스의 아들들"이었고, 아이올로스가 그들을 마음대로 묶었다가 풀어놓았다가 한다고 헤시오도스가 믿었으며, 다신론자인 그리스인들도 헤시오도스를 따라서 그것을 받아들였다. 단일신을 믿는 유대인도 그들의 *등장 인물*에 대한 다른 이름들을 가진 똑같은 믿음을 가졌고, 기독교인들이 오늘날까지 같은 것을 믿고 있는데, 왜 그리스인은 그러지 않겠는가? 헤시오도스의 아이올로스, 보레아스 등등은 이스라엘의 "선택받은 사람들"에 의해서 *카딤(Kadim), 짜폰(Tzaphon), 다렌(Daren)*, 그리고 *루아흐 하잔(Ruach Hajan)*으로 불렸다. 그러면 근본적인 차이가 무엇인가? 그리스인들은 아이올로스가 바람을 묶었다가 풀었다가 한다고 배운 반면에, 유대인들은 그들의 주 신(Lord God)이 *"코 구멍에서 연기가 나오고 입에서 불이 나온 채, 지품 천사 위에 타고 날았으며, 바람의 날개 위에서 보였다고"* 열렬히 믿었다. (II, 사무엘서, 22:9, 11.) 두 국가의 표현은 모두 비유적이거나 둘 다 *미신적*이다. 우리는 둘 다 아니라고 생각한다; 그것은 자연과의 예리한 일체감과 모든 자연 현상 뒤에 있는 신비하고 지성적인 것에 대한 인식에서 생긴 것으로, 근대인은 더 이상 그것을 소유하고 있지 않는다. 만약 불과 바람에게, 특히 불에게 자주 제물을 바쳤던 이스라엘에서 이것이 *신성한* 숭배로 간주되어야 한다면, 크세르크세스 함대가 그리스로 접근할 때, 신탁에서 "바람에게 제물을 바치라고" 충고할 때, 델파이 신탁을 듣는 것이 그리스 이교도들에게는 "미신이" 아니었다. 그들은 그들의 "신은 태워버리는 불"이며 (신명기 4:24) 일반적으로 *불*로서 나타났고 "불에 휩싸였다"고 말하지 않는가? 그리고 엘리아가 "거대한 강력한 바람 속에서, 그리고 지진 속에서" (1열왕기, 19:11) 그(주)를 찾지 않았던가?" 기독교인들도 그들을 따라서 하지 않나? 더구나 그들은 오늘날까지 똑같은 *바람과 물의 신*에게 제물을 바치지 않는가? 그들은 그렇게 한다; 왜냐하면 비, 건조한 날씨, 무역풍 그리고 폭풍우를 잠재우기 위한 특별한 기도가 지금까지 세 가지 기독교 교회 기도서에 존재하고 있기 때문이다; 그리고 개신교 수 백 개 종파도 모든 재앙의 위협에 대하여 그들의 신에게 제물을 바크지 않는가? 그런 기도에 주피터 *플루비우스*가 대답하지 않듯이, 여호와도 대답하지 않는다는 그 사실이 이교도나 기독교에서 똑같은 이런 힘 또는 이런 원소를 지배하는 것으로 추정되는 힘에게 요청하는 이런 기도가 있다는 사실을 바꿔 놓지는 않는다; 혹은 그런 기도를 이교도가 그의 우상에게 빌 때만 우둔한 우상숭배이자 터무니없는 "미신"으로 믿어야 하고, 천상의 수취인 이름이 바뀔 때마다 똑같은 미신이 *훌륭한 신앙심과 종교*로 갑자기 변형되는 것으로 믿어야만 하는가? 하지만 나무는 그 열매로 알아본다. 그리고 기독교 나무의 열매가 이교도 나무의 열매보다 더 나은 것이 없는데, 왜 기독교가 이교도보다 더 숭배를 명령하는가?

이렇게 개종한 유대인인 슈발리에 드라크와 프랑스 귀족의 로마 카톨릭 광신자인 후작 드 미르빌이 히브리어에서 *번개는 격노(fury)*와 동의어이고, 항상 *사악한* 영에 의해서 다루어진다고 말하는 것을 들었을 때; *주피터 풀구르(Jupiter Fulgur) (벼락)* 혹은 *풀구란스 (번개의 근원)가* 기독교인들이 *엘리키우스 (번개를 부르는 신)*로 부르며, *번개의 혼,* 그것의 데몬으로써 비난했다고 들었을 때; [186] 우리는 똑같은 상황에 있는 "이스라엘의 주 신(Lord God)"에게 똑같은 설명과 정의를 적용해야 하거나, 아니면 다른 나라들의 신과 교리를 악용할 우리의 권리를 포기해야만 한다.

두 명의 열렬하고 박식한 로마 카톨릭 사람에게서 나온 앞에서 말한 진술은 적어도 성서와 예언자들이 있는 곳에서는 *위험하다.* 진실로 "이교도 그리스인들의 우두머리 데몬," 주피터가 그의 분노를 일으킨 자들에게 치명적인 번개와 천둥을 던졌다면, 아브라함과 야곱의 신도 그랬다. 사무엘서 2권에서 "주께서 하늘에서 천둥을 쳤고, 지고자가 *그분의* 음성을 내셨으며, 화살(벼락)을 내보내서 그들을 (사울의 군대) 번개로 흩어지게 하였으며, 불안하게 만들었다"는 것을 본다. (2 사무엘서 22:14, 15)

아테네 사람들은 보레아스에게 제물을 바쳐왔다고 비난받는다; 그리고 이 "데몬"은 펠리온 산의 바위 위에서 페르시아 함대 400척을 침몰시켰고 좌초시켰다고

186 "우주숭배," p. 415.

비난받으며, 그리고 너무 격노하여 “크세르크세스의 모든 마법사들이 테티스에게 제물을 바쳐도 그것을 거의 상쇄시킬 수 없었다”고 한다. (헤로도토스 “폴림니아,” 189-191) 매우 운 좋게도, 적—또 다른 기독교 국가—의 “기도” 때문에 어느 한 기독교 함대에 일어나는 대규모의 유사한 재앙을 보여주는 기독교 전쟁의 기록에서 입증된 단 하나의 어떤 예도 없다. 그러나 이것은 그들의 잘못이 아니다. 왜냐하면 아테네인들이 보레아스에게 열렬히 기도하였듯이, 각자가 상대방의 파멸을 여호와에게 간절히 기도하기 때문이다. 둘 다 부드럽게 애정을 가지고 깔끔한 흑마법 조각에 호소하였다. 신성한 간섭의 그런 절제가 상호 파괴를 위해서 *공통의* 전능한 신에게 호소한 기도가 부족해서가 아니기 때문에, 그러면 이교도와 기독교 사이에서 어디에 선을 그어야 할 것인가? 그리고 만약 미래 어떤 전쟁 동안에 그런 신성한 기도 때문에 적국 함대 400척이 난파되었다면, 개신교도의 영국 전체가 기뻐하며 주께 감사할 것을 누가 의심할 수 있겠는가? 그러면 우리는 다시 묻는다: 주피터, 보레아스 그리고 여호와 사이에 차이가 무엇인가? 이것 이상이 아니다: 자신의 가장 가까운 친척—말하자면 자신의 “아버지”—의 범죄는 항상 용서받고 종종 칭찬받지만, 반면에 우리 이웃 부모의 범죄는 언제나 교수형으로 기쁘게 처벌한다. 하지만 범죄는 똑같다.

지금까지 “기독교의 축복”이 개종한 이교도의 윤리보다 더 진전되지 못한 것처럼 보인다.

위의 내용은 이교도 신을 방어하는 것이 아니고, 기독교 신을 공격하는 것도 아니며, 둘 다를 믿는다는 것을 의미하는 것도 아니다. 저자는 공평하고, 어느 한 쪽을 유리하게 증거를 제시하는 것을 거부하며, 기도하거나 믿지도 않고, 그런 “개성적인” 인격신을 무서워하지도 않는다. 교양 있는 신학자의 비논리적 맹목적 광신주의를 기묘하게 보여주는 비교로서 병행해서 제시한 것이다. 왜냐하면 지금까지 두 믿음 사이에 매우 큰 차이가 없기 때문이고, 그것들이 도덕성 혹은 영적 성질에 미치는 각자의 영향에서 차이가 없기 때문이다. 고대 시대에 “루시퍼의 빛”이 그랬듯이, “크리스트의 빛”이 이제 동물 인간의 가증스러운 얼굴에서 비춘다.

"저 불운한 이교도들은 그들의 미신에서 엘리멘트를 이해력을 가진 어떤 것으로 여긴다! . . . 그들은 여전히 그들 우상인 바이유—신 아니 오히려 바람과 공기의 데몬—를 믿는다 . . . 그들은 기도의 효과를 확고하게 믿고, 그들 브라만이 바람과 폭풍우를 지배하는 힘을 확고하게 믿는다. . ." (코친에서 선교사 라부아지에, *식민지 저널*에서) 이것에 대답으로, 우리는 누가복음 8:24를 인용할 수 있다: *"그리고 예수께서 일어나 바람과 물의 맹위를 꾸짖으셨고, 그들은 멈췄으며 잠잠해졌다."* 기도서에서 또 다른 인용을 하겠다: . . . "오 바다의 처녀여, 바다의 축복받은 어머니이자 숙녀, 그대의 파도를 멈추라 . . ." 등등. (나폴리와 프로방스 선원들의 기도로 페니키아 선원들이 그들의 처녀신 아스타르테에게 한 구절의 복사) 제시된 병렬 비교에서 나오는 논리적이고 억누를 수 없는 결론이자 선교사의 고발은 이렇다: 브라만들이 그들의 엘리멘트-신에게 한 *명령*이 *"효과가 없는" 것이 아니기* 때문에, 브라만들의 힘이 예수의 힘과 동등하게 놓인다. 더구나 아스타르테가 기독교 선원들의 "바다의 처녀"보다 효력에서 조금도 약하지 않은 것으로 보인다. 개에게 나쁜 이름을 지어주고, 매다는 것으로 충분치 않다; 그 개가 유죄라는 것이 입증되어야 한다. 보레아스와 아스타르테는 신학의 공상에서 *악마*일 수 있지만, 말했듯이, 나무는 그 열매로 판단되어야 한다. 그리고 기독교인들이 이교도처럼 비윤리적이고 사악하다는 것이 보인다면, 인류가 신과 우상을 바꾸는 것으로 무슨 혜택이 있겠는가?

신과 기독교 성자들이 행하는 것이 정당화되는 그것이 성공하더라도 단순한 인간들에게는 범죄가 된다. 마술과 주문이 이제는 우화로 간주된다; 하지만 그런 주문이 *유스티니아누스 제정* 시절부터 영국과 미국의 주술 금지 법안에 이르기까지—진부하지만 오늘날까지 폐기되지 않은—심지어 그런 주문이 의심될 때도 범죄자로 처벌받는다. 왜 키메라를 처벌하는가? 또한 콘스탄틴 황제가 철학자 소파트로스가 *바람을 풀어놓는* 바람에, 기근을 끝내기 위하여 곡물로 가득 찬 배가 제때에 도착하지 못하게 막아서 그를 사형에 처한 것을 읽는다. 파우사니아스도 간단한 *기도와 주문으로* 우박을 동반한 강력한 폭풍을 멈추는 사람을 그의 눈으로 직접 보았다고 말했을 때 조롱받았다. 이런 것이 근대 기독교 작가들이 폭풍과 위험에서 기도를 권하고 그 효능을 믿는 것을 막지 못한다. 거의 100년전에 단언하는 유명한 작가 스프렌저를 믿을 수 있다면, 호포와 스타드라인 두 명의 마법사이자 주술가가 *과일에 주술을* 걸어서 *마술로* 한 농장에서 다른 농장으로 수확물을 옮겼다는 이유로 사형에 처해졌다. "누가 *주문으로 한 곳의 과일을 다른 곳으로 가져가는가.*" (세르비우스가 쓴 베르길리우스의 *전원시*에 대하여)

이제 아주 조금이라도 미신의 그림자도 없이, 지구상에 있는 모든 사물의 이중 성질—영적 그리고 물질적 성질, 가시적 그리고 비가시적 성질—을 믿을 수 있고, 과학이 증명한 것을 거부하지만 사실상 이것을 증명한다는 것을 상기시키면서 이 장을 끝내도록 하자. 왜냐하면 윌리암 그로브 경처럼, 우리가 다루는 전기가 볼 수 없는 어떤 것, *"모든 힘을 발생시키는 궁극의 힘,"* *"하나의 편재하는 영향력"*에 영향받은 보통 물질의 *결과*에 불과하다면, 그러면 고대인들이 그랬듯이, 모든 엘리멘트는 그 성질에서 이중이라는 것을 믿어야 하는 것이 자연스럽게 된다. "에테르 불은 순수한 카비르(KABIR)의 발산이다; 기체 (공기)는 에테르 불과 *지상의 불*의 합일에 불과하고, 지상에서 그것을 안내하고 적용하는 것은 낮은 위계의 카비르에 속한다"—아마도 오컬티스트는 그것을 엘리멘탈로 부른다; 그리고 똑같은 것이 모든 우주 엘리멘트에 적용된다고 말할 수 있다.

누구도 인간이 다양한 힘을 가지고 있다는 것을 부인하지 않을 것이다: 자성적 힘, 교감적 힘, 반감적 힘, 신경적 힘, 역동적 힘, 오컬트 힘, 기계적 힘, 멘탈적 힘—모든 종류의 힘; 그리고 그것들이 서로 섞이고 통합되어 우리가 지성적 힘과 윤리적 힘으로 부르는 그런 힘으로 되는 것을 보면서, 육체적 힘은 본질에서 모두 생물학적이라는 것을 부인하지 않을 것이다—말하자면 육체의 힘은 지성적 윤리적 힘의 매개체이다. 인간 속에 있는 혼을 부인하지 않는 사람은 어느 누구도 그것들의 실재와 혼합이 우리 존재의 본질이라고 말하는 것을 꺼리지 않을 것이다; 그리고 그것들이 사실 인간 속에 있는 *자아(Ego)*를 구성한다. 이런 잠재성들은 생리적, 물리적, 기계적, 신경적, 황홀한, 투시 및 투청 현상을 가지며, 심지어 과학도 이제는 완전히 자연적이라고 인정한다. 왜 인간이 자연에서 유일한 예외이고, 심지어 왜 원소들도 물리력으로 부르는 것에서 그들의 매개체를 가질 수 없다는 것인가? 그리고 무엇보다도 그런 믿음이 고대 종교들과 함께 "미신"으로 불려야 하는가?

15장 관-세-음과 관-음에 대하여

"아발로키테쉬와라(Avalokiteshwara)"처럼, 관-세-음(Kwan-shi-yin)도 여러 번의 변형 과정을 거쳤지만, 관세음이 북방불교도들이 근대에 발명한 것이라고 말하는 것은 오류이다. 왜냐하면 다른 호칭으로 그가 가장 초기시대부터 알려져 왔기 때문이다. 씨크릿 독트린에서 가르치길, "갱생에서 제일 먼저 나타날 자가 재흡수 (프랄라야) 전에 마지막으로 오는 자가 될 것이다." 이렇게 모든 나라의 로고스는 베다의 대신비의 비스바카르마(Visvakarma)부터 현재 문명국가들의 구세주에 이르기까지 모두 "태초에" (혹은 에너지를 불어넣는 대자연의 힘이 깨어날 때) 하나의 절대자(One Absolute)와 함께 있던 "말씀(Word)"이다. 불(Fire)과 물(Water)에서 태어났기 때문에, 이것들이 구분되는 원소로 되기 전에, 그것(IT)은 만물의 "조물주(Maker)" (주조자 혹은 형성자)였다; "그가 없다면 만들어진 그것이 아무것도 만들어지지 않았다"; "그 속에 생명이 있었고, 그 생명이 인간의 빛이었다"; 그리고 그는 언제나 존재해 왔듯이, 현현된 대자연의 알파이자 오메가로 불릴 수 있다. "위대한 지혜의 용이 불과 물에서 태어나고, 불과 물 속으로 만물이 그와 함께 다시 흡수될 것이다" (*법화경*). 이 보디삿트바가 만반타라 시작부터 끝까지 "원하는 아무 형태나 취한다"고 말하지만, 그의 특별한 탄생일 (기념일)이 금광명경(Luminous Sutra of Golden Light)에 의하면, 두 번째 달 19일이고, "미륵불" 탄생일은 첫 번째 달 1일이지만, 둘은 하나이다. 그가 일곱 번째 인종에서 아바타이자 붓다들의 마지막인 미륵불로 나타날 것이다. 이 믿음과 기대는 동양에서 보편적인 것이다. 인류의 새로운 구세주가 출현할 수 있는 때가 칼리 유가, 현재처럼 끔찍한 어둠의 물질 시대, "암흑 시대(Black Age)"가 아니다. 칼리 유가는 프랑스의 어느 사이비 오컬티스트의 신비적 글에서만 "황금시대(l'Age d'Or)"이다. ("유대인들의 사명" 참조.)

그래서 이 신성의 대중적 숭배에 있는 의례가 마법에 토대 위에 있다. 만트라들은 모두 사제들이 비밀로 간직한 특별한 문헌에서 가져온 것이고, 각각의 만트라는 마법 같은 영향을 일으킨다고 말한다; 독자나 암송자가 단순히 그 만트라를 읊조림으로써 즉각적인 영향을 낳는 비밀의 원인을 만든다. 관-세-음은 아발로키테쉬와라이고, 둘 다 일곱 번째 보편 원리(Universal Principle)의 형태이다; 반면에 그것의 최고의 형이상학적 성격에서 이 신성은 모든 행성영, 디안 초한의 통합적인 집합이다. 그는 "스스로-현현한 자(Self-manifested)"이다; 간단히 말해서, "아버지의 아들(Son of the Father)"이다. 일곱 용으로 머리 관을 장식한 채, 그 조각상 위에 "살아 있는 만물의 보편적 구세주"라고 새겨져 있다.

물론 스탠저의 고대 문헌에서 주어진 그 이름이 상당히 다르지만, 관-음이 완벽한 상당어이다. 중국 불교도의 신성한 섬인 푸토 사원에서, 관-세-음은 검은 수생 조류(*칼라-한사*) 위에서 떠다니면서, 유한자들 머리 위로 생명의 불로장생약을 쏟아 붓는 것으로 나타내어지며, 그것이 흐르면서, 최고의 디야니 붓다들 중에 하나로 변형된다—별의 섭정자(Regent)가 "구원의 별(Star of Salvation)"로 불린다. 세 번째 변형으로, 관-음은 형태에 생명을 불어넣는 물의 영 혹은 수호신이다. 중국에서 달라이 라마가 관-세-음의 화신으로 믿어지며, 그의 세 번째 지상의 출현에서 보디삿트바였으며, 반면에 테쉬 라마는 아미타 붓다 혹은 고타마의 화신이다.

작가는 "드러난 중국" (맥클라치)과 "남근 숭배(Phallicism)"의 저자들처럼, 모든 곳에서 남근 숭배를 발견하는 병적인 상상력을 진실로 가져야 한다고 지나가는 말로 말할 수 있다. 첫째로 "오래된 남근 신들이 두 가지 명백한 상징 하에서 발견된다—간(Khan) 혹은 양(Yang)은 *음경(membrum virile)*이고 관(Kwan) 혹은 음(Yin)은 *여음(pudendum muliebre)*." ("남근 숭배", p. 273.) 그런 표현이 더 이상한 것처럼 보인다. 왜냐하면 관-세-음 (아발로키세쉬와라)과 관-음이 이제는 불교 고행자들, 티벳의 요기들을 후원하는 신일뿐만 아니라, 순결의 신이며, 그것의 비의적 의미에서, 심지어 리스 데이비드가 "불교"에서 표현한 것에 암시된 것이 아니기 때문이다 (p. 202.): "아발로키테쉬와라 이름은 . . . '높은 곳에서 내려다보는 주(Lord)'를 의미한다." 관-세-음은 "교단에 있는 붓다들의 영도 아니고," 그것을 글자 그대로 해석하면, 그것은 "보이는 주(Lord that is seen)"를 의미하며, 한 가지 의미에서 (인간의) "자아(Self)에 의해서 지각된 신성한 대아(SELF)이다"—인간 속에 있는 신성 혼 혹은 여섯 번째 원리, 붓디의 지각 대상 혹은 붓디에 의해서 지각된, 보편혼 속으로 합쳐진 아트만 혹은 일곱 번째 원리이다. 한층 더 고귀한 의미에서,

아발로케테쉬와라=관-세-음이 일곱 번째 보편 원리로 언급되는데 보편 붓디(Universal Buddhi) 혹은 디야니 붓다들의 통합적 집합으로서 혼(Soul)이 지각한 로고스이다: 그리고 그것은 "교단에 있는 붓다의 영이 아니라," 대자연 혹은 대우주 사원에 현현된 편재하는 보편적인 영이다. 관(Kwan)과 음(Yin)의 동양학적 어원은 "요기니(Yogini)"의 어원과 똑같다. 하그레브 제닝스 씨가 그것은 "요기(Yogi) 조기(Zogee)로 발음된 방언에 있는 산스크리트 단어이고 세나(Sena)에 상응하며, 두티(Duti) 혹은 두티-카(Duti-Ca)—즉, 요니(Yoni) 혹은 샤크티(Sakti)로서 숭배된 사원의 성스러운 창녀—와 정확히 똑같다"는 것을 들었다. (60페이지) 인도에서 "윤리의 서에서 충실한 아내에게 샤크티로 숭배되어온 여성들 혹은 요기니의 사회를 피하라도 지시한다 . . . 가장 방탕한 묘사의 신봉자들 사이에서." 이 후에는 우리를 놀라게 할 것이 아무것도 없다. 그리고 우리는 "태양을 발생의 원천뿐만 아니라 남성 기관으로 나타내는 이름으로써, "부드(Budh)"에 대하여 인용된 또 다른 터무니없는 것을 발견하고 거의 웃지 못한다. (*아일랜드의 둥근 타워*; 하그레이브 제닝스가 "남근 숭배," p. 264에서 인용) 맥스 뮬러는 그의 "허위 유추"에서 "당대 가장 유명한 중국 학자, 아벨 레뮈사"가 (도덕경 14장에 있는) 세 음절 I Hi Wei (이夷, 희希, 미微) 세 글자가 여호와(Je-ho-vah)를 의미하였다고 주장한다고 말한다 (종교의 과학, p. 332); 그리고 아미요 신부도 삼위일체의 삼위가 같은 작품에서 알아볼 수 있다고 확신한다고 말한다. 그리고 만약 아벨 레뮈사가 그랬다면, 하그레이브 제닝은 왜 아니겠는가? 모든 학자가 부드(Budh) 속에서, "깨달은 자(enlightened)" 그리고 "깨어난 자(awakened)"에서, 언제나 어떤 "남근 상징"을 보는 터무니없는 것을 알아볼 것이다.

그러면 관-세-음은 신비적으로 "그의 아버지와 동일한 아들" 혹은 로고스—말씀—이다. 모든 고대 종교 체계의 모든 로고스가 뱀과 연결되어 있고 뱀으로 상징되듯이, 그는 스탠져 III에서 "지혜의 용"으로 불린다. 고대 이집트에서 신 나브쿤(God Nahbkoon)은 "복체들을 합치는 자(he who unites the doubles)"가 (아스트랄 빛이 생리적 영적인 잠재성으로 신성한 인간을 "하늘에 있는" 혹은 대자연에 있는 원형인 순수하게 신성한 모나드로 다시 합치는) 팔을 가지고 있건 없건 인간의 다리에 있는 뱀으로 나타내어졌다. 그것은 오파이트파에게 크리스트의 상징이고, 보는 사람들을 치유하는 놋뱀으로써 여호와의 상징이듯이, 그것은 대자연의 부활의 상징이었다; 뱀은 또한 템플러들에게 크리스트의 상징이었다. (메이슨에서 템플러 등급 참조) 크놉(Knouph) 또한 쿰(Khoum)의 상징 혹은 세계의 혼이 "다른 형태들 중에서 인간 다리 위에 있는 거대한 뱀의 형태로 나타내어진다; 이 파충류는 선한 수호신이자 진정한 아가토데몬으로 종종 수염이 있다"고 샹폴리옹이 말한다. (*판테온*, 본문 3) 성스러운 동물은 이렇게 오파이트파의 뱀과 동일하고, 그노시스 보석 혹은 바실리우스 보석으로 불린 아주 많이 조각된 돌 위에 그려졌다. 이 뱀은 (인간과 동물의) 다양한 머리들을 가지고 나타나지만, 그것의 보석은 항상 *크노우비스(ΧΝΟΥΒΙΣ, Chnoubis)* 글자가 새겨진 채 보인다. 이암블리쿠스와 샹폴리옹에 따르면, 이 상징은 "천상의 신들 중에 첫째"로 불린 것과 동일하다; 그리스인들에게 헤르메스 혹은 머큐리 신으로, 헤르메스 트라이스메기스터스가 마법을 발명하고 마법 속으로 인간을 최초 입문시킨 그 신이다; 그리고 머큐리는 부드(Budh), 지혜(Wisdom), 깨달음(Enlightenment) 혹은 "재-각성(Re-awakening)"하여 신성 과학으로 들어가는 것이다.

마무리하면, 관-세-음과 관-음은 대우주, 대자연 그리고 인간 속에 있는 똑같은 원리 (남성과 여성)의 두 가지 측면, 신성한 지혜와 지성의 두 가지 측면이다. 그것들은 신비한 그노시스들의 "크리스토스-소피아(Christos-Sophia)"이다—로고스와 그 샤크티. 대중이 결코 전체적으로 이해하지 못하도록 어떤 신비를 표현하려는 갈망에서, 고대인들은 어떤 것도 어떤 외적인 상징 없이 인간의 기억 속에서 보존될 수 없다는 것을 알기에 인간의 기원과 내적인 성질을 환기시키기 위하여 종종 관음의 터무니없는 이미지를 선택하였다. 하지만 객관적인 사람들에게, 후프 스커트를 입은 마돈나와 하얀 키드 장갑을 낀 크리스트가 용의 옷을 입은 관-세-음과 관-음보다 훨씬 더 터무니없는 것처럼 보인다. 주관적인 것은 객관적인 것으로 거의 표현될 수 없다. 그러므로 상징적인 공식이 과학적인 추론 너머에 있고 그리고 종종 우리의 지성 훨씬 너머에 있는 그것을 규정하려고 시도하기 때문에, 어떤 형상으로 혹은 다른 것으로 그 지성 너머로 가야만 한다. 그렇지 않으면 그것은 인간의 기억에서 사라져버릴 것이다.

씨크릿 독트린 II

과학, 종교 & 철학의 종합

"진리보다 더 고귀한 종교(법칙)는 없다."
"사티아 나스티 파로 다르마."

세계 종교들의 태고의 상징

세계 종교들의 태고의 상징

"독트린의 이야기들은 그것의 망토이다. 단순한 사람들은 그냥 옷만 본다—즉, 그 독트린의 이야기에 대해서만 본다; 그들은 더 이상 알지 못한다. 하지만 지도받은 사람들은 그 망토뿐만 아니라 그 망토가 덮고 있는 것을 본다."

– 조하르, iii, 153; 프랑크, 119.

"믿음의 신비가 모두에게 누설되어서는 안 된다. . . . 말해진 지혜를 신비 속에 숨기는 것이 필요하다."

– 알렉산드리아의 클레멘스, "스트로마타" 12.

비의 교리가 모든 성전에서 확증된다.

가르침의 기이함과 근대 과학의 관점에서 터무니없는 것처럼 보이는 많은 가르침을 고려할 때, 부가적이고 필요한 어떤 설명이 이루어져야 한다. 스탠저들의 두 번째 부분에 포함된 이론들은 1 권 우주발생론에서 구체화된 이론들보다 흡수하기에 심지어 더 어렵다. 그러므로 3 부에서 과학에 이의를 제기하듯이, 여기서 신학이 문제시될 것이다. 우리의 가르침이 물질주의 및 신학의 현재 사상과 너무 다르기 때문에, 오컬티스트들은 둘 다 혹은 둘 중에 어느 하나의 공격을 물리칠 준비가 언제나 되어있어야 한다.

다양한 고대 성전에서 풍부하게 인용한 것들이 증명하듯이, 이 가르침들은 세계만큼이나 오래되었다는 것을 독자에게 아무리 강조해도 지나칠 수 없다; 그리고 현재의 작업(본서)은 어떤 아시아의 비의적 학습 센터에서 가르친 태고의 창세기와 역사를 과학적이고 교육받은 학생이 익숙한 근대 언어와 구절로 표현하려는 단순한 시도라는 것도 강조한다. 그것들은 그것들 자체의 진가로 온전하게 혹은 부분적으로 받아들여지거나 거부되어야 한다; 그러나 그것들이 상응하는 신학적 도그마와 근대 과학 이론 및 추론과 신중하게 비교되기 전에는 아니다.

모든 지성적 예리함을 가지고, 우리의 시대가 태고의 철학의 정신을 충분하게 이해할 있는 심지어 한 명의 고독한 *입문하지 않은* 학자 혹은 철학자를 서구 국가에서 발견할 운명인지 아닌지 심각한 의구심을 갖는다. 이런 용어들, 동양의 비의가르침의 *알파*와 *오메가*, *사트*(*Sat*)와 *아사트*(*Asat*)—리그 베다와 다른 곳에서 너무 자유롭게 사용되었다—의 실재 의미가 철저하게 흡수되기 전에는 어느 누구도 그렇게 하기를 기대할 수 없다. 아리안 지혜에 대한 이런 열쇠가 없다면, 리쉬와 아라한들의 우주발생론이 보통의 동양학자에게는 사문자로 남아있을 위험에 있다. *아사트*는 단순히 *사트*의 부정이 아니고, 그것은 "아직 존재하지 않는" 것도 아니다; 왜냐하면 사트는 자체로 "실존(existent)"도 아니고 "존재(being)"도 아니기 때문이다. 사트(SAT)는 불변의, 언제나 실재하는, 변함없는 영원한 뿌리로, 거기서 그리고 그것을 통해서 모든 것이 나온다. 그러나 발전의 과정 혹은 소위 진화로 부르는 것을 앞으로 추진시키는 것이 바로 씨앗 속에 있는 잠재력보다 훨씬 이상이다. 그것은 결코 현현하지 않지만, 언제나 되어간다.[187] 사트가 아사트에서 태어나고, 아사트(ASAT)는 *사트*에 의해서 낳아진다: 진실로 원 속에 있는 영원한 운동; 하지만 그 원은 파라니르바나의 경계에서 지고의 입문에서만 사각형에 맞춰질 수 있는 원이다.

바스는 이 태고 문헌의, 비범한, 그러므로 생각했듯이, 독창적인 견해를 엄격한 비평을 할 의도로 리그-베다에 대한 심사숙고를 시작하였다. 하지만 비판하는 동안에, 그 학자가 그것의 온전한 중요성을 인식하지 못한 채 어떤 진리를 드러내는 것이 일어났다. 그는 "리그-베다의 사상이나 언어 속에서 그렇게 많은 사람들이 그 속에서 본 것으로 가장하는 *원시적 자연적 단순성*의 그 특질을 발견할 수 없었다"고 말하는 것으로 가정한다. 바스가 이것을 쓸 때 그의 마인드 속에서 맥스 뮬러를

---

187 *절대적 존재(Absolute Being)* 혹은 "*있음*(*Be-ness*)"과 "비-존재(non-Being)"를 동일시하고, 우주를 *영원히 되어가는 과정*(*eternal becoming*)으로 나타내는 헤겔의 가르침은 베단타 철학과 동일하다.

염두하고 있었다. 왜냐하면 유명한 옥스포드 교수가 내내 리그 베다의 찬가를 목가적인 순수한 사람들의 종교적 느낌의 소박한 표현으로 특징지어버렸기 때문이다. "베다 찬가에서 개념들과 신화들이 가장 단순하고 가장 신선한 형태로 나타난다;"— 산스크리트어 학자가 생각한다. 하지만 바스는 다른 의견이다.

리그 베다의 중요성과 내재적 가치에 대하여 산스크리트어 학자들의 의견이 나누어지고 개인적이어서 그런 의견들이 어느 길로 기울건 전적으로 치우치게 된다. 이렇게 맥스 뮬러가 선언한다: "우리가 베다의 성장하는 신화들과 호머의 시가 토대를 둔 온전하게 자랐고 쇠퇴한 신화를 비교할 때보다, 인도의 고대의 시들과 그리스의 가장 고대 문헌을 분리시키는 폭넓은 간격이 어디에서도 더 명확하게 느껴지지 않는다. 베다는 *아리안 인종*의 실재 신통기이며, 반면에 헤시오도스의 신통기는 원래 이미지에서 왜곡된 풍자만화이다." 이것은 무시무시한 주장이고, 아마도 오히려 전반적인 적용에서 부당하다. 그러나 왜 그것을 설명하려고 하지 않는가? 동양학자들은 그렇게 할 수가 없다. 왜냐하면 그들은 씨크릿 독트린의 연대기를 거부하고, 리그-베다 찬가와 헤시오도스의 신통기 사이에 만년이 지났다는 사실을 거의 인정할 수 없기 때문이다. 그래서 그들은 그리스 신화가 더 이상 입문자들, 신들의-대사제들의 제자들, 신성한 고대의 "희생자들"의 원시의 상징적 언어가 아니라는 것과 그 간격으로 훼손되고, 통속적인 공상의 풍부한 성장으로 막혀버린 채, 그것들이 이제는 흐르는 파도 속에 있는 뒤틀어진 별들의 이미지처럼 서 있다는 것을 보지 못한다. 그러나 헤시오도스의 우주발생론과 신통기가 원래 이미지의 풍자만화로 봐야 된다면, 헤시오도스의 신통기가 글래드스톤 씨에게 보이듯이, 유대인의 창세기가 신성한 계시도 신의 말씀도 아니라는 사람들 눈에 그 창세기에 있는 신화들은 훨씬 더 그럴 것이다.

바스가 말한다: "그것이 (리그 베다) 간직하는 시는 그와 반대로 독창적으로 세련된 성격과 *암시와 침묵으로 가득 찬* 인위적으로 정성들인 신비주의와 신지학적 통찰력에 대한 가식처럼 보이며, 그것의 표현 방식은 거대한 공동체의 시적인 언어라기보다 *입문받은 소그룹에서* 사용하는 구절을 더 자주 상기시키는 그런 방식이다." ("*인도의 종교들*," p. xiii)

우리는 비평가에게 "입문받은 사람들" 사이에서 사용하는 구절에 대하여 그가 알 수 있는 것이 무엇인지 혹은 그가 그런 그룹에 속하는지 묻는 것을 멈추지 않을 것이다; 왜냐하면 후자의 경우 그가 그런 언어를 거의 사용할 수 없었을 것이기 때문이다. 그러나 위의 내용은 리그 베다의 *외적인* 성격에 대해서조차 학자들 사이에 현저한 불일치를 보여준다. 그러면 근대 산스크리트어 학자들 중에서 어느 누가 *이 성전이 입문자들에 의해서 편찬되어 왔다는* 바스의 올바른 추론을 넘어서 그것의 *내적* 혹인 *비의적* 의미에 대하여 말할 수 있는가?

현재 작업의 전체는 이런 진리를 증명하려는 노력이다. 근대 물질주의가 그 사실을 인정하지 않으려고 하더라도, 고대의 초인들은 과학의 위대한 문제들을 풀었다. 생과 사의 신비가 고대의 위대한 숙달자들에 의해서 *간파되었다*; 그리고 만약 그들이 그것들을 비밀과 침묵 속에 보존하였다면, 그것은 이런 문제들이 성스러운 신비의식의 일부분을 형성하였기 때문이다; 그리고 두 번째로, 그것들은 그때처럼 인간 대부분에게 이해할 수 없는 것으로 남아있기 때문이다. 그런 가르침이 철학에서 우리의 경쟁자들에 의해서 비현실적인 망상으로 여전히 간주된다면, 근대 심리학자들의 추론—허버트 스펜서처럼 심각한 이상주의 혹은 부질없는 준 이상주의자들—이 훨씬 더 기괴하다는 것을 훌륭한 증거로 배우는 신지학자들에게 위안이 될 수 있다. 진실로 대자연 속에 있는 사실들의 확고한 토대 위에 있는 대신에, 그것들은 그것들을 진화시킨 두뇌의 물질적 상상력의 건강하지 않은 도깨비불이며 그 이상도 아니다. 그들이 부정하는 반면에 우리는 확언한다; 그리고 우리의 확인은 거의 모든 고대 성자들에 의해서 확증된다. 정당한 이유로 오컬티즘과 보이지 않는 잠재성 무리를 믿으면서, 우리는 말한다: "*나는 확신하고, 내가 믿는 것을 안다*(*Certus sum, scio quod credidi*)"; 그것에 우리의 비평가들이 답한다: "*아펠라 유대인이 그것을 믿을 수도 있다*(*Credat Judaeus Apella*)." 어느 한 쪽도 다른 편에 의해서 변형되지 않고, 그런 결과도 심지어 우리의 작은 행성에 영향을 주지 않는다. "*그럼에도 불구하고 그것은 움직인다*(*E pur se muove*)!"

개종시킬 필요도 없다. 현명한 키케로가 말했듯이, "시간이 인간의 추론을 파괴하지만, 그것은 자연의 판단을 확인한다." 우리의 시간을 기다리자. 한편 그것이 사실이건 거짓이건, 신들의 파괴를 침묵 속에서 목격하는 것이 인간의 구성 요소 속에 있지 않다. 그리고 신학과 물질주의가 함께 결합하여 고대의 오래된 신들을 파괴하고 고대 모든 철학적 개념을 왜곡시키려고 하기 때문에, 양쪽의 무기 전체가 기껏해야 매우 오래된 물질에서 만들어진 새로운 무기로 구성되었다는 것을 증명하면서 고대의 지혜를 사랑하는 사람들은 그들의 위치를 방어하는 것이 합당하다.

16 장 아담-아다미(ADAM-ADAMI)

추월슨 씨가 그의 "나바테아인 농업"에서 [188] 사용한, 그리고 레농 씨가 조롱한, 아담-아다미 같은 이름들이 일반인에게 증명할 수 있는 것이 거의 없다. 하지만 오컬티스트에게, 그 용어가 위에 인용되었듯이, 엄청 고대의 작품 속에서 발견되었다는 것으로, 그것은 상당히 많은 것을 증명한다: 예를 들면, *아다미*는 다중의 상징이었고, 그 어근 단어가 보여주듯이, 아리안 민족에서 기원하였으며, 셈족과 우랄-알타이족이 다른 많은 것들처럼 그들로부터 가져온 것이었다.

"아담-아다미"는 언어만큼이나 오래된 총칭적인 복합 이름이다. 씨크릿 독트린에서는 *아드-이*(*Ad*-i)는 아리안들에 의해서—이번 라운드에—처음으로 *말하는* 인류의 인종에게 주어진 이름이었다고 가르친다. 그래서 유대인이 지상의 최초의 영적 에텔적 아들들인 그들의 여호와와 천사들에게 적용한 *아도님*(*Adonim*)과 *아도나이*(*Adonai*)—아돈(Adon)의 고대 복수 형태—가 있다; 그리고 많은 변형으로 "최초의 주(First Lord)"를 나타낸 신 아도니스(god Adonis)가 있다. 아담(Adam)은 산스크리트어 *아다-나스*(*Ada-Nath*)로, 또한 *아드*-이스와라(*Ad*-Iswara) 혹은 어떤 형용사나 명사가 따르는 *아드*(*Ad*) (최초)처럼 최초의 주(first Lord)를 의미한다. 그 이유는 그런 진리들이 공통의 유산이었기 때문이다. 그것은 하나의 말 혹은 "하나의 *언어*의 시대"로 성서 구절에서 불리는 그 시대 이전에 *최초* 인류가 받은 계시였다; 나중에 지식이 인간 자신의 직관으로 확장되었지만, 후에 적절한 상징으로 통속화로부터 한층 더 숨겨졌다. "이븐 게비롤의 철학적 가르침, 카발라"의 저자는 이스라엘 사람들이 *에흐'예*(*Eh'yeh*) (*나는 있다*(*I am*))와 야훼(YHVH) 대신에 "*아도*나이(*Ad*onai)" (주:Lord)를 사용하는 것을 보여주고, 아도나이가 성서에서 "주(Lord)"로 번역된 반면에, "가장 낮은 명칭 혹은 대자연 속에 있는 신, 더 일반적인 용어 엘로힘(Elohim)이 신(God)으로 번역되었다"고 첨언한다. (p. 175)

---

188 아래 참조.

1860 년에 동양학자 추월슨에 의해서 기묘한 책이 번역되었고, *"나바테아인 농업"*이라는 제목으로 언제나 믿지 않는 경박한 유럽인에게 제시되었다. 번역자의 의견으로 그 태고의 서적은 *"부정할 수 없는 진정한 문서들의* 권위를 토대로 아담 이전 국가들의 신비의식으로 들어가는 *완전한 입문*이다." 그것은 "칼데아인들 뿐만 아니라, 앗시리아인들과 유사이전 시대의 가나안인들의 예술과 과학에 대한, 간직된 독트린의 온전한 개요, 매우 귀중한 개론이다." 이 "나바테아인들"—어떤 비평가가 생각했듯이—은 단순히 시바인 혹은 칼데아 별 숭배자들이었다. 그 서적은 칼데아어에서 처음으로 번역된 언어인 아랍어에서 번역한 것이다.

아랍의 역사가, 마수디(Masoudi)가 그 나바테아인들에 대하여 말하며, 이런 식으로 그들의 기원을 설명한다: "대홍수 이후 국가들이 다양한 나라에서 세워졌다. 이것들 중에 나바테아인들이 있었고, 그들은 바빌론 도시를 세웠으며, 함(Ham)의 아들이고 노아의 증손자인 쿠쉬의 아들, 님로드(Nimrod)의 지도 아래 같은 지역에 정착한 함의 자손들이었다 . . . 이것이 님로드가 비우라스프(Biurasp)라는 이름으로 자하크(Dzahhak)의 대표자로서 바빌로니아 통치권을 받았을 때 일어났다."

번역자 추월슨은 이 역사가의 주장이 창세기에 있는 모세의 주장과 완전히 일치한다는 것을 발견한다; 반면에 더 무례한 비평가들은 바로 이런 이유로 그들의 진리가 의심받아야 한다는 의견을 표현한다. 현재 질문에서 가치가 없는 이 점에 대하여 논쟁해봤자 의미가 없다. 온갖 풍상을 다 겪은, 오랫동안 묻혀온 문제와 대홍수 이후 346 년에 [189] 세 커플 (노아의 아들들)에서 나온 수백 만의 다양한 인종들, 많은 문명화된 국가들과 부족들의 현상적 기원을 어떤 논리적인 바탕 위에서 설명하는 어려움은 창세기의 저자, 그를 모세로 부르건 혹은 에즈라로 부르건, 그 저자의 카르마로 남겨둘 수 있다. 이 서적에서 주목되어야 하는 것은 그것의 내용, 그 속에서 선언된 가르침으로, 그것을 비의적으로 읽으면 비밀의 가르침과 거의 모두가 동일하다.

---

189 창세기와 공인된 연대기를 참조하라. 9장에서, "노아가 기원전 2348년에 방주를 떠난다." 10장. "님로드, 첫째 군주가 기원전 1998년에 선다."

콰트레미어는 이 책이 "무한히 더 고대의 것인" 어떤 햄 논고에서 네브카드네자르 II 세 하에서 만들어진 단순한 복사판이라고 제시하였다. 반면에서 저자는 "내적인 증거와 외적인 증거로" 그것의 칼데아 원본은 부유한 바빌로니아 지주 쿠-따미(Qu-tamy)의 가르침과 구전 담론에서 쓰여 졌다고 주장한다. 그리고 쿠-따미는 그런 담론을 위하여 한층 더 고대의 자료들을 사용하였었다. 최초 아랍어 번역은 기원전 13 세기에 되었다고 추월슨이 말한다. 이 "계시"의 첫 번째 페이지에, 저자 혹은 서기, 쿠-따미가 "거기서 선언된 가르침들은 원래 *새턴(Saturn)이 달(Moon)에게 말한 것으로, 달은 그녀의 우상에게 소통하였으며, 그 우상이 그녀의 헌신자, 즉 작가—그* 서적의 초인 서기—쿠-따미에게 드러냈다"고 선언한다.

인간들의 혜택과 가르침을 위해서 신이 준 세부사항들은 헤아릴 수 없는 기간 동안과 지구에서 *아다미(Adami)*—"붉은 지구(red-earth)"—의 출현 이전에 있었던 일련의 셀 수 없는 왕국들과 *왕조*들을 보여준다. 이 기간들은 기대된 것처럼 성서의 사문자 의미를 지키려는 사람들을 격노하게 만들었다. 드 루즈몽이 그 번역가에 대항하는 연합을 만든 첫 번째 사람이었다. 그는 "모세를 익명의 저자에게 희생시킨다는" 것으로 그를 비난하였다.[190] "그가 *시수투루스-노아(Xisuthrus-Noah)*와 *벨루수-님로드(Belus-Nimrod)*의 *알로루스-아담(Alorus-Adam)*에 대하여 말하기 때문에," 베로수스는 "그의 연대기적 오류가 아무리 크더라도, 최소한 최초 인간에 대하여 예언자와 완전히 일치한다"고 주장한다. "그러므로 그 서적은 그것의 동시대 서적—*에녹의 서, 에스드라스(Esdras)의 네 번째 서, 시빌의 신탁, 헤르메스의 서*—과 배열되어야 하는 *외경*임에 틀림없다"고 그가 추가한다. "*이들 서적 하나 하나는 기원전 2 세기 혹은 3 세기보다 더 거슬러 올라가지 않는다.*" 에발은 추월슨을 한층 더 질책하였고, 마지막으로 레난이 그랬다. "저먼 리뷰"에서,[191] 이전 제자가 그의 스승에게 왜 *나바테아인 농업*이 우리 시대 3 세기 혹은 4 세기 어떤 유대인의 사기 작품이 아닌지 이유를 보여줄 것을 요구함으로써 그의 스승의 권위를 끌어내린다. "예수의 삶"의 공상 소설 작가가 주장한다—점성학과 주술에 관한 2 절판에서, "우리는 쿠-따미가 소개한 인물들 속에서 *아담-아다미*, *아누카-노아(Anouka-Noah)*,

---

190 1860년 6월 *철학의 연대기*, p. 415.
191 1869년 4월 30일, *저먼 리뷰*.

그리고 그의 *이브라힘-아브라함(Ibrahim-Abraham)* 등등 같은 성서 전설의 모든 장로들을 알아보기에,” 그것이 거의 다를 것일 수 없다.

이것은 이유가 되지 못한다. 왜냐하면 아담과 다른 이름들은 통칭이기 때문이다. 한편, 모든 것들을 고려할 때, *외경*—콰트레미어가 제시한 것처럼 기원전 13 세기 대신에, 심지어 서기 3 세기일지라도—이 문서로써 *진품으로* 보이고 그래서 가장 엄격한 고고학자와 비평가들의 요구를 충족시키기에 충분히 오래되었다고 겸손하게 제시한다. 왜냐하면 심지어 논의를 위해서, 이 문학 유물이 “우리 시대 3 세기에 어떤 유대인에 의해서” 편집되었다는 것을 인정하더라도, 그것이 어떻다는 것인가? 그 가르침의 신뢰성을 잠시동안 제쳐 놓고, 왜 그것이 같은 시대 혹은 심지어 후대의 구전 전통 혹은 “고대 문서의 편집물,” 어떤 다른 종교 서적보다 더 고대의 의견을 반영하는 것으로서 덜 교훈적이거나 덜 관심을 받을 자격이 있는가? 그럼 우리는 그런 경우를 거부하고 쿠란을 “외경 같은 것”으로 불러야 한다—2 세기 오래 전에, 아랍 예언자 두뇌에서 직접 미네르바처럼 솟아났다고 알고 있을지라도; 그리고 우리가 탈무드로부터 얻는 모든 정보를 업신여겨야 한다. 그것도 고대 자료에서 현재 형태로 편집되었고, 우리의 시대 9 세기보다 이르지 않다.

칼데아 초인의 기묘한 “성서” 그리고 그것에 대한 다양한 비평이 (추월슨의 번역에서처럼) 주목되었다. 왜냐하면 그것은 현재 작품의 상당 부분에 영향을 갖기 때문이다. 원칙상 성상파괴자인 M. 레난의 예외로—줄스 르메트르가 신랄하게 “*공(무)의 파가니니(le Paganini du Néant)*”로 불렀다—그 작품이 가진 최악의 결점은 “외경”이 *하나의 계시로써* “새턴”으로부터 받은 “달의 우상(idol of the moon)”에 의해서 초인에게 전달된 것처럼 보인다. 그래서 매우 자연스럽게 그것은 “온통 요정 이야기”이다. 이것에 대하여 한 가지 대답만 있다: 성서가 요정 이야기가 아닌 것처럼 그것도 요정 이야기가 아니다. 그리고 하나가 쓰러지면, 다른 것도 그것을 따라야 한다. 심지어 “달의 우상”을 통한 예언 방식이 다비드, 사울 그리고 테라핌으로 유대 성막의 고위 사제들이 실행하는 것과 같다. 3 권, 현재 문헌 2 부에서 그런 고대의 예언의 실천적인 방법들이 발견된 것이다.

"나바테아인 농업"은 진실로 편찬집이다; 그것은 외경이 아니며, 가르침을 "은폐하는" 목적으로, 통속적인 칼데아 형태의 민족적 상징 하에서, 씨크릿 독트린의 가르침을 반복한 것에 불과하다. 마치 헤르메스의 서와 푸라나가 이집트인과 힌두인의 똑같은 시도인 것처럼. 그 작업은 중세시대 동안에 그랬듯이, 고대에도 잘 알려져 있었다. 마이모니데스가 그것에 대하여 말하고, 한번 이상 이 칼데아-아랍어 사본을 언급하면서, 나바테아인들을 그들의 공동-종교적 이름, 즉 "별 숭배자들" 혹은 시바인으로 부르지만, "나바테아인"이라는 훼손된 단어에서 *네보*(*Nebo*) (비밀 지혜의 신)에 헌신한 카스트의 신비 이름을 보지 못한다. 표면상으로 이 이름은 *나바테아인들*이 오컬트 형제단이었다는 것을 보여준다.[192] 페르시아인 예지디에 의하면, 부스라에서 시리아로 원래 왔던 나바테아인들은 그 형제단의 타락한 구성원들이었다; 그리고 여전히 그들의 종교는 후대까지 순전히 카발라적이었다.[193] 네보는 행성 머큐리의 신이고, 머큐리는 지혜의 신 혹은 헤르메스 그리고 *부다*(*Budha*)이며, 유대인들이 כִכְי "높이 있는 주(Lord on high), 열망하는 자"로 부르고 . . . 그리고 그리스인들의 나보(Nabo), 그래서 나바테아인들이다. 마이모니데스는 그들의 가르침이 "이교도의 어리석음"이라고 부르고 그들의 태고의 문학을 "*시바인의 쓰레기*"로 부르는 것에도 불구하고, 그는 그들의 "농업," 쿠-따미의 성서를 태고 문학의 최고로 놓는다; 그리고 아바르비넬은 그것을 한량없는 말로 칭송한다. 스펜서는 아바르비넬을 인용하면서 그것을 "가장 탁월한 동양 작품"으로 말하면서, 나바테아인들, 시바인들, 칼데아인들 그리고 이집트인들, 간단하게 말해서 *모세의 법이 이들 국가에 대항해서 가장 가혹하게 제정되었다*는 것이 이해되어야 한다고 덧붙인다. (1 권, p. 354)

---

192 "나는 *시바인들의 믿음을* 존중하면서 . . . 그대에게 그 글을 언급할 것이다"고 그가 말한다. "가장 유명한 책은 '*나바테아인들의 농업*'으로, *이븐 와호히지야*가 번역하였다. 이 책은 이교도의 어리석은 것으로 가득 차 있다. . . 그것은 부적의 준비, 영의 힘을 끌어내는 것, 마법, 데몬 그리고 사막에 거주처를 만드는 악귀들을 말한다." (D. 추월슨 박사가 "시바인과 시바교"에서 인용한 마이모니데스) 그들의 선조들이 일곱 대천사들의 거주처이자 체인 일곱 위대한 별을 믿었고, 다른 곳에서 보여준 것처럼, 로마 카톨릭이 오늘날까지 믿었듯이, 레바논 산의 나바테아인들은 일곱 대천사들을 믿었다.

193 "아이시스 언베일드" 2권 p. 197.

바빌로니아와 메소포타미아의 지혜의 신, 네보는 힌두의 부다(Budha) 그리고 그리스의 헤르메스-머큐리와 동일하다. 그 부모의 성에서 약간의 변화만이 바뀐 것이다. 부다가 인도에서 소마 (달)의 아들이고, 브리하스파티 (주피터)의 부인의 아들이듯이, 네보는 자르파-니투(Zarpa-nitu) (달의 신)와 태양신이 된 후에 주피터로 된 메로닥의 아들이었다. 머큐리 행성으로서, 네보는 행성들의 일곱 신들 사이에 있는 "감독관(overseer)"이었다; 그리고 비밀의 지혜의 의인화로 그는 *나빈*(*Nabin*), 현자(seer)이자 예언자였다. 모세가 네보에게 바친 산에서 죽고 사라졌다는 사실로 그가 입문자이고 또 다른 이름의 그 신의 사제라는 것을 보여준다; 왜냐하면 이 지혜의 신이 위대한 창조신이었고, 그의 멋진 사원 혹은 행성 타워가 있는 보르시빠 뿐만이 아니라, 그렇게 숭배되었기 때문이다. 그는 마찬가지로 모압족, 가나안 사람, 앗시리아인 그리고 팔레스타인 전체에 걸쳐서 숭배되었다: 그러면 왜 이스라엘은 아닌가? "바빌론의 행성 사원은, 지혜의 예언자 신, 네보 성소 안에 그것의 지성소를 가졌다." 우리는 히버트 강연에서 "고대 바빌로니아인들이 인간과 신 사이에 중재자를 가졌고, 네보가 그의 아버지 메로닥의 욕망을 알리기 때문에, 그가 '예언자' 혹은 '선포자'였다"고 들었다.

네보는 부다처럼 네 번째 그리고 다섯 번째 근원인종의 창조자이다. 왜냐하면 전자는 초인들의 새로운 인종을 시작하고, 후자는 *태양-달 왕조*(*Solar-Lunar* Dynasty) 혹은 이 인종들의 인간과 라운드를 시작하기 때문이다. 둘 다 그들 각각 창조물의 아담들이다. 아담-아다미는 *이중* 아담의 의인화이다: 전형적인 아담 카드몬, 창조자의 아담 그리고 이상의 하위 아담으로, 시리안 카발리스트가 말하듯이, 그의 추락 이후 전까지, *살아 있는 혼이 아닌*, "생명의 숨결," *네페쉬*만 가지고 있었다.

그러므로 만약 레난이 칼데아 성전—혹은 그것들을 상기시키는 것—을 외경같다고 간주하는 것을 고집하더라도, 그것은 진리와 사실에 상당히 중요하지 않다. 서로 다른 의견을 가질 수 있는 다른 동양학자들이 있다; 그리고 심지어 그들이 없더라도, 여전히 별로 중요하지 않을 것이다. 이 가르침은 에소테릭 철학의 가르침을 간직하고 있으며, 이것으로 충분하다. 상징을 아무것도 이해하지 못하는 사람들에게, 그것은 단순한 성신 숭배처럼 보일 수 있거나, 비의적인 진리를 숨기는 사람에게, 심지어 "이교도의 어리석음"처럼 보일 수도 있다. 하지만 마이모니데스가 다른 나라들의 종교 속에 있는 비의가르침에 대한 경멸을 표현하면서 그 자신의 종교에 있는 비의가르침과 상징을 고백하였고, 모세의 말씀의 진실한 의미에 대한 비밀과 침묵을 설교하였으며, 이렇게 실패하였다. 칼데아인, 쿠-따미의 가르침은 간단하게 말해서 다섯 번째 근원인종의 가장 초기 국가들의 종교의 비유적 표현이다.

그러면 M. 레난은 왜 "아담-아다미" 이름을 그런 학문적 경멸로 다루어야 하는가? "기독교의 기원"의 저자는 "*이교도 상징의 기원*" 혹은 비의가르침에 대하여 분명히 아무것도 보여주지 못한다. 그렇지 않다면 그가 그 이름은 보편적 상징의 형태로, *심지어 유대인들에서도* 한 명의 인간을 말하는 것이 아니라, 인류 혹은 네 가지 구분되는 인류를 말한다는 것을 알았을 것이다. 이것이 쉽게 증명된다.

카발리스트는 네 가지 구분되는 아담들의 존재 혹은 네 가지 연속적인 아담들의 변형, 천상의 인간의 *신성한 환영*(*Dyooknah*)에서 발산, 네샤마의 에텔 조합, 최고의 혼 혹은 영을 가르친다: 이 아담은 조잡한 인간의 체도 *욕망의 체*도 가지고 있지 않는다. 이 "아담"은 두 번째 아담의 원형(tzure)이다. 모두가 카발라에 있는 그들의 묘사로 이해할 수 있듯이, 그들이 우리의 다섯 인종을 나타낸다는 것이 확실하다: 첫째가 "완전하고, 성스러운(Holy) 아담"이다; . . . (에돔의 왕이) 신성한 이미지(*Tzelem*)에서 만든 "사라진 그림자"; 두 번째는 미래의 지상의 분리된 아담의 원형질이 되는 자웅동체의 아담으로 불린다; 세 번째 아담은 "먼지"(첫째, 순수한 아담)로 만들어진 인간이다; 그리고 네 번째는 우리 인종의 선조로 추정된다—추락한 아담(Fallen Adam). 하지만 아이작 마이어의 "카발라," p. 418 이하에서 이것에 대하여 훌륭하게 설명한 명확한 묘사를 참조하기 바란다. 그는 의심할 여지없이 에돔의 왕들 때문에 네 아담만 제시한다. "네 번째 아담은 피부, 육체, 신경 등등을 입고 있었다. 이것이 하위의 *네페쉬*와 *구프*, 즉 결합된 체에 대응한다. 그는 종의 연속과 재생산의 동물적 힘을 가지고 있고," 이것이 *인간의* 근원인종이다.

근대 카발리스트들—어디서 얻었건 그 카발라 기록을 함부로 변경한 오랜 세대의 기독교 신비가들에 의해서 오류에 빠진—이 그들의 해석에서 오컬티스트와 갈라져서 후대 생각을 초기 개념으로 생각하는 것이 바로 이 점이다. 원래 카발라는 전적으로 형이상학적이며, 동물적 혹은 지상의 성과 아무 관련이 없었다; 후대의 카발라가 무거운 남근 요소 아래에서 신성한 이상을 질식시켜 버렸다. 카발리스트들이 말한다: — "신은 인간을 남자와 여자로 만들었다." "카발리스트들 중에서, 계속된 창조와 존재의 필요성이 균형(Balance)으로 불린다"고 카발라 저자가 말한다; 그리고 이 "균형" 없이, *마-곰(Ma-gom)* [194] (신비스러운 곳)과 연결되면, 심지어 첫 번째 근원인종도, 우리가 보았듯이, 다섯 번째 아담의 아들들에 의해서 인식되지 않는다. 자웅동체 혹은 "남성 여성"인 상위의 아담, 최고 높은 천상의 인간부터, 먼지의 아담에 이르기까지, 이 의인화된 상징들은 모두 성(sex) 그리고 출산과 관련 있다. 동양의 오컬티스트들에게 그것은 완전히 반대이다. 그들은 성적인 관계를 그가 "현명하게" 되는 순간 제쳐 놓아야 하는 것, 환영에 지배된, 인간의 세속의 관계에만 속하는 "카르마"로 간주한다. 만약 구루가 그의 제자 속에서 브라흐마차리야의 순수한 삶의 소질을 발견하였다면 그들은 그것을 가장 운 좋은 상황으로 간주하였다. 그들의 이중 상징이 그들에게는 창조적 우주 힘의 지고한 상관관계의 시적인 이미지에 불과하였다. 그리고 이런 이상적인 개념이 인도와 컬트들의 다른 모국 땅의 차분한 신전의 붐비는 갤러리에 있는, 아무리 조잡하고 괴상하더라도, 우상 위로 황금 광선처럼 비추는 것이 발견된다.

이것이 다음 섹션에서 나타날 것이다.

한편, 그노시스파에서, 두 번째 아담은 태초의 인간(Primeval Man), 오파이트의 *아다마스*, "그의 이미지로 그가 만들어진," 아담에서 발산한다; 세 번째 아담은 이 두 번째 아담—자웅동체에서 나온다고 덧붙일 수 있다. 후자는 남성-여성 영겁(male-female AEons)—아버지의-희망(Amphian-Essumene)과 어머니의-자선(Vannanin-Lamer) (아버지-어머니; 에피파니우스에 있는 발렌티누스 테이블 참조—의 여섯 번째 그리고 일곱 번째 쌍 속에서 상징된다—반면에 네 번째 아담 혹은 인종은 프리아푸스(Priapus) 괴물로 나타내어진다. 후자 (괴물)—후기 기독교인의 공상—는 "선한 하나(Good One)" 혹은 "어떤 것이 존재하기 전에 창조한 그(He)," 천상의 프리아푸스(Celestial Priapus)—*그 신이 인도의 탐험에서 돌아왔을 때* 비너스와 바쿠스로부터 진실로 태어났다. 왜냐하면 비너스와 바쿠스는 아디티(Aditi)와

194 단순히, 자궁, 셈족의 "지성소."

영(Spirit)의 그 이후의 유형이기 때문이다—에 대한 기독교 이전 그노시스 상징이 훼손된 복사판이다. 하지만 나중의 프리아푸스는 아가토데몬, 그노시스 구세주 그리고 심지어 아브락사스와 하나로 더 이상 *추상적 창조의* 힘의 그림문자가 아니라, 넷 아담 혹은 인종을 상징하고, 다섯 번째는 그노시스 보석에서 노인이 서있는 그 생명의 나무에서 잘려 나온 *다섯* 가지들로 상징된다. 근원인종들의 수가 고대 그리스 사원에서는 일곱 모음으로 기록되었으며, *다섯*이 아디티야의 입문 홀에 있는 판자 속에 액자로 되어 있다. 그것의 이집트 그림문자는 다섯 손가락이 펼쳐진 손으로, 다섯 번째 혹은 새끼 손가락이 반정도 성장한 것이며, 다섯 "N"— 그림문자가 그 글자들을 나타낸다. 로마인들은 그들 신전에서 A E I O V 다섯 모음을 사용하였다; 그리고 이 태고의 상징이 중세시대에 모토로 합스버그 가문의 모토로 채택되었다. *이렇게 세계의 영광이 지나간다*(*Sic transit gloria!*)

17 장 지성소(HOLY OF HOLIES)와 그것의 타락

고대인들의 *생텀 생터럼*(*Sanctum Sanctorum*)은 사원 서쪽에서 움푹 들어간 곳으로 삼면이 아무 장식 없는 벽으로 둘러 쌓여 있고 그 입구 혹은 구멍에만 커튼이 걸려 있으며 고대 모든 국가에서 공통으로 *성소* (*에디텀*)로 불렀다.

그럼에도 불구하고, 이교도 비의가르침과 후대 유대인 가르침 속에서, 이 상징적인 곳의 비밀의 의미 사이에서 큰 차이가 발견된다; 비록 그것의 상징이 기원에서 고대 인종들과 국가들에서 두루 동일하였더라도. 이방인들은 *사르코파거스* (석관) 혹은 무덤 (*타포스*)과 그 사원이 바쳐진 태양-신을 성소에 놓음으로써, 범신론자로서 그것을 최고의 존경으로 간직하였다. 그들은 그것을—비의적 의미에서—우주, 태양 혹은 인간이건, *부활*의 상징으로 간주하였다. 그것은 광범위한 범위의 주기적 그리고 (시간에서) 정확한 만반타라 혹은 대우주, 지구 그리고 인간이 새로운 존재로 깨어나는 것을 포괄하였다; 태양이 가장 시적이고 하늘에 있는 같은 것 중에서 가장 웅대한 상징이며 지상에서는—재화신 속에 있는—인간이다. 유대인—유대인의 실재론이, 사문화된 글자로 판단된다면, 지금처럼 모세 시대에도 실질적이었고 조잡하였다 [195]—은 그들의 이교도 이웃의 신으로부터 멀어지는 과정에서 그들의 지성소를 일원론의 가장 장엄한 표시로 세우는 장치로써—대중적으로—민족적 율법에 의한 체제를 완성하였다; 반면에 그 속에서 보편적 남근 숭배의 상징만 보았다—비의적으로. 카발리스트들이 아인-소프와 대신비의 "신들"을 알았던 반면에서, 레위기 사람들은 그들 성소에 무덤이나 신도 가지고 있지 않았고, "성스러운" 언약궤—그들의 "지성소"—만 가졌다.

이 움푹 들어간 곳의 비의적 의미가 명확하게 될 때, 일반인들이 다비드가 왜 그 언약궤 앞에서 "노출된 채" 춤추었는지, 그리고 그의 "주"를 위해서 그렇게 *천하게*

195 그러나 사실상 그렇지 않았다. 그들의 예언자들이 증언한다. 그것들의 상징들의 체에서 모든 영성을 죽여버린 것이 후대 랍비들과 탈무드 학자들이었다; 그들의 성전—혼이 떠나버린 죽은 껍질—만 남겼다.

보이려고 하였으며, 그가 보기에도 천하게 보이는지, 더 잘 이해할 수 있을 것이다. (2 사뮤엘 6 장 16-22)

성궤는 신비의식의 나비-형태의 *아르가*(*Argha*)이다. 파크허스트는 그의 그리스 사전에서 그것에 대하여 긴 논문을 썼으며 유대인 사전에서 그것에 대하여 단 한마디도 하지 않았는 데, 그것을 이렇게 말한다: — "*아르케*[*Arche*]가 이런 적용에서 유대어 *라시트*(*rasit*) 혹은 지혜와 일치한다 . . . . 여성의 생식력, 아르그(Arg) 혹은 *아르카*(*Arca*)의 상징적 의미를 갖는 단어이며, 그 속에서 모든 성질의 씨앗이 떠다니거나 모든 세계 주기 후에 일어난 그 간격 동안에 거대한 심연 위에서 배회하는 것으로 추정된다." 상당히 그렇다; 그리고 유대인의 *성약궤가 정확히 같은 의미를 가졌다*; 보충적으로 추가하면, 이교도들의 *"생텀 생터럼"*처럼 아름답고 순결한 *"사르코파거스"* (대자연과 부활의 매트릭스의 상징) 대신에, 그들은 성궤를 건설하는 데 성궤 위에 설치된 두 명의 케루빔이 서로 마주보면서 그들의 날개를 (이제 인도에서 보이는) 완전한 *요니*를 형성하는 방식으로 펼치는 것으로 한층 더 현실적으로 만들었다. 이것 이외에, 이 생식의 상징은 여호와의 이름, 즉 יהוה 의 신비스러운 네 글자를 강제로 적용하도록 그 의미를 갖게 되었다; 혹은 י 는 *요드*(*Jod*) (*남근*, 카발라를 보라); ה (헤(He), *자궁*); ו (보(Vau), 갈고리, 못) 그리고 다시 ה 는 "구멍"을 의미한다; 전체가 완전한 양성의 상징 혹은 Y (e) H (o) V (a) H, 남성과 양성의 상징을 형성한다.

아마도 사람들이 *카데쉬 카데쉼*(*Kadesh Kadeshim*), "성스러운 자들" 혹은 "주의 사원에 바쳐진 자들"의 직위와 타이틀의 진정한 의미를 깨달을 때, 후자의 "지성소"가 신앙심을 함양하는 것과 거리가 먼 어떤 측면을 취할 수 있다.

이아코스(Iacchus)가 다시 이이아오(Iao) 혹은 여호와이다; 그리고 바알(Baal) 혹은 아돈(Adon)은 바쿠스처럼 남근 신이었다. "누가 주의 언덕 (높은 곳)으로 올라갈 것인가?"라고 성스러운 왕 다비드가 묻는다, "누가 그의 *카두슈* קדשו 에 설 것인가." (시편 24:3) 카데쉬(Kadesh)는 한 가지 의미로 *헌신하다, 신성하게 하다, 신성시하다* 그리고 심지어 입문하다 혹은 따로 떼어놓다를 의미한다; 그러나 그것은 또한 선정적인 의례의 (비너스 숭배) 직무를 의미하고 그 단어 카데쉬의 진정한 해석이 *신명기* 23:17; *호세아* 4:14; 그리고 *창세기* 37:15~22 에서 무뚝뚝하게 표현되었다. 성서의 "성스러운" 카데슈스(Kadeshuth)가 그들 직책의 의무에 대하여 힌두 파고다의 무희 소녀들과 동일하다. 유대의 *카데쉼*(*Kadeshim*) 혹은 갈리(galli)가 "주의 집 옆에 살았고, 거기서 여성들이 나무 우상(grove) 혹은 비너스-아스타르테의 흉상을 위한 장막을 짰다고, 열왕기 하 23:7 에서 말한다.

성궤 둘레에서 다비스가 춘 춤은 "원-춤(circle-dance)"으로, 신비의식에서 아마존들에 의해서 규정되었다고 말한다. 그것이 실로의 딸들의 춤이었고 (판관기 21:21, 23 여기저기), 바알의 예언자들이 뛰는 것이었다. (열왕기 상 18:26) 그것은 단순히 시바인들의 숭배의 특징이었다. 왜냐하면 그것은 행성들이 태양 둘레를 움직이는 것을 나타냈기 때문이다. 그 춤이 바쿠스 숭배의 광란이라는 것이 명백하다. 시스트라 악기가 그 경우에 사용되었고, 미칼(Michal)의 조롱과 왕의 대답이 매우 의미심장하다. 아이시스 언베일드, 2 권 p. 49.

"성궤에는 지구를 다시 가득 채울 모든 살아 있는 것들의 씨앗이 보존되어서 생명의 존속을 나타내고, 자연의 서로 반대되는 힘들의 갈등을 통하여 물질에 대한 영의 우위를 나타낸다. 서양 의식의 별-신지학적 차트에서, 성궤는 배꼽에 상응하고, 여성(달)의 옆, 왼쪽에 놓이며, 그 상징들 중에 하나가 솔로몬 사원—바오즈(BOAZ)—의 왼쪽 기둥이다. 배꼽은 인종의 태아가 열매 맺는 그릇과 태반을 통하여 연결되어 있다. . . 성궤는 힌두인들의 성스러운 아르가(Argha)이고, 그것이 아이시스, 아스타르테, 그리고 비너스-아프로디테 숭배에서 고위 사제들이 제물의 성배 그릇으로 사용한, 길게 늘여진 배라는 것을 배울 때, 이렇게 아르가가 노아의 방주와 갖는 관계가 쉽게 추론될 수 있다. 그 여신들 모두 자연의 혹은 물질의 생식력의 여신들이었다. 그래서 모든 살아 있는 사물들의 씨앗을 간직하는 성궤를 상징적으로 나타낸다." ("아이시스 언베일드," 2 권, p. 444) 오늘날의 카발라 문헌을 받아들이는 사람이 랍비들의 조하르 번역을 진정한 카발라 전승으로 오해한다.[196] 왜냐하면

---

196 카발라의 저자가 조하르의 고대성을 결론적으로 증명하기 위해서 몇 가지 시도를 한다. 이븐 게비롤이 모세 드 레온 시대에 225 년 앞서 똑같은 철학 가르침을 제시하였기 때문에, 그가 비난받듯이, 모세 드 레온이 13 세기에 조하르 문헌의 저자도 위조자 일리가 없다는 것을

프레드릭 본 쉴링의 시대처럼 오늘날에도 유럽과 미국에서 접근할 수 있는 카발라가 *"모든 종교 체계에 열쇠인 저 원시 체계*의 많이 왜곡된 유물, 잔해와 파편들" 이상의 많은 것을 포함하고 있기 때문이다." (프랭크 교수의 카발라 서문 참조) 가장 고대 체계와 칼데아 카발라가 동일하였다. 조하르의 가장 최근 번역은 초기 세기에 시나고그의 번역물이다—즉, 도그마적이고 타협하지 않는 *토라*이다.

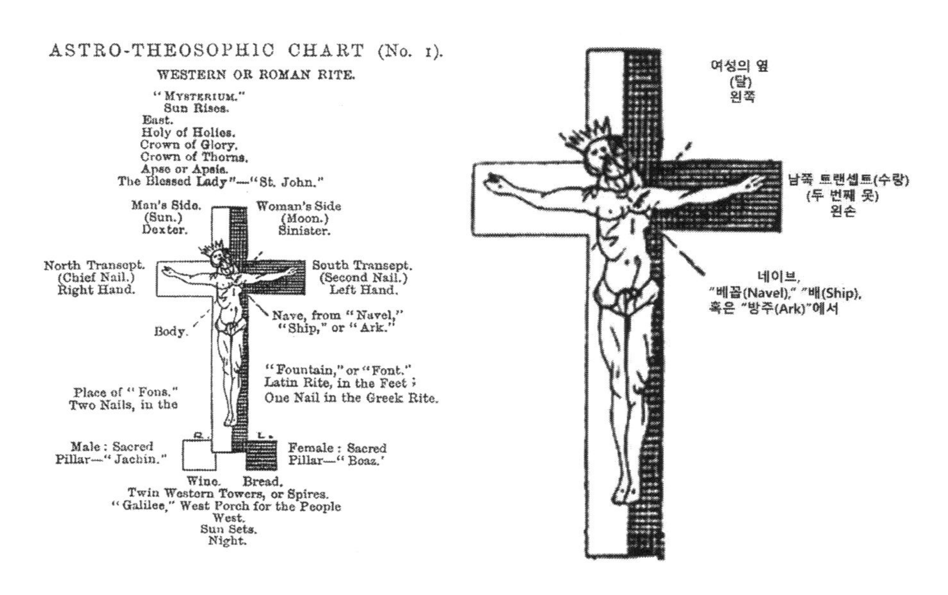

쿠푸의 피라미드에 있는 "왕의 방"이 이렇게 이집트인의 "지성소"이다. 입문의 신비의식의 시기에, 후보자는 태양신을 나타내면서 사르코파거스로 하강하고,

---

보여준다. 진정한 카발리스트나 학자는 누구도 그 사실을 부인하지 않을 것이다. 이븐 게비롤이 그의 가르침의 토대를 가장 고대의 카발라 근원, 즉 *"칼데아인의 수의 서"*와 모세 드 레온이 사용한 것과 같은, 더 이상 현존하지 않는 미드라쉼(Midrashim)에 두었다는 것은 확실하다. 그러나 비의 체계의 엄청난 태고를 입증하는 반면에, 랍비 모세에 의한 조하르 체계의 편집과 용어들에서 탈무드와 심지어 기독교 종파주의의 결정적 고리를 가리키는 것이 바로 똑같은 비의 주제들을 다루는 두 방법 사이의 차이이다. 이븐 게비롤은 가르침을 강요하기 위하여 *성전에서 결코 인용하지 않았다.* (마이어의 카발라 p. 7 참조) 모세 드 레온은 조하르로 오늘날까지 남아 있는 것, "모세오경의 보급된 주석"을 만들었고, 나중에 기독교인들의 손에 의해서 몇 가지 첨가되었다. 한 사람은 고대 비의 철학을 따른다; 다른 사람은 에즈라에 의해서 복원된 잃어버린 모세의 서(Books of Moses)로 각색된 그 부분만 따른다. 이렇게 원시의 원래 조하르가 접목된 체계 혹은 몸통이 엄청 고대인 반면에, 후대의 많은 조하르 줄기들이, 문크가 보여주었듯이, 기독교 그노시스파 (시리안과 칼데안), 즉 모세 드 레온의 해석을 받아들인 공동 작업자이자 친구들의 독특한 관점으로 강하게 채색된다.

대자연의 비옥한 자궁 속으로 들어가는 활성화시키는 광선을 나타낸다. 다음날 아침에 거기서 나오면서, 그가 죽음으로 불린 변화 후에 생명의 부활의 전형이 되었다. 위대한 신비의식에서, 그의 비유적인 죽음이 2 일 동안 지속되었고, 가장 잔인한 시험의 마지막 밤 후에 태양과 함께 그가 세 번째 날에 일어났다. 지원자가 태양—매일 아침 "부활해서" 만물에 생명을 주는 모든 것을 활성화시키는 구체—을 나타낸 반면에, 사르코파거스는 여성 원리의 상징이었다. 이렇게 이집트에서는; 그것이 용기, 상징적 배 모양의 도구 그리고 생명의 씨앗의 *그릇*으로 남아 있는 한, 그것의 형태와 형상이 나라마다 변했다. 인도에서, 만약 그가 브라만이 되어 드위자("*두 번째* 태어난 자")가 되기를 원한다면, 브라만 후보자가 그것을 통해서 지나가야 하는 "황금" 소이다. 그리스의 초승달 형태의 *아르가*는 하늘의 여왕—다이아나 혹은 달—의 유형이었다. 태양이 아버지였듯이, 그녀는 모든 존재들의 위대한 어머니였다. 유대인들은 여호와가 *남성* 신으로 변형 이전 및 이후에 아스토레를 숭배하였고, 이사야가 이렇게 선언하게 만들었다: *"그대의 새로운 달과 절기를* 나의 혼이 싫어한다" (이사야 1:14); 그것을 말하는 것으로, 그는 분명히 부당했다. 아스토레와 새로운 달 (초승달 모양의 아르가) 축제는 일반적으로 달의 숨겨진 의미를 가졌던 것만큼 나쁜 의미를 가지지 않았으며, 그 의미가 카발라적으로 직접 여호와와 연결되어 있고 잘 알려져 있듯이 여호와에게 바쳐졌다; 하나는 달의 여성 측면이고 다른 하나는 달과 비너스의 남성 측면이었다는 것이 유일한 차이이다.

태양 (아버지), 달 (어머니) 그리고 머큐리-토트 (아들)가 이집트인의 가장 초기 삼위일체였고, 그들을 오시리스, 아이시스 그리고 토트 (헤르메스)로 인격화시켰다. *피스티스 소피아[PISTIS SOPHIA]*에서, 위대한 일곱 신들이 두 개의 삼개조와 최고의 신 (태양)으로 나누어졌다: *낮은 세 힘[Tridunameis]*은 각각 마르스 (화성), 머큐리 (수성) 그리고 비너스 (금성)에 거주한다; 그리고 상위 삼개조는 ("보이지 않는 신들") 달, 주피터 (목성) 그리고 새턴 (토성)에 거주한다. (359 와 361 이하 참조)

이것은 어떤 증거가 필요하지 않는다. 아스토레는 한 가지 의미에서 자연의 비개성적 상징으로, 생명의 배가 모든 존재의 씨앗을 무궁한 별의 대양을 두루 거쳐서 실어 나르는 것이다. 그리고 그녀가 케이크와 번을 제물로 바치는 다른 모든 "하늘의 여왕"처럼 비너스와 동일시되지 않을 때, 아스토레가 칼데아의 "누아(Nuah),

보편적 어머니(universal Mother)" (여성 노아로 방주와 하나로 간주되었다) 그리고 여성 삼개조, 아나(Ana), 벨리타(Belita) 그리고 다비키나(Davikina)의 반영으로 되었다; 그리고 하나로 섞일 때, "통치자 여신(Sovereign goddess), 지하 심연의 숙녀(lady of the Nether Abyss), 신들의 어머니, 지구의 여왕(Queen of the Earth), 다산의 여왕(Queen of fecundity)"으로 불렸다. 나중에, 벨리타 혹은 *담티(Damti)* (바다), (칼데아의 거대한 네크로폴리스) *에렉의 도시*의 어머니가 이브로 되었다; 그리고 지금은 그녀가 동정녀 마리, 라틴 교회에서 초승달 위에 서있는 것으로 나타내어지고, 종종 프로그램을 바꾸기 위하여 구체 위에 서있는 것으로 나타내어진다. *나비(navi)* 혹은 배모양의 초승달 형태가 노아의 방주, 힌두의 요니 그리고 성악궤 같은 생명의 배의 모든 공통적 상징들과 섞여서 보편적인 "신들의 어머니들"의 여성 상징이 되고, 이제는 모든 교회에 있는 기독교 *상징*에서 *네이브(nave)* (배를 의미하는 *나비스(navis)*에서 온)로써 발견된다.[197] *나비스*—별의 배—가 생명의 영—남성 신—으로 잉태된다; 혹은 박식한 캐닐리 (그의 "*아포칼립스*"에서)는 그것을 성령으로 매우 적절하게 부른다. 서구의 종교 상징에서 초승달은 남성, 보름달은 저 보편 영의 여성 측면이었다. "신비의 단어 Alm 는 선지자 마호메트가 코란의 많은 챕터에 접두사로 써서 하늘의 순결한 동정녀, Alm 으로서 그녀에게 넌지시 말한다." 그리고—숭고한 것이 언제나 터무니없는 것으로 떨어지기에—바로 이 어근 *Alm* 에서 우리는 *Almeh* 단어—이집트의 춤추는 소녀들—를 추론해야 한다. 후자는 인도의 *노치니스(Nautchnis)*와 같은 유형의 "처녀들"*이고*, (여호와에 헌신한 사람들로 남성 여성 둘 다를 나타냈다) 유대인 사원의 성스러운 자들, (여성)*카데쉼*과 같은 유형으로, 이스라엘 교회당에서 그들의 성스러운 기능은 노치니스의 기능과 *동일하다*.

이제 유스타티우스가 (*Ι Ω*) IO 는 *아르기안* 방언에서 *달*을 의미한다고 선언한다; 그것은 이집트에서 같은 것의 이름들 중에 하나였다. 자블론스키가 말한다: *"Ι Ω, Ioh 는 이집트인들에게 달을 나타낸다. 그들은 그들의 일상 언어에서 달을*

---

197 로크리안 (고대 그리스 도시)인 티마이오스가 *아르카(Arka)*에 대하여 말하면서 그녀를 "최고의 사물들의 원리"라고 부른다. 단어 아케인(arcane), "숨겨진" 혹은 비밀의 단어가 "아르카"에서 유래되었다. "최고 높은 곳을 제외하고 어느 누구에게도 *아케인*이 알려지지 않는다" (*나사렛 사본*) 자연의 여성적 힘과 영 남성적 힘에게 넌지시 말한다. 모든 태양신들이, 하늘의 신성한 어머니, "아르카에서 태어난," *아르카게토스(Archagetos)*로 불렸다.

나타내는데 IO 를 제외하고 어떤 다른 단어를 가지고 있지 않다." 기둥과 원(IO)이 이제는 첫 십진수를 구성하고, 피타고라스에게 *테트락티스* [198] 속에 간직된 완전수였으며, 나중에 *두드러지게 남근 숭배의 수(phallic Number)*가 되었다—무엇보다 유대인들 사이에서, 그것은 남성과 여성의 여호와이다.

이것이 어떤 학자가 그것을 설명하는 방식이다:

"나는 울레만의 로제타 스톤 위에서 세이파스처럼 단어 *mouth* 를 발견한다, 즉 *달(Moon)*의 이름이 시간의 주기로써 사용되고, 그래서 콥트어 I O H 처럼, ⛤ 와 ⊙ 가 지시대명사로 주어진 그림문자 에서 온 *태음월*을 발견한다. 히브리어 הוי 가 I O H 로써 사용될 수도 있다. 왜냐하면 글자 *야우(yau) 혹은* ו 가 o 와 u 로 사용되었고, v 혹은 w 로 사용되었기 때문이다. *마소라* 전에 "·"은 וֹ = o, וּ = u, 그리고 ו = v 혹은 w 으로 사용되었다. 이제 여호와 이름의 아주 특유한 기능이 *발생의 원인이 되는* 달의 영향력을 표시하는 것과, 충분히 볼 것이지만, 자연적인 *일(날)의 척도*에서 태음년으로서 정확한 값을 나타내는 것으로 원래의 조사로 그것을 풀었다. 그리고 훨씬 더 고대의 근원에서 즉, 콥트어 오히려 콥트 시대의 고대 이집트에서 이 똑같은 언어상의 단어가 온다." . . . (어떤 사본에서)

이집트학에서 이것을 테베의 삼개조—*암몬*, *마우스*(Mouth) (혹은 *마우트*) 그리고 그들의 아들 *콘수*(Khonsoo)로 구성된다—에 대하여 약간 아는 것과 비교할 때 이것이 더욱 두드러진다. 이 삼개조는 결합되었을 때 그것들의 공통 상징으로써 달 속에 간직되었다; 그리고 분리되었을 때, 그것은 루너스(LUNUS) 신이었던 *콘수*였고, 이렇게 토트 및 프타(Phtah)와 혼동하였다. 그의 어머니 마우트 (마우스)—그 이름은 단지 그녀의 상징이었던 *달*이 아닌, *어머니*를 나타낸다—가 "하늘의 여왕(Queen of Heaven)"으로 불렸다; 그리고 그녀가 아이시스, 하토르 그리고 다른 어머니 여신들의 한 측면으로서 "처녀" 등등으로 불렸다. 그녀는 암몬의 부인이라기 보다 어머니로,

---

198 네 줄로 삼각형태로 배열된 10개 점으로 구성되어 있기 때문에. 그것은 서구 카발리스트들에게 *테트라그라마톤*이다.

암몬의 독특한 타이틀이 "그의 어머니의 남편"이다. 카이로에 있는 블라트 지역에 있는 작은 조각상에서, 이 삼개조가 세 가지 다른 홀 (왕권의 상징)을 손에 쥐고 있는, 그리고 그의 머리에는 달의 원반을 얹고 있는 미이라-신으로서 나타내어지며, 독특하게 땋은 머리가 *아기 신(infant god)* 혹은 삼개조 속에 있는 "태양"의 머리를 보여준다. 그는 테베에서 운명의 신이었고, 두 가지 측면 하에서 나타난다: 1) "콘수, 달의 신 그리고 테베의 주로서, *네피르-해탭(Nofir-hotpoo)*—'절대적 휴식 속에 있는 그(he)'; 그리고 2) '콘수, 운명을 실행하는 자(Khonsoo *Iri-sokhroo)': 전자는 사건을 준비하고 그의 발생시키는 영향력 하에서 태어난 사람들을 위해서 그것들을 잉태하는 것; 후자는 그것들이 활동하게 만드는 것." (마스페로의 정의 참조) 신통기적 치환 아래에서 암몬은 호루스, 호르-암몬(*HOR-AMMON*)이 되고, 마우트(스)-아이시스가 셈족 기간에 조각상에서 그에게 젖을 물리는 것으로 보인다. (테베 남쪽 고대도시 아비도스) 다음으로 이렇게 변형된 삼개조에서, 콘수가 토트-루너스, "구원을 작동하는 그"가 된다. 그의 이마가 달의 원반과 이이아오-테프(*Io-tef)*로 부르는 왕관으로 장식된 *아이비스(ibis)*의 머리를 가지고 있다.

이제 이 모든 상징들이 확실히 성서의 여호와 혹은 *야훼(Yave)* 속에서 (어떤 사람들은 그것들이 야훼 혹은 여호와와 동일하다고 믿는다) 반영된 것이 발견된다. 이것이 "척도의 근원"이나 "헤브르-이집트 신비"를 읽고, 대피라미드 건설에서 사용된 체계 혹은 *비의적 토대*와 솔로몬 사원, 노아의 방주 그리고 성악궤에 있는 건축상의 척도가 똑같다는 부인할 수 없는 명확한 수학적인 증거를 이해하는 사람 누구에게나 분명할 것이다. 만약 세계에 있는 어떤 것이 후대 유대인만큼 고대 유대인이 그리고 특히 고대 유대인이 모든 이교들과 똑같은 토대 위에 그들의 신통기와 종교를 세웠다는 논쟁을 해결할 수 있다면, 그것은 논쟁 속에 있는 작업이다.

그리고 이제 "아이시스 언베일드"에서 I A O(이이아오))에 대하여 말했던 것을 환기시키는 것이 나을 것이다.

"어떤 다른 신도 야호(Jaho)만큼 다양한 어원을 제공하지 않으며, 그렇게 다양하게 발음된 이름도 없다. 필로 비블루스가 그것을 그리스 글자로 [IEVO]로 쓰듯이,

후대의 랍비들은 여호와를 '아도나이'로 혹은 주(Lord)로 읽게 만드는데 성공한 것이 바로 그것을 마소라 점들과 연관시킨 것뿐이다. 테오도렛은 사마리아인들이 그것을 야헤(Jahe)로, 그리고 유대인들은 야호(Yaho)로 발음했다고 말한다; 이것이 우리가 보여주었듯이, 그것을 I — Ah — O 로 만들 것이다. 디오도로스는 '유대인들 사이에서 모세가 그 신을 이이아오라고 불렀다고 그들이 이야기한다'고 말한다. 그러므로 성서 자체의 권위를 토대로 우리는 이드로(Jethro), 그의 장인에 의하여 입문 전에는, 모세가 야호 단어를 결코 알지 못했다고 주장한다."[199]

위의 내용은 매우 박식한 카발리스트로부터 온 개인 편지에서 확인된다. 스탠저 IV 와 다른 곳에서 동양학자들이 통속적으로 브라흐마 (중성)를 남성 브라흐마로 너무 경솔하게 너무 자주 혼동해서 종종 *칼라-한사* (영원 속에 있는 스완)로 부른다고 말했고, 그리고 *아-함-사*(*A-ham-sa*)의 비의적 의미가 주어진다. (나는 그이다(I-*am*-he), *소 함*(*so ham*)*은 사*(*sah*), *"그*(*he*)*"*와 마찬가지이며 *아함*(*aham*)은 *"나*(*I*)*"*와 같은 것이다—신비한 에너그램과 변형이다). 그것은 또한 "네 얼굴의" 브라흐마, 무한한 원*으로부터* 그리고 *안에서* 자체를 형성하는 *차투르 묵카*(*Chatur mukha*) (완전한 입방체)이다; 그리고 디얀 초한들의 비의적 하이어라키가 설명될 때, 다시 1, 3, 5 그리고 $\frac{7}{7}$ =14 의 용도가 있게 된다. 이것에 대하여 말한 편지를 보낸 사람의 주석이 이런 식으로 말한다:

"1, 3, 5 그리고 두번의 7에 대하여, 13,514를 매우 특별하게 의미하는 것으로, 원 위에서 31415 (혹은 파이(pi) 값)로 읽을 수 있다는 것을 의심할 가능성이 없다; 그리고 특히 상징 표시들, *자카르*(*sacr*),[200] '차크라' 혹은 비쉬누의 원 위에서 고려될 때 그렇다.

---

199 학생은 이드로가 "모세"의 "장인"으로 불렸다는 것을 알아야 한다; 모세가 실제로 그의 일곱 딸 중에 하나와 결혼했기 때문이 아니다. 모세는, 실제 있었다면, 고행자(nazar), 수행자였기에, 그래서 결코 결혼을 했을 수가 없다. 그것은 다른 모든 것처럼 비유이다. 지포라(Zipporah) (빛나는 자)는 르우엘-이드로(Revel-Jethro), 미디안 사제인 입문주재자가 이집트 제자인 모세에게 준 의인화된 오컬트 과학들 중에 하나이다. 모세가 파라오로부터 도망갈 때 앉았던 "우물"은 "지식의 우물"을 상징한다.

200 유대어에서 남근 숭배 상징 *링감*과 요니.

"하지만 당신의 설명을 한 단계 더 깊게 가져가 보겠다: — 당신은 '하나(One)가 알에서, *여섯* 그리고 *다섯* (1권, 스탠저 IV참조)이 1065, 최초 태어난 자의 값을 준다'고 말한다 . . . . 그것이 그렇다면, 그러면 1065 속에서 우리는 유명한 여호와의 이름, *Jve* 혹은 *Jave* 혹은 *Jupiter(주피터)*를 가지며, ה 를 נ 로 혹은 '*h*'를 '*n*'으로 바꿔서, 그러면 יונ 혹은 라틴어 *Jun* 혹은 Juno (주노), 중국인 수수께끼의 토대, 시나이를 측정하는 주요 숫자와 신나이 산으로 내려오는 여호와를 가지며, 그 숫자들 (1,065)은 113와 355 비율을 사용한 것이다. 왜냐하면 1,065 = 355 x 3로 원주대비 113 x 3 = 339의 지름이기 때문이다. 이렇게 브라흐마 프라자파티의 최초 탄생자는 (혹은 어느 데미우르고스이건) *차크라* (비쉬누)에서 원형 관계를 측정하는 데 사용한 것을 나타내고, 위에서 말했듯이, 신성한 현현은 생명의 형태와 최초 태어난 자를 취한다."

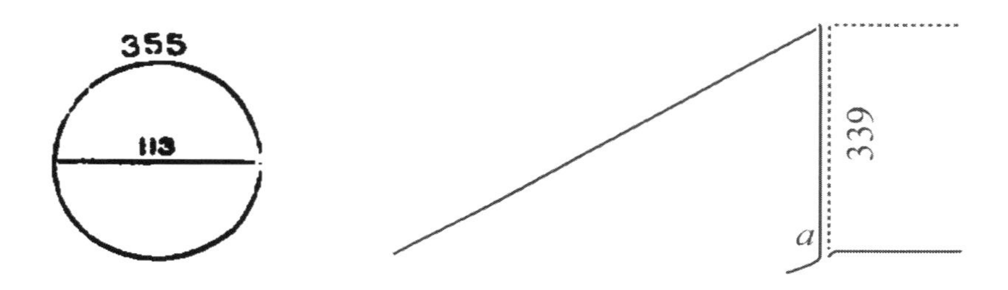

"그것은 가장 독특한 것이다: 왕의 방으로 가는 출입구 통로에서 대회랑과 *거대한 계단의*[201] *표면부터* 그 대회랑의 꼭대기까지 높이가 피아찌 스미스의 매우 신중한 측정으로 339인치이다. A를 중심으로 보고 이 반지름을 가지고 원을 그려라; 그 원의 지름은 339 x 2 = 678이고, 이 숫자는 노아의 대홍수의 '비둘기와 까마귀' 장면 혹은 그림에서 *까마귀와* 그 표현의 숫자들이다; (반지름이 두 부분, 각각 1,065로 나눠지는 것이 보여 진다) 왜냐하면 113 (*man*) x 6 = 678이기 때문이다; 그리고 1,065 x 2의 지름 대 원주—그래서 여기서 우리는 왕의 방 (지성소)—*자궁*—의 *입구*에, 이 높은 등급 혹은 계단에 있는 우주적 *인간*(cosmic *man*)의 표시를 갖는다. 이제 이 통로가 그것으로 들어가기 위해서 *구부려야만 하는* 높이이다. 그러나

201 그 계단에서 바닥면과 이집트인의 "지성소," 왕의 방으로 가는 열린 출입구에 다다른다.

똑바로 선 인간은 113이고, 구부리거나 부러지면 그가 113 / 2 = 56.5 [5.65 × 10, י הוה] 혹은 여호와가 된다. 즉, 그가 지성소로 들어가는 것을 의인화한[202] 것이다. 그러나 유대의 비의가르침에서, 여호와의 *주요 기능*은 *아이를 낳는 것(child giving)* 등이고, 그의 이름의 숫자로, 그는 *태음년의 척도*였기 때문에, 시간의 주기가 *발생적 작용의 원인*으로 여겨졌고 그래서 숭배되었고 간청되었다. 왜냐하면 7의 인수로 그것이 촉진, 생존 그리고 잉태의 기간과 아주 조화롭게 흘러갔기 때문이다."

이런 발견이 여호와를 한층 더 다른 창조와 발생의 신들, 태양신과 태음신과 연결하며, 특히 소마 "왕," 힌두의 *데우스 루너스(Deus Lunus)*, 달과 연결한다. 왜냐하면 오컬티즘에서 이 행성에서 기인된 비의적 영향력 때문이다. 하지만 그것을 확증하는 다른 것들이 유대인 전통 자체 속에 있다. 아담이 *마이모니데스*에서 ("당혹해하는 자를 위한 안내서") 두 가지 측면에서 말해진다; 남자와 여자에서 태어난 모든 다른 사람들처럼, 한 명의 인간으로서, 그리고 *달의 예언자*로서; 그 이유가 이제 분명해졌고, 설명되어야 한다.

아담은 "인류의 위대한 선조"로서 추정되는데, 아담 카드몬처럼, 신의 *이미지*로 만들어졌다—그러므로 프리아푸스 (남근을 강조한) 이미지이다. 유대어 단어 *자카르(sacr)*와 *네캐바(n'cabvah)는 글자 그대로 링감(*남근)과 *요니*(여음)를 번역한 것이며, 그럼에도 불구하고 성서에서 그들의 번역은 "남자와 여자"이다. (창세기 1:27) 거기서 "신이 '*인간을 자신의 이미지로*' 창조하였다고 말했듯이 . . . 신의 이미지로 그가 그를 창조하였고, 그가 *남자와 여자* 그들을," 아담-카드몬의 자웅동체를 창조하였다. 이제 이 카발라 이름은 살아 있는 사람의 이름이 아니며, 심지어 인간이나 신성한 존재의 이름도 아니라, 유대어에서 언어의 보통의 진실성을 갖고 두드러지게 성서적인 '*자카르*'와 '*네캐바*'로 불렸던, 창조 기관 혹은 두 가지 성의 이름이다;[203] 그러므로 이 두 존재, "주 신(Lord God)"이 그의 선택된 민족에게

---

202 고위 사제가 항상 신을 의인화하듯이, 입문 후보자는 항상 그가 속했던 사원의 신을 의인화하였다; 마치 교황이 이제는 기독교의 "지성소," 내부 제단을 들어갈 때, 베드로 그리고 심지어 예수 크리스트를 인격화하듯이.

203 여호와가 모세에게 말하길, "나의 이름의 요약은 *자카르(Sacr)*, 씨앗의 운반자이다"—*팰러스*. "그것은 성수태 고지의 매개체이고, '*sacr*'가 많은 세월이 지나서 로마 사제의 '*sacr-factum*'으로,

보통 나타났던 *이미지*이다. 이것이 그렇다는 것이 거의 모든 상징학자와 유대학자들 그리고 카발라에 의해서 보통 부인할 수 없게 증명된다. 그러므로 아담은 한 가지 의미에서 여호와이다. 이것이 그레고리의 "성전에 있는 몇몇 구절들에 대한 주석과 관찰" (1684. 1권 pp. 120~121)에서 언급된 동양에서의 또다른 일반적인 전통을 명확하게 하며 하그레이브 제닝스가 그의 "남근 숭배"에서 인용한다: "아담은 그의 죽은 체가 가장 높은 신의 사제에 의해서 *지구의 중간에* 맡겨질 때까지 땅 위에 보관되어야 한다고 신에게 명령을 받았다." 그러므로 "노아는 매일 아담의 체(BODY OF ADAM) 앞에서 기도하였다" 혹은 성궤에 있는 팰러스 혹은 지성소 앞에서 기도하였다. 카발리스트이고 성서 이름의 끝없는 변경에 익숙한 사람은 그것들이 숫자적으로 그리고 상징적으로 해석되면 의미하는 것을 이해할 것이다. 여호와가 그의 이름이 구성된 두 단어에서 "탄생-기원자로서 남자와 여자의 원래의 사상을 구성한다. 왜냐하면 י 가 *음경이고 후아(Houah)가 이브였기 때문이다." 그래서 . . . "척도의 기원자로써, 완전한 하나가 자웅동체의 하나로써, 탄생의 기원의 형태를 취한다; 그래서 남근 형태를 사용한 것이다." ("척도의 근원," 159) 게다가 같은 저자가 (a) 아렛츠(Arets), 지구, 아담, man(인간) H Adam은* 서로 같은 어원이며, 이집트 유대의 마르스, *발생의 신*으로서, 성서에서 한 형태로 *의인화되었으며*, (b) 여호와 혹은 "*야(Jah)*가 노아이다 혹은 *여호와*가 유대어로 *노아*이다는 נח 혹은 글자 그대로 영어로 *인치*이다"는 것을 *숫자로 기하학적으로 나타내 보여준다.*

그래서 위의 내용이 말했던 전통에 대한 열쇠를 제공한다. 노아, 신성한 변형, 모든 살아 있는 것들의 씨앗을 그의 방주에 혹은 *아르가* (달)에 실어 나르는 인류의 구원자가 "아담의 체" 앞에서 숭배하며, 그 체는 *창조자*의 이미지이고 창조자 자체이다. 그래서 아담이 "달의 예언자," *아르가* 혹은 요드 י 의 "지성소"로 불린다. 이것은 또한 모세의 얼굴이 *달에 있다*는—즉, 달에 있는 반점들—유대인의 대중적 믿음의 기원을 보여준다. 왜냐하면 모세와 여호와가 카발라적으로 보여주었던 또 다른 변형이기 때문이다. "척도의 근원"의 저자가 말한다 p. 271): "모세와 그의 작업에 대하여 너무 중요해서 생략될 수 없는 한 가지 사실이 있다. 그가 그의

그리고 영어를 말하는 인종의 '*sacr-fice*'와 '*sacrament*'로 전해졌다. (척도의 근원, p. 236) 그래서 결혼이 그리스 로마 교회에서 'sacrament(성찬례)'이다.

미션에 대하여 주(Lord)에게 지도받을 때, 신이 취한 *권능의* 이름(*power* name)이 *나는 나다*(*I am that I am*)으로 유대어로 이렇다:

אהיה־אשר־אהיה

יהוה 을 다양하게 읽은 것이다. 이제 모세는 משה 이고, 345 와 같다. 여호와 이름의 *새로운 형태*의 값을 더하면, 21 + 501 + 21 = 543 으로, 혹은 345 의 반대로 읽은 것이다; 이렇게 모세가 이런 조합에서 여호와의 형태라는 것을 보여준다. 21 ÷ 2 = 10.5, 혹은 뒤집어서 501, 그래서 "나는 나다(I am that I am)에 있는 그것(that) 혹은 *아쉐르*(*aher*)는 21 혹은 7 x 3 을 사용하는 가이드일 뿐이다; 501 의 제곱(501^2) = 251+ [251,001], 매우 가치 있는 피라미드 숫자 등등.

카발리스트가 아닌 사람들에게 도움을 주기 위해서 더 명확한 설명으로, 그것을 이렇게 표현한다: "나는 나다(I am that I am)"는 유대어에서 *에히에 아쉐르 에이예*:

Âhiyé	Asher	Âhiyé.
א ה י ה	א ש ר	א ה י ה
5, 10, 5, 1	200, 300, 1	5, 10, 5, 1

이 별개의 단어들의 숫자를 더하면,

אהיה	אשר	אהיה
21	501	21

(이것은 인간을 만들기 위해서 산에서 불로 하강하는 과정과 관련 있다 등등) 그리고 이것은 산들의 숫자들을 사용하고 체크(확인)하는 것으로 설명된다. 왜냐하면: — 한면에서 10 + 5 + 6 = 21, 아래 중간에 501, 그리고 다른 면에서 6 + 5 + 10 = 21."
(똑같은 저자로부터) (22 장 "신비 이름 이이아오(IAO)의 상징" 참고)

카발라와 랍비의 "지성소"가 이렇게 국제적인 상징으로 그리고 공통의 재산으로 보여 진다. 어느 것도 유대인에서 기원하지 않았다; 그러나 반쯤 입문한 셈족의 너무 현실적인 취급 때문에, 그 상징이 오늘날까지 다른 민족에서는 거의 갖지 않는 의미를 가졌으며, 진정한 카발리스트가 원래 결코 의도하지 않았던 의미를 얻었다. 근대 보통의 힌두인의 *링감*과 *요니*는 표면 상으로 랍비의 "지성소"보다 더 나을 게 없다—그러나 *그것보다 더 나쁘지 않다*; 그리고 이것이 아시아의 종교 철학을 중상하는 기독교인에 대하여 얻은 요점이다. 왜냐하면 그런 종교적 신화에서, 교리와 철학의 숨겨진 상징에서, 제시된 교리의 정신이 그것들의 상대적인 가치를 결정해야 하기 때문이다. 그리고 어느 방법으로 조사하더라도, 하나의 작은 국가의 혜택과 사용에만 적용된 소위 이 "지혜"가 그 속에 국가적 윤리 같은 어떤 것을 계발시켰다고 누가 말할 것인가! 예언자들이 모세 시대 이전에, 그 동안에 그리고 그 이후에, 선택된 "뻣뻣한 목을 가진" 민족의 삶의 행보를 보여주기 위해서 거기 있다. 그들이 한때는 지혜-종교를 가져서 보편 언어와 그 상징을 그들이 가지고 사용하였다는 것이 오늘날까지 인도에 존재하는 "지성소"에 대한 똑같은 비의 가르침으로 증명된다. 말했듯이, 이것은 피라미드 회랑에서 보여준 것과 *똑같은 구부리는 자세 속에서* "황금의" 암소를 지나가는 통로였고 여전히 통로이며, 그것은 유대 비의가르침에서 인간과 여호와를 동일하게 보았다. 전체 차이가 해석의 정신에 있다. 고대 이집트인처럼 힌두인에게 그것은 전적으로 형이상학적 심리학적이었고 여전히 그렇다; 유대인에게 그것은 *현실적*이고 *생리학적*이었다. 그것은 인류의 최초의 성적 분리를 가리켰다 ("척도의 근원"에서 보여주었듯이, 카인-여호와를 낳은 이브); 지상의 생리학적 합일과 임신의 절정 (아벨의 피를 흘리는 카인의 비유에서처럼—*하벨*, 여성 원리)과 아기 임신을 가리켰다; 세 번째 근원인종에서 시작된 혹은 아담의 세 번째 아들, 세스(Seth)와 함께 시작된 과정으로, 세스의 아들 헤녹과 함께, 인간이 자신들을 *여호와* 혹은 *야-호와*(*Jah-hovah*), 남자 요드(Jod)와 하와(Havah) 혹은 이브로, 즉 *남자 존재와 여자 존재*로 부르기 시작했다.[204] 이렇게 그 차이가 종교적 윤리적 느낌에 있지만, 두 상징은 동일하다. 온전하게 입문한

---

204 창세기 4:26에서, " . . . 그리고 그가 그의 이름을 *에노스*(*Enos*) (인간)로 불렀다; 그리고 사람들이 주의 이름을 부르기 시작했다"는 잘못 번역되었다—아담과 다른 사람들이 똑같은 것을 했기 때문에, 이것은 그 속에 어떤 의미가 없다.

유대의 타나임에게, 그 상징의 내적인 의미는 그 추상성에서 고대 아리안 드위자처럼 성스럽다는 것이 의심할 여지가 없다. “성궤 속에 있는 신”의 숭배가 다비드부터만 시작된다; 그리고 천 년 동안 이스라엘은 어떤 남근의 여호와를 몰랐다. 그리고 이제 고대 카발라가 편집되고 재편집되어 그것으로 더럽혀졌다.

고대 아리안들에게 그것의 숨겨진 의미는 웅장하고 숭고하며 시적이었다. 그들의 상징의 외적인 모습이 이제는 그 주장에 아무리 불리하게 작용하더라도. 초기에 *히란야 가르바* (찬란한 알)—자체로 보편적 추상적 자연의 상징—사원을 지나고, (이제는 암소로 상징된다) 지성소를 지나가는 의식은 개인의 영적인 잉태와 탄생 오히려 *재탄생*과 그의 갱생을 의미했다: *생텀 생터럼*의 입구에서 *구부리는* 사람은 어머니 성질의 매트릭스를 지나갈 준비를 하는 것 혹은 물질계 피조물이 원래의 영적인 존재, 탄생-*이전* 인간으로 될 준비를 하는 것이다. 셈족에게, 그 구부리는 사람은 영의 물질 속으로 추락을 의미하였고, 그 *추락*과 *타락*이 신성을 인간 수준으로 끌어내리는 결과로 숭배되었다. 아리안에게, 그 상징은 물질과 영의 분리, 그것이 원래 근원으로 합쳐서 돌아가는 것을 나타냈다; 셈족에게, 영적 인간과 물질 여성 성질의 혼인, 생리학적인 것이 심리적 그리고 순전히 비물질적인 것보다 우월하다. 그 상징에 대한 아리안의 관점은 이교도 전체 세계의 견해였다; 셈족의 해석은 작은 부족에서 나온 그리고 현저하게 그 작은 부족의 견해였고, 그래서 오늘날까지 많은 유대인을 특징짓는 민족적 특징과 특이한 결점들—조잡한 현실주의와, 이기심과 관능성—을 표시한다. 그들은 그들의 아버지 야곱을 통해서 모든 다른 것들 위로 스스로 올려진 그들의 부족신과 흥정하였고, 그의 “씨앗들이 땅의 먼지처럼 많아질 것이다”라는 약속을 하였다; 그리고 그 신은 그래서 발생의 상징 이미지보다, 그리고 표상으로써, 숫자와 숫자들 보다 더 나은 이미지를 가질 수 없었다.

칼라일이 이 두 나라에 대하여 현명한 말을 한다. 힌두 아리안—지구상에서 가장 형이상학적이고 영적인 민족—에게 종교는 언제나, 그의 말로 하면, “영속적인 길잡이 별(lode-star)로, 이것이 여기 지상에서 그 주위에서 밤이 더 어두워지면 어두워질수록 하늘에서 더 밝게 비춘다.” 힌두인의 종교는 그를 여기 지상에서 멀어지게 한다; 그러므로 심지어 지금도, 암소 상징이 모든 다른 상징들 중에서 그 내적인 의미에서 가장 웅장하고 가장 철학적인 것 중에 하나이다. 유럽의 "대스승들"과 "주들"에게—야곱의 자손들에게—칼라일의 어떤 말이 한층 더 감탄할 정도로 적용된다; 그들에게 "종교는 *단순한 계산*에 근거를 둔 현명하고 신중한 느낌이다"—그리고 그것은 처음부터 그랬다. 기독교 국가들이 스스로 그 짐을 지었기 때문에, 그들은 다른 종교들을 희생하면서 그것을 방어하고 시적으로 만들어야 한다고 느낀다.

그러나 고대 국가들은 그렇지 않았다. 그들에게 통로 입구와 왕의 방에 있는 사르코파거스는 재생—발생이 아니라—을 의미하였다. 그것은 가장 엄숙한 상징, 지성소였으며, 그 속에서—셈족 카발리스트의 숨겨진 의미에서—결코 유한한 인간과 정욕과 육체의 아들들이 아니라—불멸의 대사제와 "신의 아들들"이 창조되었다. 두 인종의 관점에서 차이가 나는 이유가 쉽게 설명된다. 아리안 힌두는 이제 지구상에서 가장 오래된 인종에 속한다; 셈족은 가장 최근이다. 하나는 거의 백만 년 이상이다; 다른 하나는 약 8천년 이상 안되는 작은 아인종이다.[205]

그러나 남근 숭배는 종교적 상징의 내적인 의미에 대한 열쇠를 점차로 잃어버리면서 발전되었다; 그리고 야곱의 자손들이 아리안들처럼 순수한 믿음을 가졌던 때가 있었다. 그러나 이제 유대교는 *오로지* 남근 숭배 위에 세워져서 아시아에서 가장 최근 교리들 중에 하나가 되었고, 신학적으로 그들 자신 밖에 모든 것과 모든 이를 향한 혐오와 악의의 종교가 되었다. 필로 유대우스는 무엇이 진정한 유대 믿음이었는지 보여준다. 그가 말하길, 성스러운 저서들은 *우리가 이교도들과 그들의 법과 제도를 혐오하도록 명령하면서 . . .* 우리가 무엇을 해야 하는지 규정한다.

---

205 엄격하게 말해서, 유대인은 인도에서 태어난 그리고 코카서스 분류에 속하는 인위적인 아리안 인종이다. 아르메니아인과 파시를 잘 아는 사람은 누구도 이 셋 속에서 아리안, 코카서스 유형을 알아보는 데 실패할 수가 없다. 다섯 번째 근원인종의 일곱 원이 유형에서 지금 지상에 셋만 남아 있다. W. H. 플라워 교수가 적절하게 1885년에 말했듯이, "나는 다양한 인류학자들이 너무 자주 도달한 결론에 반대할 수가 없다—원시인은, 그가 무엇이 되었건, 많은 세월이 흘러가면서 유럽의 코카서스, 아시아의 몽골리안 그리고 아프리카의 이디오피안으로 대표된 세 가지 극단적인 유형으로 갈라졌고, 모두 존재하는 종의 개인들이 세 가지 유형으로 정렬될 수 있다 . . ." (영국 인류학 연구소에서 회장 연설) 우리 인종이 다섯 번째 아인종에 도달했다는 것을 고려할 때, 어떻게 다른 것일 수 있을까?

그들은 바알 혹은 바쿠스 숭배를 공공연하게 혐오하였지만, 그것의 최악의 특징이 비밀리에 따르도록 남겨두었다; 그리고 자연의 웅장한 상징들이 가장 세속적으로 된 것이 바로 탈무드의 유대인들이었다. 그들에게, 올바른 성서의 해석의 열쇠를 발견한 것으로 이제 보여주었듯이, 기하학, *다섯 번째* 신성한 과학—"다섯 번째" 왜냐하면 그것이 보편적 비의 언어와 상징을 푸는 일곱 열쇠들 중에 *다섯 번째* 열쇠이기 때문이다—이 훼손되었으며, 그들에 의해서 가장 속세의 조잡하게 성적인 신비, 그 속에서 신과 종교가 타락된, 그 신비를 감추기 위해서 적용되었다.

그것이 브라흐마-프라자파티, 오시리스와 다른 모든 *창조* 신들과 동일하다고 들었다. 그들의 의례가 통속적으로 그리고 외적으로 판단되면 상당히 그렇다; 우리가 보듯이, 그것의 *내적인* 의미가 걷힐 때 그 반대이다. 힌두의 링감은 "야곱의 *기둥*"과 동일하다—가장 부인할 수 없게. 그러나 말했듯이, 그 차이가 *링감*의 비의적 의미가 진실로 너무 성스럽고 형이상학적이어서 세속인과 일반 대중에게 드러내지 못했다는 데 있는 것처럼 보인다; 그래서 그것의 피상적인 모습이 대중의 추론에 남겨졌다. 아리안 대사제와 브라만도 그들이 자부하는 배타성과 그들 지식에 대한 만족으로 교묘하게 고안된 우화들 아래에 그것의 원초적 *솔직함*을 숨기려는 수고를 하지도 않을 것이다; 반면에 랍비들은 그 상징을 그들 자신의 성향에 맞게 해석하여 조잡한 의미를 덮어야 했다; 그리고 이것은 두 가지 목적에 적합하였다—그의 비밀을 자기만 간직하고 그의 *율법*이 그가 혐오하도록 명령한 *이교도인* 위로 주장하는 일신교를 올리는 목적이다.[206] 또다른 나중의 명령—"서로 사랑하라"—에도 불구하고, 이제는 기독교인도 기쁘게 받아들이는 명령이다. 인도와 이집트 둘 다 똑같은 "지성소"를 상징하는 그들의 성스러운 연꽃을 가졌고 가지고 있다—물 속에 있는

---

206 이방인들과 유대인들 사이에 그리고 나중에 기독교인들 사이에 그런 유추가 지적될 때마다, 이교도들이 *하나의 진정한 살아 있는 신*의 종교를 중상할 목적으로 유대인을 모방하게 강요한 것이 바로 악마의 작업이었다고 말하는 것이 변함없는 습관이었다. 이것에 대하여, 파버가 매우 합당하게 말한다: "어떤 사람들은 이방인들이 이스라엘을 비굴하게 복사한 사람들이었고, 비슷한 점 각각이 모세의 법률에서 차용된 것이었다고 상상하였다. 그러나 이 이론은 그 문제를 결코 해결하지 못할 것이다: 우리가 바로 가까운 곳에 있는 사람들의 의례 속에서 보듯이, 팔레스타인과 아주 다른 국가들의 의례 속에서 그 똑같은 유사성을 발견하기 때문이고, 모두가 보편적으로 싫어하고 멸시받는 하나에서 빌려왔다는 것이 믿을 수 없는 것처럼 보이기 때문이다." (*이교도 우상*, I, p. 104)

연꽃, 이중의 여성 원리—자신의 씨앗을 *지닌 자* 그리고 모든 것의 뿌리. 비라즈와 호루스가 둘 다 남성 상징으로, *자웅동체의 대자연*에서 발산하여 나오며, 하나는 브라흐마와 그의 여성 상대 바크에서, 다른 하나는 오시리스와 아이시스에서 나온다—결코 하나의 무한한 신에서 나오지 않는다. 유대-기독교 체계에서 그것은 다르다. 반면에 연꽃은 브라흐마, 우주를 담고 있으며 무한한 공간의 대양 속에 있는 *중심점*, 비쉬누의 *배꼽*에서 자라나오는 것으로 보여주고, 그리고 호루스가 *천상의* 나일강의 연꽃에서 솟아나온다—이 모든 추상적 범신론적 개념이 일그러져서 성서 속에서 통속적으로 구체화되었다: *비의적 표현에서* 그것들이 더 *천박하며* 그리고 대중적 표현 속에서 보다 한층 더 *의인화된다고* 말하고 싶다. 심지어 기독교인이 적용하는 데 똑같은 상징을 예로 들어보자; 대천사 가브리엘의 손에 있는 *수련*을 보자. (누가복음 1:28) 힌두교에서—"지성소"는 보편적 추상성으로, 그것의 *등장인물*은 무한한 영과 대자연이다; 기독교 유대교에서, 그것은 대자연 *밖에 있는 인격*신이고, 인간의 자궁이다—이브, 사라 등등이다; 그래서 신인동형의 남근의 신과 그의 이미지—인간—이다.

이렇게 성서의 내용에 관하여, 두 가지 가설 중에 하나가 인정되어야 한다고 주장된다. 상징적 대리인—여호와—뒤에 미지의, 헤아릴 수 없는 신, 카발라의 아인-소프가 있다; 혹은 유대인은 처음부터 오늘날 인도의 사문화된 *링감* [207] 숭배자들에 불과했다는 것이다. 우리는 그것이 전자라고 말한다; 그러므로 유대인들의 비의적 숭배가 베단타 철학자들이 오늘날 비난받는 것과 똑같은 범신론이었다; 여호와는 대중적 민족적 믿음의 목적을 위한 *대리인*이었고, 철학자들과 박식한 사제들—사두개인들로, 모든 이스라엘 종파들 중에서 가장 박식하고 가장 세련된 사람들이며, 그들이 율법을 제외하고 모든 믿음에 경멸적인 거부를 가진 것이 하나의 살아 있는 증거들이다—눈에는 어떤 중요성이나 실재를 갖고 있지 않았다. 왜냐하면 지금 성서로 알려진 굉장한 체계를 발명한 사람들 혹은 카발리스트들처럼 그것은 대중적 *블라인드*로 발명되었다는 것을 알았던 그들의 계승자들, 그들이, 우리가 묻는다, 여호와가 카발라 문헌에서 가장 부인할 수 없게 보이듯이, 어떻게 그런 남근 숭배와 숫자에 대한 경의를 느낄 수 있을까?

---

207 아브라함과 야곱이 세운 그들의 봉헌된 *기둥들* (깍지 않은 돌)이 링기(LINGHI)였다.

철학자라는 이름의 가치가 있는 사람, 그리고 그들의 "야곱의 기둥," *베이텔*(*Bethel*), 기름 부어진 *팰러스들*, 그리고 그들의 "놋*뱀*," "야곱의 기둥"의 실제 *비밀의* 의미를 아는 사람이 어떻게 그런 조잡한 상징을 숭배하고, 그 속에서 그들의 "성궤"—주(Lord) 자신—를 보면서, 그것을 보살필 수 있는가! 독자가 "*게마라 산헤드린*"으로 관심을 돌려서 판단하게 하자. 다양한 작가들이 보여주었듯이, 그리고 하그레이브 제닝스의 *남근 숭배* (p. 67)에서 노골적으로 언급되었듯이, "우리는 성궤가 *돌판*을 간직하였고 . . . 그 돌이 남근 숭배였으며, 모음점을 갖지 않은 유대어 네 글자 J-E-V-E 혹은 JHVH (H 는 단순히 대기음으로 E 와 같다)로 쓰여진, 성스러운 이름 *여호와*와 동일하다는 것을 *유대인의 기록으로부터 안다*. 이 과정으로 두 글자 I 와 V (U 의 또 다른 형태)를 남겨둔다; 그러면 I 를 U *안에* 놓으면 '지성소'를 갖게 된다; 우리는 또한 링가와 요니 그리고 힌두의 아르가, 이쉬와라와 '지고의 주'를 갖게 된다; 그리고 여기서 우리는 성악궤의 린요니 (?)와 동일하다는 것으로 자체가 확인된 그것의 신비적 그리고 천상의 의미의 전체 비밀을 갖게 된다."

오늘날 성서의 유대인들은 모세 시대가 아니라 다비드 시대에서 시작한다—심지어 고대의 진본이 후대에 다시 개조된 모세의 두루마리와 동일하다 해도. 그 시대 이전에 그들의 민족성이 유사이전 어둠의 안개 속에서 사라졌고, 이제 그것에서 베일이 최대한 많이 거두어진다. 가장 관대한 비판에 의해서 구약성서가 모세 시대에 관하여 통용되던 가장 정확한 견해로써 참조될 수 있다는 것은 바빌로니아 포로 시대만을 말하는 것이다. 심지어 혼 신부 같은 광적인 여호와 숭배자이자 기독교인도 힐기야에 의해서 *발견된* 이후, "신의 서(Book of God)"의 후대 편집자들에 의해서 수많은 변화와 수정이 있었다는 것을 인정해야 한다 (*"구약성서의 서론"과 콜렌소 주교의 "엘로힘 및 여호와 작가들" 참조*); 그리고 "*모세오경이 보완적 문서의 수단으로 원시의 혹은 더 오래된 문서들에서 생겼다*"는 것을 인정해야 한다. 엘로힘 구절들은 모세시대 이후 500 년에 다시 쓰여 졌다; 성서 연대기 자체의 권위자에 의하면, 여호와는 800 년에 다시 쓰여 졌다. 그래서 기둥 형태로 발생의 기관으로써 그리고 그의 이름의 글자의 숫자 값 혹은 카발라 권위자에 의하면 י *요드* (팰러스)와 ה *헤*(*He*) (자궁 혹은 구멍)의 숫자 값에 있는 양성의 기관의 상징으로써 나타내어진 그 신이 *엘로힘* 상징들보다 훨씬 후대이고 이교인의 *통속적*

의례에서 차용되었다고 주장된다; 그리고 여호와는 이렇게 인도에 있는 모든 도로 주변에서 발견되는 *링감*과 *요니*와 동일하다.

신비의식의 이이아오가 여호와와 구분되듯이, 일부 그노시스 종파의 후대 이이아오와 아브라삭스가 유대인의 신과 동일하였으며, 유대인의 신은 이집트인의 호루스와 동일하였다. 이것이 그노시스 "기독교인" 보석에 있는 것처럼 "이교도인"에서 부인할 수 없게 증명된다. 매터의 그런 보석들 수집에 호루스가 "*아브라삭스 이이아오*(*ΑΒΡΑΣ ΑΞ Ι ΑΩ*)"가 새겨진 연꽃 위에 앉아 있다—동시대 이교도인의 보석에 아주 빈번하게 있던 "세라피스는 하나의 제우스이다(*Ε Ι Σ ΖΕΤΣ ΣΑΡΑΠ Ι*)" 정확하게 유사한 호칭; 그러므로 "아브라삭스는 하나의 여호와이다"로 번역된다. (킹, *그노시스와 그들의 유물*, pp. 326-327) 그런데 아브라삭스는 누구였나? 같은 저자가 보여준다: "아브라삭스 이름의 카발라적 혹은 수리적 값은 이이아오 호칭으로 가장 초기시대부터 숭배된, 그 해의 통치자(Ruler of the year), '미트라' 신의 페르시안 호칭을 직접적으로 말하는 것이다." 이렇게 한 측면에서 태양, 다른 측면에서 달 혹은 달의 수호신, 그노시스파가 죽음의 첫 번째 주, *두 번째 위치*를 갖는, 밤에 빛나는, "아들과 아버지의 신비의식을 주재하는 당신"으로서 경의를 표한, 저 발생의 신이다."

달의 수호신의 역량에서만, 달이 고대 우주발생론에서 우리 지구의 부모로 인정받았고, 여호와가 우리 지구와 그 하늘, 즉 창공의 창조자로 간주될 수 있다.

하지만 이 모든 지식은 보통의 광신자에게는 어떤 증거가 되지 않을 것이다. 선교사들은 인도의 종교에 대하여 가장 악의 있는 공격을 계속할 것이고, 기독교인들은 콜리지의 이런 터무니없이 부당한 말처럼 언제나 똑같은 만족의 무지몽매한 미소를 갖고 읽을 것이다: "기독교인들이 받은 영감 받은 작품들이, 진리에 대한 그들의 강력한 그리고 빈번한 추천에서, 브라만의 성전부터 심지어 코란에 이르기까지, *영감 받은 척하는 다른 모든 문헌들과 구분될 수 있다는 것이* 매우 관찰할 만한 가치가 있다. . ."

18장 다양한 측면에서 본 "추락 천사(FALL ANGEL)" 신화

A. 악한 영(Evil Spirit): 누가 그리고 무엇이?

우리의 현재 싸움은 전적으로 신학과의 싸움이다. 교회는 인격화된 신과 인격화된 악에 대한 믿음을 강요하는 반면에, 오컬티즘은 그런 믿음의 오류를 보여준다. 그리고 염세주의자만큼이나 범신론자와 오컬티스트에게, 대자연은 "아름다운 어머니이지만, 차가운 돌"이나 마찬가지이다—이것은 *외적인* 물질적인 성질에 대해서만 사실이다. 피상적인 관찰자가 보기에, 그녀는 광대한 도축장으로 그 속에서 도살자가 희생자가 되고, 희생자가 다음으로 도살자가 되는 곳이나 마찬가지라고 그들 둘 다 동의한다. 염세적인 성향의 사람들은 대자연의 수많은 단점과 실패와 특히 자기소모적 성향을 확신하고 나서, 이것이 대자연 속에 *숨어 있는*(*in abscondito*) 신은 없다는 최고의 증거라고 상상하며, 그녀 속에는 어떤 신성한 것도 없다는 것이 상당히 자연스럽다. 물질주의자와 물리학자가 모든 것이 맹목적인 힘과 운 때문이라고 그리고 심지어 적자생존보다 강자생존 때문이라고 상상하는 것이 부자연스럽지도 않다. 그러나 오컬티스트들은 물질 성질을 가장 다양한 환영 덩어리로 간주하며, 모든 고통과 비애 속에서 끊임없는 창조의 필요한 고통을 인식한다: 점점 더 성장하는 완전성을 향한 일련의 단계들로, 결코 오차가 없는 카르마 혹은 *추상적* 자연의 고요한 영향 속에서 볼 수 있다. 우리 오컬티스트들은 거대한 어머니를 다르게 본다. 고통 없이 사는 사람들에게는 비애가 있다. 정체와 죽음은 변화 없이 식물처럼 사는 사람 모두의 미래이다. 그리고 이전 단계 동안 비례하는 고통 없이 어떻게 더 나은 것을 향한 어떤 변화가 있을 수 있겠는가? 외적인 성질의 환영적인 유혹과 지상의 희망의 기만적인 가치를 배운 사람들만이 생명, 고통 그리고 죽음의 거대한 문제를 풀도록 운명 지어진 사람들이 아니겠는가?

만약 중세 학자들 다음에 오는 근대 철학자들이 근본적인 고대 사상 한 가지 이상을 마음대로 썼다면, 신학자들은 그들의 신과 대천사들, 로고스 및 그의 참모와 함께, 사탄과 그의 천사들을, 고대 이교도 판테온의 등장 인물에서 전적으로 세웠을 것이다. 그들이 원래 인물들을 교활하게 뒤틀지 않았다면, 철학적인 의미를 왜곡하지 않았다면, 그리고 기독교계의 무지를 이용하면서—긴 세월의 멘탈적인 잠의 결과로, 그 기간 동안에 인류가 대리인에 의해서만 생각하는 것이 허락되었다—모든 상징을 풀 수 없도록 혼란으로 던져버리지 않았다면, 그들이 그렇게 하는 것을 환영받았을 것이다. 그들이 이런 방향으로 성취한 가장 사악한 것들 중에 하나는 신성한 *다른 자아*(*alter ego*)를 그들의 신학의 기괴한 사탄으로 변형시킨 것이다.

악의 문제에 대한 전체 철학이 인간과 자연의 *내적인* 존재, 동물 속에 있는 신성의 구성요소에 대한 올바른 이해에 달려 있으며, 그래서 진화의 왕관—인간(MAN)—에 관하여 여기서 주어진 것처럼, 전체 체계의 정확성이 달려 있기 때문에, 우리는 신학적 핑계에 대하여 아무리 충분한 조심을 해도 지나치지 않을 것이다. 선한 성 어거스틴과 불 같은 테르툴리아누스가 악마(Devil)를 "신의 원숭이"라고 불렀을 때, 이것은 그들이 살았던 시대의 무지 때문이라고 돌릴 수 있다. 우리의 근대 작가들을 똑같은 이유로 용서하기가 더 어렵다. 마즈디안 문학의 번역으로 로마 카톨릭 작가들에게 다시 한번 똑같은 방향으로 그들의 요점을 증명하는 구실을 제공하였다. 그들은 젠드 아베스타와 벤디다드에 있는 아후라 마즈다의 이중 성질을 이용하였고, 한층 그들의 엉뚱한 이론들을 강조하기 위하여 그의 암샤스펜드를 이용하였다. *사탄은* 오랜 세월 후에 온 종교의 *예상된 표절자이자 복제자이다*. 이것은 유럽에서 심령주의가 출현한 후에 라틴 교회 최고의 비장의 무기, 절묘한 솜씨 중에 하나였다. 일반적으로 단지 *비평가의 찬사*라 할지라도, 심지어 신지학이나 심령주의에 흥미가 없는 사람들 중에서, 아직도 그 무기가 기독교 (로마 카톨릭) 카발리스트들이 동양의 오컬티스트들과 싸우는 데 자주 사용된다.

이제 물질주의자들도 상당히 무해하고, 대륙에 있는 어떤 광적인 "기독교" (우리가 부르듯이, 그들 자신을 "종파적"이라고 부른다) 카발리스트들과 비교할 때, 신지학의 친구로 간주될 수 있다. 이 사람들은 조하르를 읽고, 그 속에서 고대의 지혜를 발견하기 위해서가 아니라, 어느 것도 결코 그렇게 의도될 수 없었을 곳에서, 본문과 의미를 난도질하면서, 그 구절들 속에서 기독교 도그마를 발견하기 위해서 읽는다; 그리고 예수회의 궤변과 학식의 집단적인 도움으로 그것들 모두를 끄집어 낸 후에,

카발리스트로 추정하는 사람들이 책을 쓰고 선견지명이 없는 카발라 학생들을 오도하게 만든다.[208]

그러면 과거의 깊은 강을 뒤져서, 처음에는 존재하는 모든 것의 창조자로서 간주되었던 지혜-신(Wisdom-God)이 악의 천사로—터무니없이 뿔 달린, 발굽과 꼬리를 가진, 두발의 반은 염소 그리고 반은 원숭이로—변형되게 만들었던 근본 사상을 표면으로 가져오는 것이 허용될 수 있지 않을까? 우리는 이집트, 인도 혹은 칼데아의 이교도 악마들과 기독교 악마를 비교하기 위하여 많은 수고를 할 필요가 없다. 왜냐하면 그런 비교가 가능하지 않기 때문이다. 그러나 칼데아-유대 신화에서 가져온 해적 같은 복사판인 기독교 악마의 약력을 잠깐 멈춰서 볼 수 있다: —

이런 의인화의 원시적 기원은 우주의 힘들—하늘들과 땅—이 카오스와 영원한 싸움과 투쟁 속에 있다는 아카디안들의 개념에 놓여있다. 그들의 실리크-물루다그(Silik-Muludag), "모든 신들 중에 신(God amongst all the Gods)," "지상의 인간의 자비로운 수호자"가 바빌로니아인들이 네부(Nebu)로 부른 지혜의 위대한 신, 헤아(Hea)—혹은 에아(Ea)—의 아들이었다. 힌두 신들의 경우처럼, 두 민족의 신들은 선을 주고 해도 준다. 악과 처벌이 절대적으로 합당한 응보의 의미에서 카르마의 대리인들이듯이, 그렇게 악은 선의 하인이었다. (히버트 강연, 1887년, pp. 101-115.) 칼데아-앗시리안 타일을 읽으면 이제 의심의 그림자를 넘어서 그것을 보여주었다. 우리는 똑같은 개념을 조하르 속에서 발견한다. 사탄은 아들이었고, 신의 천사였다. 모든 셈족 국가들에서, 지구의 영(Spirit of the Earth)은 하늘의 영처럼 그 나름의 영역에서 마찬가지로 창조자였다. 둘이 하나가 아닐 때, 그들은 그들 기능에서 상호 교환가능한 쌍둥이 형제였다. 우리가 창세기에서 발견한 모든 것이 칼데아-앗시리안 종교 믿음에 있으며, 심지어 지금까지 해독된 작은 부분까지도

---

208 그런 *가짜 카발리스트*는 프랑스의 마퀴 더 미르빌로, 로마 교회로 개종한 고대 랍비 카발리스트인 "슈발리에" 드라크 아래서 조하르와 다른 유대인 지혜의 유물들을 공부한 후에, 그의 도움으로 모든 저명한 심령주의자와 카발리스트에 대한 비방과 중상으로 가득 찬 여섯 권의 책을 썼다. 1848년부터 1860년까지 그는 프랑스의 가장 초기 동양의 오컬티스트들 중에 한 명인 드흐쉬 백작을 무자비하게 처벌하였다. 미르빌은 그의 오컬트 지식의 범위를 결코 올바르게 이해할 수 없을 것이다. 왜냐하면 그가 그의 실재 믿음과 지식을 심령주의의 가면 아래에서 가렸기 때문이다.

있다. 창세기의 거대한 "심연의 표면(Face of the Deep)"이 *토후-보후*(*Tohu-bohu*), "심연," "원초의 공간(Primeval Space)," 혹은 바빌로니아인들의 카오스(Chaos)에서 추적된다. 대지혜(Wisdom) (보이지 않는 위대한 신(Great Unseen God))—창세기 1장에서는 "신의 영(Spirit of God)"으로 불렸다—가 아카디안들처럼 고대 바빌로니아인들에게서도 *공간의 바다*(*Sea of Space*) 속에서 살았다. 베로수스가 묘사한 한창 때에, 이 바다가 *지구의 표면에서* 볼 수 있는 물로 되었다—위대한 어머니의 투명한 거주처, 에아(Ea)와 모든 신들의 어머니로, 훨씬 뒤에 위대한 용 티아마트(Dragon Tiamat), 바다 뱀(Sea Serpent)이 되었다. 그것의 마지막 발전 단계는 벨(Bel)과 용—악마—의 거대한 전쟁이었다.

신이 악마를 저주했다는 기독교 사상은 어디서 왔는가? 유대인의 신은, 그가 누구이건, 사탄을 저주하는 것을 금지한다. 유대사람 필론과 조세푸스가 법에서 (모세오경과 탈무드) 정도를 벗어나지 않게 이교도의 신들처럼 적 (상대방)을 저주하는 것을 금지한다고 말한다. "그대는 신들을 매도하지 말지어다"가 모세의 신을 인용한다 (출애굽기 22:28). 왜냐하면 그들을 모든 나라로 나눈 신(God)이기 때문이다 (신명기 4:19); 그리고 "위엄(Dignities)" (신들)을 나쁘게 말하는 사람들은 유다서(1:8)에서 *"더러운* 몽상가"로 불리기 때문이다. 심지어 대천사 미카엘도 그에게 (악마에게) 매도하는 비난을 하지 않고, 단순히 이렇게 말한다: "주께서 너를 꾸짖으신다" (유다서 1:9). 마지막으로 똑같은 것이 탈무드에서 반복된다.[209] "사탄이 어느 날 그를 매일매일 저주하던 사람에게 나타나서, 그에게 말했다: '그대는 왜 이것을 하는가?' *신 자신*(*God Himself*)이 나를 저주하지 않고, 단지 '주께서 사탄을 꾸짖는다'고만 말했다는 것을 생각해보라."[210]

이 약간의 탈무드 정보가 분명하게 두 가지를 보여준다: (가) 성 미카엘이 탈무드에서 "신(God)"으로 불리며, 다른 누구를 "주(Lord)"로 부른다; 그리고 (나) 사탄은 심지어 "주"도 두려워한 *어떤 신*(*a God*)이다. 우리가 조하르와 다른 카발라 문헌에서 사탄에 대하여 읽는 모든 것이 분명하게 보여준다. 즉, 이 "인물"은

---

209 아이시스 언베일드, II, p. 487 이하 참조.
210 *키두쉬임*(*Kiddusheem*), 81. 그러나 아이작 마이어, 카발라, pp. 92, 94와 그의 책에서 인용된 조하르 참조.

추상적인 악의 의인화에 불과하며, 그것은 카르마의 법과 카르마의 무기이다. “사탄은 항상 가까이 그리고 인간과 밀접하게 서로 얽혀 있다”고 말하듯이, 그것은 우리 인간의 성질이자 인간 자신이다. 그 힘이 우리 속에서 활동하거나 잠재하는가의 문제에 불과하다.

고대의 모든 위대한 종교에서, 후속의 진화의 계획에서 개체성(individuality)과 개성(personality)의 상관관계로 부를 수 있는 그것의 기조를 이루게 만드는 것이 바로 로고스 데미우르고스 (두 번째 로고스) 혹은 마인드 (마하트)에서 나온 첫 번째 발산이라는 것이—하여튼 박식한 상징학자들에게—잘 알려진 사실이다. 우주발생론, 신통기 그리고 인간발생론의 신비적 상징에서, 창조와 존재의 드라마에서 두 가지 역할을 하는 것으로 보인 것이 바로 로고스(Logos)이다. 즉, 순전히 인간적 개성과 소위 아바타들 혹은 신성한 화신들 그리고 그노시스파가 크리스토스로 부르고 마즈다 철학에서 아후라 마즈다의 파르바르쉬(Farvarshi) (혹은 페로우에르)로 부른 보편적인 영의 신성한 초월성의 창조. 신통기의 낮은 계단에서 하위 하이어라키의 천상의 존재들은 각각 천상의 “복체” 혹은 *파르바르쉬*를 가졌다. 그것은 카발라 금언인 *“데우스는 데몬이 뒤집어진 것이다(Deus est Demon inversus)*”라는 한층 더 신비적인 주장과 같은 것이다; 그런데 “데몬(demon)” 단어는 소크라테스의 경우처럼 그리고 고대 전체가 그것에 부여한 의미에서, 수호령, “천사”를 나타내는 것이지, 신학이 말하는 사탄의 하강한 악마가 아니다. 로마 카톨릭 교회는 성 토마스가 *증명하였듯이*, [211] “그의 수호 천사인” 성 미카엘, 크리스트의 *페로우에르*로서 받아들임으로써 논리와 일관성을 보여준다. 반면에 성 토마스는 미카엘의 원형들이자 머큐리 같은 그의 동의어들을, 예를 들어, *악마들(devils)*이라고 부른다.

교회는 다른 신이나 인간처럼 크리스트도 그의 *페로우에르(Ferouer)*를 가지고 있다는 가르침을 긍정적으로 받아들인다. 드 미르빌이 쓴다: “여기에 우리는 구약성서의 두 영웅을 본다. 즉, *말씀(Verbum)* 혹은 *두 번째* 여호와, 그리고 그의 *얼굴(face)*

---

211 마랜고네의 작품 “대천사 미카엘의 위대함에 대하여”에서, 저자가 외친다: “오, 별이여, 크리스트인 태양을 따르는 자들 중에서 가장 위대한 이! . . . 오 살아 있는 신성의 이미지여! 오, 구약의 위대한 마술사여! 오 크리스트 교회 속에 있는 보이지 않는 크리스트의 대리자여! . . .” 등등. 그 작품이 라틴 교회에서 대단히 영예롭다.

(개신교도가 번역하듯이 '실재(Presence)') 둘이 하나를 구성하지만, 그럼에도 둘이며, 마즈디안의 *페로우에르* 가르침을 연구하고, 그 *페로우에르*가 영적인 잠재성, *이미지*, *얼굴* 그리고 결국에는 *그 페로우에르*를 흡수하는 혼의 *수호자*라는 것을 배우기 전에는 우리에게 해결할 수 없는 것 같이 보인 신비이다." (*아카데미 회고록*, 5권, p. 516.) 이것이 *거의* 맞다.

다른 터무니없는 것들 중에서, 카발리스트들이 *메타트론* 단어가 *메타*(*meta*)와 *트로논*(*thronon*)으로 나누어지며, *보좌 가까이*를 의미한다고 주장한다. 그것은 그 반대이다. *메타(meta)*는 "가까이(near)"가 아니라 "너머(beyond)"를 의미한다. 이것은 우리 논쟁에서 엄청 중요한 것이다. 그러면 *"신과 같은*(*quis ut Deus*)," 성 미카엘이 보이지 않는 세계를 보이는 객관 세계로 바꾸는 말하자면 번역자이다.

게다가 그들은 로마 카톨릭을 따라서 성서 신학과 기독교 신학에서, "대천사 혹은 세라핌, *미카엘* 보다 삼위일체 다음으로 더 상위의 천상의 인물이 존재하지 않는다"고 주장한다. 그들에 따르면, 용의 정복자가 "성스러운 시민군의 우두머리 군주(archisatrap), 행성의 수호자, 별들의 왕, 사탄의 살육자(slayer of Satan) 그리고 가장 강력한 섭정자(Rector)"이다. 이 인물들의 신비 천문학에서, 그는 "아흐리만(Ahriman)의 정복자로, 강탈자의 별의 왕좌를 뒤흔들어서, 그 대신에 태양불 속에서 담근다"; 그리고 크리스트-태양의 옹호자, 그가 그의 주인에게 아주 가까이 다가가서, "그가 그와 하나가 되는 것처럼 보인다 . . . . 말씀(Word)과 이런 융합 때문에, 개신교도들, 그들 중에 특히 캘빈파가 이원성을 완전히 잃어버렸고, 그의 주인을 제외하고 미카엘을 보지 못했다"고 카론 신부가 쓴다. 로마 카톨릭 그리고 특히 그들의 카발리스트들은 더 잘 안다; 그리고 세상에 이런 이원성을 설명하는 사람들이 바로 그들이다. 이것이 교회의 선택받은 자들을 찬미하는 방법과 그들 도그마를 방해하는 모든 신들을 파문하고 거부하는 방법을 제공하는 것이다.

이렇게 똑같은 타이틀과 똑같은 이름들이 차례로 신과 대천사에게 주어진다. 둘 다 *메타트론*으로 불렸으며, "그들이 *다른 속의 하나를* 말할 때 둘 다 그들에게 적용된 여호와 이름을 가진다" (원본 그대로) 조하르에 의하면, 그 용어는 또한 "주인(Master)과 대사(Ambassador)"를 나타낸다. 둘 다 *얼굴의 천사*(*Angel of the*

Face)이다. 왜냐하면 우리가 알고 있듯이, 만약 한편으로 "말씀(Word)"이 "신의 질료의 이미지이자 얼굴 (혹은 실재)"로 불리고, 다른 한편으로 "이스라엘 사람들에게 *구세주*에 대하여 말할 때, 이사야(?)가 그의 실재의 천사가 고통 속에 있는 그들을 구했다고 그들에게 말하기 때문에"—"그래서 그가 구세주였다."[212] 다른 곳에서 그 (미카엘)가 매우 명확하게 "주의 *영광*, 주의 *얼굴들의* 왕자"로 불린다. 둘 다 (여호와와 미카엘) "이스라엘의 *안내자들(guides)*이다[213] . . . 주의 군대들의 우두머리들, 혼과 심지어 세라프들의 *지고의 심판자들(Supreme Judges)*이다."[214]

위 내용 전체가 로마 카톨릭이 준 다양한 문헌들의 권위를 토대로 제공되며, 그러므로 정통임에 틀림없다. 어떤 표현들은 미묘한 신학자들과 궤변가들이 페로우에르[215] 용어가 의미하는 것을 보여주기 위하여 번역된다. 그 단어는 말했듯이 어떤 프랑스 작가들이 *젠드 아베스타*에서 빌려온 단어이며, 로마 카톨릭에서 조로아스터가 예상한 것과는 아주 먼 목적을 위해서 사용된 단어이다. *벤디다드*의 파르가드 XIX장에서 (14구절) 말한다: "오 짜라투스트라여! 아후라 마즈다이고, 가장 위대한, 최고의, 만물의 가장 아름다운, 가장 단단한, 가장 지성적인 . . . 그리고 그 혼이 신성한 말씀(Holy Word) (마트라 스펜타)인, 나의 파르바르쉬를 불러내라." 프랑스 동양학자들은 *파르바르쉬(Farvarshi)*를 "*페로우에르(Ferouer)*"로 번역한다.

이제 *페로우에르* 혹은 *파르바리쉬*는 무엇인가? 어떤 마즈디안 문헌에서 (예를 들면, 오르마즈드 아흐리만, 112, 113), 파르바르쉬는 *내면의*, 불멸의 인간 (혹은 재화신하는 *자아(Ego)*라고 분명하게 암시되고 있다; 그것은 육체가 존재하기 전에 존재하였고 그것이 입는 모든 것보다 더 살아 남는다. "인간도 파르바르쉬를 부여받았을 뿐만 아니라, *신들도* 그리고 하늘, 불, 물, 식물도 그렇다." (J. 다르메스테테르, *밴디다드* 도입) 이것이 *페로우에르*는 신, 동물, 식물 혹은 심지어 원소의 "영적 대응부분," 즉, 더 조밀한 창조의 더 순수하고 섬세한 부분, 체가

---

212 이사야, lxiii. 8-9.
213 메타토르(Metator)과 [*헤지몬(hegemon)*]
214 드 미르빌, "말씀의 얼굴과 대표," p. 18.
215 *밴디다드*에서 "파르바르쉬"로 부른 것은 인간—상위 자아 혹은 신성한 복체—보다 오래 사는 것, 개인의 불멸 부분이다.

무엇이건 그 체의 혼이라는 것을 가장 분명하게 보여 준다. 그러므로 아후라 마즈다가 짜라투스트라에게 아후가 마즈다가 아닌 짜라투스트라의 파르바르쉬를 불러내라고 권고한다; 즉 *허위의* 개성적 겉모습이 아닌, *조로아스터 자신의 아트만 (혹은 크리스토스)과 하나*, 신의 *진정한 초월적* 본질. 이것은 상당히 명확하다.

이제 로마 카톨릭이 그들 신과 천사들, 그리고 고대 종교의 신들 혹은 신과 그 측면들 사이에 가정된 차이를 세우기 위하여 이용한 것이 바로 이 신성하고 에텔적인 원형이다. 이렇게 머큐리, 비너스, 주피터 (신으로서 혹은 행성으로서건)를 악마라고 부르는 반면, 그들은 똑같은 머큐리를 그들 크리스트의 *페로우에르*로 만든다. 이 사실은 부인할 수 없다. 보시우스가 (*우상,* II., p. 373) 미카엘은 이교도들의 머큐리이고, 마우리(Maury)와 다른 프랑스 작가들도 그의 의견을 확증하며, "위대한 신학자들에 의하면 *머큐리와 태양은 하나이다*"라고 첨언한다. 그리고 그들 생각에, "머큐리가 *말씀* (태양)의 지혜 너무 가까이 있기 때문에, 그에게 흡수되고 그와 혼동하는 것이 이상하지 않다."

원본의 사도행전에서 보여주었듯이, 이런 "이교도" 관점이 1세기에 받아들여졌다. (영문 번역은 쓸모가 없다) 미카엘이 너무 많이 그리스와 다른 국가들의 머큐리이어서 루스드라의 거주자들이 바울과 바나바를 머큐리와 주피터로 착각하였을 때—"신들이 인간의 모습으로 우리에게 내려왔다"—12절 (14장)에서 추가한다: "그리고 그들은 바나바를 제우스로 그리고 바울을 헤르메스 (혹은 머큐리)로 불렀다. 왜냐하면 그가 *그 말씀(Verbum)의 리더*였지만, 정식 인가된 영어 성서에서 그리고 심지어 개정된 성서에서 잘못 번역된 "수석 연사"가 아니었기 때문이다. 미카엘은 비전 속에 있는 천사, 신의 아들로, "인간의 아들과 같다." 그의 아버지인 일다바오스처럼 어떤 그노시스 보석에 사자머리를 쓰고 있는 것이 바로 그노시스파의 헤르메스-크리스토스, 이집트인의 아누비스-시리우스(Anubis-Syrius), *아멘티*에 있는 오시리스의 고문, 오파이트의 미카엘 *레온토이드(leontoid)* [*오피오모르포스(ophiomorphos)*] 이다. (킹의 *그노시스*)

이제 이 모든 것에 로마 카톨릭은 말없이 동의하며, 많은 작가들이 공공연하게 그것을 공언한다. 그리고 유대인들이 이집트인들의 금은 보석들을 "약탈"하였듯이,

선배들의 상징을 “약탈한” 교회의 노골적인 “차용”을 부정할 수 없어서, 그들은 그 사실을 꽤 냉정하게 그리고 심각하게 설명한다. 이렇게 고대 이교도 사상을 기독교 도그마에서 반복하는 속에서, “인간이 영속하게 만든 *전설적인 표절*”을 보는데 지금까지 소심한 작가들이 거의 완전한 유사성이라는 그런 간단한 해결책과는 멀리, 상당한 또 다른 원인으로 돌려야 한다고 확신한다: 즉, “*초인간적* 기원에 대한 *유사 이전의* 표절로.”

만약 독자가 방법을 알고자 한다면, 그는 드 미르빌의 다섯 번째 책에 의존해야만 한다. 이 작가는 로마 카톨릭에서 *공식적으로 인정된 옹호자*라는 것을 주목하고, 그래서 모든 예수회의 학문의 도움을 받았다. 518페이지에서 읽는다: —

“우리는 몇몇 반신들(demi-gods)과 이교도들의 바로 역사적인 영웅들을 지적하였으며, 그들은 그들 탄생의 순간부터, 전체 지구가 그 앞에서 머리를 조아리는 *상당한 신(God)이었던* 영웅의 탄생을 *불명예스럽게 만들면서 흉내 내도록* 운명 지워졌다; 우리는 그들이 순결한 어머니로부터 태어난 것을 추적하였다; 그리고 우리는 그들이 그들의 요람에서 뱀들을 목 졸라 죽이고, 악마들과 싸우며, 기적을 행하고, 순교자처럼 죽고, 지하 세계로 내려가서 사자들로부터 다시 일어나는 것을 보았다. 그리고 우리는 소심하고 수줍어하는 기독교인들이 신화와 상징의 우연의 일치라는 바탕에서 그 모든 동일성을 설명해야 한다고 느끼는 것을 몹시 개탄하였다. 그들은 구세주의 이런 말을 확실히 잊어버렸다: ‘나 이전에 온 모두가 도둑들이고 강도들이다’라는 말이 어떤 터무니없는 부인 없이 모든 것을 설명하는 말이고 내가 이런 말들에서 주석을 단 말이다: ‘복음(Evangel)은 지고한 드라마로, *악당들이 정해진 시간 전에 연출하고 흉내 낸 것이다.*’”

“*악당들*”은 물론 *악마들*이고 그들 관리자가 사탄이다. 이제 이것이 어려움에서 나오는 가장 쉽고 그리고 가장 지고한 단순한 방법이다! 룬디 박사는 개신교의 드 미르빌이며 그의 *“기념비적 기독교”*에서 행복한 제안을 따랐고 뮌헨의 셉 박사도 예수의 신성과 모든 구세주들의 사탄 기원을 증명하기 위하여 그의 책에서 따랐다. 가장 거대한 규모로 수 세기 동안 진행된 체계적이고 집단적인 표절이 또 다른 표절, 이번에는 네 번째 복음으로 설명되어야 한다는 것이 너무 많이 애석하다. 왜냐하면 거기서 인용된 문장, “나 이전에 온 모든 것 등등”은 “에녹의 서” (89장)에 쓰여진 말을 글자 그대로 반복한 것이기 때문이다. 보들리 도서관에 있는 이디오피아 사본을 대주교 로렌스가 번역한 소개에서, “기독교의 진화”의 저자이자 편집자가 말한다: —

“에녹의 서 교정쇄를 개정할 때 . . . 선한 양치기가 고용된 감시인과 사악한 늑대들로부터 구조된 양의 우화는 에녹의 서 89장에 있는 *네 번째 전도자에 의해서 명백하게 차용되었다*. 거기서 저자는 그들의 주(Lord)가 오기 전에 양치기가 양을 죽이는 것으로 묘사하고, 그때까지 사도 요한 우화에 있는 신비스러운 구절의 진정한 의미를 드러낸다—‘나 이전에 온 모두가 도둑이고 강도이다’—우리가 이제 에녹의 우화적 양치기를 분명하게 말하는 것을 발견한다.”

신약성서에서 차용한 것이 바로 에녹이라고 주장하기에는 너무 늦다. 유다서 (14-15)는 10,000명의 성인과 함께 주의 도래에 대한 긴 구절을 에녹의 서에서 *글자 그대로* 인용하고, 예언자를 구체적으로 지칭하면서 원전을 *인정한다*. “예언자와 사도의 이런 대응 (비교)이 논란의 여지없이 *신성한 계시로 받아들여진 사도행전의 저자 눈에는*, 에녹의 서가 *대홍수 이전 장로가 영감을 받아쓴 작품이었다*고 논란의 여지없이 보았고,” 게다가 “에녹과 신약성서에서 누적되는 언어와 사상의 우연의 일치가 . . . 셈족 밀턴의 작품은 전도자들과 사도들 혹은 그들 이름으로 쓴 사람들이 부활, 심판, 불멸, 지옥, 그리고 인간의 아들의 영원한 지배 하에 보편적인 정의의 통치 개념을 차용해온 무진장의 원천이었다는 것을 분명하게 나타낸다. 이 *전도자의 표절*은 요한계시록에서 절정을 이루고, 거기서 에녹의 비전을 기독교에 맞게 각색하지만, 그 변형으로 대홍수 이전 장로의 이름으로 예언한 위대한 대스승의 묵시록 예언의 지고한 단순성을 놓치고 만다.”

진실로 “대홍수 이전”이다; “본문의 구절이 거의 몇 세기 혹은 심지어 유사시대 이전 수 천 년 전에 시작하지 않았다면, 그러면 그것은 더 이상 다가올 사건에 대한 원래의 *예언들*이 아니고, 그것도 유사이전 종교에 대한 어떤 성전의 복사판이다 . . .” “크리타 유가에, 비쉬누가 카필라와 다른 (영감을 불어넣은 성인들) 형태로 . . . 에녹이 그랬듯이, 세상에 진정한 지혜를 준다. 트레타 유가에, 그는 보편 군주 형태로—차크라바르틴(Chakravartin) 혹은 에녹의 '영속하는 왕'[216]—사악한 자들을 제어하고 삼계 (혹은 인종들)를 보호한다. 드와파라 시대에, 베다-브야샤 사람으로, 그는 하나의 베다를 네 개로 나누어 수 백 가지로 나누어 준다." 진실로 그렇다; 가장 초기 아리안들의 베다는 그것이 쓰여지기 전에 아틀란타-레무리안들의 모든 국가로 나갔으며, 지금 존재하는 모든 고대 종교들의 첫 번째 씨앗을 뿌렸다. 결코 죽지 않는 지혜의 나무 가지들이 죽은 잎들을 심지어 유대-기독교에도 뿌렸다. 그리고 현재 시대인 칼리 유가 끝에, 우리의 현재 시대에, 비쉬누 혹은 "영속하는 왕"이 칼키로 나타날 것이고, 지구상에 정의를 다시 세울 것이다. 그때 사는 사람들의 마인드가 깨어날 것이고, 수정같이 투명하게 될 것이다. "그 특정 시간에 의해서 이렇게 변화된 사람들이 (여섯 번째 인종) 다른 인간의 *씨앗으로서 될 것이고*, 순수성의 크리타 시대의 법칙을 따르는 인종을 낳을 것이다"; 즉, 그것은 *순결한* 부모에서 태어난, "신의 아들들," "붓다들" 인종, 일곱 번째 인종이 될 것이다.

B. 빛의 신들(Gods of Light)은 어둠의 신들(Gods of Darkness)에서 나온다

이렇게 크리스트, 로고스 혹은 공간 속에 있는 신이자 지상의 구세주는 똑같은 대홍수 이전의 아주 잘못 이해된 지혜의 메아리들 중에 하나에 불과하다는 것이 상당히 분명해졌다. 역사는 인류 속에 화신한 "신들"이 지구로 하강하면서 시작하고, 이것이 추락(Fall)이다. 브라흐마가 비유로 바가반트에 의해서 지구로 내던져지거나, 혹은 주피터가 크로노스에 의해서 그랬거나, 모두가 인류의 상징들이다. 일단 내려와서 조밀한 물질의 이 행성에 접촉하면, 최고 천사의 어떤 백색 날개도 순수한 상태로 남아 있을 수 없으며, 그렇지 않으면 *아바타* (혹은 화신)가 완전해질 수 없다. 모든 그런 아바타가 발생 속으로 신의 추락이기에. 어디에서도 형이상학적 진리가 베다의 비의적 전문 용어들인 우파니샤드에서보다, 그 사상의 숭고성을 음미하는 대신에 비하시킬 수만 있는 보통 사람의 이해로부터 더 숨겨져 있거나, 비의적으로 설명될 때 더 명확한 곳은 없다. 리그-베다는 귀이너트가 그것을 규정하듯이,

---

216 우리엘(Uriel)이 (26장 3절) "에녹의 서"에서 말한다. "자비를 받은 모든 사람은 그들을 통치할 *"영속하는 왕(Everlasting King)"* 신을 영원히 축복할 것이다.

"인류의 위대한 고상한 길들에 대한 가장 숭고한 개념이다." 베다는 베단타와 우파니샤드의 비의 가르침에서 "영원한 지혜의 거울"이고, 그리고 영원히 그렇게 남아 있을 것이다.

16세기 이상 동안 고대 신들의 얼굴에 강제로 쓰여진 새로운 가면들이 대중의 호기심에서 그들을 보지 못하게 숨겼지만, 그것들이 결국에는 맞지 않는다는 것이 증명되었다. 그럼에도 비유적인 추락, 그리고 비유적인 보상과 십자가형이 서구 인류를 피가 무릎까지 오는 길들을 지나서 이끌고 왔다. 모든 것보다 더 나쁜 것은, 그들이 모든 선의 영과 구분되는 악령의 도그마를 믿도록 이끌었다는 것이다. 반면에 악령은 모든 물질 속에서 그리고 탁월하게 인간 속에서 살고 있다. 마지막으로 그것은 신을 중상하는 지옥과 영원한 연옥의 도그마를 만들었다; 그것은 인간의 상위 직관과 신성한 진실 사이에 두꺼운 막을 펼쳐 놓았다; 그리고 모든 것 중에 가장 치명적인 결과로, 아마도 여기에 인간 자신의 출현 이전에 그리고 아마도 다른 지구에서도 출현하기 전에, 우주에는 어두운 악마도, 악령도 없다는 사실을 사람들이 모르게 만들어버렸다. 그래서 사람들이 이 세계의 비애에 대한 의심스러운 위안으로써, 원죄(original sin)의 사상을 받아들이게 만들었다.

인간뿐만 아니라 모든 동물 속에 자유와 자기 안내를 위한 격정적이고 내재하는 본능적 욕망을 심은, 대자연 속에 있는 그 법칙에 대한 철학은 심리학에 속하며 여기서 다루어질 수 없다. 상위의 대지성 속에 있는 그 느낌을 보여주기 위하여, 그것에 대한 자연적인 이유를 분석하고 제공하기 위하여, 여기서는 여지가 없는 끊임없는 철학적인 설명이 필요할 것이다. 아마도 이런 느낌을 가장 잘 통합하는 것이 밀턴의 *실락원* 세 구절 속에서 보인다. "추락한 자(Fallen One)"가 말한다: —

"여기서 우리가 안전하게 통치할 수 있다; 그리고 나의 선택으로,
통치하는 것이 지옥일지라도 야망의 가치가 있다!
하늘에서 받드느니 지옥에서 통치하는 것이 더 낫다. . ."

하늘에서 의지 없는 영적인 무리들 속에서 사라지는 것보다, 지상의 산물의 왕좌이자 그것의 *작용의 영향*(*opus operatum*)의 왕, 인간이 되는 것이 더 낫다.

최초 *추락*의 도그마가 *계시록*에 있는 몇 개 구절에 달려있다는 것을 다른 곳에서 말하였다; 이 구절들이 이제 에녹의 서에서 표절되었다는 것을 어떤 학자들이 보여주고 있다. 이것들이 끝없는 이론과 추론으로 자라났으며, 그것들이 점차로 도그마와 영감을 받은 전통의 중요성을 획득하였다. 모든 사람이 열 개 뿔과 일곱 왕관을 가진 일곱 머리 용, 그 꼬리가 "하늘의 별들의 세 번째 부분을 끌어당겨서, 그것들을 지상으로 던져버린," 그리고 그의 장소가 천사들의 장소와 함께 "하늘에서 더 이상 보이지 않는다"는 그 구절을 설명하고 싶어했다. 그 용의 일곱 머리들이 무엇을 의미하는지, 그리고 그것의 *다섯의* 사악한 왕들이 무엇인지는 2권 3부를 끝맺는 부록에서 배울 수 있다.

뉴턴에서 보쉬에까지 이 애매한 구절들에 대하여 기독교인들 두뇌 속에서 추론들이 끊임없이 진화되었다 . . . "떨어지는 별은 이교도 우두머리 테오도시우스이다"라고 보쉬에가 설명한다. "연기 구름은 몬타누스주의자의 이단이다 . . . . 별들의 세 번째 부분은 순교자들이고, 특히 신성의 교부들이다 . . ."

하지만 보쉬에는 *계시록*에서 묘사된 사건들이 원본이 아니며, 다른 이교도 전통들 속에서 발견된다는 것을 알았을 것이다. 베다 시대에는 그리고 훨씬 후에 중국에서도, 스콜라 철학자나 몬타누스주의자도 없었다. 그러나 기독교 *신학*이 보호되고 구제되어야만 했다.

이것은 자연스러운 것이다. 그러나 왜 진리가 기독교 신학자들의 역작이 파괴로부터 보호하기 위하여 희생되어야 하는가?

성 바울의 "*공기의 왕자*(*princeps aeris hujus*)"는 악마가 아니라, 엘리파스 레비가 올바르게 설명하듯이, 아스트랄 빛의 영향이다. 악마는 "*이 시대의* 신"이 아니라고 그가 말한다. 왜냐하면 그것은 인간이 지구에 출현한 이후 모든 시대와 기간의 신성이고, 물질이 무수히 많은 형태와 상태 속에서 다른 붕괴하는 거대한 힘에 대항하여 그것의 덧없는 존재를 위해서 싸웠기 때문이다.

"용"은 단순히 주기의 상징이자 "만반타라 영원의 아들들"의 상징이며, 그가 지구 형성기의 어떤 시대 동안에 지상으로 하강하였다. "연기 구름들"은 지질학적 현상이다. 지상으로 내던져진 "하늘의 별들의 세 번째 부분"은 우리 구체를 순환하는 신성한 모나드를 말한다—점성학에서 별들의 영(Spirits of the Stars); 즉, 화신의 전체 주기를 수행할 운명의 *인간의* 자아들(Egos)이다. 그러나 이 문장 *"지구를 도는 자(qui circumambulat terram)*"가 다시 신학에서 악마로 언급된다. (베드로전서 5:8) 신화 같은 악의 아버지가 "번개처럼 떨어진다"고 말한다. 불행하게도 이 번역에서, 예수의 개인적인 증언을 토대로, "인간의 아들" 혹은 크리스트가 "번개가 동쪽에서 나오듯이" [217] "하늘에서 떨어진 번개처럼" [218] 보인 사탄과 똑같은 형상과 똑같은 상징으로, 지상으로 하강하는 것이 기대된다. 이 모든 은유들과 비유적인 표현들은 그것들 성격에서 탁월하게 동양적이며, 그 기원을 동양에서 찾아야 한다. 모든 고대 우주발생론에서 *빛은 어둠*에서 나온다. 이집트에서, 다른 곳처럼, *어둠은* "만물의 원리"이다. 그래서 피만더, "신성한 생각(Thought *divine*)"이 어둠에서 빛처럼 나온다. *베해못(Behemoth)은* [219] 로마 카톨릭 신학에서 어둠 혹은 사탄의 원리이다. 하지만 욥기가 그에 대하여 "베해못은 신의 방법들 중에 최고의 (원리)이다." (욥기 40:19)—*Principium viarum Domini Behemoth!*

일관성이 신성한 계시록 어느 부분에서 가장 좋아하는 덕목이 아닌 것 같다. 하여튼 신학자들이 번역한 것으로서 그렇지 않은 것 같다.

이집트인과 칼데아인들은 그들의 *신성한 왕조들*의 탄생을 창조적인 지구가 마지막 산고 속에서 이후에 사라져버린 유사이전의 산맥, 바다 그리고 대륙을 낳는 그 기간이라고 말한다. 지구의 얼굴 (표면)은 "깊은 어둠으로" 덮여 있었고 "그리고 그 (이차적인) 카오스 속에 나중에 구체에서 계발된 만물의 원리가 있다." 그리고 우리의 지질학자들은 수 백 만년 전에, 초기 지질기에 지상의 대화재가 있었다고 주장하였다. [220] 전통 자체에 대하여, 모든 국가와 나라가 각자의 국가 형태로 그것을 가지고 있다.

---

217 마태복음 24:27.

218 누가복음 10:18.

219 개신교의 공인 성서에서 *순진하게* 베해못을 어떤 사람들이 생각하듯이 "코끼리로" 정의한다.

220 하지만 천문학은 천문 과학이 알려진 이후 볼 수 없지만 존재에서 결코 사라지지 않은 별들에 대하여 아무것도 모른다. 일시적인 별들은 *변동가능한* 별들이며, 심지어 캐플러와 튀코 브라헤의 *새로운* 별들이 여전히 보일 수 있다고 믿는다.

그들의 타이폰(Typhon), 파이톤(Python), 로키(Loki) 그리고 "추락하는" 데몬을 가진 것이 이집트, 그리스, 스칸디나비아 혹은 멕시코뿐만 아니라 중국도 있다. 천인들(Celestials)이 그 주제에 대한 전체 문헌을 가지고 있다. 역경에서, 그 자신이 티(TI)라고 말한 오만한 영이 *티(Ti)*에 대항한 반란의 결과로, 일곱 성단의 천상의 영이 지구로 추방되었으며, 그것으로 "하늘 자체가 아래로 *구부러지고* 땅과 결합하면서 *모든 자연 속에서 변화를 가져왔다.*"

그리고 역경에서 읽는다: "날아가는 용이 훌륭하고 반항적이며, 이제 고통받고, 그의 자만이 처벌받는다; 그가 하늘에서 통치할 것이라고 생각하였다, 그는 지상에서만 통치한다."

다시 춘추에서 우화적으로 말한다: "어느 날 밤 별들이 어둠 속에서 빛나길 멈추었고, 지상에 비처럼 떨어지면서, 하늘을 버렸다. *지상에서 그들이 이제 숨었다.*" 이 별들이 모나드이다.

중국인의 우주발생론은 그들의 "불기둥의 주(Lord of the Flame)"와 "그녀를 도와주고 보살피는 작은 영들과 함께" "천상의 처녀(Celestial Virgin)"를 가지고 있다; "큰 영들은 다른 신들의 적과 싸운다." 그러나 이 모든 것이 말한 비유가 모두 기독교 신학을 말하는 *진술이나 예언적* 글이라는 것을 증명하지 못한다.

기독교 신학자들에게 제공할 수 있는 최고의 증거가 신약과 구약성서에 있는 비의적 의미가 우리의 태고 가르침과 같은 사상을 주장하는 것이다—즉 "천사들의 추락"은 "일곱 원(Seven Circles)을 돌파하였던" 천사들의 화신을 단순히 말하는 것이다—가 조하르에서 발견된다. 고대 *기독교* 카발라가 "어두운 망토의" 모세오경이듯이, 이제 사이몬 벤 아이오차이의 카발라가 그 우화의 본질이자 혼이다. 그리고 그것이 말한다 (아그리빠 사본에서):

"카발바의 지혜는 균형과 조화의 과학 속에 있다."

"먼저 균형 잡히지 않은 채 현현하는 힘들은 공간 속에서 사라진다." ("균형 잡힌"은 "분화된"을 의미한다.)

"이렇게 고대 세계의 첫 번째 왕들 (신성한 왕조), *스스로 만든* 거인들의 왕자들이 사라졌다. 그들은 뿌리 없는 나무처럼 넘어졌고, 더 이상 보이지 않았다: 왜냐하면 그들은 *그림자의 그림자*(*Shadow of the Shadow*)였기 때문이다; 즉, 그림자 같은 피트리들의 *차야*(*chhaya*)였기 때문이다." ("에돔의 왕들"에 대하여 참조.)

"그러나 추락하는 별들처럼 떨어지면서 그림자들 속에 간직된, 그들 뒤에 온 그들이 우세하였고 오늘날까지 그렇다": 그 "빈 그림자들" 속에 화신함으로써 인류의 시대를 시작한 디야니들이다.

고대 우주발생론에 있는 모든 문장은 서로 다른 의상을 입었지만 행간을 읽는 사람에게 사상의 동일성을 펼쳐 보여준다.

에소테릭 철학에서 가르친 첫 번째 교훈은 불가지한 대원인(Cause)이 의식적이건 무의식적이건 진화를 시작하지 않으며, 단지 *그 자신의 서로 다른 측면들을 유한한* 마인드들의 지각에 주기적으로 나타낸다는 것이다. 이제 다양하고 수많은 창조적 권능들(Creative Powers)의 무리들로 구성된 집합적 마인드(collective Mind)—보편 마인드—가, 현현한 시간 속에서 아무리 무한하더라도, 지고의 본질적 측면 속에서 태어나지도 않고 부패하지도 않는 공간과 비교될 때, 여전히 유한하다. 유한한 것은 완전할 수가 없다. 그러므로 그런 무리들 중에 열위의 존재들이 있지만, 그들 모두가 대법에 지배된다는 단순한 이유 때문에, 어떤 *악마들*이나 "복종하지 않는 천사들"은 결코 없다. 화신한 아수라들도 (그들을 다른 어떤 이름으로 부르건) 이것에서 어떤 다른 것처럼 달랠 수 없는 법칙을 따랐다. 그들은 피트리들 이전에 현현하였고, 그리고 (공간 속에서) 시간이 주기들로 진전되면서, 그들 차례가 왔다—그래서 수많은 비유들이 있는 것이다 (*데몬은 데우스가 뒤집어진 것이다* 참고.) *아수라의* 이름이, "아수렌드라로 불린 위대한 *아수라*가 그랬듯이, 허례와 희생을 반대한 사람들에게 브라만들이 무분별하게 처음에 준 것이다. 반대자이자 상대방으로써 악마의 개념의 기원이 추적되어야 하는 것이 아마도 바로 그 시대이다.

번역에서 "신(God)"으로 불린, 그리고 "빛"을 창조한, 유대인의 엘로힘은 아리안의 아수라들과 동일하다. 그들은 또한 불변의 영원한 빛에 대한 철학적 그리고 논리적인 대조로써 "어둠의 아들들"로써 말해진다. 가장 초기 조로아스터교인들은 선 혹은 빛과 *영원히 공존하는* 악 혹은 어둠을 믿지 않았으며, 똑같은 해석을 제공한다. 아흐리만은 "무궁한 시간" 혹은 미지의 대원인, *제루아나 아케르네*로부터 나온 아후라-마즈다 (*아수라-마즈다*)의 현현된 *그림자*이다. 그들은 미지의 대원인에 대하여 말하길, "그것의 영광이 너무 고귀하고, 그것이 빛이 너무 휘황찬란해서 인간의 지성이나 유한자의 눈으로는 이해할 수도 볼 수도 없다." 그것의 원초의 발산은 *영원한 빛이며, 이것이 이전에 어둠 속에 숨겨져 온 것에서, 자체를 현현하도록 호출되었으며 이렇게 오르마즈드, "생명의 왕(King of Life)"이 형성하게 되었다.* 그가 무궁한 시간(BOUNDLESS TIME) 속에서 "최초로 태어난 자"이지만, 그 자신의 본형처럼 (존재 이전에 존재하는 영적인 이데아) *영원부터 어둠 속에서 살아왔다.* 여섯 암샤스펜드 (모두 중 최고인 자신과 함께 일곱), *원초의 영적 천사들과 인간은 집합적으로 그의 로고스이다.* 조로아스터교의 암샤스펜드가 6일 동안 혹은 6일 기간에 세계를 창조하고, 일곱째 날에 쉰다; 반면에 비의 철학에서 *일곱 번째는 첫 번째* 기간 혹은 낮이다. (아리안 우주발생론에서 *1차* 창조.) 창조의 서막이자, 미창조된 영원한 대원인과 만들어진 유한한 영향들 사이 경계선에 있는 것이, 바로 그 중간의 영겁(AEon)이다; 영원 불변의 고요(Quiescence)의 첫 번째 측면으로서 *초기의* 활동과 에너지 상태이다. 창세기에서, 어떤 형이상학적 에너지가 사용되지 않았으며, 단지 비의적 진리를 가리기 위한 탁월한 예리함과 교묘함만이 있으며, "창조"가 현현의 세 번째 단계에서 시작한다. "신(God)" 혹은 엘로힘이 피만더의 "일곱 섭정자들(Regents)"이다. 그들은 다른 모든 창조자들과 동일하다.

그러나 심지어 창세기에서도 장면이 갑자기 바뀌는 것으로 그리고 심연 위에 있던 "*어둠*"으로 *그 기간*이 암시된다. *알라힘*(*Alahim*)이 "창조하는" 것으로 보여 진다—즉, 두 개 하늘 혹은 "이중의 하늘" (하늘과 땅이 아니라)을 건설하는 것으로 혹은 만드는 것으로 보여 진다; 그것은 그들이 상위의 현현된 (천사의) 하늘 혹은 의식계와 하위의 혹은 지상의 계를 분리하였다는 것을 의미하였다; (우리에게는) 영원 불변의 영겁들(AEons)을 공간, 시간 그리고 계속 기간 속에 있는 그 기간들로부터 분리하였다; 세속인에게는 하늘과 땅에서, 미지를 알려진 것에서 분리하였다는 의미였다. 그것이 이렇게 말하는 피만더 속에 있는 문장의 의미이다: 즉 "빛(LIGHT)이자 생명(LIFE) (제루아나 아케르네)인 신성한 생각(THOUGHT)이 그것의 말씀(WORD) 혹은 첫 번째 측면을 통해서 *다른 것, 작용하는* 생각(*operating* THOUGHT)"을 만들었으며, 이것은 영과 불의 신으로, "치명적인 운명"으로 이름 붙여진 감각들의 세계를 그들의 원 속에 감싸는 *일곱 섭정자들*을 건설하였다. 치명적인 운명은 카르마를 말한다; "일곱 원들"은 천사 영역에 있는 보이지 않는 일곱 영들처럼, 일곱 행성과 일곱 계이며, 그것들의 보이는 상징은 일곱 행성들,[221] 큰곰자리의 일곱 리쉬와 다른 상형문자이다. 로스가 아디티야들에 대하여 말한 것처럼, "그들은 태양도, 달도, 별들도, 그리고 새벽도 아니라, 이 모든 현상 뒤에 있듯이 존재하는 이런 빛나는 생명의 영원한 지탱자들이다."

"그들 아버지 (*신성한* 생각) 속에서 작동자의 계획을 검토한 후에," 피만더가 말하듯이, 마찬가지로 작동하기를 (혹은 그 피조물을 가진 세계를 건설하기를) *바랬던* 것이 바로 그들—"일곱 무리들(Seven Hosts)"—이다; 왜냐하면 "작동의 영역—현현하는 우주—*속에서*" 태어났기에, 그것이 만반타라 대법(LAW)이기 때문이다. 그리고 이제 그 구절의 두 번째 부분 혹은 오히려 온전한 의미를 감추기 위하여 하나로 합쳐진 두 구절 부분으로 온다. 운영의 영역 속에서 태어난 자들은 "그를 너무 사랑한 형제들이었다." "그"는 원초의 천사들이다: 아수라들, 아흐리만, 엘로힘—혹은 "신의 아들들"로, *사탄*도 그 중 하나였다—모두 "어둠의 천사들"로 불린 영적인 존재들이다. 왜냐하면 그 어둠은 *절대적인* 빛으로, 신학에서 완전히 잊지 않았더라도 지금은 무시되는 사실이기 때문이다. 그럼에도 불구하고, 마치 천사들의 영성이 인간의 체의 조밀성과 비교될 때 더 위대하듯이, 어둠인 많이 악용된 "빛의 아들들"의 영성이 다음 등급의 천사들의 영성과 비교해서 분명하게 위대하다. "빛의 아들들"은 "최초 태어난 자"이다; 그러므로 단순히 "결여"—아리스토텔레스 학파 의미로—라고 할 만큼 고요하고 순수한 영의 범위에 너무 가깝다—그래서 뒤 따랐던 존재들의 이상적 유형 혹은 *페로우에르*이다. 그들은 물질, *유형의 것들*을 창조할 수 없다; 그러므로 시간이 지나면서 *"신"이 명령했을 때,* 창조하기를 *거부하였다*고 말하는 것이다—다르게 말하면, 반항했다고 말한다.

---

221 고대 입문자들이 일곱 행성보다 더 많은 것을 알았다는 또 다른 증거가 비쉬누 푸라나, 2권, 12장에서 발견된다. 거기서 드루바(Dhruva) (북극성)에 붙들려 매어 있는 전차를 묘사하면서, 파라사라가 공기줄로 부착된 "아홉 행성의 전차"에 대하여 말한다.

아마도 이것은 빛과 소리 그리고 동일한 길이의 두 파장이 만나는 영향에 대하여 가르치는 과학 이론의 원리를 토대로 정당화된다. “만약 두 소리가 같은 강도라면, 동시 주파수는 어느 하나의 강도의 네 배 소리를 만든다. 반면에 간섭은 *절대적 침묵*을 만든다.”

저스틴 마터가 그의 시대 “이단들” 중에 어느 하나를 설명하면서 그것들의 시작점에서 모든 세계 종교들의 동일성을 보여준다. 최초 *시작*은 변함없이 *미지의* 수동적 신과 함께 열리며, 거기서 종종 지혜(WISDOM)로, 종종 아들(SON)로, 매우 자주 신(God)으로, 천사로, 주(Lord)로 그리고 로고스(Logos)로 불린 대신비, 어떤 활동적 힘 혹은 덕이 발산한다.[222] 로고스가 종종 최초 발산에 적용되지만, 몇 가지 체계에서 그것은 보이지 않는 존재에 의해서 시초에 만들어진 최초 자웅동체 혹은 이중의 광선에서 나온다. 필로는 이 지혜를 남성이자 여성으로 묘사한다. 그러나 그것의 최초 현현이 시작을 가졌더라도, 왜냐하면 그것이 아버지에서 발산되었을 때 영겁들의 지고자, *오우롬*(*Oulom*)[223] (영겁, 시간)에서 나왔기 때문에, 그것은 *모든 창조 이전에* 그와 함께 그대로 있었다. 왜냐하면 그것은 그의 일부분이기 때문이다.[224] 그러므로 필로 유데우스는 아담 카드몬을 “*마인드*” (그노시스체계에서 *비토스*(*Bythos*)의 에노이아(Ennoia))로 부른다. “마인드, 그것을 아담으로 부르자.”[225]

고대 마기 문헌들이 그것을 설명하면서, 전체 *사건*이 명확하게 된다. 사물은 그것의 반대를 통해서 존재할 수 있다—헤겔이 가르치듯이, 그리고 약간의 철학과 영성만이 후대 도그마의 기원을 이해하는 데 필요하며, 그 도그마는 그것의 냉정하고 잔인한 사악함에서 진정으로 사탄적이고 지옥 같다. 마기인들은 그들의 대중 가르침에 있는 악의 기원을 이런 식으로 설명하였다. “빛은 빛만 만들 수 있으며, 결코 악의 기원이 될 수가 없다”; 그러면 빛과 동등한 혹은 그것의 생산에서 빛과 같이 아무것도 없는데, 어떻게 악이 만들어졌는가? 그들이 말하길, 빛은 몇 가지 존재들을 만들었고, 그들 모두가 영적이고, 빛나며 강력하다. 그러나 위대한 하나(GREAT ONE) (“위대한

---

222 저스틴: “트라이포와 대화(Cum. Trypho),” p. 284.
223 시간의 나타내는 구분.
224 산초니아톤는 시간을 가장 오래된 영겁, *프로토고노스*, “최초-태어난 자”로 부른다.
225 필로 유데우스: “카인과 그의 탄생,” 17장.

아수라," 아흐리만, 루시퍼 등등)가 빛과 반대의 *어떤 나쁜 생각*을 가졌다. 그는 의심하였고, 그 의심으로 그가 검게 되었다.

진리에 더 가까이 갔지만, 여전히 많이 빗나간다. 반대되는 권능에서 기원한 *어떤 "악한 생각"*이 없었고, 단순히 생각 *자체*였다; 숙고하는 그리고 계획과 목적을 포함하는 어떤 것은 그러므로 유한하고, 이렇게 자체가 순수한 고요, 절대적 영성과 완성의 자연적인 상태에 반대되는 것으로 자연스럽게 보게 된다. 그것은 자체를 주장한 단순히 진화의 법칙이었다; 멘탈 개화의 진전이, 영에서 분화되어, 그것이 저항할 수 없게 이끌린 물질과 이미 서로 얽히고 말려들게 된다. 이데아들은 그것들의 바로 성질과 본질에서 대상들과 관계를 갖는 개념으로써 진실하건 가상이건 절대적 사고, 저 불가해한 전체(ALL)에 반대되며, 그것의 신비스러운 작용에 대하여 스펜서 씨가 아무것도 말할 수 없다고 단정하지만, "그것은 진화와 유사한 성질을 가지고 있지 않다"고 단정한다 (*심리학의 원리*,[226] p. 474)—그것은 확실히 유사한 성질을 가지고 있지 않는다.

조하르는 그것을 매우 암시적으로 제시한다. "성스러운 하나(Holy One) (로고스)가 인간을 창조하고 싶었을 때, 그가 천사들의 *최고* 무리를 불렀고 그들에게 그가 원하는 것을 말했다. 그러나 그들은 이 욕망의 지혜를 *의심하였으며* 그리고 대답하였다: "인간은 그의 영광 속에서 하루 밤도 지속하지 못할 것입니다"—그것 때문에 그들은 "성스러운" 주에 의해서 불태워졌다 (절멸되었다?). 그리고 나서 그가 다른 낮은 무리를 불렀고, 같은 것을 말했다. 그리고 그들은 "성스러운 하나"를 반박했다: "인간이 무슨 소용이 있나요?"라고 그들은 주장했다. 여전히 엘로힘은 인간을 창조하였고, 인간이 *죄를 지었을 때*, 우짜(Uzza)와 아자엘(Azael) 무리들이 와서 신에게 말했다: "여기 당신이 만든 인간의 아들이 있습니다." 그들이 말했다. "보세요! 그가 죄를 저질렀습니다." 그리고 나서 성스러운 하나가 대답하였다: "만약 너희가 그들(인간) 사이에 있었다면 너희는 그들보다 더 최악이었을 것이다." 그리고

---

226 진화 가설이 다윈과 해켈이 가르친 것처럼 과학에서 그 시민권을 얻은 반면에, 우주의 영원성과 *보편 의식*의 이전 존재(pre-existence)가 근대 심리학자들이 거부하는 것을 보면, 우리 시대에 너무 두드러지는 저 모순적 부인의 정신이 암시적이다. "이상주의자가 옳다면, 진화 가설은 하나의 꿈이다"라고 스펜서 씨가 말한다.

그는 그들을 하늘의 고귀한 위치에서 심지어 지상으로 던졌다; 그리고 "그들이 인간으로 변했고 지상의 여인들을 따라서 죄를 저질렀다." (조하르, 9, b.) 이것은 상당히 명확하다. 창세기에서는 그것 때문에 *처벌받은* 이 "신의 아들들" (6장)에 대하여 어떤 언급도 없다. 성서에서 그것에 대한 언급은 유다서 (6)에 있다. "그리고 그들의 최초 신분을 지키지 못한 천사들은 그들의 거주처를 떠났으며, 그는 *위대한 날의 심판 때까지 어둠 속에 있는 영원한 구속 속에* 자리잡았다." 그리고 이것은 화신할 운명의 "천사들"은 "위대한 날(Great Day)"까지 *무지의 어둠 아래에서* 육체와 물질의 *구속에 있다는* 것을 단순히 의미한다. 그 날은 항상 일곱 번째 라운드 후에, "한 주"가 끝난 후에, 일곱 번째 안식일에 혹은 만반타라 후 니르바나에 올 것이다.

헤르메스의 "신성한 생각 피만더"가 진실로 비의적이고 씨크릿 독트린과 일치한다는 것이 라틴어와 그리스어만으로 된 원전 번역에서 추론될 수 있다. 한편 유럽에 있는 기독교인들이 나중에 그것을 얼마나 많이 왜곡시켰는지 드 성 마르가 1578년 에어의 주교에게 쓴 편지 서문에서 한 말과 무의식적인 *고백*에서 보인다. 그 속에서 범신론적 그리고 이집트 논고에서 신비의 로마 카톨릭 논고로의 변형의 전체 주기가 주어지고, 피만더가 지금의 그것으로 어떻게 되었는지 보게 된다. 심지어 성 마르의 번역 속에서도, 진정한 피만더의 흔적들이 발견된다—"보편적 사고(Universal Thought)" 혹은 "마인드." 이것이 오래된 프랑스 번역에서 글자 그대로 번역된 것으로, 원본은 주석에서[227] 진기한 고대 프랑스어로 제시된다: —

"일곱 인간 (원리)이 인간 속에서 발생되었다." "아버지의 일곱과 영의 일곱의 조화의 성질. 대자연은 . . . 일곱 영들의 일곱 성질에 따라서 일곱 인간을 만들었고," "그들 속에, 잠재적으로, 두 가지 성을 가지고 있다."

---

227 신성한 피만더 1. 16: "오, 나의 생각, 그것은 무엇을 추구하는가? 왜냐하면 나는 엄청나게 알고자 한다. 피만더가 말하길, 이것은 오늘 날까지 봉인된 신이다. 왜냐하면 자연은 내가 말한 그것, 즉 아버지와 영의 일곱과 조화로운 성질을 가지는, 인간 속에서 놀라운 기적을 만들었기 때문이다. *자연은 거기서 멈추지 않고*, 만족하지 않은 채, *두 가지 성의 힘을 가진 일곱 총독의 성질에 따라서, 일곱 인간*을 만들고 키웠다. . . 이 일곱의 세대가 이렇게 . . . 일어났다 . . ." 번역에서 아풀레이우스의 라틴 본문에 부분적으로 기댐으로써 채울 수 있는 틈이 생긴다. 주석가인 주교가 말한다: "대자연은 그(인간) 속에서 일곱 인간(일곱 원리)을 만들었다."

형이상학적으로 아버지와 아들은 "보편 마인드"이고 "주기적인 우주" 이다; "천사"와 "인간"이다. 그것은 하나이자 동시에 아들이며 아버지이다; 피만더에서, 그것을 발생시키는 활동적(active) 이데아(IDEA)이자 수동적(passive) 생각(THOUGHT)이다; 색의 일곱 프리즘 측면들과 일곱 음—창조적 힘의 일곱 등급—을 낳은 대자연에 있는 근본 기조음으로, 모두가 하나의 *백색 광선* 혹은 빛(LIGHT)—그 자체가 어둠 속에서 발생된다—에서 태어난다.

C. 많은 의미의 "하늘에서 전쟁"

씨크릿 독트린은 자명한 사실로서 인류가 집합적으로 그리고 개별적으로 현현된 모든 자연과 함께 a) 원초의 (1차의) 분화에서, 하나의 보편 원리(One Universal Principle)의 숨결의 매개체이고, 나) 대자연이 많은 *인류들과* 함께 점점 더 물질성이 증가하는 여러 계로 하강하면서, 그 하나의 거대한 숨결(One BREATH)에서 2차 그리고 그 이상의 분화 속에서 나오는 무수히 많은 "숨결들"의 매개체라고 지적한다. 1차 숨결은 상위 하이어라키에 생명을 불어넣는다; 2차가 꾸준하게 하강하는 여러 계에서 하위 하이어라키에 불어넣는다.

이제 이런 믿음이 한때 *보편적*이었다는 것을 *외적으로* 표면상에서 증명하는 많은 구절들이 성서에 있다; 그리고 가장 설득력 있는 것이 에스겔 28장과 이사야 14장이다. 기독교 신학자들이 둘 다를 사탄의 반란에 대한 서사시, 창조 이전의 거대한 전쟁을 언급하는 것으로 해석하는 것을 그들이 그렇게 선택한다면 환영하지만, 그 생각이 터무니없다는 것이 너무 분명하다. 에스겔이 티루스 왕에게 그의 한탄과 질책을 말했다; 이사야—우상 숭배로 가는 것을 막으려고 애썼던 소수의 입문자 (소위 *선지자*)를 제외하고 다른 국가처럼 우상 숭배에 빠졌던 아하즈 왕에게 말한 것이다. 학생이 판단하길 바란다.

에스겔 28장에서, "인간의 아들아, 티루스 왕자에게 말하여라, 이렇게 주 신(Lord God) (우리가 신(god) 카르마로 이해하듯이)이 말한다: 그대의 가슴이 교만해져서 나는 신이다 라고 그대가 말했다 . . . 그리고 그대는 아직 인간이다 . . . 보아라 내가 그대에게 이방인을 데려올 것이다 . . . 그리고 그들이 그대 왕국의 아름다움에 대항하여 칼을 뽑을 것이다 . . . 그리고 그들이 그대를 구덩이 (혹은 지구의 삶)로 데려갈 것이다."

"티루스의 왕자"의 기원은 사악한 아틀란티안, 위대한 마법사들의 "신성한 왕조" 속에서 찾아야 하고 추적되어야 한다. (스탠저 XII, 47~49 절, 마지막 주석 참조.) 에스겔의 말에는 어떤 비유가 있는 것이 아니라, 실제 역사가 있는 것이다. 왜냐하면 선지자 *속에 있는* 그 목소리, "주"의 목소리," 자신의 영이 그에게 말하기 때문이다: "왜냐하면 그대가 '나는 신이다, 나는 신의 자리에 앉아 있다—*바다 가운데 있는* (신성의 왕조),' 하지만 그대는 인간이다 . . . 보아라 그대는 다니엘보다 더 현명하다; 그들이 그대로부터 감출 수 있는 비밀이란 없다 . . . 그대의 왕국과 함께 . . . 그대는 부를 증가시켰고, 그 부 때문에 그대의 가슴이 교만해졌다. 그러므로 보아라 . . . 이방인들이 그대 왕국의 아름다움에 대항해서 칼을 뽑을 것이다 . . . 그들이 그대를 데려갈 것이다 . . . 그리고 그대는 *바다 한가운데에서* 죽은 *그들의* 죽음으로 죽을 것이다." (3~8 절.) 그런 모든 저주가 *예언*이 아니고, 단순히 아틀란티안, "지구의 거인들"의 운명을 *생각나게 하는 것*에 불과하다.

이 마지막 문장의 의미가 아틀란티안들의 운명을 이야기한 것이 아니라면 무엇일 수 있겠는가? 17 절에서 말한다: "그대의 아름다움 때문에 그대의 가슴이 교만해졌다"는 피만더에 있는 "천상의 인간" 혹은 그들의 운명으로 된 위대한 미와 지혜 때문에 교만으로 추락하였다고 비난받은 추락 천사를 말하는 것일 수 있다. 여기에는 아마도 우리 신학자들의 선입견을 제외하고, 어떤 비유가 없다. 이 구절은 과거를 말하고 회고하는 투시력보다는 입문의 신비의식에서 획득된 지식에 더 속한다. 그 목소리가 다시 말한다: -

"그대는 (사티야 유가에) 신의 정원, 에덴에 있었다; 모든 소중한 보석이 그대를 뒤덮었고 . . . 그대의 소구와 비파의 세공이 *그대가 창조된* 날에 *그대 속에서 준비되었다* . . . *그대는 기름부어진 천사이다* . . . 그대는 불의 돌 가운데에서 왔다 갔다 했다 . . . 그대는 그대가 창조된 날부터 그대 속에서 사악함이 발견되었을 때까지 그대 방식으로 완전하였다. 그러므로 그대를 *신의 산*에서 내던질 것이고 그대를 파괴할 것이다 . . .”

“신의 산”은 “*신들의* 산” 혹은 메루를 의미하며, 네 번째 근원인종에서 그것의 대표가 아틀라스 산이었으며, *신성한 타이탄들 중에 하나의 마지막 형태*로, 그 당시 너무 높아서 고대인들은 하늘이 그 꼭대기에 놓여 있다고 믿었다. 아틀라스가 신들에 대항한 전쟁에서 거인들을 도와주지 않았는가? (히기누스) 또 다른 버전은 그 *우화들이* 이아페토스와 클리메네의 아들, 아틀라스가 천문학을 좋아하고, 그래서 그런 이유로 그가 가장 높은 정상에 거주하는 것에서 생긴 것으로 보여준다. 진실은 아틀라스, “신들의 산”과 그 이름의 영웅은 네 번째 근원인종의 비의적 상징들이며, 그의 일곱 딸, 아틀란티데스는 일곱 하위 인종의 상징이다. 아틀라스 산은 모든 전설에 따르면 지금보다 3 배나 높았다고 말한다; 그리고 서로 다른 두 번의 시기에 가라앉았다. 그것은 화산에서 기원한 것으로, 에스겔에 있는 목소리가 말한다: “나는 *그대 가운데에서 불을 가져올* 것이고, 그것이 그대를 삼킬 것이다” 등등. (v. 18) 번역된 본문에 있는 경우처럼, 이 불이 티루스의 왕자 혹은 그의 백성 가운데에서 가져온 것을 확실히 의미하는 것이 아니라, 마법에 능숙하고 예술과 문명에서 발달한 오만한 인종을 상징하는 아틀라스 산에서 가져온 것이다. 그 인종의 마지막 잔존이 한때 거대한 산맥 아래서 파괴되었다.

진실로 “그대는 공포가 될 것이며, 결코 *더 이상 그렇게 되지 않을 것이다*”; 그 인종의 바로 그 이름과 그것의 운명이 이제는 인간의 기억에서 사라졌기 때문이다. 고대 거의 모든 왕과 승려가 입문자였다는 것을 기억하라; 네 번째 근원인종이 끝나갈 무렵부터 우도(Right Path)의 입문자들과 좌도(Left Path)의 입문자들 사이에 분쟁이 있었다는 것을 명심하라; 마지막으로 심지어 파라오가 이 똑같은 에스겔에 의해서 에덴의 가장 아름다운 나무에 비유되기 때문에, 에덴 정원이 *아담* 인종의 유대인들 이외에 다른 인물들로 언급된다. 에스겔이 “에덴의 모든 나무들, 레바논의 최고로 뛰어난 나무가 . . . 지구의 지하 부분에서 위안을 받고 있다”는 것을 보여준다. 왜냐하면 “그들도 그와 (파라오와) [228] 함께 지옥으로 들어갔고” 지하

228 성서에서 홍해 속으로 내려가는 것을 보여주는 파라오만이 이스라엘인들을 쫓았던 왕이었고,

부분으로 내려갔기 때문이다. 그것은 사실 대양의 바닥으로, 그 바닥이 아틀란티안들과 그들의 땅을 집어삼키기 위하여 입을 활짝 벌렸다. 이 모든 것을 명심해서 다양한 설명들을 비교한다면, 그러면 에스겔의 28 장과 31 장 전체가 바빌론이나 앗시리아, 그리고 이집트를 말하는 것이 아니라는 것을 발견할 것이다. 왜냐하면 이것들 중에 어느 하나도 그렇게 파괴되지 않았으며, 지구 *밑이* 아니라, *표면에서* 단순하게 폐허가 되었기 때문이다—그러나 진실로 아틀란티스와 그 국가들 대부분을 말하는 것이다. 그리고 입문자들의 "에덴 정원"이 어떤 신화가 아니라, 이제는 가라앉은 하나의 지역이었다는 것을 이해할 것이다. 빛이 비출 것이며, 그러면 이 같은 문장들의 진정한 비의적인 가치를 음미할 것이다: "그대가 에덴에 있어 왔다; . . . 그대는 신의 신성한 산에 있었다"—왜냐하면 모든 국가가 *신성한* 산을 가졌고 많은 국가가 여전히 가지고 있다: 어떤 국가는 히말라야 봉우리, 다른 국가는 파르나수스 그리고 시나이. 그것들은 모두 입문의 장소였고 고대 그리고 심지어 근대 초인들의 공동체의 *수장들*의 거주처였다. 그리고 다시: "보아라, 앗시리안 (왜 아틀란티안, 입문자가 아니겠는가?)은 레바논에 있는 삼나무였다; . . . *그의 높이가 모든 나무들 위로 높이 솟아 있었다*; . . . 신의 정원에 있는 삼나무들이 그를 가릴 수 없어서, . . . 그래서 에덴의 모든 나무들이 . . . 그를 부러워하였다" (에제키엘서 31 장 3~9 절).

소아시아 전체에 걸쳐서, 입문자들은 "정의의 나무들(trees of Righteousness)"이라고 불렸고, 이스라엘의 어떤 왕들처럼, 레바논의 삼나무도 그랬다. 마찬가지로 인도에 있는 위대한 초인들도 그랬지만, 좌도의 초인들만 그랬다. 비쉬누 푸라나가 "세계가 나무들로 황폐되었다"고 말할 때, 프라체타사—광대한 대양에서 1 만년의 고행을 지낸 사람들—가 그들의 헌신 속에 몰두한 동안, 그 비유는 아틀란티안들과 초기 다섯 번째 근원인종 (아리안 인종)의 초인들을 말하는 것이다. 다른 "나무들 (초인 마법사들)이 퍼졌으며, 보호받지 못한 땅을 어둡게 만들었다; 그리고 사람들이 사라졌다 . . . 1 만년 동안 일을 할 수 없어서." 그리고 나서 성자들, 프라체타사로

아마도 그럴 만한 이유로 그 이름이 언급되지 않은 채 그대로 남아 있는 왕이다. 그 이야기는 확실이 아틀란티안 전통에서 만들어진 것이다.

불린 아리안 언종의 리쉬들이 *"심연에서 나오는 것으로"* [229], 그리고 그들 입에서 나오는 바람과 불길로 사악한 "나무들"과 전체 식물 왕국을 파괴하는 것으로 보인다; 그리고 소마 (달), 식물계의 통치자가 *우도의* 초인들과 연합하면서 그들을 진정시키며, 그가 그들에게 신부 마리샤(Marisha)로서 "나무들의 후손"을 [230] 제공한다. 이것은 스탠저와 주석에서 제시된 것과, 1 권 2 부 "성스러운 섬"에서도 제시된 것을 의미한다. 그것은 "신의 아들들"과 어두운 지혜의 아들들, 우리의 선조들 혹은 아틀란티안과 아리안 초인들 사이의 거대한 싸움을 암시한다.

그 기간에 대한 전체 이야기가 *라마야나*에 우화로 나온다. 이것은 라마—초기 아리안들의 *신성한* 왕조의 첫째 왕—와 라바나, 아틀란티안 (란카) 인종의 상징적인 인물 사이의 전쟁을 서사시 형태로 신비하게 서술한 것이다. 전자는 태양 신들의 화신이었다; 후자는 달의 데바들의 화신이었다. 이것은 신성한 힘 혹은 하위의 지상의 혹은 우주적 힘의 패권을 위한, 선과 악 사이에, 화이트 매직과 블랙 매직 사이에 거대한 싸움이었다. 학생이 마지막 진술을 더 잘 이해하고자 한다면, 그가 마하바라타 5 장의 아누기타 에피소드로 가서, 거기서 브라마나가 그의 부인에게 말한다. "나는 대아(Self)에 의해서 대아 속에 머무는 자리를 인식하였다—(그 자리에) 브라만이 서로 반대되는 쌍과 달에서 자유로운 채, 모든 존재를 지성적 원리를 움직이는 자로서, 불 (혹은 태양)과 함께 거주한다." 달은 마인드 (마나스)의 신이지만, 하위계에서만 그렇다. "마나스는 이중이다—하위 부분은 달이고, 상위 부분은 태양이다"라고 주석에서 말한다. 즉, 그것의 상위 측면은 붓디로 이끌리고, 하위 측면은 이기적이고 관능적인 욕망들로 가득 찬 *동물혼*의 목소리 속으로 하강하며 듣는다; 그리고 여기에 신성한 인간과 동물 인간의 *사후 상태에서* 분리의

---

229 비쉬누 푸라나, 1권, 15장.

230 이것은 순수한 비유이다. 바다는 지혜와 오컬트 학식의 상징이다. 헤르메스는 *불*의 상징으로 성스러운 과학을 나타냈다. 북방 입문자들은 물의 상징으로 그랬다. 후자는 *나라(Nara)*의 생산, "신의 영" 혹은 오히려 *파람아트만(Paramatman)*, "지고의 혼(Supreme Soul)"이라고 쿨쿠카 바따가 말한다. *나라야나*는 "심연 속에 거주하는 그" 혹은 대지혜의 바다(Waters of Wisdom) 속에 뛰어든 자를 의미하고, "물은 나라(Nara)의 체"이다. (*바이유*) 그래서 1만년 동안 그들이 "광대한 대양 속에서" 고행 속에 있었다는 진술이 생기고 그곳에서 나오는 것을 보여준다. 에아(Ea), 대지혜의 신은 "지고한 물고기(Supreme Fish)"이고, 다곤(Dagon) 혹은 오안네스(Oannes)가 칼데아의 인간-물고기로 지혜를 가르치기 위하여 바다에서 나온다.

신비처럼, 세속인의 삶의 신비와 초인의 신비가 담겨있다. 라마야나—그 책의 모든 구절을 비의적으로 읽어야 한다—는 웅장한 상징과 비유로 인간과 혼의 고난을 드러낸다. "체 속에서, 이 모든 생명-바람들 (? 원리들)의 가운데서, 그것들이 체 속에서 움직이고, 서로를 [231] 삼키는데, 칠중의 바이쉬바나(Vaishvana) 불이 [232] 타오르며, '나'는 그 목표이다"라고 브라마나가 말한다.[233]

그러나 주요 "혼"은 *마나스* 혹은 마인드이다; 그래서 소마, 달이 프라체타사로 인격화된 그 속에 있는 태양 부분과 연합하는 것으로 보인다. 그러나 모든 성전처럼, 라마야나의 일곱 측면을 여는 일곱 가지 열쇠들 중에서 이것이 유일한 한 가지이다—형이상학 열쇠이다.

다양한 입문자를 나타내는 "나무"의 상징이 거의 보편적이었다. 선법의 모든 초인들처럼, 예수가 "생명의 나무"로 불렸다. 반면에 *좌도의* 초인들은 "시들어가는 나무"로 언급된다. 요한은 "그 나무들의 뿌리를 내리치는" "도끼"에 대하여 말한다 (마태복음 3:10); 그리고 앗시리아 군대의 왕이 나무로 불린다 (이사야 10:19).

에덴 정원의 진정한 의미가 "아이시스 언베일드"에서 충분하게 제공되었다.

저자는 아이시스 언베일드가 지금 가르친 가르침을 너무 적게 가지고 있다고 표현한 놀라움을 여러 번 들었다. 이것은 상당히 잘못된 것이다. 그 가르침들 자체가 여전히 보류되었지만, 그런 가르침에 대한 언급들이 많이 있기 때문이다. 지금 모든 것을 말할 시간이 안되었기에, 그때 때가 오지 안 왔다. "우리 다섯 번째 근원인종에 선행한 아틀란티안 혹은 네 번째 근원인종이 아이시스 언베일드에서 언급되지 않았다"고 "에소테릭 붓디즘"의 비평가가 썼다. 아이시스 언베일드를 쓴 본인은 1 권 p 133 에서 욥기의 서를 말할 때, 아틀란티안들이 우리 선조로서 언급되었다고

231 아누기타의 유능한 번역자가 각주에서(p. 258) 이것을 이렇게 설명한다: "그 의미가 이것처럼 보인다; 세속의 삶의 과정이 대아(SELF)에 붙어 있으며 개인 혼으로서 현현하게 이끄는 생명의 바람의 작용 때문이다."
232 "바이스바나라 (혹은 바이쉬바나라)는 대아를 나타내는 데 종종 사용된 단어이다"라고 닐라칸타가 설명한다.
233 카쉬나트 트림바크 텔랑 번역.

주장한다. 이것보다 무엇이 더 명확할 수 있겠는가: "원본 본문에서 '죽은 것들' 대신에, 죽은 *레파임*(*Rephaim*), 거인들 혹은 강력한 원시인으로 쓰였으며, 그들로부터 '진화'가 *미래 언젠가 우리의 현재 인종을* 추적할 수 있다." 이제 이 힌트가 상당히 공공연하게 설명되기 때문에, 이제는 그렇게 할 것을 권한다; 그러나 진화론자들은 10 년전이나 지금이나 확실히 거부한다. 과학과 신학이 우리를 반대한다: 그러므로 우리는 그 둘에게 질문하고, 자기 방어로 그렇게 해야 한다. 예언자들에 두루 흩어져 있는 흐릿한 은유의 강력함 위에 그리고 에녹의 서를 재편집한 버전인 성 요한의 계시록에, 바로 이 불안전한 바탕 위에 기독교 신학이 하늘에서의 전쟁의 도그마적 서사시를 세웠다. 그것은 더 했다: 그것은 입문자에게만 이해가능한 상징적 비전들을 그 종교의 거대한 전체 체계를 지탱하는 기둥들로써 사용하였다; 그리고 이제 그 기둥들이 매우 약한 갈대라는 것이 발견되었고, 교활한 구조가 무너지고 있다. 전체 기독교 계획이 이런 *야긴*과 *보아스* 위에 의존한다— 크리스트와 사탄, *선과 악이라는 상반되는 힘.* 기독교에서 그것의 주된 받침대인 추락 천사들을 가져가보라, 그러면 에덴의 나무그늘이 아담 그리고 이브와 함께 허공으로 사라질 것이다; 그리고 단일신과 구세주라는 배타적 인물로 그리고 동물 인간의 죄를 속죄하는 희생자, 크리스트가 무용지물의 무의미한 신화로 된다.

1845년 (p. 41) 고고학 잡지 구간에서 프랑스 작가 M. 모리가 말한다: – "선한 영과 악한 영 사이의 보편적인 싸움이, 고대 신화에 따르면, 우주 창조 이전에 충실한 무리와 반발하는 무리 사이에 일어났던, *더 고대의 그리고 더 끔찍한 싸움*을 재생한 것에 불과한 것처럼 보인다."

다시 한번 그것은 단순히 우선순위의 문제이다. 요한의 계시록이 베다 시대 동안에 쓰였다면, 그리고 이교도의 고대의 용 전설들과 또 다른 버전의 *'에녹의 서'*였는지 확신하지 못한다면, 그 표상의 웅장함과 아름다움이 비평가들의 의견을 그 최초 전쟁에 대한 기독교 해석으로 유리하게 만들었을 것이며, 그들의 전쟁터가 별이 있는 하늘이고, 최초 살육자들은 천사들이었다. 하지만 현 상태로, 요한계시록을 한 사건 한 사건 훨씬 더 오래된 다른 비전까지 추적해야 한다. 계시적인 비유와 비의적 서사시를 더 잘 이해하기 위하여, 독자가 요한계시록으로 관심을 돌려서, 12 장 1~7 절까지 읽기를 권한다.

이것은 여서 가지 의미를 가지고 있다. 그것들 대부분이 이 보편적 신화의 천문학적 수리적 열쇠와 관련하여 발견되었다. 지금 제시될 수 있는 것은 단편으로, 두 학파의 입문자들 사이의 싸움, 실제 전쟁의 기록을 구체화하는 것으로, 그것의 비밀의 의미에 관하여 몇 가지 힌트들이다. 똑같은 주춧돌 위에 세워진 여전히 존재하는 비유들이 많이 있고 다양하다. 진정한 이야기, 온전한 비의적 의미를 주는 그것은 비밀 문헌들 속에 있지만, 작가는 그것들에 접근하지 못한다.

하지만 대중 문헌에서, 타라카 전쟁의 에피소드와 비의적 주석들이 아마도 어떤 실마리를 줄 수 있다. 모든 푸라나에서 그 사건이 비유적 성격을 보여주는 다소 변경된 것으로 묘사된다.

후대 푸라나 이야기처럼 가장 초기 베다 시대 아리안들의 신화에서, 부다(Budha), "현자(Wise)"가 언급된다; 그는 "*비밀의* 지혜에 박식한" 자, 그리고 그것의 신화의 역사화에서 행성 머큐리 (수성)이다. 힌두 고대 사전은 부다가 리그 베다의 찬송의 저자라고 여긴다. 그러므로 그는 "브라만들의 후대 소설"이 결코 아니라, 진실로 매우 고대 인물이다.

그의 가계도 혹은 신통기를 조사함으로써 다음 사실들이 드러난다. 신화로써, 그는 "황금색" 브라하스파티의 부인, 타라(Tara)와 "소마" (남성) 달의 아들로, 파리스처럼 힌두의 별의 왕국의 새로운 헬렌을 그녀의 남편으로부터 데려가서, 이것이 스와르가 (하늘)에서 거대한 싸움과 전쟁을 일으키게 만든다. 이 에피소드가 신들과 아수라들 사이의 전쟁을 가져온다: 소마 왕이 다나바들의 리더인 우사나스 (비너스)에서 연합군을 발견한다; 그리고 신들은 브리하스파티 편을 드는 인드라와 루드라가 이끈다. 브리하스파티가 샹카라 (시바)의 도움을 받으며, 샹카라가 그의 구루 브리하스파티의 아버지인 안기라스(Angiras)를 위해서 그의 아들을 돌봐 준다. 여기서 인드라는 미카엘의 인도 원형, 총사령관이자 "용의" 천사들의 살육자이다—그의 이름들 중에 하나가 *지쉬누*(*Jishnu*) "천상의 무리의 리더"이기 때문이다. 어떤 타이탄들이 복수심에 불타는 신들을 방어하는 다른 타이탄들에 대항했듯이, 둘 다 하나와 싸운다—주피터 *토난스*(*tonans*) (인도에서, 신기한 우연의 일치지만, 브리하스파티가 행성 주피터이다); 다른 하나는 언제나 천둥치는 루드라 샹카라를 지지한다. 이 전쟁 동안에, 그는 그의 경호원, 폭풍의 신, 마루트들에 의해서 버림받는다. 이 이야기가 세부사항에서 매우 암시적이다.

그것들 중에 어떤 것을 조사해서 그 의미를 찾아보자.

행성 주피터의 "섭정자" 혹은 주재하는 수호령이 브리하스파티, 학대받은 남편이다. 그는 출산의 힘들의 대표자들, 신들의 영적인 구루 혹은 교관이다. 리그 베다에서, 그는 *브라흐마나스파티*로 불리며, 신들에게 *"숭배받은 자의 작용이* 인격화된 신"을 의미하는 이름이다. 그래서 브라흐마나스파티는 예배와 의례 혹은 대중적 숭배에 의한 *신성한 은총*의 물현화를 나타낸다.

"타라(Tara)"[234]—그의 부인—는 다른 한편으로 *굽타 비디야* (비밀의 지식)로 입문한 자의 힘들의 의인화이다.

소마는 천문학적으로 달이다; 그러나 신비 구절에서, 그것은 또한 신비의식과 제례의식 동안에 브라만들과 입문자들이 마신 성스러운 음료의 이름이다. 그 "소마" 식물은 *아스클레피아 산*으로, 그것이 저 신비한 음료인 *소마 음료수*가 만들어지는 주스를 만든다. 리쉬들의 후손들만이, 위대한 신비의식의 *아그니호트리* (불의 사제들)가 그것의 모든 힘들을 알았다. 그러나 *진정한* 소마의 실제 특성은 그가 *다시 태어난* 후에, 즉 그가 그의 *아스트랄체* 속에서 살기 시작하면서, 입문자를 새로운 *인간*으로 만드는 것이었고 것이다. ("생명의 불로장생약" 참조 [235]) 왜냐하면 그의 영적인 성질이 물리적인 성질을 극복하고 나서, 그가 곧 그것을 끊을 것이며 심지어 저 에텔 형태와도 분리될 것이기 때문이다.[236]

---

234 도슨의 *고전 사전* 참조.

235 "5년간의 신지학" 참조.

236 소마를 나눠 마신 사람은 외적인 체와 연결되어 있지만, 영적인 형태 속에서 그것과 떨어져 있다. 영적인 형태는 외적인 체에서 자유로운 채 상위의 에텔 영역에서 높이 솟아오르면서, 사실상 "신들 중에 하나로" 되면서, 그리고 그가 보고 배운 것에 대한 기억을 그의 육체 두뇌 속에 간직한다. 분명히 말하면, *소마는* "인간이 엘로힘처럼 되지 못하도록" 질투하는 엘로힘이 아담과 이브에게 금지한 지식의 나무의 과실이다.

고대 시대에 소마는 입문하지 않은 브라만—대중 의례를 하는 단순한 사제—에게는 결코 제공되지 않았다. 이렇게 브리하스파티—"신들의 구루"였지만—는 여전히 사문화된 숭배 형태를 나타냈다. 지혜를 주는 자, 소마 왕에 의해서 그의 신비의식 속으로 입문된 것으로 보여주는 것이 바로 *그의 부인* 타라—도그마적 숭배와 결혼하였지만, 진정한 지혜를 갈망하는 자의 상징—이다. 소마가 이렇게 *그녀를 데려가는 것으로* 비유에서 만들어진다. 이것의 결과가 부다(Budha)—*비의적 지혜*—(그리스와 이집트의 머큐리 혹은 헤르메스)의 탄생이다. 그가 "너무 아름답게" 나타내어져서, 심지어 남편이 부다가 그의 *사문화된* 숭배의 자손이 아니라는 것을 잘 알더라도 "새로 태어난 아이"를 그의 아들로, 그의 의례적인 무의미한 형태들의 과실로 주장한다.[237] 이것이 간략하게 그 비유의 의미들 중에 하나이다.

*하늘에서 전쟁(War in Heaven)*은 다양한 다른 존재계에서 그런 종류의 몇 가지 사건들을 말하는 것이다. 첫째는 우주발생론에 속하는 순전히 천문학적 우주적 사실이다. 존 벤틀리는 힌두인들에게 *하늘에서의 전쟁*은 시간 기간을 계산하는 것을 말하는 숫자만이라고 생각하였다. (벤틀리의 힌두 천문학 참조)[238]

이것이 서구 국가들이 그들 나름대로의 *타이탄들의 전쟁*을 세우는 원형 역할을 하였다고 그가 생각한다. 저자가 상당히 틀리지 않지만, 꽤 맞지도 않는다. 만약 항성의 표본이 만반타라 이전 기간을 말하고, 아리안 입문자들이 우주발생론의

---

237 우리는 근대 대중 종교에서 똑같은 것을 본다.

238 "*힌두 천문학의 역사적 관점.*" 파이(pi) 값을 계산하는데 다양한 값들 사이에서 진정한 관계에 대한 근사치를 제공하는 것으로 말해지는 아리아차따에 관한 문헌에서 인용하면, "측정의 기원"의 저자가 특이한 진술을 재생한다. 벤틀리 씨는 "힌두인의 천문학적 그리고 수학적 지식을 엄청 잘 알고 있다 . . . 그의 이 진술이 진짜로 간주될 수 있다: 아주 많은 동서양 국가들 사이에서 *이런 종류의 지식의 비밀을 꼼꼼하게 숨기는* 두드러진 똑같은 특성이 한두인들 사이에서 *뚜렷한 특징*이다. 일반 사람이 배우도록 주어지고 대중의 점검에 노출된 그것은 *더 정확하지만 숨겨진 지식의 근사치에 불과하다.* 그리고 벤틀리 씨의 이런 명확한 표현이 이상하게 그 주장의 예가 될 것이다; 그리고 설명하였고, 그것이 (힌두인 대중 천문학과 과학이) 벤틀리 씨가 어느 때나, 어느 세대에서나 힌두 지식보다 훨씬 더 앞선다고 신뢰했던 *유럽인 체계를 넘어서는 정확한 어떤 체계*에서 유래되었다는 것을 보여줄 것이다." 그것이 벤틀리 씨의 불행이며, 모두 입문자들이었던 고대 힌두 천문학자들의 영광에서 아무것도 얻어가지 못한다.

프로그램과 발전에 대하여 주장한 그 지식에 전적으로 의존한다면,[239] *타이탄들의 전쟁*은 우주 행성간 공간의 심연 대신에 히말라야 하늘에서 일어난 실제 전쟁에 대한 전설적인 신격화된 복사본에 불과하다. 그것은 네 번째 다섯 번째 근원인종의 "신의 아들들(Sons of God)"과 "그림자의 아들들(Sons of the Shadow)" 사이에 끔찍한 싸움의 기록이다. 신들에 대항한 아수라들이 벌인 전쟁에 대한 대중적 설명에서 빌려온 전설들과 합쳐진 바로 이 두 가지 사건을 토대로 그 주제에 대한 모든 국가의 전통이 세워졌다.

비의적으로, *아수라*는 악한 영이자 하위 신들로 후에 변형되었고, *위대한* 신들과 영원히 싸우며, 비밀 지혜의 신들이다. 리그 베다의 가장 오래된 부분에서, 그들은 영적이고 *신성한 존재이며*, "*아수라*" 용어가 지고의 영을 나타내는 데 사용되었으며 조로아스터교인의 위대한 아후라(Ahura)와 같은 것이다. (다르메스테테르의 "벤디다드" 참조) 인드라, 아그니 그리고 바루나 신들이 *아수라*에 속했던 때가 있었다.

아이타레야 브라흐마나에서, 브라흐마-프라자파티의 숨결(*asu*)이 살게 되었고, 그 숨결에서 그가 아수라들을 창조하였다. 나중에 전쟁 후에, 아수라들은 신들의 적으로 불렸으며, 그래서 "아-수라(A-suras)," "아(A)"가 부정의 접두어로 "신이 아님(no-gods)"으로, "신"은 "수라"를 말하게 된다. 그래서 이것이 *아수라* 및 나중에 열거된 그들의 "무리들"이 기독교 교회의 "추락 천사들"과 연결된다. 이들은 영적인 존재들의 하이어라키로 고대 그리고 근대 국가들—조로아스터교부터 중국인의 국가에 이르기까지—의 모든 판테온에서 발견된다. 그들은 모든 새로운 마하 칼파 혹은 만반타라 시작에 원초의 창조적 숨결의 아들들이다; 그리고 "충실하게" 그대로 남아 있었던 천사들과 같은 등급이다. 이들이 (*비의적 지혜*의 부모) (의례적 혹은 의식적인 숭배를 나타내는) *브리하스파티*에 대항한 *소마의 우방들*이었다. 분명하게

---

239 씨크릿 독트린은 보편적 중요성을 갖는 모든 사건은 인류 속에서 영적, 윤리적 그리고 물리적으로 매번 거대한 변화가 관련되는, 어느 한 인종의 끝 무렵과 새로운 인종의 시작 무렵에 있는 지질 변동 같은 것이 우리 행성계의 항성 영역에서 말하자면 사전에 생각되어 계획된다고 가르친다. 점성학이 천체와 인류 사이의 이런 신비적 그리고 친밀한 연결 관계 위에 전적으로 세워진다; 그리고 그것은 입문과 오컬트 신비들의 위대한 비밀들 중에 하나이다.

그들은 위선, 모조-숭배 그리고 사문자 형태에 대한 그들의 반발 때문에 의례주의자들에 의해서 공간과 시간 속에서 반대하는 힘 혹은 악마로 강등되어 왔다.

이제 그들과 같이 싸워온 모든 자들의 진정한 성격은 무엇인가? 그들은 1) *우사나스* 혹은 행성 비너스의 "무리"로, 이제는 로마 카톨릭에서 *루시퍼*, "아침별"의 수호신 (이사야 xiv,12 참조), "사탄"의 군대 혹은 *차바*로 된다. 2) *다이티야*들과 *다나바*들은 타이탄들로, 성서에서 발견하는 데몬들과 거인들이다 (창세기 vi.)—"신의 아들들"과 "인간의 딸들"의 후손이다. 그들의 총칭적인 이름 (속명)이 그들이 주장하는 성격을 보여주고, 동시에 브라만들의 비밀의 *적의*를 드러낸다—왜냐하면 그들은 *크라티-드위샤*—대중적 *모조* 혹은 "제물들의 적들"—이기 때문이다. 이들이 외적인 대중의 민족적 종교의 대표자인 브리하스파티에 대항하여 싸운 "무리들"이다. 그리고 인드라, 볼 수 있는 하늘, 창공의 신은 초기 베다에서 어떤 대중적 숭배도 더 높이 솟아오를 수 없는 우주 외적인 인격신을 위한 적합한 거주처, 우주의 하늘의 *최고의* 신이다.

3) 그리고 나가,[240] *사르파* (뱀 혹은 세라프)가 온다. 다시 이들은 그들의 상형문자의 숨겨진 의미로 그들의 성격을 보여준다. 신화학에서 그들은 인간 얼굴과 용의 꼬리를 가진 *반신 존재*들이다. 그러므로 그들은 부인할 수 없게 유대의 *세라핌*—*세라피스*와 *사르파*에서, 뱀—이다; 그 복수 형태가 *사라프*(*saraph*)로, "타오르는, 불 같은(fiery)"이다. (이사야, vi. 23 참조) 기독교와 유대인 천사학에서는 세라핌과 서열에서 두 번째로 오는 *케루빔* 혹은 케룹을 구분한다. 비의적으로 그리고 카발라적으로, 그들은 동일하다; *케루빔은* 천상의 무리들의 어떤 구분과의 유사성 혹은 이미지를 나타내는 단순한 이름이다. 이제 이전에 말했듯이, 용과 나가는 그들의 위대한 지혜와 영성 그리고 동굴에서 사는 이유 때문에 입문자-은둔자에게 주어진 이름이었다. 이렇게 에스겔이 *케룹*이라는 형용사를 티루스 왕에게 적용해서, 그의 *지혜*와 그의 *이해*로 그로부터 숨길 수 있는 *비밀은 없다*고 그에게 말할 때 (에스겔 28 장), 그는 또 다른 학파의 *입문자*를 호통치는 "선지자," 아마도 대중적 숭배의 추종자이며 별들에서 추락한 케룹, 그리고 에덴 정원에서 떨어진, 상상의

---

240 *나가들*(*Nagas*)은 동양학자들에 의해서 신비스러운 사람들로 묘사되며 그들의 랜드마크가 오늘날까지 인도에서 풍부하게 발견되고, 인도에서 가장 고대 도시들 중에 하나인 나그푸르 마을, (고대 인도) *바라타바르샤* 구역 혹은 일곱 대륙들 중에 하나인 *나가 드위파*에서 살았다.

루시퍼에 대항해서 호통치는 것이 아니라는 것을 오컬티스트에게 보여준다. 이렇게 소위 "전쟁"은 많은 의미들 중에 하나로 우도와 좌도의 초인들 두 그룹 사이의 비유적인 전쟁 기록이다. 인도에는 세 등급의 리쉬들이 있고, 그들이 가장 초기에 알려진 초인들이다; 라자르쉬(Rajarshis) 혹은 왕이나 왕자로, 고행의 삶을 택하였다; 데바르쉬(Devarshis), 신성한 혹은 다르마 혹은 요가의 아들들; 그리고 브라흐마르쉬(Brahmarshis), 카스트 인종 혹은 브라만의 *고트라*들의 창립자들인 그 리쉬들의 후손. 이제, 잠시 동안 신화적 천문학적 열쇠를 잠시 옆에 놓아두고, 비밀의 가르침에서 이 구분에 속했던 많은 아틀란티안들을 보여준다; 그리고 *사실상* 그리고 *정당하게* 그들 사이의 투쟁과 전쟁이 있었다. 나라다(Narada)는 가장 위대한 리쉬들 중에 한 분으로 *데바리쉬(Devarishi)*였다; 그리고 그가 브라흐마, 다크샤 그리고 다른 신들 및 성인들과 꾸준한 그리고 영원한 싸움을 하는 것으로 보인다. 그러므로 이렇게 보편적으로 받아들여진 전통의 *천문학적* 의미가 무엇이건, 그것의 인간 단계는 성직의 목적들에 적합하도록 신학적 도그마로 왜곡된 실재의 역사적 사건들에 근거하고 있다고 우리는 안전하게 주장할 수 있다. 위에서처럼 아래에서도. 항성의 현상, 그리고 하늘에 있는 천체들의 행동이 하나의 모델로 받아들여졌으며, 그 계획이 아래 지구에서 실행되었다. 이렇게 공간은 추상적 의미에서 "신성한 지식의 영역"으로 불렸으며, *칼디들(Chaldees)* 혹은 입문자들 *아브 수우*(*Ab Soo*), 지식의 서식지 (혹은 아버지, 즉 근원)으로 불렸다. 왜냐하면 우주를 *보이지 않게* 통치하는 지성적인 거대한 힘이 거주하는 곳이 공간이기 때문이다.[241]

---

241 (비의 가르침에서 신성한 왕조들의 가장 위대한 왕들 중에 한 명) 모든 초인들의 선조, 위대한 요기인 루드라 시바에게 있다는 특질들이 덜 암시적이지 않다. "가장 앞선 자" 그리고 "마지막 자"으로 불린, 그는 세 번째, 네 번째 그리고 다섯 번째 근원인종의 후원자이다. 왜냐하면 그의 가장 초기 성격에서, 그는 "엘리멘트를 입은," 고행의 *디그-암바라*(*Dig-ambara*), *트리로찬나*(*Trilochana*), "세 눈을 가진 자"이다; *판차-아나나*(*Pancha-anana*), "다섯 얼굴을 가진 자"는 과거 넷과 현재 다섯 번째 근원인종에 대한 암시이다. 왜냐하면 다섯 얼굴이지만, 다섯 번째 근원인종이 여전히 살아 있어서, 그는 "네 팔"만 있기 때문이다. 모래 시계 형상으로 그의 *다마루(damaru)* (드럼)가 보여주듯이, 그는 "시간의 신(God of Time)," 새턴-크로노스이다; 그리고 그가 브라흐마의 다섯 번째 머리를 잘라버려서 네 개만 남겨놓았다고 비난받는다면, 그것은 다시 입문의 어떤 정도와 인종을 암시하는 것이다.

상위의 대양 혹은 하늘에 있는 황도대의 계획에 그리고 같은 방식으로, 지상의 어떤 영역, 내륙의 바다가 바쳐졌으며 "배움의 심연(Abyss of Learning)"으로 불렸다; 그 위의 12 개 센터들이 12 개 작은 섬의 형상으로 12 궁을 나타낸다—그것 중에 둘은 오랜 세월 동안 "신비 궁(mystery signs)"[242] 이었고 지혜의 대스승들과 12 분의 대사제들의 거주처였다. 이 "지식의 바다" 혹은 배움의 바다가[243] 오랜 세월 그곳에 남아 있었고, 지금은 고비 사막이 펼쳐져 있다. 그것은 마지막 빙하기까지 존재하였으며, 그때 어떤 국부적인 대변동으로 바다를 남쪽과 서쪽으로 휩쓸어서 현재의 거대한 사막을 형성하였고 지상에 *황도대 고리*의 유물로서 *그 중간*에 섬 하나와 호수를 가진 오아시스만 남겼다. 오랜 세월 동안, 바다의 심연—후대 바빌로니아인들을 선행한 국가들에서, 그것은 "위대한 어머니" (하늘에 있는 "위대한 어머니 카오스"의 지상의 사후-유형), 에아(Ea) (지혜)의 부모, 바빌로니아인들의 인간-물고기(man-Fish), 그 자신이 오안네스(Oannes)의 초기 원형의 거주처였다—오랜 세월 동안, 그러면 "심연(Abyss)" 혹은 *카오스(Chaos)*는 악이 아닌 지혜의 거주처였다. 벨(Bel)의 전쟁, 그리고 메로닥, 태양신과 *티아마트*, 대해 그리고 용과의 전쟁, 후자의 패배로 끝난 전쟁은 순전히 우주적 지질학적 의미뿐만 아니라 역사적 의미를 가지고 있다. 그것은 비밀 과학이자 신성 과학, 그것의 진화, 성장 그리고 죽음—*세속의 대중들에게* 그렇다—의 역사에서 찢어진 한 페이지이다. 그것은 a) 유사 이전 어떤 기간에 맹렬한 태양에 의해서 엄청난 영역이 체계적이고 점진적으로 말라가는 것을 말한다; 끔찍한 가뭄들 중에 하나로 한때 풍부하게 물이 공급된 비옥했던 땅이 점진적으로 지금의 모래 사막으로 변형된 것으로 끝났다; 그리고 b) 좌도의 예언자들이 우도의 예언자들을 체계적으로 박해한 것을 말한다. 전자는 성직 계층의 탄생과 진화를 시작하게 만들었으며, 결국에는 이 세계를 모든 통속적인 종교로 이끌었고, "대중"과 무지한 사람들의 의례적 허식과 언제나 비물질적인 미지의 원리의 물질화의 타락한 취향을 충족시키기 위하여 발명하였다.

---

242 황도 12궁이 고대 시대에는 단지 10개였다는 세이파스의 생각은 틀렸다. 세속인에게는 10개만 알려져 있다; 그러나 입문자들은 처녀궁-전갈궁이 둘로 분리되었던, *인류가 양성으로 분리된 때부터,* 그것 모두를 알았다; 추가된 비밀의 궁 때문에 그리고 주어지지 않은 비밀 이름 대신에, 그리스인들이 발명한 *천칭자리* 때문에, 그 둘이 12개를 만들었다. (IU, 2권, p. 456.)

243 위가 아마도 달라이-라마의 상징적 이름, "대양(Ocean)" 라마의 열쇠로, 지혜의 대양을 의미한다. 아베 휙이 그것에 대하여 말한다.

이것은 아틀란티안 주술에서 어느 정도 개선된 것으로, 그 주술의 기억이 대중의 전설들과 인도의 산스크리트어를 말하는 부분과 문학의 추억 속에서 잔존하고 있다. 여전히 그것은 성스러운 신비의식과 그것의 과학에 대한 풍자이자 신성모독이었다. 인격신과 우상숭배의 빠른 진전이 이미 네 번째 근원인종을 이끌었듯이 초기 다섯 번째 근원인종을 작은 규모로 다시 한번 주술로 빠지게 만들었다. 마지막으로, 심지어 *넷의 "아담들"* (다른 이름으로 이전의 네 인종을 상징한다)이 망각되었다; 그리고 한 세대에서 다음 세대로 지나가면서, 각자가 추가적인 신화들로 채워지면서, 마침내 판테온이라는 대중적 상징의 대양 속으로 익사해버렸다. 그럼에도 그들은 오늘날까지 가장 오래된 유대인 전통 속에서 *쩰램*(*Tzelem*), "그림자-아담"으로 (우리의 가르침에서 말하는 *차야*(*Chhayas*)) 존재한다; "모형" 아담, 첫째의 복사본, 그리고 대중적인 창세기의 "남성과 여성"; 세 번째, 추락 이전의 "지상의 아담(earthly Adam)," 자웅동체; 그리고 네 번째—*그의 추락 이후* 아담, 즉 성의 분리된 후 아담 혹은 순수한 아틀란티안. 에덴 정원의 아담 혹은 우리 인종의 선조—다섯 번째 아담—는 위 넷의 교묘한 복합이다. 조하르에서 (iii., 폴리오 4, 문헌집 14, 크리모나 판) 언급되었듯이, 첫 번째 인간, 아담이 지상에서 이제는 보이지 않는다, 그는 "아래 모든 곳에서 발견되지 않는다." 왜냐하면 "하위 지구가 어디서 오는가? *지구의 체인과 하늘 위로부터,*" 즉, 우리 지구 위에 그리고 선행하는 구체들, 상위 구체들로부터 오기 때문이다. "그리고 그것 (체인)에서 모든 종류의 피조물들이 나왔다. 그들 중에 어떤 것은 피부, 어떤 것은 껍질 속에 . . . 어떤 것은 붉은 껍질 속에, 어떤 것은 검은 껍질 속에, 어떤 것은 흰 껍질 속에 그리고 어떤 것은 다른 색깔로 . . . " (카발라 참조)

베로수스의 칼데아 우주발생론과 방금 제시된 스탠저처럼, 카발라에 대한 어떤 논고는 두 얼굴을 가진 피조물, 어떤 것은 네 얼굴, 그리고 어떤 것은 한 얼굴을 가진 피조물에 대하여 말한다: 왜냐하면 "최고 높은 아담이 모든 나라에 내려오지 않았으며, 혹은 후손을 만들고 많은 부인을 거느리지 않았지만," 하나의 대신비이기 때문이다.

마찬가지로 용도 하나의 신비이다. 시메온 벤-로차이 랍비가 말하듯이, 진실로 용의 의미를 이해하는 것이 "동반자들" (학생들 혹은 제자들)에게 주어지지 않고, "어린

자들,” 즉 *완전한 입문자*들에게만 주어진다.[244] “시작의 작업을 동반자들은 이해한다; 그러나 *대해의 뱀의 신비*의 의한 *그 기원*에서 작업의 비유를 이해하는 것이 바로 어린 자들만이다.”[245] 그리고 혹시 이것을 읽을 수도 있는 기독교인들도 위의 문장의 빛으로 그들의 “크리스트”가 누구였는지 이해할 것이다. 왜냐하면 예수가 “신의 왕국을 *어린 아이*처럼 받아들이지 않을 자는 거기로 들어가지 못할 것이다”를 반복해서 말하기 때문이다; 그리고 그분 말씀 중에 어떤 것이 어떤 비유 없이 어린 아이에게 적용하는 것으로 되어 있다면, 복음서에서 “어린 자들”을 말하는 대부분은 *입문자*와 관련 있고, *예수가 그런 분 중에 한 분이었다*. 바울이 탈무드에서 “어린 자(little one)”로 언급된다.

“뱀의 신비”가 이것이었다: 우리 지구 혹은 오히려 *지상의 생명*이 비밀의 가르침에서 자주 거대한 바다, “생명의 바다”로 언급되며, 오늘날까지 가장 좋아하는 비유로 남아 있다. *시프라 드제니우타*는 붕괴 (프랄라야) 후에 우주의 진화 및 원초의 혼돈을 말하며, 그것을 똬리를 푸는 뱀에 비유한다: “여기 저기로 확장하면서, 그 꼬리가 입 속에 있고, 머리는 목 위에서 비틀린 채, 그것이 격분해서 화가나 있다. . . 그것은 지켜보고 자신을 숨긴다. *매 천 일마다 그*것이 현현한다.” (I., 16)

푸라나에 대한 주석에서 말한다: “아난타-세샤는 비쉬누의 한 형태로, 보존의 성령이고, 우주의 상징으로, 그 위에서 그것이 브라흐마의 *낮* 사이 동안에 잠을 잔다고 한다. 세샤의 일곱 머리가 우주를 지탱한다 . . .”

마찬가지로 신의 영이 “잠자고,” 매번 새로운 “창조” 전에, 미분화된 물질의 카오스 위에서 숨쉬고 있다. (*시프라 드제니우타*) 이제 브라흐마의 “낮”은 이미 설명되었듯이 *1000* 마하유가로 구성된다; 그리고 “밤” 혹은 휴식기간은 이 “낮”과 동일한

---

244 그것이 고대 유대에서 입문자들에게 주어진 이름이었으며, 또한 “순진한 자들”와 “유아들”로, 즉 한번 다시 태어난 것으로 불렸다. 이 열쇠가 신약성서 신비들 중에 하나 속으로 전망을 연다; 헤롯 왕이 40,000명의 “순진한 자들”을 살육한 것. 이런 취지로 어떤 전설이 있고, 거의 기원전 1세기 전에 일어났던 그 사건이 크리슈나 및 그의 삼촌 칸사 사건과 동시에 혼합된 전통의 기원을 보여준다. 신약성서의 경우, 헤롯은 (리디아의) 알렉산더 얀네우스를 나타내며, 그가 수백 수천 명의 입문자를 박해하고 살인한 것을 성서 이야기에서 채택하게 되었다.

245 조하르 ii., 34.

기간이기 때문에, *시프라 드제니우타*에 있는 이 문장이 말하는 것이 무엇인지 이해하기가 쉽다—즉, 그 뱀이 "천일에 한 번" 현현한다. 시프라의 입문된 작가가 이렇게 말할 때 우리를 어디로 이끄는지 이해하는 것이 어렵지도 않다: "그것의 머리가 거대한 바다의 물 속에서 부서진다: '그대가 바다를 그대의 강력함으로 나누었고, 그대가 *용들의 머리들을* 물 속에 부서뜨렸다'" (lxxiv. 13) 한 가지 열쇠를 갖고 읽으면, 그것은 이번 육체 삶에서, "비애의 바다"에서 입문자들의 시험을 말하는 것이다; 또 다른 열쇠를 갖고 읽을 때, 그것은 공간의 거대한 바다 속에 있는 세계들의 체인의 일곱 구체를 연속적인 파괴를 암시한다: 왜냐하면 모든 항성의 구체, 모든 세계, 별 혹은 별의 그룹이 상징에서 "용의 머리"로 불리기 때문이다. 하지만 그것을 어떻게 읽더라도, 고대에는 그 용이 결코 악으로 간주되지 않았고, 뱀도 마찬가지였다. 그것이 천문학적, 우주적, 신통기적 혹은 단순히 생리학적, 즉 남근 숭배적 비유에서, 뱀은 항상 *신성한* 상징으로 간주되었다. "370 번 뛰기로 달리는 (우주의) 뱀"을 말할 때 (*시프라 드제니우타, 33*), 그것은 거대한 태양년 (25,868 년)의 주기적 기간을 의미하며, 1 태양년이 365 일로 나누어지듯이, 그것이 비의적 계산에서 370 기간들 혹은 주기들로 나누어진다. 그리고 만약 미카엘이 용, 사탄의 정복자로 기독교인들에 의해서 간주되었다면, 그것은 탈무드에서 이렇게 싸우는 인물이 휘하에 일곱 영을 가진 물의 왕자로 나타내기 때문이다—라틴 교회가 그를 유럽에 있는 모든 갑(곶)의 후원자 성인으로 만든 좋은 이유이다. 카발라에서 이 창조력이 "그의 창조의 나선형과 스케치를 *뱀의 형상으로* 만든다." 그것은 "꼬리를 입 속에 물고 있다." 왜냐하면 그것이 끊임없는 영원성이자 주기적인 기간들의 상징이기 때문이다. 하지만 그것의 의미는 많은 불량의 책을 필요로 한다. 우리는 여기서 끝내야 한다.

이렇게 이제는 독자가 "하늘에서 전쟁"과 "거대한 용"의 몇 가지 의미를 스스로 이해해야 한다. 교회 도그마의 가장 장엄하고 염려하던 것, 기독교 믿음의 알파이자 오메가, 그리고 추락(FALL)과 보상(ATONEMENT)의 기둥이 유사 이전 싸움에 대한 많은 우화 속에 있는 이교도 상징으로 줄어든다.

19장 플레로마(PLEROMA)가 사탄의 은신처인가?

이 주제가 아직 다 다루어지지 않았고, 여전히 다른 측면에서 조사되어야 한다.

밀턴이 묘사한 빛의 천사들이 어둠의 천사들에 대항하여 3일간의 싸움이 그가 상응하는 동양의 전통에 대하여 들었음에 틀림없다는 의구심을 정당화하는지 아닌지 말하는 것이 불가능하다. 그럼에도 불구하고, 그 자신이 어느 신비가와 연결된 것이 아니라면, 그러면 그가 바티칸의 비밀 서적에 접근했던 어떤 사람을 통하였음에 틀림없다. 이것들 중에서 *에녹의 서* 혹은 "오래된 용"과 다양한 그의 도살자들에 관한 훨씬 더 최근의 성 요한의 계시록에서 얻을 수 있는 것보다 *삼중 버전으로* 훨씬 더 상세한 세부사항을 가진 동양의 비유에 관한 "베니 샤마쉬(Beni Shamash)"—"태양의 아이들"—의 전통이 있다.

"에녹의 서"가 오래되었다는 "주장"에 대한 선입견을 가진 의심으로 아직 지속하는 신비 협회들에 속하는 저자들을 오늘날까지 찾는 것이 설명할 수 없는 것처럼 보인다. 이렇게, "마야인과 키쉬인 사이에 있는 성스러운 신비의식"의 저자가 에녹에서 기독교로 개종한 입문자를 보려는 경향이 있는 한편, 엘리파스 레비의 서적들—"마법의 신비의식"—의 영어 편찬자도 같은 의견이다. 그가 말한다: "캐닐리 박사의 박식함 이외에, 근대 어떤 학자도 '에녹의 서'의 연대를 기원전 4세기보다 이전으로 생각한 사람은 없다." (*전기와 비평 수필*, p. xxxviii.) 근대 학자가 이것보다 더 나쁜 오류에서 유죄이다. 헤르메스의 서 전체 구절이 이집트 기념비과 가장 초기 왕조의 무덤에서 발견될 때까지, 유럽에서 *가장 위대한* 비평가들이 오르페우스 찬가와 함께 그 문헌 그리고 심지어 *헤르메스* 혹은 *토트의 서*의 신뢰성을 부인했다는 것이 어제처럼 보인다. 로렌스 대주교의 의견이 다른 곳에서 인용된다.

"오래된 용"과 사탄은 이제 독자적으로 그리고 집합적으로 "추락 천사"의 상징으로 되었고, "추락 천사"의 신학적 용어는 *카발라 원본* (칼데아인의 "수의 서")이나 근대 카발라에서 그렇게 묘사되지 않는다. 근대 카발리스트들 중에서 가장 위대하지는 않지만 가장 박식한 엘리파스 레비가 사탄을 다음과 같이 빛나는 용어로 묘사한다: - "그 천사는 자신을 신이라고 믿을 정도로 충분히 오만했다; 영원한 고통과 고문의 대가로 그의 독립성을 살 만큼 충분히 용감했다; 자신을 온전한 신성한 빛 속에서 흠모해올 정도로 충분히 아름다웠다; 고뇌 가운데 어둠 속에서 통치하고, 꺼지지 않는 장작더미 위에 왕좌를 건설할 만큼 충분히 강하였다. 그것은 공화당의 사탄이고 이단적 밀턴이다 . . . 순수한 영들의 하이어라키에 의해서 시중 받은 무정부의 왕자이다 . . ." (마법의 역사, 16-17) 이 묘사—너무 교묘하게 신학적 도그마와 카발라 비유를 조정하고, 심지어 그 구절에서 정치적 찬사까지 포함시키려고 한 묘사—가 올바른 정신으로 읽힐 때 상당히 맞는 것이다.

진실로 그렇다; 그것은 인류의 지성적 독립성을 위한 자기 희생의 신격화가 아닌 언제나 살아 있는 상징, 가장 웅대한 이상이다; 자기 주장은 범죄이며, 생각과 *지식의 빛*은 혐오한다는 그 원리, 정체된 타성에 저항하는 언제나 활동하는 이 에너지. 엘리파스 레비가 비할 데 없는 정의와 풍자로 말하듯이, 그것은 "추악함으로 비난받으며 지목된 채, 무자비한 그의 고문자에게 훨씬 더 잘 맞는 뿔과 발톱으로 장식된 음울한 영원의 가장된 영웅이다—그가 결국에는 뱀—붉은 용—으로 변형되었다." 그러나 엘리파스 레비는 로마 카톨릭의 권위에 너무 복종하였다; 이 악마가 인류였고, 그 인류 이외에 지상에는 어떤 존재도 없다는 것을 고백하기에는 너무 음흉하다고 추가할 수 있다.[246]

이 속에서, 기독교 신학은 이교도의 발자국을 흉내 내어 따르면서 자신의 시대의 유서 깊은 정책에 충실하기만 했다. 그것은 자신을 격리시켜서 그것의 권위를 주장해야만 했다. 그래서 이교도의 모든 신을 악마로 바꾸는 것보다 더 나은 것을 할 수 없었다. 고대에 모든 밝은 태양신—낮에는 영광스러운 신 그리고 밤에는 그 반대이자 상대방으로, 그것은 낮과 밤의 배아를 담고 있다고 하기 때문에, 지혜의

246 어떤 악마가 전대미문의 피에 굶주린 냉혹한 사악함이 불운한 일곱 명의 선량한 여자를 냉혹하게 죽이고 토막낸 1888 년의 "잭 리퍼," "화이트 채플 살인자"보다 더 교활함, 간사함 그리고 잔인함을 소유할 수 있을까! 기독교 지옥의 악마들의 완전한 전형들, 아주 적은 소수만이 법 앞에 데려오는 부인과 아이들을 구타하는 술에 취한 야수들(남편과 아버지)을 찾아보려면 일간지 신문을 읽어 보기만 하면 된다.

용으로 불렸다—이 이제는 신의 정반대 그림자로 바뀌었으며, 포악한 인간의 도그마라는 유일하고 지지받지 못하는 권위 위에서 *사탄*으로 되었다. 그 후에 빛과 그림자의 모든 생산자, 모든 태양신과 달의 신이 저주받았으며, 이렇게 많은 신들 중에서 선택된 하나의 신과 사탄이 의인화되었다. 그러나 신학은 숭배하도록 인위적으로 강요된 모든 것을 분별하고 결국에는 분석하는 인간의 역량을 잊어버린 것처럼 보인다. 역사에서 모든 인종과 심지어 모든 부족에서, 특히 셈족 국가들에서, 신들의 헤게모니에서 그들의 부족신을 다른 신보다 높게 올리려는 자연스러운 충동을 보게 된다; 그리고 기독교 교회가 선택된 민족의 지도를 따르면서 기쁘게 그 특정한 신의 숭배를 강요하고, 모든 다른 신을 파문하더라도, 이스라엘의 신은 *부족신*이었고 그 이상도 아니었다는 것을 증명한다. 원래 의식적이건 무의식적이건, 그럼에도 불구하고, 그것은 하나의 신이었다. 여호와는 고대에 언제나 "다른 신들 중에 하나의 신"이었다. (시편 82) *주*께서 아브라함에게 나타나서, "나는 *전능한 신*"이라고 말하면서, "나는 *하나의* 신이 되는 내 언약을 그대 (아브라함)에게" 그리고 *그대 이후* 그대의 씨앗에게 세울 것이다 (창세기 17:7)—아리안 유럽인이 아니다.

그런데 대조적으로 광휘를 얻고, 어두운 배경에 대조되는 나사렛의 예수라는 웅장하고 이상적인 인물이 있다; *그리고 교회가 발명할 수 없는 어두운 인물이었다.* 구약 성서의 상징이 없고, 여호와—말로 표현할 수 없고 발음할 수 없는 이름 대신에 랍비들이 대체 이름으로 사용한 것—이름의 실재 함축된 의미를 몰라서, 교회는 교묘하게 날조된 그림자를 실재로 오해하였고, *인격화된 생식의 (발생의)* 상징을 유일무이의 대실재, 언제나 미지의 만물의 원인으로 혼동하였다. 논리적인 순서로서 교회는 이중의 목적을 위하여 인격화된 악마를 발명해야만 했다—교회가 가르치듯이, 신 자신이 창조한 악마. 사탄이 이제는 "여호와 프랑켄슈타인"—그의 아버지의 저주와 신의 골칫거리—에 의해서 날조된 괴물로 되었다. 지상의 어떤 프랑켄슈타인도 이보다 더 터무니없는 유령을 날조할 수 없는 괴물이다.

"생명의 새로운 측면"의 저자는 유대인 신을 카발라 관점에서 "유대인에게 여호와로 드러났던 지구의 영(Spirit of the Earth)"으로 매우 올바르게 묘사한다." (p. 209) "예수의 죽음 이후, 그의 형태를 취해서 그를 일어난 크리스트로서 연기한 것이 바로 그 영이었다"—세린티우스와 몇몇 그노시스 종파가 약간 변형을 한 가르침이다.

그러나 저자의 설명과 추론이 놀랍다: "누구도 모세보다 더 잘 알지 못했고 그가 이집트 사제들과 신들 중에서 여호와가 (유대인들에 의해서만) 그 신(God)이라고 주장하며 논쟁했던 그 이집트 신들의 힘이 얼마나 위대했는지 너무 잘 알았다." "여호와, *아카드*(*Achad*)가 그들을 정복함으로써 그 신(God)이라고 주장하는 이 *아카르*(*Achar*), 이 신들은 무엇이었나? 저자가 묻는다; 이것에 우리 오컬티즘이 답한다: "교회가 이제 *추락 천사들* 그리고 집합으로 *사탄,* 교회의 단정을 받아들여야 한다면, 미카엘과 그 무리가 정복한 *용*(*Dragon*)이라고 부르는 신들이며, 그 미카엘은 단순히 여호와 자신으로, 기껏해야 낮은 영들 중에 하나이다." 그러므로 저자가 이렇게 말할 때 맞는 말이다: "그리스인들은 *데몬*(*daimons*)의 존재를 믿었다. 그러나 . . . 그것들은 유대인들에 의해서 예견되었으며, 그들이 *데미온*(*demions*), '*가면연기자들*(*personators*)'로 지칭한 *가면 연기하는 영들의 부류가 있다*고 생각하였다. 여호와와 함께, 하나의 신(One God)의 연기자들인 다른 신들의 존재를 확실히 주장하는 것을 인정한다면, 이 다른 신들은 더 거대한 힘을 얻어서 행사했던 더 높은 등급의 연기하는 영들에 불과한 것인가? 그리고 연기가 *영 상태의 신비를 푸는 열쇠가* 아닌가? 그러나 일단 이런 입장을 부여하면, *우리는 여호와가 연기하는 영이 아니라는 것을 어떻게 아는가?* 즉, 하나의 미지의 불가해한 신의 연기자를 사칭한 영이 아니라는 것을 어떻게 아는가? 아니, 자신을 여호와로 부르는 그 영이 그 속성을 자신에게 가로채면서 자신의 명칭이 실재로 불가해한 무명의(nameless) 하나(One)로 돌려야 하지 않았다는 것을 우리가 어떻게 아는가?" (pp. 144-145.)

그리고 나서 저자가 "영 여호와(Spirit Jehovah)가 연기자이다"고 인정하면서 보여준다. 그것은 모세에게 "그것이 *신 샤다이*(*God Shaddai*)로서 태조들에게 출현하였고" 그리고 "*신 헬리온*(*god Helion*)"으로 출현하였다는 것을 인정하였다. 동시에 그것은 여호와 이름을 취하였다; 그리고 이 연기자의 주장의 믿음 위에 *엘*(*El*), *엘로아*(*Eloah*), *엘로힘* 그리고 *샤다이*(*Shaddai*) 이름이 "전능한 주 신(Lord God Almighty)"으로서 여호와와 같이 병행해서 읽고 해석되었다. 그러면 여호와 이름이 말로 표현할 수 없게 되었을 때 . . . *아도나이* 명칭, "주(Lord)"가 그것을 대체하였고, 그리고 ". . . '주'가 유대인에서 신의 지칭으로서 기독교의 '말씀(Word)'과 '세계(World)'로 전해진 것이 바로 이런 대체 때문이다." (p. 146) 그리고 저자가 추가해서, 여호와가 심지어 겉으로 보이는 하나—*요드*(*Jod*) 혹은 요드-헤(Jod-He)—를 연기하는 많은 영들이 아니었다는 것을 우리가 어떻게 아는가?

그러나 만약 기독교 교회가 사탄의 존재를 도그마로 만든 최초였다면, 그것은 아이시스에서 보여 주었듯이, 악마(Devil)—신의 강력한 *적*—가 교회 주춧돌의 시금석이 되어야 했기 때문이다. 왜냐하면 신지학자로서, M. 줄 배삭이 그의 책 "사탄 혹은 악마"에서 진실로 이렇게 관찰하기 때문이다 (p.9): "이 창조적 사탄이 실제의 힘을 가진 것으로 만들어서 이중 원리의 도그마를 승인하는 것처럼 보이는 것을 피할 필요가 있었고 악의 기원을 설명하기 위하여, 전능한 하나가 준 신성한 권한 위임 이론이 마니(Mani)에 반대해서 인용되었다."[247] 하여튼 그 선택과 정책은 불행한 것이었다. 아브라함과 야곱의 하위 신의 연기자가 예수의 신비한 "아버지"와 완전히 구분되게 만들었어야 했다. 그렇지 않으면—-"추락한" 천사들이 한층 더 많은 픽션으로 비방 받지 않도록 남겨놓았어야 했다.

이방인들의 모든 신은 여호와—*엘로힘*—와 밀접하게 연결되어 있다; 왜냐하면 그들은 모두 하나의 *무리*(One *Host*)로, 그 단위들이 비의 가르침에서 이름만 서로 다르기 때문이다. "복종하는 천사들"과 "추락 천사들" 사이에서 그들 각자의 기능을 제외하고 아무 차이가 없다. 오히려 *"창조하는 것을 임명 받은,"* 즉, 영원한 물질에서 현현계를 조립하도록 임명 받은 "디얀 초한들" 혹은 *엘로힘* 사이에서 어떤 천사들은 활동으로, 다른 천사들은 비활동으로 있다는 것을 제외하고 차이가 없다.

카발리스트들은 사탄의 진정한 이름이 여호와가 뒤집어진 것이라고 말한다. 왜냐하면 "사탄은 암흑의 신이 아니라 흰색의 신 혹은 *진리의 빛*(*light of Truth*)의 반대이기 때문이다. 신은 빛이고 사탄은 그것을 상쇄시키는 *그림자* 혹은 필요한 어둠이다. 그것 없이는 순수한 빛이 보일 수 없고 이해 불가능하다.[248] 엘리파스

---

247 어느 그노시스파의 다형의 범신론이후, 마네스(Manes)의 비의적 이원론이 왔다. 마네스는 악을 인격화시키고 악마를 신으로 창조하였다고—신 자신의 경쟁자—비난받았다. 우리는 기독교 교회가 마니교인들의 대중 사상 위에서 그렇게 많이 향상되었고 보지 않는다. 왜냐하면 교회가 오늘날까지 신을 빛의 왕 그리고 사탄을 어둠의 왕으로 부르기 때문이다.

248 이런 관계에서 레잉 씨의 훌륭한 서적인 "근대 과학과 근대 사상"에서 인용해보면 (p. 222, 3 판): "만약 우리가 인격신의 사상을 완전히 포기하고, 헤아릴 수 없고 발견하지 못하는, 제일

레비가 말한다: "입문자들에게, 악마는 인물이 아니라 선(Good)과 악(Evil)처럼 창조적인 힘에 불과하다." 그들은 (입문자들) 팬 신(God Pan) 혹은 대자연의 신비스러운 형태 하에서 물리적인 발생을 주재하는 이 거대한 힘을 나타낸다: 기독교인의 "마녀들의 사바스의 염소처럼," 거기서 저 신화 같은 상징적 모습의 뿔과 발굽이 왔다. 이것에 관하여, 기독교인들은 염소가 이스라엘의 모든 죄의 보상을 위하여 선택된 희생물이었다는 것과, *희생-양*이 진실로 희생하는 순교자, 지상에 가장 큰 신비의 상징—발생 속으로 *추락*—이었다는 것을 무분별하게 잊어버렸다. 단지 유대인들은 그들이 사막에서 재현한 거대한 신비의식에 있는 생명의 드라마에서 선택된 그들의 (비입문자에게) 터무니없는 영웅의 실재 의미를 오랫동안 잊어버렸다; 그리고 기독교인들은 그것을 결코 알지 못했다.

엘리파스 레비는 교회 도그마를 패러독스와 은유로 설명하려고 하였지만, 경건한 로마 카톨릭 악마학자가 19 세기에 로마의 후원과 승인 하에서 쓴 많은 분량의 책에도 불구하고 부실하게 설명한다. 왜냐하면 진정한 로마 카톨릭에서, 악마 혹은 사탄은 *하나의 실재*이기 때문이다; (아마도 "에녹의 서"에 있는 이야기를 바탕으로 개선하고 싶었던) 파트모스의 예언자 (성 요한)에 따르면 항성의 빛 속에서 재현된 드라마가 성서에 있는 어떤 다른 비유와 상징적 사건만큼이나 실재이고 역사적 사실이다. 그러나 입문자들이 엘리파스 레비가 제시한 설명과 다른 설명을 제시한다. 엘리파스 레비의 천재성과 교활한 지성이 로마에서 그에게 지시한 어떤 타협에 복종해야 했다.

이렇게 진정한 그리고 *타협하지 않는* 카발리스트들은 과학과 철학의 모든 목적을 위해서, 대중이 알아야 하는 그 위대한 마법 인자가 후작 생 마틴—마틴주의자들—의 추종자들이 아스트랄 빛으로 불렀고, 중세 카발리스트들과 연금술사들이 항성의

원인의 과학적 개념을 솔직하게 채택하지 않는다면, 이런 딜레마 (세계에 악의 존재)에서 탈출하지 못한다; 그리고 법칙들을 우리가 추적할 수 있지만, 그 실재 본질을 우리가 아무것도 모르고, *선과 악의 극성을 존재의 필요 조건으로 만들 수 있는 어떤 근본 법칙을 희미하게 구분할 수 있는 혹은 어렴풋이 알 수 있는* 우주에 대한 과학적 개념." 과학이 아무것도 모르는 대신에 "실재 본질"을 알고자 한다면, 희미한 의구심이 그런 법칙의 존재에 대한 확신과 이런 법칙이 카르마와 연결되어 있다는 지식으로 변할 것이다.

(별의) 처녀(Sidereal Virgin) 및 *미스테리움 매그넘*으로, 그리고 동양의 오컬티스트들이 *아카샤*의 반사, 아에테르(AEther)로 불렀으며, 교회에서 *루시퍼*(*Lucifer*)로 부른 바로 그것이라는 것으로 충분하다. 라틴 학자들이 보편적 혼이자 플레로마, *빛의 매개체*이자 모든 형태들의 수용기, 직접적 간접적 영향과 함께 전체 우주에 두루 퍼져 있는 어떤 힘을, 사탄과 그의 작업으로 변형시키는 데 성공하였다는 것이 새로운 것이 아니다. 그러나 이제는 그들이 위에 언급된 대중에게 심지어 엘리파스 레비가 암시한 비밀을 *적절한 설명 없이* 나눠줄 준비가 되었다; 왜냐하면 베일에 가려진 계시에 대한 후자의 (적절한 설명 없는) 정책은 더 깊은 미신과 오해로 이끌 것이기 때문이다. 오컬티즘의 학생, 초심자가 연금술사들의 글처럼 묵시적인, 엘리파스 레비의 매우 고도로 시적인 문장에서 진실로 무엇을 얻을 수 있을까?

“*루시퍼*, 아스트랄 빛은 . . . 모든 창조에 존재하는 중간적 힘이고, 그것은 창조하고 파괴하는 역할을 하며, 아담의 추락은 그의 세대를 이 치명적인 빛에 노예로 만든 호색의 중독이었다 . . . 우리의 감각을 압도하는 모든 성적인 격정은 우리를 죽음의 심연, 어리석음으로 끌어당기려는 그 빛의 회오리바람이다. 환각, 비전, 황홀감은 이것의 *내적인 인광* 때문에 매우 위험한 흥분의 형태이다. 이렇게 결국에는 빛이 불의 성질로, 그것을 지성적으로 사용하면 따뜻하게 그리고 활성화시키며, 그 반대로 과도하게 사용하면 붕괴시키고 소멸시킨다. 이렇게 인간이 그 (아스트랄) 빛에 대하여 독립적인 지배권을 가져서 그의 불멸을 정복하라고 하며, 동시에 중독되고 흡수되어 영원히 그것으로 파괴된다고 협박을 받는다. 그러므로 이 빛은 그것이 집어삼키고 복수심에 불타며 치명적인만큼 진실로 지옥의 불로, 전설의 뱀이다; 그것은 고통받은 잘못들로 가득하며, 그것이 집어 삼키는 사산된 존재들의 눈물과 이를 가는 것, 그들을 피하고 그들의 고통을 비웃고 조롱하는 것처럼 보이는 생명의 유령, 이 모든 것이 진실로 악마 혹은 사탄이다. (*마법의 역사*, p. 197)

이 모든 곳에는 *잘못된* 진술이 없다; 아담—*신화*—을 아스트랄 영향을 설명하는 데 적용하는 것처럼, 잘못 적용된 은유들의 과도함을 제외하고 아무것도 틀린 것이 없다. *아카샤*—아스트랄 빛 [249]—가 몇 단어로 정의될 수 있다; 그것은 보편 혼,

---

249 *아카샤*(*Akasa*)는 어느 동양학자들이 번역하듯이 과학의 에테르가 아니다.

우주의 매트릭스 (모체), "미스터리움 매그넘"으로, 존재하는 모든 것이 분리 혹은 *분화*에 의해서 태어나오는 것이다. 그것은 존재의 원인이다; 그것은 무한한 우주를 모두 채운다; 그것은 *우주 자체*로, 한 가지 의미에서 여섯 번째 그리고 일곱 번째 원리이다.[250] 그러나 현현에 대하여, 무한 속에 있는 유한으로서, 이 빛은 이미 언급되었듯이 그것의 그림자 측면을 가져야 한다. 그리고 무한은 결코 현현될 수 없기 때문에, 그래서 유한한 세계는 *그림자로만* 만족해야 하며, 그것의 작용은 인류에게 의지하고 인간이 끌어당겨서 *활동하게 만든다.* 그래서 그것이 미현현된 통일성과 무한성 속에서 *보편적 원인*인 반면에, 아스트랄 빛이 인류와 관련하여 인간의 죄짓는 삶 속에서 인간이 만든 원인들의 영향으로 된다. 그것은 선 혹은 악을 만드는 밝은 거주자들—그들이 빛의 영 혹은 어둠의 영으로 불리건—이 아니라, 거대한 마법 인자 속에 있는 피할 수 없는 작용과 반작용을 결정하는 것은 인류 자체이다. "창세기의 뱀"이 된 것은 인류로, 매일 매시간 "천상의 처녀(Celestial Virgin)"의 추락과 죄를 일으키며, 이렇게 동시에 신들과 악마들의 어머니가 된다; 왜냐하면 그녀는 그녀의 (엘리파스 레비가 부르듯이) 그림자 같은 현현된 본질—죽이고 파괴하는 "치명적인 빛(fatal light)"—을 끌어당기는 대신에, 그녀의 *혼과 심장*을 젓는 모든 사람에게 언제나 사랑하는 유익한 신이기 때문이다. 인류는 단위로 그것의 영향을 압도하고 숙달할 수 있다; 그러나 그것은 그들의 삶의 신성함과 선한 원인을 만듦으로써 그렇다. 그것은 현현된 *하위* 원리들—공간 속에 있는 미지의 불가해한 신성의 그림자—에서만 힘을 갖는다. 그러나 고대에 그리고 *실재로*, 루시퍼 혹은 *루시퍼러스(Luciferus)*는 낮의 빛처럼 *진리의 빛*을 주재하는

---

250 스펜하임의 수도원장, 가장 위대한 점성가이자 카발리스트인 요하네스 트리트하임이 말한다: "신성한 마법의 예술은 자연의 빛 (아스트랄 빛) 속에서 있는 사물의 본질을 인식하는 능력과, 영의 혼의 힘을 사용하여 보이지 않는 우주에서 물질적인 사물을 만들어내는 능력에 있으며, 그런 작용에서 위에 있는 것과 아래 있는 것이 모여서 조화롭게 행동하게 만드는 것이다. 대자연의 영(아스트랄 빛)은 통일성이며, 모든 것을 창조하고 형성하며 그것이 놀라운 것들을 만들 수 있는 인간의 도구를 통하여 작용한다. 그런 과정은 법칙에 따라서 일어난다. 당신이 배우고자 한다면 당신은 이것들이 성취되는 법칙을 배울 것이다. 당신은 당신 속에 있는 영의 힘으로 그것을 알 것이고, 당신의 영과 당신에서 나오는 그 본질과 합침으로써 그것을 성취할 것이다. 그런 일에서 성공하길 원한다면 대자연 속에 있는 영과 생명을 분리하고, 당신 속에 있는 아스트랄 혼을 분리하여 그것을 유형으로 만드는 방법을 알아야 한다. 그러면 그 혼의 질료가 영의 힘으로 볼 수 있게 만져서 느낄 수 있게 객관적으로 나타날 것이다." (하트만 박사의 "파라켈수스"에서 인용.)

천사의 실체 이름이다. 위대한 발렌티누스 복음서 *피스티스 소피아* (361)에서, *세 가지 성스러운 이름*(*Tridunameis*)에서 발산하여 나오는 세 가지 거대한 힘 중에서, 소피아의 이름 (이 그노시스파에 따르면 성령—가장 고상한)이 비너스 행성 혹은 루시퍼에 거주한다고 가르친다.

이렇게 세속인에게, 아스트랄 빛은 신이자 동시에 악마이다—*데몬은 데우스가 뒤집어진 것이다*(*Demon est Deus inversus*): 즉, 무한한 공간의 모든 점을 통해서 *생명을 불어넣는 대자연*의 자성적 전기적 흐름, 생명을 주고 죽음을 주는 파장이 고동친다. 왜냐하면 지상에서 죽음은 또다른 계에서 삶으로 되기 때문이다. *루시퍼는* 신성한 그리고 지상의 빛, "성령"이자 "사탄"으로, *볼 수 있는* 공간이 분화된 대숨결로 보이지 않게 진실로 가득 차 있다; 그리고 아스트랄 빛, 하나이며 우리에 의해서 이끌리고 안내되는 둘의 현현된 영향은 인류의 카르마로, 개성적 그리고 비개성적 실체이다: *개성적인*(*personal*) 이유는 그것이 성 마틴이 우리 행성의 신성한 창조자들, 안내자들이자 통치자들의 무리에게 준 신비한 이름이기 때문이다; *비개성적인*(*impersonal*) 이유는 그것이 보편적 생명과 죽음의 원인이자 결과이기 때문이다.

추락(*Fall*)은 *인간의 지식의 결과*였다. 왜냐하면 그의 "눈이 열렸기 때문이다." 진실로 그는 "추락 천사"에 의해서 대지혜와 숨겨진 지식을 배웠다. 왜냐하면 추락 천사가 그날이후 그의 *마나스*, 마인드 그리고 자의식으로 되었기 때문이다. 우리 각자 속에는 연속적인 생명의 황금줄—데바찬에서 초감각적 존재로, 그리고 지상에서 감각적 존재로 주기적으로 활동적 비활동적 주기로 된—이 여기 지구에 우리가 출현하기 시작한 이후 *존재한다.* 그것은 *수트라트마*(*Sutratma*), 빛을 내는 불멸의 *비개성적* 모나드 상태의 줄로, 그 위에 우리의 지상의 삶들 혹은 덧없는 자아들이, 베단타 철학의 아름다운 표현에 따르면, 많은 구슬처럼 매달려 있다.

그리고 이제 사탄 혹은 붉은 *불의* 용(*Fiery* Dragon), "인광의 주(Lord of Phosphorus)" (브림스톤은 신학적으로 나아진 것이었다) 그리고 *루시퍼* 혹은 "빛의 운반자(Light-Bearer)"가 우리 속에 있다는 것이 입증되었다: 그것은 우리의 *마인드*(*Mind*)이다—우리의 유혹자이자 구원자, 우리의 지성적 해방자이자 순수한 동물성으로부터 구세주이다. 이 원리—*신성한 마인드*에서 직접 발산하는 신성한 원리 *마하트*(*Mahat*)(대지성)의 바로 그 본질의 발산—가 없다면 우리는 확실히 동물이나 마찬가지이다. 최초 인간 아담은 단지 *살아 있는 혼*(*living soul*) (네페쉬)이고, 마지막 아담은 *재생시키는 영*(*quickening Spirit*)이다:[251] — 바울이 말하는데, 그의 말은 인간의 *창조* 혹은 건설을 말하는 것이다. 이 *생명을 주는 영* 혹은 *인간의 마인드*(*Mind*) 혹은 혼이 없다면, 인간과 동물 사이에 차이가 없을 것이다; 동물들의 행동에 대하여, 동물들 사이에 사실 차이가 없다. 타이거와 당나귀, 매와 비둘기 각자가 다른 것처럼 순수하고 죄가 없다. 왜냐하면 *책임이 없기 때문이다.* 각자가 각자의 본능을 따르고, 당나귀가 엉겅퀴를 먹듯이 혹은 비둘기가 옥수수 알을 쪼아 먹듯이, 타이거와 매도 똑같이 무관심하게 죽인다. 만약 그 추락이 신학에서 제시한 그 의미를 가졌다면; 만약 그 추락이 자연이 결코 의도치 않은 행위의 결과로 일어났다면—*하나의 죄*, 동물은 어떤가? 만약 그것들이 신이 지구를—그래서 지구에 사는 모든 것을—저주한 그 똑같은 "원죄"의 결과로 그들의 종을 만든다고 듣는다면, 우리가 또다른 질문을 할 것이다. 과학처럼 신학에서 동물은 지상에서 인간보다 훨씬 이전이라고 듣는다? 신학에게 묻는다: 지식의 나무, 선과 악의 나무의 과실을 따기 전에 그 종을 어떻게 만들 수 있을까? 말했듯이: "기독교인들—위대한 신비가이자 해방자보다 훨씬 덜 명확하며, 그들이 그의 이름을 취하였고, 그의 가르침을 오해하고 우습게 만들었으며, *그의 기억을 그들의 행위로 검게 만들어버렸다*—은 유대인의 여호와를 있던 그대로 받아서, 물론 *빛과 해방의 복음*(*Gospel of Light and Liberty*)과 어둠과 복종의 신을 헛되이 조화시키려고 하였다." ("*하늘에서 전쟁.*")[252]

---

251 고린도전서의 실재 원본 구절이 카발라적으로 그리고 비의적으로 읽으면 다음과 같다(15:44, 45): *"혼의 체*(*soul body*) ('자연의' 체가 아니라)가 심어지고, *영의 체*(*spirit body*)가 올려진다." 성 바울은 입문자였고, 그의 말은 비의적으로 읽을 때 아주 다른 의미를 갖는다. 그 체가 *"약함*(*수동성*) 속에 심어진다; 그것이 힘 속에서 올려진다" (43 절)—혹은 영성과 지능 속에서 올려진다.
252 고돌핀 미트포드, 나중에는 무라드 알리 베이. 인도에서 선교사 아들로 태어났으며, G. 미트포드는 이슬람으로 개종하였고, 1884 년에 마호메트인으로 죽었다. 그는 엄청난 학식과 굉장한 지성을 가진 가장 비범한 신비가였다. 그러나 그는 우도를 떠났고 곧 카르마 응보를 받았다. 인용된 글의 저자가 잘 보여주었듯이, "패배한 엘로힘의 추종자들이 먼저 승리한 유대인(여호와파)에 의해서 학살되었고, 그리고 승리한 기독교인과 마호메트인에 의해서 설득 받았지만, 그럼에도 불구하고 계속해서 흩어지고 해산하고 쇠락하였다. . . 이렇게 흩어진 종파의 어떤 사람들은 그들 믿음—비밀과 신비 속에서 불, 빛 그리고 해방의 원리를 숭배하는 것—의 진정한 근거의 전통을 잃어버렸다. 왜 시바인 베두인족은 (마호메트 도시에 거주할 때 공공연하게

그러나 신들과 전쟁을 했다고 생각되는 *가짜의* 사악한 영들이 개성으로서 동일하다는 것이 이제 충분하게 증명되었다; 게다가 고대 모든 종교들은 마지막 결론을 제외하고 똑같은 교리를 가르쳤다. 마지막 결론은 기독교와 다르다. 태초의 일곱 신은 모두 이중의 상태, 하나는 본질적, 다른 하나는 부수적인 상태를 가졌다. 그들의 본질적인 상태에서 그들은 모두 "건설자(Builder)" 혹은 *조형자(Fashioner)*, 이 세계의 통치자이자 보존자들이다. 그리고 부수적인 상태에서, 볼 수 있는 체를 입은 채, 그들은 지상으로 하강하였고 거기서 인간으로 다시 한번 화신했던 하위 무리들의 왕이자 교사로 통치하였다.

이렇게 에소테릭 철학은 인간이 진실로 그 두 측면—선과 악—에서 현현된 신이지만, 신학은 이런 철학적 진리를 받아들 일 수 없다는 것을 보여준다. 추락 천사의 도그마를 사문자 의미로 가르치면서, 그리고 사탄을 구원의 도그마의 주춧돌이자 기둥으로 만드는 것—그렇게 하는 것은 자살하는 것이다. 그들 개성에서 *신과 로고스와 구분되는* 반란의 천사들을 한번 보여준 후에, *불복하는* 영들의 추락이 단순히 발생과 물질 속으로 추락한 것을 의미하였다고 인정하는 것은 신과 사탄이 동일하다고 말하는 것과 마찬가지다. 왜냐하면 로고스 (혹은 신)는 추락했다고 비난받는 한때 신성한 무리의 총합이기 때문에, 로고스와 사탄이 하나라는 것이 따라올 것이기 때문이다.

하지만 그것이 지금은 왜곡되었지만 고대의 교리의 실재 철학적 견해였다. *말씀(Verbum)* 혹은 "아들"이 이교도 그노시스에 의해서 이중 측면으로 보여 졌다.

일신론자들이다) 사막의 밤의 고독 속에서 별의 '하늘의 무리'에게 기원하는가? 왜 '악마 숭배자들,' 예지디족은 자만과 백 개 눈의 지성의 상징 (그리고 또한 입문의 상징)으로, 고대 동양 전통에 의하면, 사탄과 함께 하늘에서 추방되었다는 '물룩-타오스(Muluk-Taoos)'—'주 공작(Lord Peacock)'—숭배하는가? 골라이트파와 수 백의 친족인 메소포타모-이란 마호메트 종파들이 백 명의 예언자 지도자들을 통하여 *아나스타시스(anastasis)* 속에서 전달된 '누르 일라히(Noor Illahee)'—엘로힘의 빛—를 믿을까? 그것은 그들이 무지의 미신 속에서 '야훼가 전복시킨 (오히려 전복하였다고 말하는) 빛의 신들'의 전통적인 종교를 계속하였기 때문이다; 왜냐하면 그들을 전복시킴으로써 그가 자신을 전복시켰을 것이다. '물룩-타오스'는 말룩(Maluk) (통치자)이라고 주석에서 보여주었다. 이것은 새로운 형태의 몰록(Moloch), 멜렉(Melek), 몰렉(Molech), 말라약(Malayak) 그리고 말라킴(Malachim)"—메신저, 천사 등등—이다.

사실 그는 *온전한 통일성 속에 있는 이분성*(*duality* in full *unity*)이었다. 그래서 끝없는 다양한 국가들의 버전이 있는 것이다. 그리스인은 주피터, 크로노스의 아들, 아버지를 가졌고, 그를 코스모스의 심연 속으로 던졌다. 아리안은 (후대 신화에서) 시바에 의해서 어둠의 심연 속으로 투하된 브라흐마를 가졌다. 그러나 그들이 있던 원시의 고귀한 위치에서 모든 로고스와 데미우르고스들의 추락은 그 속에 모든 경우에 그리고 똑같은 비의적 의미를 가졌다; 여기 지구에 화신하는 *저주*(*curse*)—그것의 철학적 의미에서; 우주의 진화 사다리에 있는 피할 수 없는 계단, 고도로 철학적 그리고 적합한 카르마 법칙으로, 이것이 없다면 지상에서의 악의 실재가 진정한 철학의 이해에 영원히 닫혀 버린 신비로 남아 있을 것이다. "이교도들의 영의 무덤"의 저자 (p. 347)처럼, "기독교가 두 가지 기둥, 악(*ponerou*)의 기둥과 선(*agathou*)의 기둥 위에 놓여 있기 때문에; 간단히 말해서, 두 가지 힘(*agathai kai kakai dunameis*): 그래서 만약 악의 힘의 처벌을 억압한다면, 선한 힘의 보호하는 사명이 가치가 없고 의미도 없을 것이다"라고 말하는 것은 가장 철학적으로 터무니없는 것을 말하는 것이다. 만약 그것이 기독교 도그마와 맞고 그것을 설명한다면, 그것은 태고의 원시 지혜의 사실과 진리를 흐리게 만드는 것이다. 바울의 신중한 힌트가 모든 진정한 비의적 의미를 가지고 있고, 그것에 그들 해석에서 현재의 거짓 색채를 주는 데 여러 세기의 신학적 속임수가 필요했다. *말씀*과 *루시퍼*는 이중 측면의 하나이다; 그리고 "공기의 왕자"는 "그 시기의 신"이 아니고, 언제나 지속하는 원리이다. 만약 그 원리가 세계를 언제나 *순환하는* 것으로 말했다면—*지구를 선회하는*(*qui circumambulat terram*)—위대한 사도는 결코 멈추지 않는 인간 화신의 주기를 단순히 말했던 것이다. 그 화신에서 인류가 올바른 사물의 인식을 주는 진정한 신성한 깨달음으로 구원되는 날까지 악이 언제나 우세할 것이다.

오래도록 잊어온 죽은 언어로 쓰여진 애매한 표현을 왜곡해서, 무지한 대중에게 진리이자 계시된 사실로 속여서 팔아먹는 것은 쉽다. 생각과 의미의 동일성이 추락한 영의 전통을 언급하는 모든 종교에서 학생에게 닿는 한 가지이고, 그 위대한 종교들 속에서 그것을 한 가지 형태 혹은 다른 형태로 언급하고 묘사하지 못하는 종교는 없다. 이렇게 호앙-티(Hoang-Ty), 위대한 영이 *능동적 지혜*를 획득한 그의 아들을 보며, *그의 아들이 고통의 계곡으로* 추락한다. 그들의 리더, 나는 용(FLYING DRAGON)이 금지된 암브로시아를 마시고 그의 무리와 함께 *지구로 추락하였다*. 젠드 아베스타에서, 아후라 마즈다가 *회전하는 (시간과 공간 속에서,* 화신의 세계를 포함하는 현현된 주기의 세계) 하늘들을 도움으로, 그가 거주하는 *단단한* 하늘에서 하강하면서, 그리고 *암샤스펜드,* "밝은 일곱 스라바(Sravah)"가 그들의 별을 동반한 채, 아흐리만과 싸울 때, 앙그라 마이뉴 (아흐리만)가 자신을 불 ("불기둥"—위를 보라)로 둘러 싸면서 하늘을 정복하려고 하고,[253] 그리고 정복당한 데바들이 그와 함께 지구로 추락한다. (*인문학 & 문학 아카데미*, Vol. xxxix., p. 690; *벤디다드, 파르가드.* xix., iii. 참조) 벤디다드에서 데바들은 "악을 하는 것"으로 불리며, 물질 혹은 "지옥의 세계의 심연 속으로" 달아나는 것으로 보인다. (47.) 이것은 일단 그들이 그들의 부모의 본질과 분리되었을 때, 혹은 다른 말로, 단위가 분화와 현현 후에 다중으로 되었을 때, *화신해야 하는 데바들을* 보여주는 비유이다.

이집트의 타이폰, 타이탄의 파이썬, 수라와 아수라, 모두가 지구를 가득 채우는 영들의 똑같은 전설에 속한다. 그들은 "볼 수 있는 이 우주를 창조하고 조직하도록 임명된 악마들이" 아니라, 세계의 조형자들 ("건축가들")이며 인간의 선조들이다. 그들이 *추락* 천사들 비유적으로—영원한 지혜(Eternal Wisdom)의 진정한 거울—이다.

이런 보편적인 신화에 대한 비의적인 의미뿐만 아니라 절대적이고 완전한 진리는 무엇인가? 진리의 전체 본질이 *입에서 귀로 전해질 수가 없다.* 인간이 자신의 심장의 성소에서, 그의 신성한 직관의 가장 깊은 심연 속에서 그 대답을 발견하지 않는다면, 어떤 펜도 그것을 묘사할 수 없고, 심지어 기록하는 천사도 그렇게 할 수가 없다. 그것은 창조의 위대한 *일곱 번째 대신비(SEVENTH MYSTERY)*, 첫 번째이자 마지막 신비이다; 그리고 성 요한의 계시록을 읽은 사람들은 *일곱 번째* 봉인 아래 숨어 있는 그것의 그림자를 발견할 수 있다. . . 스핑크스의 영원한 수수께끼처럼, 그것은 외관상 객관적 형태로만 나타낼 수 있다. 만약 스핑크스가 자신을 바다로 던져서 사라졌다면, 그것은 오이디푸스가 오랜 시대의 비밀을 풀었기 때문이 아니라, 언제나 영적이고 주관적인 것을 의인화시킴으로써, 그가 위대한 진리를 영원히 더럽혔기 때문이다. 그러므로 우리는 각각 세 개의 열쇠를 가지고

---

253 모든 요기와 심지어 기독교인도 그렇다: 하늘의 왕국을 맹렬하게 취해야 한다—고 배운다. 왜 그런 욕망이 어떤 사람을 혹은 악마로 만들어야 하는가?

열은, 철학적 그리고 지성적인 계에서만 그것을 줄 수 있다—왜냐하면 대자연의 신비로 가는 문을 활짝 여는 일곱 개 중에 나머지 네 개가 최고의 입문자들 수중에 있으며, 하여튼 이번 세기에는 대중에게 누설될 수 없기 때문이다.

사문자가 모든 곳에서 똑같다. 조로아스터교에서 이원성도 대중 해석에서 태어났다. 아이리마-이쉬요로 부르는 기도에서 불러낸 성스러운 "아이리아만(Airyaman)," "안녕을 주는 자"가 아흐리만의 신성한 측면, "치명적인 자(deadly), 데바들의 데(Dae of the Daevas)" (파르가드, xx. 43)이고, 앙그라 마이뉴는 전자의 어두운 물질 측면이다. "오, 마즈다이고 아르마이타 스펜타여, 우리를 혐오자로부터 지켜주소서" (밴디다드 사다흐)는 기도와 탄원으로서 "우리를 유혹에 들지 않게 하소서"와 동일한 의미를 가지며, 인간 자신 속에 있는 끔찍한 *이원성의 영(Spirit of duality)*에게 말하는 것이다. 왜냐하면 아후라 마즈다는 영적, 신성한 그리고 정화된 인간이고, 아르마이타 스펜타, 지구 혹은 물질성의 영은 한 가지 의미에서 앙그라 마이뉴 혹은 아흐리만과 같기 때문이다.

마기 혹은 조로아스터교의 문학 전체—혹은 남아 있는 것—가 마법 같고, 오컬트적이며 그래서 비유적이고 상징적이다—심지어 "법의 신비"이다. (야스나 XLIV 에 있는 가타 참고) 이제 모베드와 파시들은 희생 의식 동안에 *바레스마* (*Baresma*)에서 눈을 떼지 않는다. 그 오르마즈드의 "나무"의 신성한 가지(바레스마)가 금속 막대 다발로 변형되었다; 그리고 왜 아메샤-스펜타 혹은 "높고 아름다운 하오마(Haoma), 심지어 그들의 보후-마노(Vohu-Mano) (선한 생각), 그들의 라타(Rata) (희생 의식 제공)"도 그들을 많이 돕지 않는지 의아해한다. 그들이 "대지혜의 나무"에 대하여 명상하고, 그것의 과실을 하나씩 흡수하면서 공부하게 하라. 영원한 생명의 나무, 백색 하오마, 가오케레나(Gaokerena)로 가는 길은 지상의 한쪽 끝을 지나서 다른 쪽으로 가는 것이다; 그리고 하오마는 지상에 있듯이 하늘에도 있다. 그러나 다시 한번 그것의 사제가 되고 *치유자*가 되기 위하여, 인간은 다른 사람을 치유할 수 있기 전에 자신을 치유해야 한다.

이것이 최소한 어느 정도 공평하게 다루어지기 위해서 소위 "신화들"이 모든 측면에서 면밀하게 조사되어야 한다는 것을 다시 한번 증명한다. 만약 신비의 전체 주기를 벗기고 싶다면, 사실상, 일곱 열쇠 모든 것이 올바른 곳에서 사용되어야 하고, 서로 결코 혼합하지 말아야 한다. 혼을 죽이는 황량한 물질주의 시대에, 고대 사제 입문자들이 박식한 우리 세대의 의견으로 영리한 사기꾼들과 동의어가 되어서, 인간의 마인드를 쉽게 사로잡기 위하여 미신의 불을 피운다고 한다. 이것은 회의론과 무자비한 생각으로 발생된 근거 없는 비방이다. 어느 누구도 그들이 그랬던 것처럼 신들—혹은 영적이고 이제는 볼 수 없는 거대한 힘 혹은 영, *본체와 현상*—을 더 믿지 않았다; 그리고 *그들은 알았기 때문에* 믿었다. 대자연의 대신비 속으로 입문한 그들이 대중으로부터 그들의 지식을 보류해야 되었다면, 대중은 그것을 확실히 오용할 것이고, 그런 비밀이 그들의 강탈자와 계승자의 정책보다 덜 위험하다는 것을 부인할 수 없을 것이었다. 강탈자는 그들이 잘 알았던 것만을 가르쳤다. 계승자는, *그들이 모르는 것을 가르치면서,* 그들 무지의 안전한 피난처로서 질투하고 잔인한 신을 발명하였으며, 그 신은 인간이 지옥에 떨어지는 처벌로 그의 신비를 엿보는 것을 금지하였다. 그러는 것이 나을 것이다. 왜냐하면 *그의* 신비가 기껏해야 정중하게 암시만 될 수 있으며, 결코 묘사될 수 없기 때문이다. 킹의 그노시스, "판화들의 설명" (판화 H)으로 관심을 돌려서, 저자에 따르면, 원시의 언약궤(Ark of Covenant)가 무엇인지 보라. 저자가 말한다: "그 위에 놓인 케루빔이, 만물의 두 원리, 형태(Form)와 물질(Matter)의 본질에 대한 웅대한 가르침을 표현하기 위해서, 성교 행위를 하는 남성과 여성으로 나타내어진 랍비 전통이 있다. 칼데아인들이 그 성소를 침입하여 가장 놀라운 상징을 우러러보았을 때, '이것이 당신들이 자랑하는, 당신들의 신으로 그가 순수성을 사랑한다는 신인가?' 라고 그들은 충분히 자연스럽게 외쳤다." (p. 441)

킹은 이 전통이 “알렉산드리아 철학의 맛이 너무 나서 어떤 신뢰를 요구하지 않지 않는다”고 생각하지만, 우리는 그것에 이의를 제기한다. 궤의 오른쪽과 왼쪽에 서 있는 두 케루빔의 날개들의 형태와 형상은 이 두 날개가 “지성소” 위에서 만나면서 궤 안에 있는 “성스러운” *요드*(*Jod*)를 제외하고도 그 자체로 상당히 설득력 있는 엠블럼이다. “나는 크누미스(Chnumis), 대우주의 태양, 700 이다”라고 말하는 아가타데몬의 대신비(Mystery of Agathadaemon)가 예수의 신비를 풀 수 있으며, 그의 이름의 숫자는 888 이다.” 그것은 성 베드로 혹은 교회 도그마의 열쇠가 아니라, *나르텍스*(*narthex*)—입문 후보자의 지팡이—로 오랫동안 침묵한 많은 세월의 스핑크스가 움켜쥐고 있던 것에서 비틀어서 뺏어야 한다. 한편 —

서로 만날 때 웃음을 억누르기 위해서, 그들의 혀를 그들 뺨 속으로 밀어 넣어야 하는 점쟁이들이 술라(Sulla) 시대에 있던 것보다 우리 시대에 더 많을 수 있다.

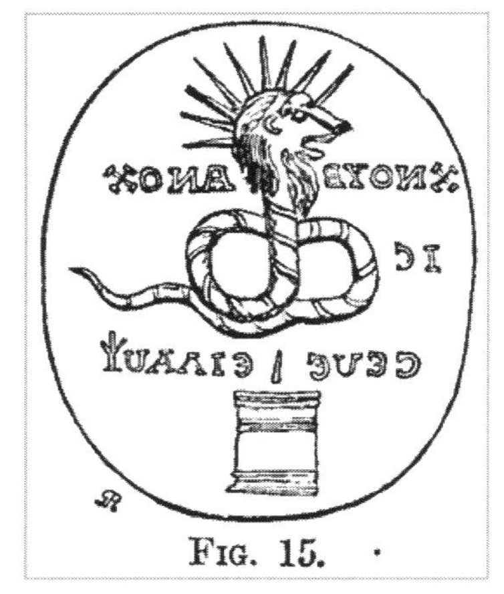
FIG. 15.

FIG. 17.

20장 프로메데우스, 타이탄

고대 인도에서의 기원

근대 시대에 유럽 상징학자들 마인드 속에서 프로메데우스 이름이 고대에 가장 위대하고 가장 신비스러운 중요성을 가졌다는 것을 조금도 의심하지 않는다. 보이오티아인들이 인류의 선조로 간주하였으며, 그리고 의미심장한 전설에 따르면, 프로메데우스의 아들이었다는, 듀칼리온(Deukalion)의 역사를 제시하면서, *"고대 그리스 신화"*의 저자가 말한다: "이렇게 프로메데우스는 인류의 원형 이상의 어떤 중요한 것이다; 그는 인류의 *발생자(generator)*이다. 우리가 헤파이토스가 최초 여성(판도라)를 주조하여 그녀에게 생명을 부여하는 것을 본 것과 같은 방식으로, 그렇게 프로메데우스가 촉촉한 진흙을 반죽하며, 이것으로 그가 혼의 불꽃을 부여할 최초 인간의 체를 주조한다. (*아폴로도루수*, I., 7, 1) 듀칼리온의 대홍수 이후, 제우스가 프로메데우스와 아테네에게 대홍수로 남겨진 진흙에서 새로운 인류를 불러낼 것을 명령하였다 (오비드, "변신이야기," 1. 81) 그리고 파우사니아스 시대에 그 영웅이 이런 목적으로 사용한 진흙이 여전히 포카이아에서 보였다. (파우사니아스, x, 4, 4) "몇 가지 고대 문서에서 프로메데우스가 아테네의 도움으로 혹은 혼자 인간의 체를 주조하는 것을 여전히 보게 된다." (고대 그리스 신화. 246)

같은 저자가 프로메데우스 보다는 일반적으로 덜 알려졌지만, 그의 전설이 타이탄의 전설과 놀랍도록 유사한 또 다른 신비스러운 인물을 알려준다. 이 두 번째 선조이자 발생자의 이름은 *포로네우스(Phoroneus)*로, 지금은 불행하게도 더 이상 현존하지 않는 고대의 시, *포로니데(Phoronidae)*의 영웅이다. 그의 전설은 아르골리스에서 국한되었으며, 그곳에는 그가 지상에 불을 가져온 자였다는 기념으로 그의 제단에 영원한 불꽃이 간직되어 있었다. (파우사니아스, 11, 19, 5; 20, 3. 비교 참조) 프로메데우스처럼 인간의 후원자로, 그는 인간을 지상에서 모든 지복의 참여자로 만들었다. 플라톤 (티마이오스, p. 22)과 클레멘스 알렉산드리누스 (스트로마타 1, p. 380)가 포로네우스가 최초 인간 혹은 "인간의 아버지"였다고 말한다. 그의 가계도에서 그의' 아버지를 이나코스 강으로 지정하며, 그것은 오케아니스 클레메네의 아들인 프로메데우스의 아버지를 상기시킨다. 그러나 포로네우스의 어머니는 님프 멜리아였다; 그와 프로메데우스를 구분 짓는 중요한 혈통이었다.

Fig. 81, et 82. — Prométhée modelant le corps de l'homme.

멜리아는 *물푸레나무*의 의인화라고 드샴은 생각하며, 헤시오도스에 따르면, 거기서 청동시대의 인종이 나왔다고 한다[254] (*일과 날*, 142-145); 그리고 그리스인들에게 그것은 모든 아리안 신화에서 공통인 *천상의 나무*이다. 이 *나무는* 북유럽 고대 신화의 이그드라실로, 노른이 그것이 시들지 않도록 우르드 샘에서 길어온 물로 매일 물을 뿌렸다. 그것은 황금시대의 마지막 날까지 파랗게 남아 있는다. 그리고 나서 노른—과거, 현재, 미래를 각각 내다보는 세 자매—이 운명 (*카르마, 올로그*)의 포고를 알리지만, 인간은 현재만 알고 있다. 그러나 굴베이그 (황금광석), "불속으로 세번 던져졌으며 매번 더 아름답게 일어나서, 신들과 인간의 혼을 비길 데 없는 동경으로 채우는 매혹적인 마녀가 올 때, 그때 노른이 존재하게 되며, 어린 시절 꿈의 행복한 평화가 지나가고, 죄가 모든 사악한 결과들 및 카르마와 함께 존재하게 된다. . ." ("*아스가드와 신*," pp. 10~12 참조.) 세 번이나 정제된 금은 *마나스(Manas)*, 의식적인 혼(Conscious Soul)이다.

그리스인들에게, "물푸레나무"가 똑같은 생각을 나타냈다. 그 풍성한 가지는 별들이 있는 하늘로, 낮에는 황금과 밤에는 별들로 주렁주렁 달려있다—멜리아와 이그드라실의 과실로, 그 보호 아래서 그림자 인류가 황금 시대 동안에 어떤

---

254 오컬트 가르침에 따르면, 세 번째 근원인종 시간 동안에 세 번의 유가가 지나갔다. 즉, 사티야 유가, 트레타 유가 그리고 드바파라 유가로, 초기 순수 상태의 황금 시대에 일치하는 것이다: 그리고 성숙기에 도달하였을 때가 은 시대이고, 성이 분리되어서 강력한 반신으로 되었을 때가 청동 시대이다.

두려움과 욕망 없이 살았다. . . "그 나무가 과실을 맺었고 혹은 빨갛게 부은 가지를 가졌으며, *그것은 번개였다*"고 드샴이 추측한다.

그리고 여기서 시대의 치명적인 물질주의가 끼어든다. 근대 마인드 속에 있는 저 독특한 왜곡이 북방의 찬바람처럼 그것이 오는 길에 있는 모든 것을 왜곡시키고, 모든 직관을 얼게 만들어서, 물리적인 추론에 손을 대지 못하게 한다. 프로메데우스 속에서 *마찰불*과 다를 게 없는 것을 본 후에, "고대 그리스 신화"의 박식한 저자가 이 "과실"에서 *지상의 불과 그 발견에 대한 암시 이상의* 사소한 것을 인식한다. *번개의 낙하로 어떤 마른 연료를 불타게 만들기 때문에, 그것은 더 이상 불이 아니며,* 이렇게 값을 헤아릴 수 없는 혜택을 구석기시대 인간에게 드러낸다. 그러나 여전히 지상의 것이라도 이번에는 더 신비스러운 어떤 것이다. . . "천상의 물푸레나무 가지에 자리잡은 신성한 새가 그 가지 (혹은 과실)을 훔쳐서 그것을 물고 지상으로 가져왔다. 이제 그리스 단어 *포로네우스*(*Phoroneus*)는 신성한 불꽃을 실어 나르는 자로 간주된 아그니(Agni)의 별칭, 산스크리어 *부란뉴*(*bhuranyu*) ("날쌘 자")의 엄밀한 상응어이다. 포로네우스, 멜리아 혹은 천상의 나무의 아들이 이렇게 (고대 아리안 힌두인의) *프라만타*(*pramantha*)가 그리스인의 프로메데우스로 변형된 그것보다 아마도 훨씬 더 고대의 개념에 상응한다. 포로네우스는 천상의 번개를 지상으로 가져오는 의인화된 새이다. 청동 인류의 탄생과 기원에 대한 전통과 포로네우스를 아르기안의 아버지로 만든 전통이 이 천둥 (혹은 번개)이 헤파이스토스 혹은 프로메데우스 전설에서 인류의 기원이었다는 증거이다." (266)

이것은 여전히 그 상징과 비유의 외적인 의미만 제공한다. 이제는 프로메데우스 이름이 풀렸다고 추정되며, 근대 신화학자들과 동양학자들은 그 속에서 고전적 고대인의 권위에 근거해서 그들의 아버지들이 본 것을 더 이상 보지 않는다. 그들은 그 속에서 그 시대 정신에 훨씬 더 적합한 어떤 것, 즉 남근 숭배 요소를 찾기만 한다. 그러나 포로네우스 이름뿐만 아니라 프로메데우스 이름은 한 가지, 심지어 두 가지가 아닌 일련의 비의적 의미를 가지고 있다. 둘 다 *일곱의 천상의 불*과 관련 있다; 아그니 아비마닌(Agni Abhimanin), 그의 셋 아들 그리고 45 아들들로 *49불을 구성하는* 것과 관련 있다. 이 모든 숫자들이 성적 격정의 불꽃과 지상의 불에만 관련되는 것일까? 힌두 아리안의 마인드가 그런 순전히 성적 개념 위로 결코 솟아오르지 못하는가? 맥스 뮬러 교수가 전체 지구에서 가장 영적 지향이며 신비적인 성향이라고 선언한 그런 마인드가 그렇다는 것인가? 그 불들의 숫자만으로도 그 진리에 대한 희미한 지식을 암시하였다.

이성적 사고의 지금 시대에, 고대 그리스인들이 그랬듯이, 프로메데우스의 이름을 설명하는 것이 더 이상 허락되지 않는다고 들었다. 그들은 "*프로메데우스*를 동사형 *프로만타네인*이라는 잘못된 유추를 토대로 그 속에서 '내다보는(foreseeing)' 인간의 유형을 보며, 대칭을 위해서, 형제, 즉 에페메데우스 혹은 '사건 *후에* 상의하는 자'가 추가되었다.'" 그러나 이제 동양학자들은 다르게 결정하였다. 그들은 그 두 이름의 실재 의미를 그 이름을 발명한 사람들보다 더 잘 안다.

전설은 보편적 중요성을 갖는 사건을 토대로 한다. 그것은 "그것을 최초 목격한 사람의 상상에 강력하게 각인시켰음에 틀림없는 거대한 사건을 기념하기 위해서 새워졌고, 그것의 기억이 그 이후 대중의 기억에서 결코 사라지지 않았다." 그러면 그것은 무엇인가? 모든 시적인 픽션, 황금 시대의 그 모든 꿈들을 제쳐 놓고, 모든 조잡한 현실주의에서—근대 학자들이 주장한다—상상해보자. 첫째, 인류의 비참한 상태, 그것의 두드러진 그림이 푸크레티우스에 의해서 아이스킬로스를 추적하면 찾아졌다; 그리고 정확한 진리가 과학에 의해서 이제 확인된다. 그리고 그러면 바로 그날 *그*가 부싯돌 혹은 두 나무 조각의 마찰로 만들어진 최초 불꽃을 보았을 때 진실로 새로운 삶이 시작되었다는 것을 더 잘 이해할 수 있다. 그 이후 인간이 의지대로 창조할 수 있고, 그것이 태어나자마자 성장하고 확장하면서 독특한 힘을 가지고 발전하는, 그 신비롭고 경이로운 존재에게 인간이 감사함을 느낄 것이다. "이 지상의 불꽃이 그들이 위에서 받은 것과 혹은 번개 속에서 그들을 무섭게 만든 다른 것과 성질상 유사하지 않은가?"

"그것이 똑같은 근원에서 유래된 것이 아닐까? 그리고 그 기원이 하늘이었다면, 그것이 언젠가는 지상으로 가져왔을 것이다. 만약 그렇다면, 그것을 정복한 그 강력한 존재, 유익한 신 혹은 사람은 누구였는가? 그것이 아리안 호기심이 그들 존재 초기에 제공한 질문이었고, 프로메데우스 신화 속에서 그 대답을 발견한 질문이었다." (*그리스 고대 신화*, p. 258.)

오컬트 과학의 철학은 위의 숙고 사항에서 두 가지 약점을 발견하며 그것을 지적한다. 아이스킬로스와 프로메데우스가 묘사한 인류의 비참한 상태는 아리안 시절 초기나 지금이나 크게 다르지 않다. 이 "상태"가 야만인 부족으로 제한되었다; 그리고 지금 존재하는 야만인은 그들의 선조들이 백 만년 전만큼이나 조금도 더 행복하거나 불행하지 않다.

"존재하는 야만인들 사이에서 사용되는 것들과 정확하게 유사한 거친 도구들"이 지질학적으로 "엄청난 고대성을 암시하는" 동굴들과 강의 모래에서 발견된다는 것이 과학에서 받아들여진 사실이다. "근대 조로아스터교"의 저자가 말하듯이, 그 유사성이 너무 크다: "남아프리카 부시맨이 지금 사용한 화살촉과 돌 도끼 전시장에 있는 소장품이 도르도뉴 동굴 혹은 켄트 동굴에서 나온 비슷한 물건이 있는 영국 박물관에서 온 것과 나란히 놓여 진다면, 전문가를 제외하고 누구도 그것들 사이에서 구분할 수 없다." (p. 45) 그리고 최고 문명의 현재 시대에 구석기 시대에 데본셔와 남프랑스에 거주했던 인류보다 지성적으로 높지 않은 부시맨이 지금 존재한다면, 구석기 시대 부시맨이 그 시대에 고도록 문명화된 다른 인종과 동시에 살지 않을 수 있겠는가? 인류의 지식의 총량이 나날이 증가하지만, 유클리드, 피타고라스, 파니니, 카필라, 플라톤 그리고 소크라테스의 물리 지식이 아닌 지능이 뉴턴, 칸트 그리고 근대 헉슬리와 해겔의 지능과 비교될 때, "지적 역량이 증가하지 않았다"는 것으로 보인다. J. 버나드 데이비스 박사가 수집한 결과를 비교해 볼 때, 두개골 학자가 두개골의 내적 용량에 관하여 1868년에 계산하였다. (런던 왕립 학회) 그 용량이 지적 역량을 판단하는 시험이자 표준으로 여겨진다. 파프 박사는 (확실히 인류 최고 등급인) 프랑스인 사이에서 이 용량이 88.4입방 인치로, 이렇게 "알아차릴 수 있을 만큼 일반적으로 폴리네시아인의 용량보다 적으며, 심지어 가장 낮은 수준의 파푸아인과 알푸라인들 사이에서 그 용량이 89과 89.7입방 인치에 달한다"; 이것은 지적인 역량의 원인이 두뇌의 양이 아니라 *특질*이라는 것을 보여준다. 다양한 인종들 사이에서 두개골의 평균 지수가 이제는 "서로 다른 인종들 사이에서 가장 특징적인 차이의 표시로" 인정되면서, 다음의 비교가 암시적이다: "스칸디나비아인들 사이에서 두개골 폭 지수는 75; 영국인들 사이에서는 76; 홀슈타인 사람들 사이에서 77; 브레스가우에서는 80; 쉴러의 두개골 지표는 심지어 82 . . . 말레인도 82이다!" 마지막으로 알려진 가장 오래된 두개골과 유럽인 사이의

비교를 보면 "*대부분의 오래된 이 두개골들은 석기시대에 속하며 지금 살아 있는 사람의 평균 두뇌 용량 이하 라기보다 이상이다*"나는 놀라운 사실을 조명해준다. 몇몇 두개골의 평균치에서 높이, 폭 그리고 길이를 인치로 계산해보면, 다음과 같은 합을 얻는다:

1. 석기시대 과거 북방인 두개골	18.877인치
2. 같은 기간 영국의 48개 평균	18.858인치
3. 같은 기간 웨일즈의 7개 평균	18.649인치
4. 석기시대 프랑스의 36개 평균	18.220인치

*지금 유럽에서 살고 있는 유럽인들*의 평균은 18.579인치이다; *호텐토트인*은 17.795인치이다!

이 숫자들은 "우리에게 알려진 가장 오래된 사람들의 두뇌 크기가 지금 지구에 살고 있는 거주자들의 크기보다 낮은 수준이 아니라는" 것을 분명하게 보여준다. ("*인간의 연령과 기원*") 게다가 그들은 "사라진 연결고리"를 보여 준다. 하지만 이것들 중에서 더 많은 것이 곧 알려질 것이다: 우리는 우리의 직접적인 주제로 돌아가야 한다.

주피터가 그렇게 열렬히 "정복하고 대신에 새로운 인종을 심으려고" (*아이스킬로스* 241)[255] 원했던 인종은 육체의 비애가 아닌 *멘탈* 비애로 고통받았다. 합창으로 말하듯이, 프로메데우스가 인간에게 준 첫 번째 혜택은 "죽음을 *미리 보는* 것을 막았다는 것이었다" (256); 그는 "인류가 하데스의 우울함으로 가라앉는 것에서 구원하였다" (244); 그리고 나서 그것 "이외에," 그는 그들에게 불을 주었다 (260). 동양학자들이 오컬티즘에서 가르친 *일곱 열쇠*의 존재를 받아들이지 않더라도, 이것은 하여튼 프로메데우스 신화의 이중 성격을 분명하게 보여준다. 이것은 인간이 *불을 발견하거나* 보는 것이 아니라, 인간의 영적 지각을 처음으로 여는 것을 말한다. 왜냐하면 *불*은 결코 "발견되지" 않았고, 시초부터 지상에 존재하였기 때문이다. 그것은 초기 시대 지진 활동 속에 존재하였으며, 화산 분출은 지금 영국에 있는

255 *"결박된 프로메데우스(Prometheus Vinctus)."*

안개처럼 당시에는 빈번하고 지속적이었다. 그리고 인간이 지상에 너무 늦게 출현해서 몇몇 예외를 제외하고 모든 화산이 이미 사라졌고 지질상의 변동으로 더 안정된 상태를 만들었다고 듣는다면, 우리는 이렇게 대답할 것이다: 인간의 새로운 인종—천사 혹은 고릴라에서 진화되었건—이 이제 아마도 사하라를 제외하고 지구의 무인지점에서 출현하게 하라, 그러면 천의 하나 번개의 낙하로 풀이나 다른 곳에 불을 붙여서 한 두 해가 되지 않아서 불을 발견할 것이다. 원시인이 불에 익숙해지기 전에 지상에서 살았다는 이런 가정이 가장 고통스럽게 비논리적인 것중 하나이다. 그러나 고대의 아이스퀼로스는 입문자였고, 무엇을 주는지 잘 알았다.[256]

사실과 상징에 익숙한 어떤 오컬티스트도 프로메데우스 신화가 아리아바르타에서 유럽에 도달하였다는 것을 한순간도 부인하지 않을 것이다. 그는 한 가지 의미에서 프로메데우스가 *마찰불*을 나타낸다는 것을 거부하지 않을 것이다. 그러므로 그는 "불이 신화와 천상의 음료" (저먼 리뷰, 1861, p. 356)에서[257] 프로메데우스의 여러 측면들 중에 하나와 그의 인도 기원을 보여주는 M.F. 보드리의 현명함에 감탄할 것이다. 그는 독자에게 오늘날 인도에서 희생의 불을 켜기 위하여 여전히 사용되는, 불을 얻는 것으로 *추정되는* 원시적 과정을 보여준다. 이것이 그가 말한 것이다:

"베다 수트라에서 상세하게 묘사되었듯이, 이 과정은 나무 조각 가운데 만들어진 구멍에서 막대기를 빠르게 돌리는 것에 있다. 그 마찰이 강렬한 열로 되어서 접촉하는 나무 입자들에 불을 붙이게 된다. 막대기의 움직임이 연속적인 회전이 아니라, 중간에 있는 막대기에 고정된 줄을 사용하여 서로 반대로 돌리는 의미의 일련의 움직임이다: 조작자는 각자 손으로 끝 한 부분을 잡고 교대로 그것을 당긴다 . . . 전체 과정이 산스크리트어로 "만타미(manthami)," "마트나니(mathnani)" 동사로 지칭되며, 이것은 "문지르고, 규칙적으로 움직이고, 흔들고 문질러서 얻는다"는 것을 의미하며, 원을 나타내는 *만달다*에서 파생된 것으로 증명되었듯이, 특히 회전하는 마찰에 적용된다. 불을 만드는 역할을 하는 나무 조각은

---

256 무지한 고대 그리스인이기에 자신을 잘 표현할 수 없었다고 아이스퀼로스의 생각의 진정한 의미를 설명하려는 어느 그리스 학자들의 (가난하고 사이비 학자들로, 그들은 고대 그리스 작가들 시대에 출현하였을 것이다) 근대 시도는 터무니없이 바보 같다!

257 그의 "불의 신화"가 나오는 "언어학 학회 회고록" 참고. (1권, p. 337이하)

산스크리트어로 각각 그 이름이 있다. 돌아가는 막대기가 "*프라만타*"로 불린다; 그것이 들어가는 원반이 "*아라니*"와 "*아라니*"로 불린다; '두 아라니'는 그 도구의 *앙상블을* 지칭한다." (p. 368 이하)[258]

브라만들이 이것에 대하여 무엇이라고 말할지 두고 봐야 한다. 그러나 프로메데우스가 그의 신화의 여러 측면들 중에 하나에서 *프라만타*로 불을 만드는 자 혹은 생명 있는 그리고 신성한 *프라만타*로서 생각된다면, 이것이 그 상징이 근대 상징학자들이 돌린 남근 숭배 이외에 다른 것이 없다는 것을 암시하는가? 하여튼 드샴은 그 진리에 대하여 올바른 희미한 빛을 가진 것처럼 보인다; 왜냐하면 그는 인간에게 불멸의 혼 의식을 부여한 *마나사* 데바들(*Manasa* Devas)에 대하여 오컬트 과학이 가르치는 모든 것을 그의 말로 무의식적으로 확증하기 때문이다: 인간이 "죽음을 예견하는 것을" 막아서, 그가 불멸이라는 것을 *알게* 만드는 그 의식.[259] "프로메데우스가 어떻게 그 신성한 불꽃을 소유하게 되었을까?" 그가 묻는다. "불은 그 거처가 하늘에 있기 때문에, 그가 그 불을 인간에서 가져올 수 있기 전에 그것을 찾기 위하여 거기로 갔음을 틀림없으며, 신들에게 접근하기 위해서, 그 자신이 신이었음에 틀림없다." 그리스인들은 그가 *신성한* 인종이었다고 생각하였다; 힌두인들은 그가 데바였다고 생각하였다. 그래서 "그리스인들에게 그는 타이탄 이아페토스의 아들이었다." (신통기, 528) . . . "그러나 천상의 불은 시초에 신들에게만 속했다; 그것은 그들을 위하여 남겨진 보물이었고, 신들이 시샘하며 그것을 감시하였다 . . . '이아페토스의 신중한 아들이 나르텍스 구멍에 눈부신 백열의 꺼질 줄 모르는 불을 숨겨서 훔침으로써 주피터를 속였다'고 헤시오도스가 말한다.

---

258 희생 의식에서 이 성스러운 마찰불을 만들기 위하여 사용되는 나무 조각 *윗부분*과 *아랫부분*이 있으며, 소켓을 포함하는 것이 *아라니*이다. 이것은 바이유 푸라나와 다른 것에서 비유로 증명되며, 거기서 이크쉬바쿠의 아들, 네미가 후계자를 남기지 않았고, 어떤 통치자를 남기지 않은 채 지구를 떠나는 것이 두려운 리쉬들이 왕의 체를 *아라니* 소켓—윗부분 *아라니*처럼—속으로 넣어서 거기서 자나카라는 이름의 왕자를 만들었다고 말한다. "그가 발생되는 독특한 방식 때문에 자나카로 불린다." (아라니 단어에 대하여 골드스터커 산스크리트 사전 참조) 크리슈나의 엄마, 데바키에게 한 기도에서 "마찰이 불을 일으키는 아리니"로 불린다."

259 동물의 모나드도 인간 모나드처럼 불멸이다. 그러나 야수는 이것을 알지 못한다; 아그니쉬바타와 *마나사* 피트리들이 없었다면, 세 번째 근원인종에서 육체의 계발을 성취할 때, 최초 인간이 살았던 것처럼, 그것은 감흥의 동물적인 삶을 산다.

(신통기 565) . . . 이렇게 프로메데우스가 인간에게 준 선물은 하늘에서 이룬 정복이었다 . . .” “이제 그리스 사상에 의하면,” (오컬티스트들의 생각과 동일하다) “이것을 주피터로부터 강제로 가져오게 되어서, 인간이 신들의 소유물을 불법으로 침해하게 되었고, 속죄가 따라야 했다 . . . 게다가 프로메데우스는 신들에 대항했던 [260] 그리고 올림푸스 주인이 타르타르스로 내던졌던 그 타이탄 인종에 속한다; 그들처럼, 그는 잔인한 고통을 받을 운명인 악의 지니 (수호신)이다.”

따라오는 설명에서 혐오스러운 것은 모든 신화들 중에서 가장 웅대한 이 신화에 대하여 가진 일방적인 견해이다. 근대 작가들 사이에서 가장 직관적인 사람은 그들 생각에서 지구와 우주 현상의 수준을 넘어서 올라갈 수 없고 그러려고 하지도 않는다. 헤시오도스의 신통기에서 제시되었듯이, 신화에서 윤리적인 사상이 원시 그리스 개념에서 어떤 역할을 한다는 것이 부정되는 것이 아니다. 타이탄은 천상의 불의 도둑 그 이상이다. 그는 인류의 대표자이다—적극적이고 부지런하며, 지성적이지만, 동시에 동등한 신성한 힘을 목표로 하는 야망이 있다. 그러므로 프로메데우스라는 사람 속에서 처벌받은 것이 인류이다. 하지만 그것은 그리스인들에게만 그렇다. 그리스인들에게, 프로메데우스는 범죄자가 아니다. 신들의 눈에는 그렇다. 지구와 관련하여, 그는 자신이 신으로 인류의 친구이며, 그가 인류를 문명으로 고양시켰고 모든 예술의 지식을 가르쳤다; 아이스킬로스에서 가장 시적인 설명을 하는 사람을 발견한 개념이다. 그러나 다른 모든 국가들에게 프로메데우스는 무엇인가? 교회가 가졌듯이, 추락 천사, 사탄? 결코 그렇지 않다. *그는 번개의 해롭고 두려워하는 영향들의 이미지에 불과하다.* 그는 “악한 불”이고 *신성한 남성 생식 기관의 상징이다.* “단순한 표현으로 줄여보면, 우리가 설명하려는 신화는 단순히 불의 (우주) 수호신이다.” (p. 261) 만약 우리가 아달베르트 쿤 (그의 불과 신의 하락에서)과 바우드리를 믿는다면, 탁월하게 아리안 개념인 이전 생각(남근 숭배)이다. 왜냐하면:

“인간이 사용한 그 불이 *아라니* 속에서 *프라만타*의 작용의 결과이기에, 아리아인들을 천상의 불과 같은 기원으로 돌렸을 것이고, 신성한 프라만타로 무장한

260 그러므로 추락 천사; 인도 판테온의 *아수라.*

신이 구름 가운데에서 격렬한 마찰을 일으켜서, 천둥과 번개를 일으켰다고 상상했음에 *틀림없다.*[261] 플루타르크의 증언에 따르면 (철학자의 의견, iii. 3), 이 생각이 스토아학파는 천둥이 폭풍-구름과 번개의 싸움의 결과—마찰 때문에 생긴 큰 화재—라고 생각했다는 사실로 지지받는다; 반면에 아리스토텔레스는 벼락 속에서 구름끼리 충돌하는 구름의 작용만 보았다. 마찰불의 생산에 대한 과학적인 번역이 아니라면, 이 이론이 무엇이겠는가? 모든 것이 고대 역사시대부터 그리고 아리안들의 분산 이전에, 프라만타가 폭풍우 구름 속에서뿐만 아니라 아라니 속에서 불을 붙였다는 것을 믿었다고 생각하게 이끈다. (저먼 리뷰 p. 368.)

이렇게 추정과 무의미한 가설이 발견된 진리를 나타내도록 만들었다. 성서 사문자의 옹호자들은 고대 아리안들이 그들의 종교 개념을 생리학적 개념보다 더 높게 두지 않았다고 당연하게 여기는 물질주의 상징학자들보다 더 효과적으로 선교지의 작가들을 결코 도울 수 없을 것이다.

하지만 그것은 그렇지 않고, 베다 철학의 바로 그 정신이 그런 해석에 반대하는 것이다. 그리고 드샴이 고백하듯이, 만약 "불의 창조력에 대한 이런 생각이, *아라니*를 말할 때 베다에서 종종 사용된 비유적 표현으로 보여주듯이, 인간 혼이 천상의 불꽃에 대한 고대의 동화로 동시에 설명된다면, 그것은 단순히 조잡한 성적 개념보다 더 고귀한 어떤 것을 의미할 것이다. 베다에서 아그니에 대한 찬가가 예로 인용된다: - "여기에 프라만타가 있고, 발생기가 준비된다. 인종의 여주인을 데려와라 (여성 *아라니*). 고대의 관습에 따라서, 마찰로 아그니를 만들자"—이것은 인간의 말로 표현된 추상적 개념이나 다름없다. "여성 아라니," 인종의 여주인은 아디티로 신들의 어머니, 혹은 쉐키나, 영원한 빛이다—영의 세계에서, "거대한 대심연"이자 카오스; 혹은 현현된 대우주에서 미지자(UNKNOWN)에서 최초 떨어진 원초의 질료. 만약 오랜 세월 뒤에, 똑같은 별칭이 데바키, 크리슈나의 어머니 혹은 화신한 로고스에게 적용된다면; 그리고 그 상징이 대중 종교의 점진적이고 억제할 수 없는 전파 때문에 성적인 의미를 가진 것으로 이미 간주될 수 있다면, 이것은 그 이미지의 원래 순수성을 결코 훼손한 것이 아니다. 주관적인 것이 객관적인 것으로

---

261 이탤릭은 우리 생각이다; 그들은 어떻게 가정이 오늘날 법칙으로 올려지는지 보여준다.

변형되어 왔다; 영이 물질 속으로 떨어졌었다. 영-질료의 보편적 대우주의 극성이 인간의 사고 속에서 영과 물질의 신비적이지만 성적인 합일로 되었고, 이렇게 시초에는 결코 없었던 신인동형의 색채를 얻었다. 인간의 칠중 구성 요소에서 일곱 번째 원리(아트마)와 가장 낮은 원리(육체) 사이처럼, 둘이 극성처럼 베다와 푸라나 사이에 심연이 있다. 수 십 밀레니엄 이전에 착상된 베다의 원시적, 순전히 영적인 언어가 5,000년전 크리슈나의 죽음이 (그 이후 칼리 유가 혹은 암흑 시대가 시작되었다) 일어나는 사건을 묘사할 목적으로 순전히 인간적인 표현을 찾았었다.

아디티가 *수라라니*(*Surarani*) (*수라*, 신들의 "어머니" 혹은 매트릭스)로 불리듯이, 쿤티, 판다바들의 어머니가 마하바라타에서 *판다바라니*로 불린다—이미 *생리화* 되었다. 그러나 데바키, 로마 카톨릭의 마돈나의 원형이 나중에 아디티가 신인동형으로 된 형태이다. 아디티는 여신 어머니, 일곱 아들 (초기 베다 시대의 *여섯* 그리고 *일곱* 아디티야)의 "데바-마트리"이다; 크리슈나의 어머니, 데바키는 자가다트리 ("세계의 유모")에 의해서 그녀 자궁 속으로 여섯 태아를 가지며, 일곱 번째(크리슈나, 로고스)가 그 로히니로 옮겨진다. 마리, 예수의 어머니는 일곱 아이들의 어머니로, 마태복음 (xiii. 55-56)에서 다섯 아들과 두 명의 딸 (후대 성의 변형)의 어머니이다. 로마 카톨릭 동정녀 숭배자들 어느 누구도 신들이 데바키에게 말한 기도를 그녀에 대한 경의로 외우는 것을 반대하지 않을 것이다. 독자가 판단하게 하자.

"그대가 무한하고 섬세한 저 프라크리티 (본질)로, 그 자궁 속에 브라흐마를 낳았다. 그대 영원한 존재는 그대의 질료 속에서 창조된 모든 존재의 본질을 구성하면서 창조와 동일하였다; 그대는 삼중 형태 희생의 부모로, 만물의 씨앗이 된다 . . . 그대는 희생으로, 모든 과실이 나온다; 그대는 마찰로 불을 발생시키는 *아라니*이다." ("빛의 자궁," "성배(holy Vessel)"가 동정녀의 별칭이다) "아디티로서, 그대는 신들의 부모이다 . . . 그대는 지요츠나(Jyotsna) (여명)." 동정녀가 종종 "아침별"과 "구원의 별"—낮이 태어나는 빛—로 불린다. "그대는 *삼나티*(*Samnati*) (겸허, 다크샤의 딸), 지혜의 어머니이다; 그대는 *니티*(*Niti*), 하모니(*Naya*)의 부모이다; 그대는 정숙함, 애정의 여성 조상(*Prasraya* 혹은 *vinaya*)이다; 그대는 욕망으로 사랑이 태어난다 . . . 그대는 지식의 어머니(*Avabodha*)이다; 인내, 꿋꿋함의 부모(*Dhairya*)이다 . . .등등."

이렇게 *아라니*가 여기서 로마 카톨릭의 "선출 그릇(vase of election)"으로서 그리고 더 나쁘지 않게 보인다. 그것의 원시 의미에 대하여, 그것은 순전히 형이상학적이었다. 어떤 불순한 생각도 고대의 마인드 속에서 이런 개념들을 가로지르지 않았다. 심지어 조하르에서도—어떤 다른 상징보다 훨씬 덜 형이상학적이다—그 개념은 추상성이고 아무것도 아니다. 이렇게 조하르에서 (iii., 290) 말한다: "존재하는 그 모든 것, 고대인이 형성해오고 그 이름이 성스러운 그 모든 것은 남성 원리와 여성 원리를 통해서만 존재할 수 있다." 그것은 이것에 지나지 않는다: "생명의 신성한 영은 언제나 물질과 합체한다." 그것은 움직이는 신성의 대의지이다; 그리고 그 사상은 순전히 쇼펜하우어식이다. "*아띠카 카디샤(Atteekah Kaddosha),* 숨겨진 자중에 숨겨진 자이자 고대인이 만물을 형성하고 싶었을 때, 남성과 여성처럼 만물을 형성하였다. 이 지혜가 그것이 나가는 모든 것을 구성한다." 그래서 호크마 (남성 지혜)와 비나 (여성 의식 혹은 지성)가 둘—활동적 원리와 수동적 원리—사이에 있는 모든 것을 창조한다고 말한다. 보석 전문가의 눈은 거칠고 투박한 조개 껍질 밑에 있는, 가슴 속에 소중히 간직된, 순수하고 얼룩 하나 없는 진주를 알아보고, 그의 손은 그 내용물을 얻기 위하여 진주를 다루는 것처럼, 철학자의 눈은 푸라나의 구절들 사이에서 지고한 베다의 진리를 읽고, 베단타 지혜의 도움으로 그 형태를 바로잡는다. 하지만 우리의 동양학자들은 그 두꺼운 껍질 밑에 있는 진주를 알아보지 못하고, 그에 따라 행동한다.

이 섹션에서 말해온 모든 것으로부터, 에덴 동산의 뱀과 기독교의 악마 사이에, 심연이 있다는 것을 명확하게 보게 된다. 고대 철학의 큰 맘치만이 이런 도그마를 없앨 수 있다.

21 장 에노이키온-헤녹(ENOICHION-HENOCH)

만약 우리가 다양하게 에노스(Enos), 하녹(Hanoch) 그리고 그리스인들이 에노이키온(Enoichion)으로 부른, 이 신비하고 전세계적인 에녹의 성격을 주목하지 않는다면, 사탄 신화가 진화해온 역사가 완전하지 않을 것이다. 추락 천사들(Fallen Angels)의 최초 개념을 초기 기독교 작가들이 발췌한 것이 바로 그의 책이다.

"에녹의 서(Book of Enoch)"가 외경이라고 선언된다. 그러나 *외경*은 무엇인가? 그 용어의 어원은 그것이 비밀의 문헌이라는 것을 보여준다. 즉, 사제들과 입문한 승려들의 보호 아래에 있는 사원 도서관에 있는 책으로 일반 사람들을 위한 책이 결코 아니라는 것이다. *외경(Apocrypha)*이라는 단어는 "숨기다"라는 *크립토(crypto)* [*krupto*]에서 온 것이다. 오랜 세월 동안 *에노이키온(Enoïchion)* (선각자의 서)은 비밀 작품들과 "글자들의 도시(city of letters)"—고대의 키르자스-세페르(Kirjath-Sepher), 나중에 드빌(Debir)—속에서 보존되었다. (여호수아, xv., 15 참조)

그 주제에 흥미를 가진 어떤 작가들—특히 메이슨들—은 에녹과 멤피스의 토트, 그리스의 헤르메스 그리고 심지어 라틴의 머큐리와 동일시하려고 하였다. 개인들로써, 이 모든 것이 서로 구분된다; 직업적으로—지금은 그 의미에서 너무 제한되어 있지만, 이 단어를 사용할 수 있다면—그들은 오컬트 지혜와 고대의 지혜의 입문자들이자 기록자들, 성스러운 작가들이라는 똑같은 범주에 모두 속한다. *쿠란* (수라트 XIX)에서 총칭으로 *에드리스(Edris)* 혹은 "박식한 자" (입문한 자)로 부르는 사람들은 이집트에서 예술, 과학, *집필* 혹은 글자, 음악과 천문학의 발명가인 "토트"의 이름을 가졌다. 유대인 사이에서 *에드리스*가 "에녹"으로 되었으며, 바르-헤브라에우스에 따르면, 에녹은 행성의 발전을 어떤 체계로 만든 최초인으로, 책, 예술, 그리고 과학을 "집필한 최초 발명가"였다. 그리스에서 그는 오르페우스로 불렸으며, 이렇게 그의 이름이 국가마다 바뀌었다. 천문학적으로 1년의 일수, 숫자

365일뿐만 아니라 숫자 7이 태초의 그 입문가들[262] 각각과 연결되었고 붙어 있었기에, 그 사람들 모두의 사명, 성격 그리고 성스러운 지위와 동일시하며 그들의 개성과 동일시하지 않는다. 에녹은 *일곱 번째* 장로이다; 오르페우스는 입문의 칠중 신비인 7현의 리라, *포르밍스(phorminx)의* 소유자이다. 머리에 일곱 광선의 원반이 있는 토트가 태양 배를 타고 365도로 여행하며, 윤년마다 하루 동안 내린다. 마지막으로 토트-루너스는 한 주 혹은 7일의 칠중의 신이다. 비의적으로 그리고 영적으로, *에노이키온*은 "열린 눈의 선각자(Seer of the Open Eye)"를 의미한다.

요세푸스가 말한 에녹에 대한 이야기, 즉 그가 머큐리 혹은 세트(Seth) 기둥 아래에 귀중한 두루마리 혹은 책을 숨겼다는 이야기는 "지혜의 아버지," 헤르메스가 기둥 아래에 지혜의 책들을 숨겼으며, 두 개 돌 기둥을 발견하면 거기 쓰여 있는 과학을 발견하였다는 이야기와 똑같다. 하지만 요세푸스는 이스라엘에 대한 분에 넘친 찬미 방향으로 그의 꾸준한 노력을 하고 지혜의 그 과학을 유대인 에녹으로 돌리려고 하지만 그럼에도 불구하고 그가 *역사*를 쓰고 있다. 그는 그 기둥들이 그의 시대에 여전히 존재하는 것으로 보여준다. 그는 그것들이 세트에 의해서 세워졌다고 말한다; 그리고 그것들은 우화로 전해진 아담의 아들인 그 이름의 장로가 아니고, 지혜의 이집트 신—테트(Teth), 세트, 토트, 타트, 사트 (나중에 사트-안) 혹은 헤르메스로 모두 하나이다—도 아니며, "뱀-신의 아들들(sons of the Serpent-god)," 혹은 "용의 아들들(sons of the Dragon)"에 의해서 그렇게 세워졌다. 이집트와 바빌론의 사제들은 그들 선조인 아틀란티스인들처럼 대홍수 이전에 그 이름으로 알려졌다.

그러므로 요세푸스가 말하는 것은 그것을 적용한 것을 제외하고 *비유적으로* 맞는 것이 틀림없다. 그의 이야기에 따르면, 두 개 유명한 기둥이 그림 문자로 완전히 덮여 있었고, 발견 후에 이집트 내부 사원의 가장 비밀스러운 곳에서 복사되고 재생되었으며, 이렇게 그 지혜와 특별한 학식의 근원이 되었다. 이 두 개 기둥은 "주"의 명령으로 모세가 찍어낸 두 개 "석판의" 원형이다. 오르페우스, 헤시오도스, 피타고라스 그리고 플라톤처럼, 고대의 위대한 모든 초인들과 신비가들이 그들

---

262 카녹(Khanoch) 혹은 하녹(Hanoch) 혹은 에녹은 "입문자"이자 "선생," 그리고 "인간의 아들," 비의적으로 에노스(Enos) (창세기 iv., 26절)를 의미한다.

신학의 요소를 그 그림문자에서 얻었다고 말할 때, 그는 한 가지 의미에서 맞고, 다른 의미에서 틀리다; 왜냐하면 정확성에서 틀리기 때문이다. 씨크릿 독트린에서 가르치길, 예술, 과학, 신학 그리고 특히 보편적으로 알려졌지만 보편적이지 않은 대홍수보다 앞서는 모든 나라의 철학이 네 번째 근원인종의 태초의 구전 기록에서 그림문자로 기록되었으며, 이것들은 초기 세 번째 근원인종이 비유적인 추락 이전에 세 번째 근원인종의 유산이었다. 그래서 이집트 기둥, 석판 그리고 심지어 메이슨 전통의 "동양의 백색 반암"—실재의 귀중한 비밀들을 잃어버릴까 걱정되어 에녹이 대홍수 이전 지구의 창자 속에 숨겼다—도 태초 기록에서 온 다소 상징적 비유적 복사판들이었다. "에녹의 서"가 그런 복사본들 중에 하나이자 칼데아인 것으로, 지금 매우 불완전한 개론이다. 이미 말했듯이, *에노이키온*은 그리스어로 "내면의 눈(inner eye)" 혹은 현자(Seer)이다; 헤브르어와 *마소라식* 점의 도움으로 그것은 입문주재자이자 지도자 חֲנוֹךְ 이다. 그것은 통칭적인 타이틀이다; 게다가 그에 대한 전통은 유대인과 이교도인의 몇몇 다른 선지자들의 전통으로, 지어낸 세부사항이 바뀌지만, 근본 형태는 동일하다. 엘리아도 *산 채로* 천국 (하늘)으로 데려가졌다; 그리고 이스두바르 뜰에서 점성가, 칼데아 *헤-바니*(*Hea-bani*)도 그의 후원자인 헤아(Hea) 신에 의해서 하늘로 올려졌다. 마치 여호와가 엘리아의 후원자이고 (엘리아 이름은 유대어로 "신-야흐(God-Jah)," 여호와 אֵלִיָּה 를 의미한다) 같은 의미를 가진 *엘리후*(*Elihu*)의 후원자이듯이. 이런 종류의 쉬운 죽음 혹은 *안락사*(*euthanasia*)는 비의적 의미를 가지고 있다. 그것은 육체 속에서만 죽고 아스트랄체 속에서 *여전히 살아서 의식적인 삶을 살아갈 수 있는*, 정화처럼 정도와 권능에 도달한 초인의 죽음을 상징한다. 이 주제에 대한 변형이 끝없지만, 비밀의 의미는 언제나 동일하다. "*에녹은 죽음을 보지 않고*(*ut non videret mortem*)"하는 표현 (히브리서 11장 5절)은 비의적인 의미를 가지지만, 그 속에는 어떤 초자연적인 것이 없다. "그의 시대가 세계의 시대와 같을 것이다" (365일, 태양년)라는 에녹이 반크리스트의 파괴와 마지막 도래의 영예 및 지복을 크리스트 및 예언자 엘리아와 나눈다는 취지로 어떤 성서 힌트에 대하여 제시한 훼손된 해석은, 모든 오류가 제거되고 신성한 "빛의 아들들," *시쉬타*들에 의해서 진리의 도래가 알려질 때인 일곱 번째 근원인종때, 위대한 초인들중 어떤 분들이 되돌아온다는 것을 비의적으로 나타낸다.

라틴 교회는 항상 논리적이지 않고, 신중하지도 않다. 라틴 교회는 "에녹의 서"가 외경이라고 선언하고, 카제탄 경과 교회 다른 선각자들을 통하여 심지어 유다서의 캐논에서부터 거부를 주장하기까지 한다. 유다는 영감을 받은 사도이지만 외경으로 주장되는 에녹의 서를 인용하고 신성시한다. 운 좋게도, 독단가들 중에 어떤 사람들은 제때에 그 위험을 인식하였다. 그들이 카제탄 경의 결정을 받아들였다면, 네 번째 복음도 마찬가지로 거부하게 되었을 것이다; 성 요한이 글자 그대로 에녹에서 차용해서 예수 입으로 *전체 문장*을 놓는다. (양과 강도들에 대하여, 위 XVIII 참조)

여행자 페레이슥이 마자랭 도서관에 제시한 다양한 에녹 관련 사본을 조사하도록 위임받았던 "이디오피아 문학의 아버지," 루돌프가 "아비시니아인들 수중에는 에녹 관련 어떤 책도 존재하지 않는다"고 선언하였다. 모두가 알고 있듯이, 더 깊은 조사와 발견으로 그의 독단적인 주장을 악화시켰다. 브루스와 루펠이 몇 년 후에 아비시니아에서 같은 책을 발견하여 가져왔으며, 로렌스 주교가 그것을 번역하였다. 그러나 브루스는 그것을 경멸하였고, 그 내용을 조롱하였다; 과학자들 모두도 그렇게 조롱하였다. 그것은 그것이 "*그노시스* 작품"이라고 선언하였고, 그 속에서 인간을 "잡아먹는 거인들의 시대가" 있으며 . . . 그래서 그것은 또 다른 "*계시록*"이다. 거인들! 또 다른 요정이야기이다.

하지만 그것이 최고 비평가들 모두의 의견은 아니었다. 한네베르크 박사는 마카베오의 세 번째 서와 함께 에녹의 서를 *그 권위가 캐논 문헌들의 권위에 가장 근접해 있는 책들 목록 서두에 둔다.*

그렇다. "학식 있는 성직자들도 불일치한다. . ."

여느 때처럼 그들은 모두 틀리고 모두 맞다. 에녹을 성서상 인물, 즉 한 명의 살아 있는 사람으로 받아들이는 것은, 아담을 최초 인간으로 받아들이는 것과 같다. 에녹은 모든 시대, 모든 국가와 인종에서 수많은 개인들이 가진 그리고 그들에게 적용된 통칭이다. 이것은 고대 탈무드 학자들과 주석 학자들이 예레드(Yered)의 아들, 하녹에 대한 견해에서 일반적으로 일치하지 않는다는 사실에서 쉽게 추론될 수 있다.

어떤 사람들은 에녹이 신에게 사랑받은 위대한 성인이었으며, (붓다처럼 지상에서 *묵티* 혹은 *니르바나*에 도달한 사람과 여전히 다른 사람들처럼) *산채로 천국으로 데려갔다*고 말한다; 그리고 다른 사람들은 그가 사악한 마법사였다고 주장한다. 이것은 에녹 혹은 그것에 상응하는 것이 심지어 후대 탈무드 학자들 시대 동안에도 그 직함을 가진 사람의 성격에 대한 어떤 구체성 없는 "현자(Seer), "*비밀 지혜*의 초인," 등등을 의미한 하나의 용어였다는 것을 보여준다. 요세푸스가 엘리야와 에녹에 대하여 말하면서 (고대사, ix., 2) "성스러운 문헌에서 그들이 사라졌지만 그들이 죽었는지 아무도 모른다고 쓰여졌다"고 말할 때, 그것은 단순히 오늘날 인도에서 요기가 죽는 것처럼, 혹은 심지어 기독교 사제가 세상에 대하여 그렇게 하듯이, *그들은 그들의 개성에서 죽었다는* 것을 의미한다. 그들은 인간의 시야에서 사라져서 지상계에서, 심지어 스스로 죽는다. 얼핏 보기에 비유적으로 말하는 방식이지만, *글자 그대로 진실이다.*

"하녹(Hanokh)이 (천문학적) 계산과 계절을 계산하는 과학을 노아에게 전달하였다"고 고대 유대 성서 주해서 *피르카 랍비 엘리자르* (viii.)가 말한다. 이 주해서에서 다른 사람들이 헤르메스 트라이메기스터스에게 했던 그것을 언급한다. 왜냐하면 그 둘은 비의적 의미에서 동일하기 때문이다. 이 경우에 "하녹"과 "지혜"는 네 번째 아틀란티안 인종[263] 주기에 속하고, 노아는 다섯 번째 근원인종 주기에 속한다.[264] 이 경우 둘은 현재 인종과 그 이전 인종인 근원인종을 나타낸다. 다른 의미에서, 에녹이 사라졌고, "그가 신과 같이 걸었으며, 그는 존재하지 않는다. 왜냐하면 신이 그를 데려갔기 때문이다"는 인간 사이에서 성스러운 비밀 지식이 사라진 것을 언급하는 것이다; 왜냐하면 "신" (혹은 *자바 알레임(Java Aleim)*—고위 사제, 입문 사제들 학교의 우두머리 [265])이 그를 데려갔기 때문이다; 다른 말로, 에녹들 혹은 에노이키온들, 현자들과 그들의 지식 그리고 지혜가 유대인들의 선지자들의 비밀 학교로 그리고 이교도들의 사원으로 엄격하게 제한되게 되었다.

---

263 "하녹은 아담의 세대의 책과 하나인 책을 가졌다; 이것이 지혜의 신비이다"라고 *조하르*가 말한다.

264 노아는 에녹의 지혜의 계승자이다; 다른 말로, 다섯 번째 근원인종은 네 번째 근원인종의 계승자이다.

265 아이시스 언베일드, 1권, p. 575 이하 참조.

단순히 상징의 열쇠의 도움으로 번역하면, 에녹은 인간의 이중성질, 영적 그리고 물리적 성질의 유형이다. 그래서 그는 (엘리파스 레비가 비밀 문헌에서 제시한) 천문학상의 십자가의 중심을 차지하며, 그것은 육각별, "아도나이"이다. 위 삼각형 속에는 독수리가 있다; 왼쪽 삼각형에는 사자가 서있다; 오른쪽에는 황소가 있다: 한편 사자와 황소 사이에, 그들 위와 독수리 아래에, 인간 혹은 에녹의 얼굴이 있다. (아이시스 언베일드, 2권, p. 452 참조.) 이제 위 삼각형에 있는 그림은 첫째 인종—그림자 혹은 *차야*—을 뺀 네 인종을 나타내며, "인간의 아들," 에노스 혹은 에녹이 중심에 있다. 왜냐하면 그가 두 인종의 비밀 지혜를 나타내서, 두 인종 (네 번째와 다섯 번째) 사이에 있기 때문이다. 이것들이 *에스겔*과 *계시록*의 네 동물이다. 아이시스 언베일드에서 힌두 *아다나리*(*Adanari*)를 직시하는 똑같은 이중 삼각형이 지금까지 최고이다. 왜냐하면 거기서, 세 가지 역사적 인종만 상징되기 때문이다; 세 번째, 자웅동체는 아다나리로 상징된다; 네 번째는 강력하고 힘센 사자로 그리고 다섯 번째—아리안—는 오늘날까지 가장 성스러운 상징인 황소 (그리고 젖소)이다.

프랑스 학자이자 상당한 학식을 가진 M. 드 세이시가 에녹의 서에서 “가장 심각하게 조사할 가치가 있는” 몇 가지 가장 독특한 진술을 발견한다고 말한다. 예를 들면, “저자 (에녹)는 태양년이 364일로 구성되어 있으며, 3년, 5년 그리고 8년의 기간을 아는 것처럼 보이고, 그의 체계에서 분점과 지점(하지, 동지)처럼 보이는 추가 4일이 따른다.”[266] 나중에 그것에 덧붙인다. “나는 그것들 (이런 모순)을 변명하는 한가지 방법만 이해한다. 저자가 대자연의 질서가 보편 대홍수 기간에 바뀌기 전에 *존재했을 수도 있는* 어떤 *기발한* 체계를 상세히 설명하는 것이라고 가정하는 것이다.”

정확하게 그렇다; 그리고 씨크릿 독트린에서 가르치길, “자연의 질서”가 이렇게 바뀌었고, 일련의 지구 인류들도 그렇다. 왜냐하면 천사 *우리엘*이 에녹에게 말한다: “보아라, 오 에녹이여, 아는 그대에게 모든 것을 보여주었다; 그리고 모든 것을

---

266 *철학 연보*, p. 393에서, 드 세이시에 대한 대니엘로의 비평.

그대에게 드러내 보여주었다. 그대는 태양, 달 그리고 그것들이 모든 작용, 계절 그리고 출현을 돌아오게 하는, *하늘에 있는 별을 관리하는 분들을* 본다. *죄인들의 시대에 그* 해가 짧아질 것이다. . . 달이 그 법칙을 바꿀 것이다, 등등.” (lxxix.장) 아틀란티안을 쓸어가고 전체 지구의 표면을 바꾸어 버린 대홍수 이전 시절에— 왜냐하면 *“지구가 자전축 위에서 기울었기 때문이다”*—자연이 지질학적으로, 천문학적으로 그리고 우주적으로 똑같을 수가 없었기 때문이다. 왜냐하면 지구가 *기울었었기* 때문이다. lxiv 장을 보자. . . . “그리고 노아가 쓰라린 소리로 ‘들어주세요, 들어주세요, 들어주세요’ 외쳤다; 세번. 그리고 ‘지구가 몹시 흔들리고 격렬하게 기울어진다; 확실히 나도 함께 사라질 것이다.’”

그런데 성서를 글자 그대로 읽으면, 이것은 많은 “모순”들 중에 하나처럼 보인다. 왜냐하면 적어도, 이것은 “주의 눈 속에서 은혜를 입었던” 그리고 방주를 건설하라고 들었던 사람 속에 있는 매우 이상한 두려움이다. 그러나 여기서 우리는 존경받는 장로가 “신의 친구” 대신에 분노한 신에 의해서 종말을 맞은 거인들 중에 하나였던 것처럼 많은 두려움을 표현하는 것을 발견한다. 지구는 이미 기울었고, 홍수는 단순히 시간의 문제가 되었지만, 노아는 의도된 구원을 아무것도 모르는 것처럼 보인다.

천명이 진실로 내려졌다; 지구가 그 인종을 바꾸어야 하고, 네 번째 인종이 더 나은 인종을 위하여 양보해야 한다는 진화의 대법칙과 자연의 천명이다. 만반타라가 *3과 2분의 1 라운드*의 전환점에 도달하였으며, 거대한 육체 인류가 조잡한 물질성의 정점에 도달하였다. 그래서 계시적 구절에서 *“그들의 끝이 있을 것이다,”* 그들이 파괴된다는 계명에 대하여 말한다; 왜냐하면 그들은 “천사들의 모든 비밀, *사탄들*의 억압하는 모든 비밀의 힘 그리고 전체 지구에서 주조한 이미지들을 만든 자들뿐만 아니라 흑마법을 저지른 자들의 모든 힘”을 진실로 *알았기* 때문이다.”

그리고 이제 자연스러운 질문이 생긴다. 누가 계시록의 저자에게 *지구가 종종 자전축을 기울인다는* (어느 시대이건 갈릴레오 시대 이전으로 정할 수 있다) 이 강력한 비전을 알려주었을까? 고대 리쉬들과 피타고라스가 마신 비밀의 지혜가 후대 시대의 발명인 환영에 불과하다면, 그런 천문학적 지질학적 지식을 어디서 얻었을까?

에녹이 아마도 프레드릭 클리의 책(p. 79) 대홍수에 대한 이 구절을 예언적으로 읽었는가? “태양과 관련하여 지구 구체의 위치가 태고시절에 현재 위치와는 분명히 달랐다; 그리고 이 차이가 지구 자전축의 이동으로 일어났다.”

이것은 이집트 사제들이 헤로도토스에게 말한 다른 *비과학적* 진술을 생각나게 한다. 즉, 태양이 항상 지금 떠오르는 곳에서 떠오르지 않았다. 그리고 이전 시대에는 황도가 적도를 직각으로 지나갔다.[267]

푸라나, 성서 그리고 신학에 두루 걸쳐서 그런 “어두운 금언들”이 많이 있다; 그리고 오컬티스트에게 그것들은 두 가지 사실을 누설한다: 가) 고대인들은 천문학, 지구학 그리고 일반적인 우주 구조론을 현대인들만큼 혹은 더 많이 알았다; 나) 지구와 그 운동이 태고 상태 이후 구체와 그 운동이 한번 이상 바뀌었다. 이렇게 파에톤는 *숨겨진* 진리를 배우려는 욕망에서 태양이 일상 코스에서 벗어나게 만들었다고 가르친 *“무지한”* 종교의 *맹목적* 믿음을 토대로, 크세노판테스가 “태양이 다른 나라로 향했다”고 어디선가 주장한다; 그것은 약간 더 과학적이지만 대담한 여호수아가 태양의 궤도를 완전히 멈추게 한 것과 비슷한 것이다. 하여튼 그것은 사물의 실제 질서 이전에 태양이 남쪽에서 떴으며, 지금은 북쪽에 있는 한대(Frigid Zone)를 동쪽에 놓았다는 북부 신화 (“철의 숲”에 있는)의 가르침을 설명할 수 있다.

에녹의 서는 간단히 말해서 세 번째, 네 번째 그리고 다섯 번째 근원인종의 역사의 주요 특징을 혼합한 하나의 *개요서*이다; 현재 시대의 세계로부터 매우 소수의 예언들이 있다; 대홍수 이전 기록에서 약간의 신통기를 가미한 보편적이고 상당히 역사적인 사건들—지질학적, 민족학적, 천문학적 그리고 심령적—에 대한 긴 회고적, 내성적 그리고 예언적 요약이다 이 신비스러운 인물에 대한 책이 *믿음의 지혜(Pistis Sophia)*에서 풍부하게 그리고 조하르와 가장 고대 성서 주석서에서 언급되고 인용된다. 오리겐과 알렉산드리아의 클레멘트가 그 책을 최고로 존경하는 것으로 간직하였다. 그러므로 그 책이 기독교 이후 사기라고 말하는 것은 터무니없고 시대착오적이라고 말하는 것이다. 왜냐하면 누구보다도 오리겐은 기독교 2세기에

267 *고대 천문학*, 베일리, 1권, p. 230 그리고 2권, p. 216.

살았지만, 그가 그 책을 고대 문헌이며 존경받는 문헌이라고 말했기 때문이다. 비밀의 성스러운 이름과 그 효력이 고대 문헌에서 잘 그리고 분명하게 그러면서 비유적으로 설명된다. 18장부터 50장까지, 에녹의 비전은 모두 입문의 신비의식을 설명한 것이고, 그것 중에 하나가 "추락 천사들"의 불타는 계곡이다.

아마도 성 오거스틴이 에녹의 서가 너무 고대 것이기(*ob nimiam antiquitatem*)[268] 때문에 그것을 정경으로 받아들이는 것을 교회가 거부하였다고 말할 때 상당히 맞는 말이다. "창조"부터 세계에 부여된 기원전 4004년의 범위 안에서 그 책 속에서 주목되는 사건들이 거의 없다.

---

268 신의 도시, l. xv. ch. xxiii.

22 장 신비 이름 이이아오(IAO)와 여호와의 상징, 그것과 십자가 및 원과의 관계

사제 루이스 콘스탄트—엘리파스 레비로 알려진—가 그의 *마법의 역사*에서 "*세페르 예지라*, 조하르 그리고 성 요한의 계시록이 오컬트 과학의 대작"이라고 말했을 때, 정확하게 명확히 하려면 "유럽에서"라는 것을 추가했어야 한다. 이 책들이 "말보다 더 *의미*"를 간직하고 있는 것이 상당히 맞다; 그리고 "그 표현이 시적이며, 반면에 그 수는 정확하다." 불행하게도 그 표현의 시적 감흥을 음미할 수 있기 전에 혹은 그 수의 정확성을 이해할 수 있기 전에, 사용된 상징과 용어의 진정한 중요성과 의미를 배워야만 할 것이다. 그리고 그가 동양의 비의 가르침이건 카발라 상징학이건 씨크릿 독트린의 근본 원리를 모르는 한, 결코 이것을 배울 수 없을 것이다: — *성서에 있는 "장로" 이름들, "천사" 이름들, "신" 이름들의 모든 측면에서 값 혹은 열쇠—그*것들의 수학적 혹은 기하학적 값 그리고 현현된 자연과의 관계.

그러므로 만약 한편으로 조하르가 그 이미지의 엄청난 간결함과 관점의 심오함으로 신비가를 놀라게 하고, 다른 한편으로 그 문헌이 아인-소프(AIN-SOPH) 그리고 *여호와*에 대하여 사용된 표현으로 학생에게 혼동을 준다면, 그럼에도 불구하고 "그것이 신을 표현하는 인간 형태는 *단어의 이미지에 불과하고*, 신은 어떤 생각이나 어떤 형태로 표현되지 말아야 한다는 것을 신중하게 설명한다"는 것이 확실하다. 오리겐, 클레멘스 그리고 랍비들이 카발라와 성서에 대하여 그것들이 *베일에 쌓인 비밀의* 책이라고 시인하였다는 것은 잘 알려져 있다; 그러나 현재처럼 *재편집된* 형태의 카발라 문헌의 비의 가르침은 비밀 문헌의 태초 상징에 드리워진 한층 더 교묘한 또 다른 베일이라는 것을 아는 사람이 거의 없다.

원의 둘레로 *숨겨진* 신성을 나타내고, 원을 가로지르는 지름으로 창조력 (남성과 여성 혹은 자웅동체 말씀(WORD))을 나타내는, 개념은 가장 오래된 상징 중에 하나이다. 이 개념 위에 모든 위대한 우주발생론이 세워졌다. 고대 아리안, 이집트인 그리고 칼데아인의 경우에, 그것은 *창조*의 시작 단계와 완전히 분리된 채, 그것의 절대성 속에서 영원히 움직일 수 없는 *신성한 생각*(*Divine Thought*)의 개념을 품었기 때문에 완전하였다; 그리고 그것은 심리적 그리고 심지어 영적 진화, 그리고 그것의 기계적 작업 혹은 우주발생론적 건설을 구성하였다. 하지만 유대인에게, 전자 개념이 조하르와 세페르 예지라—혹은 세페르 예지라로 남아 있는 것—에서 분명하게 발견될 지라도, 그 이후에 진정한 모세오경과 특히 창세기에서 구체화되어 온 것은 단순히 이것의 이차적 단계, 즉, 창조 혹은 건설의 기계적인 법칙이다; 한편 신통기는 전혀 아닐지라도 거의 그려지지 않는다.

이제 고대 가르침의 진정한 메아리가 발견될 수도 있는 것은 창세기 첫 6장, 거부된 에녹의 서 그리고 잘못 이해되어 잘못 번역된 욥기의 시에서뿐이다. 그것을 푸는 열쇠는 심지어 가장 박식한 랍비들도 잃어버렸다. 그들의 전임자들은 초기 중세시대에 민족적 배타성과 자만, 특히 기독교에 대한 심오한 혐오에서 그들 지식을 가차없이 사나운 박해자들과 공유하기 보다 그것을 망각의 심해 속으로 던져버리는 것을 선호하였다. 여호와는 모세율법을 제외하고 다른 어느 것에서 역할을 하기에 부적합하고 그것과 분리될 수 없는 그들 자신의 부족 소유였다. 여호와가 적합한 그리고 여호와에게 맞는 원래 틀에서 격렬하게 찢어졌기 때문에, "아브라함과 야곱의 주 신"은 파손이나 피해 없이 새로운 기독교 표준 속으로 억지로 쑤셔 넣어질 수 없었다. 유대인들은 가장 약했기 때문에, 신성모독을 피할 수 없었다; 그러나 그들은 그들의 아담 카드몬 혹은 남성-여성 여호와의 원래 비밀을 지켰다; 그리고 새로운 성막은 오래된 신에게 완전히 부적합한 것으로 증명되었다: 그들은 진실로 앙갚음 받았다!

여호와가 유대인의 부족신이고 그 이상도 아니라는 진술이 다른 많은 것처럼 거부될 것이다. 그러나 신학자들은 그 경우에 신명기 32장 8절과 9절의 의미를 우리에게 말할 수 있는 입장에 있지 않다. 이 구절에서 상당히 분명하게 말한다: "지극히 높은 분(MOST HIGH) ("주"도 아니고 여호와도 아니다)이 그들의 유산을 국가들로 나누었을 때, 그가 아담의 아들들을 분리하였을 때, 그는 이스라엘 자손의 수에 따라서 . . . 경계를 놓았다 . . . *주(Lord) (여호와)의 부분은 그의 사람들이다; 야곱은 그의 유산의 몫이다.*" 이것이 문제를 해결한다. 성서와 경전의 근대 번역가들이 너무 뻔뻔스럽고 이 구절이 너무 불리하기에, 교회 성부들이 그려 놓은 단계를 따르면서, 번역자 각자가 이 구절을 자기 나름대로 표현하였다. 위에 인용된 구절이 권위 있는 영어 버전에서 글자 그대로 가져왔지만, (1824년 J. E. 오스터발드가 개정한 판에 의하면, 파리 개신교도 성서학회의) 불어 성서에서 "지극히 높은 분"이 *통치자*로, "아담의 아들들"이 "인간의 자식"으로, 그리고 "주"가 "영원자"로 바뀐 것을 보게 된다. 뻔뻔스러운 술책으로, 심지어 프랑스 개신교 교회가 영국을 능가하는 것처럼 보인다.

그럼에도 불구하고, 한 가지는 분명하다: "주 (여호와)의 부분"은 그가 "선택한 사람들"이고 그 밖에 다른 것은 아니다. 왜냐하면 *야곱만이 그의 유산의 몫이기 때문이다.* 그러면 아리안으로 부른 다른 국가들은 이스라엘의 부족신, 셈족 신과 무슨 관계가 있는가? 천문학적으로 "지극히 높은 분"은 태양이고, "주"는 오리겐과 이집트 그노시스에 의하면, 그것이 달의 정령, *이이아오(Iao)* 혹은 토성의 정령, 일다-바오스-여호와이건, 일곱 행성들 중에 하나이다.[269] 이란의 "주", "가브리엘 천사"가 그의 사람들을 지키게 하라; 그리고 미카엘-여호와가 그의 유대인들을 지키게 하라. 이것은 다른 국가들의 신이 아니고, 심지어 예수의 신들도 아니다. 페르시아 *데브*(*Dev*) 각각이 각자의 행성에 매여 있듯이 (오리겐의 차트 사본 참조), 힌두 데바 각각("주")이 할당된 부분, 세계, 행성, 국가 혹은 인종을 가지고 있다. 다수의 세계는 다수의 신을 암시한다. 우리는 전자를 믿고, 후자를 인정할 수 있지만 결코 숭배하지 않을 것이다. (SD 2권, 3부 "세계의 체인과 다수에 대하여" 참조.)

본서에서 모든 종교적 그리고 철학적 상징은 그것에 붙어 있는 일곱 가지 의미를 가졌다고 반복해서 언급해 왔으며, 각각은 합당한 사고의 계에 속한다. 즉, 순전히 형이상학적 혹은 천문학적; 심령적 혹은 심리적 등등. 그것을 개별로 다룰 때 이 일곱 가지 의미와 그것의 적용을 배우기가 어렵다; 그러나 그것을 서로 관련시키거나 어느 하나에서 연속적으로 따라오게 하는 대신에, 이 의미들 어느 하나 혹은 각자가 전체 상징 개념의 유일한 설명으로서 받아들여진다면, 그것들을

---

269 이집트인 그노스시파에게, 그것은 토트 (헤르메스)로 일곱의 최고였다. ("사자의 서" 참고) 그들 이름을 오리겐이 주었다. (태양의) *아도나이*(*Adonai*) (달의), *이이아오*(*Iao*), (주피터) *엘로이*(*Eloi*), (마르스) *사바오*(*Sabao*), (비너스) *오라이*(*Orai*), (머큐리) *아스타포이*(*Astaphoi*), 그리고 마지막으로 (새턴) *일다바오스*(*Ildabaoth*).

올바로 이해하고 번역하는 것이 열 배나 혼란스러워진다. 하나의 예가 그 진술을 훌륭하게 설명할 것이기에 그 예를 제시할 수 있다. 출애굽기 33장 18~23절에 있는 똑같은 구절을 두 명의 박식한 카발리스트가 제시한 두 가지 번역이 있다. 모세가 주께 그분의 “영광”을 보여줄 것을 간청한다. 분명한 것은 성서에서 보이는 조악한 사문구를 받아들여야 하는 것이 아니다. 카발라에는 일곱 가지 의미가 있고, 말한 두 명의 학자가 번역한 두 가지를 제시한다. 그 중에 하나를 설명하면서 인용한다: “그대는 나의 얼굴을 볼 수 없다 . . . 나는 그대를 바위 틈에 둘 것이다 . . . 내가 지나가는 동안 내 손으로 그대를 가릴 것이다. 그리고 내 손을 가져갈 것이며, 그대는 *나의 등*(*a' hoor*)를 볼 것이다; . . . 그리고 주석에서 우리에게 말한다 “즉, 나는 그대에게 ‘나의 등’을 보여줄 것이다, 즉, 볼 수 있는 우주, 나의 하위 현현, 그러나 여전히 육체 속에 있는 인간으로서 그대는 나의 보이지 않는 성질을 볼 수 없다. 그렇게 카발라가 계속된다.”[270] 이것은 맞으며, 우주적-형이상학적 설명이다. 그리고 이제 다른 카발리스트가 수로 표시된 의미를 제시하면서 말한다. 그것이 상당히 많은 암시적 개념과 관련되고 훨씬 충분하게 제시되기 때문에, 더 많은 공간을 할애할 수 있다. 이 요약은 미출판된 사본에서 온 것이며, 17장 “지성소”에서 주어진 것을 한층 더 충분히 설명한다.

모세라는 이름의 수는 “나는 나다(I AM THAT I AM)”의 수이며, 그래서 모세와 여호와 이름은 숫자상 조화에서 하나이다.

모세라는 단어는 משה (5,300,40) 이고, 그 글자의 값을 합치면 345이다; 여호와—특히 달의 해의 수호신—는 345의 반대 혹은 543의 값을 갖는다 . . . 출애굽기 3장, 13절과 14절에서, 말한다: 그리고 모세가 말했다 . . . 보라 내가 이스라엘 자손에게 와서, 그대의 아버지의 신이 나를 그대에게 보냈다고 그들에게 말할 때; 그들이 그분의 이름이 무엇입니까? 말할 것이다. 그들에게 무엇이라고 말할까요? 그리고 신이 모세에게 말했다—"나는 나다(I am that I am).”

---

270 아이삭 마이어, “*카발라*.”

이 표현에 대한 히브리어 단어는 *ahiye asher ahiye(에히에 아쉐르 에히에)*이고, 그 글자들 합의 값은 이렇다:

אהיה אשר אהיה
21 501 21

. . . 이것이 신의 이름이기에, 그것을 구성하는 값의 합은 21, 501, 21로 543 혹은 모세 이름에서 한자리 수를 사용한 것이며 . . . 그러나 345 이름이 뒤바뀌게 순서가 되어 있으며, 543으로 읽는다 . . . 그래서 모세가 "당신의 얼굴 혹은 영광을 보도록" 요청할 때, 그 신이 진실하게 올바르게 "그대는 나의 얼굴을 볼 수 없다" . . . 그러나 *나를 뒤에서 볼 것이다*—정확한 말은 아니지만 진정한 의미에서라고 대답한다; 왜냐하면 543의 *뒤(behind)*와 모서리는 345의 *얼굴(face)*이기 때문이다—즉 "숫자가 구체적으로 사용되는 목적을 위하여, 어떤 *웅대한* 결과를 발전시키기 위하여 숫자 조합을 *엄격하게 사용*하고 점검하기 위하여." 박식한 카발리스트가 추가한다: "그 수의 다른 용도로 그들이 서로 대면한다. 345에다 543을 더하면 888을 얻으며, 그것은 크리스트 이름, 조슈아 혹은 여호슈아의 그노시스적 카발라 값이었다는 것이 신기하다. 그리고 하루 24시간을 나누면 몫으로 세 가지 수를 얻는다. . . 이런 모든 체계에서 숫자 체크의 주된 목적은 일(days)의 자연적 측정으로 달의 해의 정확한 값을 영구적으로 보전하는 것이다."

이것이 칼데아-헤브르인들이 고안한 천체-우주 신들의 비밀 신통기 속에 있는 천문학적 숫자상 의미이고, 일곱 가지 중에 두 가지이다. 다른 다섯 가지가 기독교인들을 한층 더 놀라게 할 것이다.

스핑크스 수수께끼를 해석하려고 했던 오이디푸스 시리즈는 진실로 길다; 수많은 세월 동안 스핑크스는 기독교계 가장 고귀하고 밝은 지성들을 삼켜버렸다; 그러나 이제 스핑크스가 정복되었다. 상징 표현에서 오이디푸스의 완전한 승리로 끝난 위대한 지성의 싸움에서, 패배의 치욕으로 타올라서 바다에 자신을 묻어야 했던 것이 스핑크스가 아니라, 기독교인들, 문명화된 국가들이 그들의 신으로 받아들여 왔던 많은 면을 가진 여호와로 불린 상징이다. 여호와가 너무 충실한 분석으로 무너졌고 익사하였다. 상징주의자들은 그들이 채택한 신성이 많은 다른 신의 가면에 불과한, *신격화된*(*Euhemerized*) 사라진 행성, 기껏해야, 유대인에게 달과 새턴의 수호령, 그리고 초기 기독교인들에게 태양과 주피터의 수호령이었다는 것을 발견하고 당황하였다; 그리고 삼위일체는 사실상 천문학의 삼개조—그들이 이방인이 제시한 가장 추상적 형이상학적 의미를 받아들이지 않는다면—에 불과하다는 것을 발견하고 낙담하였다. 그 삼개조는 태양 (성부) 그리고 두 개 행성, 수성 (성자)과 금성 (성령, *소피아*, 지혜의 영, 사랑과 진리 그리고 크리스트로서, 루시퍼, 찬란한 아침별; "요한계시록" 22:15)으로 구성되어 있다. 만약 성부가 태양이라면 (동양의 내부 철학에서 맏형이다), 가장 가까운 행성은 수성 (헤르메스, 부다(Budha), 토트)이고, 지구에서 어머니 이름은 마이아(Maia)이다; 다른 행성보다 7배나 더 많은 빛을 받는 행성: 그 사실로 그노시스파가 그들의 크리스토스를 그리고 카발리스트들은 (천문학적 의미에서) 그들의 헤르메스를 "칠중 빛"으로 부르게 되었다. 마지막으로, 이 신은 *벨*(*Bel*)이었다; 태양이 갈리아인에게 "벨"이고, 그리스인에게는 "헬리오스", 페니키아인에게는 "바알(Baal)"이었다; 칼데인에게는 "엘(El)" 그래서 유대인에게는 "엘-오힘(EL-ohim)," "엠마누엘(Emanu-EL)," 엘(El)은 "신(god)"이다. 그러나 심지어 카발라 신도 랍비의 기교로 사라져버렸고, 이제는 기독교인들이 그렇게 권위적이고 시끄럽게 주장한 이름 없는 신이자 절대자, 아인-소프 같은 어떤 것을 그 속에서 찾기 위하여 조하르의 가장 깊은 형이상학 의미에 의존해야만 한다. 그러나 하지만 그것에 대한 열쇠 없이 모세오경을 읽으려는 사람은 그 속에서 확실시 발견하지 못할 것이다. 그것을 잃어버린 이후, 유대인과 기독교인들은 이 두 개념을 합치려고 최선을 다해왔지만 모두 허사였다. 그들은 결국 그 보편적 신성(Universal Deity)에서 그것의 장엄한 성격과 원시적인 의미를 빼앗는데 성공하였다.

이것이 "아이시스 언베일드"에서 말한 것이다: —

최고의 고대시대부터 사제들의 에소테릭 지식에 참여한 모든 사람들이 채택한 신비의 신 [*이아오*]과 오파이트파와 다른 그노시스파가 거의 존경없이 다룬 것으로 발견하는 그의 음성학적 대응체 사이를 구분하는 것이 자연스러운 것처럼 보인다.

킹의 오파이트 보석에서 ("그노시스파") 이이아오(IAO) 이름이 반복되는 것을 보며, 종종 *예보*(*Jevo*) 이름과 혼동하였으며, 후자는 아브락사스(Abraxas)에 적대적인 수호령들 중에 하나를 단순히 나타낸다. 그러나 이이아오 이름은 유대인에서 유래되지 않았고, 또한 유대인만의 소유도 아니었다. 심지어 "이스라엘의 선민"의 민족신이자 보호자, 수호자 "영"에게 그 이름을 부여하는 것이 모세를 즐겁게 했을지라도, 다른 국가에서 그를 최고의 하나의 살아 있는 신으로 받아들여야 하는지 가능한 이유가 없다. 하지만 우리는 그 가정을 완전히 부인한다. 게다가, 초기부터 야호(Jaho) 혹은 이이아오는 "신비 이름"이라는 사실에 있다. 왜냐하면 יהיה 와 יה 는 다비드 왕 이전에 결코 사용되지 않았기 때문이다. 그의 시대 이전에는 고유 이름이 이야흐(Iah) 혹은 야흐(Jah)와 혼합되지 않았다. 오히려 티리언과 필리스티아인들 사이에서 체류한 사람인 (사뮤엘서 2) 다비드가 여호와 이름을 가져온 것 같다. 그는 자독(Zadok)을 고위 사제로 만들었고, 그로부터 사두개인이 왔다. 그는 헤브론 הברין , 하비르-온(Habir-on) 혹은 카베이르-마을에서 살았고 처음으로 통치하였다. 그곳에서는 넷의 신비-신의 의례가 거행되었다. 다비드나 솔로몬도 모세 혹은 모세법을 인정하지 않았다. 히람(Hiram)이 헤라클레스와 비너스, 아돈(Adon)과 아스타르테를 위하여 세운 구조물처럼, 그들은 יהוה에게 사원을 건설하려고 하였다.

퓌르스트가 말한다: "신(God)의 고대 이름, 야호(Yaho)는 그리스어로 [이이아오(*Ιαω*)]로 쓰여졌으며, *그 기원과는 별개로* 셈족의 지고의 신성의 신비 이름이었던 것처럼 보인다. 그래서 모세가 호르-에브(HOR-EB)—동굴—에서 미디언의 카인파 사제인 이드로(Jethro)의 안내 하에 입문 받을 때 그렇게 들었다. 신플라톤학파에서 그 잔재가 남아 있는 칼데아의 고대 종교에서, 최고의 신성은 영적인 빛-원리(Spiritual Light-Principle)를 나타내며 일곱 하늘 위에 앉아 있고 . . . 데미우르구스로 [271] 이해되었으며, *이이아오* (יהו)로 불렸다. 그는 유대인의 야하(Yaha)처럼 신비하고 언급할 수 없으며, 그 이름이 입문자에게 전달되었다. 페니키아인들은 지고자 신을 가졌고, 그 이름은 삼자음이고 *비밀*이었으며, 그는

---

271 매우 소수가 조물주로 봤다. 왜냐하면 물질 우주의 창조자는 항상 지고자 신(Most High Deity)보다 낮은 신으로 간주되었기 때문이다.

[이이아오]였다.[272] (아이시스 언베일드, 2권, p. 298.)

오컬티스트 교훈을 반복하는 카발리스트들이 말하길, 십자가는 가장 고대의 하나, 오히려 아마도 상징들 중에 가장 고대 상징이다. 프로엠 시작부분에서 이것을 보여주었다. 동양의 입문자들은 십자가가 신성의 무한성의 원 그리고 영과 물질의 합일인 본질의 최초 분화와 공존하는 것을 보여준다. 이것이 거부되었고, 천문학적 비유만 받아들였으며 그것이 교활하게 상상된 지상의 사건 속으로 짜맞춰졌다.

이제 이 진술을 드러내 보자. 천문학에서 말했듯이, 머큐리는 카일루스와 럭스—하늘과 빛, 혹은 태양—의 아들이다; 신화에서 그는 주피터와 마이아의 자손이다. 그는 그의 아버지 주피터의 "메신저," 태양의 메시아이다. 그리스에서, 그의 이름은 "헤르메스"로 다른 무엇보다 "번역자"이다—구두로 "말씀(Word)"; 로고스(LOGOS) 혹은 말씀(VERBUM). 이제 머큐리는 킬레네 산에 있는 양치기들 사이에서 태어나서 양치기의 후원자이다. 저승사자인 그는 사자의 혼을 하데스로 안내하고 데려온다. 그것은 예수 죽음 및 부활 후에 예수에게 부여진 직책이다. (이탈리아에서 십자가가 교차로에 놓여 있듯이) 헤르메스-머큐리의 상징(*Dii Termini*)은 고속도로 교차점에 놓여있고 그것들은 십자가 형태이다.[273] 일곱 번째 날마다 사제들이 이 종점(*termini*)을 기름칠하고, 일년에 한번 화환을 걸어 두며, 그래서 그것들이 기름부음을 받은 것이었다. 신탁을 통해서 말할 때, 머큐리가 말했다, "나는 그대가 아버지 (주피터)와 마이아의 아들로 부르는 그이다. 하늘의 왕 (태양)을 떠나서 나는 그대들, 유한자들 (인간)을 도우러 온다." 머큐리는 맹인을 고치고 멘탈적 육체적 시력을 회복시킨다.[274] 그는 세 개 머리를 가진 것으로 그래서 "트라이세팔로스(Tricephalos)" "트리플렉스(Triplex)"로, 태양 및 비너스와 하나로 종종 나타내어진다. 마지막으로 코르누투스가[275] 보여주듯이, 머큐리는 종종 팔이 없는 입방체로 그려진다. 왜냐하면 "말과 웅변의 힘은 팔이나 다리의 도움 없이 이길 수 있기

---

272 리두스 I. c. 레드레누스, I. c.

273 몽포콩, "*고대유물.*" 1권 그림 77 (위 그림)참조. 헤르메스 제자들이 그들 죽음 후에 그의 행성, 머큐리—하늘의 왕국—로 간다.

274 코르누투스.

275 리두스, "월(月)에 대하여", iv.

때문이다.” 종점을 십자가와 직접 연결하는 것이 바로 이 입방 형태이고, “헤르메스는 만물을 번역하고 창조하는 말씀의 상징이다”라고 교활한 유세비우스가 말하게 만든 것이 머큐리의 말의 힘 혹은 웅변이다. 왜냐하면 그것은 창조적 말이기 때문이다; 그리고 헤르메스의 말 (이제는 피만더에서 “*신의 말씀*(*Word of God*)”으로 번역된), 창조적 말씀(Verbum)은 우주에 두루 걸쳐서 흩어진 생식 원리라고 포르피리가 가르치는 것을 보여준다.[276] 연금술에서 “머큐리”는 태양불로 수정된, 우주의 씨앗을 간직하고 있는, 원시 물 혹은 기초 물, 근원적 *모이스트*(*Moyst*) 이다. 이 수정 원리를 표현하기 위하여, 이집트인들이 팔루스(남근상)를 십자가(남성과 여성 혹은 수직선과 수평선의 결합)에 종종 추가한다. (이집트 박물관 참고) 십자 형태의 종점이 이런 이중 생각을 나타냈다. 그것은 입방체 헤르메스로 이집트에서 발견된다. “측정의 근원”의 저자가 그 이유를 말한다. (그노시스 남근에 대하여 XVI장 마지막 페이지 참조.)

그가 보여주었듯이, 펼쳐진 입방체가 진열되면 타오(tau) 십자가 혹은 이집트 형태로 된다; 혹은 다시 “타오에 붙은 십자가가 고대 파라오의 고리 모양 십자가를 준다.” 그들은 이것을 그들 사제와 “입문자 왕들”로부터 오랫동안 알아왔고, 또한 “인간을 십자가에 붙이는 것”이 무엇을 의미하는지도 알아왔으며, 그 개념이 “인간 생명의 기원의 사상과 그래서 *남근 형태*와 조화를 이루게 되었다.” 신들의 목수이자 고안자, 비스바카르마가 “태양-입문자”를 십자 형태 선반에 못박는 개념이 있은 후 아주 오랜 세월 동안 남근 형태가 행해졌다. 같은 작가가 쓴다: “*인간을 십자가에 붙이는 것*”이 . . . 힌두인에 의해서 바로 이런 형태를 전시하는 것으로 사용되었다”; 그러나 육체적 재생이 아닌 *영적인* 재생으로 인간의 새로운 재탄생의 개념과 조화를 이루게 되었다. 입문 후보자가 단순한 지상의 생명의 기원보다 훨씬 더 웅대하고 고귀한 개념을 가진 천문상의 십자가 혹은 *타오*에 부착된다.

한편 셈족은 그들 종을 창조하는 것보다 삶에서 더 고귀한 목적을 가지고 있지 않은 것처럼 보인다. 이렇게 기하학적으로 그리고 숫자로 성서를 읽으면, “헤브루-이집트 신비”의 저자가 상당히 정확하다. 그들 (유대인)의 전체 체계가 —

---

276 유세비우스, “복음을 위한 준비,” I. iii. 2장

"자연에서 휴식하는 체계로, 그리고 신 혹은 자연이 실제적으로 창조력을 발휘하는 *법칙의 토대로서* 채택한 체계로 고대에 간주되어왔던 것처럼 보인다—즉, 그것은 *창조적 디자인*으로, 창조가 실제적으로 그것의 적용이다. 이것은 정해진 체계 하에서 행성의 시간 측정이 행성의 크기와 그들 형상의 특이성—즉, 그들의 적도와 극의 직경을 확장하는—의 측정으로서 조화롭게 도움이 된다는 사실에 의해서 확립된 것처럼 보인다." . . . 등등. "이 체계가 에덴 동산, 노아의 방주, 성막 그리고 솔로몬 사원에 있는 신성한 측정 단위를 사용하여, 건축 방법에서 신의 작업을 전시하기 위한 그리고 그 의례를 위한 토대로서, 성서의 전체 구조 (창조적 디자인) 근저에 놓여 있는 것처럼 보인다."

이렇게 이 체계의 옹호자를 보여줄 때, 유대의 신이 기껏해야 그냥 현현된 *듀아드*(*duad*)이지 결코 하나의 절대적 전체(One absolute ALL)가 아니라는 것이 증명된다. 기하학적으로 증명하면, 그는 하나의 수(NUMBER)이다; 상징적으로, 그는 *신화화된* 프리아푸스(Priapus)이다; 그리고 이것은 진정한 영적 진리의 증명과 의인화된 성질이 아닌 신성한 성질을 가진 신의 소유를 갈망하는 인류를 거의 만족시킬 수가 없다. 근대 가장 박식한 카발리스트가 십자가와 원 속에서 현상계와 관련하여 그리고 현상계에 간섭하는 현현된 *창조적* 그리고 *자웅동체의* 신의 상징만 볼 수 있다는 것이 이상하다.[277] 한 저자가 이렇게 믿는다: "인간 (유대인과 랍비로 읽는다)은 실질적 측정의 지식을 얻었으며 . . . 그것으로 자연이 행성들을 크기에서 그 행성의 움직임의 표시와 조화를 이루도록 조정한다고 생각하였다" . . . 그리고 덧붙인다: "그가 그것을 얻은 것처럼 보이며, 그것의 소유를 신성을 인식하는 수단으로 높이 평가하였다—즉, 창조 이전에 존재했음에 틀림없는 (카발라에서 *말씀*으로 부르는) 그 대존재(Being)가 세운 어떤 *창조의 법칙*을 인식할 수 있도록 *인간 같은 마인드를 가진, 단지 무한하게 더 강력한, 어떤 존재의 개념에* 그가 너무 근접하게 되었다." ("측정의 근원," p. 5)

그러나 이것이 실질적인 셈족의 마인드를 만족시켰을지 모르지만, 동양의 오컬티스트는 그런 신의 제안을 거절해야 한다; 진실로 "인간 마인드 같은 마인드를

---

277 조하르 및 설명이 있는 (I. 마이어와 마더스) 두 가지 카발라 참조.

가진," 단지 무한하게 더 강력한, 그런 신, 존재는 창조 주기 너머에 어떤 여지를 가진 신이 아니다. 그는 영원한 우주의 *이상적인* 개념과 아무런 관련이 없다. 그는 기껏해야 *하위의 창조력들* 중에 하나이고, 그것의 전체를 "세피로스," "천상의 인간" 그리고 아담 카드몬, 플라톤의 두 번째 로고스로 부른다.

바로 이 개념이 카발라와 그 신비에 대한 가장 유능한 정의의 밑바탕에서 분명하게 보인다. 즉, 존 파커가 같은 문헌에서 인용하였듯이:

"카발라의 열쇠가 *사각형 속에 내접한 원의 영역에 대한 기하학적 관계* 혹은 입방체와 구체의 기하학적 관계로 생각되며, 이것은 직경과 원주의 관계를 만들면서 이런 관계의 수치가 적분으로 표현된다. 직경과 원주의 관계는 지고의 하나가 엘로힘 및 여호와의 (그 용어는 이런 관계에 대한 각각 숫자 표현으로, 전자가 원주, 후자가 직경이다) 신 이름과 연결되었기에 만물을 포용한다. 적분으로 원주와 직경의 두 가지 표현이 성서에서 사용된다: 1) 완전자(perfect) 그리고 2) 불완전자(imperfect). 이것들 사이의 관계 중에 하나는 완전자에서 불완전자를 빼면 직경의 값을 완전한 원의 원주 값의 단위로 남기거나, 완전한 원의 값을 갖는 혹은 원주의 인수를 갖는, 단위 직선을 남긴다." (p. 22)

그런 계산은 진화의 *세 번째* 단계 혹은 "브라흐마의 세 번째 창조"의 신비를 푸는 것 이상으로 더 심오하게 들어갈 수가 없다. 입문한 힌두인은 "원을 사각형으로 같은 면적을 만드는" 법을 유럽인 누구보다도 훨씬 더 잘 알고 있다. 그러나 이것에 대하여 더 많은 것이 차후에 있을 것이다. 사실 서구 신비가들은 그들의 추론을 우주가 "물질 속으로 추락하는" 그 단계에서만 시작한다. 카발라 문헌 전체에 두루 걸쳐서 우리는 "창조"의 기계적 그리고 생리학적 비밀뿐만 아니라 심리적 그리고 영적인 비밀을 암시하는 단 한 문장도 보지 못했다. 그러면 우리는 우주의 진화를 광대한 규모의 출산 행위의 원형으로 간주해야 하는가? "신성한" *남근 숭배*로서 그리고 사악하게 영감을 받은 저자가 했던 것처럼 그것에 대하여 열광적으로 말해야 하는가? 저자는 그렇게 생각하지 않는다. 그리고 그렇게 말하는 것이 정당화된다고 느낀다. 왜냐하면 모세오경 첫 장부터 마지막 장까지 모든 장면, 모든 인물 혹은 모든 사건이 가장 조잡하고 가장 야만적인 형태로 직접적으로 혹은 간접적으로 탄생의 기원과 연결되어 있다는 것을 보여주기에, 구약성서—비의적으로 뿐만 아니라 대중적으로—를 가장 신중하게 읽더라도 가장 열의 있는 탐구자에게 수학적 토대로 어떤 확신을 더 깊게 가져다주지 못하는 것처럼 보이기 때문이다. 이렇게 랍비들의 방법이 아무리 흥미롭고 천재적일지라도, 동양의 다른 오컬티스트들과 공동으로 이교도 방법을 선호한다.

그러면 십자가와 원의 기원을 찾아야 하는 것이 성서가 아니라 대홍수 너머이다. 그러므로 엘리파스 레비와 조하르로 돌아와서, 실습을 원리에 적용하면서, 그들은 "신은 원이고, 그 중심은 모든 곳에 있으며 원주는 어디에도 없다"고 말하는 파스칼에 전적으로 동의한다고 동양의 오컬티스트를 대신하여 답한다. 반면에 카발리스트들은 그 반대로 말하며, 그들 가르침을 베일로 가리기를 원한다. 하여튼 레비가 생각했듯이, 원으로 신성을 정의하는 것은 파스칼이 전혀 아니다. 프랑스 철학자가 그것을 머큐리 트라이스메기스터스나 쿠사 추기경의 라틴 문헌인 *"박식한 무지(De Docta Ignorantia)"*에서 빌려와서 사용한다. 더구나 그것은 파스칼에 의해서 왜곡된다. 그는 원문에 상징적으로 있는 "우주의 원(Cosmic Circle)" 단어를 *테오스(Theos)* 단어로 대체한다. 고대인들에게 두 단어가 동의어였다.

A. 십자가와 원(CROSS AND CIRCLE)

고대 철학자들 마인드 속에서 원의 형상에는 신성하고 신비스러운 어떤 것이 있다고 항상 여겨왔다. 고대 세계는 그 상징에서 범신론적 직관과 일치하면서 가시적 비가시적 무한성을 하나 속으로 결합시키면서 신성과 그것의 베일을 원으로 나타냈었다. 그 둘을 합쳐서 통일성으로 만들고, 그 둘에게 무차별하게 주어진 *테오스(theos)*라는 이름이 설명되며, 한층 더 *과학적*이고 철학적으로 된다. 플라톤이 그 단어(*테오스*)에 대한 어원학상 정의를 다른 곳에서 보여주었다. 그는 신성과 연결하는 천체의 운동으로 암시된 것처럼 그 단어의 유래를 동사 [*테인(theein)*] (*크라틸러스*) "움직이다"에서 찾았다. 에소테릭 철학에 따르면, 이 신성은, "밤"과 "낮" 동안에 (즉, 휴식 혹은 활동의 주기 동안에), *"영원한 끊임없는 운동,"* "언제나 보편적으로 실재하며 언제나 존재하는 존재, 그리고 언제나 되어가는 존재(EVER-

BECOMING)이다.” 이 후자는 근본적인 추상적 개념이고, 전자는 이 신성이 어떤 형태나 형상과 단절된다면 인간 마인드 속에서 가능한 개념이다. 그것은 영겁의 기간 동안 멈추지 않고 진보하여 원래의 상태—절대적 단일성(ABSOLUTE UNITY)—로 돌아가는, 끊임없는, 결코 멈추지 않는 진화이다.

작은 신들만이 더 높은 신들의 상징적 속성들을 가지고 다니게 되었다. 이렇게 “안(An)에서, 페르시아 분지의 거대한 고양이”로 나타나는 *라(Ra)*의 의인화, 즉 신 슈(god *Shoo*)가 (“*사자의 서*,” *의식* XVII., 45-47) 종종 이집트 기념물에서 원에 부착된 원소들, 혹은 네 부분의 상징, 십자가를 쥐고 앉아있는 것으로 표시된다.

바로 그 박식한 책인 제랄드 메시 씨가 쓴 “자연의 창세기”에서 (p. 408-455), “십자가의 위상학”이라는 제목에, 우리가 아는 어떤 다른 책보다 십자가와 원에 대하여 더 많은 정보를 가지고 있다. 십자가가 오래되었다는 증거를 기꺼이 갖고자 하는 사람은 이 두 권을 참고하면 된다. 저자가 “원과 십자가는 분리할 수 없다는 것을 보여준다 . . . 크럭스 안사타는 네 구석의 십자가와 원을 결합시킨다. 이 기원에서 종종 상호 교체될 수 있게 되었다. 예를 들면, 차크라 혹은 비쉬누의 원반이 원이다. 그 이름들은 회전, 순환, 주기성, 시간의 수레바퀴를 나타낸다. 이것을 가지고 신이 적에게 던지는 무기로 사용한다. 마찬가지로 토르가 그의 무기인 만자형(Fylfot), 네 발의 십자가 (스와스티카)이자 네 방위 유형을 던진다. 이렇게 십자가가 한 해의 원과 마찬가지이다. . . 수레바퀴 엠블럼은 상형문자 케이크와 앙크-테(Ankh-te) 를 묶듯이, 십자가와 원을 하나로 결합시킨다.”

이중 상형문자는 세속 사람들에게는 성스럽지 않고, 입문자들에게만 그렇다. 왜냐하면 라울-로쉐트는 “페니키아 동전 앞면에는 숫양이, 뒷면에는 이 기호 ♀ 가 나오는” 것을 보여준다 . . . . 종종 비너스의 거울로 불리는 그것이 재생산을 상징하였기 때문에 고린도인들이 새끼를 배게 하기 위한 귀중한 말들과 다른 아름다운 품종의 말들의 후반신을 표시하는데 사용되었다.” (라울-호쉐트, T 자형 십자가에 대하여, pl. 2, Nos. 8, 9, 또한 16, 2, “자연의 창세기” p. 320 에서 인용.)

이것은 그 초기 시절로 거슬러 멀리 올라가면, 십자가가 이미 인간 출산의 상징으로 되었고, 십자가와 원의 신성한 기원에 대하여 잊힌 것을 증명한다.

또 다른 형태의 십자가가 왕립 아시아 협회 저널에서 제시된다(xviii., p. 393, 4 번):

“네 모퉁이 각각에 타원형의 4 분의 1 의 아크(원호)가 놓이고, 그 넷을 합칠 때 타원형을 형성한다; 이렇게 그 형태가 십자가와 십자가 네 모퉁이에 상응하는 네 부분 둘레에 있는 원을 결합시킨다. 네 분할이 스와스티카 십자가와 토르의 만자형 네 발에 상응한다. 붓다의 네 잎 연꽃이 마찬가지로 이 십자가 중심에 그려지며, 연꽃은 이집트와 힌두 유형의 사방이다. 네 개 4 분의 1 원호를 합치면 타원을 형성하고, 그 타원이 십자가 팔 각각에 그려진다. 그러므로 이 타원은 지구의 길을 암시한다 . . . 두 분점과 두 지점(하지, 동지)의 십자가가 지구의 길의 그림 속에 놓여 있듯이, J. Y. 심슨 경은 여기 제시된, 다음 견본 을 복사하였다. 똑같은 타원형 혹은 배모양의 형상이 어떤 형태로 혹은 메루의 형태로 각 끝에 일곱 계단이 있는 힌두 그림에서 종종 나타난다.”

이것은 이중 그림문자의 천문학적 측면이다. 하지만 여섯 가지 측면이 있으며, 몇 가지를 해석하는 시도를 해 볼 수 있다. 그 주제가 너무 광대해서 그 자체로 여러 권의 책을 쓸 수 있다.

그러나 위에 인용된 문헌에서, 십자가와 원에 대하여 이집트인 상징들 중에서 가장 기묘한 것은 같은 성질의 아리안 상징에서 그것에 대한 온전한 설명과 마지막 색을 받는 것이다. 저자가 말한다:

“네 팔의 십자가는 단순히 네 구석의 십자가지만, 십자가 표시가 항상 단순한 것은 아니다.[278] 이것이 동일한 시작에서 발전된 유형으로, 후에 다양한 사상을 표현하기 위하여 채택된 것이다. 신, 파라오 그리고 미이라화된 사자 손에 가지고 있는

---

278 확실이 아니다; 왜냐하면 아주 자주 다른 상징을 상지하는 상징들이 있고 이것들이 그림 문자에서 사용되기 때문이다.

이집트의 가장 성스러운 십자가는 *앙크* ☥ 생명의 표시, 살아 있는 자, 맹세, 서약이다 . . . 이것 위에는 그림문자 루(Ru) 가 타오-십자가 위에 똑바로 서 있다. 루는 문, 게이트, 입구, 출구이다. 이것은 하늘의 북사분면에 *탄생 장소*를 표시하며, 거기서 태양이 다시 태어난다. 그래서 *앙크 기호의 루는 북쪽을 나타내는 탄생지의 여성적 유형이다.* "회전의 어머니(Mother of the Revolutions)"로 불린 *일곱 별의 여신이 북사분면 속에서* 가장 초기 주기에 시간을 낳았다. 하늘에서 만들어진 이 태초의 원과 주기의 첫째 표시는 앙크 십자가 형상 , 원과 십자가를 한 가지 이미지 속에 담고 있는 단순한 루프이다. 이 루프 혹은 올가미가 한 바퀴를 의미하는 것으로 나타낸 *어떤 시간, 끝, 어느 기간*의 표의문자, 그녀의 방주로서 *큰곰자라의 타이폰,* 가장 오래된 제니트릭스 앞에 지니고 있다.

"그러면 이것이 북쪽 하늘에서 큰곰자리에 의해서 만들어진 원을 나타낸다. 큰곰자리는 시간의 가장 초기 해(연)를 구성하였으며, 북쪽의 루프 혹은 루(Ru)가 그 부분, 앙크 상징의 루(Ru)로 그려질 때 시간의 탄생지를 나타낸다고 그것에서 추론한다. 이것이 진실로 증명될 수 있다. 올가미는 계산의 방주(Ark) 혹은 락(Rak) 유형이다. 앙크 십자가의 루(Ru)가 사이프러스 RO 와 콥트 로(Ro), P 에서 계속되었다.[279] 로(Ro)가 그리스 십자가 ☧ 속으로 들어가서, 로와 치(Chi) 혹은 R-K 로 구성되었다. 락 혹은 앙크는 이런 이유로 모든 *시작(Arche)*의 기호이고, 앙크-타이(Ank-tie)가 하늘의 뒷부분, 북쪽의 십자가이다. . . "

이제 이것이 다시 전적으로 천문학적 남근 숭배적이다. 인도의 푸라나 버전이 또다른 전체 색을 준다; 그리고 위의 해석을 파괴하지 않은 채 그것은 천문학 열쇠의 도움으로 그 신비의 일부분을 드러내며, 이렇게 더 형이상학적인 표현을 제공한다. "앙크-매듭" 은 이집트에만 속하는 것이 아니다. 그것은 시바가 그의 오른쪽 뒷팔 손에 280 가지로 있는 줄, 파사(pasa)라는 이름으로 존재한다

279 슬라보니아와 러시아 알파벳의 R도 라틴어의 P이다.
280 무어의 "힌두 판테온," 플레이트 xiii 참조.

(시바는 네 팔을 가지고 있다). 마하데바(Mahadeva)는 "타오 십자가 위에 루(Ru),  ,를 세워놓은 형태인" 세 번째 눈  을 가진 마하 요기(Maha-Yogi)로서 고행자 자세 속에서 나타난다. 파사는 첫째 손가락과 엄지 가까이 손이 십자가 혹은 루프와 십자가를 만드는 방식으로 간직된다.  우리의 동양학자들은 그것이 다루기 어려운 범죄자를 묶는 줄을 나타내는 것으로 생각하였다. 왜냐하면 실제로 칼리, 시바의 배우자도 어떤 속성으로 똑같은 것을 가지고 있기 때문이다!

*파사*는 여기서 시바의 *삼지창*과 모든 다른 신성한 속성처럼 이중의 의미를 가진다. 그 의미가 시바 속에 있다. 이집트인의 십자가가 우주적 신비적 의미에서 갖는 것처럼 루드라가 확실히 똑같은 의미를 가지고 있듯이. 시바 손에서 그것은 *링가*와 *요니처럼* 된다. 의미하는 것은 이것이다: 전에 말했듯이, 시바는 베다에서 그 이름으로 알려지지 않았다; 그리고 그가 위대한 신, 그 상징이 링감인 마하데바로 처음 나타나는 것이 바로 흰색 *야주르 베다*이다. 리그 베다에서 그가 루드라, "짖는 자(howler)," 유익한 신이자 동시에 해로운 신, 치유자이자 파괴자로 불린다. 비쉬누 푸라나에서, 그는 남성과 여성으로 분리되는 브라흐마 이마에서 나오는 신이고, 루드라 혹은 마루트들의 부모로, 반은 찬란하고 온순하며 다른 반은 검고 포악하다. 베다에서, 그는 순수한, 신의 상태로 돌아가길 열망하는, 신성한 자아(Ego)이고, 동시에 지상의 형태 속에 갇힌 신성한 자아로, 그의 격렬한 격정이 그를 "짖는 자," "끔찍한 자"로 만든다. 이것이 브리하다란야카 우파니샤드에서 잘 보여준다. 거기에서 루드라들, 루드라의 자손, 불의 신이 열 한번 째인 *마나스*와 함께 "열 가지 활기 호흡" (프라나, 생명)으로 불린다. 반면에 시바로, 그는 그 생명의 *파괴자*이다. 브라흐마는 그를 루드라로 부르고, 그에게 다른 일곱 이름을 준다. 그 이름들은 그의 일곱 현현의 형태들이고, 또한 재창조하기 위하여 혹은 갱생시키기 위하여 파괴하는 자연의 일곱 가지 힘이다.

그래서 그의 손에 있는 십자형의 올가미는 그가 *마하 요기*, 고행자로서 나타내어질 때, 어떤 남근 숭배의 의미를 갖지 않으며, 그것은 심지어 천문학 상징에서 그런 것을 발견하기 위해서는 이런 방향으로 노력한 강력한 상상력이 진실로 필요하다. "문, 게이트, 입, 출구의 장소"의 엠블럼으로서, 그것은 생리학적 의미의 "탄생지" 보다 훨씬 그 이상으로 천국의 왕국으로 가는 "좁은 문"을 나타낸다.

SIVA

그것은 진실로 "*원 속에 있는 십자가*"이자 "*크룩스 안사타*"이다; 그리고 *내면의* 인간이 경계선을 지나가자 마자, 무한한 원으로 넓어지는 그 좁은 원, 그 "좁은 문"을 요기가 지나가기 전에, 모든 인간적 격정이 십자가 위에 못박혀야 되는 십자가이다.

큰곰자리에 있는 일곱 리쉬들의 신비스러운 성운에 관하여, 만약 이집트가 그들을 "가장 오래된 제니트릭스 타이폰"에게 바쳤다면, 인도에서는 이 모든 상징들이 아주 오래 전에 시간 혹은 유가의 순환과 연결되었으며, 삽타리쉬(Saptarishis)는 우리 시대—어두운 *칼리 유가*—와 밀접하게 연결되어 있다.[281] 시간의 거대한 원은,

281 프랑스 카발리스트들의 거대한 단체의 사제이자 리더인 후작 생 이브 달베이드르가 "*유대인들의 사명*"에서 황금 시대로 묘사함.

표면상 인도에서 공상으로 거북이 (비쉬누의 아바타들 중에 하나인 시수마라 혹은 쿠르마)를 나타내지만, 성질상 별, 행성 그리고 성운의 구분과 위치로 그 위에 십자가를 가지고 있다. 이렇게 바가바타 푸라나 V., xxx.에서, *"그 동물의 꼬리 끝에서, 그 동물의 머리가 남쪽으로 향하고 체가 고리 (원) 형상으로,* 드루바 (이전 북극성)가 놓여있다; 그리고 *그 꼬리를 따라서* 프라자파티, 아그니, 인드라, 다르마 등등이 있다; 그리고 *그 허리를 가로질러* 일곱 리쉬들이 있다"고 말한다. 이것이 최초의 가장 초기의 십자가이자 원으로, 그것을 형성하는 데 (비쉬누로 상징되는) 신성, 무궁한 시간의 영원한 원, 칼라(Kala)가 들어가고, 그 표면 상에 모든 신들, 피조물 그리고 시간과 공간 속에서 태어난 창조들이 가로질러 있다; - 철학에서 말하듯이, 모든 것이 마하 프랄라야에 죽는다.

한편 우리의 칠중 생명 주기에서 사건들의 시간과 지속기간을 표시하는 것이 바로 그들, 일곱 리쉬들이다. 그들은 그들의 부인이라고 추정되는 플레이아데스 만큼이나 신비스럽다. 플레이아데스 중에 하나—숨어 있는 그녀—만이 정숙한 것으로 증명된다. 플레이아데스 (크리띠카)는 전쟁의 신 (서구 이교도들의 마르스), 카르띠케야의 유모들로, 천상의 군대들—혹은 싯다스 (하늘의 있는 요기 그리고 지상에 있는 성자로 번역됨)—의 사령관, "싯다-세나(Siddha-sena)"로 불린다. 이것이 (싯다-세나) 카르띠케야를 "천상의 무리의 리더"인 미카엘과 동일하게 만들 것이며, 자신처럼 순수한 *쿠마라*와 동일하게 만들 것이다.[282] 진실로 그가 *신비로운 하나*, "구하(Guha)"로, 삽타리쉬와 크리띠카만큼 (일곱 리쉬와 플레이아데스) 그렇다. 왜냐하면 이 모든 것을 합쳐서 해석하면 오컬트 성질의 가장 위대한 신비를 초인에게 드러내기 때문이다. 십자가와 원의 이 질문에서 한 가지 언급할 가치가 있는 것이 있다. 왜냐하면 그것이 불과 물 원소에 강력하게 영향을 주고, 이것들이 원과 십자가 상징에서 매우 중요한 역할을 차지하기 때문이다. 아버지의 참여 없이, 어머니 홀로 해서 태어났다고 오비드가 주장한 마르스처럼, 혹은 아바타 (예를 들어, 크리슈나)처럼, 동양처럼 서구에서—카르띠케야가 한층 더 기적 같은 방식으로 태어난다—아버지나 어머니 없이, 갠지스 강으로 그 씨앗을 떨어뜨린 아그니를

---

282 그가 트리푸라수라(Tripurasura)와 타이탄 타라카(Taraka)의 유명한 살육자이기 때문에 더 그렇다. 미카엘은 용의 정복자이고, 인드라와 카르띠케야가 종종 동일하게 여겨진다.

거쳐서 루드라 시바의 씨앗에서 태어난다. 이렇게 그가 *불과 물*에서 태어난다—"태양같이 밝고 달같이 아름다운 소년." 그래서 그가 *아그니부바* (아그니의 아들)와 *강가-푸트라* (강가의 아들)로 불린다. 이것에다가, 마츠야 푸라나가 보여주듯이, 크리띠카, 그의 유모들이 아그니에 지휘를 받는다는 사실을 혹은 신뢰할 수 있는 말로 하면—"일곱 리쉬가 찬란한 아그니와 한 선 상에 있다"를 추가해보라. 그래서 아그네야(Agneya)로 불린다 그러면 그 연결관계를 쉽게 따라가게 된다.

그래서 칼리-유가, 죄와 비애의 시대의 시간과 기간을 표시하는 것이 리쉬들이다. 바가바타 기타 XII., 11, 2, 6, 32 와 비쉬누 푸라나를 보라. 후자에서 말한다: "비쉬누(크리슈나)의 광휘가 하늘에서 떠났을 때, 그때 인간이 죄로 기뻐하는 시대인 칼리 유가가 세계를 침입한다 . . . 일곱 리쉬가 마가(Magha)에 있을 때, (유한자들의 432,000 년) (신성한) 1,200 년을 구성하는 칼리 유가가 시작되었다; 그리고 마가에서, 그들이 푸르바샤다(Purvashadha)에 도달할 때, 그때 이 칼리 유가가 난다와 그의 후계자 아래서 그 성장을 이룰 것이다."[283] 이것이 리쉬의 순환이다. "일곱 리쉬(큰곰자리)의 두개의 첫째 별이 하늘에 떠서, 어떤 달의 별자리가 그것들 사이에 같은 거리에서 밤에 보일 때," 이것이 리쉬의 순환이고, "그러면 일곱 리쉬가 백 년 동안 그 결합 속에서 정지된 채로 계속 있게 된다"고 난다의 혐오자가 파라사라로 하여금 말하게 만든다. 밴틀리에 따르면, 분점들의 세차의 양을 보여주기 위하여, 이런 개념이 천문학자들 사이에서 기원하였다. 그것은 "큰곰자리에 있는 어떤 별들을 가로지른다고 추정되는 원, 즉 고정된 마가의 시작과 황도대의 극들을 지나가는, 가상의 선 혹은 거대한 원을 가정함으로써" 이루어졌다. 일곱 별이 리쉬들이고, 그렇게 가정된 원이 리쉬들의 선이며 . . . 달 별자리 마가의 시작에 변함없이 고정되어 있기에, 그 세차는 지표로서 그 선 혹은 원으로 잘린 움직일 수 있는 달의 저택의 정도(도)를 정함으로써 알게 될 것이다." ("힌두 천문학의 역사적 관점," p. 65)

---

283 난다(Nanda)는 최초 불교도 군주, 찬드라굽타로, 모든 브라만들이 그에 대항해서 정렬하였다; 그는 모리야 왕조 출신이고, 아쇼카의 할아버지이다. 이것이 최고 푸라나 사본에 존재하지 않는 구절들 중에 하나이다. 그것들은 바쉬나바에 의해서 추가되었고, 그들은 기독교 교부들이 그랬던 만큼 많이 삽입하였다.

힌두인들의 연대기에 대하여 얼핏 보기에 끝없는 모순이 있었고, 여전히 존재한다. 일곱 리쉬의 상징 체계와 플레이아데스와 그들의 관계가 시작되었을 때 그 연대를 결정하는데 도움을 될 수 있는 점이 있다. 카르띠케야가 길러지도록 신들에 의해서 넘겨졌을 때, 카르띠카는 여섯만 있었다—거기서 카르띠케야가 *여섯 머리*를 가진 것으로 나타내어졌다; 그러나 초기 아리안 상징학자들의 시적인 공상으로 그들을 일곱 리쉬의 배우자로 만들었을 때, 그들은 *일곱이었다*. 그들의 이름이 주어지고, 그 이름은 이렇다: 암바(Amba), 둘라(Dula), 니타투이(Nitatui), 아브라얀티(Abrayanti), 마가얀티(Maghayanti), 바르샤얀티(Varshayanti), 그리고 추푸니카(Chupunika). 하지만 다른 조합의 이름들이 있다. 하여튼 일곱 번째 플레이아드가 사라지기 전에 일곱 리쉬가 일곱 크리따카와 결혼하는 것으로 만들었다. 그렇지 않다면, 어떻게 힌두 천문학자들이 가장 강력한 망원경의 도움 없이 아무도 볼 수 없는 그것에 대하여 말할 수 있을까? 이것이 아마도 모든 경우에 힌두인의 비유에서 묘사된 사건들 대부분이 "확실히 기독교 시대 *안에서* 매우 최근의 발명"으로서 고정된 이유이다.

산스크리트어로 된 천문학에 대한 가장 오래된 사본은 *낙샤트라* (27 개 달의 별자리) 시리즈로 *크리띠카* 사인으로 시작하며, 이것으로 그 사본들이 기원전 2780 년보다 더 이전으로 거의 만들 수가 없다. (심지어 동양학자들도 받아들인 "베다 달력" 참조); 비록 말한 달력으로 힌두인들이 그 시대에 천문학에 대하여 알았다는 것을 증명하지 못한다고 말함으로써 그들이 어려움에서 나오더라도, 그들이 독자들에게, 달력에도 불구하고 인도 학자들은 크리띠카가 선두에 있는 달의 저택들에 대한 지식을 페니키아인 등으로부터 획득하였을 것이라고 단언한다. 그것이 아무리 그렇더라도, 플레이아데스가 항상 상징 체계의 중심 그룹이다. 그들은 타우러스 성운 목에 위치하고 있으며, 마들러와 다른 사람들에 의해서, 천문학에서 은하수 체계의 *중심 그룹으로*서 간주되었고, 카발라와 동양의 비의 가르침에서, 상위 삼각형, 숨겨진 △ 의 최초 현현 측면에서 태어난 *항성(별)의 칠중구조*로 간주되었다. 이것의 현현된 면이 *타우러스*, 하나(ONE) (숫자 1)의 상징 혹은 해브루 알파벳 *알레프* א (황소)의 첫째 글자의 상징으로, 그것의 통합이 열(10) 혹은 *요드* י 완전한 글자이자 숫자이다. 플레이아데스 (특히 알시오네)가 이렇게 천문학에서도 *우리의 우주가 주위를 회전하는 항성들의* 중심점으로, 그리고 *신성한 숨결*,

대운동(MOTION)이 만반타라 동안 끊임없이 작용하는 초점으로 간주된다. 그래서—오컬트 철학과 그것의 별의 상징에서—이 가장 두드러진 역할을 하는 것이 그 표면에 있는 별의 십자가와 이 원이다.

씨크릿 독트린에서 가르친다. 우주 자체뿐만 아니라 우주 속에 있는 모든 것이 주기적 현현 동안에 현상계 안에서 언제나 존재한 미지의 힘(하여튼 현재 인류에게는 알려지지 않은)의 대숨결(BREATH)에 의해서 시작된 가속된 대운동(MOTION)으로 형성된다고 가르친다. 생명과 불멸의 영은 모든 곳에서 원으로 상징되었다: 그래서 뱀이 그 꼬리를 물고 있는 것이 무한성 속에 있는 대지혜의 원을 나타낸다; 천문학의 십자가처럼—원 속에 있는 십자가와 두 개 날개가 추가된 구체로, 이집트인의 성스러운 '*스카라베*'가 되며, 그 이름 자체가 그것에 붙여진 비밀의 개념을 암시한다. 왜냐하면 스카라베는 이집트에서 (*파피루스에서*) "되다"라는 동사 *코프론*(*Khopron*)에서 온 *코피론*(*Khopirron*)과 *코프리*(*Khopri*)로 불리며, 이렇게 해방된 혼의 다양한 여행과 재화신을 통하여, 인간 생명과 인간의 연속되는 *되어감*(*becomings*)의 상징이자 표시가 되었다. 이 신비적 상징은 이집트인들이 환생과 불멸의 신체의 연속적인 삶과 존재를 믿었다는 것을 명확하게 보여준다. 하지만 대사제와 왕 입문자들이 지원자에게 신비의식 동안에만 드러낸 비의 가르침이기에, 그것이 비밀로 간직되었다. 무형의 지성 (행성영 혹은 창조력)은 항상 원의 형태 하에서 나타내어졌다. 대사제들의 원시 철학에서 볼 수 없는 이 원은 모든 천상의 구체들의 원형이 되는 원인이자 건설자들이었고, 그 하늘의 구체들은 *볼 수 있는* 그들의 체 혹은 외피였으며, 그들이 그것들의 혼이었다. 그것은 확실히 고대에 보편적인 가르침이었다. (에스겔 1 장 참조.)

프로클로스가 말하길 (*유클리드의 원소 5 권*), "수학의 숫자 이전에, *스스로 움직이는* 숫자들이 있다; 분명한 숫자들 이전에—활기 숫자(vital figures), 그리고 *원 속에서 움직이는* 물질 세계를 만들기 이전에, 창조력이 *보이지 않는* 원을 만들었다."

"*그리고 확실히 신은 원형이다*(*Deus enim et circulus est*)." — 주피터에 대한 찬가에서 페레키데스가 말한다. 그것은 헤르메스 금언이었고, 피타고라스가 명상 시간 동안에 그런 원형의 부복과 자세를 규정하였다. "헌신자는 가능한 한 최대로 완전한 원의 형태로 접근해야 한다"고 "비밀의 서"에서 규정한다. 누마가 사람들 사이에서 똑같은 습관을 퍼뜨리려고 노력하였으며, 피에리우스가 [284] 그의 독자들에게 말한다; 그리고 플리니가 말한다: "우리가 예배하는 동안, 우리는 우리의 체를 말하자면 원으로 둥글게 만든다." "*모든 체가 원으로 움직인다.*" [285] 선지자 에스겔이 구조가 "바퀴 가운데 바퀴 하나가 *있던* 것처럼," "땅 위에 있는 *바퀴*에서" 나온 *회오리-바람*을 우러러보았을 때, 그의 비전이 원의 신비주의를 강력하게 환기시킨다. (에스겔서, 1 장 15, 16 절) . . . "왜냐하면 살아 있는 피조물의 영이 바퀴 속에 있었기 때문이다." (20 절)

"*영*(*Spirit*)이 계속 회전하고 그의 순환에 따라서 다시 돌아간다"고 솔로몬이 말한다 (전도서 1 장 6 절). 이 구절의 영문 번역에서는 "바람(Wind)"을 말하고, 원전 본문에서는 "*영*"과 "*태양*(*Sun*)"을 말한다. 그러나 카발라 설교자의 유일하게 진정한 용어집인 조하르에서 다소 막연하고 이해하기 어려운 이 구절을 설명하는 데 "태양이 순환으로 움직인다고 말하는 것처럼 보이며, 반면에 그것은 성령으로 불린 *태양 아래* 영을 말하고, 양쪽을 향해서, 순환으로 움직이며, 그것들(그것과 태양)이 *똑같은 대본질 속에서 결합되어야 한다*"고 말한다. (조하르, 2 절판, 87, col. 346.)

창조신, 브라흐마가 안에서 나오는 브라만교의 "황금알"은 피타고라스의 "중심점을 가진 원"이고, 맞는 상징이다. 씨크릿 독트린에서 숨겨진 단일성(UNITY)— 파라브라흐맘(PARABRAHMAM) 혹은 공자의 "대극(GREAT EXTREME)"을 나타내건, 혹은

---

284 *피에리우스 발레리아노.*

285 여신 여신 파쉬트(Pasht) (혹은 바쉬트)는 고양이 원리를 가진 것으로 나타내어졌다. 이 동물은 이집트에서 몇 가지 이유로 신성하게 되었다: 밤에 "오시리스의 눈" 혹은 "태양," 달의 상징으로서. 고양이가 소키트(Sokhit)에게 바쳐졌다. 신비한 이유들 중에 하나는 고양이가 잠잘 때 그 체를 *원형으로* 말아서 자기 때문이었다. 고양이가 두드러지게 가지고 있는 활기 유액의 순환을 어떤 방식으로 조절하기 위하여, 그 자세가 오컬트 목적과 자성적 목적 때문에 규정된다. "고양이의 아홉 개 생명"은 훌륭한 생리학적 그리고 오컬트 이유에 근거해서 전승되는 속담이다. G. 메시 씨도 천문학적 이유를 제공하며, 1 권 "상징체계"에서 볼 수 있다. "고양이는 태양을 보았고, 사람들이 보지 못할 때, 그것을 밤에는 눈 속에 가졌다 (밤의 눈이었다) (왜냐하면 달이 태양의 빛을 반사하듯이, 고양이가 인광성 눈 때문에 태양을 반사하는 것으로 추정되었기 때문이다) . . . 우리가 *거울*을 가지고 있기 때문에, 달이 태양빛을 반사한고 말할 수 있다. 이집트인들에게 고양이 눈이 그 거울이었다.

프타(PHTA)에 의해서 숨겨진 신, 영원한 빛 혹은 다시 유대인의 아인-소프를 나타내건—은 항상 원으로 혹은 "영(naught)"으로 상징된 것으로 보인다—절대적 *아무것도 아님*(*No-Thing*) 혹은 없음(Nothing). 왜냐하면 그것은 무한하고 전체이기 때문이다; 반면에 (그 작업으로) 현현된 신은 *그 원의 지름*으로 언급된다. 근저에 놓여 있는 생각의 상징 체계가 이렇게 분명하게 된다: 원의 중심을 가로질러 지나가는 직선은 기하학적 의미에서 길이를 가지고 있지만, 폭이나 두께를 가지고 있지 않다: 그것은 영원을 가로질러서 *현상 세계의* 존재계에서 있게 된 상상의 여성 상징이다. 그것은 *차원이 있고*, 반면에 원은 차원이 없다 혹은 대수학 용어를 사용하면, 그것은 방정식의 차원이다. 그 생각을 상징하는 또 다른 방법이 이중의 숫자 *10* (1 과 원 혹은 0)에서 통합하는 피타고라스학파의 신성한 *데카드*에서 보인다. 10 은 절대적 전체(ALL)가 말씀 혹은 창조의 발생력으로 스스로 현현한다.

B. 물질 속으로 십자가의 추락(THE FALL OF THE CROSS INTO MATTER)

영(nought) 혹은 0이 고대 어느 기간에 최초로 나타나는지 지금까지 그것이 아직 확증되지 않았다고 반대하면서 피타고라스파의 이 상징에 대하여 논쟁하고 싶은 사람들은 아이시스 언베일드 2권, pp. 299, 300 이하를 참고하기를 바란다.

논의를 위하여 고대 세계가 아라비아 숫자 혹은 우리의 계산 방식을 알지 못했다는—알았다는 것을 우리가 알지만—것을 인정하면서, *원*과 *지름*에 대한 개념이 우주발생론에서 최초 상징이었다는 것을 보여주는 것이 거기 있다. 복희의 *괘* 이전에, 양(Yang), 통일성 그리고 음(Yin), 2개조가 있다고 엘리파스 레비가 교묘하게 설명하였다 (상위 매직의 도그마와 의례, 1권, p. 124): — 중국은 중국의 공자와 노자를 가졌다. 공자는 "태극(great extreme)"을 가로지르는 수평선을 가진 원 속에 에워싼다; 노자는 거대한 원 아래에 세 개 동심원을 놓는 반면, 송의 현자들은 "태극"을 윗부분 원에서 그리고 하늘과 지구를 두 개 아랫부분 작은 원 속에서 보여주었다. 양(Yang)과 음(Yin)은 훨씬 후대의 발명이다.

Yang - Yin.

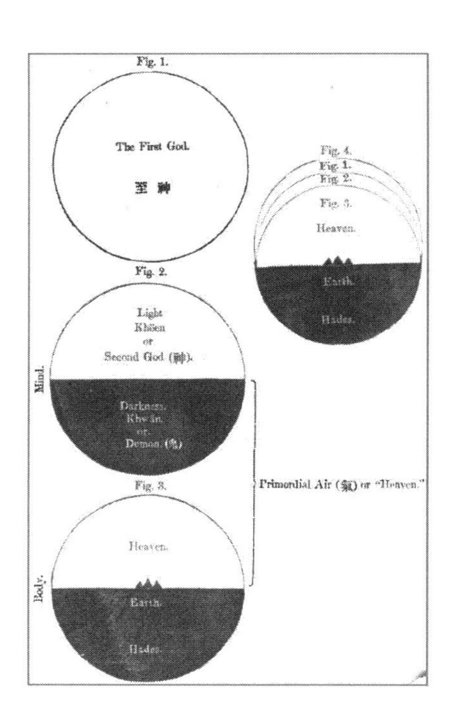

플라톤과 그의 학파는 신성을 결코 다른 방식으로 이해하지 않았으며, 그럼에도 불구하고 그가 "만물 위에 신(**ὁ ἐπὶ** πᾶσι θε**ός**)"에게 적용한 많은 별칭이 있다. 플라톤은 입문하였기에, 인격신—인간의 거대한 그림자—을 믿을 수가 없다. "군주(monarch)"와 "우주의 입법자(Law-giver)"라는 그의 별칭이 모든 오컬티스트가 잘 이해한 추상적 의미를 가진다. 기독교인 못지 않게, 오컬티스트는 우주를 지배하는 하나의 대법(One Law)을 믿으며, 동시에 그것이 불변이라고 인식한다. 그가 말하길, "모든 유한한 존재들과 이차적 원인들, 모든 법칙, 개념과 원리들 너머에, 대지성(INTELLIGENCE) 혹은 마인드(MIND) [누스(nous)], 모든 원들의 최초 원리, 모든 다른 이데아들이 토대를 두고 있는 지고의 이데아(Supreme Idea) . . . *만물이 그들의 존재와 본질을 가져오는 궁극의 질료*, 우주를 침투해 있는 모든 질서, 그리고 하모니, 그리고 미와 탁월함, 그리고 선함의 최초이자 효율적인 원인이 있다"—그는 출중함과 탁월성으로 지고의(Supreme)[286] 선(good), "신(ὁ θεός))" 그리고 "만물 위의 신(god over all)"으로 불린다. 이 말은 "창조자"나 근대 일원론자의 "아버지"에게 적용하는 것이 아니라, 이상적 추상적 원인에 적용한다는 것을 플라톤 자신이

286 코커, "기독교와 그리스 철학," xi., p. 377.

보여준다. 왜냐하면 그가 말하듯이, "이 *데오스*(θεός), 만물 위의 신은 진리나 지성이 아니라, 그것의 아버지" 그리고 원초의 원인(Primal cause)이기 때문이다. 태고의 현자들 중에서 가장 위대한 제자인 플라톤은 자신이 현자로 이 생에서 단 하나의 성취 목적만이 있었으며—실재의 지식(REAL KNOWLEDGE)—가장 사소한 도발에도 인간을 저주하고 비난한 신을 믿었을까?[287] 단순히 겉으로 보이는 것에 반대되는 *실재로 존재하는* 지식을 소유한 사람들을 진정한 철학자이자 진리의 학생들이라고 생각한 그는 아니다; 일시적인 것에 반대되는 항상 존재하는 지식; 그리고 커지고, 약해지고, 번갈아 가며 발전하고 파괴되는 것에 반대되는 *영원히* 존재하는 그것에 대한 지식을 소유한 사람들을 진정한 철학자이자 진리의 학생으로 생각한 그는 아니다.[288] 스페우시포스와 크세노크라테스도 그의 발자취를 따랐다. 하나(ONE), 원래(original)는 유한한 인간이 적용하는 의미에서 존재를 가지고 있지 않았다. "*티미온*(τίμιον) 영예로운 하나(honoured one)는 둘레에 거주하듯이 중심에 거주하지만, 그것은 신성—세계 혼[289]—의 반사에 불고하다—원의 표면의 계이다. 십자가와 원은 보편적인 개념이다—인간의 마인드 자체만큼 오래된 것이다. 그것들은 말하자면 긴 시리즈의 국제적 상징의 리스트에서 가장 앞에 있으며, 그것들이 심리학적 그리고 심지어 생리학적 신비와 직접 관련 있는 것은 별개로 하더라도, 그것은 매우 자주 위대한 과학적 진리를 표현하였다; 이 상징은 이런 종류 중에 하나이고, 가장 오래된 비의적 우주발생론에 토대를 두고 있다.

엘리파스 레비가 말할 것처럼, 신(God), 보편적 사랑(Love)이 남성 단위(unit)가 여성 2개조 속에 심연 혹은 카오스를 파헤쳐서 거기서 세계를 만들었다고 말하는 것은

---

287 몽로지에 백작이 그의 책 "인간 생명의 신비"(p.117)에서 말한 절망의 외침은 우주에 스며들어 있다고 플라톤이 생각한 "탁월성과 선함"의 원인이 *그의* 신이나 *우리의* 세계도 아니라는 보증이다. "한편으로 그런 광대함을 보고 그리고 다른 한편으로 많은 비애를 보며, 이 거대한 전체를 연구하기 시작한 영은 *한층 더 광대하고 더 엄격한 신성*이 분쇄하고, 산산조각 내서, 전체 우주에 두루 단편들을 흩어지게 만들었다는 얼마나 위대한 신성을 누가 아는지 그려본다." 그렇게 "선하다"고 추정되는 이 세계의 신보다 "한층 더 위대하고 그리고 한층 더 엄격한 신성"이 카르마이다. 그리고 이 진정한 신성이 더 작은 신, 즉 우리 내면의 신 (당분간 인격신)은 더 작은 원인들을 발생시키는 우리의 행동으로 깨어난 대원인(Cause), 응보의 법칙으로 불리는, 더 거대한 신성의 강력한 손을 저지할 힘을 가지고 있지 않다는 것을 잘 보여준다.

288 "아이시스 언베일드," *베일 전에*, xii (1권).

289 플라톤: "파르메니데스," 141, E.

설명이 아니다. 어느 것 못지않게 조잡한 개념일 뿐만 아니라, 그것은 너무 인간 같은 신의 방식들 때문에 존경을 잃지 않은 채 그것을 상상하는 어려움을 제거하지 못한다. 그런 인격화된 개념을 피하기 위해서 입문자들은 우주에 있는 하나의 유일무이 원리(One and Secondless Principle)를 지칭하는 데 "신(God)"이라는 별칭을 결코 사용하지 않는다; 그리고—이렇게 전세계 씨크릿 독트린의 가장 오래된 전통에 충실하게—그들은 절대적 완성에 의해서 그런 불완전하고 종종 매우 깨끗하지 않은 작품이 만들어질 수 있다는 것을 부인한다. 여기서 한층 더 거대한 형이상학적 어려움을 언급할 필요가 없다. 추론적 무신론과 바보스러운 신인 동형론 사이에 어떤 철학적인 평균(중용)과 어떤 조정이 있어야 한다. 모든 성질에 두루 보이지 않는 원리의 실재, 그리고 지상에서 그것의 최고 현현인 인간만이 그 문제를 푸는 데 도울 수 있으며, 그 문제는 수학자의 문제로 그 x가 지상의 대수학의 이해를 언제나 벗어난다. 힌두인들은 그들의 아바타로 그것을 풀려고 노력하였고, 기독교인들은 그들의 하나의 신성한 화신으로 풀었다고 생각한다. 대중적으로 둘 다 틀리다; 비의적으로 둘 다 진리에 매우 가깝다. 서구 종교의 사도들 중에서 바울만이 십자가의 고대 신비를—실제로 드러내지는 않았더라도—이해한 것처럼 보인다. 보편적 실재(Universal Presence)를 통합해서 개체화시킴으로써, 이렇게 그것을 하나의 상징—십자가 속에 있는 중심점—으로 통합하는 나머지 사도들의 경우, 그들은 그들이 크리스트 가르침의 진정한 영을 결코 잡지 못했다는 것을 보여주었으며, 그들의 해석으로 그들은 그것을 한 가지 방식 이상으로 품위를 떨어뜨렸다. 그들은 그 보편적 상징의 영을 잊어버렸고 이기적으로 그것을 독점하였다—마치 무궁과 무한성이 한 인간 혹은 심지어 한 국가 속에 개체화된 하나의 현현으로 제한되고 조건화될 수 있는 것처럼!

"X"의 네 팔, X자형 십자가 그리고 "헤르메스"의 네 가지가 사방위를 가리키는 것으로, 그것이 수 천년 전에 유럽에서 그것에 대하여 듣기 전에, 힌두교도, 브라만 그리고 불교도의 신비적인 마인드가 잘 이해되었다; 그리고 그 상징은 전세계에 걸쳐서 있었고 발견되었다. 그들은 그 십자가의 끝을 구부려서 그것을 스와스티카(卐)로 만들었으며 이제는 몽골 불교도의 만자가 되었다.[290] 그것은

290 *스와스티카는* 확실히 고대 인종들의 가장 오래된 상징들 중에 하나이다. 케네스 R.H.멕켄지

"중심점"이 아무리 완전하더라도 한 개인으로 제한되지 않는다는 것을 내포한다. 그 원리 (신)가 인류 속에 있고, 나머지 모두처럼, 대양 속에 있는 물방울처럼, 인류가 그 속에 있으며, 네 끝은 사방위점을 향하며 그래서 무한성 속에서 사라진다.

입문자, 이사림(Isarim)이 헤브론에서 헤르메스의 죽은 육체 위에서 잘 알려진 에메랄드 태블릿을 발견하였다고 말하며, 그것은 헤르메스 지혜의 본질을 간직하고 있다고 말해진다. . . . "불에서 땅을 분리시키고, 조잡한 것에서 섬세한 것을 분리시켜라 . . . 땅에서 하늘로 상승하고 그리고 다시 땅으로 하강하라"라고 그 위에서 발견되었다. 십자가의 수수께끼가 이 단어들 속에서 간직되어 있고, 그것의 이중 신비가 풀린다—오컬티스트에게.

"철학적 십자가, 반대 방향으로 뻗어가는 두 선, 수평선과 수직선, 높이와 너비는 기하학 원리를 적용하는 신이 상호 교차하는 점에서 나누고, 마법뿐만 아니라 과학의 사중체를 형성하는 것으로, 그것이 완전한 사각형 속에 내접될 때, 오컬티스트의 토대가 된다. 그 신비한 영역 속에 모든 과학, 물질 과학뿐만 아니라 영적인 과학의 문을 여는 만능 열쇠가 있다. 그것은 우리 인간의 존재를 상징한다. 왜냐하면 생명의 원이 십자가 네 점을 둘러싸고, 그 네 점은 연속적으로 탄생, 삶, 죽음 그리고 불멸을 나타내기 때문이다.

"연금술사들이 말하길, '그대 자신을 다음과 같은 방식으로 배치된 테트라그램의 네 글자에 불이라: 그대가 처음에는 그것들을 구분할 수 없을지라도, 입에 담을 수 없는 이름의 글자들이 거기 있다. 전달할 수 없는 금언이 카발라적으로 그 속에 간직되어 있고, 이것이 대스승들이 마법의 신비로 부르는 것이다.'" ("아이시스 언베일드.")

다시: 타오 T 와 이집트의 천문 십자가 ⊕가 팔렝케 유적의 몇몇 구멍들에서 눈에 띈다. 앉아 있는 인물 바로 밑에 그림문자로서 조각된, 팔렝케 궁전 서쪽면에

가 말하길, 우리 세기에, 그것(스와스티카)은 "메이슨 형제단에 있는 말레트(나무망치) 형태 속에서 살아남았다. 하지만 저자가 그것에 대하여 제시한 많은 "의미들" 중에서, 우리는 가장 중요한 것을 발견하지 못하고, 메이슨들은 그것을 분명히 모른다.

있는 부조들 중에 하나에, 타오(Tau)가 있다. 서 있는 인물이 첫 번째 인물 앞으로 굽히며 입문의 베일을 든 왼손으로 그의 머리를 덮는 행동을 한다; 반면에 중지와 검지로 하늘을 가리키면서 오른손을 뻗는다. 위치가 축복을 주는 정확한 기독교 주교의 위치이거나, 예수께서 마지막 만찬 동안에 자주 나타내어진 위치이다. . . "이집트 대사제는 그의 역할을 하는 동안에 항상 그가 입어야 하는 사각형의 머리 장식을 썼다. . . 완전한 타오는 수직선 (하강하는 남성 광선)과 수평선 (물질, 여성 원리)으로 구성되고 세계의 원은 아이시스의 속성이었으며, 죽음에서만 이집트인의 십자가가 미이라 가슴 위에 놓여 졌다." 이 사각형 모자를 지금까지 아르메니아 사제들이 쓰고 있다. 불가타 성서에서 번역되었듯이, 주(Lord)를 두려워한 (에스겔 ix. 4) 유다 사람들 이마에 *타오 인장*을 찍는 에스겔을 발견할 때, 십자가가 우리 시대에 소개된 순전히 기독교 상징이라는 주장이 진실로 이상하다. 고대 유대인에서는 이 표시가 이렇게 ✕ 생겼지만, 원래 이집트 그림문자에서는 완전한 기독교 십자가로서 † (*타트:Tat*, 안정성의 엠블럼)이다. 요한계시록에서도, "알파와 오메가" (영과 물질), 첫째와 마지막이 선택받은 사람들 이마에 그의 아버지 이름을 찍고 (p. 323, 2권), 모세는 출애굽기 xii. 22에서 "주 신(Lord God)"이 실수해서 심판받을 이집트인들 대신에 선택된 그의 사람들을 죽이지 않도록, 그의 사람들에게 문설주와 상인방에 피로 표시하라고 명령한다. 그리고 이 표시는 타오이다! 동일한 이집트인이 십자가를 다루었고, 그 십자가 부적 반을 가지고, 필레에 있는 조각 잔해에서 보이듯이, 호루스가 사자를 일으켰다.

*스와스티카*와 *타오*에 대하여 본문에서 충분히 말했다. 진실로 십자가가 헤아릴 수 없는 태고 시대 심연 속으로 추적될 수 있다. 우리가 그것을 이스터 섬 동상에서 발견할 때, 그것의 신비가 분명해지기 보다 더 깊어진다—타오와 스와스티카로 암석 위에 조각된 고대 이집트, 중앙 아시아 그리고 기독교 이전 스칸디나비아 전역에서! "헤브르 이집트 신비"의 저자가 그것이 다시 고대로 던지는 끝없는 신비 앞에 당혹해하며, 그는 그것을 어느 특정 국가나 인간으로 추적할 수 없다. 그가 번역으로 애매해진, 유대인에 의해서 전해진, 타르굼 (구약성서의 아랍어 부분역)을 보여준다. 아랍어로 된 여호수아 (viii. 29)와 *요나단의 타르굼*에서, 말한다: "*아이(Ai)의 왕을 그가 나무 위에 못박았다.*" *70인역*의 표현은 *이중의 말씀*에 매달려 있다는 것이다.

(여호수아에 대한 워즈워드) . . . 이런 종류의 가장 이상한 표현이 민수기에 xxv. 4에, 온켈로스(?)가 이렇게 읽는다: “태양을 *등지고* 주(여호와) 앞에 그들을 십자가에 못 박아라.” “여기서 단어 יקע, *못박다(to nail to)*가 불가타에서 *십자가에 못박다(to crucify)*로 적절하게 (프에르스트) 표현되었다. 이 문장 구성이 매우 신비하다.” 그렇다, 그러나 그것의 정신이 언제나 오해되어 왔다. “태양 (등지고가 아니라) 앞에서 십자가에 못박는 것”은 입문에서 사용된 구절이다. 그것은 이집트에서 오며, 일차적으로 인도에서 온다. 입문의 신비의식에서 그 열쇠를 찾는 것으로만 그 수수께끼가 풀릴 수 있다. 입문을 받은 초인이 모든 시험을 성공적으로 통과한 후에 부착되고, 못박히는 것이 아니라, 깊은 잠 속에 빠져서 단순히 네 개의 연장 부분이 없는 (卐이 아니라, 이렇게 +) 스바스티카의 타오(T) 형태의 카우치 위에 묶인다. (소아시아, 시리아 그리고 심지어 상 이집트에서 오늘날까지 입문자들 사이에서 “실로암의 잠”으로 불린다.) 그는 3일 낮과 3일 밤 동안 이 상태로 있게 되며, 그 기간 동안에 그의 영적인 자아가 “신들”과 담소를 나누고, (나라에 따라서) 하데스, 아멘티 혹은 파탈라로 내려가서, 인간의 혼 혹은 엘리멘탈 영이건 보이지 않는 존재들에게 자비의 일을 한다고 말한다; 그의 육체는 사원 지하실이나 지하 동굴에 항상 그대로 있게 된다. 이집트에서 그것은 꾸푸의 피라미드 왕의 방에 있는 석관 속에 놓이며, 다가오는 셋째 날 밤에 지하 복도 입구로 옮겨진다. 거기서 특정 시간에 떠오르는 태양의 광선이 깨어나서 오시리스와 지혜의 신 토트에 의해서 입문된 황홀 상태의 후보자 얼굴에 가득히 비추었다.

그 진술을 의심하는 독자가 부인하기 전에 헤브르 원전을 참조해보라. 그가 가장 암시적인 이집트 부조로 관심을 돌리게 하라. 특히 필레 사원에 있는 것이 입문의 장면을 나타낸다. 두 명의 신-대사제, 한 명은 매(태양)의 머리를 가지고 다른 사람은 따오기 (머큐리, 토트, 지혜와 비밀 가르침의 신, 오시리스-태양의 보좌인) 머리를 가진 사람이 방금 입문한 후보자의 육체를 내려다보듯이 서있다. 그들은 두 가지 흐름의 물 (생명과 새로운 탄생의 물)을 그의 머리 위로 붓는 행위를 하고, 이 흐름이 십자가 형상으로 서로 교차하고 작은 고리 모양의 십자가들로 가득 차 있다. 이것은 아침 태양 (오시리스)의 광선이 그의 머리 정수리로 비출 때, 후보자를 (이제는 입문자) 일깨우는 것을 비유하는 것이다. (황홀 상태에 있는 그의 육체가 광선을 받도록 나무의 타오 위에 놓인다) 그러면 대사제-입문주재자와 성찬의 말이 표면적으로 태양-오시리스에게 외쳐지며, 사실상 새롭게 태어난 인간을 깨우치는 (밝히는) 내면의 영 태양(Spirit Sun)에게 말한 것이다. 독자가 아주 먼 고대 시대부터 발생 역량과 영적으로 재생하는 역량에서 태양과 십자가의 연결관계에 대하여 명상하게 하라. 독자가 무덤을 람세스 II 통치기간에, 바이트-옥스리의 무덤을 조사하게 하라. 거기서 모든 형상과 위치에 있는 십자가들을 발견할 것이다. 다시 그 군주의 왕좌 위에서 그리고 마지막으로 바칸-아렌레의 숭배를 나타내는, 파리 국립 도서관에 보존된, 토트모스 III세의 조상들의 홀에서 나온 파편들 위에서도 그렇다.

이 비범한 조각과 그림에서 태양의 원반이 갈보리의 십자가들이 완전한 복사판인 그 십자가 위에 놓인 고리 모양의 십자가 위로 비추는 것을 본다. 고대 사본에서 이것들을 "(영적인) 산고, *자신들을 낳는 행위 속에 있는* 사람들의 딱딱한 카우치"로서 언급한다. 최고의 입문 끝에 완전한 트랜스 상태로 들어간 후보자가 놓이고 보호되는 많은 그런 십자가 형태의 "카우치"가 이집트 사원 파괴후에 지하 홀에서 발견된다. 키릴의 성스러운 교부들과 테로필루스 유형들은 어떤 새로운 개종자들이 그것들을 가져와서 거기에 숨겼다고 믿으면서 그것들을 자유롭게 사용하였다. 오리겐 혼자 그리고 그를 따라서, 클레멘스 알렉산드리우스와 다른 이전 입문자들은 잘 알았다. 그러나 그들은 조용히 있기로 하였다.

다시, 독자가 동양학자들이 부르는 힌두의 "우화들"을 읽고 비스바카르마, 창조력, 세계의 위대한 건축가의 비유를 기억하게 하라. 베다에서 그는 "자신을 자신에게 희생한" (유한자의 영적인 자아가 그 자신의 본질로, 그래서 그와 하나이다) "모든 것을 보는 신(all-seeing god)"으로 불린다. 그가 *데바 바르디카(Deva Vardhika)* "신들의 건설자(builder of the gods)"로 불리고 대중적 비유에서 수리야 (태양), 그의 양자를 선반에 묶어 놓는 것이 바로 그라는 것을 기억하라; 지상에서 그가 대사제 입문주재자이듯이, 비의 전통에서 스와스티카에 묶어 놓고, 그의 찬란함 일부분을 잘라 낸다. 비스바카르마는 요가-싯다의 아들, 즉, 요가의 성스러운 힘이고 마법의 아그네야스트라(Agneyastra), "불의 무기"의 제작자이다. 다른 곳에서 그 이야기가 더 충분하게 주어진다. 자주 인용된 카발라 문헌의 저자가 묻는다:

"십자가형의 이론적 사용이 이 상징의 의인화와 어느 정도 연결되어 있었음에 틀림없다. (십자가에 못박힌 사람으로 상징된 파라다이스 정원의 구조) 그러나 어떻게? 그리고 무엇을 보여주는 것으로? 그 상징은 *창조적 법칙 혹은 디자인*을 넌지시 비추면서 측정의 근원을 나타냈다. 인류에 관해서 실제 십자가형이 실제적으로 무엇을 나타낼 수 있는가? 그러나 그것이 똑같은 체계의 어떤 신비스러운 작용의 초상 (인형)으로 간직된 것이 바로 그 용도의 사실에서 보인다. 이 숫자 값들의 신비스러운 작용에 대하여 저 깊은 곳 아래에 있는 것처럼 보인다 — (*십자가에 못박힌 사람에 의해서*, 113 : 355와 20612 : 6561과의 연결의 상징). 그것들이 대우주 속에서 작용하는 것뿐만 아니라, 공감으로 그것들이 보이지 않는 영적인 세계와 관련되는 조건들을 이루는 것처럼 보이며, 예언자들은 연결하는 고리에 대한 지식을 간직한 것처럼 보인다 . . . 어떤 체계를 명확하게 정의하는 *숫자들에 의해서 정확하게* 법칙의 표현의 힘이 언어의 *우연이* 아니라, 그것의 바로 *본질이었고*, *일차적 유기적 구조*라고 생각될 때 반영이 점점 더 관련된다; 그러므로 언어도, 그것에 부속하는 수학 체계도, 만약 그 둘이 *나중에 쓸모 없게 된 이전의 언어 위에 세워지지* 않았다면, *인간의 발명일 수가 없다*. . ." (p. 205)

저자는 더 심오한 설명으로 이 점들을 증명하고, 아마도 איש (아이시) *man* (인간)은 *원초의* 단어였다는 것을 보여줌으로써 한 가지 *사문화된* 이야기 이상의 비밀의 의미를 드러낸다 — "*man* 소리로 그 개념을 전하는, 그들이 누구이건, 유대인이 소유한 최초 단어. 이 단어의 본질은 처음부터 113 (그 단어의 숫자 값)으로, 펼쳐진 우주 체계의 요소들을 가지고 있다."

이것이 이미 말했듯이, 비쉬누의 한 형태, 힌두인의 비토바(Wittoba)로 나타내어진다. 비토바의 형상은, 심지어 발 위의 못자국까지,[291] 십자가를 제외하고 *모든 세부 사항에서 십자가형된 예수의 형상*이다; 그리고 인간(MAN)을 의미한다는 것이 *입문자가 생명의 나무(tree of life) 위에서 십자가형 후에 다시 태어나는* 사실로 증명된다. 이 "나무"가 이제는 로마인들이 사용함으로써 대중적으로 고문의 도구로 되었고, 초기 기독교인 책사들의 무지로 *죽음의 나무*로 되었다!

---

291 무어의 한두 판테온 참조. 거기서 비토바의 왼쪽 발에 못 자국을 가지고 있다—그의 우상에.

이렇게 그 체계—그 체계의 원래의 정교함과 채택이 신비의식(MYSTERIES)의 정립까지 거슬러 올라간다—의 신비한 발명가들이 십자가형의 이 신비 속에 암시한 *일곱 가지 비의적 의미들* 중에 하나가 인간의 진화의 역사를 간직하는 기하학 상징 속에서 발견된다. 유대인들은 예언자 모세가 이집트의 비의 지혜에 아주 박식하였고 그들의 숫자 체계를 페니키아인으로부터, 나중에 그들의 대부분의 카발라 신비주의를 차용한 이방인들로부터 채택하여, "이교도"의 우주 상징 및 인류학 상징들을 가장 독창적으로 그들의 독특한 비밀 기록들로 각색하였다. 만약 기독교 성직 제도가 오늘날 그것의 열쇠를 잃어버렸더라도, 기독교 신비의식의 초기 편찬자들은 비의 철학과 유대 오컬트 도량형에 능통하였고, 그것을 능숙하게 사용하였다. 이렇게 그들은 단어 *아이쉬(aish)* (인간(MAN)을 나타내는 유대의 단어 형태들 중에 하나)를 채택하여 그것을 예수의 "아버지"로 추정된 여호와의 이름과 신비하게 연결된 "태음년" *샤나(Shanah)*의 단어와 함께 사용하였으며, 천문학 값과 공식에 있는 신비한 개념을 소중히 간직하였다.

공간 속에서 "십자가에 못박힌 인간"의 원래 개념은 확실히 고대 힌두인에게 속한다. 그리고 무어가 그의 "힌두 판테온"에서 비토바를 나타내는 조각에서 그것을 보여준다. 플라톤은 그것을 공간 속에 있는 십자로 교차된 십자가, ╳ , "십자가 형태로 우주에 자신을 새겨 넣은 두 번째 신"을 채택하였다; 크리슈나도 마찬가지로 "십자가에 못박힌" 것으로 보였다. (룬디 박사의 기념비적 기독교, 그림 72 참조.) 다시 그것이 구약성서에 있는 태양, 주 앞에서 인간을 십자가에 못박으라는 기묘한 명령에서 반복된다—그것은 결코 예언이 아니라, 직접적인 남근 숭배 의미를 가진다. 카발라 의미에 대한 가장 암시적인 서적 "헤브르-이집트 신비"의 II에서 다시 읽는다:

"상징에서, 십자가의 못은 그 머리의 형상으로 단단한 피라미드를 가지며, 못에는 끝이 점점 가늘어지는 사각형의 오벨리스트 축 혹은 남근 상징을 가진다. *세 개* 못의 위치가 십자가 위에 그리고 사람의 사지에 있으면서, 그것들은 형상에서 삼각형을 표시하거나 형성한다. 하나의 못이 삼각형 각 구석에 있다. 사지에 있는 상처 혹은 성흔은 필연적으로 사각형을 표기하는 넷이다. . . *세 개* 상처와 함께 *세 개* 못이 숫자 6에 있고, 이것은 인간이 그 위에 놓인 육면체의 6면이 펼쳐진 (세 개 수평면과 네 개 수직면을 세면, 7 혹은 인간 형태 혹은 십자가를 만든다) 것을 나타낸다; 그리고 다음으로 이것이 육면체 가장자리로 바뀌어진 원형의 (순환하는) 척도를 가리킨다. 발이 분리될 때 발에 있는 *한 개* 상처가 *두 개* 상처로 되어, 모두 합쳐서 셋을 만들며, 분리될 때 넷을 만들어서 전체로 7일 만든다—또 다른 *가장 성스러운* (그리고 유대인에게) 여성 기본 숫자."

이렇게 "십자가형 못"의 성적 의미 혹은 남근 숭배 의미가 기하학과 숫자 해독으로 증명되는 반면에, 그것의 신비한 의미는, 위에서 제시되었듯이, 프로메데우스와 연결된 그리고 관련된 그 위에 있는 짧은 말로 나타낸다. 그는 또다른 희생자이다. 왜냐하면 그는 인류 속에 있는 영적인 요소의 대의에 대한 그의 헌신의 희생인, 인간의 격정이라는 바위 위에서, 사랑의 십자가(Cross of Love) 위에 못 박히기 때문이다.

이제 십자가의 개념 근저에 놓여있는 이중의 그림문자, 원초의 체계가 "인간의 발명"이 아니다. 왜냐하면 우주의 개념작용과 신성한 자아-인간의 영적인 표상이 그 토대에 있기 때문이다. 나중에 그것이 채택된 아름다운 개념 속에서 확장되었고 신비의식에서 재생된 인간, 육체 인간과 그의 격정을 고문의 프로크르스테스의 침대 위에 못 박음으로써, 불멸자로서 다시 태어나는 유한자의 개념을 나타냈다. 뒤에 남겨 놓은 육체, 동물 인간을, 빈 번데기처럼, 입문의 십자가 위에 묶인 채로 남겨놓고, 자아 혼은 나비처럼 자유롭게 되었다. 여전히 나중에, 점진적으로 영성의 상실 때문에, 십자가가 우주발생론과 인간발생론에서 남근 숭배 상징보다 높게 되지 못하였다.

비의가들에게, 가장 오랜 시간부터 보편 혼 혹은 애니마 문디, 비물질적 이상(Immaterial Ideal)의 물질적 반영이 모든 존재들의 대생명의 근원이자 세 개 왕국의 생명 원리의 근원이었다; 그리고 그것은 모든 고대인들처럼 헤르메스 철학자들에게 칠중이었다. 왜냐하면 그것이 칠중 십자가로 나타내었으며, 그것의 가지는 각각 *빛, 열, 전기, 지상의 자성, 아스트랄 방사, 운동 그리고 대지성* 혹은 자아-의식이기 때문이다.

그것을 다른 곳에서 말했다. 십자가 혹은 그 표시가 기독교의 상징으로 채택되기 오래 전에, 십자가 표시가 초인들과 신참자들 사이에서 인정의 표시로 사용되었고, 신참자들은 크레스트들(Chrests)로 불렸다. (고난과 비애의 인간, 크레스토스(Chrestos)에서) 엘리파스 레비가 말한다: "기독교인이 채택한 십자가 표시는 전적으로 그들에게 속한 것이 아니다. 그것은 카발라적이고, 원소들의 대립과 사중적 균형을 나타낸다. 원래는 그것을 만드는 두 가지 방법이 있다고 혹은 최소한 그 의미를 표현하는 두 가지 매우 다른 공식이 있다고 *주기도문(Paternoster)*의 오컬트 구절에서 본다—하나는 사제-입문자들을 위한 것이고, 다른 하나는 신참자들과 대중에게 주어진다. 이렇게 예를 들면, *입문자*가 그의 손을 이마에 가져가면서 말했다: "*당신에게*"; 그리고 그가 "속합니다"라고 추가한다: 그리고 계속해서, 그의 손을 가슴으로 가져가면서 — "*왕국*"; 그리고 나서 왼쪽 어깨로 — "*정의*": 오른쪽 어깨로 — 그리고 "*자비*". 그리고 나서 그가 두 손을 합쳐서 추가한다: "*발생하는 주기 내내*": "*왕국, 정의 그리고 자비가 영원히 당신에 있습니다(Tibi sunt Malchut et Geburah et Chassed per AEonas)*"' — 절대적으로 그리고 장엄하게 카발라적인 십자가 표시로, 그노시스의 신성모독이 호전적이고 격식 차린 교회가 완전히 잃어버리게 만들었다. (상위 매직의 도그마와 의례, II권, p. 88.)

"호전적이고 격식 차린 교회"는 더 했다: 교회에 결코 속하지 않았던 것을 마음대로 하였기 때문에, 교회는 "속세인"이 가진 것만, 즉 남성과 여성 세피로스의 카발라 의미만을 취하였다. 그녀는 내적인 그리고 상위 의미를 결코 가진 적이 없기 때문에 결코 잃어버리지 않았다—그럼에도 불구하고, 엘리파스 레비가 로마에 영합하는 것이다. 라틴 교회가 채택한 십자가의 표시는 처음부터 남근 숭배이고, 그리스인에게 신참자, 크레스트(Chrest)의 십자가였다.

23 장 그노시스 문학에 있는 우파니샤드

킹의 그노시스에서 그리스 언어는 *모음*과 목소리에 대한 한 단어만을 가지고 있다고 우리를 상기시킨다; 이것으로 입문하지 않은 사람들이 많은 잘못된 해석을 하게 만들었다. 잘 알려진 그 사실에 대한 단순한 지식으로, 비교가 시도될 수 있으며, 몇 가지 신비한 의미에 빛이 던져준다. 이렇게 우파니샤드와 푸라나에서 자주 사용된 단어들, "소리(Sound)"와 "말(Speech)"이 그노시스의 "모음(Vowels)"과 "계시록"에 있는 천둥과 천사들의 "목소리(Voices)"와 대조될 수 있다. 같은 것이 *피스티스 소피아*와 다른 고대 단편과 사본들에서 발견될 것이다. 이것이 심지어 "그노시스파와 그들의 유물"의 사실에만 입각한 저자에 의해서도 언급되었다.

초기의 교부, 히폴리투스를 통하여, 우리는 마르쿠스—기독교 그노시스파라기 보다 피타고라스 학파로, 가장 확실하게 카발리스트이다—가 신비한 계시에서 받은 것을 배운다. "마르쿠스는 '일곱 하늘들'이[292] . . . . 각각 하나의 모음을 소리냈고, 모두를 합쳐서, 완전한 영광의 성가를 형성하였다는 것을 그에게 드러냈다"고 말한다; 더 명확한 말로: "(이 일곱 하늘로부터) 땅까지 내려온 그 *소리(Sound)*가 지상에 있을 만물의 부모이자 창조자가 되었다." ("히폴리투스," vi, 48과 킹의 그노시스파, p. 200 참조) 오컬트 구절에서 한층 더 명확한 언어로 번역하면, 이것은 이렇게 읽힌다: "칠중 로고스(LOGOS)가 일곱 로고스 혹은 창조적 잠재성 (모음)으로 분화된 후에 이것들 (두 번째 로고스 혹은 "소리(Sound)")이 지상에서 만물을 창조하였다."

확실히 그노시스 문학에 익숙한 사람은 성 요한의 계시록에서 똑같은 사상 학파의 작품을 보지 않을 수 없다. 왜냐하면 우리는 요한이 이렇게 말하는 (x. 3, 4) 것을 발견하기 때문이다: "일곱 천둥이 그들의 목소리를 말했다 . . . 그리고 내가 막 쓰려고 하다가 . . . 하늘에서 소리가 나서 나에게 말하길, '일곱 천둥이 말한 것을 봉인하고 그것들을 쓰지 마라.'" 똑같은 명령이 마르쿠스에게 주어지고, 다른 모든

292 "하늘(Heavens)"은 이미 말했듯이 "천사들(Angels)"과 동일하다.

준-입문자들과 온전한 입문자들에게 똑같다. 하지만 사용된 동등한 표현과 근저에 놓여 있는 개념의 동일성이 항상 그 신비의 일부분을 드러낸다. 우리는 항상 비유적으로 드러난 모든 신비 속에서 한 가지 의미 이상을 찾아야 하며, 특히 숫자 7과 그것의 배수 7 x 7 혹은 49가 나타나는 표현들 속에서 그렇다. 이제 랍비 예수가 (*피스티스 소피아*에서) 그의 제자들로부터 "당신의 아버지의 빛의 신비"를 (즉, 입문과 신성한 지식으로 깨달은 상위 자아에 대하여) 드러내 줄 것을 요청받았을 때, 예수가 답한다: "너희가 이 신비를 추구하는가? 어떤 신비도 그대의 혼을 빛들 중에 빛(Light of Lights)으로, 진리와 선이 있는 곳으로, 남성도 여성도 없고, 언급되어서는 안 되는, 영원히 지속하는, 빛을 제외하고 그 곳에 있는 형태도 없는 곳으로 데려가는 그것들보다 더 탁월한 것은 없다. 그러므로 어느 것도 *일곱 모음과 그것의* 40 그리고 9 힘과 그 숫자들의 신비*만을 제외하고* 그대가 추구하는 신비보다 더 탁월한 것이 없다; 그리고 어떤 이름도 *이 모든 모음보다* 더 탁월한 것이 없다." "일곱 아버지와 49 아들들이 어둠 속에서 타오르지만, 그들은 생명이고 빛이며 거대한 시대 내내 그것의 지속이다"고 "불들(Fires)"에 대하여 말하는 주석이 말한다.

이제 비유적인 형태로 표현된 대중적인 믿음의 모든 비의적 번역에서, 근저에 놓여 있는 똑같은 개념이 있다는 것이 분명해진다—기본수 7, 3과 4의 복합, 신성한 셋 (△)이 선행되어 완전수 10을 만든다.

또한 이 숫자들이 시간의 구분 (분할)에서, 형이상학적 물리적 우주구조론에서 그리고 인간과 보이는 자연에 있는 만물에서 똑같이 적용되었다. 이렇게 *49*가지 힘을 가진 이 *일곱* 모음은 힌두인의 *셋*과 *일곱* 불(*Seven* Fires) 그리고 그것의 49불과 동일하다; 페르시아인의 시모르그(Simorgh)의 숫자의 신비와 동일하다; 유대인의 카발리스트들의 신비들과 동일하다. 유대인의 카발리스트들은 그 수를 (그들 방식의 블라인드) 줄여서, 구체의 일곱 재생에서 연속하는 각각의 *재생*의 (비의적 용어로 *라운드*) 기간을 더 그럴듯하게 70억년 대신에 7천년으로 만들어서, 우주의 전체 지속 기간을 49,000년으로만 할당하였다. ("브라만의 연대기"와 비교해보라.)

이제 씨크릿 독트린에서 논쟁의 여지가 없는 비교 유추를 토대로 *가루다(Garuda)*, 비유적이고 괴물 같은 반은 사람 반은 새—비쉬누 (또한 칼라, "시간")가 타는 것으로 보여지는 *바한* 혹은 매개체—가 그런 다른 모든 우화들의 기원이라는 것을 드러내는 하나의 열쇠를 제공한다. 그는 인도인의 *피닉스 (불사조)*, 주기적 그리고 정기적 시간의 엠블럼, "인간-사자(man-lion)" *싱하(Singha)*로, "그노시스 보석들"이 그것의 표상들로 가득 차 있다.[293] "사자 왕관의 일곱 광선 위에 그리고 그 점들에 상응하는 것으로, 일곱 하늘을 증명하는 그리스 알파벳 *ΑΕΗΙΟΥΩ*의 일곱 모음이 많은 경우들에서 있다." 이것이 *태양의* 사자이고 태양 주기의 엠블럼이다. 가루다가[294] 물론 태양과 태양 주기의 엠블럼이고, 비쉬누와 함께 영원한, "*마하-칼파*" 거대한 주기의 상징이듯이. 이것이 우화의 세부사항으로 보인다. 그의 탄생에, 가루다가 그의 (가루다의) "*눈부신 광휘*" 때문에, 불의 신, *아그니*로 오해받았고, "하늘의 주(lord of the sky)," '*가가네스와라*'로 불렸다. 다시 그가 오시리스로서 나타내어지며, 독수리 혹은 매 (태양의 새)의 머리와 부리를 가진, *아브라삭스* (그노시스) 보석에 있는 우화의 괴물들의 많은 머리로, 가루다의 태양 및 주기적 성격을 나타낸다. 그의 아들은 60,000년 주기, *자타부(Jatabu)*이다. C. W. 킹이 잘 언급했듯이: — "(태양 사자와 모음을 가진 그 보석의) 일차 의미가 무엇이건 그것은 아마도 현재 형태로 *그노시스의 도해체계의 진정한 원천인*, 인도에서 수입되었다." (*그노시스 유물*, p. 218)

성 요한의 천둥들이 외친 일곱 그노시스 모음의 신비가 태초의 브라만들이 인도로 가져온 아리아바르트타의 태초의 원본 오컬티즘으로만 풀릴 수 있으며, 그 브라만들은 *중앙아시아에서 입문을* 받았다. 그리고 이것이 우리가 공부하는 오컬티즘이며 여기서 가능한한 많이 설명하려고 하는 것이다. 구체들의 우리 지상의 체인 둘레에

---

293 그노시스 유물의 위대한 권위자인 킹이 고백했듯이, 이 그노시스 보석들은 그노시스파의 작품이 아니라, 기독교 이전 기간에 속하며 *마법사들*의 작품이다. (p. 241)

294 동양학자들과 과거와 현재 골동품 연구가들의 직관의 부족이 놀랍다. 이렇게 비쉬누 푸라나의 번역가, 윌슨이 가루다 푸라나에서 그는 "가루다의 탄생에 대한 어떤 설명도" 찾지 못했다고 그의 서문에서 선언한다. 일반적인 "창조"의 설명이 거기서 주어지고, 가루다가 *현현하는* 비쉬누와 시작하고 끝나는 거대한 대생명 주기, *마하 칼파*, 비쉬누와 함께 영원하다는 것을 고려할 때, 가루다의 탄생에 대한 무슨 다른 설명이 기대될 수 있겠는가!

생명과 진화의 일곱 라운드와 일곱 근원인종에 대한 우리의 가르침이 심지어 요한계시록에서도 발견될 수 있다.[295] 일곱 "천둥들" 혹은 "소리들" 혹은 "모음들"— 각각의 그 모음에 대한 일곱에서 나오는 한 가지 의미는 우리 자신의 지구와 매 라운드에 그것의 일곱 근원인종과 직접 관련 있다—이 "그들의 목소리를 외쳤을 때,"—하지만 현자가 쓰는 것을 금지하였고, 그가 "그것들을 봉인하게" 만들었다— "바다와 땅 위에 서있는" 천사는 무엇을 하는가? 그가 그의 손을 하늘로 들어올렸고 "영원히 사는 그에게 . . . *더 이상 시간이 없다*고 맹세하였다." "그러나 *일곱 번째 천사*의 목소리가 들리는 날에, 그가 나팔을 불려고 할 때, 신의 (주기의) 신비가 끝날 것이다" (10:7)는 신지학 구절로, 일곱 번째 라운드가 끝날 때, 그때 시간이 멈출 것이라는 것을 의미한다. 매우 자연스럽게 "더 이상 시간이 없을 것이다." 왜냐하면 프랄라야가 시작되어 의식적인 생명의 정지와 정기적인 파괴 동안, 지상에는 시간의 구분을 유지할 누구도 남아있지 않을 것이기 때문이다.

캐닐리 박사와 다른 사람들은 랍비의 이 가르침을 (주기적인 7과 49의 계산) 칼데아에서 그들이 가져왔다고 믿었다. 그러나 바빌로니아인들은 모든 주기들과 천문학적 마법의 위대한 입문의 신비에서만 가르쳤으며 그들의 지혜와 배움을 인도에서 얻었다. 그러므로 그것들 속에서 우리 자신의 비의 가르침을 알아보는 것이 어렵지 않다. 그들의 비밀 계산에서, 일본인도 주기에서 같은 숫자를 가지고 있다. 브라만에 대하여, 그들의 푸라나와 우파니샤드가 그것의 훌륭한 증거이다. 그 문헌들이 그노시스 문헌 속으로 철저하게 전해졌다; 그리고 브라만은 그들 선조의 소유물을, 심지어 사용된 구절과 은유까지, 알아보기 위해서 *피스티스 소피아*를[296] 읽기만 하면 된다. 비교해보라: 피스티스 소피아에서 제자가 예수에게 말한다: "랍비, 빛의 신비들 (즉, "지식의 *불* 혹은 깨달음")를 우리에게 드러내 주세요 . . . 우리는

---

295 계시록 17장 2절과 10절 참조; 그리고 레위기 23장 15-18절; 첫 번째 구절은 "일곱 왕들"에 대하여 말하고, 그 중에 다섯이 갔다; 그리고 "일곱 사바스" 등에 대한 두 번째.

296 *피스티스 소피아*는 엄청 중요한 문서로, 적당히 발렌티누스의 작품으로 돌리지만, 아마도 원본은 훨씬 더 기독교 이전 작품인 그노시스파의 진정한 복음이다. 영국 박물관에 있는 슈바르체가 콥트 사본 속에서 아주 우연히 발견하여 라틴어로 번역하였다; 그 이후 본문과 (라틴) 버전이 1853년에 피터만에 의해서 출판되었다. 본문 자체에서 이 서적의 저자가 사도 필립으로 돌리며, 예수가 그에게 앉아서 그 계시를 쓰라고 지시한다. 그것은 진짜이고 다른 복음처럼 인정되어야 한다. 불행하게도 그것이 오늘날까지 번역되지 않은 채로 남아있다.

당신이 *연기(smoke)의 또 다른 세례가 있고* 그리고 성스러운 빛의 영, 즉 불의 영의 또 다른 세례가 있다고 말씀하시는 것을 들었습니다.” “나는 그대를 물로 세례시키지만, . . . 그는 그대를 성령과 불로 세례시킬 것이다”라고 요한이 예수에 대하여 말한다 (마태복음 3:11); 이것은 비의적으로 의미한다. 이 진술의 실재 의미는 매우 심오하다. 그것은 비입문한 고행자, 요한이 그의 제자들에게 물질의 계 (물이 그것의 상징이다)와 연결된 신비보다 더 위대한 지혜를 줄 수 없다는 것을 의미한다. 그의 그노시스는 사문자의 정통 가르침, 통속적 의례적 도그마의 가르침이었다;[297] 반면에 예수, 더 높은 신비의 입문자가 그들에게 드러낼 지혜는 고귀한 성격이다. 왜냐하면 그것이 진정한 그노시스의 “불”의 지혜 혹은 *실재의 영적* 깨달음이었기 때문이다. 하나는 불이고, 다른 것은 연기였다. 모세에게, 시나이 산에서 *불*과 영적인 지혜가 주어졌다; 아래 있는 다수의 “사람들,” 세속인들에게, 연기 속에 있는 (*통해서*) 시나이 산, 즉 정통 혹은 *종파적 의례주의*의 외적인 껍질이 주어진다.

이제 위의 내용을 생각하며, 아누기타에 있는 성자 나라다(Narada)와 다바마타 사이의 대화를 읽어보라. 아누기타 사본 (마하바라타에 있는 에피소드)의 고대성과 중요성은 맥스 뮬러 교수가 편집한 “동양의 성전”에서 배울 수 있다.[298] 나라다가 숨결 혹은 “생명-바람(life-winds)”에 대하여 논의하고 있으며, 프라나, 아파나 등 같은 단어를 서투른 번역에서 그렇게 부르듯이, 그것의 온전한 비의적 의미와 개별 기능에 적용되는 것으로 거의 표현될 수 있다. 그가 이 과학에 대하여 *“진실로 불이 모든 신들 속에 있다*는 것이 베다의 가르침이고, 그것에 대한 지식이 브라만들 사이에서 생기며, 지성이 수반된다”고 말한다. “불”이 의미하는 것은 대아(Self)라고 주석가가 말한다. “지성”에 의해서, 나라다가 “토론”이나 “논쟁”을 의미하는 것이 아니라, 아르주나 미스라가 믿듯이, 진실로 “지성” 혹은 *세속인을 위하여 지혜의 불을 통속적인 의례에 적응하는 것*이라고 오컬티스트가 말한다. 이것이 브라만들의 주요 관심사이다. (그들이 다른 국가들에게 모범을 제일 먼저 보였고 이렇게 가장

---

297 매우 오래된 입문의 주기(Cycle of Initiation)에서, 물은 정화를 향한 첫 번째이자 낮은 단계를 나타냈다. 반면에 불과 연결된 시험이 마지막에 왔다. 물은 물질의 체를 갱생시킨다; 불만이 *내면의* 영적 인간을 갱생시킨다.

298 카쉬나스 트림바크 텔랑의 서론 참조.

웅대한 형이상학 진리를 의인화와 육욕에 빠뜨렸다) 나라다가 그것을 명확히 해서 말하게 된다: "탁월한 영광의 그 불의 연기가 어둠의 그늘에서 나타난다" (바로 그렇다!); "그것의 재가 격정이다; 그리고 선함은 그것과 관련하여 그 속에서 제물에 제공된다": 즉, 제자 속에 있는 하늘로 올라가는 섬세한 진리 (불꽃)를 알아보는 그 능력이고, 반면에 객관적 제물은 세속인에게만 *경외의 증거*로 남아 있는다. 왜냐하면 나라다가 "희생 (제물)을 이해하는 사람들은 사마나와 비아나를 주요 (제물)로 이해한다"고 가르칠 때 무엇을 의미할 수 있겠나; 그리고 "프라나와 아파나가 그 제물의 일부분이고 . . . 그리고 그것들 사이에 불이 있다 . . . 브라흐마나스가 이해하였듯이 그것이 우다나의 탁월한 자리이다. "이런 쌍들과 다른 독특한 그것에 대하여, 내가 그것에 대하여 말하는 것을 들어보라. 낮과 밤이 한 쌍이지만, 그것들 사이에 불이 있다 . . . *존재하는 그것*과 *존재하지 않는 그것*은 하나의 쌍이고, 그것들 사이에 불이 있다 등등." 그리고 그런 모든 대조 후에 나라다가 "그것이 브라흐마나스가 이해하는 우다나의 탁월한 자리이다"라고 추가한다.

이제 많은 사람들이 사마나와 비야나, 프라나와 아파나 같은 용어의 온전한 의미를 모른다. 이것들이 모든 접합 부분에서 작용하는 것으로 말해진, 이른바 주요한 "생명 바람," 우다나에 바쳐진 것으로, "생명-바람"으로 (우리는 "원리" 그리고 그것들의 각각의 기능과 감각들을 말한다) 설명되었다. 그러므로 "불" 단어가 이 모든 비유에서 "대아"와 상위의 신성한 지식을 의미한다는 것을 모르는 독자는 이것에서 아무것도 이해하지 못할 것이다; 그리고 그것의 번역자 그리고 심지어 편집자인 위대한 옥스포드 산스크리트 학자 맥스 뮬러가 나라다의 말의 진정한 의미를 놓쳤듯이, 독자는 우리의 주장의 요점을 완전히 놓칠 것이다. 비의적으로 "생명 바람들"의 모든 나열은 각주에서 추측된 그것을 *개략적으로* 의미한다; 즉, "감각이 이것으로 보이고 . . . 세속의 삶이 대아에 부착되고, 개별 혼으로서 현현하게 이끄는 생명-바람의 작용 때문이다. (?) 이것들 중에 사마나와 비야나가 프라나와 아파나에 의해서 통제되고 관리된다. . . 프라나와 아파나는 모든 것을 통제하는 우다나에 의해서 제지되고 통제된다. 그리고 이 모든 것, 다섯 가지 통제가 지고의 대아로 이끈다." (p. 259, 아누기타, "동양의 성전," 8권)

위의 내용이 요가의 궁극의 지혜에 도달해서 이렇게 모든 지식에 도달한 브라흐마나의 말을 기록한 본문에 대한 설명으로서 주어진다. 그렇게 말하면서 그는 "대아에 의해서 대아 속에 거주하는 자리를 인식하였고," 그곳에는 모든 것에서 자유로운 브라흐마나가 거주한다; 그리고 저 파괴불가능한 원리가 전적으로 *감각들의 인식 너머에* (즉, 다섯 "생명-바람들"의 너머에) 있다고 설명하면서, 그가 "체 속에서 움직이고 서로 삼켜버리는 이 모든 것 (생명-바람들) 가운데서 *오중의 불* 바이스바나라(Vaisvanara)가 타오른다"고 추가한다. 닐라칸타의 주석에 의하면, 이 "불"은 "나(I)," 고행자의 목표, 자아와 동일하다. (바이스바나라는 *대아(Self)*를 나타내는데 종종 사용되는 단어이다.) 그러면 브라흐마나가 "칠중" 단어가 의미하는 것을 계속 열거하며, "코 (혹은 냄새), 혀 (맛), 눈 그리고 피부, 그리고 다섯 번째로 귀, 마인드, 그리고 이해, 이 모든 것들이 바이스바나라의 불꽃의 일곱 혀이고,[299] 그것들이 나를 위한 일곱 (종류의) 연료이다,[300] . . . 이것들이 *역할을 하는 위대한 일곱 사제들*이다"라고 말한다.

이 일곱 사제들이 "이런 몇몇 힘들에 관하여 너무 많은 것 (혼 혹은 원리들)과 구분되는 혼을" 의미하는 의미로 아르주나 미스라가 받아들인다; 그리고 마지막으로 번역자가 그 설명을 받아들이는 것처럼 보이고, "그것들이 이것을 의미할 수 있다"고 마지못해 인정한다; 그 자신도 그 감각이 "여러 실들이 주재하는 청각 등등 (간단히 말하면, 육체의 감각들)의 힘"을 의미하는 것으로 생각하더라도. (인용된 서적, p. 259, f.n. 6 참조)

그러나 그것이 무엇을 의미하건, 과학적 혹은 정통적 해석이건, 259페이지에 있는 이 구절은 276페이지에 있는 나라다의 진술을 설명하고 그것들이 통속적 비의적인 방법들을 말하고 그것들을 대조한다는 것을 보여준다. 이렇게 사마나와 비야나가 프라나와 아파나에 종속되더라도, 그리고 넷 모두가 우다나에 종속되는 것이 (주로 하타 요기의 혹은 요가의 "하위" 형태의) 프라나야마를 획득하는 문제에서 아직도 주된 제물로 여겨진다. 왜냐하면 주석가가 올바르게 주장하듯이, 그것들의 "작용"이 활기에 더 실제적으로 중요하기 때문이다; 즉, 그것들은 가장 조잡하고, 말하자면 그

---

299 천문학과 우주의 열쇠에서, 바이스바나라는 아그니, 태양의 아들 혹은 비스와나라들이지만, 심령-형이상학 상징주의에서, 그것은 비분리성의 의미에서 신과 인간의 대아이다.
300 여기서 화자가 말한 신성한 대아를 의인화한다.

불의 어둠의 특질 속에서 혹은 그것의 연기 (단순한 통속적 의례적 형태)를 사라지게 하기 위하여 제물이 제공된다. 그러나 프라나와 아파나가 종속된 것으로 보이더라도 (덜 조잡하거나 더 정화된) 그들 사이에 불(FIRE)을 가지고 있다: 대아와 그 대아가 소유한 비밀의 지식. 그래서 선과 악, "존재하는 그것과 존재하지 않는 그것에"; 이 모든 쌍들은[301] 그들 사이에 불을 가지고 있다, 즉 비의적 지식, 신성아에 대한 지혜. 그 불의 *연기*로 만족하는 사람들은 그것들이 있는 곳에 그대로 있게 하라, 즉 신학적 픽션과 사문자 해석의 이집트인의 암흑 속에 있게 하라.

위의 내용은 오컬티즘과 신지학을 공부하는 서구의 학생들을 위하여 쓰여진 것이다. 작가는 이런 것들을 그들 자신의 구루를 가진 힌두인들에게 설명하려는 것이 아니다; 또한 자신들이 과거와 현재 합쳐서 모든 구루들과 리쉬들보다 더 많이 안다고 생각하는 동양학자들에게 설명하려는 것이 아니다. 학생이 혜택을 얻고 비교에서 배우기 위하여 그가 공부해야 하는 작품을 지적하는 것이라고, 장황한 인용과 인용된 예들이 필요하다. 그들이 *피스티스 소피아*를 바가바드기타, 아누기타 그리고 다른 작품들의 관점에서 읽어보게 하라; 그러면 그노시스 복음에서 예수가 한 진술이 명확해질 것이고, 사문자 블라인드들이 즉시 사라질 것이다. 이것을 읽고 방금 주어진 힌두 성전에서 온 설명과 비교해보라.

---

301 아누기타에 있는 "서로 반대되는 쌍"과 그노시스의 가장 박식하고 심오한 스승, 발렌티누스의 정교한 체계에 있는 영겁(AEons)의 "쌍"과 비교해보라. "반대되는 쌍들," 남자와 여자, 모두가 아카야 (미계발되고 계발된, 분화되고 미분화된, 혹은 대아 혹은 프라자파티)에서 유래되듯이, 마찬가지로 발렌티안의 남자와 여자 영겁의 "쌍"도 비토스(Bythos), 존재이전에 있는 영원한 심연(Depth)에서 유래되고, 엠프시우스-아우란(Ampsiu-Ouraan) (혹은 영원한 심연과 침묵), 두 번째 로고스에서 그것들이 이차 발산하는 것으로 보인다. 비의적 발산에는 일곱 가지 주요 "반대되는 쌍들"이 있다; 그리고 발렌티안 체계에서도 열 네 가지 혹은 일곱 두 번이 있다. 에피파니우스가 틀리게 복사하면서 "한 쌍을 두 번 복사하였다"고 C. W. 킹이 생각하며, "이렇게 한 쌍을 14개에 추가한다." ("그노시스 유물," 등 pp. 263-4.) 여기서 킹이 그 반대 실수를 한다: 영겁의 쌍들은 15개 (블라인드)가 아니라 14개로, *최초* 영겁은 다른 것이 발산하여 나오는 *그것*으로, 심연과 침묵은 비토스에서 나온 최초의 유일한 발산이다. 히폴리투스가 보여준다: "발렌티누스의 영겁이 스스로 인정했듯이 사이몬 (마거스)의 *여섯 급진재(Radical)*로" 일곱 번째, 불이 그 머리에 있다. 그리고 이것들은: 마인드(Mind), 지성(Intelligence), 목소리(Voice), 이름(Name), 이성(Reason) 그리고 불에 종속된 생각(Thought), 상위 자아 혹은 정확하게 "일곱 바람(Seven Winds)," 혹은 아누기타의 "일곱 사제들."

. . . "그리고 어떤 이름도 이 (일곱) 모음보다 더 탁월하지 않다. 그 속에 모든 이름들, 모든 빛들, 그리고 모든 (49가지) 힘들을 간직한 이름은 그것을 알면서, 만약 인간이 물질의 체를[302] 버리면 어떤 *연기*도 (즉, 어떤 신학적 망상도),[303] 어떤 어둠도, 구체의 어떤 통치자도 (어떤 *개성적* 수호신 혹은 신으로 불리는 행성영도), 혹은 운명 (*카르마*)의 통치자도 그 이름을 아는 혼을 잡아 둘 수 없다. . . 만약 그가 그것 (이름)을 불에게 말하면, 어둠이 도망갈 것이다. . . 그리고 그가 그 이름을 모든 거대한 권능들, 아니, 심지어 바르벨로,[304] *보이지 않는 신(Invisible God)*, 그리고 삼중 힘의 신들에게 말하면, 그가 그 이름을 그곳에서 말하자마자 바로, 그들이 흔들려서 서로에게 던져질 것이며, 그래서 그들이 언제든지 녹고, 붕괴하여 사라질 것이며, 크게 외칠 것이다, '오, 무궁한 빛 속에 있는 모든 빛들의 빛, 우리를 기억하고 우리를 정화시키소서.'"

이 빛과 이름이 누구인지 보는 것이 쉽다: 입문의 빛과 "첫째-대아(First-Self)"의 이름, 어떤 이름이나 행동이 아니라, 영적인, 언제나 살아 있는 권능, 심지어 "보이지 않는 신"보다 더 높은 힘으로, 이 힘 자체이다.

그러나 유능하고 박식한 "그노시스와 그들의 유물"의 저자가 피스티스 소피아에서 그가 인용하고 번역한 단편들에 있는 비유와 신비주의 영을 충분히 고려하지 않았더라도—다른 동양학자들은 훨씬 더 최악으로 했다. 그노시스 보석보다 그노시스 지혜가 인도에서 기원하였다는 그의 직관적 인식을 가지고 있지 않아서, 대부분의 그들, 윌슨을 시작으로 독단적인 웨버로 끝나는 그들 대부분은 거의 모든 상징에 대하여 가장 이례적인 실수를 저질렀다. M. 모니에 윌리암스와 다른 사람들은 지금 신지학자가 그렇게 불리듯이 "비의적 불교도들"에 대하여 매우 단호한 경멸을 보여준다; 하지만 오컬트 철학의 학생 어느 누구도 박식한

---

302 반드시 죽음만이 아니라, *사마디* 혹은 신비한 트랜스 동안에도.

303 괄호 표시 속에 있는 모든 단어들과 문장들은 저자의 것이다. 이것은 영국 박물관에 있는 라틴 사본에서 직접 번역될 것이다. *그노시스 유물*에 있는 킹의 번역인 교부들이 설명하였듯이 그노시스 주의와 너무 많이 일치한다.

304 바르벨로(Barbelo)는 셋의 "보이지 않는 신들" 중에 하나이고, C. W. 킹이 믿듯이, "구세주의 신성한 어머니" 혹은 오히려 소피아 아카모스를 포함한다. (359를 보라)

동양학자들이 매우 자주 그랬던 것처럼 주기를 살아 있는 인물로 혹은 그 반대로 착각하지 않는다. 한 두 가지 예가 그 진술을 더 실감나게 설명할 수 있다. 가장 잘 알려진 것을 골라보자.

라마야나에서, 가루다가 "사가라의 60,000 아들들의 외삼촌"으로 불린다; 그리고 안수마트, 사가라의 손자, "60,000삼촌의 조카"가 아스와메다 제물을 위하여 사가라의 말이 사라지도록 만든 "푸루쇼따마" (혹은 무한한 영), 카필라의 주시(시선)으로 재로 되었다. 다시 가루다의 아들[305]—가루다는 *마하-칼파* 혹은 거대한 주기—자타유, 깃털 장식을 한 부족의 왕이 시타(Sita)를 실어 나르는 라바나에 의해서 죽임을 당하는 찰나에, 자신에 대하여 말한다:

"내가 태어난 것은, 오 왕이여, 60,000년이다," 그 후에 *태양에 등을 돌리면서*—그가 죽는다.

자타유는 당연히 가루다의 거대한 주기 속에 있는 60,000년 주기이다; 그래서 전체 의미가 그가 가루다의 후손들의 가계에 놓이는 것에 달려 있기 때문에, 그가 그의 아들로 혹은 조카로 임의대로 나타내어진다. 그러면 다시 디티(Diti)—마루트들의 어머니—가 있고 그녀의 후손들과 자손이 히란야크샤의 후손에 속했으며, "그 수가 7.7억명이다." (파드마 푸라나 참조) 그 모든 이야기가 *무의미한* 픽션과 터무니없는 것으로 선언된다. 그러나—진리는 진실로 시간의 딸이다; 그리고 시간이 보여줄 것이다.

한편, 무엇이 푸라나의 연대기를 검증하려는 최소한의 시도만큼 쉬울 수 있을까? 많은 카필라들이 있다; 그러나 사가라 왕의 후손—강력한 60,000명—을 죽인 카필라가 상기아 철학의 창립자, 부인할 수 없는 카필라였다. 왜냐하면 그들 중에 한 명이 그것의 비의적 의미를 설명하지 않은 채 비난을 단호하게 부인하더라도, 푸라나에 그렇게 언급되고 있기 때문이다. "그 왕의 아들들이 *현자가 그냥 쳐다보는*

---

305 다른 푸라나에서 자타유(Jatayu)가 아루나(Aruna)의 아들이고, 아루나는 가루다의 형제로 둘 다 카시아파의 아들들이다. 그러나 이 모든 것은 외적인 비유이다.

것으로 재로 되었다는 보고가 진실이 아니다"라고 말하는 것이 바가바드기타 푸라나 (IX. Viii, 12와 13)에 있다. 그것이 주장하듯이, "왜냐하면 어떻게 어둠의 특질, 분노의 산물이 선함이 세계를 정화시킨 본질인데 성자 속에 존재할 수 있을까—말하자면 지상의 먼지가 하늘 때문이라고! 어떻게 멘탈 동요가 지고의 영과 동일시된 그리고 상기아 (철학)의 단단한 배를 여기에서 (지상에서) 조종해 온 그 성자를 산만하게 하며, 그것의 도움으로 해방을 얻으려는 그가 저 끔찍한 존재의 대양, 죽음으로 가는 그 길을 가로질러간 그 성자를 산만하게 하는가?"

푸라나는 그것처럼 말할 의무가 있다. 그것은 선언할 도그마와 실행할 정책을 가지고 있다—수많은 세월 동안 오직 입문에서만 누설된 신비하고 *신성한* 진리들에 대한 거대한 비밀의 정책이다. 그러므로 우리가 존재의 다양한 초월적 상태들과 연결된 신비에 대한 설명을 찾아봐야 하는 것이 푸라나에 있지 않다. 그 이야기가 비유라는 것이 바로 그 표면 상에서 보인다: 60,000 아들들, 잔인하고, 사악하고, 불경한, 아들들은 *인간의 격정*의 인격화로 "성자의 주시 (시선) 만으로"—지상에서 도달할 수 있는 최고의 순수 상태를 나타내는 자아—재로 변한다. 그러나 그것은 다른 의미—주기적 그리고 연대기적 의미—도 가지고 있다. 어떤 성자가 번성하였을 때 기간을 표시하는 방법으로 다른 푸라나에서도 보인다.

이제 카필라가 많은 해 동안 명상한 곳이 히말라야 기슭에 있는 하리드와르 (혹은 *강가드와라*, "갠지스강의 문")였다고 어느 전통에서나 잘 확인된다. 시월릭 언덕에서 멀지 않은데, "하리드와르의 통로"가 오늘날까지 "카필라의 통로"로 불린다; 그리고 그 장소가 고행자들에 의해서 "카필라스텐"으로 불린다. 거기 그 산악 협곡에서 나오는 강가 (갠지스)가 시작해서 인도의 무더운 평원을 지나가는 것이다. 그리고 대양이 오랜 세월 전에 히말라야 기슭을 쓸고 갔다는 주장이 완전히 근거 없는 것이 아니라는 것은 지질학적 조사로 명확하게 확인된다. 왜냐하면 거기에 남겨진 흔적들이 있기 때문이다.

상기아 철학이 첫 번째 카필라에 의해서 *가져와서* 가르쳐졌고, *마지막* 카필라에 의해서 쓰여 졌을 것이다.

이제 사가라는 대양의 이름이고, 오늘날까지 인도에서 심지어 갠지스강 입구에 있는 뱅갈만의 이름이다. (윌슨의 비쉬누 푸라나 3권 p. 309 참고) 지질학자들이 바다가 현재의 바다 수준에서 1,024피트 높이인 하리드와르에서 지금의 바다로 물러나는 데 몇 천년이 걸렸는지 계산했는가? 만약 그랬다면, 카필라가 1세기부터 9세기까지 번성하는 것을 보여주는 동양학자들은 다음 두 가지 중에 한 가지 이유로 그들의 생각을 바꿀 것이다: 번역자들이 이해하지 못하더라도, 카필라의 시대 이후 지나간 해의 진정한 숫자가 푸라나에서 명백하게 있다. 그리고 둘째로—사티야의 카필라 그리고 칼리-유가의 카필라가 *똑같은 개성이 아닌 채 똑같은 개체성일 수 있다.*

카필라는 한때 살아 있는 성인이자 상기아 철학의 인물의 이름 이외에 또한 천상의 고행자이자 동정의 쿠마라들의 총칭 이름이다; 그러므로 바가바타 푸라나에서 그 카필라—그것이 바로 앞에서 *비쉬누의 일부분으로서* 보여주었다—를 상기아 철학의 저자로 부르는 바로 그 사실은 독자에게 비의적 의미를 담고 있는 블라인드라고 경고하였을 것이다. 하리반사가 그를 보여주듯이, 비타타의 아들 혹은 다른 누구의 아들이건, 상기아의 저자는 사티야 유가의 성인과 똑같을 리가 없다—만반타라 초기에, 비쉬누가 *"모든 피조물들에게 진정한 지혜를 제공하면서," 카필라의 형태 속에서* 보일 때; 왜냐하면 이것이 "신의 아들들"이 막 창조된 인간에게 예술과 과학을 가르쳤던 태초의 기간을 말하기 때문이다. 그것들이 그 이후 입문자들의 성소에서 보존되고 육성되어 왔다. 푸라나에는 몇 가지 잘 알려진 카필라들이 있다. 첫째 태초의 성인, 그리고 세 명의 "비밀의" 쿠마라들 중에 하나; 그리고 카시아파와 카드루의 아들, 카필라—"많은 머리의 뱀" (카시아파의 유명한 40명의 아들들 리스트에 놓는 바이유 푸라나 참조), 이외에 칼리 유가의 위대한 성인이자 철학자. 입문자, "지혜의 뱀," 나가로, 후자는 이전 시대의 카필라들과 의도적으로 섞였다.

24 장 십자가와 피타고라스의 데카드

초기 그노시스파들은 그들의 과학, 그노시스(GNOSIS)가 사각형 위에 놓여 있다고 주장하였다. 그 사각형의 모서리는 *시지*(SIGE) (침묵), *비토스*(BYTHOS) (심연), *누스*(NOUS) (영적 혼 혹은 마인드) 그리고 *알레테이아*(ALETHEIA) (진리)를 각각 나타낸 모서리 위에 놓여 있다고 주장하였다.

오랜 세월 동안 숨겨진 채로 있었건 그것을 최초로 소개해서 세상에 드러낸 것이 바로 그들이다; 즉 프로크루스테스의 침대 형상으로 타오와 *크레스토스*(*Chrestos*)로 화신하는 크리스토스(Christos)로, 그가 어떤 목적을 위하여 일련의 멘탈 및 육체적 고초를 받는 기꺼이 받는 후보자로 되었다.

그들에게 우주 전체가 형이상학적으로 그리고 물리적으로 내면에 간직되었으며, 10개 수, 피타고라스의 데카드로 표현될 수 있고 묘사될 수 있다.

이 데카드는 침묵과 *애니마 문디*, 영적인 혼의 *미지의* 심연에서 그것의 진화와 우주를 나타내며, 학생에게 두 가지 측면을 제시하였다. 그것이 처음에는 대우주에 사용되었고 적용되었으며, 그 후에 그것이 소우주, 혹은 인간까지 내려왔다. 그 당시에는 순전히 지성적이고 형이상학적인 과학 혹은 "*내면의* 과학" 그리고 순전히 물질적인 과학 혹은 "표면의 과학"이 있었으며, 둘 다 *데카드* 속에 간직되고 그것으로 설명될 수 있다. 간단하게 말하면, 그것이 플라톤의 보편성과 아리스토텔레스의 귀납법으로부터 연구될 수 있다. 전자는 신성한 이해에서 시작하였다. 복수가 단일성에서 나왔고 혹은 데카드의 수들이 출현하였지만, 결국에는 다시 흡수되어 무한한 원 속에서 사라진다. 후자는 데카드가 증식하는 단일성으로 간주되거나, 분화하는 물질로 간주될 수 있을 때, 감각적 지각에만 의존하였다. 그것의 연구가 표면의 계로 제한된다; 10—하늘에서처럼 지상에서 완전수—에서 나오는 십자가로 혹은 *일곱*으로 제한된다.

이 이중 체계가 데카드와 함께 피타고라스가 인도에서 가져온 것이다. 고대 그리스 철학자들이 부르듯이, 그것이 *브라크만(Brachman)*과 *이란인(Iranian)*의 것이었다는 것이 푸라나와 마누 법전 같은 전체 산스크리트 문헌으로 보증되었다. 이런 "대법" 혹은 "마누의 법"에서, 브라흐마가 먼저 "대존재의 십(10) 주," 십(10) 프라자파티 혹은 창조적인 거대한 힘을 창조한다고 말한다; 십(10)이 "일곱"의 다른 마누들 혹은, 어떤 사본에서 부르듯이, 마눈(Manun) = "헌신자들" 대신에, 무닌(Munin) 혹은 서양의 종교에서 실재의 일곱 천사들인 성스러운 존재들을 만들어낸다. 이 신비스러운 숫자 7 은 상위 삼각형 △에서 태어났고, 이 삼각형은 그 삼각형의 정점에서 혹은 미지의 보편혼의 침묵하는 심연에서 (*시지*와 *비토스*) 태어났으며, 칠중의 *삽타파르나* 식물이 태어나서 신비의 토양의 표면에 현현되고, 꿰뚫을 수 없는 토양 깊이 뿌리내린 삼중의 뿌리에서 태어난다. 이 개념이 1 권 "원초 질료와 신성한 생각"에서 충분하게 자세히 설명되었으며, 독자는 위의 상징과 관련된 형이상학적 개념을 이해하고 싶다면 그것을 신중하게 주목해야 한다. 자연에서처럼 인간 속에서, 그것은, 히말라야 너머 비의 철학에 따르면 (*원래의 마누* 우주발생론의 철학), 대자연이 의도한 칠중 구분이다. 엄밀하게 말하면, 일곱 번째 원리(푸루샤)만이 신성한 자아(SELF)이다; 왜냐하면 마누에서 말했듯이, "그 (브라흐마)가 한량없는 밝기의 저 섬세한 여섯 부분에 스며 들어가서" 그것들을 창조하였다 혹은 그것들을 "대아"-의식으로 혹은 하나의 대아(One SELF)의 의식으로 불러냈기 때문이다. (V. 16, i 장. 마누) 이 여섯 중에서, 다섯 원소 (혹은 원리, 혹은, 주석가, 메다티티가 생각하듯이, *탓트바*)가 "파괴될 수 있는 원자 원소"로 불린다 (v. 27); 그것들이 위에 언급된 부문에서 묘사된다.

우리는 이제 신비 언어, 유사이전 인종의 언어에 대하여 말해야 한다. 그것은 음성에 의한 언어가 아니라, 순전히 그림 같은 상징 언어이다. 그것은 현재 매우 소수에게 충분하게 알려졌으며, 대중에게는 5 천년 이상 동안 절대적으로 사장된 언어였다. 하지만 대부분의 박식한 그노시스파, 그리스인과 유대인들은 그것을 알았고 사용하였지만 매우 달랐다. 몇 가지 예가 주어질 수 있다.

상위의 계에서, 수(Number)는 어떤 수가 아니고 *영(nought)*—원(CIRCLE)—이다. 아래 계에서, 그것은 *하나(one)*—홀수—가 된다. 고대 알파벳 글자 각각은 그것의 철학적 의미와 존재 이유를 가지고 있어서, 숫자 I 는 알렉산드리아 입문자들에게 *세워진 체(body erect)*, 살아 있는 서있는 사람을 상징하였고, 그가 이런 특권을 가진 유일한 동물이다. 그리고 이것에(I) 머리를 추가해서, 그것이 P 로 변형되었고, 이것은 창조적 잠재성, *부성(paternity)*의 상징이다; 반면에 R 은 길을 가는 사람, "움직이는 사람"을 나타냈다. 그래서 페이터 제우스(PATER ZEUS)는 글자들 형태나 그 소리 속에 어떤 성적인 혹은 남근 숭배적인 것이 없었다; 페이터 데우스(*πατὴρ Δεύς*)도 그렇다. (라곤 참조) 이제 우리가 유대 알파벳으로 관심을 돌리면, I 혹은 알레프 א 가 그 상징으로 황소를 가지고, 완전수 10 혹은 카발라의 하나(One)는 요드(Yodh) י (y, I, 혹은 j)이다; 그리고 여호와의 첫 글자로서 창조 기관을 의미한다. 이하 참조.

*홀수*는 신성하고, *짝수*는 지상의, 악마 같은 그리고 불운한 수이다. 피타고라스 학파는 2 개조를 싫어했다. 그들에게 그것은 분화의 기원이고, 그래서 대조, 불화 혹은 악의 시작인 물질의 기원이다. 발렌티누스 신통기에서, 비토스와 시지 (심연, 카오스, 침묵에서 태어난 물질)가 원초의 2 개조이다. 하지만 초기 피타고라스 학파들에게, 2 개조는 최초 현현된 존재가 모나드에서 분리되었을 때 떨어진 불완전한 상태이다. 그것은 두 개의 길—선과 악—이 갈라지는 지점이다. 그들은 두개 얼굴을 가진 혹은 거짓인 것 모두를 "2 개조"로 부른다. 하나(ONE)만이 선이고, 조화이다. 왜냐하면 어떤 부조화가 하나만에서 나오지 않기 때문이다. 그래서 라틴어 *솔루스(Solus)*가 바울의 미지자(Unknown), 유일신과 관련 있는 것이다. 그러나 *솔루스*는 곧 *솔(Sol)*—태양—로 되었다.

삼각형이 기하학 도형의 첫 번째 이듯이,[306] 3 개조(ternary)가 이렇게 홀수의 첫 번째가 된다. 이 수가 진실로 탁월한 신비의 수이다. 그것을 통속적으로 연구하기 위해서 라곤의 "입문의 추론적 과정"을 읽으면 된다; 비의적으로는 힌두의 수에 대한

---

306 그 이유는 간단하고, "아이시스 언베일드"에서 주어졌다. 기하학에서, 하나의 선이 완전한 도형 혹은 체를 나타내지 못하고, 두 개의 선도 논증적으로 완전한 도형을 구성할 수 없다. 삼각형만이 첫 번째 완전한 도형이다.

상징을 공부해야 한다; 그것에 적용된 조합은 무수히 많다. 라곤이 그의 연구에 토대를 두었고 그리고 유명한 트리노소피스트—*세 개 과학*을 연구하는 사람들; 그들 롯지에서 먹고 마시는 것을 제외하고 아무것도 공부하지 않는 사람에게 준 세 가지 보통의 메이슨 학위에 대한 개선—의 메이슨 협회를 창립한 것의 토대를 둔 것이 바로 이 삼각형의 세 가지 같은 선의 오컬트 속성이다. 창립자가 쓰길, "견습생에세 연구를 위해서 제시된 삼각형의 첫 번째 선은 투발 카인(Tubal-cain)으로 상징되는 광물계이다. '*동료*'가 명상해야 하는 두 번째 면은 식물계로 쉬브(Schibb) ∴ 쉬보레스(Schibboleth)로 상징된다. 이 식물계에서 *체들의 발생*이 시작된다. 이것이 글자 G 가 초인(?)의 눈 앞에 찬란하게 제시되는 이유이다. 세 번째는 마스터 메이슨에게 맡겨진다. *그가 동물계*의 연구로 그의 교육을 완성해야 한다. *그것은 마오벤*(*Maoben*) (부패의 태양)으로 상징된다" 등등.

첫 번째 도형은 *사중체*, 불멸의 상징이다. 그것은 *피라미드(pyramid)*이다: 왜냐하면 피라미드가 삼각형, 사각형 혹은 다각형 기반 위에 서고, 꼭지점에서 끝나며, 이렇게 삼개조와 사중체 혹은 3 과 4 를 낳기 때문이다. 신들과 숫자들 사이의 연결고리와 관계—*수비학*으로 불린 과학에서—를 가르친 것이 피타고라스 학파이다. 혼은 수라고 그들이 말했으며, 그 수는 저절로 움직이고 숫자 4 를 간직한다; 그리고 그들에게 *삼개조*는 표면뿐만 아니라 육체의 형성의 원리도 나타냈기 때문에, 영적 육체적 인간은 숫자 3 이다. 이렇게 동물은 *3 개조*만이었고, 인간만이 *도덕적일 때*(*when virtuous*) 7 개조였다; 나쁠 때, *5 개조*였다. 왜냐하면 —

숫자 5 는 2 개조와 3 개조로 구성되었고, 2 개조가 완전한 형태 속에 있는 모든 것을 무질서와 혼란으로 던져버렸기 때문이다. 그들이 말하길, *완전한 인간은 4 중체와 3 개조,* 혹은 4 개 물질과 3 개 비물질 원소였다; 5 가 *소우주*를 나타낼 때, 5 속에서 3 개 영 혹은 원소를 마찬가지로 발견한다. 소우주는 조밀한 물질과 직접적으로 관련 있는 2 개조와 3 개 영의 화합이다: "5 가 *대기음으로* 발음되어서 그렇지 않은 모음 위에 놓인 두 개의 그리스 엑센트 "῾̓ "의 교묘한 합일이기 때문이다. 첫 번째 기호 "῾"는 "강한 영(Strong Spirit)" 혹은 우세한 영, 인간이 내쉬고 열망하는 (*스피라투스*) 신의 영으로 불린다. 두 번째 기호 "᾿", 낮은 것은 *사랑의 영*(*Spirit of Love*)으로,

2 차적 영을 나타낸다; 세 번째는 전체 인간을 포함한다. 그것은 *보편적 정수(universal Quintessence)*, 활력 유액 혹은 생명이다." (*라곤*)

5 의 더 신비한 의미가 수바 로우 씨가 "5 년간의 신지학"에서 (pp. 110 이하) 쓴 탁월한 글에서 제공되었다—"황도대의 12 개 기호"에서 그가 탐구자가 "고대 아리안 신화와 우화에서 고대 산스크리트 분류법의 심오한 의미"를 캐내는데 도움을 줄 수 있는 어떤 규칙을 제시한다. 한편 신지학 출판물에서 염소자리에 관하여 지금까지 언급된 것과 그것에 대하여 일반적으로 알려진 것을 보자. 모든 사람이 ♑ 가 황대대의 10 번째 기호로 태양이 12 월 21 일쯤에 동지점으로 들어간다. 그러나 우리가 듣기로 *마카라*와 *쿠마라* 사이에 존재하는 것처럼 보이는 실재 신비한 연결관계를 아는 사람은—입문하지 않았다면, 심지어 인도에서도—매우 소수이다. 첫 번째는, 어떤 동양학자들이 생각하듯이, 경솔하게 '크로커다일'로 부른 수륙 양생의 동물을 의미하고, 두 번째는 요기들의 위대한 후원자의 타이틀이고 ("*사이바 푸라나*" 참고) 루드라 (시바)의 아들들 그리고 심지어 루드라와 하나이다; 쿠마라 자신이다. 인간과의 그들의 연결 관계를 통하여 쿠마라들도 황도대와 연결된다. 마카라 단어가 무엇을 의미하는지 찾아보자.

Makara(*마카라*) 단어는, "황도대의 12 개 기호"의 저자가 말하길, "그것의 올바른 해석의 실마리를 자체 속에 간직한다. 글자 *Ma* 는 5 번에 해당하고, *Kara* 는 손을 의미한다. 이제 산스크리트어에서 *트리부잠*(Thribhujam)은 삼각형, 부잠 혹은 카람(Karam) (둘이 동의어이다)으로, 어떤 면을 의미하는 것으로 이해된다. 그래서 *마카람*(Makaram) 혹은 *판차카람*(Panchakaram)은 펜타곤을 의미한다"—오각별 혹은 인간의 다섯 가지 부분을 나타내는 펜타곤.[307] 고대 체계에서, 마카라가 열 번째 기호 대신에 여덟 번째였다고 듣는다.[308] 그것은 "우주의 얼굴을 나타내려는 것이며," 산스크리트 작가들이 "또한 여덟 면의 한정하는 공간 혹은 *아쉬타디사*(Ashtadisa)에

---

307 이 도형의 의미와 이유는 무엇인가? 왜냐하면 *마나스*가 *다섯 번째* 원리이기 때문에, 그리고 펜타곤이 인간의 상징이기 때문에, 다섯 부분의 상징뿐만 아니라, 오히려 *사고하는 의식적* 인간의 상징이다.

308 이집트인의 상징이 연구될 때 그 이유가 분명해진다. 계속 더 보라.

대하여 말할 때, 그 우주가 *펜타고들*로 제한되는 것을 나타낸다." 이렇게 로카-팔라, 컴파스의 여덟 개 점을 말한다. (네 개 기본점과 4 개 중간점) . . . "객관적 관점에서 *소우주*가 인간의 체로 나타내어진다. 마카람이 소우주와 지각의 외적인 사물들로서 대우주를 동시에 나타내는 것으로 여길 수 있다." (pp. 113, 115)

그러나 그 단어 "마카라"의 진정한 비의적 의미는 진실로 "크로커다일"을 전혀 의미하지 않으며, 심지어 그것이 힌두의 황도대에 묘사된 그 동물과 비교되더라도, 그것을 의미하지 않는다. 왜냐하면 그것은 영양의 네 다리와 머리와 물고기의 꼬리와 체를 가지고 있기 때문이다. 그래서 황도대의 열 번째 기호가 다양하게 상어, 돌핀 등을 의미하는 것으로 여겨왔다; 그것이 대양의 신(Ocean God), *바루나*의 바한(매개체)이기 때문에, 그리고 종종, 이런 이유로, *잘라-루파*(*Jala-rupa*) 혹은 "물-형태(water-form)"라고 불린다. 그리스인들에게 돌고래는 포세이돈-넵툰의 매개체였고, 비의적으로 그와 하나이다; 그리고 성스러운 나일강의 크로커다일이 호루스의 매개체이자 그 자신이듯이, 이 "돌고래"가 "바다-용(sea-dragon)"이다. "나는 켐-오우르(Kem-our)의 위대한 호루스의 자리이자 물고기이다"라고 크로커다일 머리를 가진 미이라 형태의 신이 말한다. ("사자의 서," 88 장, 2 절) 페라테 그노스시파에게 그것은 *초자르*(*Chozzar*) (넵툰)로, 십이각형 피라미드를 구체로 개조하고, "그것의 문을 많은 색으로 칠한다." 그는 다섯의 *자웅동체* 대행자를 가지고 있다—그는 *마카라*, 레비아단이다.

떠오르는 태양은 매일 인간에게 현현하기 위해서 내보낸 신들의 혼으로 간주되고, 크로커다일은 첫 번째 광선이 비출 때 물에서 떠오르기에, 그 동물이 그 불을 의인화하듯이, 혹은 이집트인에게 가장 높은 혼을 의인화하듯이, 그것이 결국 인도에서 태양불 헌신자로 의인화하게 되었다.

푸라나에서 *쿠마라들*의 수가 우화의 필요성에 따라서 변한다. 오컬트 목적으로 그들의 수가 어느 곳에서는 일곱으로, 그리고 넷으로, 그리고 다섯으로 주어진다. *쿠르마 푸라나*에서 그들에 대하여 말한다: "이 *다섯* (쿠마라)은, 오 브라만, 격정에서 완전한 해방을 획득한 요기들이었다." 그들의 이름이 말했던 성운—*마카라*—과 연결관계를 보여주고, 황도대 기호와 연결된 다른 푸라나 인물들과 연결관계를 보여준다. 원시 사원의 가장 암시적인 그림문자들 중에 하나가 무엇인지 베일로 가리기 위하여 이것이 이루어진다. 그들은 천문적으로, 생리적으로 그리고 신비적으로 수많은 푸라나 인물 및 사건들과 전반적으로 섞여 있다. 비쉬누 푸라나에서 거의 힌트가 주어지지 않았기 때문에, 그들은 다른 모든 푸라나들과 성스러운 문학에 두루 걸쳐서 다양한 드라마와 사건 속에서 역할을 한다; 그래서 동양학자들이 여기저기서 연결관계의 줄을 주워 모아서 쿠마라들은 "주로 푸라나 작가들의 상상 때문이다"라는 선언으로 끝나게 되었다. 그러나—

마(Ma)—"황도대의 12 개 기호(사인)"의 저자한테 듣는다—는 *다섯*이다; *카라(kara)*, 다섯 손가락을 가진 손도 다섯 측면의 기호 혹은 *펜타곤*이다. *쿠마라* (이 경우 오컬트 목적으로 철자 바꾸기)는 비의 가르침에서 요기로서 다섯이다—왜냐하면 마지막 두 이름은 언제나 비밀로 지켜왔다; 그들은 브라흐마데바의 다섯 번째 등급이고, 오중의 초한으로, 그들 속에 다섯 원소들의 혼을 가지고 있으며, 물과 에테르가 우세하고, 그래서 그들의 상징은 *물과 불* 둘 다이다. "지혜가 물 위에서 떠다니는 황금 연꽃 (파드마) 위에서 쉬는 그의 카우치 (소파) 아래에 숨겨져 있다." 인도에서 그것은 비쉬누이다. (그 아바타들 중에 하나가 고대 시대에 주장되었듯이 부다(Budha)였다.) 나라야나 (포세이돈처럼 물 아래가 아니라 *위에서* 움직이고 거주한)의 숭배자들, 프라체타사스(Prachetasas)가 그들의 헌신을 위하여 대양의 심연 속으로 뛰어들어서 거기서 10,000 년 동안 그대로 있다; 그리고 프라체타사스는 대중적으로 열(10)이지만, 비의적으로 다섯이다. "프라체타스"는 산스크리트어에서 물의 신, 바루나의 이름으로, 네레우스(Nereus), 넵튠과 같은 측면이며, 이렇게 프라체타사스가 페라테 그노시스파의 [*초자르(CHOZZAR)*] (포세이돈)의 *"다섯* 대리인들"과 동일하다. 이들은 각각 [*아오트, 아오아이, 오토, 오토브(AOT, AOAI, OTO, OTOB)*]로 각각 불리며, "*다섯 번째, 삼중* 이름은 (일곱을 만든다) 사라졌다"[309]—즉, 비밀로 지켜졌다. 이것이 "수생의" 상징으로 충분하다; "불"은 그들을 불의 상징—영적으로—과 연결한다. 정체성의 목적을 위하여,

---

309 브라흐마의 다섯 번째 머리가 시바의 "중앙의 눈(central eye)"에 의해서 태워서 재로 되어서 사라졌다고 한다; 시바는 또한 "다섯 얼굴" *판차나나(panchanana)*이다. 이렇게 그 숫자가 간직되고 진정한 비의적 의미에 대한 비밀이 유지된다.

프라체타사스의 어머니가 대양의 딸 사바르나(Savarna)이듯이, 마찬가지로 암피트리테가 넵툰의 신비한 "대리인들"의 어머니였다는 것을 기억하자.

이제 독자는 이 "다섯 대리인들(ministers)"이 순결한 암피트리테가 포세이돈과 결혼하기를 꺼리는 마음을 극복한 돌고래에서 그리고 그들의 아들 트리톤에서 상징되는 것을 떠올리게 된다. 트리톤의 체는 허리 위가 인간이고 아래가 돌고래, 물고리로 가장 신비스럽게 바빌로니아의 *다그*(*Dag*), 오안네스(Oannes)와 그리고 또한 비쉬누의 (물고기) 아바타, *마츠야*와도 연결되어 있으며, 둘 다 인간에게 *지혜*를 가르친다. 모든 신화학자가 알고 있듯이, 돌고래는 포세이돈에 의해서 성운들 사이에 그의 봉사를 위해서 놓였고, 그리스인들에게 *염소자리*가 되었으며, 그의 뒷부분이 돌고래의 뒷부분으로 *마카라*와 동일하게 보였고, 그의 머리는 영양의 머리이며 체와 꼬리는 물고기이다. 이것이 마카라의 기호가 카마 데바, 힌두의 사랑의 신의 배너(깃발)에 있는 이유이다. 카마 데바는 아타르바 베다에서 아그니 (불의 신)와 동일하고, 아그니는 하이반사가 올바르게 제시했듯이 락쉬미의 아들이다. 왜냐하면 락쉬미와 비너스는 하나이고, 암피트리테가 초기의 비너스 형태이기 때문이다. 이제 카마 (*마카라-케투*)는 "아자(Aja)" (태어나지 않은 존재)이고 "아트마-부바" (자존자)이며, 아자는 리그 베다에서 로고스(LOGOS)이다. 거기서 그가 하나(ONE)의 최초 현현으로 보인다: "먼저 욕망이 그것(IT) 속에서 솟아올랐고, 그것은 마인드의 원초 씨앗으로," 그것이 "실체와 비실체를 연결시킨다"고 (혹은 비의적으로 일곱 번째인 아트마와 함께 다섯 번째, *마나스*) 성자가 말한다. 이것이 *첫 번째 단계*이다. 현현의 다음 계에서 두 번째 단계가 브라흐마가 그의 체에서 마인드에서 태어난 아들들, "사난다나와 다른 이들"을 나오게 하는 것을 보여준다. 이들은 *다섯 번째* "창조"에서 그리고 아홉 번째에서 (블라인드 목적으로) 쿠마라가 된다. 다음 사항을 환기시키면서 끝내겠다. 오늘날까지 염소가 샤크티의 *흰색* 측면, 락쉬미 (비너스)의 *어두운* 면인 두르가 칼리에게 바치듯이, 염소가 암피트리테와 바닷가에서 네레이드(Nereid)들에게 제물로 받쳐졌다; 그리고 이 동물들이 염소자리와 무슨 연결관계를 갖는지 암시하면서 끝내고자 한다. 그 염소자리 속에서 염소 형태로 28 개 별이 나타나며, 그 염소는 그리스인들에 의해서 아말테이아(Amalthaea)—제우스의 양육 어머니—로 변형되었다. 팬(Pan), 대자연의 신은 염소의 발을 가졌고,

타이폰이 다가오면서 자신을 염소로 변형시켰다. 그러나 이것이 이해될지 확신할 수 없어서 저자가 감히 자세하게 깊이 생각하지 않을 하나의 신비이다. 이렇게 그 해석의 신비적 측면이 학생의 직관에 맡겨 두어야 한다. 이제 신비스러운 숫자 5 와 관련하여 한 가지 더 주목하자. 그것은 영원한 생명의 영과 (인간 복합체 속에서) 지상의 생명과 사랑의 영을 동시에 상징한다; 그리고 그것은 신성한 그리고 지옥의 마법을 포함하며, 존재의 보편적 개인적 정수 (생명의 유액)를 포함한다. 이렇게 브라흐마가 "창조"에서 외친 다섯 가지 신비한 말 혹은 모음들이 곧 *판차다사* (그 신에게 돌리는 어떤 베다의 찬가들)로 되었으며 그것들의 창조적 그리고 마법적 잠재성에서 *검은* 탄트릭 *다섯* "마카라" 혹은 다섯 *m 의 흰색* 측면이다. "마카라," 성운은 겉으로 보기에 무의미하고 터무니없는 이름이다. 하지만 심지어 "쿠마라" 용어와 관련하여 그것의 철자를 바꾸는 의미뿐만 아니라, 첫 음절의 숫자 값과 5 로의 비의적 용해도 자연의 신비 속에서 매우 거대한 오컬트 의미를 갖는다.

마카라 사인이 영적인 "소우주"의 탄생 그리고 물질 우주의 죽음 혹은 붕괴 (영적인 영역으로 지나가는 것)와 [310] 연결되듯이; 그래서 인도에서 *쿠마라(Kumara)*로 부르는 디얀 초한들이 둘과 연결되어 있다고 말하는 것으로 충분하다. 게다가 대중 종교에서, 그들은 어둠의 천사와 동의어가 되었다. *마라(Mara)*는 어둠의 신, 추락한 자(Fallen One)이자 죽음이다 [311]; 그리고 그것은 카마(Kama)의 이름 중에 하나이고, 베다에서 첫 번째 신, 로고스로, 거기서 쿠마라들이 나왔으며, 이렇게 이것이 한층 더 "터무니없는" 인도의 마카라 그리고 이집트의 크로커다일 머리를 한 신과 연결된다.[312] 천상의 나일강에 있는 크로커다일은 *다섯*이고, 신 툼(God Toum), 원초의 신이 천상의 체들과 살아 있는 존재들을 창조하면서 *다섯 번째 창조*에서 이 크로커다일들을 불러낸다. 오시리스, "소멸된 태양"이 묻혀서 아멘티로 들어갈 때,

---

310 "태양이 마카라의 30도 뒤로 지나가서 더 이상 *미남(Meenam)* (*물고기*)의 기호에 도달하지 않을 때 그때 브라흐마의 밤이 왔다." . .

311 진실로 모든 물리적 사물의 죽음; 그러나 마라는 또한 영적인 탄생을 무의식적으로 촉진시키는 자이다.

312 오시리스는 "사자의 서"에서 "이중 크로커다일, 오시리스"로 불린다. ("오시리스의 이름들에 대하여," cxlii장 참조) "그는 선한 원리이자 나쁜 원리이다; 낮, 그리고 밤의 태양, 신 그리고 유한한 인간"이다." 지금까지 대우주와 소우주.

성스러운 크로커다일들이 원초의 물 심연 속으로 뛰어든다—"거대한 녹색의 하나(Green One)." 생명의 태양이 떠오를 때, 그들은 성스러운 강에서 다시 나온다. 이 모든 것이 고도로 상징적이며, 태초의 비의적 진리들이 동일한 상징 속에서 그 표현을 어떻게 찾았는지 보여준다. 그러나 수바 로우 씨가 진실로 이렇게 선언한다: "고대 철학자들이 황도대 기호와 연결시킨 그 신비의 어떤 부분에 비상하게 드리워진 그 베일이 *비입문한 대중의 즐거움 혹은 교화를 위해서 결코 충분하게 들어 올려지지 않을 것이다.*"

숫자 5 가 그리스인들에게도 덜 신성하지 않았다. 브라흐마의 다섯 단어(*판차다사*)가 그노시스파에게 예수의 찬송에서 예수의 아카식 (빛나는) 의상 위에 쓰여진 "다섯 말씀"으로 되었다: 동양학자들이 번역한 그 말씀들은 "*자마 자마 오짜 팍사마, 오자이*(*ZAMA ZAMA OZZA PAXAMA, OZAI*)"로 "옷, 나의 힘의 영광스러운 옷." 이 단어들은 다음으로 3 일간의 트랜스의 마지막 시험 후에 "부활한" 입문자의 의상에 나타내어진 다섯 가지 신비한 힘의 철자 바꾸기 블라인드였다; 다섯이 그의 *죽음* 후에만 *일곱*으로 되고, 그러면 초인은 온전한 크리스토스, 온전한 크리슈나-비쉬누, 즉 니르바나 속으로 합쳐지게 되었다. *델파이* E (E *Delphicum*)는 성스러운 상징으로 숫자 5 이다; 그리고 그것이 얼마나 성스러운지는 (플루타르크에 의하면) 고린도인들이 델파이 사원에 있는 나무로 된 수를 황동으로 바꾸었다는 사실로 보여준다; 그리고 이것은 리비아 오거스타에 의해서 금 복사본으로 변형되었다.

두 가지 영—라곤이 말한 그리스 엑센트 혹은 기호(;)—아트마와 붓디 혹은 "신성한 영과 그것의 매개체" (영적인 혼)를 인식하기가 쉽다.

여섯 혹은 "6 개조"가 나중에 다루어지며, 반면에 칠개조는 본서에서 진행하면서 충분하게 다루어질 것이다. ("*헤브도마드의 신비*" 참조)

오그도아드(*Ogdoad*) 혹은 8 은 주기의 영원한 나선형 운동, 8, ∞ 을 상징하고, 다음으로 카두세우스 (헤르메스 지팡이)로 상징된다. 그것은 여덟 위대한 신이 주재한—하나(One)이자 삼개조, 원초의 어머니로부터 일곱—대우주의 규칙적인 호흡을 보여준다.

그러면 삼중의 삼개조 숫자 9 가 온다. 그것은 모든 증식에서 모든 형상들과 모습들로 자체를 끊임없이 재생하는 숫자이다. 각도에서 그것의 값이 9, 즉 3 + 6 + 0 과 동일하기에, 그것은 모든 원주의 기호이다. 그것은 어떤 조건 하에서 *나쁜* 수이고, 매우 불운한 수이다. 만약 숫자 6 이 *신성한 영*에 의해서 생명이 불어넣어질 준비가 된 우리 구체의 상징이었다면, 9 는 *나쁜* 영으로 생명이 불어넣어진 우리의 지구의 상징이었다.

10 혹은 데카드가 모든 수를 단일성으로 가져와서, 피타고라스 테이블이 끝난다. 그래서 이 숫자—*제로 속에 있는 단일성*, ⊖—가 신, 우주 그리고 인간의 상징이었다. 그것이 "사자 발의 강력한 움켜쥠," 두 손 (*"마스터 메이슨의 움켜쥠"*) 사이의 "유다족의 강력한 움켜쥠"의 비밀 의미이며, 그 손가락의 합친 수가 10 이다.

이제 우리가 이집트인의 십자가 혹은 *타오(Tau)*로 관심을 돌린다면, 이집트인, 그리스인 그리고 유대인이 그렇게 고귀하게 여긴 이 글자가 *데카드*와 신비스럽게 연결되어 있다는 것을 발견할 것이다. 타오는 비밀의 신성한 지혜의 알파와 오메가로, 토트 (헤르메스)의 첫 글자와 마지막 글자로 상징된다. 토트가 이집트 알파벳의 발명자였고, *타오* 글자가 유대인과 사마리아인의 알파벳을 끝냈으며, 그들은 이 글자를 "끝" 혹은 "완성," "절정"과 "안전"으로 불렀다. 그래서—라곤이 우리에게 말하듯이—단어 *터미너스* (끝)와 *택텀(tectum)* (지붕)은 다소 평범한 정의인 대피소와 안전의 상징이다. 그러나 그것이 물리적 진보처럼, 영적인 쇠태의 세계에 있는 사물들과 개념들의 보통의 운명이다. 팬(PAN)은 한 때 *절대적 성질 (자연)*, 하나의 위대한 전체(GREAT-ALL)였다; 그러나 역사에서 그를 힐끗 보았을 때, 그가 이미 영향력이 제한된 들판의 신, 시골의 신으로 굴러 떨어졌다; 그런데 신학이 그를 악마로 만드는 반면에, 역사는 그를 알아보지 못할 것이다. 하지만 그의 일곱 파이프 플루트, 자연의 일곱 가지 힘, 일곱 행성, 칠음, 모든 칠중 하모니의 상징이 그의 원초의 성격을 잘 보여준다. 십자가도 그렇다. 유대인들이 사원의 황금 촛대를 한쪽은 3 개 구멍과 다른 쪽은 4 개로 고안하고, 숫자 7 을 발생의 여성의 수로 [313] 만들어서,

---

313 *십자가*에 대하여 숙고하면서, "척도의 근원"의 저자는 사원에 있는 이 촛대를 "어느 쪽에서 세어도 4내 촛대 구멍이 있도록 구성되었다는 것을 보여준다; 반면에 꼭대기에는 양쪽에 *공통인*

남근 숭배 요소를 종교 속으로 가져오기 훨씬 이전에, 더 영적인 마인드를 가진 국가들은 십자가를 (3, 4 = 7) 그들이 가장 성스러운 신성한 상징으로 만들었다. 사실 원, 십자가 그리고 일곱—후자가 *원의* 측정의 토대로 되었다—이 최초 태초의 상징들이다. 피타고라스가 인도에서 그의 지혜를 가져와서 후대에게 이런 진리를 힐끔 보는 것을 남겼다. 그의 학파는 숫자 7 을 그들이 두 가지 방식으로 설명한 3 과 4 의 복합수로 간주하였다. 본체계에서, 삼각형은 현현된 신의 최초 개념으로서 그것이 이미지였다: "아버지-어머니-아들"; 그리고 사중체, 완전수는 물질계 모든 사물과 모든 숫자들의 본체의 이상적인 뿌리였다. 어떤 학생들은 테트락티스와 테트라그라마톤의 성스러움으로 사중체의 신비한 의미를 오해한다. 사중체는 고대인들에게 말하자면 *단지 이차적인* "완성"이었다. 왜냐하면 그것은 현현된 계와만 관련 있기 때문이었다. 반면에 "미지의 신의 매개체"였던 것은 그리스 *델타* △, *삼각형*이었다. 그것의 좋은 증거가 델타를 가진 신의 이름과 함께 있다. 제우스는 보이오티안들에 [314] 의해서 데우스로 쓰였고, 그래서 라틴의 '*데우스*'이다. 이것은 *현상계에서* 칠개조의 의미에 관하여, 형이상학 개념과 관련된 것이지만, 대중적인 해석의 목적을 위해서는 그 상징이 바뀌었다. *셋*(3)이 *세 가지 물질 원소*—풍, 수, 지—의 그림문자로 되었다; 그리고 넷이 유형이 아니고 지각할 수도 없는 모든 것의 원리로 되었다. 그러나 이것은 실재 피타고라스 학파에 의해서 결코 받아들여지지 않았다. 6 (세너리)과 1 (단일성)의 복합으로 보면, 형태를 구성하는 여섯 개 선을 가지고 그 속에서 *일곱 번째*가 중심점으로서 보이지 않는 어떤 체도 존재하지 않기 때문에 (소위 *무생물* 성질에서 크리스탈과 눈송이 참조), 숫자 7 은 볼 수 없는 센터, 모든 것의 영이었다 (6 에 대한 설명 참조). 게다가, 숫자 7 은 단위(UNIT)—숫자들의 숫자—의 모든 완전성을 가지고 있다고 그들이 말했다. 왜냐하면 절대적 단일성은

---

*하나*가 있지만, 한쪽에서 세면 3개 그리고 다른 쪽에서 세면 4개로, 십자가 진열과 공통으로 하나에 대한 똑같은 개념 위에 숫자 7를 만드는 것이다. 폭이 1단위이고 길이가 3단위인 선을 가지고, 그것을 경사면에 놓는다; 길이가 4단위인 다른 선을 가지고, 반대 경사면에서, 그것을 이것 위에 기대게 하면, 길이가 넷의 꼭대기 단위가 삼각형의 모서리 혹은 꼭대기를 만든다. 이것이 촛대의 배열이다. 이제 길이가 3단위의 선을 가져가서 그것을 길이가 4단위의 하나 위에 십자가로 놓으면 십자가 형태가 나온다. 똑같은 생각이 창세기 1주의 6일과 일곱 번째 날로 유종의 미를 거두는 것에서 전달된다. 이것이 자체적으로 원형 측정의 토대로 사용되었다." (p. 51)

314 리델의 그리스-영어 사전.

창조되지 않았고, 나눠지지 않으며—그래서 무수(number-less)—어떤 수도 그것을 만들 수 없듯이, 7도 그렇기 때문이다: 데카드 속에 간직된 어떤 숫자도 그것을 낳을 수도 만들 수도 없다. 그리고 넷 (4)이 단일성과 일곱 (7) 사이에 산술적 분할을 제공한다. 7이 4를 넘어서듯이, 4는 단일성을 3만큼 넘어간다. 왜냐하면 7이 4위에 있듯이, 4 가 1 보다 같은 수만큼 위에 있기 때문이다. (“성 저메인”이 썼다고 추정되는 사본에서)

“이집트인들에게 숫자 7 은 영원한 *생명*의 상징이었다”고 라곤이 말하며, 이것은 그리스 글자 Z 가 7 의 이중으로 자오(Zao), “나는 산다”와 제우스, “모든 살아 있는 것의 아버지”의 첫 글자이기 때문이라고 첨언한다.

더구나 숫자 6 은 가을과 겨울 “잠자는” 달 속에 지구의 상징이었고, 숫자 7 은 봄과 여름 동안—생명의 영이 그 시기에 활기를 불어넣었기 때문에—일곱 번째 혹은 중심의 활기를 불어넣는 힘이었다. 우리는 *형이상학적으로* 불과 물로 그리고 *물리적으로* 태양과 나일강을 의인화하는 오시리스와 아이시스의 이집트 신화와 상징 속에서 똑같은 것을 발견한다. 태양년의 수 365 일은 단어 *네일로스*(*Neilos*) (나일)의 숫자 값이다. 이것과 함께 황소, 초승달 그리고 뿔 사이의 고리모양의 십자가 그리고 천문학 상징의 지구—♁—가 후기 고대에 가장 남근 숭배의 상징들이다.

“나일강은 한 해의 수를 가진 혹은 해 그리고 하루의 수를 가진 (364 + 1 = 365) 시간의 강이었다. 그것은 아이시스, 지구 어머니, 달, 여성 그리고 암소의 출산이 가까운 물을 나타냈고, 또한 유대인의 *창조의 신비*(*Y'sod Olaum*)를 나타내는 오시리스의 *작업장*을 나타냈다. 이 강의 고대 이름은 콥트어 혹은 그리스어 접미사를 가진 유대의 이아르단(Iardan) 혹은 에리다누스(Eridanus)였다. 이것은 유대어 단어 자레드(Jared) 혹은 요르단 강의 . . . *“근원”* 혹은 *하강*의 문이었으며, 요르단 강은 이집트인이 [315] 나일강에 대하여 갖는 것처럼 유대인들이 똑같은 신화 같은 용도를 가졌고, 그것은 하강의 근원이었으며, 생명의 물로 간직되었다.” (미출판된 사본) 명확하게 표현하면, 그것은 의인화된 지구 혹은 아이시스의

315 그것이 초기에는 그런 의미를 갖지 않았다; 더 이전 왕도 동안에도 그렇다.

상징이었고, 그 지구의 자궁으로 간주되었다. 이것이 충분히 명확하게 보여 주었다; 그리고 요르단—이제는 기독교인들에게 너무 성스러운 강—은 달의 만삭의 물처럼 (여성 측면에서 아이시스 혹은 여호와) 더 이상 그 속에 지고한 혹은 시적인 의미를 갖지 않는다. 이제 같은 학자가 보여주었듯이, 오시리스가 태양, 나일강과 365 일의 태양년이었다; 반면에 아이시스는 달, 그 강의 바닥 혹은 “물이 필수인 만삭의 에너지를 위한” 어머니 지구였고, 또한 354 일의 태음년, “임신 기간의 타임 메이커”였다. 그때 이 모든 것이 성적이고 남근 숭배적이며, 우리의 근대 학자들은 이 상징들 속에서 생리적 혹은 남근 숭배적 의미를 넘어선 아무것도 발견하지 못한 것처럼 보인다. 그럼에도 불구하고 365 세 숫자 혹은 태양년 속에 있는 날의 수는 그 속에서 고도로 철학적 그리고 도덕적 의미를 찾기 위해서는 피타고라스 열쇠를 가지고 읽어야 한다. 한 가지 예로 충분할 것이다. 그것은 이렇게 읽을 수 있다: —

지구	—	생명이 불어넣어진다	—	생명의 영(Spirit of Life)
3		6		5

단순히 3 이 그리스 글자 감마[*G*]에 상응하고, 그 글자는 *가이아*(*gaia*) (지구)의 상징이기 때문이다. 반면에 숫자 6 은 생명을 불어넣는 혹은 활기를 불어넣는 *원리*이며, 5 는 모든 물질을 형성하고 모든 방향으로 퍼지는 보편적 정수이기 때문이다. (성 저메인 사본)

앞에 제시된 몇 가지 예와 사례는 고대의 숫자와 그림문자를 읽기 위하여 사용된 하나의 작은 부분만을 드러낸다. 그 체계가 엄청 복잡하고 어려워서, 심지어 입문자들 사이에서도 모든 일곱 개 열쇠를 숙달한 사람들이 매우 소수이다. 그러면 형이상학적 성질이 점차로 쇠퇴하여 물리적 성질로 변했다는 것; 태양이 한때 신의 상징이었지만 수많은 세월이 지나가면서 창조적 열정의 상징으로만 되었다는 것; 그리고 그래서 그것이 남근 의미의 그림문자로 추락했다는 것이 이상한가? 그러나 확실히 성적인 엠블럼으로 그들의 종교를 상징화함으로써 시작할 수 있었던 사람들은 그 방법이 (플라톤처럼) 보편적인 것에서 특정한 것으로 나아가는 사람들이 아니다. “인간이 지상에서 신이고, 신은 하늘에서 인간이다”라고 저 화신한 패러독스인 엘리파스 레비가 말했지만 사실이다. 그러나 이것은 하나의 신(One

Deity)에게 적용될 수 없고, 결코 적용되지 않았으며, 우리가 디얀 초한으로 부르고, 고대인들이 신으로 부른 그것의 화신한 광선들의 무리들에게만 적용되었다; 그리고 이제는 교회에 의해서 *왼쪽*에 있는 악마 그리고 *오른쪽*에 있는 구세주로 변형되었다.

그러나 그런 모든 도그마는 한 뿌리, 지혜의 뿌리에서 나왔으며, 그 지혜의 뿌리가 인도의 토양에서 자라고 번성한다. 모든 대천사는 아리아바르타의 성스러운 땅에서 그 원형을 추적할 수 있다. 이 "원형들"은 "자손을 창조하기를" *거부하는*—사나트 쿠마라와 사난다로서—행동의 장면에 나오는 모두 쿠마라와 연결되어 있다. 하지만 그들이 "(사고하는) 인간의 창조자"로 불린다. 한 번 이상 그들이 나라다—또 다른 *겉으로 보이는* 불일치이지만, 철학적 가르침의 보고이다—와 연결된다. 나라다는 천상의 가수이자 음악가인 *간다르바*의 리더이다; 비의적으로 그 이유가 간다르바들은 "비밀 과학에서 인간의 교사"라는 사실로 설명된다. 인간에게 창조의 신비를 드러낸 것이 "지구의 여인들을 사랑하는" 바로 그들이다. 혹은 베다에 있듯이—"천상의 간다르바"는 일반적으로 *신성한 진리와 하늘의 비밀들을* 알았고 드러냈던 신이다. 만약 에녹과 성서에서 이 등급의 천사들에 대하여 말한 것을 기억한다면, 그러면 그 우화가 분명하다: 그들의 리더, 나라다가 창조하기를 거부하는 반면 인간을 신이 되도록 이끈다. 게다가 이 모든 것은 베다에서 언급되었듯이 *찬다자*(*Chhandaja*) (의지로 태어난) 혹은 *그들 자신의 의지로* 화신한다; — 그리고 그들이 통속 문헌에서 여러 시대에 존재하는 것으로 보여 진다. 어떤 존재는 "다시 태어나도록 저주받았고," 다른 존재는 의무로 화신하는 것으로 보여 진다. 마지막으로 마하 요기들이 거주한 섬, "흰섬" (*스베타-드위파*)에 있는 비쉬누를 방문하기 위하여 간 일곱 쿠마라, 사나카디카들로서—그들은 *사카드위파*와 세 번째 네 번째 근원인종의 레무리안 및 아틀란티안과 연결되어 있다.

에소테릭 철학에서, 루드라들 (쿠마라, 아디티야, 간다르바, 아수라 등)은 지성에서 최고의 디안 초한들 혹은 데바들이다. 그들은 자기-계발로 *오중의* 성질을 획득하였기 때문에—그래서 숫자 *5* 가 성스러운 것이다—순수한 *아루파* 데바들에서 독립하게 된 존재들이다. 이것은 올바르게 인식하고 이해하기 매우 어려운 신비이다. 왜냐하면 "법에 복종하는" 자들이 *모든 시대에 다시 태어날 운명인 반항자들*과 동등하다는 것을 이해하기 때문이다. 나라다, 리쉬가 지상에 끊임없은 소요 (편력)의 저주, 즉, 지속적으로 재탄생하는 저주를 브라흐마에 의해서 받는다. 그는 브라흐마에 저항한 반항자이지만, 자야들(Jayas)—브라흐마의 *창조 기능에서 그의 보조자들로서* 열 두 *창조신*들—보다 더 나쁜 운명을 갖지 않는다. 왜냐하면 그 창조신들은 명상에 잠겨서 *창조하는 것을 잊어버렸고* 이것 때문에 그들도 모든 *만반타라*마다 태어나도록 브라흐마에 의해서 똑같이 저주받았기 때문이다. 그리고 여전히 그들은 반항자들과 함께 *찬다자* 혹은 그들 자신의 의지로 인간 형태 속에 태어난 존재들로 불린다.

이 모든 것이 푸라나를 사문자 의미를 제외한 채 읽고 이해할 수 없는 사람에게 매우 당혹스러운 것이다.[316] 그래서 동양학자들이 당혹해하기를 거부하고 전체 계획이 "과장을 좋아하는 브라만의 공상의 산물"이라고 선언함으로써 당혹함의 난문제를 해결하는 것을 보게 된다. 그러나 오컬티즘 학생에게 전체가 깊은 철학적 의미로 가득하다. 우리는 서구의 산스크리트 학자에게 껍질을 기꺼이 남겨주지만, 그 과실의 본질은 우리 것으로 차지할 것이다. 우리는 더 한다: 한 가지 의미에서 소위 이 "우화들" 속에 있는 많은 것이 성운, 별자리, 별 그리고 행성에 대한 천문학 비유를 언급한다고 인정한다. 하지만 리그-베다의 *간다르바*가 거기서 태양의 불을 의인화하게 되어 있는 반면에, *간다르바 데바들*은 물리적 심령적 성격의 실체들이다; 반면에 압사라사는 (다른 루드라들처럼) *특질*이고 *양*이다. 간단하게 말하면, 베다 신들의 신통기가 언젠가 풀어진다면 창조와 존재의 헤아릴 수 없는 신비를 드러낼 것이다. 진실로 파라사라가 말한다: "이 33 신성들이 시대마다 존재하고, 그들의 출현과 실종은 태양이 지고 뜨는 것과 같은 방식이다." (1 권, xv.)

십자가와 원에 대한 동양의 상징, *스와스티카*가 보편적으로 채택되었던 때가 있었다. 비의적인 (그리고 그 문제에서 통속적인) 불교도와 중국인 그리고 몽골인에게, 그것은 "10,000 개 진리들"을 의미한다. 이 진리들은 보이지 않는 우주와 태초의 우주발생론 및 신통기의 신비에 속한다고 그들이 말한다. "포하트가 원을 두 가지

316 하지만 한번 숙달되면 이 의미가 비밀의 지혜의 열쇠를 간직하는 안전한 상자로 될 것이다. 사실 그 상자가 너무 풍성하게 장식되어서 그 수예품이 그것을 여는 어떤 용수철을 완전히 숨기고 감추며, 이렇게 비직관적인 사람들이 그것은 어떤 구멍을 갖고 있지 않고, 그럴 수도 없다고 믿게 만든다. 여전히 열쇠들이 거기 깊이 묻혀 있지만 그것들을 찾는 사람에게 언제나 실재한다.

불기둥의 선 (수평적으로 그리고 수직적으로)처럼 가로지른 이후, 축복받은 자들의 무리들은 그들이 처음부터 지켜봐야 하는 행성에 그들의 대표자를 내보내는데 결코 실패하지 않았다.” 이것이 *스와스티카가*—이집트에서 고리 모양의 십자가처럼—항상 신비가 사자의 가슴 위에 놓이는 이유이다. 그것은 티벳과 몽골에 있는 붓다의 이미지와 조각상의 심장 위에서 보인다. 그것은 살아 있는 입문자들의 가슴 위에 놓인 인장(seal)이고, 어떤 사람들에게는 영원히 육체 속으로 타 들어갔다. 이것은 “만 가지 완성을 믿고 맡길 가치가 있는” 그들이 선택한 계승자들—새로운 입문자들—이 지각하고 읽는 날까지 그 진리들을 영원한 침묵과 비밀 속에서 침해하지 않고 온전히 지켜야하기 때문이다. 하지만 이제는 그것이 너무 훼손되어서 신성을 더럽히는 본파, 티벳 국경의 둑파 (주술사들)의 가증스러운 우상, “신들”의 머리장식 위에 놓이기도 한다; 그리고 갤룩파가 발견해서 “신”의 머리와 함께 찢어버렸을 때까지; 그것이 죄 많은 체에 절단된 숭배자의 머리라면 더 낫겠지만. 여전히 그것은 신비스러운 속성을 결코 잃어버릴 수 없다. 회고의 눈길을 던져보라, 그러면 그것이 트로이의 사제처럼 입문자들과 현자들이 사용하였다는 것을 보게 된다. (슐리만이 그 고대 도시 지역에서 발견하였다) 그것이 고대 페루인, 앗시리아인, 칼데아인 그리고 고대 세계 사이클롭인 건물의 벽 위에서 발견된다; 신세계의 지하묘지 속에서 그리고 기독교인들이 그들 종교와 자신들을 숨겼을 것으로 간주되는 로마에 있는 고대 도시의 지하묘지에서, 그것은 *크럭스 디시뮬라타(Crux Dissimulata)*로 불렸다.

“드 로씨에 의하면, 스와스티카는 초기부터 *오컬트 의미를 가지고 사용된* 가장 좋아하는 십자가 형태였으며, 이것이 그 비밀이 기독교 십자가의 비밀이 아니었다는 것을 보여준다. 지하묘지에 있는 하나의 스와스티카는 ‘*조티코 조티케(ZOTIKO ZOTIKE)*,’ ‘*비탈리스 비탈리아(Vitalis Vitalia)*,’ 혹은 ‘생명의 생명(life of life)’을 읽는 비문의 기호이다.”[317]

그러나 십자가의 고대성에 대한 가장 좋은 증거는 자연의 창세기의 저자가 433페이지에서 제시한 것이다.

---

317 “*자연의 창세기*” (p. 428, 1 권)에서 인용됨.

메시 씨가 말하길, "기독교 상징으로서 십자가의 가치는 예수 크리스트가 십자가에 못박힌 때부터 시작되는 것으로 추정된다. 그리고 *지하묘지의 기독교 도해체계에서 인간의 형상이 첫 6세기 혹은 7세기 동안 십자가 위에 나타나지 않는다.* 새로운 종교의 시작점을 제외하고 모든 형태의 십자가들이 있다. 그것은 시초의 형태가 아니라 십자가상(Crucifix)의 마지막 형태였다.[318] 기독교 시대 이후 약 6세기 동안 십자가에 못박힌 구세주에 대한 기독교 종교의 토대는 전적으로 기독교 예술이 결여되어 있다. 십자가 위에 있는 인간의 형상의 가장 초기는 그레고리 교황이 롬바르디의 테오돌린데 위대한 여왕에게 제시한 십자가상으로, 지금은 몬조에 있는 성 요한의 교회에 있다. 반면에 7세기 혹은 8세기에 속하는 산 줄리오의 상보가 더 초기의 십자가에 못박힌 상이 로마 지하묘지에서 발견되지 않았다. 크리스트도 없고 십자가에 못박힌 것도 없다; 스타우로스 십자가가 그노시스 크리스트인 호루스의 이름이자 유형이었듯이, 십자가가 크리스트이다. 십자가에 못박힌 것이 아닌 십자가가 예술에서 그리고 종교에서 숭배의 그리고 예술에서 본질적인 표현의 대상이다. 전체 성장과 발전의 씨앗이 그 십자가로 추적될 수 있다. 그리고 그 십자가는 기독교 이전이고, 이교도와 이방인의 것으로, 여섯 가지 서로 다른 형상이다. 십자가와 함께 컬트가 시작되었고, 줄리안 황제가 'X와의 전쟁'을 벌였다고 그가 말한 것이 맞았다; 그리고 그가 분명하게 생각했던 그것이 불가능한 의미를 전달하기 위하여 비영지주의자와 신화학자들에 의해서 채택되었다.[319] 여러 세기 동안 십자가가 크리스트를 나타냈고, 그것이 마치 살아 있는 존재처럼 말해졌다. 그것이 처음에는 신성하게 되었고, 결국에는 인간화되었다."

스와스티카만큼이나 실재 오컬트 의미로 가득한 세계 상징이 거의 없다. 그것은 숫자 6 으로 상징된다; 왜냐하면 그 숫자처럼, 그것은 그 수의 그림문자처럼 구체적인 형상에서 천정과 천저, 북, 남, 서 그리고 동을 가리키기 때문이다; 그 단위를 모든 곳에서 발견하며, 그 단위가 모든 단위 속에서 반영되었다는 것을

---

318 기독교인들에게는 가장 부정할 수 없다. 기독교 이전 상징학자들에게, 그것은 말했듯이 입문 의식동안 고문의 소파 혹은 바닥이었다. "십자가상(Crucifix)"은 그것이 로마 교수대로 되었을 때처럼 땅 위에 똑바로 세워진 것이 아니라 수평적으로 놓였다.
319 그렇다. 그리고 다르게 될 수 없었다. 줄리안 황제는 입문자였고, 그만큼 형이상학적 그리고 물리적 "신비-의미"를 알았다.

발견한다. 그것은 포하트 활동의 엠블럼이고, “수레바퀴”의 연속된 회전 그리고 신비적 그리고 혼자가 아닌 우주적 의미에서 “성스러운 넷,” 사원소의 엠블럼이다; 게다가 그 네 팔은 직각으로 굽어져서 다른 곳에서 보여주었듯이, 피타고라스 및 헤르메스 척도들과 밀접하게 연관되어 있다. 주석에서 말하길, “스와스티카의 의미의 신비에 입문한 사람은 수학적인 정확함으로 대우주의 진화와 *산디야*(*Sandhya*) 전체 기간을 그것에서 추적할 수 있다.” 또한 보이는 것과 보이지 않는 것과의 관계” 그리고 “인간과 종의 최초 창조”도 그렇다.

동양의 오컬티스트에게 인간 자신의 심장의 파라다이스에 있는 지식의 나무가 영원한 생명의 나무(Tree of Life eternal)로 되고, 인간의 동물적 감각과는 아무 관계가 없다. 그것은 갇힌 마나스와 자아가 감각적 지각의 속박에서 자신을 해방시켜서 하나의 영원한 실재의 대실재의 빛 속에서 보려고 노력하는 것을 통해서만 자체를 그려내는 절대적 신비이다. 서구의 카발리스트들에게 그리고 물질 과학의 치명적인 공기 속에서 길러진 이제는 훨씬 더 피상적인 상징학자에게, 십자가의 신비에 대한 하나의 주요 설명이 있다—그것의 성적인 요소. 심지어 다르게 영적인 근대 주석가도 십자가와 스와스티카 속에서 다른 모든 특징 이전에 이 특징을 구분한다.

“십자가는 이집트에서 보호하는 부적과 구원하는 힘의 상징으로서 사용되었다. 타이폰 혹은 사탄이 실제로 십자가에 붙들어 매여 묶여 있는 것이 발견된다. 의식에서, 오시리스가 외친다, ‘아포피스가 굴복하였고, 그들의 코드가 남, 북, 동 그리고 서를 묶으며, 그들의 코드가 그 위에 있다. *하르-루-바*(*Har-ru-bah*)*가 그를 잡아 맺다.*’[320] 이것은 사방위 혹은 십자가의 코드였다. 토르가 뱀의 머리를 그의 망치. . . . 스와스티카 형태 혹은 네발 십자가로 강타한다고 말한다. . . 이집트의 원시

---

320 아포피스 혹은 아파프(Apap)는 악의 뱀, 인간 격정의 상징이다. 아파프가 무너져서 묶이고 붙들어 매일 때, 태양 (오시리스-호루스)가 그를 파괴한다. 신 아케르, 아케르의, “심연의 문의 우두머리,” 태양의 영역이 (xv. 39) 그를 묶는다. 아포피스는 라(Ra) (빛)의 적이지만, “위대한 아파프가 쓰러졌다!”고 사자가 외친다.” “스콜피온이 그대의 입에 해를 주었다”고 그거 정복된 적에게 말한다. (xxxix. v. 7) 스콜피온은 기독교인들의 “결코 죽지 않는 벌레”이다. 아포피스는 *타오*, 혹은 *타트*(*Tat*) “안정성의 엠블럼”에 묶여 있다. (의식 xviii, *타투*(Tatoo)에 있는 타트의 직립을 보라.)

무덤에서 그 방의 모형이 십자가 형태였다.[321] 마투라(Mathura)의 파고다 . . . 크리슈나의 탄생지가 십자가 형태로 건설되었다.[322]

이것은 완전하며 그리고 어느 누구도 동양학자들이 이교주의의 머리를 깨고 싶어하는 이런 "성적 숭배"에서 구분할 수 없다. 그러나 유대인들과 힌두 종파들의 통속적인 종교들, 특히 발라바차라 의식은 어떠한가? 왜냐하면 말했듯이 시바 숭배의 링감과 요니가 철학적으로 너무 고귀해서 근대 쇠퇴에도 불구하고 단순한 남근 숭배로 부를 수가 없기 때문이다. 그러나 *나무* 혹은 유대인의 *십자가 숭배는*[323] 그들의 예언자들이 비난했듯이 그런 비난을 거의 피할 수가 없다. 이사야가 부르듯이 (57:3), "주술사들의 아들들," "간통자의 씨앗"은 "어떤 형이상학적 재창조를 나타내지 않는, 모든 푸른 나무 아래에 있는 우상들에 불지르는" 기회를 결코 잃어버리지 않았다. 기독교 국가들이 그들의 종교, 그들의 "신들의 신, 하나의 살아 있는 신"을 이끌어낸 것이 바로 이런 일원론적 유대인들이고, 반면에 고대 철학자들의 신의 숭배를 경멸하고 조롱하였다. 어쨌든 십자가의 물질 형태를 믿고 숭배하도록 놓아두자.

그러나 진정한 동양의 태고 지혜를 따르는 사람에게, 자연의 모든 원자에서처럼 두루 울려 퍼지는 언제나 고동치는 저 위대한 *심장(Heart)*, 절대적 단일성(Absolute Unity) 밖에 있는 것은 아무것도 숭배하지 않는 사람에게, 그런 원자 각각이 씨앗을 간직해서 거기서 지식의 나무를 기를 수 있고, 그 과실이 육체적 생명만이 아니라 영원한 생명을 준다. 그에게 십자가와 원에 관한 모든 상징이 적용되고, 하나 둘 이해된 후에, 십자가와 원, 나무 혹은 타오는 여전히 그것들 과거 속에 있는 심오한 신비이며, 그는 바로 그 과거로만 그의 열렬한 시선을 돌린다. 그는 그것이 우주라고 부르는 *대존재의 계통수*를 키우는 씨앗이건 그렇지 않건 거의 개의치 않는다. 그의 관심을 *끄*는 것이 그 씨앗의 삼중 측면—형태, 색깔 그리고 질료—하나 속에 있는 셋이 아니고, 오히려 그것의 성장을 지시하는 언제나 미지의 저 신비스러운 그

---

321 입문자들이 살고 있고, 그들의 재가 태음 7년에 놓이는 히말라야 너머 지역에 있는 무덤도 그렇다.

322 "자연의 창세기," 1권, p. 432.

323 십자가와 나무는 상징에서 동일하고 동의어이다.

힘(FORCE)이다. 바로 이 활력, 씨앗을 싹트게 만들고, 활짝 터져서 가지를 뻗고, 줄기와 가지를 형성하게 만들며, 다음으로 이것들이 성스러운 보디(Bodhi) 나무, *아스왓타(Aswattha)*의 가지처럼 구부러지고, 그 씨앗을 뿌려서, 뿌리를 내리고 다른 나무들을 창조하게 만드는 것—그것이 결코 죽지 않는 생명의 숨결이기 때문에, 바로 그 힘만이 그에게 실재를 갖는다. 이교도 철학자는 대원인을 찾았고, 근대 철학자는 그 영향으로만 만족하고 영향 속에서 원인을 찾는다. 너머에 무엇이 있는지 그는 모르고, 근대 비영지주의자도 개의치 않는다: 이렇게 그가 온전히 안전하게 그의 과학의 토대를 둘 수 있는 유일한 지식을 거부한다. 하지만 이 현현된 힘은 그것을 이해하려고 추구하는 사람에게 어떤 답을 가지고 있다. 십자가 속에서 성 오거스틴이 했던 것처럼,[324] 할례의 본형이 아니라, 이교도, 플라톤의 X 자형의 원을 보는 사람은 교회에 의해서 즉시 이교도로 간주된다: 과학에서는 미친 사람으로 볼 것이다. 이것은 물질적 발생의 신을 숭배하는 것을 거부하는 반면에, 그가 이 활기 원의 원인없는 원인, 소위 *제일* 원인(*First* Cause) 근저에 놓여있는 그 원인에 대하여 아무것도 모른다고 고백한다. 무궁한 원의 전체-실재(All-Presence)를 말없이 인정하고 그것을 현현된 우주의 전체가 토대를 두는 보편적 공리로 만들면서, 성인은 어느 인간도 감히 추론하지 못하는 그것에 관하여 존경하는 침묵을 유지한다. "신의 로고스는 인간의 계시자이고, 인간의 로고스 (동사)는 신의 계시자이다"라고 엘리파스 레비가 그의 패러독스 하나에서 말한다. 이것에 대하여 동양의 오컬티스트는 대답한다: — "하지만 인간은 신과 그것의 로고스를 만든 그 원인(CAUSE)에 말이 없어야 한다는 이런 조건으로. 그렇지 않으면 그는 변함없이 헤아릴 수 없는 신의 '계시자'가 아니라, *욕하는 사람*이 된다.

우리는 이제 하나의 신비—자연 속에 있는 헤브도마드—로 다가가야 한다. 아마도 우리가 말할 수 있는 모든 것이 우연의 일치로 돌려질 것이다. 자연에 있는 이 수가 상당히 *자연적이고* (그렇게 우리도 말한다), 소위 "빙빙도는 원(Strobic circles)"을 구성하는 운동의 환영만큼 더 의미가 없다고 들었다. 실바누스 톰슨이 영국 협회에서 1877 년 모임에서 그것들을 시연하였을 때 이 "독특한 환영"에 큰 중요성을 주지 않았다. 그럼에도 불구하고, 우리는 왜 7 이 흔들리는 접시나 다른

---

324 160번째 설교.

어떤 그릇에서 만들어진 이런 *환영* 속에서 언제나 탁월한 수—일곱 번째 주위에 여섯 동심원과 중심점 둘레에 서로서로 속에 있는 일곱 개의 고리—로서 자체를 형성하는지 과학적인 설명을 배우고 싶다. 다음 섹션에서 과학이 거부한 답을 줄 것이다.

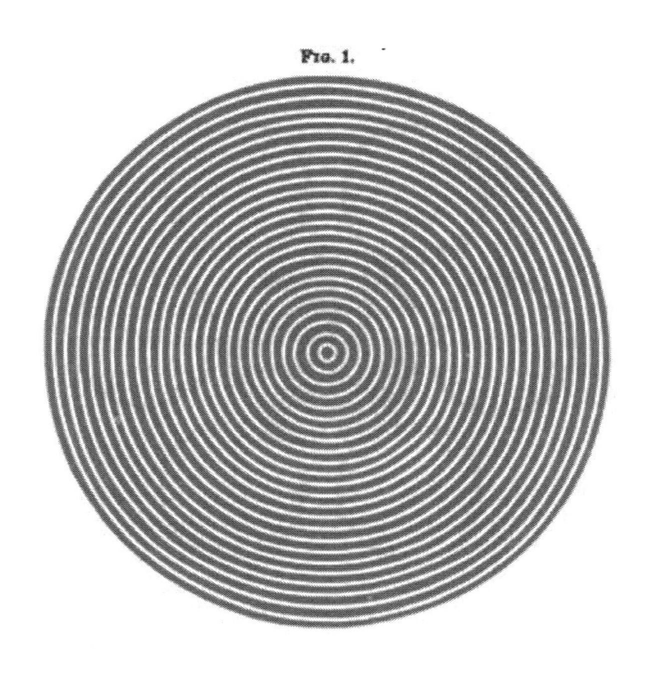

25 장 헤브도마드(HEBDOMAD)의 신비

동양학자들에게 알려진 모든 성전에서 진실로 신비한 이 숫자가 영원히 반복되는 것을 설명하려고 시도하지 않은 채, 태고의 역사의 상징에 대한 이 부분을 끝내지 말아야 한다. 가장 고대부터 최근까지, 모든 종교가 그것이 실재한다는 것을 주장하고, 그 종교의 특별한 도그마와 일치하는 근거로 그것을 설명하듯이, 이것은 쉬운 일이 아니다. 그러므로 조감도를 제시하는 것보다 더 나은 설명을 할 수가 없다. 이 신성한 숫자들(3, 4, 7)은 *빛(Light), 생명(Life) 그리고 합일(Union)*의 신성한 숫자들이다—특히 현재 우리 생명주기에서; 숫자 7은 특별한 대표숫자 혹은 *인수(Factor)*이다. 이제 이것을 보여주어야 한다.

만약 어떤 사람이 고대의 비밀 지혜로 가득 찬 우파니샤드에 박식한 브라만에게 묻는다면—보파베다(Bopaveda)가 말한 것으로 인정받듯이, 왜 "일곱 선조들이 달-식물(moon-plant)의 주스를 마신" 자가 *트리수파르나(trisuparna)*인지 그리고 왜 소마파 피트리(Somapa pitris)가 브라민 *트리수파르나*에 의해서 숭배되어야 하는 지—그 질문에 대답할 수 있는 사람이 거의 없다; 혹은 그들이 알았더라도, 여전히 우리의 호기심을 만족시켜주지 않을 것이다. 그래서 고대 에소테릭 가르침에서 가르치는 것을 잡아야 한다.

"*첫째 '일곱'이 지상에 출현하였을 때, 그들은 땅 위에서 자라는 만물의 씨앗을 흙 속으로 던졌다. 먼저 셋이 왔고, 돌이 식물로 변형되자마자 넷이 셋에 추가되었다. 그리고 두 번째 '일곱'이 왔다. 그들은 식물의 지바들을 안내하면서 식물과 움직이는 살아 있는 동물 사이의 중간 성질을 만들었다. 세 번째 '일곱'이 그들의 차야들을 진화시켰다. . . . 다섯 번째 '일곱'이 그들의 본질을 가두었다. . . . 이렇게 인간이 삽타파르나(Saptaparna)가 되었다.*" (*주석서*)

A. 삽타파르나

그것이 오컬트 어법에서 인간에게 주어진 이름이다. 다른 곳에서 보여주었듯이, 그것은 일곱 잎을 가진 식물을 의미하며, 그 이름은 불교 전설에서 엄청 중요하다. 그것은 위장하여 그리스 "신화"에서도 마찬가지였다. 7에서 형성된 T 혹은 타우(T)와 그리스 글자 감마(*G*)는 ("*십자가와 원*" 참조) 생명의 상징이자 영원한 생명의 상징이었다: 그리고 지상의 생명의 상징으로, 왜냐하면 감마는 지구(*가이아*)의 상징이기 때문이다;[325] 그리고 "영원한 생명"의 상징으로, 왜냐하면 숫자 7은 *신성한 생명과 연결된* 똑같은 생명의 상징이기 때문이다. 그리고 기하학 형태로 표현된 이중 그림문자는 이렇다: —

삼각형과 사각형, *칠중(septenary)* 인간의 상징이다.

여기서 숫자 6이 고대 신비의식에서 *육체 성질*의 상징으로 간주되어 왔다. 왜냐하면 6은 모든 체의 여섯 차원을 나타내기 때문이다: 그 형태를 구성하는 여섯 개 선, 네 개 선은 북, 남, 동, 서 사방위 점으로 뻗어 가고, 천정과 천저에 대응하는 높이와 두께의 두 개 선이다. 그러므로 성인들이 *6중(senary)*을 육체 인간에게 적용한 반면에, *7중(septenary)*이 육체 인간과 불멸의 혼의 상징이었다.

라곤은 그의 *"오컬트 메이슨리"*에서 이중 정삼각형, ✡으로 부르는 "상형문자 6"에 대한 매우 좋은 설명을 제시한다. 그는 그것을 *"철학적 세 개* 불과 *세 개* 물의

---

325 그래서 그리스에서 입문자들은 *타우 가이에이오스(Tau Γαιήϊος)*를 오딧세이 7, 324에서 *티티오스*(*Tityos*)처럼, "땅에서 솟아난" *가이아*의 아들로 불렸다.

혼합의 상징이며, 거기서 결과적으로 만물의 원소가 생산된다"는 것을 보여준다. 똑같은 생각이 인도의 이중 정삼각형에서 보인다. 왜냐하면 인도에서 그것이 비쉬누의 기호로 불리지만, 사실은 삼개조 (혹은 트리무르티)의 상징이다. 심지어 대중 표현에서도, 꼭지점이 아래로 향한 하위 삼각형 ▽ 이 습기 원리와 물의 신, 비쉬누의 상징이다 ("*나라-야나*" 혹은 나라, 즉 물 속에서 움직이는 원리);[326] 반면에 꼭지점이 위로 향하는 삼각형 △은 불의 원리, 시바(Siva)이며, 손에 있는 삼중 불기둥으로 상징된다. (인도 하우스 박물관에 있는 "트리푸라수라를 파괴하는 마하데바," 트리푸란티카 시바의 금동상 참조) 하나이며 동시에 칠중이자 삼개조를 만드는 그리고 이 기호 ✡를 어느 방식으로 조사하건 모든 열 개 숫자가 그 속에 포함되어 있는 *데카드*이며, 서로 겹쳐 놓은 두 개 삼각형—우리 신지학회 상징을 구성하며, "솔로몬의 인장"으로 잘못 부르는—이다. 왜냐하면 중심에 점을 가지면, 이렇게 ✡, 그것은 칠중 기호이기 때문이다; 그 삼각형들은 숫자 3을 나타낸다; 두 개 삼각형은 2개조가 있다는 것을 보여준다; 중심에 점을 가진 삼각형은 둘 다 4개조를 만든다; 여섯 개 점은 6개조이다; 그리고 중심점은 단위이다; 5개조는 짝수인 *두 개* 삼각형과 첫 번째 홀수인 각 삼각형의 *세 면*의 조합으로 발견된다. 이것이 피라고라스와 고대인들이 숫자 6을 비너스에 바친 이유이다. "두 개 선의 결합, 그리고 삼개조에 의한 물질의 연금술이 모든 체 속에 내재하는 재생하려는 저 풍성한 미덕과 성향인 생식력을 계발시키는데 필요하기 때문이다."[327]

"창조자들" 혹은 대자연의 인격화된 권능(힘)에 대한 믿음은 사실 다신론이 아니라 철학적 필요이다. 우리 태양계 다른 행성들처럼, 지구도 일곱 로고스를 가지고

---

326 마하바라타 III., 189, 3 참조. 거기서 비쉬누가 말한다: "나는 고대 시대에 물의 이름을 *나라*(*nara*)로 불렀고, 그래서 나는 *나라야나*로 불렸다. 왜냐하면 그것이 항상 내가 움직이며 다는 곳이기 때문이다." (*아이야나*) 우주의 최초 씨앗이 뿌려진 것이 바로 물 (혹은 혼돈, 그리스와 헤르메스의 "습기 원리") 속이다. "'신의 영'이 공간의 어두운 물 위에서 움직인다"; 그래서 탈레스는 그 영 속에 아직 잠재했던 불에 앞서서 물을 원초의 원리로 만든 것이다.

327 "피타고라스 삼각형의 효력(Potency)" (라곤)

있다—하나의 "아버지-광선(Father-Ray)"의 발산하는 광선—프로토고노스 혹은 현현된 "로고스"—그의 본질 (혹은 육체, 우주)을 희생해서 세계가 살고 그 속에 있는 모든 피조물이 의식적인 존재를 가질 수 있다.

숫자 3과 4는 각각 남성과 여성, 영과 물질이고, 그들의 합일은 상승하는 원호 상에 있는 영 속에서 그리고 언제나 부활하는 원소로서 물질 속에서 영원한 생명의 상징이다—생산과 재생으로. 영적 남성의 선은 수직선 **|** 이다; 분화된 물질의 선은 수평선이다; 그 둘이 십자가 **+** 를 형성한다. 전자(3)은 볼 수 없다; 후자(4)는 객관적 지각계에 있다. 과학이 물질의 궁극까지 분석할 때 우주에 있는 모든 물질이 네 가지 원소—탄소, 산고, 질소 그리고 수소—로만 될 수 있는 이유이다: 그리고 셋의 원체(primaries), 넷의 본체 혹은 등급이 있는 영 혹은 힘은 정밀과학에서 미개척지이자 단순한 추론, 이름만 남아 있어온 이유이다. 정밀 과학자들은 그 성질을 이해하고 그 영향의 잠재성과 익숙하게 되기 전에 먼저 일차 원인을 믿고 연구해야 한다. 이렇게 서구 지식인이 가지고 놀 네 가지 물질을 가졌고 여전히 가지고 있는 반면에, 동양의 오컬티스트와 그들의 제자들, 위대한 연금술사들은

연구할 전체 일곱 가지를 가지고 있다.[328] 그 연금술사들이 그것을 가지고 있듯이: — "셋과 넷이 서로 키스할 때, 사중체가 그 중간 성질을 삼각형과 연결하며," (혹은 삼중체, 즉 그 계 표면 중에 하나의 얼굴이 다른 것의 중간 얼굴이 된다) "그리고 육면체가 된다; 그러면 그것이 (펼쳐진 육면체) 생명(LIFE), 아버지-어머니 일곱의 매개체이자 숫자가 된다."

다음 그림이 아마도 이 비교를 이해하는 데 도움을 줄 것이다.

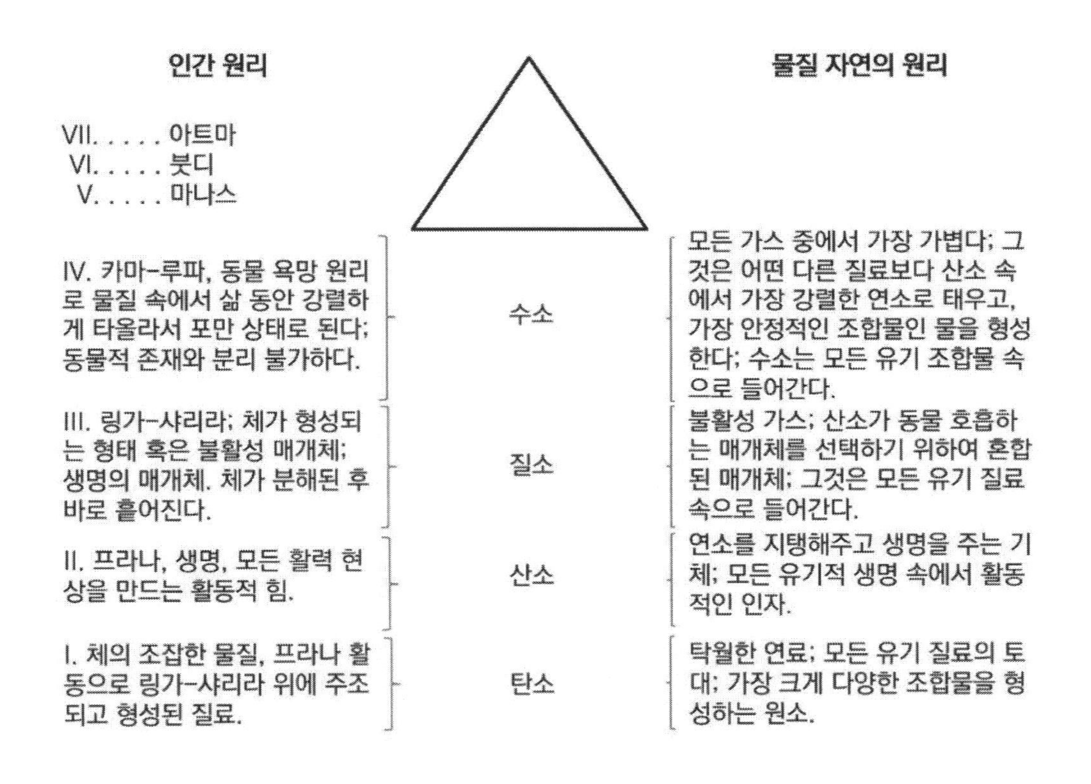

---

328 우리 칠중 구분에 반대해온 박식한 브라만이 있다. 그것이 그들 관점에서 맞듯이, 우리도 우리 관점에서 맞다. 세 가지 측면 혹은 보조 원리를 계산에서 제외하면서, 그들은 자아(Ego)—"카라나 샤리라" 속에 있는 로고스의 반영된 이미지—를 포함하는 네 개 우파디만 받아들이고 "엄밀하게 말하면 … 세 개 우파디만 받아들인다." 순전히 이론적 형이상학적 철학 혹은 명상 목적으로, 타라카 요가 체계처럼 이것이 충분할 수 있다; 그러나 실천적 오컬트 가르침으로는 우리의 칠중 구분이 최고이자 가장 쉬운 것이다. 하지만 그것은 학파의 문제이고 선택의 문제이다.

지금 이런 모든 초기 형태의 유기적 생명도 일곱 가지 그룹으로 출현한다고 우리는 배운다. 광물 혹은 "굳은 부드러운 돌"에서 (스탠저), 광물의 산물인 "부드러워진 딱딱한 식물"이 따랐다. 왜냐하면 "식물이 돌의 가슴에서 태어나기 때문이다" (*주석서, 9권, F. 19.*); 그리고 인간으로—자연의 모든 계에 있는 원시 모형은 에텔의 투명한 막으로 시작한다. 이것은 물론 생명의 최초 시작에서만 일어난다. 다음 기간에 그것들이 굳어지고, 일곱 번째 주기에 네 번째 라운드에 포유류 동물의[329] 최초인 인간을 제외하고 모든 종으로 나누어진다.

고대 모든 시인이 그랬던 것처럼, 베르길리우스도 어느 정도 비의 철학에 정통해 있었으며, 다음과 같은 어조로 진화를 노래하였다: —

"먼저 신성한 영(Divine Spirit)이 하늘, 땅 그리고 물기가 많은 평원, 달의 구체와 빛나는 별을 떠받치고, *영원한 마인드*(*Eternal Mind*)가 자연의 모든 부분으로 두루 퍼졌으며, 놀라운 전체 구조를 활성화시켜서 우주의 광대한 체와 섞인다. 그리고 대양이 부드러운 투명계에서 낳은 괴물과 날아다니는 종류의 *활기 원리, 인종과 동물이 나아간다.*"[330] (아이네이드 VI.)

"먼저 셋 혹은 삼각형이 왔다." 이 표현은 오컬티즘에서 심오한 의미를 가지며, 그 사실이 광물학, 식물학 그리고 "고대 연대기"에 있는 부분에서 숫자 7, 그 속에 3과 4가 있는 것으로 나타내었듯이 심지어 지질학에서도 확증된다. 용해된 소금이 그것을 증명한다. 왜냐하면 그 분자들이 무리로 모여 있으면서 고체로서 침전하기 시작할 때, 그것이 취하는 첫 번째 형상은 삼각형, 작은 피라미드와 원뿔이다. 그것은 *불*의 모습으로 그 단어에서 *"피라미드"*가 온다; 반면에 *현현된* 대자연에서 두

---

329 원생생물은 동물이 아니다. 우리가 "동물"을 말할 때, 포유류만을 의미한다는 것을 독자는 명심해야 한다. 갑각류, 어류 그리고 파충류는 이번 라운드에 인간과 동시대적이고 대부분 *육체* 인간보다 앞섰다. 하지만 모두가 양성이었다. 하지만 신생대보다 고생대에 더 가까운 중생대 끝부분에서 포유류 시대 이전에는 모두가 양성이었다. 작은 유대류 포유류는 이차 시대 거대한 파충류 괴물들과 동시대이다.

330 "만물이 에테르과 그것의 일곱 성질에서 나온다"고 연금술사들이 말했다. 과학은 이것을 피상적인 영향으로만 안다.

번째 기하학 형상은 사각형 혹은 육면체, 4와 6이다; 왜냐하면 "흙의 입자들이 입방체이고, 불의 입자들은 피라미드"이기 때문이다—(안필드). 피라미드 형상은 양치류 시대 이후 가장 원시 나무인 소나무가 취한 형상이다. 이렇게 우주 차원의 성질에서 두 가지 반대되는 것—불과 물, 열기와 냉기—이 계량형의 현현을 시작하며, 하나는 삼보격(trimetric)으로, 다른 하나는 육각형 체계로 현현을 시작한다. 왜냐하면 현미경으로 본 눈의 별 모양의 결정체는 모두 각각 이중 혹은 삼중의 육각별로 더 큰 별 속에 있는 작은 별처럼 중심 핵을 가지고 있다. 다윈 씨가 "인간의 하강," p. 164에서 해안 서식자들은 파도에 엄청 영향을 받는다는 것을 보여주면서 다음과 같이 말한다: —

"척추동물계에서 가장 고대 조상은 . . . 분명히 해양 동물 그룹으로 구성되었다. . . 평균보다 높은 수위 혹은 낮은 수위 근처에서 사는 동물은 14일의 (칠중) 조수 변화의 완전한 주기를 지나간다. . . 고등 동물이자 이제는 지상에서 사는 척추동물계에서 . . . 흥분 기간, 포유류의 임신 같은 많은 정상적 비정상적 과정에서 주기로서 한 주 혹은 더 많은 주를 가지고 있다는 것이 이제는 신비스러운 사실이다" 등등. "비둘기 알은 2주 (14일) 지나서 부화된다; 가금의 알은 3주; 오리 알은 4주; 거위 알은 5주; 타조 알은 7주 지나서 부화된다." (바틀렛의 "땅과 물")

이 숫자는 달과 밀접하게 연결되어 있으며, 그것의 오컬트 영향이 언제나 칠중 기간으로 현현한다. 지상의 자연의 오컬트 측면을 안내하는 것이 달이지만, 태양은 현현된 생명의 조정자이자 원인이다. (1권, 2부 참조.) 그리고 이 진리는 투시가와 초인들에게 언제나 명백하다. 야곱 뵈메가 언제나 지속하는 어머니 대자연의 일곱 특성의 근본 가르침을 고집함으로써 자신이 위대한 오컬티스트라는 것을 증명하였다.

그러나 고대의 종교적 상징 속에 있는 칠중구조로 돌아가자. 원 (전체-신성)과 사각형, 입방체, 삼각형 그리고 신성한 영역의 모든 발산에 대한 기하학적 관계를 숫자로 드러내는 유대인 상징에 대한 도량형 열쇠에다가, 신통기 열쇠가 추가될 수 있다. 이 열쇠에서 노아, 대홍수-장로가 우리 지구의 형성, 그곳의 인구, 그리고 지구에서의 생명의 확산을 목적으로 어느 한 측면에서 신성 (보편적 창조 법칙)의 변형이라고 설명한다.

이제 우주 구성과 인간의 구성처럼 신성한 하이어라키에서 칠중 구분을 명심하면서, 학생은 야-노아(Jah-Noah)가 하위 우주 사중체의 통합이자 우두머리라는 것을 쉽게 이해할 것이다. 상위 세피로스, △, 삼중체—여호와-비나 (대지성)가 왼쪽, 여성, 모서리이다—가 사중체 □를 발산한다. 사중체는 자체로 "천상의 인간," 추상성 속에 있는 대자연으로 보여지는 무성(sexless)의 아담 카드몬을 상징하며, 자신에서 추가로 세 개 원리, 하위 지상 혹은 현현된 물질 대자연, 물질 그리고 우리 지구 (일곱 번째가 말쿠스, "천상의 인간"의 신부"이다)를 발산함으로써 다시 칠중으로 된다. 이렇게 상위 삼중체 혹은 케테르, 왕관, 세피로스 나무의 온전한 숫자와 함께 단일성의 전체(Total in Unity) 혹은 우주를 형성한다. 상위 삼중체와는 별개로, 하위 창조 세피로스가 일곱이다.

위의 내용은 다음에 오는 것을 이해하는 데 필요한 환기 사항이지만 우리 요점에 직접적으로 부합하는 것은 아니다. 현재 질문은 야-노아(Jah-Noah) 혹은 유대인 성서의 여호와, 우리 지구, 인간 그리고 모든 것의 창조자가 다음과 같다는 것을 보여주는 것이다: —

(a) 가장 낮은 칠중, 창조 엘로힘—우주 측면에서
(b) 테트라그라마톤 혹은 아담 카드몬, "네 글자의" 천상의 인간—신통기와 카발리스트 측면에서.
(c) 노아—힌두의 시쉬타, 성서에서 비유적으로 표현된 대홍수이전 기간 혹은 푸라나에서 표현되었듯이, 이전 창조 혹은 만반타라에서 지구를 채우기 위하여 남겨진 인간 씨앗과 동일하다—우주 성격에서.

그러나 사중체 (테트라그라마톤) 삼중체가 무엇이건, 성서의 창조신(Creative God)은 아인-소프와 혼합되지 않는다면 (파라브라흐과 혼합된 브라흐마처럼) 보편적 10 (Universal 10)이 아니라, 보편적 칠중의 많은 칠중들 중에 하나이다. 지금 당면한 문제에 대한 설명에서, 노아로서 그의 입장과 위상이 3 △과 4 □를 "우주" 원리 및 "인간" 원리와 병행하여 놓음으로써 가장 잘 보일 수 있다. 왜냐하면 인간 원리의 경우, 오래된 친숙한 분류법이 이용된다: 이렇게: —

인간 측면 혹은 원리	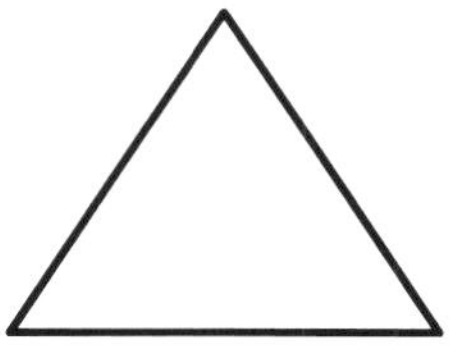 △	우주 측면 혹은 원리
1. 보편 영 (아트마)	신성의 삼중 측면	1. 미현현 로고스
2. 영적혼 (붓디)	□	2. 보편 (잠재하는) 관념[331]
3. 인간혼, 마인드(마나스)		3. 보편적 (혹은 우주적) 활동적[332] 지성
4. 동물 혼 (카마루파)	지구의 영. 여호와.[333] 노아.	4. 우주적 (혼돈의) 에너지
5. 아스트랄체 (링가 샤리라)		5. 지상의 사물을 반영하는 아스트랄 관념

331 아드바이타 베단타 철학은 이것을 최고 삼위일체 혹은 오히려 프라그나의 벌거벗은 잠재성으로서 친마트라(Chinmatra) (파라브라흐맘)의 삼일일체적 측면으로 분류한다—지각을 일으키는 역량 혹은 힘; 치다카삼, 보편 대의식의 무한한 영역 혹은 계; 그리고 아사스(Asath) (물라프라크리티) 혹은 미분화된 물질. ("*5년간의 신지학*"에서 "*인격신과 비인격신*" 참조)

332 태양계 속에 있는 (전체 우주를 건드리지 말자) 분화된 물질이 일곱 가지 서로 다른 상태 속에 존재하고, 지각 역량 혹은 푸라그나(Pragna)도 물질의 일곱 가지 상태에 상응하는 일곱 가지 다른 측면 속에 존재하며, 필연적으로 인간 속에 일곱 가지 의식 상태가 있어야 한다; 그리고 이런 상태의 크고 작은 계발에 따라서, 종교와 철학의 체계가 고안되었다.

333 징투하고 분노하며 난폭하고 언제나 활동적인 신으로 나타내지만, 그의 비위를 맞추는 그가 선택한 사람들에게만 친절하다.

6. 생명 본질 (프라나)	생명을 담고 있는 공간 —대홍수의 바다	6. 생명 본질 혹은 에너지
7. 체 (스툴라 샤리라)	아라라트 산[334]	7. 지구

그 진술의 부가적인 증명으로, 독자가 과학 문헌을 보게 하자. “*아라라트*(*Ararat*) = *하강의 산* = הר־י־רד , *호르-자레드*(*Hor-Jared*). 하토(Hatho)는 그것이 아레스(Areth) = ארת 조합에서 나온다고 말한다. 모세 체레네시스의 편집자가 말한다: ‘이것으로, (방주의) 하강의 최초 장소를 나타낸다고 그들이 말한다.’ (브라이언트, 고대 신화의 분석, 4권, p. 5, 6, 15.) “베르게(Berge)” *산* 아래에, 노르크가 아라라트에 대하여 말한다: ‘ ארת 대신에 ארדט (즉, 아라스) 대신에 아라라트), 아람어 반복.’ 여기서 노르크(Nork)와 하토가 지구의 의미를 갖는 아라스 속에서 똑같은 동의어를 사용하는 것이 보인다.[335]

노아가 이렇게 *뿌리* 마누와 *씨앗* 마누 혹은 행성 체인과 우리 지구를 계발시킨 힘과 네 번째 근원인종의 마지막 아인종이 사라졌을 때—바이바스바타 마누—구원된 *씨앗* 근원인종 (다섯째)을 상징하면서, 반면에 숫자 *일곱*이 모든 단계마다 반복해서

334 노아와 그의 세 아들은 많이 다양하게 적용되는 이 사중체의 집단적 상징이며, 함(Ham)은 혼돈 원리이다.

335 “측정의 근원,” 65페이지에서 저자가 설명한다. “헤브르어에서 에녹의 아버지, *자레드*가 “*하강의 산*”이라고 설명되며, 노아의 입방체 구조 혹은 토대 척도가 근거하는 *아라라트*와 똑같은 것이라고 말한다. 헤브르어에서 *자레드*는 י־רד 이다. 어근의 기원은 아라라트, 에이커, 땅의 어근과 같다.” 헤브르 도량형에서처럼, “자레드는 *글자 그대로* 영어로 Y R D이다; 그래서 자레드에서 *글자 그대로* 영어의 *야드*(*yard*) (왜냐하면 *야*(*Jah*) 혹은 *여호와*가 *로드*(*rod*)이기 때문이다) 자레드의 아들, 즉 에녹이 365년 살았다는 것이 주목할 만하다. 그리고 365일로 된 1년 기간을 그가 발견하여, *시간과 거리* 값을 가져왔다고 그에 대하여 랍비 주석가들이 말한다. 즉, 연 시간(year time)이 *야드*를 통하여 혹은 그의 아버지인 *자레드*를 통하여, 에녹에서 혹은 에녹을 통하여 조정으로 하강하였다; 그리고 정말 충분히, 1296 – 야드 (혹은 자레드) x 4 = 5184, *수치적으로* 태양년의 *부모*라고 부를 수 있는 삼등분의 태양일의 특징적인 값이다.” 그러나 이것은 천문학적 그리고 수치적 카발라 방법이다. 비의적으로, 자레드는 세 번째 인종이고 에녹이 네 번째 인종이다—그러나 그가 살아서 떠났기 때문에 그는 네 번째 근원 인종에서 구원된 선택된 인종이고, 반면에 노아는 처음부터 다섯 번째 인종이다—가족이 물에서 영원히 그리고 육체적으로 구원되었다.

일어나는 것이 보일 것이다. 바로 그(노아)가 여호와의 치환으로 엘로힘의 칠중 무리를 나타내고, 이렇게 모든 동물 생명의 아버지 혹은 창조자 (보존자)이다. 그래서 창세기 7장의 2절과 3절에서, “너는 모든 깨끗한 짐승에서 수컷 (3), 암컷 (4) 일곱 그리고 공중의 가금류를 일곱” 등등, 7일과 나머지가 따라온다.

B. 테트락티스와 헵타곤의 관계

이렇게 숫자 7은 3과 4의 합으로 모든 고대 종교에서 인수 요소이다. 왜냐하면 *그것은 자연 속에 있는 인수 요소이기* 때문이다. 그것을 채택하는 것이 정당화되어야 하고, 탁월한 숫자라는 것을 보여주어야만 한다. 왜냐하면 “에소테릭 붓디즘”이 나온 이후, 빈번하게 반대가 있어 왔고, 이런 주장의 정확성에 대한 의구심이 나왔기 때문이다.

그리고 여기서 학생이 그 모든 숫자상 구분에서 하나의 보편 원리—*유일한 하나*(*Only One*)이기 때문에 하나(one)로 언급되더라도—가 계산에 결코 들어가지 않는다는 것을 들어야 한다. 그것은 그것이 현상적 힘이건 본체적 힘이건 관계없이 모든 다른 힘과 독립해서 순전히 자체적으로 절대자, 무한자, 보편적 추상성 성격 속에 있다. 그것은 “물질도 영도 아니다; 그것은 자아도 비자아도 아니다; 그리고 그것은 객관도 주관도 아니다”라고 “*인격신과 비인격신*”의 저자가 말한다 그리고 추가한다: —

“힌두 철학자들 언어에서 그것은 푸루샤 (영)와 프라크리티 (물질)의 영원한 원래 조합이다. 아드바이타 학자가 외적 사물은 우리 멘탈 상태의 산물에 불과하다고 생각하듯이, 프라크리티는 환영에 불과하고, 푸루샤가 유일한 실재이다; 그것은 이데아 우주 속에 그대로 있는 하나의 존재이다. 이것이 . . . 아드바이타 학자의 파라브라흠이다 . . . “

“물질 *매개체* (형태가 무엇이건 물질적 토대)를 가진 인격신이 있더라도, 아드바이타 관점에서, 어떤 다른 대상의 경우처럼, 그의 본체적 존재를 의심할 만한 많은 이유가 있을 것이다. 그들의 의견에서, '의식적인'이라는 단어가 일상적 의미를 전달한다면, 그의 자아(Ego)가 이전 원인의 결과이듯이, 그 의식적인 신이 우주의 기원이 될 리가 없다. 의식 상태들이 지속적으로 변하고, 우주 개념작용이 프랄라야 동안 멈추기 때문에, 그들이 *우주에 있는 모든 의식 상태들의 종합이* 그들의 신성이라는 것을 인정할 리가 없다. 우주에는 유일한 영원한 조건이 있으며, 그것은 완전한 무의식 상태로, 사실 벌거벗은 *치다카삼* (의식의 영역)이다. 독자들이 이 우주의 종합이 사실상 다양한 의식 상태의 거대한 합이라는 것을 인식할 때, 아드바이타 학자가 궁극의 무의식 상태를 파라브라흠으로 간주한다는 것을 발견하고 놀라지 않을 것이다."[336]

그 자체가 인간의 계산을 넘어서지만, 이 "광대한 다양한 의식 상태들의 총합"은 전체가 칠중 그룹으로 구성된 칠중이다. *"지각 역량이 물질의 일곱 상태에"* 혹은 물질의 일곱 특성 혹은 상태 혹은 조건에 *"상응하는 일곱 가지 다른 측면 속에 존재하기"* 때문이다. 그래서 비의 계산에서 최초 현현된 원리가 1번부터 7번까지 시작하고, 위로부터 시작하면 첫 번째 원리이고, 아래부터 혹은 가장 낮은 원리부터 계산할 때, *일곱 번째*이다.

테트라드(Tetrad)가 피타고라스 학파가 그랬듯이 카발라에서 중요하게 여겨지며, 가장 완전한 수 혹은 *신성한* 수이다. 왜냐하면 그것은 *하나(one)*, 최초 현현된 단위(Unit) 오히려 *하나 속에 셋*에서 발산하였기 때문이다. 하지만 이것이 상위 멘탈 지각의 가능성 속에 있더라도, 언제나 초월적, 무성의(sexless), 이해불가능 하다.

영원한 모나드의 최초 현현은 또다른 상징의 상징으로서, 엘리멘트에서 태어난(Element-born) 태어나지 않는 존재(Unborn), 혹은 천상의 인간의 한 로고스로 있는 것을 결코 의도하지 않았다. 테트라그라마톤 혹은 그리스의 테트락티스는 *두 번째 로고스*, 데미우르고스이다. 토마스 테일러가 생각했듯이 (*"피타고라스 삼각형"* 참고), 테트라드는 플라톤의 *동물 자체*이고, 시리아누스가 올바르게 관찰하듯이, 플라톤은 피타고라스 학파의 최고였다; 플라톤 신학에 대한의 그의 논고 세 번째

---

336 "5년간의 신지학," "인격신과 비인격신."

책에서 프로클로스가 가장 만족스럽게 보여주었듯이, 그것은 이해할 수 있는 삼개조 맨 극단에 존속한다. 그리고 이 두 개 삼개조 사이에 (이중 삼각형), 하나의 이해할 수 있는, 그리고 다른 것은 지성적인, 그 극단의 성질을 띄는 또 다른 신들의 등급이 존재한다." "피타고라스 학파의 세계는 *이중 사중체로 구성되었다*"고 플루타르크가 말한다 ("*혼의 발생*," 1027). 이 진술은 대중 신학이 *하위 테트락티스*를 선택한 것에 대하여 말한 것을 확증한다. 왜냐하면: — "지성계 (*마하트*의 계)의 사중체가 아가톤, 누스, 사이키, 하일이고, 반면에 감각계의 사중체, 피타고라스가 우주라는 단어로 적절하게 부른 것은 불, 공기, 물 그리고 땅이다. 4원소가 *모든 혼합체*의 뿌리 혹은 원리, *리조마타*(*rizomata*) 이름으로 불린다. 즉, 하위 테트락티스가 물질계의 환영의 뿌리이다. 그리고 이것은 유대인의 테트라그라마톤이고, 근대 카발리스트들이 그렇게 야단법석을 떠는 그 "신비스러운 신"이다.

"이렇게 숫자 *4*는 생산적인 숫자와 생산된 숫자의 모든 힘을 간직하고 있기 때문에, 숫자 4는 모나드와 *헵타드* 사이에 산술평균을 형성한다; 10 아래 있는 모든 숫자들 중에서 이것이 어떤 수로 이루어지기 때문이다; 이중으로 된 2개조가 4개조를 만들고, 4개조가 이중으로 되면 혹은 펼쳐지면 *헤브도마드* (칠중)을 만든다. 2곱하기 2는 4이다; 그리고 다시 곱하면 세제곱이 된다. 이 첫 번째 정육면체 (큐브)가 *비옥한 숫자*이며, 다수와 다양성의 바탕으로, (*일곱 번째*인 모나드에 의존하면서) 둘과 넷으로 구성되어 있다. 이렇게 일시적인 것들의 두 가지 원리, *피라미스*와 큐브, 형태와 물질이 하나의 산, (지상에 있는) 테트라곤 (하늘에 있는 *모나드*)에서 흘러나온다. (로이힐린, "카발라," 1, ii 참조.)

여기서 카발라에 대한 위대한 권위자인 로이힐린이 정육면체가 *물질*이고, 반면에 피라미드 혹은 *삼개조*가 "형태"라는 것을 보여준다. 헤르메스 학자들에게 숫자 4는 *정육면체로 증폭될 때만* 진리의 상징이고, 정육면체가 펼쳐졌을 때 남성과 여성의 원소이자 생명의 원소를 상징하는 것으로 7을 만든다.[337]

---

337 "*헤브르 이집트 신비, 측정의 근원*"에서, 저자가 (p. 50) 원과 연결되어 펼쳐진 정육면체 모양이 . . . "고유의 십자가 혹은 *타오* 형태가 되고, 원을 이 마지막에 붙이면 이집트인들의 *고리모양 십자가*가 된다 . . . 한편 정육면체에는 여섯 면만 있고, 펼쳐진 정육면체가 펼쳐질 때 가로대에 따라서 십자가를 나타내며, 가로 세로 두 막대에 공통의 한 면, (즉, 수평으로 세고 수직으로 셀

어떤 학생들은 수직선을 설명하는 것을 당혹해한다. 그것은 남성으로 십자가에서 넷으로 구분된 선으로 된다—넷은 여성 숫자이고, 수평선 (물질의 선)이 셋으로 구분된다. 그러나 이것은 설명하기 쉽다. 펼쳐진 정육면체의 중간면이 수직선과 수평선에 *공통*이기 때문에, 그것은 말하자면 어느 하나에도 속하지 않는 *중립* 영역이 된다. 영의 선은 삼중이고, 물질의 선인 이중으로, 둘은 짝수 그래서 여성의 수이다. 더구나 테온에 의하면, "테트락티스가 4:3비율에서 4분의 1이기 때문에," 태트락티스에게 하모니 (조화)라는 이름을 준 피타고라스 학자들은 "모노코드 기준의 구분이 테트락티스에 의해서 *2개조*, *3개조* 그리고 *4개조*로 된다"는 생각이었다. 왜냐하면 그것은 27의 섹션으로, 4:3비율, 3:2비율, 2:1비율, 3:1비율, 그리고 4:1 부분을 포함하기 때문이다." "고대 음악 표기에서, 4음 음계 (테트라코드)가 3도 혹은 간격, 그리고 그리스인들이 4:3비율 혹은 우리가 4분의 1로 부르는 4번의 소리로 구성되었다." 게다가 4가 짝수로 그래서 여성의 ("지옥의") 숫자이지만 그 형태에 따라서 다양하다. 이것을 스탠리가 보여준다 (스탠리, 피타고라스, p. 61). 피타고라스 학자들은 그 4를 대자연의 열쇠지기(Key-Keeper)라고 불렀다; 그러나 3과 결합하여, 7을 만들며, 그것이 가장 완전하고 조화로운 수로 된다—*자연 그 자체*. 4는 십자가를 형성할 때 "여형 형태의 남성"이었다; 그리고 7은 "달의 주인 (마스터)"이다. 왜냐하면 이 행성이 매 7일마다 그 모습을 바꾸게 되기 때문이다. 피타고라스가 구체들의 음악과 하모니에 대한 가르침을 구성한 것이 바로 숫자 7의 토대이며, 지구에서 달까지 거리를 "1음(tone)"으로 불렀다; 달에서 수성까지는 반음; 거기서 금성까지도 동일하다; 금성에서 태양까지 1과 2분의 1음; 태양에서 화성까지

때) 둘 다에 속하는 공통의 한 면을 보여준다. 4는 세로 그리고 3은 가로로 모두 7을 만든다."

그리고 "여기서 우리는 그 유명한 4, 3, 그리고 7을 갖는다"고 부언한다. 비의 철학에서 4는 잠재 상태 혹은 *혼란스러운 물질* 속에 있는 우주의 상징이고, 그것을 활발하게 침투할 영이 필요하다. 즉, 원초의 *추상적* 삼각형이 1차원 특질을 포기하고 그 물질을 가로질서 퍼져서, 그 우주가 지성적으로 현현되기 위하여 3차원 공간에 현현된 토대를 형성해야 한다. 이것이 펼쳐진 정육면체로 얻어진다. 그래서 인간, 발생 그리고 생명의 상징으로서 *고리 모양의* 십자가 ♀가 생긴다. 이집트에서 *앙크(ank)*는 혼, 생명 그리고 피를 나타냈다. 그것은 *혼이 깃들은, 살아 있는* 인간, 칠중이다.

1음; 거기서 목성까지 2분의 1음; 목성에서 토성까지 2분의 1음; 토성에서 황도대까지 1음; 이렇게 7음을 만들며, 전체 음역 하모니를 만든다. 자연의 모든 멜로디가 이 일곱 음 속에 있으며, 그래서 "대자연의 목소리(Voice of Nature)"로 불린다.

플루타르크 (*철학자들의 가르침*, p. 878)가 고대 그리스인들은 테트라드를 만물의 원리이자 뿌리로 간주하였다고 설명한다. 왜냐하면 그것이 보이는 그리고 보이지 않는 *창조된* 만물을 낳는 원소들의 숫자였기 때문이다. 장미십자가 형제단의 경우에, 십자가 형상 혹은 *펼쳐진 육면체*가 페우레의 신지학 학위에서 논문 주제를 구성하였으며, 빛과 어둠, 혹은 *선과 악*의 근본 원리에 따라서 다루어졌다.

"이해가능한 세계가 이런 방식으로 신성한 마인드 (혹은 단위)에서 나온다. 테트락티스가 *만물의 생산자, 첫째 단위*, 자신의 본질에 대하여 그리고 자신의 시작에 대하여 숙고하면서 이렇게 말한다: 한 번 하나, 두 번 둘, 꼭대기에 최고 단위를 가지고 있는 테트라드가 즉시 생기고, 하나의 *피라미스(Pyramis)로 되며, 그* 토대가 표면에 상응하는 평탄한 테트라드로, 주노 (물질)가 하위의 사물 속으로 하강하기 때문에, 그 위에서 신성한 통일성의 눈부신 빛이 무형의 불의 형태를 만든다. 그래서 태우지 않고 밝게 비추는 본질적 빛이 생긴다. 이것이 *중간계의 창조*이고, 유대인들이 *지고자(Supreme)*로 부른 것으로 그들 신의 세계이다. 그것은 분리된 형태로 가득 차 있고, 전적으로 빛인 올림푸스로, 꼭대기는 단일성, 벽은 *삼개조* 그리고 표면은 *사개조*인, *불멸의 신들의 자리(deum domus alta)*이다." (로이힐린, 카발라, p. 689.)

"표면"이 자체로 남겨진다면, 무의미한 표면으로 있어야만 한다. 단일성(UNITY)만이 *사개조*를 "환하게 비춘다"; 그 유명한 하위 넷은 현현되려면 스스로 *삼개조*로부터 벽을 세워야 한다. 게다가 *테트라그라마톤* 혹은 마이크로프로소프스는 "여호와"로 매우 부적절하게 자신을 "있었고, 있는, 있을(Was, Is, Will be)"로 사칭하며, 그리고 이제는 *"나는 나다(I am that I am)*"로 번역되며, 최고의 추상적 신으로 언급된다. 반면에 비의적으로 그리고 명확한 진리로, 그것은 단지 주기적으로 무질서의, 사나운, 그리고 모든 잠재성을 가진 영원한 물질을 의미한다. 왜냐하면 테트라그라마톤은 대자연 혹은 아이시스와 하나이고, 오시리스-아이시스, 주피터-주노, 브라흐마-바치 혹은 카발라의 *야-호와*(*Jah-hovah*) 모두 남성-여성인 일련의 양성의 신이기 때문이다. 마르셀르누스 비시누스가 잘 관찰하였듯이, 고대 국가에서 모든 인격신은 그의 이름이 네 글자로 되어 있다. 이렇게 이집트인들에게, 그는 *테우트*(*Teut*)였다; 아랍인에게는 *알라*(*Alla*); 페르시아인에게 *사이어*(*Sire*); 마기족에게 *오르시*(*Orsi*); 회교도에게 *아브디*(*Abdi*); 그리스인에게 *테오스*(*Theos*); 고대 투르크인에게 *에사르*(*Esar*); 라틴인에게 *데우스*(*Deus*)이다; J. 로렌조 아난니아가 독일인에게 *고트*(*Gott*), 사르마티아인에게 *보우*(*Bouh*) 등등이라고 추가한다.

모나드는 하나이고, 홀수이기 때문에, 고대인들은 홀수를 완전수로 불렀다; 그리고—이기적으로 하지만 아마도 하나의 사실로서—그것 모두를 천상의 신에게 적용될 수 있는 남성이자 완전하다고 여겼다. 반면에 둘, 넷, 여섯 그리고 특히 여덟 같은 짝수는 여성으로 불완전하다고 간주하였고, *지상의 신이자 지옥의 신에게* 주어졌다. 여덟 번째 전원시에서, 베르길리우스는 *"홀수에 신성이 있다*(*Numero deus impare Gaudet*)," "부등수가 신을 기쁘게 한다"고 말함으로써 그 사실을 기록한다.

그러나 숫자 *7* 혹은 *헵타곤*을 피타고라스 학자는 *종교적이고 완전한* 수라고 간주하였다. 그것이 *"텔레스포로스*(*Telesphoros*)"로 불렸다. 왜냐하면 *그것에 의해서 우주와 인류 속에 있는 모든 것이 그 끝, 절정으로 인도되기 때문이다.* (*필론, 창조에 대하여*) 일곱 행성의 통치 하에서,[338] 구체들의 가르침은 레무리안부터 피타고라스에 이르기까지 지상과 달의 영향 하에 있는 자연의 일곱 힘뿐만 아니라 음계의 일곱 음인 일곱 음조로 나아가고 진화하는 우주의 거대한 일곱 힘을 보여준다. *헵타드*(우리의 칠충)가 "*태어나지 않았기 때문에 처녀의 숫자*"로 (로고스 혹은 베단타의 "아자"처럼) 간주되었다; "아버지와 어머니 없이, 모나드에서 직접 나오는 만물의 기원이자 왕관이다." (*피타고라스 삼각형*, p. 174.) 그리고 만약 헵타드가 모나드에서 직접 나아가게 된다면, 그러면 가장 오래된 학파의 씨크릿 독트린에서 가르치듯이, 이번 마하-만반타라의 완전수이자 성스러운 숫자이다.

---

338 일곱 행성이 이 숫자로 제한되지 않았다. 왜냐하면 고대인들이 다른 행성을 몰랐기 때문이 아니라, 그것들이 일곱 로고스의 원초 혹은 태초의 *궁*(*house*)이었기 때문이다. 9개와 99개 행성이 발견될 수 있다. 하지만 이것이 일곱이 성스럽다는 사실을 바꾸지 못한다.

7 혹은 *헵타드*가 몇몇 신과 여신에게 바쳐졌다; 그의 일곱 수행원과 함께 마르스(Mars)에게; 체가 일곱 부분 그리고 14부분으로 나누어진 오시리스에게; 일곱 행성 사이에서 그리고 그의 칠현금으로 칠광선에게 찬송가를 연주하는 아폴로(태양)에게; 아버지가 없고 어머니도 없는 미네르바에게 그리고 다른 신들에게.

히말라야 남쪽 오컬티즘은 *일곱 구분 방식(sevening)*을 갖고 그리고 그런 일곱 구분 방식 때문에 모든 것의 원본인 가장 고대로 여겨져야 한다. 신플라톤 학파가 남긴 어떤 단편으로 그것을 반대한다. 그리고 신플라톤 학파 숭배자는 그들이 옹호하는 것이 무엇인지 거의 이해하지 못하면서 우리에게 말한다: "그대의 선조들이 영, 혼 체로 구성된 *삼중* 인간만 믿었다는 것을 보라. 인도의 타라카 라자 요가는 그 구분을 3, 우리는 4 그리고 베단타는 5 (코샤)로 제한한다." 이것에 대하여 고대 학파인 우리가 묻는다: —

그러면 왜 그리스 시인은 "영적인 태양의 찬가를 노래하는 것이 *넷이 아니라* 일곱이다" [*헵타메(HEPTAME)*]라고 말하는가? 그가 말하길, —

"일곱 소리나는 글자가 나를 칭송한다,
불멸의 신, 전능한 신."

다시 왜 *삼위일체의* 이이아오 (신비의 신)가 "4중"이라고 불리고, 3개조와 4개조 상징이 기독교인들에게 하나의 통합된 이름, 일곱 글자의 여호와 아래로 오는가? 다시 왜 헤브르 쉐바(Sheba)에서 맹세(Oath) (피타고라스 *테트락티스*)가 숫자 7과 동일한가; 혹은 제랄드 메시 씨가 말하듯이, 왜 "맹세하는 것이 '7에게(to seven)'와 동일하고, 요드(Yod) 글자로 표현된 10이 10글자 신, 이이아오-사바오스의 완전한 숫자였는가?" 루시안의 *옥션*에서, 피타고라스가 묻는다: "당신은 어떻게 세는가?" 대답은 "하나, 둘, 셋, 넷"이다. "그러면 *당신이 생각하는* 넷 속에 10이 있다는 것을 보는가; *완전한 삼각형과 우리의 맹세* (테트락티스, *넷!*)" 혹은 7. 왜 프로클로스가 티마이오스 c. iii.에서 "황금 구절의 아버지가 영원한 자연의 샘으로서 그 테트락티스를 칭송한다"로 말하는가?

단순히 대중에게 알려진 증거를 우리에게 반대하는 것으로 인용하는 서구 카발리스트들은 진정한 비의적 의미를 모르기 때문이다. 고대의 모든 우주발생론—다섯 번째 근원인종의 가장 오래된 사람들, 인두 아리안과 이집트인의 가장 오래된 우주구조론에다가 초기 중국 인종 (네 번째 혹은 아틀란티안 인종의 잔존자들)을 보태면—은 그들 신비의 전체를 숫자 10에 토대를 두고 있다: 보이지 않는 형이상학 세계를 나타내는 상위 삼각형, 물질 영역을 나타내는 하위 셋과 넷 혹은 *일곱*. 숫자 7을 두드러지게 만든 것은 유대인 성서가 아니다. "모세"의 사바스를 듣기 전에 헤시오도스가 "일곱 번째가 성스러운 날이다"라는 말을 사용하였다. 숫자 7을 사용하는 것은 어느 한 국가로 결코 국한되지 않았다. 이것이 상 이집트 바비온 폐허근처 태양의 신전에 있는 일곱 화병으로 잘 증언된다; 미트라 제단 앞에 오랜 세월 동안 계속 타고 있는 일곱 불; 아라비아인들의 성스러운 일곱 사원; 일곱 반도, 일곱 섬, 인도 그리고 조하르(*이브 게비롤* 참조)의 일곱 바다, 산 그리고 강; 그리고 일곱 광휘의 유대 세피로트; 칼데아인들의 일곱 세계, 일곱 고트 신 그리고 그들의 일곱 영; 헤시오드와 호머가 언급한 일곱 성운; 그리고 동양학자들이 모든 사본에서 발견한 끝없는 일곱들.

결국 우리가 말해야 하는 것은 이것이다: 인간 원리가 비의 학파에서 왜 일곱이었고 그렇게 구분되었는지 보여주기 위하여 충분하게 제시되었다. 그것을 넷으로 만들어보라 그러면 하위의 지상의 요소를 뺀 인간만이 남는다 혹은 물질 관점에서 보면 혼이 없는 동물을 만들게 된다. 4중체는 상위 혹은 하위—천상의 혹은 지상의 테트락티스이다: *고대* 비의 학파의 가르침에 따르면, 이해할 수 있게 되기 위하여, 인간은 칠중으로 간주되어야 한다. 이것이 잘 이해되어서, 심지어 기독교 그노시스파가 유서 깊은 이 체계를 채택하였다 ("일곱 혼" 참조) 어렴풋이 의심되었지만, 어떤 사본도 회의론자를 만족시킬 만큼 명확하게 그것에 대하여 말하지 않았기에, 이것이 오랫동안 비밀로 이어졌다. 그러나 우리 시대의 문학적 호기심—그노시스파의 가장 노래되고 가장 잘 보존된 복음서, *지식-지혜*(*Pistis Sophia*)—이 우리를 구조한다. 그 증거를 절대적으로 완전하게 만들기 위하여, 권위자(C. W. 킹)를 인용할 것이다. 그는 이 정교한 가르침에 대한 어렴풋한 이해를 가진 유일한 고고학자이고, 그노시스파와 그들의 보석에 대한 최고의 작가이다.

이 탁월한 종교적 문학—진정한 그노시스 화석—에 따르면, 우리가 가르치는 것처럼, 인간 실체는 하나(One)에서 나온 칠중의 광선이다.[339] 그것은 일곱 원소로 구성되었고, 그것 중에 넷은 카발리스트가 말하는 현현된 세계에서 빌려왔다. 이렇게 "아시아(Asiah)로부터 *네페쉬(Nephesh)* 혹은 육체적 욕구의 자리 (또한 활력 호흡)를 얻는다; 예지라(Jezirah)로부터, 루악 혹은 격정의 자리를; 브리아(Briah)로부터 *네샤마(Neshamah)*를 그리고 아질루수(Aziluth)로부터 *차이아(Chaiah)* 혹은 영적 생명 원리를 얻는다;" (킹). "이것은 혼이 구체들을 지나서 하강하면서 그 행성으로부터 각각의 기능을 얻는다는 플라톤 이론을 채택한 것처럼 보인다. 그러나 *피스티스-소피아*는 그 익숙한 대담성을 갖고 이 이론을 훨씬 더 시적인 형태로 만든다. (282)." *내면의 인간*은 *네 가지* 구성요소로 비슷하게 구성되지만, *이것들은 구체들의 반항적인 영겁(AEons)에 의해서 제공된다*. 그것은 거대한 권능이다—자신 속에 남겨진 신성한 빛의 입자("*Divinae particula aurae*")이다; 혼 (다섯 번째)은 "그들 눈의 눈물에서 그리고 그들 고뇌의 땀에서 형성되었다; *영을 따라서 모방한 영의 위조품(Counterfeit of the Spirit)* (겉으로 보기에 우리의 양심에 대응하는 것 같다), (여섯 번째); 그리고 마지막으로 *모이라(Μοῖρα)*, *운명(Fate)*[340] (카르마 자아)으로, 그것의 주된 일이 인간을 지정된 목적지까지 이끌고 가는 것이다; 그가 불로 죽어야 하더라도, 그를 불 속으로 이끌어야 하고, 야생 동물에 의해서 죽어야 하더라도, 야생 동물에게 이끌어야 한다, 등등."[341]—일곱 번째!

---

339 한 가지 원소에 준 포하트 작용으로 일곱 에너지 센터가 진화되거나 객관적으로 된다; 혹은 사실, 현현된 대우주에 걸쳐서 존재하는 일곱 원소의 "일곱 번째 원리"이다. 여기서 그것들이 사실은 카발리스트들의 세피로스라고 지적할 수 있다; 기독교 체계에서 "성령칠은(Seven gifts of the Holy Ghost)"이다; 그리고 신비한 의미로, 크리슈나 탄생 전에 캄사(Kamsa)에 의해서 죽은 데바키(Devaki)의 일곱 아들들 혹은 어린이. 우리의 일곱 원리가 이 모든 것을 상징한다. 우리는 *크리슈나 상태 혹은 크리스트 상태*, *지반묵타 상태*에 도달하기 전에 그것들과 분리되어야 하고, 전적으로 최고인 일곱 번째 혹은 하나(One)에 집중시켜야 한다.

340 [*모이라(Moira)*]는 운명(Fate)이 아니라, 숙명(destiny)이다. 이 경우에 그것은 하나의 명칭이기 때문에, 고유명사가 아니다. (오딧세이 22, 413에서 울프의 번역 참조) 그러나 운명의 여신, 모이라는 "*아이사(Aisa)처럼 모두에게 그들 몫의 선과 악을 주는*" 신이고, 그래서 *카르마*이다. (리델 참조) 이 약어로 숙명 혹은 카르마의 대상은 대아(SELF) 혹은 자아(Ego)이고, 다시 태어나는 그것이다. *영을 따라서 모방한(Antimimon Prieumatos)* 우리의 양심이 아니고, 우리의 *붓디*이다; 그것은 "*영의 위조품*"이 아니고, 영의 *대응체* 혹은 영을 "따라서 모방한" 것으로 아트마의 매개체인 붓디이다. (리델의 정의 참조)

341 C.W. 킹, 그노시스, p. 38.

C. 베다에서 칠중 요소

그것은 일곱 구체와 일곱 인종에 관한 오컬트 가르침을 확증한다.

우리가 선언된 사실들에 증거가 되는 가장 좋은 증거를 가져오고 싶다면, 우리는 역사상의 정보 바로 그 근원으로 가야 한다. 왜냐하면 완전히 비유적이지만, 리그-베다의 찬가들이 그럼에도 암시적이기 때문이다. 루리야의 일곱 관선이 (모든 행성 체인의) 일곱 세계, 하늘과 땅의 일곱 강과 병행해서 만들어지며, 전자 (일곱 세계)는 일곱 창조 무리들이고, 후자는 일곱 인간 혹은 태초의 인간 그룹이다. 일곱 고대 리쉬—지상에서 살고 숨쉬는 만물의 선조들—는 아그니의 일곱 친구들, 그의 일곱 "말들(horses)," 혹은 일곱 "머리들(HEADS)"이다. 인류가 불과 물에서 솟아났다고, 비유적으로 말한다; 아그니에서 온 선조-희생자들 혹은 아버지들(FATHERS)에 의해서 형성되었다; 왜냐하면 아그니, 아스윈(Aswins), 아디티야(Adityas) (리그-베다 III, 54, 16, II, 29, 3, 4) 저 "희생자" 혹은 아버지, 다양하게 불리는 *피타르*(*Pitar*), 앙기라스(Angirases)[342] (같은 책, 1, 31, 17, 139 이하 참조), *사디야*(*Sadhyas*), 모든 것 중에 가장 오컬트적인 "신성한 희생자들"과 동의어이기 때문이다. 그들은 모두 *데바 푸트라 리샤야*(*deva putra rishayah*) 혹은 "신의 아들들"로 불린다. (X, 62; I, 4) 더구나 "희생자들"은 집합적으로 하나의 희생자, 신들의 아버지, 비스바카르만으로, 위대한 사르바-메다(Sarva-Medha) 의식을 수행하였고 자신을 희생함으로써 끝났다. (리그-베다 찬가 참조)

이 찬가들에서 "천상의 인간"이 *푸루샤*, "인간(Man)"으로 불리고 (X. 90, 1) 그로부터 비라즈가 태어났다 (X. 90, 5); 그리고 비라즈로부터 유한한 인간이 태어났다. "태양이 따라가도록, 태양을 위하여 길을 만들고," 모든 자연적 현상을 조절하는 것이 바로 바루나이다—이제는 그의 지고의 위치에서 데바들 혹은 주들-

---

342 로스 교수가 (베드로 사전에서) 앙기라스들을 신들과 인간 사이에 있는 상위 존재들의 중간 인종으로 정의한다; 반면에 웨버 교수는 신성을 인격화시키고 근대화하는 변화하지 않는 관습에 따라서 그들 속에서 아리안 힌두와 페르시아인들에게 공통인 종교의 원래 사제들을 본다. 로스가 맞다. "앙기라스"는 후기 세 번째 인종, 네 번째 인종 그리고 심지어 다섯 번째 인종 입문자들의 디야니스 혹은 데바 *지도교사들* ("구루-데바") 이름들 중에 하나이다.

디야니스들의 우두머리로 끌어내려졌다. 하늘의 일곱 강 (하강하는 창조의 신들)과 땅의 일곱 강 (원시의 일곱 인류)이 보게 될 것이지만 그의 통제 하에 있다. 왜냐하면 바루나의 법칙—브라타니, "자연적 작용의 과정," 활동적 법칙—을 어기는 자는 베다의 강력한 신, 인드라에 (X. 113, 5) 의해서 처벌받기 때문이다. 인드라의 *브라타* (법칙 혹은 힘)가 어떤 다른 신의 *브라타니*보다 더 위대하다.

이렇게 리그 베다, *알려진 모든* 고대 기록들 중에서 가장 오래된 것에서 거의 모든 면에서 오컬트 가르침을 확증하는 것이 보인다. 그 찬가들—원초의 가르침에 관하여 다섯 번째 인종의 가장 초기 입문자들이 쓴 기록—은 일곱 인종 (아직 두 개가 와야 한다)을 비유적으로 "일곱 흐름(seven streams)"으로 말한다 (I, 35, 8); 그리고 존재했던 *세 개* 대륙처럼, 다섯 지역 "*판카 프라디카*"에 (IX, 86,29) 있는 이 세계에 이미 거주한 다섯 인종 ("*판카 크리쉬타야*")에 대하여 말한다.[343]

푸루샤수크타 (그 속에서 근대 동양학자의 직관은 "리그-베다의 가장 최근 찬가들 중에 하나"를 보기로 선택하였다)의 비밀의 의미를 통달할 그 학자들만이 그 가르침이 얼마나 조화로운지 그리고 비의 가르침을 얼마나 확증하는지 이해하길 기대할 수 있다. 다음 구절의 숨겨진 철학을 인식하기 전에, 형이상학적 의미의 추상성에서 그 속에 있는 우주와 그 속에 있는 만물의 생산을 위하여 희생한 (천상의) 인간 "푸루샤" (*비스바카르만 참조*)와 지상의 유한한 인간 (찬가 X. 20, 16) 사이의 관계를 연구해야만 한다: —

"15. 그 ("인간," *푸루샤* 혹은 비스바카르만)는 일곱의 둘러싸는 통나무 연료와 *세 배의 일곱* 층의 연료를 가졌다; 신들이 희생을 수행하였을 때, 그들은 인간을

---

343 세 개의 가라앉은 그렇지 않으면 파괴된 대륙들—첫 번째 근원인종의 첫째 "대륙"이 마지막까지 우세할 것이고 오늘날까지 존재한다—이 오컬트 가르침에서 *하이퍼보리안*, *레무리안* (과학에서 이제는 알려진 이름을 채택하여), 그리고 *아틀란티안*으로 묘사된다. 대부분의 아시아는 아틀란티스 파괴 후에 그 바다에서 나왔다; 아프리카는 아직 나중에 왔고, 반면에 유럽은 다섯 번째이자 마지막이다—훨씬 더 오래된 두 개 미국 대륙의 일부분이다. 하지만 이것들에 더 많은 것이 머지않다. 베다를 기록한 입문자들—혹은 우리 다섯 번째 근원인종의 리쉬들—이 아틀란티스가 이미 가라앉았을 때 썼다. 아틀란티스는 *출현한* 네 번째 대륙이지만, *사라진 세 번째 대륙*이었다.

희생자로 묶었다" . . . 이것은 세 가지 칠중의 태초 인종을 말하고, 아마도 이 가장 초기의 구전 가르침에서, 다른 것을 알지 못했던 베다의 고대성을 보여준다; 그리고 또한 비스바카르만이 신성한 인류를 집합적으로 나타내기 때문에, 그것은 태초의 인류의 일곱 그룹을 말한다.[344]

똑같은 가르침이 다른 고대 종교들 속에서 발견된다. 그것들의 간직한 암시를 동양학자들처럼 이해하지 못한 채, 벤디다드와 다른 곳에서 읽은 파시의 경우처럼, 그 가르침이 왜곡되고 잘못 해석된 채 우리에게 내려왔을 수 있고 그럼에 틀림없다. 하지만 그 가르침이 다른 고대 작품에서 명확히 언급된다. (일곱 영역의 열거 참조—파르가드 XIX, 30에 있듯이, "지구의 *카르쉬바레*"가 아니다) 하지만 계속 더 보자.

비의 가르침을 제임스 다르메스테테르 (맥스 뮬러 교수가 편집한 벤디다드)의 해석과 비교해보면, 그 실수가 어디에 있는지 그리고 그것을 만든 원인이 무엇인지 한 눈에 볼 수 있다. 그 구절은 이렇게 된다: —

"인도-이란의 아수라 (아후라)가 *자주 칠중으로 생각되었다*; 어떤 *신화 같은* 숫자들과 어떤 신화 같은 공식의 작용으로, 인도-이란의 선조들이 *일곱 세계에 대하여*[345] 말하게 되었고, 지고의 신이 종종 칠중으로 만들어졌으며, 뿐만 아니라

---

344 시대의 가장 위대한 박물학자들 중에 한 명—아가시 교수—이 인간의 지질학적 기원의 다양성을 인정하였고, 그의 삶 끝까지 그것을 지지하였기 때문에, 이 태고의 가르침이 그렇게 매우 *비과학적이지* 않다. 인간 종의 통일성이 오컬티스트들이 받아들인 것과 같은 방식으로 뛰어난 케임브리지 교수에 의해서 받아들여졌다—즉, 하나의 똑같은 근원에서 나온 그것들의 기원과 본질적 독창적 동질성이라는 의미에서: — 즉, 흑인종, 아리안, 몽골 등등 모두가 똑같은 방식으로 그리고 똑같은 조상에서 기원하였다. 후자는 모두 하나의 본질이지만, 분화된 것이다. 왜냐하면 종류가 아니라 정도에서 다른 일곱 계에 속하기 때문이다. 그 원래의 물리적 차이는 나중에 지질적 그리고 기후상의 조건의 차이로 좀 더 두드러졌다. 이것은 물론 아가시의 이론이 아니라, 비의 가르침 버전이다. 그것이 3부에서 충분히 논의된다.

345 말했듯이, 여섯 세계는 체인의 일곱 영역이고, 각각이 모든 종교의 "일곱 위대한 신들" 중에 하나에 의해서 주재되었다. 그 일곱 신들이 비하되어 의인화되고, 형이상학 개념이 거의 망각되었을 때, 그 통합 혹은 최고, 일곱 번째가 나머지에서 분리되었고, 그 의인화가 여덟 번째 신으로 되었으며, 일신론이 통일하려고 하였지만 실패하였다. 통속적 종교 어디에서도 형이상학적으로 분석된다면 신은 진실로 하나가 아니다.

그가 다스린 세계들도 칠중으로 만들어졌다. (주석 참조) “일곱 세계가 페르시아에서 지구의 일곱 *카르쉬바레*로 되었다: 지구가 일곱 카르쉬바레로 나누어졌고, *그것 중에 하나만이 알려져서 인간에게 접근 가능하다.* 즉, 우리가 살고 있는 것으로, 즉 *흐바니라타*(*Hvaniratha*); 이것이 *일곱 지구가 있다*고 말하는 것에 이른다.[346] 파시 신화에서도 일곱 하늘을 알고 있다. *흐바니라타* 자체가 일곱 나라로 나눠지고 (오르마즈드 아흐리만 § 72. “벤디다드 도입 p. lx”) 똑같은 구분과 가르침이 가장 오래되고 가장 존경받는 힌두 성전—리그-베다—에서 발견된다. 거기서 *우리의 지구 이외에* 여섯 세계가 언급된다: *프리티비*—지구—위에 여섯 *라잠시* 혹은 “이것” (이담)이 *저쪽에* 있는 것에 (즉, 세 개의 다른 계 혹은 세계에 있는 여섯 구체) 반대되는 것. (리그-베다 I. 34, III. 56; VII. 10, 411 그리고 V. 60, 6 참고)

이탤릭체는 그 가르침과 비의 가르침의 동일성과 실수를 지적하기 위하여 우리가 쓴 것이다. 마기 혹은 마즈디안만이 다른 사람이 믿었던 것을 믿었다; 즉, 우리 행성 체인의 일곱 “세계” 혹은 구체를 믿었고, 하나만이, 즉 우리의 지구만이 인간에게만 접근 가능하다는 것을 믿었다; 그리고 우리 구체 여기 위에서 일곱 대륙 혹은 지구의 연속적인 출현과 파괴를 믿었으며, 각각의 대륙이 일곱 구체 (하나가 보이고, 여섯은 보이지 않는)를 기념해서 일곱 섬 혹은 대륙, “일곱 나라” 등등으로 나누어졌다. 지금의 씨크릿 독트린이 모두에게 공개되었을 때인 당시에는 공통의 믿음이었다. 이렇게 언제나 계속 회귀하는 칠중 숫자로 그것을 “신화 같은” 것으로 간주한 동양학자들을 (게다가 그들의 원시의 가르침을 비입문한 힌두인과 파시들이 망각함으로써 길을 잃어버리게 된) 당혹스럽게 만든 것이 바로 칠중 구분 하에 있는 이 지역들의 다양성이다. 동양학자들을 올바른 길에서 벗어나게 이끌어서 가장 큰 과오를 저지르게 만든 것이 첫 번째 원리에 대한 바로 그 망각이다. 똑같은 실패가 신들의 정의 속에서 보인다. 가장 초기 아리안들의 비의 가르침을 모르는 사람들은 이런 존재들 속에 간직된 형이상학적 의미를 올바르게 결코 흡수하거나 이해할 수 없다.

---

346 우리 체인의 보이지 않는 여섯 구체들은 “세계들”이고 우리의 지구처럼 보이지 않지만 “지구들”이다. 그러나 *이* 구체 위에 보이지 않는 *여섯 지구*가 어디에 있을 수 있는가?

아후라 마즈다 (오르마즈드)는 일곱 *아메샤 스펜타스(Amesha Spentas)* (암샤스펜드)의 머리이자 통합이었고, 그래서 아메샤 스펜타 자신이었다. 마치 "여호와-비나 아레림(Jehovah-Binah Arelim)"이 엘로힘의 머리이자 통합이었고 그 이상이 아니었듯이; 마찬가지로 아그니-비쉬누-수리야도 통합이자 머리 혹은 초점이었으며, 거기서 형이상학처럼 물리학에서도, 물질 태양처럼 영적인 태양에서도, 일곱 광선(Ray), 일곱 불의 혀, 일곱 행성 혹은 신들이 발산하여 나왔다. 이 모든 것들이 지고의 신들이자 하나의 신으로 되었으며, 태초의 비밀을 잃어버린 후에, 아틀란티스의 침몰, 혹은 "대홍수" 그리고 심지어 지금 티벳으로 되어 있는 고원의 평지가 한동안 가라앉게 되었을 때, 히말라야 정상에서 안전을 도모한 브라만들이 인도를 차지하고 나서 그렇게 되었다. 아후라 마즈다는 벤디다드에서 "가장 지복의 영, *유형의* 세계의 창조자"로 불린다. 아후라 마즈다는 글자 그대로 번역하면 "현명한 주(Wise Lord)" (아후라 "주", 그리고 마즈다 "현명한")이다. 더구나 *아후라*라는 이 이름은 산스크리트로 *아수라*로 *마나사푸트라들*, 마인드가 없는 인간에게 들어가서 그에게 그의 마인드 (마나스)를 부여한 지혜의 아들들과 연결된다. 아후라 (아수라)는 ah "있다(to be)" 어근에서 유래되었지만, 원시의 의미에서 그것은 비밀의 가르침이 그것이 있다는 것을 보여주는 것이다.

지질학에서 수 천년 전에 인도양의 동요된 물이 중앙아시아의 최고 고지에 어떻게 도달해서, 카스피아해와 페르시아만이 만들어져서 그것과 하나가 되었을 때, 그때 아리안 브라만 국가의 시대를 알 것이고 수 천년 후에 힌두스탄 평원으로 내려온 때를 알 것이다.

이마(Yima), 벤디다드에서 "최초 인간"이 그의 쌍둥이 형제 야마(Yama), 바이바스바타 마누의 아들처럼 보편 역사의 두 가지 신기원에 속한다. 그는 두 번째 인종의 "선조(Progenitor)"이고, 그래서 피트리들의 그림자의 의인화이며, *대홍수이후* 인류의 아버지이다. 인류에 대하여 말할 때, 우리가 "인간(man)"으로 말하듯이, 마기(Magi)는 "이마(Yima)"를 말했다. "아름다운 이마(fair Yima)," 아후라 마즈다와 대화를 나눈 최초의 인간이 사라진 혹은 *죽은 최초 "인간"*이며, 최초로 태어난 인간이 아니다. "빅상하트(Vixanghat)의 아들"은 바이바스바타의 아들처럼 상징적인 인간이었고, 비의 가르침에서 *첫 세 인종의* 대표로서 그것의 집합적인 선조였다. 이 인종들 중에서 첫 번째 두 번째 인종은 결코 죽지 않았고,[347] 사라지기만 하였으며, 그들의 자손 속으로 흡수되었고, 세 번째가 인종 말엽에 성의 분리와 발생으로 “추락” 후에 죽음을 알았다. 이것이 벤디다드의 파르가드 II에서 평이하게 언급된다. 이마가 “나는 태어나지 않았다, 나는 그대 법칙의 전달자이자 설교자가 되는 것을 배우지 않았다”고 말하면서 아후라 마즈다의 법칙의 전달자가 되기를 거부한다. 그리고나서 아후라 마즈다가 그에게 그의 인간을 늘이고 “그의 세계”를 지켜보라고 요청한다. (3과 4)

그는 아후라의 사제가 되는 것을 거부한다. 왜냐하면 그는 *자신의 사제이자 희생자*이기 때문이다. 그러나 그는 두 번째 제안을 받아들인다. 그가 대답한다: —

“예스! . . . 예스, 내가 당신의 세계를 다스리고 지켜볼 것이다. 내가 왕으로 있는 동안에, 추위와 더위가 없을 것이고, *질병과 죽음도 없을 것이다.*”

그리고나서 아후라 마즈다가 주권이 엠블럼인 황금 반지와 단검을 가져다주고 이마의 통치 하에서 —

“3백번의 *겨울*이 지나갔고, 지구가 무리들과 떼들, 인간과 개 그리고 새 그리고 타오르는 붉은 불 등으로 *가득 채웠다.*” (300번의 겨울은 300주기를 의미한다.)

즉 “가득 채웠다”를 주목하라. 이 모든 것이 이전에 그 위에 있었다; 그래서 세계의 연속적인 파괴와 그 생명 주기에 대한 가르침의 지식이 이렇게 증명된다. “300번의 겨울”이 끝나자, 아후라 마즈다가 이마에게 지구가 너무 가득차서, 인간이 살 곳이 없다고 경고한다. 그래서 이마가 앞으로 나아가서, 스펜타 아르마이타 (여성 수호신 혹은 지구의 영)의 도움으로 그 지구를 확장하게 만들어서 3분의 1 더 크게 되었으며, 그후에 “새로운 가축 무리와 짐승의 떼 그리고 인간”이 나타난다. 아후라 마즈다가 다시 경고하고, 이마가 지구를 같은 마법으로 3분의 2 더 크게 만든다. “900번의 겨울이 *지나가고*, 이마가 *세 번째* 의식을 수행해야 한다.” 이것 전체가

347 죽음은 인간이 육체의 피조물이 되었을 때만 왔다. 위 참조. 최초 인종과 두 번째 인종의 인간은 그들 자손 속으로 용해되어 사라졌다.

비유적이다. 지구를 뻗게 만드는 세 가지 과정은 세 가지 연속적인 대륙과 다른 곳에서 충분하게 설명되었듯이 하나 둘 다음에 나오는 인종을 말하는 것이다. 세 번째 후에, 아후라 마즈다가 "천상의 신들과 탁월한 인간이 모인 곳에 있는" 이마에게 물질계에 치명적인 겨울이 올 것이고, 모든 *생명*이 사라질 것이라고 경고한다. 이것이 "홍수"와 모든 인종을 휩쓸고 가버리는 다가오는 아틀란티스의 재앙에 대한 고대 마즈다인의 상징이다. 바이바스바타 마누와 노아처럼, 이마가 *바라*(*vara*) (방주, 울타리)를 신의 지시 하에서 만들고, 살아 있는 모든 피조물, 동물과 "불"의 씨앗을 거기로 가져온다.

짜라투스트라가 바로 이 "지구" 혹은 신대륙의 통치자이자 입안자였다. 세 번째 근원인종이 사라지기 시작한 후에, 이것이 시초에 네 번째 근원인종이었다. 그때까지 말했듯이 (위의 각주 참조) 어떤 규칙적인 죽음이 없었고, 변형만 있었다. 왜냐하면 *인간이 아직 개성을 가지지 않았기 때문이다*. 그들은 모나드를 가졌다—하나의 대숨결의 숨결들이고, 그들이 나온 근원처럼 비개성적이다. 그들은 체들을 혹은 죄가 없는 그래서 *카르마가 없는* 체들의 그림자를 가졌다. 그러므로 카마로카—무엇보다도 열반 혹은 심지어 데바찬—가 없었다. 왜냐하면 개성적 자아(Ego)를 가지고 있지 않은 인간의 "혼들"에게, 화신 사이의 중간 기간이 없을 수 있기 때문이다. 불사조처럼, 태초의 인간이 오래된 체에서 나와서 새로운 체 속으로 부활하였다. 매번 그리고 각각의 새로운 세대에서, 그가 점점 거 굳어지고, 점점 더 육체적으로 완전해지고, *대자연의 법칙*인 진화의 법칙과 일치하게 되었다. 죽음은 완전함 육체 유기체를 가지면서 왔고, 그것과 함께 윤리적 쇠퇴도 왔다.

이 설명은 보편적 가르침과 그 상징에서 일치하는 고대 종교 하나 더를 보여준다.

다른 곳에서 가장 오래된 페르시아 전통, 한층 더 고대의 마기인들의 마즈데이즘(조로아스터교)의 유물이 주어지고, 그것들 중에 어떤 것이 설명된다. 인류는 외로운 하나의 커플에서 나오지 않았다. 또한 최초 인간—아담이건 이마이건—은 없었지만 최초 인류가 있었다.

그것이 "완화된 다원발생설"일 수도 있고 그렇지 않을 수도 있다. 일단 *무에서*(*ex-*

nihilo) 창조—터무니없는 것임—와 초인간의 창조자 혹은 창조자들—하나의 사실—이 과학에 의해서 배제되었기에, 다원발생론이 일원발생론처럼 (과학적 관점에서 더 적은) 어려움 혹은 불일치를 제시하지 않는다.

그럼에도 불구하고 그것은 어떤 다른 주장처럼 과학적이다. 왜냐하면 노트와 글리돈의 "인류의 유형" 서문에서, 아가시는 *"분리되어 창조된 태초의 인간의 인종들"*의 불특정 수에 대한 그의 믿음을 선언하기 때문이다; 그리고 "모든 동물학 영역에서 동물들이 *서로 다른 종이라고* 하는 반면에, *인간은 그의 인종의 다양성에도 불구하고 항상 하나의 똑같은 인간을 형성한다*"고 말하기 때문이다.

오컬티즘은 원초의 인종의 수를 일곱으로 정의하고 제한한다. 왜냐하면 "일곱 선조" 혹은 존재들의 전개자(evolver), 일곱 *프라자파티* 때문이다. 이들은 신들이 아니고, 초자연적 대존재들도 아니며, 또다른 하위 행성에서 와서, 이 행성에서 재탄생하여 현재 라운드에 그들 차례에 현재의 인류를 낳은 진화한 영들이다. 이 가르침이 다시 그것의 메아리들 중에 하나인 그노시스로 확증된다. 그들의 인류학과 인간의 창세기에서 그들은 "일곱 천사들의 어떤 무리가" 최초 인간을 형성하였으며, 그는 무지각의 거대한 그림자 같은 형태나 다름없었다고 가르쳤다—실재에 대하여 자주 은유를 사용하는 이레네우스가 "그냥 꿈틀거리는 벌레" (!)라고 쓴다. (I, 24, 1)

D. 대중적인 작업에서 칠중 요소

이제 우리는 다른 고대 경전들을 조사해서 그것들이 칠중 분류를 간직하는 지 그리고 어느 정도까지 그런지 볼 수 있다. 유대 성서보다는 훨씬 많이는 아니더라도, 푸라나 뿐만 아니라, 수천 개 산스크리트 본문에 흩어져 있으며, 어떤 것은 여전히 열리지 않았고, 다른 것은 아직 알려지지 않은 것에서, 숫자 7과 49 (7 x 7)가 가장 눈에 띄는 역할을 한다. 그것들이 1장 일곱 창조부터, 마지막 프랄라야에 태양의 일곱 광선에 이르기까지 발견되며, 마지막 프랄라야에 일곱 태양 속으로 확장하여 전체 우주의 물질을 흡수한다. 이렇게 마츠야 푸라나에 있다: "베다를 널리 알리기 위하여, 칼파 초기에, 비쉬누가 마누에게 나라심하(Narasimha) 이야기와 일곱 칼파의 사건을 말했다.” 그리고 다시 같은 푸라나가 보여준다: “모든 만반타라에서, 리쉬들[348] 그룹이 일곱과 일곱으로 출현하고, 법과 윤리의 규준을 정립한 후에 지복 상태로 떠난다”—리쉬는 살아 있는 성자 이외도 많은 다른 것들을 나타낸다.

아타르바 배다 찬가 xix. 53에서 (무어 번역) 읽는다: —

“1. 시간은 풍요로 가득 찬, 부패하지 않는, 천 개 눈, 일곱 광선을 가진 준마를 앞으로 데려간다. 그 위에 지혜로운 성자들이 올라탄다; 그의 수레바퀴가 모든 세계들이다.”

“2. 이렇게 시간은 일곱 수레바퀴 위에서 움직인다; 그는 일곱 바퀴통을 가진다; 불멸이 그의 축이다. 그는 현재 이 모든 세계들이다. 시간은 첫째 신을 향해서 서두른다.”

“3. 가득 찬 항아리는 시간이 간직되어 있다. 우리는 많은 형태로 존재하는 그를 바라본다. 그는 미래에 이 모든 세계들이다. 그들은 그를 ‘최고 하늘에 있는 시간’으로 부른다” . . .

이제 이것에다 비의 문헌들에게 온 다음 구절을 추가하라: — “공간과 시간은 하나이다. 공간과 시간은 무명(nameless)이다. 왜냐하면 그들은 인식할 수 없는 그것(That)으로, 일곱 광선—일곱 창조, 일곱 세계, 일곱 법칙,” 등등—을 통해서만 감지될 수 있기 때문이다. 푸라나는 비쉬누와 시간 및 공간이 동일하다는 것을 주장한다는 것을 기억하면서; [349] 그리고 심지어 신을 나타내는 랍비의 상징이

---

348 “몇몇 만반타라에서 창조된 존재들이 보호되는 7인이 있다”고 파라사라가 말한다. 왜냐하면 전체 세계가 신성의 에너지로 스며 들어가기 때문에, 그가 어근 “Vis” ‘들러가다’ 혹은 ‘스며들다’에서 유래한 비쉬누(Vishnu)라고 불린다. 왜냐하면 모든 신, 마누, 일곱 리쉬, 마누의 아들들, 인드라, 모두가 비쉬누의 의인화된 잠재성(비부타야)에 불과하다.” (비쉬누 푸라나) 비쉬누는 우주이다; 그리고 우주 자체가 리그 베다에서 일곱 영역으로 나눠진다—이것은 모든 경우에 브라만에 대한 충분한 권위이다.

349 비쉬누가 전체이다—세계, 별, 바다 등등. “비쉬누가 존재하고 존재하지 않는 전체이다 . . . 그러나 바스투부타(Vastubhûta), 질료가 아니다.” (비쉬누 푸라나, II. xii) “사람들이 최고 신으로 부

마콤(Maqom), "공간"이라는 것을 기억하면서, 현현하는 신—공간, 물질 그리고 영—의 목적으로 하나의 중심점이 삼각형과 사중체 (완전한 입방체), 그래서 일곱으로 되는지 분명해진다. 심지어 프라바하(Pravaha) 바람 (별과 행성들의 코스를 조절하고 충동을 주는 신비한 오컬트 힘)도 칠중이다. 쿠르마와 링가 푸라나에서 그 이름의 주요 일곱 바람을 나열하며, 그 바람들이 우주 공간의 원리들이다. 그들은 드루바[350] (이제는 알파), 북극성과 밀접하게 연결되어 있으며 다음으로 우주의 힘을 통하여 다양한 현상을 만들어내는 것과 연결된다.

이렇게 아리안 성전에 있는 일곱 창조, 일곱 리쉬, 지대, 대륙, 원리 등등에서, 그 수가 인도를 지나서, 이집트, 칼데아, 그리스, 유대, 로마 그리고 마지막으로 기독교 신비 사상으로 지나가서, 모든 대중 신학에 내려앉아서 지울 수 없게 인상을 남긴 채 남아있다. 노아의 방주에서 함(Ham)이 훔쳐서 쿠쉬(Cush), 그의 아들에게 준 일곱 권의 고대 문헌과 함과 케이론의 일곱 청동 기둥은 "일곱 비밀 발산," "일곱 소리(Sound)" 그리고 일곱 광선—나중 영겁에서 그것들의 7천번의 일곱 복사본의 영적 그리고 별의 모형들—에 따라서 마련된 태초의 일곱 신비의 반영이자 기억이다.

그 신비스러운 숫자가 그에 못지 않은 신비스러운 마루트들에서 다시 더 두드러진다. 바이유 푸라나에서 보여주고 하리반사가 확증한다: 마루트—리그 베다에 있는 모든 이차적 신들 혹은 하위 신들 중에서 가장 이해할 수 없는 신으로 가장 오래된 신—가 "모든 만반타라 (라운드)에 일곱 번의 일곱 번 (49) 태어난다; 각 만만타라에, 네 번의 일곱 (28), 그들은 해방을 얻지만, 그들의 위치가 그 성격으로 다시 태어난 사람들에 의해서 채워진다." 비의적 의미에서 마루트들은 무엇이고, "그 성격으로 다시 태어난" 사람들은 누구인가? 리그 베다와 다른 베다에서, 마루트가 폭풍신 그리고 인드라의 친구이자 동맹으로 대표된다; 그들은 "하늘과 땅의 아들들"이다.

르는 그것은 질료가 아니라 그것의 원인이다; 여기, 저기 혹은 모든 곳에 존재하는 하나가 아니라, 우리가 보는 것이 아니라, 모든 것이 그 속에 존재하는 그것—공간이다."

350 그러므로 밤에 드루바와 천상의 돌고래 (시수마라, 성운)의 조망으로 "낮에 무슨 죄를 저질렀건 그 죄를 속죄하게 한다"고 푸라나에서 말한다. 사실은 영원한 환영—아그니, 마헨드라, 카시야파 그리고 드루바가 작은곰자리 (시수마라) 꼬리 부분에 놓여있다—의 원 속에 있는 네 개 별의 광선들이 어떤 방식으로 어떤 사물에 집중되면 놀라운 결과를 만든다. 인도의 별-마법사들은 의미하는 것을 이해할 것이다.

이것이 그들을 시바의 자식들, 요기들의 위대한 후원자, "마하 요기, 위대한 고행자의 자식들로 만드는 비유로 이어지며, 그 속에서 엄격한 고행의 최고 완성과 추상적 명상이 집중된다. 그것으로 최고의 제한 없는 힘들이 얻어지고, 경이와 기적들이 일어나며, 최고의 영적인 지식이 얻어지고, 우주의 위대한 영과의 합일이 결국에는 얻어진다." 리그 베다에서 시바의 이름은 알려지지 않았지만, 그 신이 루드라로 불렸다. 이것은 아그니, 불의 신에 사용된 단어어고, 마루트들은 그의 아들들이다. 라마야나와 푸라나에서, 그들의 어머니, 디티(Diti)—아디티의 자매 혹은 한쪽 그리고 한 가지 형태—가 인드라를 파괴시킬 아들을 얻고자 싶어서 성자 카시아파에 의해서 "생각이 전적으로 경건하고 사람이 완전히 순수한 채, 백 년 동안 그녀의 자궁 속에 아기를 배고 있으면," 그런 아들을 얻을 것이라고 듣는다. 그런 인드라가 계획에서 그녀가 실패하게 만든다. 그의 벼락으로 그녀의 자궁에 있는 태아를 일곱 부분으로 나누고 그 각부분을 다시 일곱 조각으로 나누며, 빠르게 움직이는 신, 마루트가 된다.[351] 이 신들은 많은 다른 신들처럼 아버지 성을 딴 루드라들인, 쿠마라의 또다른 측면들 혹은 발전에 불과하다.[352]

디티, 아디티로 그 반대가 증명되지 못한다면, 아디티 혹은 최고 형태로 아카샤는 이집트인의 칠중 하늘이다. 모든 진실한 오컬티스트는 이것이 무엇을 의미하는지 이해할 것이다. 반복하면, 디티는 형이상학 성질의 여섯 번째 원리, 아카샤의 붓디이다. 디티, 마루트들의 어머니는 그녀의 지상의 형태들 중에 하나로, 고행자 속에 있는 신성한 혼과 하나이면서 동시에, 마야의 그물로부터 구제와 결과적으로 마지막 지복을 향한 신비한 인류의 신성한 열망을 나타낸다. 그런 열망이 더 일반적이지 않고 *아함카라* (자아중심성, 자아 혹은 나는 있음의 느낌)와 무지의 일반적인 전파로 비정상적으로 되는 칼리 유가 때문에, 이제는 비하되었지만,

---

351 라마야나에서 그것은 발라-라마(Bala-Rama), 그것을 하는 크리슈나의 형이다.
352 루드라의 기원에 대하여, 몇몇 푸라나에서 그의 (영적) 자손이 브라흐마에 의해서 그 속에서 창조되어서 일곱 쿠마라 혹은 열 한 명의 루드라 등으로 제한되지 않고, (동정의) 그들 아버지처럼 사람과 장비들 속에 있는 무한한 수의 존재들을 포함한다고 말한다. 그들의 사나움, 숫자 그리고 불멸에 놀라서, 브라흐마가 그의 아들 루드라가 유한한 다른 성질의 피조물을 형성하길 원한다." 루드라는 창조하는 것을 거부하면서 단념하고 등등, 그래서 루드라가 최초 반항자이다. (링가, 바이유, 마츠야 그리고 다른 푸라나)

인드라가 초기에는 힌두 판테온의 가장 위대한 신들 중에 하나였다고 리그 베다가 보여준다. *수라-디파*, "신들의 우두머리"가 *지쉬누*, "천상의 무리의 리더"—힌두의 성 미카엘—에서 추락하여 모든 성스러운 열망의 적, 금욕주의의 적으로 되었다. 그가 "그녀의 *관능적인 매력* 때문에," 결혼한 감각들의 원소의 진화, *아인드리-야카*의 의인화, 아인드리(Aindri) (인드라니)와 결혼한 것으로 보인다; 그 후에 그가 성스러운 인간들, 요기들의 격정을 흥분시켜서, 그들을 현혹시켜서 "그가 두려워한 강력한 참회를 막기 위하여" 천상의 여성 악마들을 내보내기 시작하였다. 그러므로 인드라가 이제는 "하늘의 신, 의인화된 공기의 신"으로서 특징을 나타낸다—사실상 우주 원리 마하트 그리고 다섯 번째 인간—이중 측면의 마나스이다: 붓디와 연결된 것으로서 그리고 카마-원리 (격정과 욕망의 체)에 의해서 이끌려 내려가도록 놔두는 것으로서. 이것이 브라흐마가 정복한 신에게 그의 빈번한 패배가 카르마 때문이고, 그의 방탕에 대한 처벌과 다양한 님프의 유혹이라고 말하는 것으로 나타난다. 그가 파괴로부터 자신을 구하기 위하여, 그를 정복할 운명의 다가오는 "아기"를 파괴하려는 것이 바로 이 후자의 성격이다: 물론 그 아기는 요기의 신성하고 견조한 의지를 비유적으로 말하는 것이다—요기는 그런 모든 유혹을 그만두고, 그의 세속의 개성 속에 있는 격정을 파괴하기로 결심한 자이다. 인드라가 다시 성공한다. 왜냐하면 육체가 영을 정복하기 때문이다—(디티가 드바파라 유가에서 낙담한 것으로 보이며, 그 기간 동안에 네 번째 근원인종이 번성하게 된다). 그는 (아리안 다섯 번째 근원인종의 고행자들에 의해서 다시 한번 태어난 새로운 신성한 초인 상태의) "태아"를 일곱 부분으로 나눈다—각각의 근원인종 마다 하나의 "마누"가[353] 있는 새로운 근원인종의 일곱 아인종만을 말하는 것이 아니라, 또한 초인 상태의 일곱 등급을 말하는 것이다—그리고 각각의 부분을 일곱 조각으로 나눈다—각각의 근원 인종의 마누 리쉬와 심지어 아인종을 넌지시 말하는 것이다.

---

353 푸라나에서 마누, 리쉬 그리고 그들의 자손에 대한 끔찍한 그러면서 의도된 혼란에도 불구하고, 한 가지는 분명하게 되었다: 라운드 마다 열 넷 마누가 있기에, 모든 근원인종에서 (신성한 문헌에서는 만반타라로 부르기도 하였다) 일곱 리쉬가 있었고 그리고 있을 것이다. "주재한 신, 리쉬 그리고 마누의 아들들"은 동일하다. (비쉬누 푸라나, III권 1장 참고) "여섯" 만반타라가 주어졌고, 일곱 번째가 비쉬누 푸라나에서 우리의 것이다. 바이유 푸라나는 만반타라 마다 있는 열 넷 마누의 아들들의 명명법과 일곱 현자 혹은 리쉬들의 아들들을 제공한다. 후자가 인류의 선조들의 자손이다. 모든 푸라나가 이번 라운드에 일곱 프라자파티에 대하여 말한다.

마루트가 "만반타라" 마다 "네 번의 일곱" 해방을 얻는 것이 무엇을 의미하는지 그리고 (비의적 의미에서 마루트의) 그 성격으로 다시 태어나서 "그들의 장소를 채우는" 사람들에 의해서가 무엇을 의미하는지 인식하는 것이 어렵지 않은 것처럼 보인다. 마루트들은 나타낸다: (a) 고행의 삶을 준비할 때—이것은 신비적으로—모든 후보자 가슴 속에서 폭풍우 치고 격노하는 격정; (b) 아카샤의 하위 원리들의 많은 측면의 오컬트 잠재성—거주한 모든 구체의 지상의 하위 공기를 나타내는 그녀의 체—이것은 신비적으로 그리고 항성적으로; (c) 우주의 심령적 성질의 대존재, 실제의 의식적 대실재.

동시에 "마루트"들은 오컬트 용어서 넘어간 위대한 초인들의 자아들과 또한 니르마나카야로 알려진 자아들에게 주어진 이름들 중에 하나이다; 그들은 환영을 넘어서기 때문에, 그들에게는 데바찬이 없고, 인류의 선을 위하여 데바찬을 자발적으로 포기하였거나 아직 열반에 도달하지 않아서, 지상에서 보이지 않은 채 남아 있는 자아들이다. 그러므로 마루트들이[354] 먼저—시바-루드라의 아들들로서—"후원자 요기"를 보여 주고, 그의 "세 번째 눈"을 고행자가 초인이 되기 전에 신비스럽게 획득해야 한다; 그리고 나서 그들의 우주적 성격에서, 인드라와 그의 적들의 부하들로서 다양하게 보여 준다. "네 번의 일곱" 해방은 네 번의 라운드와 우리 이전의 넷 인종을 말하는 것으로, 그 인종 각각에서 마루트-지바 (모나드)가 다시 태어났고, 이용했다면 마지막 해방을 얻었다. 그 대신에, 무지와 비애의 그물 속에서 더 절망적으로 고군분투할 인류의 선을 택하면서, 이런 외적인 도움이 없다면, 그들은 "그 성격으로" 반복해서 태어나고 이렇게 "그들 자신의 위치를" 채운다. 그들이 "지상에서" 누구인지—오컬트 과학의 모든 학생은 안다. 그리고 그는 마루트가 루드라이며, 그들 속에 비스바카르만—입문자들의 위대한 후원자—의

---

354 "착슈바(Chakshuba)는 여섯 번째 기간의 마누 (세 번째 라운드와 세 번째 근원인종)로, 그 기간에 인드라가 마노자바(Manojava) 였다."—바가바타 푸라나에서 *만트라드루마*(*Mantradruma*). "거대한 라운드" (마하칼파), 일곱 라운드의 각각과 각 라운드에 있는 일곱 근원 인종 각각 사이에 완전한 유추가 있기 때문에—그러므로 여섯 번째 기간 혹은 세 번째 라운드의 인드라가 세 번째 근원인종 (성의 분리 혹은 추락의 시기에)의 종말에 상응한다. 루드라는 마루트들의 아버지로서 인드라, "마루트들의 주" 혹은 마루트완(Marutwan)과 많은 접촉점을 가지고 있다. 어떤 이름을 받기 위하여 루드라가 그것을 위해서 울었다고 말한다. 브라흐마가 그를 루드라로 부른다; 그러나 그가 일곱 번 더 울었고 일곱 가지 다른 이름을 얻었다—그는 각 "기간" 동안에 하나를 사용한다.

동의어, 트와쉬트리(Twashtri)의 가족이 포함된다는 것도 안다. 이것으로 그들의 진정한 성질에 대한 충분한 지식을 줄 것이다.

대우주와 인간 원리의 칠중 구분도 똑같다. 푸라나에서 다른 성전과 함께 이것에 대한 암시로 가득하다. 제일 먼저, 브라흐마 혹은 우주를 간직한 세계 알은 "외적으로 물, 공기, 불, 에테르 그리고 다른 세 개 원소로 느슨하게 열거된 일곱의 자연 원소들을 부여받았다"; (1권) 그리고 "세계"가 "모든 면에서," 그 알 *속에 있는*, 일곱 원소로 "둘러싸여 있다"고 말한다—설명하였듯이, "우주가 모든 면에서 위와 아래에서 *안다카타하*(*Andakat'aha*)—브라흐마의 알의 껍질—로 둘러싸여 있다." . . . 그 껍질 둘레에 불로 둘러싸인 물이 흐른다; 불은 공기로; 공기는 에테르로; 에테르는 원소들의 기원 (아함카라)으로; 아함카라는 보편 마인드로 (본문에서 "대지성 (마하트)") (비쉬누 푸라나 2권 7장). 그것은 원리들만큼이나 존재의 영역과 관련 있다. 프리티비는 우리의 지구가 아니라 전체 세계, 태양계이고, 넓고 광대한 세계를 의미한다. 베다에서—그것을 올바르게 읽을 열쇠가 필요하지만 모든 권위들 중에서 가장 위대한—세 개 지상의 지구와 세 개 천상의 지구가 부후미—우리의 지구—와 동시에 존재하게 되었다고 언급된다. 우리는 종종 일곱이 아니라 여섯이 구체, 원리 등등의 수인 것처럼 보인다고 들어왔다. 사실 인간 속에는 여섯 원리만 있다고 대답한다; 그의 체는 원리가 아니라, 그것의 껍질, 외피이다. 행성 체인도 마찬가지이다; 행성 체인에 대하여 말할 때, 비의적으로, 지구가 (일곱 번째 오히려 네 번째 계뿐만 아니라, 만약 그 형성을 시작하는 엘리멘탈의 첫 삼중 왕국부터 센다면 일곱 번째가 되는 것) 우리에게 일곱에서 유일하게 구분되는 체이기에 고려 대상에서 빠질 수 있다. 오컬티즘의 언어가 다양하다. 그러나 일곱 대신에 세 개 지구만 베다에서 의미한다고 가정한다면, 우리는 여전히 하나만 알고 있는데, 그 셋은 무엇인가? 분명히 검토 중인 진술에는 어떤 오컬트 의미가 있음에 틀림없다. 한번 보자. 브라흐마가 푸라나에서 일곱 영역으로 나눈다는 그 (공간의) 보편적인 대양에서 "떠다니는 지구"가 프리티비로, 그 세계가 일곱 원리로 나누어진다; 우주적 구분이 충분히 형이상학적으로 보이지만, 사실상 오컬트 영향에서 물리적이다. 나중에 많은 칼파에서 우리의 지구가 언급되고, 다음으로 고대 철학자들을 안내한 똑같은 유추의 법칙으로 일곱 영역으로[355] 나누어진다. 그 이후 지구에서 일곱 대륙, 일곱 섬, 일곱 대양, 일곱 대해와 강, 일곱 산, 그리고 일곱 기후 등등을 본다.[356]

게다가, *일곱 지구*에 대한 언급을 보는 것이 힌두 성전과 철학뿐만 아니라, 페르시아, 페니키아, 칼데아 그리고 이집트 우주발생론과 심지어 랍비 문헌에서도 발견한다. 피닉스[357]—유대인은 오넥(Onech) קֶעֶנ (페녹(Phenoch), 에녹, 비밀 주기와 입문의 상징에서 온)으로 그리고 터어키인은 케르케스(Kerkes)로 부른—는 천년 살고, 그 이후에 불을 붙여서, 스스로 태워버린다; 그리고 나서 자체에서 다시 태어난다—그것이 또다른 천년을 살고, 심판의 날(Day of Judgment)이 올 때인 *일곱에 일곱 번까지* ("알리(Ali)의 서" 참조—러시아 번역) 산다. "일곱의 일곱," 49는 투명한 비유이고, 49 "마누," 일곱 라운드 그리고 각 라운드에 각 구체에서 일곱의 일곱의 인간 주기를 암시하는 것이다. 케르케스와 오넥은 인종의 주기를 나타내고, 신비한 나무 아바벨(Ababel)—쿠란에서는 "아버지 나무(Father Tree)"—이 피닉스 혹은 케르케스의 부활 때마다 새로운 가지와 입을 뻗어낸다; "심판의 날"은 "마이너 프랄라야"를 의미한다. ("에소테릭 붓디즘" 참조) "신의 서 아포칼립스"의 저자는 "피닉스가 매우 분명하게 시모르그(Simorgh), 페르시아인의 *로크*(*roc*)와 같은 것이고, 이 새에 대하여 우리에게 주어진 설명이 피닉스의 죽음과 부활이 세계의 연속적인 파괴와 재생산을 나타낸다는 의견을 더 결정적으로 정립시키며, 많은 사람들이 불의 홍수의 동인에 의해서 일어난다"고 믿는다"—(p. 175); 그리고 다음으로 물의 동인에 의해서. 시모르그가 그녀의 시대(나이)에 대하여 질문을 받았을 때, 그녀가

---

355 푸라나 참조.

356 비쉬누 푸라나, 2권, 4장에서, 지구가 "대륙, 산, 대양 그리고 지표를 가지고" 지구가 길이에서 5억 요자나로, 이것에 대하여 주석가가 "이것은 행성 영역을 구성한다"고 말한다; 일곱 영역과 대양의 직경—대양 각각은 그것이 포함하는 대륙과 같은 직경이고, 각각의 대륙은 그 이전 대륙의 직경의 두배이다—이 2,540만 등에 해당한다. . . 서로 다른 푸라나에서 어떤 모순이 일어날 때마다, 서로 다른 칼파와 동일한 종류의 차이로 돌려야 한다." 여기서 "동일한 종류"를 "오컬트 의미로" 읽어야 한다. 그 설명이 대중적, 종파적 목적으로 쓴 그리고 다양한 다른 이유로 번역가가 오해한 주석가에서 보류되었다. 그 이유들 중에 가장 작은 것은 비의 철학에 대한 무지이다.

357 (어느 주기를 의미하는가에 따라서 영을 빼거나 추가된다) 600년 태양 주기와 연결된 피닉스, 그리스와 다른 국가들의 서양의 주기는 몇 가지 주기의 총칭적 상징이다. 더 깊은 세부사항이 "칼파와 주기" 부분에서 주어질 것이다.

영웅에게 이 세계는 매우 오래되었다고 알려줬다. 왜냐하면 그것이 인간과 다른 존재들로 이미 일곱 번 채워졌고, 일곱 번 비워졌기 때문이다;[358] 지금 우리가 있는 인간의 시대가 7천년 지속할 것이고, 그녀 자신도 이런 순환을 12번 보았으며, 얼마나 더 많이 그녀가 봐야 하는지 모른다고 알려줬다." (동양 모음집, ii. 119)

하지만 위의 진술은 새로운 것이 아니다. 지난 세기에 베일리부터, 이번 세기에 캐닐리 박사에 이르기까지, 이 사실들이 몇몇 작가들에 의해서 주목되어 왔지만, 페르시아 신탁과 나사렛 예언자 사이에 어떤 연결관계가 세워질 수 있다. "신의 서"의 저자가 말한다:

"시모르그는 사실상 힌두인의 날개 달린 싱(Singh) 그리고 이집트인의 스핑크스와 같다. 전자가 세계가 끝날 때 괴물 같은 사자-새(lion-bird)로 나타날 것이라고 말한다. 이것에서 랍비들이 그들의 거대한 새에 대한 신화를 차용하였으며, 어떤 때는 지상에 서있고, 어떤 때는 대양에서 걸어 다니며, 반면에 그것의 머리가 하늘을 지탱한다; 그리고 그 상징을 갖고, 그들은 그것과 관련된 가르침도 차용하였다. 그들은 일곱 번 연속되는 구체의 갱생이 있을 것이고, 각각 재생된 체계가 7천년 지속할 것이라고 가르친다; 그리고 우주의 전체 지속 기간이 49,000년이라고 가르친다. 이 의견은 재생된 각 피조물의 선재설의 가르침이 관련되며, 그들이 바빌론 포로 시간 동안에 배웠거나, 그들의 사제들이 고대 시대부터 간직해온 태초 종교의 일부분이었을 것이다." (p. 176) 그것은 오히려 입문받은 유대인들이 차용한 그리고 비입문한 후계자들, 탈무드 학자들이 의미를 잃어버려서, 일곱 라운드와 49인종 등을 틀린 목적에 적용한 것을 보여준다.

"그들의 사제" 뿐만 아니라, 모든 다른 나라의 사제들도 마찬가지다. 그노시스의 다양한 가르침들이 태고의 하나의 보편 가르침의 많은 메아리로 똑같은 수를 다른 형태로 매우 오컬트한 피스티스 소피아에서 예수의 입으로 표현한다. 우리는 더 말한다: 심지어 기독교의 계시론 저자 혹은 편집자가 이 전통을 간직해왔고 일곱 인종에 대하여 말하며, 그 중에 넷은 다섯 일부와 함께 가버렸고, 둘이 올 것이라고

---

358 시제가 "과거"이다. 왜냐하면 그 책은 비유적이고 간직된 진리를 가려야 하기 때문이다.

말한다. 계시록 17장 9절과 10절에서 매우 명확하게 언급된다. 천사가 이렇게 말한다: "그리고 여기에 지혜를 가진 마인드가 있다. 일곱 머리는 일곱 산으로, 여자가 그 위에 앉아 있다. 그리고 일곱 왕이 있고, 다섯이 망했고, 하나가 있으며, 다른 하나는 아직 오지 않았다. . ." 고대의 상징 언어에 조금이라도 익숙한 사람이라면, 망한 다섯 왕 속에서, 있었던 넷의 근원인종과 현재 있는 다섯의 일부분 그리고 "아직 오지 않은 다른 것," 여섯과 일곱 번째 오는 근원인종, 우리의 현재 인종처럼 이것들의 아인종을 누가 구분하지 못할까? 레위기에 있는 일곱 라운드와 49 인종에 대한 한층 더 강력한 암시가 3부에서 보일 것이다.

E. 천문학, 과학 그리고 마법에서 일곱

다시 숫자 7이 플레이아데스의 오컬트 의미와 밀접하게 연결되어 있으며, 아틀라스의 일곱 딸들로, "현재는 여섯이고, 일곱 번째가 *숨겨져* 있다." 인도에서 그들은 그들의 젖먹이, 전쟁의 신, 카르띠케야와 연결된다. 그 신에게 그들의 이름을 준 것이 바로 *플레이아데스(Pleiades)* (산스크리트어로 *크리띠카*)이다. 왜냐하면 카르띠케야가 천문학적으로 마르스 (화성) 행성이기 때문이다. 신으로서 그는 여성의 개입 없이 태어난 루드라의 아들이다. 그는 "동정의 젊은이(virgin youth)," 쿠마라로, 시바의 씨앗—성령—에서 불 속에서 발생되었고 그래서 아그니-부후(Agni-bhu)로 불린다. 캐닐리 박사는 인도에서 카르띠케야는 계산되는 태양년, 태음년, 신성한 혹은 유한한 해에 따라서, 600, 666 그리고 777년으로 구성된 나로스의 주기의 비밀의 상징이라고 믿었다; 그리고 볼 수 있는 여섯 혹은 실제 일곱 자매, 플레이아데스가 모든 천문 상징과 종교적 상징의 가장 신비스럽고 비밀스러운 것을 완성하기 위해서 필요하다고 믿었다. 그러므로 하나의 특정 사건을 기념하려고 할 때, 카르띠케야가 오래 전에 *여섯 머리를 가진* 고행자, 쿠마라로서 나타났다—나로스의 각세기마다 하나가 나타났다. 그 상징이 또다른 사건을 위해서 필요할 때, 그때는 일곱 별의 자매들과 함께, 카르띠케야가 카우마라(Kaumara) (혹은 세나) 그의 여성 측면을 동반하는 것으로 보인다. 그러면 그가 공작 위에 타고 있다—지혜와 오컬트 지식의 새 그리고 힌두 피닉스로, 나로스의 600년과 그리스의 관계가 잘 알려져 있다. 여섯 광선의 별 (이중 삼각형), 스와스티카, 여섯 그리고 종종 일곱점의 왕관이 그의 이마에서 보인다; 공작의 꼬리는 별의 하늘을 나타낸다; 그리고 황도대의 12하우스가 *그의 체 위에 숨겨져 있다*; 왜냐하면 그가 드와다사카라(Dwâdasa Kara) ("12개 손을 가진") 그리고 "드와다삭샤(Dwâdasâksha), "12개 눈을 가진"로 불리기 때문이다. 그가 가장 유명하게 보이는 것은 "타라카-지트(Taraka-jit)," 타라카의 정복자 그리고 "창을 가진 자(Spear-holder)," 샤크티-다라(Sakti-dhara)로서이다.

나로스 해는 (인도에서) 두 가지 방식으로 세는데—"신들의 해 100년" (신성한 해)—혹은—인간의 해 100년—하나는 이 주기를 올바로 이해하는데 비입문자에게 엄청난 어려움이 보일 수 있다. 이 주기가 성 요한의 계시록에서 매우 중요한 역할을 한다. 그것은 진실로 묵시적 주기이다; 하지만 그것에 관한 수많은 추론 어느 것에서도 몇 가지 근접한 진리 이외에는 발견하지 못했다. 왜냐하면 그것이 유사 이전의 다양한 사건들과 관련 있고 다양한 길이이기 때문이다.

수이다스가 고대인들이 그들의 연대기 산정에서 연(year)을 날(day)로 계산하는 것을 보여주면서, 바빌로니아인들이 그들의 신성한 시대에 대하여 주장한 지속 기간에 반대하여 강하게 주장되었다. 셉 박사는 그가 "크리스트 탄생"—별의 (보이지 않는) 하늘에서 "미리 정해졌고," 그리고 "베들레헴의 별의 유령에 의해서" 증명되었듯이—이전 4,320 태음년으로 축소했던 힌두의 432 수천과 수백 만년 (유가의 지속 기간)에 대한 그의 독창적인 표절에서—다른 곳에서 드러난다—수이다스와 그의 권위에 호소한다. 그러나 수이다스는 자신의 추론 이외에 그것에 대한 다른 확증을 가지고 있지 않으며, 그는 입문자가 아니었다. 연대기 주장에 따르면, 4,477년을 통치했다고, 즉 그가 생각하기에 4,477일 혹은 12년 3개월 7일을 통치했다고 보여줄 때, 하나의 증거로서 그가 벌컨을 인용한다; 그는 원본에 5일이 있고, 이렇게 심지어 쉬운 계산에서도 실수를 한다. (수이다스, 예술. *Ηηλιος* 참조.) 진실로 비슷한 허위의 추론을 하는 다른 고대 작가들이 있다—예를 들면, 칼리스테네스는 칼데안들의 천문 관측으로 1,903년만 할당하고, 반면에 에피게네스는 73만년을 인정한다. (플리니, 자연의 역사 VII. C. 56.) 대중적인 작가들이 만든 이 가설들의 전체는 오해에 토대를 두고 오해 때문에 만들어졌다.

서구의 모든 민족들, 고대 그리스인들과 로마인들의 연대기가 인도에서 차용하였다. 이제 그것이 바가바담 타밀 판에서 15일 태양일이 파참(Paccham)을 만든다고 말한다; 두 개의 파참 (혹은 30일)은 한달이고 그런 한달은 피타르 데바타(Pitar Devata)의 하루에 불과하다고 덧붙인다. 다시 이런 달 두개가 리투(rootoo)를, 셋 리투가 아야남(ayanam)을 그리고 둘 아야남이 1년을 만든다—인간의 1년은 신들의 하루에 불과하다. 그런 잘못 이해된 가르침 위에서 어떤 그리스인들이 모든 입문한 사제들이 날들(days)을 연들(years)로 변형시켰다고 상상하였다.

고대 그리스와 라틴 작가들의 이런 실수가 유럽에서 결과들로 가득하게 되었다. 18세기가 끝날 무렵과 19세기가 시작할 무렵에, 인도에서 어떤 광적인 그리고 파렴치한 선교사들이 가져온 의도적으로 훼손된 힌두의 연대기 설명에 의존하면서, 베일리, 뒤피 그리고 다른 사람들이 그 주제에 관한 환상적인 이론을 세웠다. 힌두인들이 달의 공전, 시간의 척도를 반으로 만들었기 때문이다; 그리고 15일로만 구성된 한 달이—이것에 대하여 퀸티우스 커티우스가 말한다 (그들은 달을 15일 기간으로 나누었다. 퀸티우스 커티우스, 알렉산더의 역사 8.9.35-36)—힌두 문헌에서 언급된 것이 발견된다. 그러므로 하루(day)로 불리지 않을 때, 그들의 한 해는 반 년이었다는 것이 확인된 사실이다. 중국인들도 그들의 황도대를 12부분으로 나누었고, 그래서 그들의 한 해를 24개의 2주일로 나누었지만, 그런 계산이 우리와 같은 천문상의 해를 갖는 것을 막지 못했고 그러지 않는다. 그리고 그들은 60일 기간을 가지고 있다—어느 지역에서는 오늘날까지 남인도인의 리투(Roodoo)이다. 게다가 디오도로스 시켈로스 (Lib. I. § 26, p. 30)가 "30일을 이집트인의 해(년)"로 부르고, 혹은 달이 완전한 공전을 수행하는 기간으로 부른다. 플리니와 플루타르크도 그것에 대하여 말한다 (플리니, 자연의 역사, Lib. VII, c. 48, III권, p.185 그리고 플루타르크, 누마의 삶, § 16); 그러나 어느 다른 민족만큼 천문학을 잘 알았던 이집트인들이 태음달의 한 달이 28일과 나머지인데, 30일로 구성되게 만든다는 것이 합리적인가? 이 달의 기간은 힌두인의 리투와 아야남처럼 확실히 오컬트 의미를 가졌다. 베일리가 그의 책 "동양 천문학 논고"에서 보여주듯이, 고대에는 2달의 기간 혹은 60일 기간의 1년이 보편적인 시간의 척도였다. 중국인들은 그들의 해를 두 부분, 하나의 분점에서 다른 분점으로 나누었다 (페레, 아카데미 협회 회고록, T. XVI,

c. 48, Tom. III, p. 183); 아랍인들은 고대에 한 해를 여섯 시즌으로 나누었고, 각각이 2달로 구성되었다; 기우제로 불렸던 중국인들의 천문 작업에서, 두 달이 시간의 척도를 만들고, 여섯 개가 1년을 측정한다; 그리고 샤페 주교가 방문하였을 때 오늘날까지 캄차카 원주민들은 6개월로 된 1년을 가지고 있다. (시베리아로 여행, III권, p. 19) 그러나 이 모든 것이 힌두 푸라나에서 "태양년"을 말할 때 하루의 태양일을 의미하는 것이라고 말하는 이유인가! 현현계에서—하여튼 우리의 현재 지상의 생명 주기에서—7을 근본의 자연수로 만드는 것이 바로 자연 법칙의 지식이고 고대인들에게 자연의 많은 신비를 드러낸 것이 바로 그것의 작용을 놀랍게 이해하였기 때문이다. 고대 천문학자들이 주기의 기간과 사건들의 진행에 각각 미치는 영향을 올바르게 계산하도록 해준 것이 다시 이 법칙들과 항성계, 지상계 그리고 윤리계에서 그것들의 과정이다; 그리고 그것들이 인류의 과정과 발전에 미칠 영향력을 사전에 (소위 예언) 기록할 수 있도록 한 것이 바로 그 지식이다. 태양, 달 그리고 행성들은 결코 틀리지 않는 척도들로, 그 잠재성과 주기성이 잘 알려져 있어서 이렇게 위대한 통치자 그리고 모든 일곱 영역 혹은 "작용의 영역"에 있는 우리의 작은 체계의 통치자가 되었다.[359]

이것이 너무 명백하고 현저해서 근대의 많은 과학자들, 유물론자들 그리고 신비가들이 이 법칙에 관심을 가졌다. 의사와 신학자, 수학자와 심리학자들이 세계의 관심을 "대자연"의 행동 속에 있는 주기성의 이 사실로 반복적으로 관심을 이끌었다. 이 숫자들이 "주석에서" 이런 말로 설명된다.

원(CIRCLE)은 "하나(ONE)"가 아니라 전체(ALL)이다.

상위 (*하늘*)에서 꿰뚫을 수 없는 라자(Rajah) ["*아드 부탐(ad bhutam)*," 아타르바 베다 X, 105 참조], 그것 (원)이 하나로 된다. 왜냐하면 그것은 불가분이고, 그 속에 타오가 있을 수 없기 때문이다.

---

359 진화와 카르마의 결합된 힘들의 작용의 영역은 (1) 초-영적 혹은 본체 영역; (2) 영적 영역; (3) 심령 영역; (4) 아스트로-에텔 영역; (5) 하위-아스트랄(Sub-astral) 영역; (6) 활력(Vital) 영역; (7) 순전한 물질 영역.

두 번째에서 [*셋의 "라잠시" (트리테예) 혹은 세 개의 "세계들"*의] 하나가 둘 [*남성과 여성*]로 된다; 그리고 셋이 된다 [*아들 혹은 로고스를 추가하라*]; 그리고 성스러운 넷. [*"테트락티스" 혹은 "테트라그라마톤"*]

세 번째에서 [*하위 세계 혹은 우리의 지구*] 그 수가 넷 그리고 셋 그리고 둘로 된다. 첫 두 개 수를 가지면, 생명의 성스러운 수, 일곱을 얻을 것이다; 후자와 중간 라자를 섞으라, 그러면 그대는 아홉, 대존재(BEING)와 되어가는 존재(BECOMING)의 성스러운 수를 가질 것이다.[360]

서구의 동양학자들이 리그-베다에서 세계를 구분한 것의 실재 의미를 숙달하였을 때—2중, 3중, 6중 그리고 7중 그리고 특히 9중의 구분—하늘과 땅, 신과 인간에게 적용된 주기적 구분의 신비가 지금보다 점점 더 명확하게 될 것이다. 왜냐하면—

"모든 성질 속에서 숫자들의 조화가 있다; 중력의 힘 속에서, 행성의 움직임에서, 열, 빛, 전기 그리고 화학적 친화력의 법칙 속에서, 동물과 식물의 형태 속에서, 마인드의 지각 속에서. 근대 자연 과학과 물질 과학의 방향이 진실로 하나의 간단한 수적인 비율로 모든 근본 법칙을 표현할 어떤 일반화로 향한다. 우리는 휴월 교수의 "귀납 과학의 철학"과 조화로운 색채와 형태의 법칙에 대한 헤이 씨의 조사를 참고할 것이다. 이것으로부터 숫자 7이 형태, 색 그리고 소리가 조화로운 인식 그리고, 이런 종류의 감흥을 수학적인 정확성으로 분석할 수 있다면, 아마도 맛의 조화로운 인식을 조절하는 법칙에서 구분되는 것처럼 보인다. ("메디컬 리뷰," 1844년 7월)

한 명 이상의 의사가 다양한 병의 증가와 감소에서 그 주기들의 주기적인 칠중 순환에 너무 많이 깜짝 놀랐으며, 박물학자들은 이 법칙을 설명하는데 완전히

---

360 동양학자들이 *아타르바 베다*에서 이해한 힌두교에서, 라잠시는 비쉬누의 세 걸음을 말한다; 그가 올라가는 더 높은 걸음이 가장 높은 계에서 걷는 것이다. (A. V., VII., 99, 1, cf. 1 155, 5) 그들이 받아들이듯이, 그것은 *디보 라자(divo rajah)* 혹은 "하늘(sky)"이다. 그러나 그것은 오컬티즘에서 이것 이외에 어떤 것이다. 그 문장 *"머나먼 그리고 비밀의 영역(pâréshu, gûhyeshu, vrateshu)"*—cf. 1, 155, 3, & IX, 75, 2; 혹은 다시 아타르바 베다 구절 X, 114—이 설명되어야 한다.

당황하였다. "탄생, 성장, 성숙, 활력 기능 . . . 곤충, 파충류, 물고기, 새, 포유류 그리고 심지어 인간의 변화, 질병, 노쇠와 죽음이 1주일" 혹은 7일의 완성의 법칙으로 어느 정도 통제된다.[361] 레이콕 박사 (란셋, 1842-3)가 활기 현상의 주기성에 대하여 쓰면서 "곤충 속에서 그 법칙의 가장 놀랄 만한 설명과 확증을" 기록한다.[362]

---

361 H. 그라탄 기네스, F.R.G.S., "다가가는 시대의 끝."

362 자연의 역사에서 많은 설명을 제공한 후에, 박사가 추가한다: "내가 간략하게 힐끗 본 사실들은 일반적인 사실들이고, 가장 작은 곤충의 유충이나 알부터 인간에 이르기까지, 단순한 운이나 우연에서 모든 종류의 수 백 만 동물에서 매일매일 일어날 수 없다. . . 이것을 제외하고 어떤 일반적인 결론에 도달하는 것이 불가능하다고 생각한다. 즉, 동물 속에서 변화가 매 3.5일, 7일, 14일, 21일 혹은 28일마다 혹은 어떤 특정한 수의 주마다" 혹은 칠중 주기로 일어난다. 다시 레이콕 박사가 말한다: "열병이 어떤 유형을 나타내건, 일곱 번째 날에 발작이 있을 것이다 . . . 14일째에는 변동의 날처럼 놀라울 것이다 . . ." (치유하거나 죽음이 일어난다). 네 번째 (발작)이 심각하고, 다섯 번째가 덜 그러면, 그 병이 일곱 번째 발작에서 끝날 것이고, 좋게 변화되는 것이 14일째, 즉, 그 체계가 가장 기력이 없을 때, 새벽 3시 혹은 4시에, 보일 것이다." (그라탄 기네스의 "다가가는 시대의 끝," pp. 258~269에서 인용.

이것은 주기의 계산에 의한 순전한 "예언하기"이고, 그것은 칼데아 점성학과 성신숭배와 연결되어 있다. 이렇게 과학—모든 것 중에서 가장 물질적인 의학—이 우리의 오컬트 법칙들을 질병에 적용하고, 그것의 도움으로 자연의 역사를 연구하며, 그것의 실재를 자연에 있는 하나의 사실로 인정하지만, 오컬티스트들이 주장한 똑같은 고대의 지식을 업신여겨야 한다. 왜냐하면 만약 신비스러운 칠중 주기가 자연에 있는 하나의 법칙이고, 증명되었듯이, 그것이 법칙이라면; 그리고 만약 그것이 동물, 포유류 그리고 인간의 왕국에서처럼, 곤충학, 어류학 그리고 조류학의 영역에서 상승 진화와 하강 진화 (혹은 죽음)를 통제하는 것으로 밝혀진다면, 그것이 왜 전반적으로 대우주 속에, 시간, 인종 그리고 멘탈 계발의 (오컬트적이지만) 자연스러운 구분 속에 실재하고 작용할 수 없겠는가? 그리고 게다가 왜 가장 고대 초인들이 모든 측면 하에서 이 주기의 법칙들을 공부해서 철저히 숙달하지 않았겠는가? 진실로 스트라톤 박사가 생리학족 병리학적 사실로서 "건강한 상태에서 인간의 맥박이 7일 중에 6일은 저녁보다 아침에 더 자주 있고, 그리고 7일째 그것이 더 느리다"고 말한다. (에딘버그 메디컬 및 외과수술 저널, 1843년 1월 참조) 그러면 왜 오컬티스트가 행성과 인종의 맥박 속에 있는 우주와 지상의 생명 속에서 똑같은 것을 보여주지 못하겠는가? 레이콕 박사가 삶을 세 가지 거대한 칠중 기간으로 나눈다; 첫째와 마지막 각각이 21년 넘게 확장하고, 중간 기간 혹은 삶의 전성기가 28년 혹은 7의 4배 지속한다. 그는 첫째는 일곱 가지 구분되는 단계로 더 나누고, 다른 둘은 세 가지 마이너 기간으로 나누며, "더 거대한 기간의 근본 단위는 7일의 1주일로, 각각이 하루가 12시간이다"; 그리고 "12시간의 단위의 배수가 더 작은 기간을 결정하듯이, 이 단위의 한배 혹은 여러 배수가 이런 기간이 길이를 똑같은 비율로 결정한다. 이 법칙은 모드 주기적 활력 현상을 묶으며, 가장 낮은 환형체 동물 속에서 관찰되는 기간들을 척추동물의 최상위인 인간 자신의 기간과 연결시킨다." 만약 과학이 이것을 한다면, 왜 과학은 (레이콕 박사의 언어로 말하면) "만반타라 (태음의) 14일 (혹은 일곱 마누의)의 한 주," 일곱 기간 혹은 일곱 인종을 나타내는 낮 12시간의 14일이 이제 지나갔다는 오컬트 정보를 조롱하는가?" 과

“다가가는 시대의 끝”의 저자, 그라탄 기네스 씨가 성서의 연대기를 방어하면서 매우 적절하게 말하는 모든 것에 대하여, “인간의 삶은 한 주, 10년의 한 주이다. ‘우리의 해의 날들은 셋의 20년과 10년이다.’ 이 모든 사실의 증언을 조합하면, 우리는 유기적 자연에 칠중 형태의 주기성의 법칙, 1주에 완성의 법칙이 지배한다는 것을 인정하게 된다.” (p. 269) 그 결론, 그리고 특히 “국내와 해외 미션을 위한 동 런던 연구소”의 박식한 설립자의 전제를 받아들이지 않은 채, 저자는 성서의 오컬트 연대기에 대한 그의 조사를 받아들이고 환영한다. 근대 과학의 가설과 이론 그리고 그것의 일반화를 거부하는 반면에, 우리는 물질계 혹은 물질 성질의 작은 세부사항에서 얻은 위대한 성취 앞에 고개 숙인다.

유대 성전에 오컬트 “연대기적 체계”가 확실히 있다—카발라가 그것의 보증이다; 그 속에서 “주들(weeks)의 체계가 있다”—이것은 태고 인도의 체계에 토대를 두고 있고, 여전히 오래된 지오티샤(Jyotisha)에서 발견된다.[363] 그리고 그 속에 “날들의 주(week of days),” “달들의 주,” 년들의 주, 세기들의 주 심지어 밀레니엄들의 주, 데카밀레니엄 (만년)들의 주 그리고 더, 혹은 “년들의 년들의 주(week of years of years)”의 주기들이 있다.[364] 그러나 이 모든 것이 고대 가르침에서 찾을 수 있다. 그리고 만약 모든 성전에 있는 연대기의 공통의 근원이, 베일로 가려져 있더라도, 성서의 경우에서 부인된다면, 그러면 6일 그리고 안식일, 일곱 번째 날이 창세기를 푸라나 우주발생론에서 거의 단절시킬 수 없다. 왜냐하면 “창조의 첫 번째 주”가 연대기의 칠중 형태를 보여주고 이렇게 그것을 브라흐마의 “일곱 창조”와 연결한다. 그라탄 기네스 씨가 칠중 형태의 계산에 대한 모든 증거를 760페이지에 수집한 그

학의 이런 언어가 우리의 가르침에 훌륭하게 맞는다. 우리 (인류)는 “7일의 한 주 넘게 살았으며, 각각의 날은 12시간”이다. 왜냐하면 3과 반의 인종이 이제 영원히 가버렸고, 네 번째가 잠겨버렸으며, 이제 우리는 다섯 번째 근원인종에 있기 때문이다.

363 브리다 가르가(Vriddha Garga)와 다른 고대 천문 부분 (지오티샤)에 있는 그런 주기 혹은 유가들의 길이를 참고하라. 그것들은 5년 주기—콜부룩이 “베다의 주기”로 부른 것으로, 파라사라의 법률 원론에 구체화되어 있으며, “저 거대한 주기를 계산하는 토대”이다 (잡동사니 에세이, 1권, pp. 106, 108)—부터 마하유가 혹은 4,320,000년의 유명한 주기까지 다양하다.

364 “주(week)”를 나타내는 유대어 단어는 7이다; 그리고 7로 나눠진 시간의 길이는 어느 것이건 당시에는 “주”였으며, 심지어 7백만의 7배인 49,000,000년도 그렇다. 그러나 그들의 계산은 모든 점에서 칠중 형태이다.

훌륭한 책이 좋은 예이다. 왜냐하면 만약 성서의 연대기가, 그가 말하듯이, "주들의 법칙으로 조절된다면," 그리고 만약 창조한 주의 척도와 그 날들의 길이가 무엇이건, 그것이 칠중이라면, 그리고 마지막으로 만약 "성서 체계가 엄청 다양한 척도로 주들을 포함하고 있다면," 그러면 이 체계가 모든 이교도 체계에서 동일하다는 것이 보이기 때문이다. 게다가 "창조"와 탄생 사이에 4,320년 (태음월)이 지났다는 것을 보여주려는 시도가 힌두 유가들의 4,320,000년과 분명하고 틀림없는 연결관계이다. 그렇지 않다면, 두드러지게 칼데아인과 인도-아리안들의 것이 이런 숫자들이 신약성서에서 중요한 역할을 한다는 것을 증명하려는 그런 노력을 하는가? 우리가 이제 그것을 한층 더 강력하게 증명할 것이다.

공정한 비평가가 두 설명—비쉬누 푸라나와 성서—을 비교하게 하자. 그러면 그는 창세기에서 창조의 "1주일"의 토대가 브라흐마의 "일곱 창조"에 있다는 것을 발견할 것이다. 두 비유가 서로 다르지만, 그 체계는 똑같은 주춧돌 위에 세워졌다. 성서는 카발라의 빛으로만 이해될 수 있다. 아무리 많이 훼손되었더라도, 조하르, "숨겨진 대신비의 서"를 가지고 비교해보라. 일곱 리쉬와 일곱 만반타라의 14마누—브라흐마의 머리에서 나온다; 그들은 그의 "마인드에서 태어난 아들들"이고, 브라흐마 프라자파티인 "로고스" (현현된 자), 천상의 인간에서 나온 인류와 인종의 구분이 시작하는 것이 그들이다. 매크로프로소푸스, 옛날의 하나(One)[365] (사나트, 브라흐마의 별칭)의 머리에 대하여 "하 이드라 라바 카디샤(Ha Idra Rabba Qadisha)" (대 성회)에서 말하길 (V. 70), 그의 머리칼 하나하나 속에는 "숨겨진 두뇌에서 나오는 숨겨진 샘"이다. "그리고 그 머리카락을 통해서 마이크로프로소푸스의 머리카락 위로 빛나서 나가며, 그것으로부터 (그것이 현현한 사중체, 테트라그라마톤이다) 그의 두뇌가 형성된다; 그리고 그 두뇌가 32개 길을 (혹은 삼개조와 이개조 혹은 432) 간다." 그리고 다시: (V.80) "머리카락의 13곱슬머리가

---

365 브라흐마가 첫 번째 칼파에서 (첫 번째 날) 다양한 "희생의 동물들" 파수(pasu)을 창조한다—혹은 천상의 체와 황도대 표시, 그리고 그가 트레타 유가를 시작할 때 제물로 사용하는 식물들. 그것의 비의적 의미는 그가 주기적으로 나아가서 하강하는 영적인 선상에서 그리고 상승하는 물질적 선상에서 아스트랄 원형들을 창조하는 것을 보여준다. 후자는 이중 창조의 하위 구분으로, 다시 영의 추락과 물질의 상승, 일곱 하강 그리고 일곱 상승으로 구분된다—우리 만반타라에서 일어나는 (오른쪽에 있는 것을 왼쪽에 비추는 거울처럼) 것의 반대이다. 그것은 힌두 우주발생론처럼, 엘로힘 창세기(1장)와 여호와 복사판에서 비의적으로 똑같다.

한쪽에 그리고 두뇌 다른 쪽에 존재한다"—즉, 한쪽에 여섯 그리고 다른 쪽에 여섯, 열 세 번째는 남성-여성으로 또한 열 네 번째이며, "그것들을 통하여 머리카락의 분할이 시작된다." (사물, 인류 그리고 인종의 분할)

"우리 *여섯*은 일곱 번째 (빛)에서 빛나는 빛이다"고 랍비 아바가 말했다; "*그대는 일곱 번째 빛이다.*" (우리 모두의 종합, 그가 추가하길, 테트라그라마톤과 그의 일곱 "동료들"에 대하여 말하면서, 이들을 "테트라그라마톤의 눈들"로 부른다.)

테트라그라마톤(TETRAGRAMATON)은 브라흐마-프라자파티로, *네* 종류의 *천상의* 피조물들을 창조하기 위하여, 네 가지 형태를 취하였다. 즉 자신을 *사중으로* 혹은 현현한 사중체를 만들었다 (비쉬누 푸라나 1권, V장 참조); 그리고 그는 그 후에 일곱 리쉬들, 그의 마나사푸트라, "마인드에서 태어난 아들들" 속에서 다시 태어나며, 이들은 나중에 9, 21 등등으로 되어 브라흐마의 다양한 부분에서 태어난다고 말한다.[366]

두 가지 테트라그라마톤이 있다: 매크로프로소푸스와 마이크로프로소푸스. 첫 번째는 절대적 완전한 사각형 혹은 원 속에 있는 테트릭스이고, 둘 다 절대적 개념이며,

---

366 브라흐마의 "마인드에서 태어난" 아들들을 발명한 것에 만족하지 않은 채, 리쉬들, 마누들 그리고 모든 종류의 프라자파티들이 *그들의 원초의 선조—브라흐마—의 체 다양한 부분에서 솟아나게* 만드는 "힌두 신비가들의 *타락한* 취향"에 신학자들과 동양 학자들이 분개를 표현하는 것을 보는 것이 매우 흥미롭다. (비쉬누 푸라나 1권, p. 102에 있는 윌슨의 주석 참조) 보통의 대중은 많은 베일에 쌓여 있는 모세경의 열쇠이자 용어집인 카발라를 모르기 때문에, 성직자는 진리가 결코 나오지 않을 것으로 상상한다. 이제는 몇몇 학자들에 의해서 능숙하게 번역된 카발라 영어판, 유대어판 혹은 라틴판으로 관심을 돌리면, 유대어 IHVH인 테트라그라마톤이 또한 "세피로스 나무"—즉, 그것은 케테르 왕관을 제외하고 모든 세피르스를 간직한다—이고 "천상의 인간" (아담 카드몬)의 결합된 체의 사지에서 우주와 그 속에 있는 모든 것이 발산한다는 것을 발견할 것이다. 게다가 카발라 문헌에 (주된 것이 조하르에서 "숨겨진 대신비의 서," "대 성회"와 "소 성회"의 서이다) 있는 개념이 전적으로 남근 숭배적이고 푸라나 어느 것에 있건 4중의 브라흐마보다 훨씬 조잡하게 표현되었다는 것을 발견할 것이다. (마이크로프로소푸스의 나머지 구성 부분들에 대하여, S.L. 매터가 번역한 "카발라 언베일드" 22장 참조) 왜냐하면 이 "생명의 나무"가 선과 악의 지식의 나무로, 그것의 주된 신비는 인간의 창조에 대한 것이기 때문이다. 카발라를 대우주 혹은 대자연의 신비를 설명하는 것으로 여기는 것은 오류이다; 그것은 성서에 있는 몇 가지 비유들만 설명하고 밝히며, 성서보다 더 비의적이다.

그래서 아인(Ain)—비-존재(Non-being), 즉 광대한 혹은 절대적 있음(Be-ness)—으로 불린다. 그러나 마이크로프로소푸스 혹은 "천상의 인간," 현현된 로고스로 볼 때, 그는 *사각형 속에 있는 삼각형*이다—*칠중 입방체*로 사중이나 평면 사각형이 아니다. 왜냐하면 같은 "대 성회"에 쓰여 있기 때문이다. (83) "이것에 관하여, 이스라엘의 자식은 그들 마인드로 알고자 했다. 이렇게 쓰였듯이 (출애굽기 17:7): '테트라그라마톤이 우리 가운데 있는가 아니면 부정적으로 존재하는 하나(Negatively Existent One)인가?' [367] (그들은 테트라그라마톤으로 불린 마이크로프로소푸스와 부정적으로 존재하는 아인(Ain)으로 불린 매크로프로소푸스 사이의 *구분을 어디서 했는가?*)" [368]

그러므로 테트라그라마톤은 셋으로 만들어진 넷이고 넷으로 만들어진 셋이며, 지상에서 그의 일곱 "동료들" 혹은 "눈들"—"주의 일곱 눈"—으로 나타내어진다. 마이크로프로소푸스는 기껏해야 현현된 이차적인 신이다. 왜냐하면 "대 성회"의 1,152 구절에서 (카발라) 말하기 때문이다—

"우리는 *소드(Sod)* ('신비스러운 회합 혹은 신비')에 들어간 *열* (동료)이 있고, *일곱만이* 나왔다"고[369] 배웠다. (즉, 10은 미현현을, 7은 현현된 우주를 나타낸다)

1,158. 그리고 랍비 시메온이 아카나(Arcana)를 드러냈을 때 거기에 그들 (일곱 동료)을 제외하고 아무도 없다는 것이 발견되었다 . . . . 1,159. 그리고 랍비 시메온이, 사가랴 iii, 9에 "이것들이 테트라그라마톤의 일곱 눈들 (원리들)이다"처럼 쓰여 있듯이, 그들을 테트라그라마톤의 일곱 눈들로 불렀다"—즉, 사중의 천상의 인간 혹은 순수 영이 칠중 인간, 순수 물질과 영 속으로 녹아 들어간다.

---

367 성서에서는 이렇게 단순화되었다: "주께서 우리 사이에 있는가 그렇지 않은가?" (출애굽기 17:7)

368 S. 린델 맥그레거 매터스, F.T.S. "카발라 드누다타," p. 121 참조.

369 번역자들이 종종 "동료(companion)" 단어를 (천사 또한 초인), 랍비가 구루로 불리기 때문에, "랍비"로 반역한다. 조하르가 모세경들보다 더 오컬트적이다; "숨겨진 대신비의 서"를 읽기 위해서, 현존하지 않는 진정한 "칼데아인의 수의 서"가 제공한 열쇠들이 필요하다.

이렇게 테트라드(Tetrad)가 마이크로프로소푸스이고, 후자가 남성-여성 호크마-비나, 두 번째 그리고 세 번째 세피로스이다. 테트라그라마톤이 지상의 의미에서 숫자 7의 바로 본질이다. 일곱은 4와 9사이에 서 있다—말쿠스의 왕국에서 우리 물질계와 인간의 바탕이자 (아스트랄적) 토대이다.

기독교인과 믿는 사람들에게, 사가랴와 특히 베드로전서 (2:2~5)에 대한 이런 참조가 결정적일 것이다. 고대 상징에서, 인간, 주로 내면의 영적 인간이 "돌"로 불렸다. 크리스트가 주춧돌이고, 베드로가 모든 인간을 "살아 있는" 돌로 부른다. 그러므로 그 위에 "일곱 눈을 가진 돌"은 우리가 말하는 것만을 의미한다. 즉, 구성("원리")이 칠중인 인간.

대자연 속에 있는 7을 더 명확하게 보여주기 위하여, 숫자 7이 생명 현상의 주기성을 지배할 뿐만 아니라 또한 일련의 화학 원소들을 지배하고, 분광기로 드러난 것처럼 소리의 세계와 색의 세계에서도 마찬가지로 주요하다는 것이 발견된다고 추가할 수 있다. 이 숫자가 오컬트 아스트랄 현상을 만드는데 인수이다.

Row	Group I.	Group II.	Group III.	Group IV.	Group V.	Group VI.	Group VII.	Group VIII.
	H 1							
1	L 7	Be 9·3	B 11	C 12	N 14	O 16	Pl 19	—
2	Na 23	Mg 24	Ai 27·3	Si 28	P 31	S 32	Cl 35·4	
3	K 39	Ca 40	— 44	Ti 48	V 51	Cr 52·4	Mn 54·8	{ Fe 56. Co 58·6 Ni 58. Cu 63·3
4	Cu 63·3	Zn 65	Ga 68²	— 72	As 75	Se 78	Br 79·5	—
5	Rb 85·2	Sr 87·2	Y 89·5	Zr 90	Nb 94	Mo 96	— 100	{ Ru 103 Rh 104 Pd 106 Ag 107·6
6	Ag 107·6	Cd 111·6	In 113·4	Sn 118	Sb 122	Te 125	J 126·5	—
7	Cs 132·5	Ba 136·8	La 139	Ce 140	Di 144	—	—	—
8	—	—	—	—	—	—	—	—
9	—	—	Er. 178	—	Ta 182	W 184	—	{ Os 196. Jr 196·7 Pr 196·7. Au 197
10	Au 197	Hg 200	Tl 204	Pb 206	Bi 210	—	—	

이렇게 만약 화학 원소들이 원자가에 따라서 그룹으로 배열된다면, 일련의 7의 그룹을 구성하는 것이 보일 것이다; 첫째, 둘째 등등 각 그룹의 구성원들이 다음 그룹에 있는 상응하는 구성원들과 특성에서 밀접한 유사성을 갖는다. 다음 표는 헬렌바흐의 숫자들의 마법에서 복사한 것으로 이런 법칙을 나타내고 그가 다음과

같은 말로 결론을 보증한다: “이렇게 우리가 그것의 내적인 성질을 이해할 수 있는 한 화학적 다양성은 숫자의 관계에 달려 있다고 보이며, 이런 다양성 속에서 우리가 어떤 원인도 배정할 수 없는 지배하는 법칙을 발견하였다; 우리는 숫자 7에 의해서 지배되는 주기성의 법칙을 발견한다.”

이 리스트에 있는 여덟 번째 열이 말하자면 화학적 및 다른 속성에서 첫 번째 열에 있는 것과 거의 동일한 원소들을 간직하는 첫 번째의 옥타브이다; 주기성의 칠중 법칙을 강조하는 현상. 더 세부사항은 독자들이 헬렌바흐의 책을 참고하면 된다. 거기서 이런 분류가 원소들의 분광적 특이성으로 확인된다.

음계의 음을 구성하는 진동의 숫자를 자세하게 언급할 필요가 없다; 그것들은 화학 원소들의 음계와 엄격하게 유사하고, 분광기가 펼친 색의 음계와도 유사하다. 색의 음계에서 한 옥타브만을 다루지만, 음악과 화학에서 우리는 이론적으로 나타낸 일련의 일곱 옥타브를 발견한다. 이 중에 여섯이 상당히 완전하고 음악과 과학에서 보통 사용한다. 이렇게 헬렌바흐를 인용하면: —

“우리의 모든 지식이 의존하는 현상의 법칙 관점에서, 소리와 빛의 진동이 규칙적으로 증가하고, 그것들이 일곱 열로 나눠지며, 각 열에 있는 연속적인 숫자들이 밀접하게 연결되어 있다는 것이 확립되었다; 즉, 그것들이 숫자들 자체 속에서 표현되지 않은 그리고 실질적으로 음악처럼 화학에서도 확인된 밀접한 관계를 보여준다. 음악의 경우는 귀가 그 숫자들의 판단을 확인한다 . . . 이런 주기성과 다양성이 숫자 7에 의해서 지배된다는 사실이 부인될 수 없고, 그것은 단순한 우연의 범위를 훨씬 능가하며, 원인이 발견되어야 하는 어떤 적절한 원인을 갖는 것으로 가정해야 한다.

그렇다, 랍비 아바가 말했듯이: “우리는 일곱 번째 (빛)에서 빛나는 여섯의 빛이다; 그대 (테트라그라마톤)는 우리 모두의 (기원) 일곱 번째 빛이다;” (V. 1,160) 그리고—“왜냐하면 확실히 그들이 일곱 번째로부터 이끌어낸 것을 제외하고 그 여섯 속에는 어떤 안정성이 없기 때문이다. 왜냐하면 모든 것이 일곱 번째에 의존하기 때문이다.” (V. 1,161. 카발라, “대 성회”)

(고대와 근대) 서부 미국의 주니 인디안들은 비슷한 견해를 즐겼던 것처럼 보인다. 그들의 현재 관습, 전통 그리고 기록들 모두가 고대부터 그들의 제도—정치, 사회 그리고 종교—가 칠중 원리에 따라서 형성되었고 (여전히 형성되고) 있다는 사실을 가리킨다. 이렇게 고대 모든 마을과 동네가 일곱 번째 주위로 여섯 집단으로 세워졌다. 그것은 항상 7의 그룹 혹은 13의 그룹이고, 항상 여섯이 일곱 번째를 둘러싼다. 다시 그들의 성직 하이어라키가 여섯 명의 "집의 사제들"(Priests of the House)로 구성되고, 겉으로 보기에 일곱 번째, 여성인 "여사제 어머니(Priestess Mother)"에서 통합된다. 이것을 아누기타에서 말해진 "일곱의 위대한 집행 사제들"과 비교해보라. 그 이름은 통속적으로 "일곱 감각"에게 주어진 것이고 비의적으로 일곱 인간 원리에게 주어진 것이다. 상징의 이런 동일성이 어디서 온 것인가? 우리가 여전히 아르주나가 파탈라 (정반대에 있는 곳, 아메리카)로 가서 거기서 나가(Naga)—오히려 나르갈—왕의 딸, 울루피(Ulupi)와 결혼하는 아르주나의 사실을 의심할 것인가? 주니족의 사제들에게.

이들은 매년 일곱 가지 색의 옥수수 공물을 오늘날까지 받는다. 일년 동안 다른 인디안들과 구별되지 않은 채, 어느 특정한 날에, 그들이 나와서 (여섯의 사제와 한 명의 여사제) 그들의 성직 의상을 입고 배열하며, 색의 각각이 그 사제가 봉사하고 의인화하는 특정 신에서 바쳐진다; 그들 각각은 일곱 영역 중에 하나를 나타내고, 각자가 그 지역에 상응하는 옥수수를 받는다. 이렇게 흰색은 동쪽을 나타낸다. 왜냐하면 동쪽에서 최초 태양빛이 오기 때문이다; 노란색은 북쪽에 상응하고, 오로라 보레알리에 의해서 만들어진 불꽃의 색깔에서 온 것이다; 붉은색은 남쪽으로 그 지역에서 열이 온다; 파란색은 서쪽을 나타내고, 서쪽에 있는 태평양의 색이다; 검정색은 지하 지역의 색이다—암흑; 한쪽 이삭 위에 모든 색의 옥수수로 알갱이는 상위 영역의 색을 나타낸다—하늘의 색으로, 장미색과 노란 구름, 빛나는 별 등의 색이다. "반점 있는" 옥수수—각각의 알갱이가 모든 색을 간직한다—은 "여사제 어머니"의 옥수수이다: 여성이 과거, 현재 미래 모든 인종의 씨앗을 자신 속에 간직한다; 이브가 모든 살아 있는 것의 어머니이다.

이것과는 별개로 태양—위대한 신—이 있으며 그 사제가 그 국가의 영적 수장이었다. 이 사실들이 F. 해밀턴 쿠싱에 의해서 확증되었다. 그는 많은 사람들이 알고 있듯이,

인디안 주니가 되었고, 그들과 같이 살았으며, 그들의 종교 신비의식에 입문하였고, 지금 살아 있는 사람 어느 누구보다 그들에 대하여 더 배웠다.

일곱이 위대한 마법의 수이다. 오컬트 기록에서 푸라나와 마하바라타에서 언급된 무기—아그네야스트라(Agneysatra) 혹은 "불의 무기"로 아우르바가 그의 제자 사가라에게 준 것이다—가 일곱 원소로 만들어졌다고 한다. 이 무기—어떤 교묘한 동양학자들이 "로켓"(!)이라고 추정하였다—가 근대 산스크리트 학자들에게 많은 두통거리들 중에 하나이다. 윌슨은 그의 "힌두 극장의 표본"에 있는 몇몇 페이지에서 그것에 대하여 식견을 발휘하지만, 결국에는 그것을 설명하는데 실패한다. 그는 아그네야스트라에 대하여 전혀 이해하지 못했다.

"이 무기들은 매우 이해할 수 없는 성격이다"고 그가 주장한다. "어떤 것들은 미사일로 사용된다; 그러나 일반적으로 그것들은 개인이 행사한 신비한 힘으로 보인다—적을 마비시키거나, 감각을 잠가서 빠르게 잠들게 하거나, 폭풍과 비와 불을 하늘에서 가져오는 것처럼. (위의 책, pp. 427, 428 참조) . . . 그것들은 인간의 능력들을 부여받은 채 천상의 형상들을 취한다 . . . 라마야나가 그것들을 크리사스와(Krisaswa)의 아들들로 부른다." (p. 297)

사스트라-데바타, "신성한 무기들의 신들"은, 근대 포병의 포수들이 그들이 겨냥하는 대포들이 아니듯이, 아그네야스트라, 그 무기가 아니다. 그러나 이 간단한 해결책이 저명한 산스크리트 학자에게 떠오르지 않은 것처럼 보였다. 그럼에도 불구하고, 그 자신이 크리사스와의 군대 형태의 결과물에 대하여 말하듯이, "그 무기의 우화적 기원은 의심할 여지없이 한층 더 고대이다."[370] 그것은 브라흐마의 불의 창이다.

칠중의 아그네야스트라는 일곱 감각과 "일곱 원리"처럼 일곱 사제로 상징되며 말로 표현될 수 없는 고대의 것이다. 신지학생이 믿는 가르침이 얼마나 오래되었는지는 다음 부문에서 말할 것이다.

---

370 그렇다. 그러나 아그네야스트라는 "뾰족하지 않은" 불 같은 "미사일 무기"이다. 산스크리트어에서 사스트라(Sastra)와 아스트라(Astra) 사이에 차이가 있다.

F. 이집트 학자들의 일곱 혼

그 정보의 우물들, *"자연의 창세기"*와 제랄드 메시 씨의 *강연들*로 관심을 돌리면, 검토 중인 가르침의 고대성에 대한 증거들에 긍정적으로 압도된다. 저자의 믿음이 우리와 다르다는 것이 거의 그 사실들을 무효화시킬 수가 없다. 그는 상징을 순전히 자연의 관점에서, 아마도 너무 사소한 물질적인 관점에서 본다. 왜냐하면 너무 많은 열렬한 진화론자와 근대 다윈 도그마의 추종자의 관점이기 때문이다. 이렇게 그는 보여 준다. "뵈메 책을 공부한 학생은 그것들 속에서 중세 신비의 연금술적 점성학적 단계에서 자연의 일곱 특성들로서 다루어진, 이 일곱 원천의 영과 일차 힘들에 관하여 많이 발견한다;"[371] 그리고 추가한다 –

"뵈메의 추종자들은 그런 문제를 그가 영감을 받은 예언자의 신성한 계시로 본다. 그들은 자연의 창세기, 과거의 (혹은 끊어진 연결고리의) 지혜의[372] 역사와 지속성에 대하여 아무것도 모르고, 그들의 근대 형이상학 혹은 연금술 마스크 밑에 있는 고대의 일곱 영의 물리적 특징들을 알아볼 수 없다. 뵈메의 신지학과 이집트인 사상의 기원 사이의 두 번째 연결고리가 헤르메스 트라이스메기스터스 단편 속에서 현존한다.[373] 이 가르침이 일루미나티스트, 불교도, 카발리스트, 그노시스, 메이슨 혹인 기독교라고 부르건, 근본 유형들이 초기에 진실로 알려질 수 있다.[374] 예언자들 혹은 꿈나라에 대한 환상을 보는 쇼맨이 독창적인 영감을 주장하면서 우리에게 와서 새로운 어떤 것을 말할 때, 우리는 그것의 가치에 대하여 자체 속에 있는 것으로 판단한다. 그러나 그들이 설명할 수 없지만 우리는 할 수 있는 고대의 재료를 가지고 온다는 것을 우리가 알게 된다면, 우리가 그것을 가장 최근의 가식보다

---

371 자연의 창세기, 1권, pp. 318~319.

372 저자의 노선이 부정할 수 없게 폭넓을지라도, 심지어 저자의 노선 밖에, 이것들에 대하여 어떤 것을 알 수 있는 사람들이 있다.

373 이 연결고리가 다른 것들처럼 위에 인용된 작품이 출현하기 9년 전에 현재 작가에 의해서 지적되었다. 즉, 아이시스 언베일드에서 고대와 중세 그리고 근대 사상 사이의 안내하는 연결고리들로 가득하지만 불행하게도 너무 느슨하게 편집되었다.

374 오오; 그러나 박식한 작가가 이런 "초기"가 정확히 이집트에 있었고, 다른 곳 어디에도 없다는 것과; 그리고 50,000년전이라는 것을 어떻게 증명할 수 있을까?

일차적 의미로 그것을 판단하는 것이 자연스러운 것이다.[375] 우리가 후대 사상을 가장 초기의 표현 유형으로 읽어서 고대인들이 그것을 의미했다고 말하는 것은 쓸모없다.[376] 신지학에서 독트린과 도그마로 된 정제된 해석들이 이제 물리적인 현상 속에서 그것의 발생에 대하여 시험받아야 한다. 그래서 우리가 그것들이 초자연적 기원 혹은 초자연적 지식이라는 그들의 거짓된 가식을 타파시킬 수 있다.[377]

그러나 "자연의 창세기"와 "태초의 서(Book of the Beginnings)"의 유능한 저자가 우리에게 매우 운 좋게 아주 반대로 한다. 그는 우리의 에소테릭 (불교도) 가르침이 이집트의 가르침과 동일하다고 보여줌으로써 가장 의기양양하게 나타내 보여준다. 독자가 "인간의 일곱 혼들"에[378] 대한 그의 박식한 강연을 토대로 판단하기를 바란다:

"신비한 일곱의 최초 형태가 이집트인들의 시간의 어머니(Mother of Time) 그리고 일곱 엘리멘탈 힘으로 부여된 성운, *큰곰자리*의 일곱 개 큰 별로 하늘에서 그려진 것으로 보였다."

바로 그렇다. 왜냐하면 힌두인들은 그들의 원시의 일곱 리쉬들을 큰곰자리에 놓고

---

375 정확히: 그리고 이것이 바로 신지학자들이 하는 것이다. 그들은 결코 "원래의 (독창적인) 영감," 심지어 매개체로서 주장하지 않았지만, 상징들의 "일차적 의미"를 항상 가리켰고, 지금도 가리킨다. 그들은 그것을 심지어 이집트보다 더 오래된 다른 나라들로 추적한다; 게다가 그 지혜에도 불구하고, *초자연주의*에 대한 모든 접근 통로에 거주하는 *살아 있는 현자들*의 하이어라키 (원할 경우, 하이어라키들)에서 발산하여 나오는 *중요한 의미들*.

376 그러나 고대인들이 신지학자들이 주장하는 그것을 정확하게 의미했다는 그 증거가 어디에 있는가? G. 메시 씨가 말하는 것을 지원하는 다른 기록들이 존재하듯이, 그들이 말하는 것을 지원하는 기록들이 존재한다. 그의 해석이 매우 올바르지만, 마찬가지로 편파적이다. 확실히 자연은 물리적 측면 한 가지 이상을 가지고 있다; 천문학, 점성학 등등은 모두 물리적인 계에 있으며, 영적인 계에 있지 않다.

377 메시 씨가 성공하지 못했다는 것이 염려된다. 그처럼 우리도 추종자들을 가지고 있고, 물질과학이 끼어들어서 그의 추론과 우리의 추론 둘 다를 거의 고려하지 않는다.

378 이 박식한 이집트학자가 "일곱 혼"의 가르침 속에서 우리가 *원리(principles)*로 부르는 "형이상학 개념"을 알아보지 못하고, "혼의 생리학 혹은 원시 생물학"을 보았다는 사실이 우리의 주장을 무효화시키지 못한다. 강연자는 두 가지 열쇠만을, 비의 가르침의 생리학적 신비와 찬문학적 신비만을 건드리고, 다른 다섯 가지는 남겨둔다. 그렇지 않았다면 그는 인간의 살아 있는 혼의 *생리학적* 구분들로 부르는 것이 신지학자들이 심리학적 그리고 영적이라고 간주하는 것이라는 것을 즉시 이해했을 것이다.

이 성운을 *삽타리쉬*, *릭샤* 그리고 *치트라-시칸디나*의 거주처로 부른다. 그러나 그것이 천문학적 신화이건 태초의 신비로 표명상에 가진 것보다 더 심오한 의미를 가지고 있건, 그들의 초인들이 안다고 주장하는 것이다. 우리도 "이집트인들이 밤하늘의 얼굴을 일곱 부분으로 나누었다"고 듣는다. "일차(primary) 하늘은 칠중이었다." 아리안들도 그랬다. 그것을 보기 위하여 브라흐마의 시작과 그의 "알"에 대하여 푸라나를 읽기만 하면 된다. 아리안들은 이집트인들로부터 그 개념을 가져온 것인가? - "자연 속에 있는 가장 초기의 힘들이 수에서 일곱으로 간주되었다"고 강연자가 계속 말한다. "이것들이 일곱 엘리멘탈, 일곱 악마 혹은 나중에 신성으로 되었다. 일곱 속성들이 물질, 응집, 유출, 응고, 축적, 정체 그리고 분할로서 자연에 할당되었다—그리고 *인간에게 일곱 원소들 혹은 혼을* 할당하였다."

이 모든 것이 비의 가르침에서 가르쳐지지만, 이미 말했듯이, 두 개 혹은 최대 세 개가 아니라, 일곱 개 열쇠를 가지고, 해석되었고 그 신비가 풀렸다; 그래서 원인들과 그것의 결과들이 보이지 않는 혹은 신비한 성질뿐만 아니라 심령적 성질 속에서 작용하였고, 생리학만큼 형이상학과 심리학에 속하는 것으로 돌리게 되었다. 저자가 말하듯이 "*일곱 분할의* 원리(principle of *sevening*)가 도입되었고, 일곱 숫자가 *많은 목적으로 사용될 수 있는* 성스러운 유형을 제공하였다"; 그리고 그것은 그렇게 사용되었다. 왜냐하면 "파라호의 일곱 혼이 종종 이집트인 본문에서 언급되기 때문이다. . . *인간 속에 있는 일곱 혼 혹은 원리들이 영국 두루이드와 동일하였다*. . . 랍비들도 혼의 수를 일곱으로 세었다; 마찬가지로 인도의 카렌들도 그랬다. . ."

그리고 저자가 두 가르침—비의 가르침과 이집트 가르침—을 표로 구분해서 이집트 가르침이 똑같은 시리즈와 똑같은 순서를 가지고 있다고 보여준다.

(비의) 인도	이집트
1. 루파, 체 혹은 형태의 원소	1. 카(Kha), 체
2. 프라나, 생명의 숨결	2. 바(Ba), 숨결의 혼
3. 아스트랄체	3. 카바(Khaba), 그늘(shade)

4. 마나스-혹은 지성[379]	4. 아쿠(Akhu), 지성 혹은 지각
5. 카마-루파, 혹은 동물혼	5. 셉(Seb), 선조의 혼
6. 붓디, 영적 혼	6. 푸타(Putah), 첫째 지성적 아버지
7. 아트마, 순수영	7. 아트무(Atmu), 신성한 혹은 영원한 혼

더 들어가서, 강연자는 이 (이집트인의) 일곱 혼을 공식화한다: (1) 혈액의 혼—형태를 주는 것; (2) 숨결의 혼—*"숨쉬는"*; (3) 그늘 혹은 덮는 혼—"*덮는*"; (4) 지각의 혼—"*지각하는*"; (5) ("*낳는*") 사춘기의 혼; (6) 지성적 혼—"*지성적으로 재생산하는*"; (7) 영적 혼—"*영원히 영속되는.*"

통속적 생리학적 관점에서 이것이 매우 정확할 수 있다; 하지만 비의적 관점에서 그것은 그렇지 않다. 이것을 유지하는 것이 "비의적 불교도들"이, G. 메시 씨가 같은 강연에서 그들을 비난하듯이, *인간을 많은 수의 기본적인 영들로 분해한다*는 것을 결코 의미하지 않는다. "비의적 불교도" 누구도 그런 터무니없는 것에 유죄가 아니다. 이런 그림자들이 "다른 세계에서 영적인 존재들로 된다"고 혹은 "일곱의 잠재적 영 혹은 또다른 생명의 엘리멘터리"로 상상한 적이 없다. 주장되는 것은 단순히 불멸의 자아(Ego)가 화신할 때마다 그것이 하나의 전체로 영과 물질의 복합체가 되어, 존재의 의식의 서로 다른 일곱 계에서 행동한다는 것이다. 다른 곳에서 G. 메시 씨가 추가한다: — "일곱 혼들 (우리의 "원리들")이 이집트인 서적에서 자주 언급된다. 달의 신, 타하트-에스문, 혹은 나중에 태양 신이 그 자신보다 이전에 있던 일곱의 자연의 힘을 표현하였고, 그 속에서 그의 일곱 혼들 ("원리들")로 요약되었다. . . 계시록에서 크리스트의 손에 있는 일곱 별이 똑같은 의미를 가진다" 등등.

그리고 한층 더 거대한 하나로, 이것들이 일곱 교회 혹은 카발라적으로 비밀의 신비의식의 *일곱 열쇠들*을 나타내기 때문이다. 하지만 논의하기 위해서 멈추지 않고, 다른 이집트 학자들도 인간의 칠중 구성요소가 고대 이집트인들의 기본

---

379 이것은 비의적 열거에서 한 큰 실수이다. 마나스는 네 번째가 아니라, 다섯 번째이다; 그리고 마나스는 이집트인의 다섯 번째 원리, 셉과 정확하게 대응한다. 왜냐하면 두 가지 상위 원리를 따르는 마나스의 그 부분이 조상의 혼, 진실로 상위 자아의 밝게 빛나는 불멸의 줄로, 거기에 모든 생명 혹은 탄생의 영적 아로마가 붙어있다.

가르침이었다는 것을 발견하였다고 추가할 것이다. 헤르 프란츠 램버트가 “스핑크스”라는 일련의 놀라운 기사에서 “사자의 서”와 다른 이집트인 기록들에서 나온 그의 결론의 논쟁의 여지가 없는 증거를 제시한다. 세부사항에 대하여 독자가 그 기사를 직접 참고해야 한다. 하지만 저자의 결론을 요약하는 다음 표가 이집트인의 심리학과 “에소테릭 붓디즘”에 있는 칠중 구분의 동일성에 대하여 보여주는 증거이다.

왼쪽에는 인간 원리에 상응하는 카발라 이름이 놓였고, 오른쪽에는 F. 램버트 표처럼 그 번역을 가진 그림문자 이름이 있다.

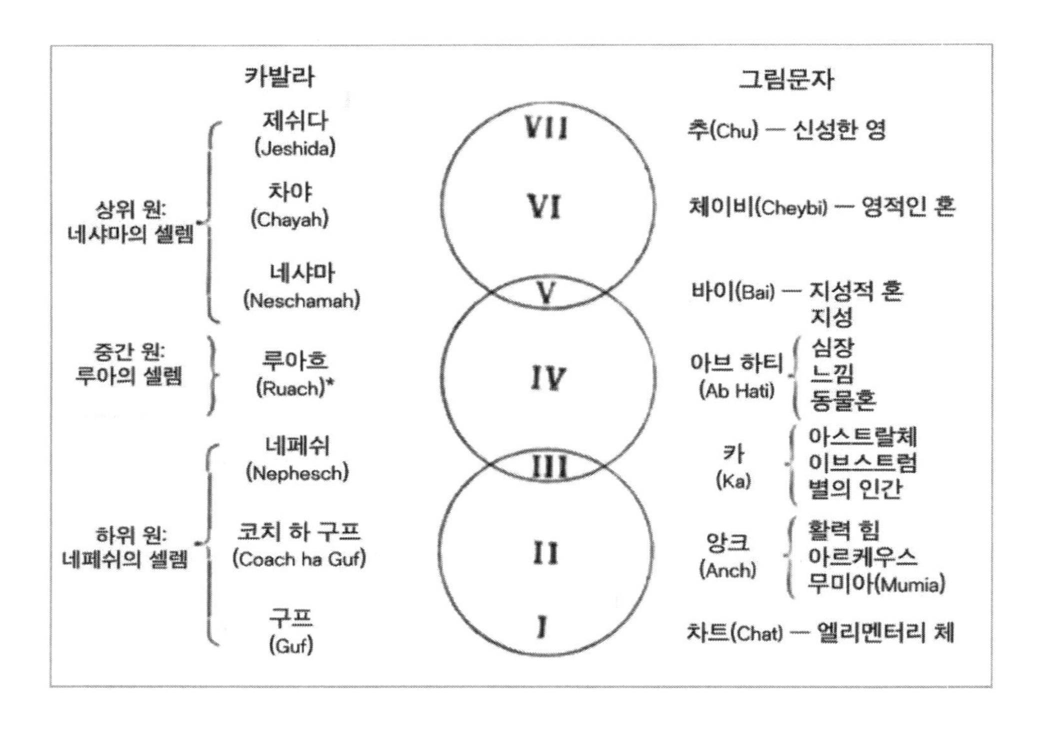

* 서구 카발리스트들 마인드 속에서—많은 세기 동안 지속하는—어떤 혼란이 있는 것처럼 보인다. 그들은 *루아흐(Ruach)* (영)를 우리가 *카마*-루파로 부르는 것으로 부른다; 반면에서 우리에게 루아흐는 “영적인 혼,” *붓디*이고, 네페쉬 네 번째 원리, 활기, 동물혼이다. 엘리파스 레비도 똑같은 오류에 빠진다.

이것이 오컬티즘의 "원리들"의 수를 매우 공평하게 표시한 것이지만, 많은 혼란이 있다; 그리고 이것이 인간 속에 있는 칠중 원리로 부르는 것이다. 그리고 메시 씨가 "혼들(Souls)"이라고 부르는 것이, 이집트인들이 그랬듯이, 즉 "갱생자(Renewed)"로 불렀듯이, 매번 재탄생에서 화신하고 *부활하는* 모나드 혹은 자아(Ego)에게 똑같은 이름을 준다. 그러나 루아흐 (영)가 어떻게 카마-루파 속에 머물 수 있겠는가? 모든 중세 예언가들의 왕자, 뵈메가 무엇이라고 말하는가?

"우리는 자연 속에 있는 특별한 일곱 속성을 발견하며 그것으로 이 유일한 어머니가 만물에 작용한다" (그가 불, 빛, 소리 (상위 셋) 그리고 *욕망, 쓰라림, 고통 그리고 실질성(substantiality)*, 이렇게 자신의 방식으로 하위를 분석한다) . . . "여섯 형태들이 영적으로 무엇이건, 일곱 번째, 체 (혹은 실질)가 본질적이다." 이것들이 모든 존재들의 어머니의 일곱 형태들이고 이 세계에 있는 모든 것이 발생되는 곳이며,[380] 다시 *오로라* xxiv. p. 27에서 (자연의 창세기에 인용되었다) – "창조자는 이 세계의 체 속에서 그것이 특질을 부여하는 원천의 영들(Fountain Spirits) 속에서 피조물처럼 자신을 발생시켰고, 그리고 모든 별들은 . . . 신의 힘 그리고 세계의 전체 체가 일곱의 특질을 주는 혹은 원천의 영들 속에 있다."

이것이 우리의 신지학 가르침을 신화적 언어로 표현하는 것이다. . . 그러나 그가 다음과 같이 말할 때 우리가 G. 메시 씨에 어떻게 동의할 수 있겠는가?

"에소테릭 붓디즘으로[381] 승화되어 행성적으로 된 인간의 일곱 인종들이 분다히쉬(Bundahish)에서 다음과 같이 만날 수 있다: (1) 땅-인간(earth-men); (2) 물-인간(water-men); (3) 가슴 귀를 가진 인간(breast-eared men); (4) 가슴 눈을 가진 인간(breast-eyed men); (5) 한발 인간(one-legged men); (6) 박쥐 날개 인간(bat-winged men); (7) 꼬리를 가진 인간." . . . 이 묘사들 각각이 후대 형태로 비유적이고 심지어 왜곡되었지만 그럼에도 불구하고 씨크릿 독트린의 가르침의 메아리이다. 그것들 모두 이전에 묘사되었듯이 수 백 만년에 걸쳐서 *도움받지* 않은 대자연에

---

380 *만물의 표시(Signatura rerum)* xiv. ps. 10, 15 이하.

381 이것은 진실로 뉴스이다! 강연자가 에소테릭 붓디즘을 비판하기 전에 "그것"을 결코 읽지 않았을 것으로 걱정하게 만든다. 왜냐하면 그가 주목한 그런 너무 많은 오해들이 있기 때문이다.

의해서 인간 이전의 "끔찍하고 나쁜" 물-인간의 진화를 말한다. 그러나 우리는 "이것들이 실재 인종들이 결코 아니었다"는 주장을 단도직입적으로 부인하며, 우리의 대답으로 고대의 스탠저를 가리킨다. 우리의 "스승들이 과거의 이런 그림자들을 인간적인 것과 영적인 것을 혼동하였다"고 추론해서 말하기 쉽다; 그러나 "그것들은 어느 것도 아니고, 둘 중에 하나도 결코 아니었다"는 것을 증명하는 것이 덜 쉽다. 그 주장이 인간과 유인원이 공통의 조상을 가졌다는 다윈의 주장과 동일한 선상에 있다. 강연자가 이집트인의 의례에서 "표현 방식"이고 그 이상이 아닌 것으로 여긴 것을 우리는 아주 다른 그리고 중요한 의미를 가진 것으로 본다. "사자의 서," 의례에서 말한다—

"나는 쥐이다." "나는 매이다." "나는 원숭이이다." . . . "*나는 그 혼이 인간에서 온 악어이다.*" "*나는 신들의 혼(Soul of the Gods)이다.*" 마지막 두 문장에 대하여, 하나: "그 혼이 인간에서 온다"—가 강연자에 의해서 "*즉, 지성의 유형으로서*"라고 설명된다; 그리고 다른 하나: "*나는 신들의 혼이다*"는 "만물의 결과인 호루스 혹은 크리스트"를 의미하는 것으로 설명된다.

오컬트 가르침이 대답한다: "그것은 훨씬 더 많은 것을 의미한다." . . .

그것은 먼저 가르침의 확증을 제공한다. 한편 인간의 모나드가 첫 번째 라운드에 모든 세 개 왕국—광물, 식물 그리고 동물—을 지나면서 구체 A와 다른 것들을 지나가는 반면에, 현재 우리의 네 번째 라운드에, 첫째 둘째 인종에서, 그 속에 *인간* 모나드를 가진 반 에테르의 많은 형상의 피조물들이 인간으로 간주될 수 있다면, 모든 포유류가 인간에서 나왔다. 그러나 그렇게 불려야 된다. 왜냐하면 에소테릭 언어에서, 그것은 하여튼 그 인간인 인간으로 지금 언급되는 육체, 혈액 그리고 뼈를 가진 형태가 아니고, 다중의 원리들 혹은 측면들을 가진 신성한 내면의 모나드이기 때문이다.

하지만 언급된 강연이 "에소테릭 붓디즘"과 그 가르침에 많이 반대하면서 전체를 새로운 최신 유행의 가르침으로서 나타내려는 사람들에게 준 유창한 대답이다. 그리고 유럽, 아메리카 심지어 인도에도 그런 사람들이 많이 있다. 하지만 고대

아라한들의 비의가르침과 인도에서 그들의 비밀 철학을 심각하게 공부해온 소수의 브라만들 사이에서 지금도 남아 있는 가르침 사이에, 그 차이가 그렇게 커 보이지 않는다. 그것은 무엇보다도 우주의 원리와 다른 원리들의 진화 순서에 대한 질문에 집중되고 제한되는 것처럼 보인다. 모든 경우에 12세기 이후 로마 카톨릭을 고대 그리스 동방 정교에서 분리하게 만든 *필리오케* 도그마의 영원한 질문보다 더 큰 차이가 아니다. 하지만 칠중 도그마가 제시된 형태 속에서 차이가 무엇이건, 실질이 거기 있고, 브라만 체계 속에서 그것의 실재와 중요성이 인도의 박식한 형이상학자이자 베단타 학자들 중에 한 명이 그것에 대하여 말한 것으로 판단할 수 있다:

"진정한 에소테릭 칠중 분류는 이 영원한 유형의 신비스러운 구성요소에서 그 배열을 받은, 가장 중요한 분류가 아니더라도, 가장 중요한 것 중에 하나이다. 이런 연결 관계에서 사중 분류가 똑같은 기원이고 그렇게 주장하는 것을 언급할 수 있다. 즉, 생명의 빛이 삼면의 세 가지 구남(Gunams)을 갖는 푸라크리티의 삼면을 가진 프리즘에 의해서 굴절되어서, 일곱 광선으로 나눠졌으며, 시간이 지나면서 이런 분류의 일곱 원리로 발전한 것처럼 보인다. 계발의 진행이 스펙트럼의 광선들의 점진적인 발전과 어떤 점에서 유사성을 제시한다. 사중 분류가 모든 실질적인 목적에서 충분히 만족스러운 반면에, 실재의 칠중 분류가 큰 이론적 과학적 중요성을 갖는다. 오컬티스트들이 알아차린 어떤 등급의 현상을 설명하기 위하여 그것을 채택하는 것이 필요할 것이다; 그리고 심리학의 완전한 체계의 토대가 되는 데 아마도 더 적합할 것이다. 그것은 '히말라야 너머 에소테릭 가르침의' 독특한 속성이 아니다. 사실 그것은 불교도의 로고스보다 브라만 로고스와 더 밀접한 연결 관계를 가진다. 나의 의미를 더 명확하게 하기 위하여 로고스가 일곱 형태를 가지고 있다고 지적할 수 있다. 다른 말로 하면, 우주에는 일곱 종류의 로고스가 있다. 이들 각각이 고대 지혜-종교의 일곱 가지 주요 가지들 중에 하나의 중심 인물로 되었다. 이런 분류는 우리가 채택한 칠중 분류가 아니다. 나는 이 주장을 가장 사소한 반박의 두려움 없이 하는 것이다. 실재의 분류는 과학적 분류의 모든 필요조건들을 가지고 있다. 그것은 일곱의 구분되는 원리들을 가지고 있으며, 이것들은 푸라나나 혹은 의식의 일곱 가지 구분되는 상태에 상응한다. 그것은 객관과 주관 사이의 간격에 다리를 놓고, 관념작용이 지나가는 신비스러운 회로를 나타낸다. 일곱 원리는 물질의 일곱 상태와 그리고 힘의 일곱 형태와 연결되어 있다. 이 원리들이 두 가지 극 사이에 조화롭게 배열되며, 그 극들이 인간의 의식의 한계를 정의한다."[382]

위의 내용은 아마도 한 가지 요점을 제외하고 완전하게 옳다. 비의 체계에 있는 "칠중 분류"가 (작가가 아는 바로) 그곳에 속하는 어느 누구에 의해서도 "히말라야 너머 비의 가르침의 독특한 속성"으로서 결코 주장되지 않는다; 단지 그 오래된 학파에서만 잔존하는 것으로만 주장되었다. 그것은 이쪽 히말라야 비의 가르침이나 히말라야 너무 체계의 속성도 아니라, 네 번째 근원인종의 위대한 시다들에[383] 의해서 다섯 번째 근원인종의 성자들에게 남겨진, 그런 모든 학파들의 공통의 유산이다. 아틀란티안들이 끔찍한 주술사들로 되었다는 것을 기억하자. 지금은 인도의 가장 오래된 많은 사본들에서 그들이 추락할 때까지 많이 기념되었으며, 그것으로 그들의 대륙의 침몰을 가져왔다. 주장하는 것은 "신성한 분들"—추락과 성의 분리 이전에 세 번째 근원인종의 크리야샤크티의 힘을 통하여 태어난—이 초기의 네 번째 근원인종의 초인들에게 전해준 지혜가 어떤 형제단 속에서 그것의 본래의 순수성 그대로 남아 있다는 사실이다. 말한 학파 혹은 형제단은 힌두교도와 불교도가 믿는 연해의 어떤 섬과 밀접하게 연결되어 있지만, 지질학자들과 동양학자들이 "신화 같은" 것으로 부르기에, 그것에 대하여 덜 말할수록 더 현명할 것이다. 누구도 말한 "칠중 분류"가 불교도 로고스보다 브라만 로고스와 더 밀접한 연결관계를 갖는 것으로 받아들일 수 없다. 왜냐하면 하나의 "로고스"를 *이쉬와라*로 부르건 *아발로키테스와라*, 브라흐마 혹은 파드마파니로 부르건, 둘 다 동일하기 때문이다. 하지만 사실 실재보다 더 공상적인 매우 적은 차이가 있다. 브라만교와 불교 둘 다 그들이 정통성 측면에서 보면 물과 기름처럼 적대적이고 양립할 수 없다.

---

382 *신지학자*, 1887년 (마드라스).

383 스베타스바타라 우파니샤드 (357)에 따르면, 시다들(Siddhas)은 "세계에 대한 지식과 무관심"을 가진 것처럼, 태어날 때부터 초인간적 힘을 소유한 분들이다. 하지만 오컬트 가르침에 따르면, 시다들은 우리보다 더 높은 계에 있는 구체에서 온 위대한 성자들의 (개인적 혹은 *의식적* 영의 의미에서) "영들" 혹은 *니르마나카야들*이다. 그들은 상승의 진보를 하는 인류를 돕기 위하여 자발적으로 유한한 체 속에서 화신한다. 그래서 그들의 내적인 지식, 지혜 그리고 힘이 있는 것이다.

하지만 이 거대한 체의 각각은 그 구성요소에서 취약한 곳을 갖고 있다. 심지어 그들의 비의적 해석에서도 둘 다 동의하지 않기 위해서 동의하지만, 일단 그들 각자의 취약한 점들과 대면하게 되면, 모든 불일치가 무너진다. 왜냐하면 둘 다 공통의 바탕 위에 있는 것을 발견할 것이기 때문이다. 정통 브라만교의 "아킬레스 건"은 아드바이타 철학으로, 그것의 추종자들은 경건한 "가장한 불교도들"로 불린다; 정통 불교의 철학이 마하야나와 아리아상가 (요가차리아 학파) 철학의 제자들에 의해서 대표된 것처럼 북방의 신비주의로 불리듯이. 다음으로 그들에 대하여 같은 종교를 믿는 사람들이 "가장한 베단틴"으로 지저귀었다. 만약 전통과 어떤 비의 가르침을 믿는다면, 고타마 붓다와 샹카라차리아가 가장 밀접하게 연결되어 있기 때문에, 두 학파의 비의 철학이 신중하게 분석되고 비교된다면, 그들은 하나에 불과할 수밖에 없다. 이렇게 둘 사이의 모든 차이가 실질이라기 보다 형태의 한 가지라는 것이 발견될 것이다.

칠중 상징으로 가득한 가장 신비한 담론이 아누기타에서 볼 수 있다.[384] 거기서 브라흐마나가 환영의 영역을 넘어가는 지복을 말하며, "그 속에서 공상은 쇠파리이고 모기이며, 그 속에서 비애와 기쁨은 추위와 열기이며, 그 속에서 망상은 분별을 잃게 하는 어둠이고, 그 속에서 탐욕은 맹수이자 파충류이며, 욕망과 분노는 파괴자들이다." . . . 성자가 그 숲 (인간의 생애에 대한 상징) 속으로 들어가고 나오는 것과 그 숲 자체를 묘사한다:[385]

"그 숲 속에서 일곱 개의 큰 나무들 (감각들, 마인드 그리고 이해, 혹은 마나스와 붓디가 포함된), 일곱 과실 그리고 일곱 손님들이 있다; 일곱 은신처 (암자), 일곱 집중의 형태, 그리고 일곱 입문의 형태들이 있다. 이것이 그 숲에 대한 묘사이다. 그 숲은 오색의 과일과 휘황찬란한 꽃들을 만드는 나무들로 가득 차 있다.

주석가가 말하길, "감각들이 쾌락과 고통 . . . 과실을 만드는 나무로 불린다;

---

384 "동양의 성전," viii권, 아누기타, p. 284 이하 참조.

385 본문과 편집자의 주석을 따라가보자. 그가 아르주나 미스라와 닐라칸타의 *사문화된 설명*을 받아들인다. 만약 토착 주석가가 비입문자라면, 올바르게 설명할 수 없고, 그리고 그가 *입문자*라면, 설명하지 않을 것이라고 수고스럽게 생각하지 않는다.

*손님들*은 각각의 감각이 인격화된 힘이다—그들은 위에서 묘사된 과실을 받는다; 은신처는 나무들로, 그 속으로 손님들이 피신한다. 집중의 일곱 형태들은 이미 언급된 일곱 감각의 일곱 기능에서 자아가 배제되는 것이다; 입문의 일곱 형태는 더 높은 삶 속으로의 입문이다 . . . 일곱 그룹의 각각 구성원의 행동을 자기 자신의 것이 아니라고 거부함으로써." (칸다규아, p. 219와 주석)

그 설명이 만족스럽지 않더라도, 해롭지는 않다.

브라흐마나가 그의 묘사를 계속하면서 말한다: — "그 숲은 4색 과실과 꽃들을 만드는 나무들로 가득 차 있다. 그 숲은 3색 그리고 혼합된 과실과 꽃을 만드는 나무들로 가득 차 있다. 그 숲은 2색의 그리고 아름다운 색의 과실과 꽃을 만드는 나무들로 가득 차 있다. 그 숲은 한 가지 색의 그리고 향기로운 과실과 꽃을 만드는 나무들로 가득 차 있다. 그 숲은 구별되지 않는 색의 수많은 꽃과 과실들을 만드는 (일곱 개 대신에) 두 개의 거대한 나무들로 가득 차 있다. (*마인드와 이해—두 가지 상위 감각들* 혹은 신지학적으로 '마나스-붓디') 여기에 브라만과[386] 여기서 연결되고 훌륭한 마인드 (혹은 아르주나 미스라에 의하면, *진정한 지식*)를 가진 하나의 불 (대아)이 있다. 그리고 여기에 연료가, 즉 다섯 감각들 (혹은 인간의 격정)이 있다. 그것들로부터의 해방의 일곱 가지 형태는 입문의 일곱 가지 형태이다. 그 특질들이 과실들이다. . . . 거기에서 위대한 성자들이 환대를 받는다. 그리고 그들이 숭배받고 사라졌을 때, 또 다른 숲이 빛나고, 그 속에서 *지성이 나무이고*, 해방이 과실이며, 그것은 고요의 형태로 그늘을 가지고 있고, 그것은 지식에 의존하며, 그것은 그것의 물에 만족하고 그리고 그것은 태양으로 그 속에서 크쉐트라그나 ("*지고의 대아*"라고 바가바드 기타 p. 102이하에서 아르주나가 말한다)를 가지고 있다.

이제 위의 모든 것이 매우 분명하고, 신지학자는 누구도, 심지어 가장 덜 박식한 사람도 그 비유를 틀림없이 이해할 수 있다. 하지만 우리는 위대한 동양학자들이

---

386 편집자가 여기서 "나는 브라만에 헌신한 것으로 추정한다"고 말하면서 설명한다. 점진적으로 요가의 해방하는 과정을 계발하는 데, 이것은 진실로 매우 훌륭한 헌신일 것이다. 우리는 "불" 혹은 대아가 하나의 신(One Deity), 브라흐마와 "연결된," 즉 브라흐마와 하나인, 상위의 진정한 대아라고 과감히 말한다. 그 "대아"가 더 이상 보편 영과 분리되지 않는다.

그들 설명에서 완전히 엉망으로 만드는 것을 보게 된다. "환대를 받는" "위대한 성자들"이 *감각들로, 자아와 연결되지 않고* 작용하면서 결국에는 그것 속으로 흡수된다"는 것을 의미하는 것으로 설명된다. 그러나 만약 감각들이 "상위 대아"와 "연결되지" 않았다면, 그들이 어떤 방식으로 "그 속으로 흡수될 수 있는지" 이해하지 못한다. 그 반대로, 개성의 감각들이 *비개성적 대아로* 끌려서 연결되려고 하기 때문에, 그 비개성적 대아, 불이 하위 다섯을 태우고 그것으로 상위 둘, 마인드와 이해 혹은 마나스와[387] 붓디의 두 가지 측면을 정화한다고 생각할 것이다. 이것이 본문에서 상당히 분명하다. "위대한 성자들"이 "숭배받은" 후에 *사라진다*. 만약 그들이 (추정되는 감각들) "자아와 연결되지" 않는다면, 누구에 의해서 숭배받는가? 물론 마인드이다; 브라흐만, 대아 혹은 크쉐트라그나—혼의 영적 태양—가 아니며, 그럴 리도 없는 마나스에 (이 경우에 *여섯 번째 감각* 속에 합쳐진) 의해서. 혼의 영적 태양 속으로 시간이 지나면서 마나스가 흡수되어야 한다. 그것은 "위대한 성자들"을 숭배하였고 지상의 지혜에 환대를 주었다: 그러나 일단 "또 다른 숲이 그 위에서 빛나면," 삶과 그것의 환영적 기쁨 및 즐거움의 상징, 아스와따의 바로 그 뿌리를 결국에는 파괴하는 그 나무—과실이 해방인 그 나무—로 변형되는 것이 지성 (붓디, 일곱 번째 감각 그러나 여섯 번째 원리)이다. 그리고 그러므로 그런 해방의 상태를 성취한 사람들이 위에 인용된 성질의 말로 "그 후 두려움을 가지지" 않는다. 이런 상태에서, "그 끝이 모든 면으로 확장하기 때문에 그것이 지각될 수 없다."

"거기에는 항상 일곱 여성이 거주한다." 그가 그 이미지를 실행하면서 계속 말한다. 이 여성들은 아르주마 미스라에 의하면, 마하트, 아함카라 그리고 다섯 탄만트라로 그들이 영적 상승의 길에서 방해물이기 때문에, 그들의 얼굴이 항상 아래로 향한다.

" . . . . 그 이름 (브라흐만, '대아') 일곱의 완전한 성자들이 그들의 우두머리와 함께

---

387 마하트 (보편적 지성)가 비쉬누로서 최초 태어나고 혹은 현현하고, 그것이 물질 속으로 떨어져서 자의식을 계발할 때, 그것이 자아성(Egoism), 이기심으로 되고, 그래서 마나스는 이중 성질이다. 그것은 각각 태양과 달 아래 있다. 왜냐하면 샹카라차리아가 말하듯이, "달은 마인드이고, 태양은 이해이기 때문이다." 태양과 달은 우리 행성 대우주의 신들이고, 그러므로 샹카라가 "마인드와 이해는 인간 기관들의 각각 신성이다"고 추가한다. (브리하다란야카, pp. 521 이하 참조) 이것이 아마도 아르주나 미스라가 달과 불 (자아, 태양)이 우주를 구성한다고 말하는 이유이다.

거주하고 똑같은 것에서 나온다. 영광, 광휘 그리고 위대함, 깨달음, 승리, 완성과 힘—이 일곱 광선이 똑같은 태양 (크쉐트라그나, 상위 대아)을 따른다 . . . 소망이 줄어든 (이타적인) 사람들 . . . 자신의 죄 (격정)가 자제로 타버려서, 대아가 대아 속에 합쳐지는[388] 사람들은 브라흐만에 헌신한다. 지식 (브라흐만 혹은 대아)의 숲을 이해하는 사람들은 평정을 칭송한다. 그리고 그 숲을 열망하면서, 그들은 용기를 잃지 않기 위하여 다시 탄생한다. 그것이 진실로 이 성스러운 숲이다. . . . 그리고 그것을 이해하면서, 그들 (성자들)은 크쉐트라그나(KSHETRANA)가 지시한대로 그에 따라서 행동한다. . . ."

서구 동양학자들 중에서 어떤 번역자도 아직 앞의 비유에서 희생 의식 혹은 고행자의 의례와 하타요가와 연결된 신비보다 더 높은 것을 인식하지 못했다. 그러나 상징적 표상을 이해하고, 대아 속에 있는 대아의 목소리를 듣는 사람은 철학의 사소한 세부사항들 속에서 자주 실수하더라도 이것 속에서 단순한 의례보다 훨씬 더 고귀한 어떤 것을 볼 것이다.

그리고 여기서 마지막 견해를 피력할 것이다. 진정한 신지학자는 가장 무지한 사람부터 가장 박식한 사람까지 그가 쓰거나 말하는 오컬트 문제에 대하여 틀리지 않다는 것을 주장하지 않는다. 주된 요점은 많은 방식으로 우주 원리 혹은 인간의 원리를 분류하는 데, 진화의 순서에 있는 실수들뿐만 아니라 특히 형이상학 문제에 대하여, 우리보다 더 모르는 다른 사람들을 가르치는 것 같은 사람들 모두 실수를 하기 쉽다는 것을 인정하는 것이다. 이렇게 "아이시스 언베일드," "에소테릭 붓디즘," "인간," "마법: 화이트와 블랙" 등등에서 실수가 있었다; 그리고 본서에서도 한 가지 이상의 실수가 보일 것이다. 이것은 피할 수 없다. 그런 추상적 주제들에 대한 작거나 큰 작품이 실수와 오류에서 완전히 벗어나기 위해서는, 아바타는 아니더라도, 위대한 초인에 의해서 처음부터 마지막까지 쓰여야 한다. 그러면 "이것이 진실로 그 속에 오점이 없는 작품이다"라고 말한다. 하지만 예술가가 불완전한 이상, 그의 작품이 어떻게 완전할 수 있겠는가? "진리 추구는 끝이 없다!" 어떤 영광이나 혜택을

---

388 아르주나 미스라가 말한 것이 인정되듯이, "혼 속에 있는 체," 오히려 "영 속에 있는 혼" 그리고 한층 더 높은 계발의 계에서: "보편 대아 속에 있는 아트만 혹은 대아."

위해서가 아니라, 그 자체로 그것을 사랑하고 그것을 열망하자, 그러면 그것의 계시의 작은 부분이 우리에게 주어질 수 있다. 우리들 중에 누가 전체 진리를 자신의 손안에, 심지어 오컬티즘의 작은 가르침에 대한 전체조차 가졌다고 할 수 있겠는가?

하여튼 현재 주제의 주된 요점은 인간의 구성 요소의 구분 혹은 칠중구조의 가르침이 매우 고대의 것이었고 우리가 발명하지 않았다는 것을 보여주는 것이다. 이것이 성공적으로 이루어졌다. 왜냐하면 우리는 이것에서 의식적 무의식적으로 많은 고대, 중세 그리고 근대 작가들에 의해서 지지받았기 때문이다. 고대인이 말한 것은 잘 했다; 근대인이 반복한 것은 일반적으로 왜곡되었다. 한 가지 예를 들면: "피타고라스 학파 단편"을 읽어보고, 칠중 인간을 박식한 메이슨인 G. 올리버 목사가 그의 "피타고라스 학파의 삼각형"에서 제시한 것과 비교해보라. ("*수의 과학*," p. 179)

그는 다음과 같이 말한다: — "신지학 철학은 '인간(Man)'에서 일곱 특성 (혹은 원리)를 열거하였다: —

(1.) 신성한 황금 인간;
(2.) 순수 은처럼 불과 빛에서 나온 내면의 성스러운 체;
(3.) 엘리멘탈 인간;
(4.) 변덕스러운 파라다이스 같은 인간;
(5.) 호전적 혼 같은 인간;
(6.) 격정적 욕망의 인간;
(7.) 태양 인간; 우주의 경이들의 증인이자 검사자. 그들은 또한 *일곱 근원의 영*(*seven fountain* Spirits) 혹은 대자연의 거대한 힘을 가졌다."

뒤범벅된 이 설명 및 서구 신지학 철학의 분류와 신지학 동양학파의 최근 신지학 설명을 비교해보라, 그리고 어느 것이 더 맞는지 결정해보라. 진실로 —

"지혜가 그녀의 집을 지었고,
그녀가 일곱 기둥을 잘라 만들었다." – (잠언 iv, 1.)

우리 학파가 브라만의 칠중 구조 분류를 채택하지 않았지만 그것을 혼란스럽게 만들었다는 비난에 대하여, 그것은 매우 부당하다. 먼저, “학파”와 그것의 옹호자들(유럽인들에게)은 아주 별개의 문제이다. 그들이 *프라그나* (의식)의 구분되는 일곱 가지 상태에 토대를 둔 엄청나게 심오한 분류를 올바르게 이해할 수 있게 되기 전에, 옹호자들은 먼저 동양의 실질적 오컬티즘의 A,B,C를 배워야 한다. 그리고 무엇보다도, 동양의 형이상학에서 *프라그나*가 무엇인지 철저하게 깨닫는 것이다. 서구 학생에게 그 분류법을 제공하는 것은 의식의 상태들 중에 하나만을 통하여 어떤 지식이 그에게 온 과정을 설명함으로써, 그가 의식의 기원을 설명할 수 있다고 그가 가정하도록 만들려는 것이다; 다른 말로 하면, 그가 다른 계들에 있는 것에 대하여 아무것도 모르는 것으로, 이 계에서 아는 어떤 것을 설명하게 만드는 것이다; 즉, 그를 영적 심리학적인 것에서 직접 실존적인 것으로 이끄는 것이다. 이것이 고대의 주요 분류법이 신지학자들에 의해서 채택된 이유이며, 그 분류법이 많이 있다.

엄청난 독립적인 증인들과 증거들이 대중에게 공개된 후에, 신학적인 출처에서 온 추가적인 열거로 사람을 바쁘게 하는 것은 상당히 쓸모없을 것이다. 기독교 체계의 일곱 대죄와 일곱 미덕이 일곱 자유 과학과 일곱 비난받은 과학—혹은 그노시스의 일곱 마법(enchantment)의 예술—보다 훨씬 덜 철학적이다. 왜냐하면 일곱 마법들 중에 하나가 이제 대중 앞에 있고, 미래뿐만 아니라 현재에도 위험으로 가득 차 있기 때문이다. 그것의 근대 이름이 히프노티즘 (최면)이다. 일곱 원리의 무지에서 그리고 과학적이고 무지한 물질주의자들이 사용하면, 그것은 그 용어를 충분히 수용하는 의미에서 사탄주의로 될 것이다.

헬레나 페트로브나 블라바츠키
(HELENA PETROVNA BLAVATSKY, 1831-1891)

근대 영적 문화의 흐름을 근본부터 뒤바꾼 인물, 영성계와 관련된 여러 인물 가운데 그녀만큼 많은 논란의 중심에 서 있는 동시에 인류의 다양한 분야에 거대한 영향을 끼친 사람은 없었다. 한때 유엔(UN)의 이사였던 폴 바인쯔바이크 박사는 1978 년, 탁월한 여성에 대한 글에서 그녀에 대하여 이렇게 말했다:

"그녀는 과학자, 시인, 피아니스트, 작가, 화가, 철학자, 교육자였으며 무엇보다 지칠 줄 모르는 빛의 전사였다. 그녀는 진리 추구와 보편적 형제애를 진지하게 탐구하는 과정에서 많은 적과 적의를 얻었다. 그 누구도 그녀만큼 19 세기의 종교적인 편견과 영적인 허풍, 그리고 지성적인 허세를 거슬리게 한 사람이 없었다."

오늘날엔 무리 없이 받아들여지는 사상들이지만, 당시 빅토리아 시대에는 급진적이고 파격적인 사상들을 전파하기 위해서 헌신한 선구자였다:

1) 인종이나 신조, 계급, 성, 피부 색깔의 차별 없는 인류의 보편적인 형제애를 형성하고,
2) 종교, 철학 그리고 과학 간의 비교 연구를 촉진하며,
3) 설명되지 않는 대자연의 법칙들과 인간 속에 잠재하고 있는 힘들을 탐구한다.

위와 같은 목적 하에 신지학회를 설립한 분이 바로 그녀, 블라바츠키 여사이다. 또한 바로 1875 년 9 월 뉴욕에서 설립된 이 신지학회(Theosophical Society: 종종 TS 라고 부름)가, 근대 영적 부흥의 시발점이라는 것에 대하여 서구에서는 대체적으로 동의하고 있다.

출생 및 어린 시절

그녀는 1831 년 8 월 12 일 카뜨린느 대제를 위해서 세워진 에카테리노슬라브(카뜨린느의 영광)라는 우크라이나의 한 마을에서 태어났다. 그녀의 유전적인 배경 속에는 러시아, 프랑스, 독일 그리고 먼 과거로 거슬러 올라가면 스칸디나비아인

혈통이 섞여 있다. 어머니 헬레나 폰 한은 당시 유명한 작가였지만 건강이 약해서 29세라는 젊은 나이에 일찍 세상을 떠났으며, 아버지 피터 폰 한은 대령으로 새로운 지역으로 발령 받을 때마다 온 가족이 자주 이사를 하면서 살아야 했다.

어릴 적부터 그녀의 주위에서는 이상한 일이 많이 일어났으며, '살아 있건 그렇지 않건 모든 사물들과 형태의 목소리를 들었다'고 동생 베라(Vera)는 전한다.

오늘날의 블라바츠키 여사, 즉 헬레나가 사라토브로 이사 갔을 때 인근에 당시 100 세가 넘는 '바라니그 바우이락'이라 불리는 성자가 있었다. 마을 사람들은 그를 성자, 치유가 혹은 마법사라고 불렀다. 그는 숲 속에 있는 험한 협곡에 살고 있었는데, 헬레나(HPB 이럴적 애칭)에 대하여 상당한 애정을 가지고 있었다고 씨넷트가 쓴 [블라바츠키 여사의 일화]에서 동생 베라가 전한다:

"언니는 이 이상한 노인을 찾아가서, 질문들을 쏟아내고 벌과 새 그리고 동물들의 말을 이해하는 방법에 대한 그 노인의 대답과 설명들을 열정적이고 진지하게 들었다. . . 그리고 그 노인은 반복해서 '이 어린 숙녀는 너희들과 아주 다르다. 미래에 그녀를 기다리고 있는 위대한 사건들이 있다. 나의 예언을 확인할 때까지 살지 못한다는 것을 생각하면 안타깝다'고 자주 말했다."

헬레나가 16 세 되던 해는 일종의 전환기였던 것 같다. 1951 년 출판된 [H.P.B.가 말한다(HPB Speaks)]에서 그녀는 "신비스러운 인도인을 두 번째 만났을 때까지, 나는 항상 나 자신에게도 신비하고 이해할 수 없었던 이중의 존재로 살아왔다"고 말했다. 그녀는 미지의 것과 신비한 것 등에 대한 호기심과 관심이 너무나도 컸으며, 할아버지 서재에 있는 신비 문헌들에 점점 더 깊이 빠져들었다. 그리고 무엇보다 자유와 독립에 대한 그녀의 집착을 아무도 통제할 수 없었다고 한다.

1848-49 년 겨울 그녀가 17 살 때, 그녀보다 나이가 훨씬 많고 (그녀가 자주?) 못생겼다고 놀려댔던 니키포르 블라바츠키와 (일종의 오기 끝에) 결혼하겠다고 선언하면서 가족들을 기겁하게 했다. 그렇게 엉뚱한 결혼을 한 후, 그녀는 조국과 남편을 떠날 계획을 바로 세웠으며, 여러 번의 시도와 실패 후에 결국에는 성공하였다.

세계 탐구 1: 대스승과의 만남

그녀가 당시 알고 지냈던 돈도우코프-코르사코프 왕자에게 보낸 편지가 인용된 [HPB 가 말한다(HPB Speaks)]를 보면 그녀가 조국과 남편을 떠난 이유가 나온다:

“그 당시 나는 보다 미지의 것을 찾고 있었습니다. 만약 내가 합일(union)에 대하여, ‘아스트랄 광물’과 ‘붉은 처녀(red Virgin)와의 결혼’에 대하여, ‘철학자의 돌’에 대하여 말하기 시작했다면, 왕자여, 당신은 나를 악마에게 보냈을까요?”

그녀는 드디어 꿈과 비전 속에서만 본 그녀의 “신비스러운 인도인 스승”을 직접 만나는 여행을 떠나게 되었다.

여행 중 그녀는 이집트, 레바논, 다마스커스 등을 지나면서 강령술과 점성술 그리고 수정점 등에 대하여 배웠지만, 어디에서도 철학자의 돌을 찾지 못했다고 실망하였다.

이후 그녀는 유럽을 여행했다. 1851 년 초 영국에서였다. 그녀는 모든 것에 신물이 났고 그만 죽고 싶은 강렬한 욕망에 사로잡혀 있었으며, 그 “돌”을 결코 찾을 수 없기 때문에 차라리 영원한 안식을 찾고 있었다고 한다. 그때 바로 그녀 앞에 그녀의 스승이자 보호자가 나타나서 그녀를 구해주고 위로해줬으며, 그 “돌과 처녀(Stone and Virgin)”를 그녀에게 약속했다고 전해진다.
“어느 날 밖을 걷고 있는데, 몇 명의 인도 왕자들과 함께 거리에 있던 키 큰 힌두인을 보게 되었다. 그를 보자마자 아스트랄 형체로 자주 보아왔던 바로 그 사람이라는 것을 즉각 알아차렸다. . . 곧장 그에게 달려가서 말하고 싶은 충동을 느꼈지만, 그는 그녀에게 움직이지 말라는 신호를 보냈고, 그가 지나가는 동안 마치 마법에라도 걸린 것처럼 그녀는 꼼짝하지 않고 서 있었다.

다음 날이었다. 전날 자신에게 일어난 놀라운 일을 혼자 생각해 보려고 그녀는 하이드파크로 산책을 나갔다. 그리고 어느 순간 문득 얼굴을 들었을 때, 바로 그 사람이 자신에게 다가오는 것을 보았다. 그녀의 스승은 중요한 사명 때문에 인도의 왕자들과 함께 런던에 왔다고 말했다. 그는 그가 막 시작하려고 하는 일에 그녀의 협력이 필요하다면서 개인적으로 만나고 싶다고 했다. 그 중요한 일을 위하여 그녀가 티벳에 와서 3년을 보내야 한다고도 말하였다."

바로 이 날이 1851 년 8 월 21 일, 꿈 속에서 보았던 스승인 M(모리아:Morya) 스승을 그녀가 처음 육신으로 친견한 날이다. 또한 이날은 러시아 달력으로 7 월 31 일, 그녀의 스무 살 생일이기도 하다.

대스승을 만난 후 그녀는 미국을 거쳐 인도로 여행을 떠났다. 이 여정 동안 캐나다에서 북미 주술사들의 비밀을 배우기 위해 원주민 일행을 소개받기도 하였으나, 그들이 신발을 포함하여 일체의 소지품들을 가지고 달아났다는 에피소드가 전해진다. 이어 텍사스를 거쳐 멕시코, 중앙 아메리카와 남아메리카까지 가게 되었으며, 1852 년 말 드디어 인도에 도착한다. 그녀가 앞서 왕자에게 쓴 편지를 보면 "영국에서 스승을 두 번 만났으며, 마지막 만났을 때, 스승께서 나의 운명이 인도에 있으며 그것은 28년 혹은 30년 후이다. 그러니 지금 가서 그 나라를 보라"고 말씀하셨다고 한다. 인도에서 약 2 년을 머물면서 그녀에게 주어진 일정을 충실히 따르면서 여행하였지만, 이 기간 동안엔 한 번도 스승을 다시 만나지 못했다고 한다.

인도를 떠나기 전 티벳으로 들어가려고 시도했지만 어쩐 일인지 제지당했다. 그녀의 스승께서는 서신을 통해 그녀에게 '유럽으로 돌아가서 하고 싶은 것을 하되 언제든지 돌아올 준비를 하라'고 말씀하셨던 것이다. 그렇게 그녀는 인도를 떠나 다시 유럽으로 갔다.

세계 탐구 2: 성숙기

1854 년 자바를 거쳐서 영국으로 돌아왔을 때 러시아와 영국, 그리고 프랑스 사이에 크림 전쟁이 발발했다. 그러자 (러시아 귀족의 딸인) 그녀는 몹시 난처한 입장에 처하게 되었다. 하지만 피아노 독주회를 열기로 한 계약 때문에 당분간 런던에 머물러 있어야 했으며, 그러는 동안 그녀의 뛰어난 음악적 자질로 인해 필하모닉 협회 회원이 되기도 했다.

독주회를 마친 후 그녀는 다시 미국을 향해 출발했다. 이번에는 이민자들 일부 그룹과 함께 많은 어려운 상황을 겪으면서 로키 산맥을 건너서 샌프란시스코에 도착했다. 거기서 만났던 사람들에 의하면 멕시코와 중앙 아메리카 그리고 남아메리카로 여정이 이어졌을 것이라 전한다. 그 후 그녀는 인도를 향해 다시 떠났다. 첫 번째 여행에서는 스승을 만나지 못했지만 이번 여행은 달랐다.

인도 여러 곳을 스승과 함께 여행하면서 소설 형태로 쓴 글이 나중에 [힌두스탄의 동굴과 정글에서] 라는 책으로 출판되었다. 여기서 굴랍 싱이라는 가명으로 나오는 스승과의 다양한 경험과 현상들, 이에 관련된 사건과 사실들, 인물들에 대하여 여러 이야기를 제시했다. 이 소설은 그녀가 '라다-바이'라는 필명을 써서 러시아에서 가장 먼저 출간하였으며 독자들에게 많은 흥미를 불러일으킨 후에 나중에 영어로 번역되어 출간되었다.

첫 번째 여행에서는 네팔을 통해 티벳으로 들어가려고 했지만, 이번에는 인도 북서부인 카시미르를 통과하여 들어가려고 했다. 여행길에 동행한 어느 샤먼과 함께 사막에서 헤매다가 그 샤먼의 친구들이 그들을 찾아냈으며 이렇게 티벳에서의 방황이 일 단락 되었고 마침내 국경까지 안내를 받기도 했다. 이 과정에서 그녀의 스승은 1857 년 인도에서 세포이 반란이 일어나기 바로 직전 그녀가 인도를 빨리 떠나도록 지시했다고도 전한다.

인도를 떠나 프랑스와 독일에서 몇 달을 보낸 후 그녀는 1858 년 러시아로 돌아왔다. 이때가 바로 그녀 주위에서 기이한 현상들이 무수히 일어난 때였고 그런 현상들을 그녀 주위의 사람들이 직접 많이 목격하고 경험했던 시기였다. 그녀가 가는 곳, 머무는 곳마다 사방에서 뚝뚝 소리가 나거나 가구들이 움직이고 물건들이 왔다 갔다 하는 일들이 끊임없이 일어났다고 한다. 나중에 윌리암 젓지에게,[389] 그녀가 말하길, 바로 이 당시가 그녀의 심령적인 힘들이 활동하도록 놓아둔 시기로 '그것들을 이해하고 통제하는 것을 한창 배웠던 시기'라 했다. 시간이 지나면서 그녀의

---

389 신지학회를 설립한 창립 멤버 중 한 사람으로, 아일랜드에서 태어나서 가족이 미국으로 이민 왔으며, 후에 변호사가 되었다. 신지학을 쉽게 이해할 수 있도록 돕기 위하여 많은 단편 글들과 책을 출판하였으며, [신지학의 대양], [나를 도와준 편지들] 등이 많이 읽히고 있다. 마지막까지 많은 사람들이 블라바츠키 여사를 떠났을 때도 마지막까지 지원한 분이었다.

오컬트적인 힘이 [390] 점점 더 커졌고 그녀의 의지대로 그 힘들을 통제하게 되었으며 결국 '똑똑' 하고 소리 내는 정도 이상 소통할 필요가 없게끔 되었다. 이렇게 러시아에서 보낸 5 년간은 그녀에게 있어 보이지 않는 힘의 통제를 배웠던 강렬한 수련의 시기였다.

그렇게 러시아에서 한동안 가족들과 시간을 보낸 후 그녀는 다시 또 여행을 시작했다. 이번에는 이란, 시리아, 레바논, 예루살렘 등을 갔으며, 이집트, 그리스를 지나서 이탈리아로 갔다. 특히 이탈리아 멘타나에서 가리발디와 교황 사이 벌어진 전쟁에 참여, 가리발디 편에서 싸웠다는 것이 목격되었다고 하지만, 본래는 다른 이유로 거기 있었다고 후에 설명하였으며, 그 와중에 전쟁에서 큰 부상을 당해 거의 죽을 뻔했다고 한다. 전상이 거의 회복될쯤인 1868 년 초에 그녀는 다시 발칸을 횡단하였고 콘스탄티노플을 거쳐 인도로 다시 들어갔다. 그리고 이번에는 신비의 땅인 티벳으로 들어가서 한동안 머물게 되었다.

그녀가 티벳에 머무르는 동안 무엇을 했고 어떤 일이 있었는지에 대하여 알려진 것은 거의 없다. 한 가지 특이한 것은 그 기간 동안에 오데사에 있던 그녀의 숙모 나디아가 경험한 일이었다. 숙모가 올코트 대령에게 쓴 편지를 인용하면 다음과 같다:

"그녀가 세계 어디에 있는지 아무도 몰랐고 아무리 찾아봤지만 허사여서 우리는 많이 슬펐습니다. 그녀가 죽었다고 거의 믿었을 즈음, "KH"라는 분으로부터 편지가 왔습니다. 그 편지는 아시아인 같은 사람이 가져왔지만, 그는 편지를 전하자마자 바로 내 눈 앞에서 사라졌습니다. 그 편지에는 '그녀가 안전하게 있으니 걱정하지 말라'고 하는 내용이 적혀 있었습니다…."

그녀는 티벳을 떠나 오데사로 가기 전 사이프러스와 그리스로 가서 힐라리온 대사를 처음으로 만났다. 이어 시리아와 이집트에 머물고 계신 몇 분의 대스승들 밑에서

---

390 신지학 전파 이후 많은 새로운 용어들이 만들어지고 사용되어 왔지만, 오컬트라는 표현만큼 와전되고 오용된 예가 드물다. 그 의미는 "아직 대중적으로 알려지지 않는 대자연 속에 있는, 보이지 않는 세계"에 대한 법칙이나 힘 혹은 사실들에 대한 것을 나타낸다.

집중적인 공부를 했다 전한다. 이어 가족들과 함께 시간을 보내다가 다시 유럽으로 간 후 미국으로 갈 것을 그녀의 스승이 지시하여 그녀는 미국을 향해 다시 떠났다.

미국에서의 새로운 시작

18 세에 처음 러시아를 떠나 그녀의 스승을 만난 후 약 20 년이 넘도록 블라바츠키 여사는 아시아, 유럽, 아메리카 등의 여러 나라를 다니며 무수한 경험과 지식을 쌓은 이후 42 세에 미국에 다시 돌아오게 되었다.

당시엔 미국뿐 아니라 유럽 전역에서 심령주의가 만연되어 있었고, 특히 유럽에서는 유명한 영매인 대니얼 홈이 유명세를 타고 있었다. '나폴레옹 3 세, 알렉산더 황제, 윌리엄 황제 같은 힘 있고 저명한 인사들까지도 이런 놀라운 능력들을 수긍하고 있었다', 고 코난 도일의 기록이 전한다. 심지어 1860 년, 백악관에서도 강령회가 열렸었다고 링컨 대통령의 전기에 나오고 있을 정도다. 또한 당시 유명한 과학자들이 영매가 주관하는 강령회에 참석하여 그들 자신이 겪고 관찰한 내용을 발표하기도 했다.

이처럼 많은 영매의 출현과 관련 현상들로 인해 일반 대중들 사이에서는 죽은 자의 영이 지상으로 다시 돌아오는지 안 오는지에 대한 의문들이 산불처럼 일어나 급속도로 퍼져 나가고 있었다. 거의 모든 유력 신문사들마다 노련한 기자들을 보내 그런 현상들을 조사, 기사를 쓰도록 했다. 당시 헨리 올코트 [391] 대령도 이런 죽은 영들의 현상에 대해 관심이 많았고, 데일리 그래픽이라는 신문사를 대신해서 에디 형제들의 영매 현상에 대하여 조사하기로 하고 그곳에 오게 되었다.

---

391 신지학회 창립 멤버 중에 한 사람이고 초대회장을 지냈으며, 대령으로 퇴역한 후 변호사 저널리스트 등으로 활동하면서 블라바츠키 여사와 만나게 되었다. 아시아에서 불교의 발전에 지대한 공헌을 한 분으로, 특히 스리랑카에서는 그를 불교의 부흥과 종교적 독립을 이끌어낸 영웅으로 받아들이고 있다.

그녀도 그런 영매 현상을 직접 조사하기 위해 에디 형제들이 사는 곳으로 갔으며, 거기서 올코트 대령과 처음 만나게 된다. 그녀가 하트만 씨에게 쓴 편지를 보면 관련 내용이 잘 나타나 있다:

“나는 목적을 가지고 에디 형제들이 있는 곳으로 보내졌다. 그곳에서 올코트 대령이 영(spirits)들을 좋아하는 것을 발견했다. . . . 그리고 오컬티즘의 철학 없이 이런 영적인 현상들은 위험하고 잘못 안내한다는 것을 그가 알게 하도록 하라고 스승으로부터 지시를 받았다. 모든 영매들이 소위 그런 영들을 통해서 일할 수 있지만, 어떤 다른 사람들은 그런 영들 없이도 같은 능력을 행할 수 있다는 것을 그에게 나는 보여 주었다. 벨 소리, 생각을 읽는 것, 똑똑 소리 등 물리적인 현상들은 아스트랄 기관을 통해서 활동할 수 있는 사람은 누구나 할 수 있다는 것을 그에게 보여 주었다. 나는 4 살 이후부터 그런 능력을 갖고 있어서 가구들을 움직이고 물건들을 날아다니게 할 수 있다는 것 또한 그에게 말했다. 그에게 관련하여 전체적인 진리의 모습을 모두 전해주었다. 그리고 세계에 초인들, 형제들을 알게 되었다는 것을 말하여 주었고 오늘날에도 그 분들이 우리 곁에 존재하고 있다는 것을 일러주었다.”

당시 유행처럼 번지던 영매 현상을 직접 본 후에 그녀가 동생에게 쓴 편지를 보면 심령주의의 섬뜩한 면이 여실히 드러난다.

“영매를 보면 볼수록 인류가 점점 더 위험에 둘러 쌓여 있다는 것을 보게 된다. . . 이 혼 없는 피조물들, 그리고 지상의 육체의 그림자들을 나는 본다. 그들 대부분은 혼과 영이 떠난 것들로 강령회에 오는 방문객뿐 아니라 영매들의 활력 에너지를 먹고 사는 반물질의 그림자들이다. . . 그 과정을 보면 소름이 돋는다. 그 장면은 종종 보는 사람을 현기증 나게 만들지만, 그것을 보아야 한다. 내가 할 수 있는 것은 그 구역질 나는 피조물들을 어느 정도 거리에 있게 하면서 더 이상 다가오지 못하게 하는 것이다. 심령주의자들이 이 그림자들을 환영하는 것을 지켜본다. 그 사람들은 이 텅 빈 물질화된 그림자를 입고 있는 영매 주위에서 울고 기뻐한다. 내가 보는 것을 그들이 볼 수만 있다면 하고 자주 생각한다. 이 인간의 복제품들이 전적으로 지상의 욕정, 죄악 그리고 세속적인 생각들로 만들어졌다는 것을 알기만 한다면…;

왜냐하면 이것들은 자유롭게 된 혼과 영을 따라갈 수 없는 찌꺼기들이고, 지상의 공기 속에서 두 번째 죽음을 위해 남겨진 것들이기 때문이다."

1875 년 봄, HPB 의 메모에는, 영매들이 보여주는 현상과 영매에 대한 진실을 일반 대중에게 알려줄 것을, 스승으로부터 명령받았다고 적혀있다. 그래서 그녀는 "이제부터 나의 순교가 시작될 것이고, 기독교인들과 비평가들을 포함한 모든 심령가들의 적이 될 것이다. 당신의 뜻이, 오…! M, 이루어질 것입니다" 라는 메모를 남겼다. 같은 해 그녀에게 큰 힘을 보태게 되는 또 다른 사람을 만나게 되는데, 바로 윌리암 젓지이다. 그 역시 영적인 현상에 관심을 갖고 있다가 올코트 대령이 쓴 책을 읽고 연락하여 그녀를 만나게 되었다. 윌리암 젓지가 그녀와 첫 만남에 대한 인상기는 이러하다.

"나를 끌어당긴 것은 그녀의 눈이었다. 그 눈은 지나간 오랜 생들에서 알고 지낸 바로 그 눈이었다. 처음 만났을 때에 그녀는 나를 보자 곧 알아보는 느낌이었고 그 표정은 그 이후 변하지 않았다."

나중에 친한 친구에게 젓지 씨는 다음과 같이 말했다:

"아이시스(Isis) (당시 친한 사람들 사이에서 HPB 를 그렇게 부름)가 나의 베일을 걷어 주기 전까지 나는 진실로 의식적인 존재가 아니었다."

1875 년 7 월, 그녀는 스승으로부터 다시 철학-종교 협회를 설립하여 회장으로 올코트를 정하라는 지시를 받았다. 그렇게 해서 뉴욕에서 신지학회가 설립되었다. 신지학의 본질은 인간 속에 있는 신성과 인간성의 조화를 추구하는 것으로 무엇보다 동물적인 격정을 지배하는 것이다. 친절, 악의나 이기심의 부재, 자비, 만물에 대한 선의(goodwill) 그리고 자신에 대한 철저한 정의가 그 주요 특징들이다. 선의를 가르치는 사람이 바로 신지학을 가르치는 것이다.

또한 이 당시 그녀는 중요한 변화를 경험하였다고 한다. 그 해 초, 심하게 다쳐서 거의 절단까지 이를 수 있었던 두 다리를 힌두의 스승이 완전하게 다 치유해줬고, 그녀 속에 또 다른 존재를 느꼈다고 한다. 나중에 알게 되었지만, 그 존재는 바로 그녀의 스승이었다. 그녀는 그 스승을 거의 매일같이 만나보았다. 그 스승은 그녀의 행동과 글쓰기에 대하여 충고해 주었으며, 주위에서 일어나는 모든 일과 다른 사람들의 생각이 무엇인지를 다 알고 있는 것처럼 보였다고 한다. 그녀가 받은 영감은 '말하고 쓰는 나(I)'가 아니라, '나를 위해서 쓰고 생각하는 상위 자아(higher Self)' 였다고 한다.

당시 뉴욕에서 어떤 명망있는 인사가 죽으면서 올코트 대령에게 자신의 육체를 화장해줄 것을 유언했고, 그렇게 해서 미국에서 최초로 화장이 실시되었다. 이 화장에 대한 뉴스가 7 천개 져널에 게재되었으며, 때문에 신지학회가 신성 모독의 이교도 관습을 들여왔다는 비난이 엄청나게 쏟아졌다. HPB 도 그 명망가의 화장에 참석하려고 했지만 인도에서 이미 죽은 육체와 살아 있는 육체를 태우는 것을 충분히 봤기 때문에 굳이 참석하지 않았다. 이렇게 미국에서 최초의 화장이 실행되었고, 한 세기가 지난 후에야 비로서 그런 화장 문화가 자연스러운 장례절차의 일부분이 되었다.

그 해 여름부터 그녀는 [아이시스 언베일드]의 집필을 시작하였다. 매일 약 25 페이지 분량의 글을 하루 종일 홀로 쓰면서 보냈다. 그녀는 집필 중 그 누구에게도 상담이나 충고를 요청하지 않았고, 끊임없이 담배를 피워가면서 분명히 미국에는 없을 수많은 책들을 인용하면서 아침부터 밤까지 글을 썼다. 그녀가 인용한 수많은 문헌들이 유럽에서도 구하기가 매우 어려운 책들이었고, 거의 찾을 수 없는 통계치 또한 나중에 실제로 확인해 보면 정확하게 일치했다. 많은 사람들이 그런 작업과정과 방식에 놀랐다. 나중에는 거의 6 개월 동안 오트밀만 먹으면서 하루에 17 시간씩 글을 썼다. 그렇게 1200 페이지의 책을 마무리하면서 그녀는 당대의 많은 사람들이 반발하거나 그 사람들의 비난이 몰려올 것이라 예고했다. 그녀는 또한 밝은 미래가 바로 앞에 있지는 않지만, 어떤 조건이 충족된다면 20 세기가 아닌 21 세기에 그 가능성이 더 있다고 말했다. 1877 년 9 월 [아이시스 언베일드] 2 권이 출판되자마자 곧바로 천 부가 다 팔려나갔고 추가 인쇄에 들어갔다. 런던의 [여론]에서는 그 책을 19 세기에 가장 탁월한 작품들 중에 하나라고 불렀다. 그 두 권의 책은 당시까지 오컬트 주제에 대하여 거의 알려지지 않은 원본의 정보를 가지고 있다고 하면서 그 속에 있는 가르침과 사상을 보전할 책이라고 말했다.

그리고 이것들은 신지학을 공부하는 학생들과 신비가들에게 엄청난 가치가 있을 것이라고 했다.

1878 년 HPB 는 미국 시민권을 얻었다. 데일리 그래픽에서 왜 그녀의 나라인 러시아를 포기했는지 물었을 때, 그녀는 '자유를 좋아하기 때문'이라고 답했다. 당시 러시아에는 자유가 없었고 사소한 것들 때문에 벌금을 물어야 했는데 당시 그녀가 그렇게 자신의 조국에 바친 벌금만도 거의 1 만불이 넘었다 했다. 그러면서 그녀는 미국은 위대한 나라이지만 한 가지 큰 단점이 있는데 '사람들이 너무 영악하고 부패가 많다'는 것이라고도 말했다.

윌리암 졋지에 의하면, 신지학회가 시작되고 [아이시스 언베일드]를 끝내자마자 그녀는 인도로 가야 하고, 그리고 나서 영국으로 가야 한다고 말했다 한다. 그렇게 외적으로 지구 상에 세 가지 지역이 신지학 작업의 활동적인 지점이 되어야 한다고 말했다. 이제 그녀는 미국에서의 모든 작업이 끝났기에 인도로 갈 준비가 되었다.

인도에서의 미션

HPB(지인들이 줄여서 부른 이름)가 인도로 향할 무렵 인도는 영국의 통치 하에 놓여있었다. 과학과 상업, 기독교와 군국주의가 합쳐진 유럽 문명이 엄청나게 강력한 것처럼 보였기에, 점점 더 많은 교육을 받은 인도 사람들이 서구 문명을 받아들일 수밖에 없었던 상황이기도 했다. 기독교로의 개종 역시 엄청 빠르게 진행되는 듯도 보였다. 그러나 갑작스럽고 예상하지 못한 파도가 이 모든 흐름을 바꾸었다. 러시아, 영국, 미국에서 온 명망 있고 힘 있는 사람들이 동양의 고대 지혜에 대한 존경을 바치고 선언하기 시작했던 것이다.

1940 년 인도의 유명한 철학자인 라드하크리슈난은 이렇게 표현하였다:

"모든 정치적, 경제적인 실패들로 우리 인도인들이 자기 문화의 가치와 활기를 의심할 때, 신지학 운동이 그 가치들과 사상들을 온 세계에 보여주면서 엄청난 기여를 하였다. 신지학 운동이 인도 사회에 미친 영향은 헤아릴 수가 없다."
그래서일까, 인도 정부에서도 1975 년 신지학회 설립 100 주년을 맞아 신지학회

휘장과 "진리보다 더 고귀한 종교는 없다"는 모토를 담은 기념우표를 발행하기도 하였다.

인도에 도착한 후 초기에는 신지학 운동의 성과가 그리 잘 나타나지 않았다. 동인도 회사에서 그녀의 일거수일투족을 감시하였고, 종종 그녀가 보내거나 그녀에게 오는 편지를 중간에 압수하기도 하였으며, 인도인들 또한 신지학 운동에 의심을 갖고 있었기에 변화가 쉽지 않았다. 그러나 그녀는 자신이 편집한 [신지학자]를 전세계로 발행하기 시작하였으며, 신지학에 대하여 몰랐던 서구 사람들도 거기 게재된 글을 읽기 시작하면서 더욱 관심이 높아져갔다. 이 당시 [아이시스]를 읽고 그녀를 만나기 위해서 찾아온 인도인이 있었는데, 후에 신지학 운동에 중심 역할을 한 사람 중에 한 명이었다. 그는 다모다르 마발란카르였으며, 그의 가족이 신지학을 포기하는 조건으로 엄청난 돈을 주겠다고 하였지만, 그는 그것을 받아들이지 않았다. 그가 신지학을 만나게 된 것을 이렇게 말한다: "지금 살고 있는 삶과 이전에 살았던 삶 사이에는 엄청난 갭이 있다고 해도 과장이 아니다. 이전에 나는 더욱 더 많은 땅, 사회적 지위 그리고 변덕과 식욕을 채우는 것에만 관심이 있었다. 신지학을 공부하면서 나의 의무, 나의 나라, 그리고 종교에 대한 새로운 빛을 받았다." 다모다르는 '히말라야의 형제들'이라 불렸던 분들을 지칭하는 것으로 마하트마(Mahatma)라는 용어를 처음으로 도입한 신지학도였다. 마하트마가 물론 완전히 새로운 용어는 아니었지만, 고대 인도에서 현자들을 지칭할 때 사용되었던 용어였으므로 이는 나중에 신지학회에서도 자연스럽게 받아들여졌다.

그녀는 이제 인도 뭄바이에서 서서히 인도의 북쪽으로 여행을 시작했다. 1880 년 가을에 인도 북부에 있는 심라로 가서 씨넷트 씨를 만났다. 당시 그는 인도에서 가장 영향력 있는 신문 중에 하나인 [파이오니어]의 편집자였다. 그는 HPB 가 인도에 왔다는 소식을 듣고 당장 만나고자 했다. 그는 HPB 일행을 환대해줬고 거기서 그녀는 많은 사람들과 만났으며, 후에 인도 국민당의 아버지라고 부르는 알란 흄도 만났다. 그는 나중에 신지학회 회원으로 가입하였다. 씨넷트 집에 머무는 동안 HPB 가 많은 신비스러운 현상들을 보여 주었으며, 이를 나중에 씨넷트가 경험하고 목격한 현상들을 [오컬트 세계]라는 책에 담아 출판하였다. 이 책은 영국에서 상당한 반향을 일으켰다. 또한 나중에 그는 대스승 중에 한 분과 철학적, 과학적, 형이상학적 주제들에 대한 서신 교환을 통하여 [에소테릭 붓디즘]라는 책을 출판하였으며, 인간과 우주에 대한 진화의 새로운 사상을 열었고, 과학계와 신학계를 깜짝 놀라게 만들었다. 이전에는 거의 알려지지 않았던 카르마나 재화신이 이제 사람들의 대화에서 자주 등장하였다. 신문에는 새로운 사상에 대하여 많은 비평들이 가득 찼지만, 그것은 씨앗을 뿌린 것이라고 했다.

대스승 KH 께서 씨넷트에게 쓴 편지를 인용하면 다음과 같다:

"지식은 점진적으로 전달될 수 있다. 최고의 비밀들 중에 어떤 것들은 그대가 듣기에 미친 헛소리로 들릴 것이다. . . 오컬트 과학은 비밀을 갑자기 혹은 편지나 구두로 전달하는 것이 아니다. . . 우리가 의도적으로 비밀을 감춘다고 생각하는 것이 일반 사람들의 공통된 오해이다. . . 초심자가 깨달음의 정도에 필요한 조건을 성취하기 전까지, 그가 비밀을 받을 자격이 안되거나 적합하지 않다. 받아들이려는 수용성과 가르치려는 욕망이 똑같아야 한다. 깨달음은 내면에서 온다."

HPB 일행은 베나레스로 갔으며, 거기서 맥스 뮬러 교수의 후배이자 제자인 티바우트 교수를 만났다. 그날 저녁에는 요가가 대화의 주제가 되었다. 티바우트교수가 그녀에게 말했다: "블라바츠키 여사님, 여기에 있는 성직자들이 이르길, 고대에는 씨디스(심령 능력)를 계발했던 요기들이 있었으며 놀라운 일들을 행할 수 있었다고 말합니다. 그러나 지금은 그런 사람이 없다고도 합니다." 그러자 그녀가 의자에서 일어서 말했다. "그들이 그렇게 얘기하나요? 이제는 아무도 그렇게 할 수 없다구요? 그럼 제가 보여드리죠. 그들에게 말해주세요. 만약 그들이 서구의 스승들에게 덜 아첨하고 자신들의 악을 덜 좋아하면서 동시에 여러 면에서 그들의 고대 선조들처럼 한다면, 창피한 고백을 하지 않았어도 되고, 그들 경전의 진실을 증명하기 위해서 나이든 뚱뚱한 서구 여자가 없었어도 된다고 말해주세요." 그리고 나서 그녀는 고압적인 자세로 오른손을 공기 중에서 휩쓸었으며, 바로 그때 10 여개의 장미 꽃이 같이 있던 사람들 머리 위로 우르르 떨어졌다. 회중이 놀라움에 잠긴 것은 말할 것도 없었다. 그날의 대화자리가 파할 때쯤 그 교수가 오늘 저녁 만남의 선물로 장미 한 송이를 가져갈 수 있냐고 물었다. 사실 그 교수의 의도는 첫 번째 보여준 장미 꽃이 속임수였다면, 두 번은 다시 하지 못할 것이라 생각하면서 꺼낸 요청이었다. 하지만 HPB 가 기꺼이 원하는 만큼 다 가져가라고 하면서 다시 한번 그 장면을 보여주었고 이번에는 훨씬 더 많은 장미꽃들이 머리 위로 떨어졌다.

남쪽으로 가는 도중 HPB 일행은 스리랑카에 들렸다. 거기서 많은 사람들이 신지학회에 가입을 했으며, 이중에 16 살된 아나가리카 다르마팔라(Anagarika Dharmapala)가 있었다. 그는 후에 아시아의 영적 부흥에서 큰 역할을 할 사람이다. 그가 나중에 [아시아]라는 잡지에서 쓴 글을 보면 다음과 같다:

“HPB 와 올코트 대령이 마드라스로 가는 길에 콜롬보에 들렀다. 아버지에게 가서 그들과 같이 가서 일하겠다고 했고, 아버지께서 승낙하셨다. 그러나 출발 당일 부모님들 나쁜 꿈을 꾸어서 가지 못한다고 말씀하였다. 다른 승려들, 고위 승려들도 모두 반대하였다. 내 마음은 그 여행을 떠나기로 결심했지만, 어떻게 해야 할 줄을 몰랐다. 블라바츠키 여사가 가족들과 승려들을 대면했고 . . . 가족을 설득했다.

“한 번은 내가 육체적으로 멘탈적으로 순수하기 때문에 히말라야 형제들과 접촉할 수 있다고 말했다. 19 살에 오컬트 과학을 공부하는 데 평생을 보내겠다고 결심했다. 그러나 블라바츠키 여사는 그 계획에 반대했다. 너의 삶을 인류의 봉사를 위해서 바치는 것이 훨씬 더 현명할 것이다. 무엇보다도 붓다의 언어인 신성한 팔리어를 배워라.

여사가 아디야를 떠날 때까지 나를 돌보아주었다. 그리고 내 안에 있는 빛을 따르라고 편지를 썼다. 나는 철저하게 그분의 충고를 따랐다.

크건 작건 살아있는 만물에 대한 사랑, 영적인 영역에서 진보를 방해하는 관능적인 쾌락을 버리려는 욕망, 그리고 인류의 발전을 위해서 선한 행동들을 하려는 불굴의 노력이 HPB 라는 굉장한 분과 만난 이후 함께 해온 영적 중심추가 되었다.”

이렇게 인도 북부 지역을 여행한 후 인도 남부로 힘든 여행을 시작하여 마드라스(Madras)에 도착하였으며, 신지학회 본부를 거기로 옮기게 되었다. 또한 여기에서 수바 로우가 처음으로 HPB 를 만나게 되었다. 그는 HPB 와 올코트 대령을 만나기 전까지 산스크리트 문학에 대한 지식이 거의 전무하였다. 학생일 때 영어 수필 쓰기나 심리학 분야에서 상을 받았지만, 신비주의나 인도 종교 혹은 형이상학에 대해서는 흥미가 없었다. 그러나 이들을 만나면서 오랫동안 잊고 있었던 오컬트 경험의 지식 창고가 열렸고 과거 생에 대한 기억들이 돌아왔으며 그의 스승을 알아보게 되었다. 그렇게 해서 신지학 운동을 지원하는 중요한 역할을 하였지만, 34 살이라는 젊은 나이에 세상을 떠났다. 마드라스에 있는 동안 HPB 는 글을 쓰는데 많은 시간을 보냈다. 특히 이 시기에는 [신지학자]에 글을 기고하는데 전념했으며, 이때 거의 700 페이지가 넘는 글들을 내보냈다.

이 즈음 런던 신지학회에서 불협화음이 나왔고, 설상가상으로 HPB 의 건강이 많이 악화되어 연차 총회에 목발을 짚고 나오게 되었다. 당분간 환경을 바꾸지 않으면 3 개월 안에 죽고말 것이라고 담당의사가 그녀에게 처방을 내렸다. 그래서 런던 신지학회의 문제도 해결하고 건강 회복을 위해서, HPB 는 유럽으로 떠나게 되었다. 프랑스 니스를 방문한 후 [씨크릿 독트린] 작업을 하기 위해서 파리에 잠시 동안 정착했다. 다시 독일과 런던으로 갔다가 인도로 돌아왔지만 여전히 건강이 심각하게 악화된 상태였다. 결국 의사들이 포기하고 그들이 할 수 있는 것이 없다고 선언하였다. 쿠퍼 오클리 부인이 그날 밤을 지키고 있었고 그녀 남편은 화장 허가서를 발급받기 위해서 마드라스 정부로 갔다. 그녀가 다음과 같이 회고하였다: "HPB 로부터 어떤 호출을 기다리면서 여러 명이 밖에서 속삭이며 앉아 있었다. 바로 그때 갑자기 베란다에 대스승 M 이 물현화하여 HPB 방으로 빠르게 들어갔다. 한편 밖에서는 사람들이 물러나 있었다. . . HPB 가 회복하였을 때, 그녀의 스승이 와서 두 가지 선택을 제시하였다고 했다. 하나는 죽어서 평화 속으로 들어감으로써 그녀의 순교를 끝내는 것, 다른 하나는 [씨크릿 독트린]을 쓰기 위해서 몇 년 더 사는 것. . ." 한편 그 HPB 가 인도 신지학회 본부를 잠시 떠난 사이에 가까이서 HPB 를 보필했던 콜롬보 부부가 신지학회 활동과 HPB 가 보여준 영적 능력들이 모두 사기라고 비방하는 사건이 크게 일어났고, 그 사건으로 인해서 HPB 가 많은 상처를 받았으며, 그녀가 원치 않았지만 결국 인도를 영원히 떠나게 되었다.

유럽에서의 활동

힘겹게 인도를 떠나서 이탈리아 토레 델 그레코에 잠시 머물렀다가, 독일 뷔르츠부르크로 와서 당대 거작인 [씨크릿 독트린]의 상당 부분을 집필하게 되었다. 여기서부터 콘스탄스 바흐트마이스터 백작부인이 HPB 를 도와주기 시작한다. HPB 의 건강 상태가 많이 안 좋아서 그녀가 먼저 HPB 를 도울 것을 요청했지만 그땐 HPB 가 거절했었다. 하지만 HPB 의 스승이 백작부인을 부르라고 했으며,

그렇게 해서 한 방에 칸막이를 친 상태로 함께 머물게 되었다. 백작부인은 이후 HPB 가 세상을 떠날 때까지 같이 살게 되었다. 나중에 백작부인은 [H.P. 블라바츠키와 씨크릿 독트린에 대한 회상]에서 회고한다: “HPB 가 책을 쓰면서 백작부인에게 옥스포드 보들리 도서관에 가서 본인이 아스트랄 빛 속에서 본 것을 확인해줄 수 있는 사람이 있는지 물었고, 그런 사람이 있다고 했으며, 그 사람에게 책 제목과 페이지 등을 알려주고 확인해 달라고 요청하였다. 나중에 더 힘든 일을 주었다. 바티칸에 있는 사본에서 발췌한 구절을 확인하는 일을 주었다. 친척을 통해서 그 구절을 확인하였는데 겨우 두 단어만 틀리고 나머지는 모두 맞았다. HPB 가 원하는 정보는 친구를 통해서 혹은 신문이나 잡지를 통해서 혹은 편안하게 읽는 책을 통해서 반드시 도달했다.”

그리고 HPB 가 사람을 대하는 것이 사람마다 각각 모두 달랐다고 하면서, 그녀의 경우를 말했다: “제가 처음 HPB 를 만났을 때, 나는 세속적인 여자였습니다. 제 남편의 정치적인 입지를 통해서 저는 사회에서 어떤 위치를 차지하였습니다. 그래서 지금까지 삶에서 가장 원하던 것들의 공허함을 깨닫는 데 많은 시간이 걸렸습니다. 그리고 게으르고 편안하며 높은 지위의 삶이 가져다주는 자신 속의 만족감을 정복하기까지 많은 수련과 자신과의 많은 싸움을 하였습니다. HPB 의 말을 인용하면 ‘아주 많은 것을 제거해야 됐다’고 합니다.”

그리고 얼마 지나지 않아서 호지슨 보고서가 발표되었다. 신지학회와 HPB 의 심령 현상이 사기라는 보고서로, 백작부인이 회고에 따르면, 그것은 HPB 에게 큰 상처를 주었으며, 그것으로 끝이라고 생각했다고 한다. 그 사건으로 그녀를 계속 충실하게 도와준 사람들과 그녀를 떠난 사람들이 구분되었고, 아이러니하게도 신지학에 대한 관심이 더 높아졌다고 한다. 그 이전까지 몰랐던 사람들이 신지학이 무엇인지에 대하여 접하게 되었고 더 많은 롯지가 생기게 되었다. 어느 날 저녁에 HPB 가 그 상황을 묘사하길, “당신에게 향하는 많은 나쁜 생각들과 흐름들이 어떤 것인지 당신은 모른다. 그것은 마치 수천 개의 바늘들이 찌르는 것 같다. 그래서 나는 지속적으로 보호 벽을 만들어야 했다.” 우리가 다른 사람들에 대하여 갖는 생각이 얼마나 중요한지를 보여주는 대목이다.

더운 독일에서 잠시 피해서 그녀는 동생, 그리고 동생의 딸인 조카 베라와 벨기에의 오스텐드에 같이 머물게 되었다. 그때 조카딸인 베라가 경험한 것을 전했다: "아침에 내려오면 숙모가 일을 하는 것을 보았습니다. 어느 날 숙모 얼굴에 당황해하는 기색을 역력히 보고 가까이 다가가 말씀하길 기다렸습니다. . . 마침내 베라, 하고 부르시더니, 파이(pi)가 뭔지 아느냐고 물었습니다. 그래서 그건 일종의 영국 음식 아니냐고 했더니, 장난하지 말라고 하시면서, 약간 조급하게, 너한테 있는 수학 능력을 물어보는 지 모르겠냐고 하시면서 와서 보라고 하셨습니다. 그 페이지를 보니까, π = 31'4159 로 잘못 쓰여 있었습니다. 그래서 그게 아니라 π=3.14159 라고 고쳐주니까, 맞다고 하시면서 아침 내내 이 콤마가 마음에 걸렸다고 하셨습니다. 그리고 나서 너희 엄마와 너한테 여러 번 말했듯이, 내가 쓰는 것은 받아쓰는 것이고, 가끔 내가 하나도 모르는 사본이나 숫자 혹은 말들을 눈 앞에서 보고 있다고 그랬지."

HPB 의 건강이 점점 더 나빠졌으며, 이 기간에 씨넷트 씨가 [블라바츠키 여사의 삶에서의 일화들]이라는 책을 출판했다. 이 책에서 그녀의 놀라운 모습과 인간적이고 따뜻한 면들을 잘 묘사했으며, 대중들에게 폭넓게 깊은 인상을 주었다.

영국으로 옮긴 후 블라바츠키 롯지를 만들고, [씨크릿 독트린]를 끝내기까지 약 1 년 조금 넘게 남았기에, 정기간행물을 출판하기로 결정하였다. 그리고 그 이름은 [루시퍼(LUCIFER): 빛의 전달자(Light-bringer)] 로 정했다. 이 정기간행물 이름 때문에 기독교계에서 많은 반발이 일어났고, 지금까지도 그녀가 사탄 혹은 악마라는 터무니없는 주장으로 일관하고 있다. [그 이름에는 무엇이 있는가?]라는 시작 부분에서 설명한다:

"이 간행물의 이름을 루시퍼라고 부르는 것에 대하여 비난하는가? 멋진 이름이다. Lux, Lucis 는 빛이고, ferre 는 옮기다 라는 의미로 "빛의 전달자" 혹은 "빛을 옮기는 자"이다. 이보다 더 나은 이름이 있을까? 루시퍼가 추락한 영과 동의어로 된 것은 오직 밀턴의 실락원 때문이다. 이 간행물의 첫 번째 목적은 초기 기독교인들이 크리스트(Christ)로 사용한 이 이름에 대한 오해의 오점을 없애는 것이다.

그리스어로 "에오스포러스(Eosphoros), 로마어로 "루시퍼"이며, 이것들은 환한 밝은 태양빛의 전조로 아침 별인 비너스의 명칭이다. . . 크리스트가 자신에 대하여 말하지 않았는가? "나, 예수는 . . . 환한 새벽 별이다" (요한계시록 22:16) . . . 우리의 간행물도 또한 새벽의 창백하고 순수한 별처럼 진리의 환한 새벽을 알리도록 합시다—모든 부조화와 글자 그대로의 모든 번역들을 영에 의한 진리의 한 가지 빛 속에 합치도록 합시다.

한 번은 블라바츠키 롯지에서 젊은 자원자들이 열띤 토론을 하다가 어떤 딜레마에 봉착했다. 그래서 HPB 에게 물어보기로 하고 그녀 방에 노크를 하고 물었다.

"여사님, 신지학을 공부하는 데 필요한 가장 중요한 것이 무엇인가요?"
"상식이지."

"여사님, 그럼 두 번째는 무엇인가요?"
"유머"

"세 번째는요?"
이 시점에서 그녀의 인내심이 약간 줄어들었던 것 같다.
"조금 더 많은 상식!"

당시 젊은 아일랜드인이었던 찰스 존스턴이 HPB 를 방문했다. 그는 더블린 신지학회 창단 멤버 중에 한 명이었고, 거기엔 윌리암 버틀러 예이츠와 다른 작가들이 속해 있었다. 오늘날 그는 힌두 문학 번역가로 유명하다. 그는 HPB 와의 만남을 이렇게 회고한다:

" . . . 사람의 얼굴 속에서 진정한 경외감과 존경을 보았다면, 그것은 그녀의 스승에 대하여 말할 때 나타난 그녀의 표정이었다. 그분의 나이를 물었을 때, 정확히 나도 모릅니다. 하지만 이렇게 말할 수 있을 것입니다. 제가 20 살 때 그분을 만났습니다. 그 당시 그분은 전성기에 있었습니다. 지금 저는 나이든 늙은 여자가 되었습니다. 그러나 그분은 하루도 나이가 들지 않았습니다. 이것에 제가 말할 수 있는 전부입니다."

그리고 그녀는 다른 초인들에 대하여 말했다. 남인도, 티벳, 페르시아, 중국, 이집트와 그리스, 헝가리, 이탈리아, 영국에 있는 초인들. 그분들 사이에 서로 연결고리가 끊어지지 않으며, 그분들은 대자연에서 반드시 필요한 존재이고, 인류의 영적인 생명이 살아있도록 한다고 말했다. 또한 인간의 혼을 안내하며, 우리가 이해하기 어렵지만 직접 가르친다고 했다. . . "신지학자로서 당신은 무엇을 가르치나요?" 그녀가 말하길, "우리는 형제애를 가르칩니다. 애매하고 일반적인 얘기보다 구체적으로 말하면, 영국인들을 예로 들어보죠. 그 사람들이 얼마나 잔인한지 그리고 가련한 힌두인들을 얼마나 나쁘게 다루는지 보시죠." 그래서 내가 영국인들이 인도인들을 위하여 물질적으로 많은 혜택을 주었다고 반론을 제기하자, 그녀는 말했다. "만약 당신이 항상 도덕적으로 윤리적으로 짓밟힌다면 그런 것이 무슨 소용이 있나요! 영국인들은 그들을 돼지라고 부르고 열등한 민족이라고 항상 느끼게 만듭니다. 우리 인류에는 열등한 민족이란 없습니다. 모두가 하나이기 때문입니다." 그리고 흑마법의 위험에 대하여 강조했다. 최면과 암시는 엄청 위험한 힘이며, 아마도 좋은 의도와 올바른 목적을 가지고 시작할지 모르지만, 상대방의 의지를 훔치는 것이기 때문에 위험하다고 강조했다. 사람들의 가슴을 정화함으로써 그것이 오용되는 것에서 보호할 수 있다고 말했다.

1888 년 11 월에 [씨크릿 독트린] 1 권이, 12 월에 2 권이 출판되었고, 부제로 "과학, 종교 그리고 철학의 통합"으로 붙여졌다. 1 권은 우주발생론을, 2 권은 인간기원론을 다루고 있다. 각각은 세 부분으로 구성되어 있다. 즉, 잔(Dzyan)의 스탠져, 상징주의 진화, 그리고 과학과 SD 의 상호비교. SD 의 세 가지 기본 명제는 다음과 같다:

인간의 사고력을 초월하고 어떤 표현으로 축소될 수밖에 없는, 모든 추정이 불가능한, 모든 곳에 편재하고(Omnipresent) 영원하며(Eternal) 무한한(Boundless) 불변의 원리(Immutable PRINCIPLE). . . 이 개념을 일반 독자들에게 좀더 명확하게 하기 위해서, 모든 현현된, 한정된 존재보다 선행하는 하나의 절대적 실재(one absolute Reality)가 있다고 상정하자. 이 영원무궁한 원인은 . . . "과거에도 있었고, 현재에도 있으며, 미래에도 언제나 존재할" 모든 것의 뿌리 없는 뿌리이다. 그것은 모든 속성이 없고 본질적으로 현현된 유한한 존재와 아무런 관련이 없다. 그것은 존재(Being)라기 보다 있음(BE-NESS)으로 모든 생각과 추측을 넘어선다.

무궁한 계(plane)로서 전체 우주의 영원성(Eternity); "현현하는 별들"과 "영원의 불꽃"이라고 부르는, 주기적으로 "끊임없이 현현하고 사라지는 무수한 우주들의 놀이터". SD 는 또한 그 순례자(Pilgrim)의 영원성을 단언한다. . . "순례자는 화신의 주기 동안 우리 모나드(Monad)에게 붙여진 이름이다. 그것은 통합된 전체—보편영(Universal Spirit)으로 거기에서 발산하여 나오고 주기가 끝날 때 다시 거기로 합쳐진다—와 분리될 수 없는, 우리 내면에 있는 불멸의 영원한 원리이다."

SD 의 두 번째 원리는 물질 과학이 자연의 모든 부문에서 관찰하고 기록해온 주기성의 법칙, 조수 간만의 법칙, 밀물과 썰물의 법칙의 절대적 보편성이다. 낮과 밤, 생과 사, 수면과 깨어남 같이 교차해서 일어나는 것은 예외 없이 일상적이고 보편적인 사실이라서, 그 속에서 우주의 절대적인 기본 법칙의 하나를 이해하는 것이 쉬운 일이다.

미지의 근원(Unknown Root)의 한 측면인 보편 대령(Universal Over-Soul)과 모든 혼들의 근본적인 동일성; 그리고 전체 기간 동안 주기와 카르마의 법칙에 따라서 화신의 주기(Cycle of Incarnation)를 통해서 모든 혼이 의무적인 순례의 여행을 가야 하는 것. 다른 말로 하면, 그 어떤 신성한 혼도 . . .그 대령(OVER-SOUL)의 순수한 본질에서 나온 불꽃이 (1) 현상계의 모든 엘리멘탈 형태를 지나고 . . . (2) 처음에는 자연적인 충동에 의해서 그리고 (카르마에 의해서 제한받으면서) 자기주도의 노력을 통해서, 가장 낮은 마나스에서 최고의 마나스까지, 광물에서 식물 그리고 가장 신성한 대천사(디야비-붓다)까지, 모든 지성의 단계들을 거쳐 올라감으로써 개체성(individuality)을 획득하기 전까지 독립적인(의식적인) 존재를 할 수 없다. 에소테릭 철학에서는 장구한 윤회를 통해서 개인적인 노력과 공과를 통해서 자기 자신의 자아(Ego)가 얻은 것을 제외하고는 그 어떤 특권이나 특별한 선물을 인정하지 않는다. . .

이것이 SD 의 세 가지 기본원리이다.

SD 1 권이 곧바로 다 팔렸다. 2 권이 나올 때쯤에 [폴 몰 가제트]와 [리뷰 중에 리뷰(The Review of Reviews)]의 유명한 편집자인 스테드는 SD 두 권을 리뷰해줄 사람을 찾지 못하고 있었다. 보통 리뷰를 해주던 사람들이 모두 거절했기 때문이다.

그때 애니 베산트를 떠올렸다. 당시 그녀는 자유사상가이자 급진 정치 운동가였고 페미니스트였으며 페이비안 사회주의로 초기에 전향한 사람이었다. 또한 사회운동가이자 개혁가이고 유명한 연설가이기도 하였다. 그녀가 SD 두 권을 받았을 때 그 순간으로 오게 된 진행단계를 자서전에서 다음과 같이 회고하였다:

"사회의 질병을 치료하기 위해서 가진 것 이상의 어떤 것이 필요하다는 느낌이 점점 더 커져갔다. 이타적인 사람들을 조직화하려는 노력이 실패했다. 자기 희생을 헌신하는 진정한 운동이 없었다. 그런 운동을 찾으면서 점점 더 절망감이 나를 짓눌렀다. 1886 년 이후부터 나의 철학이 충분하지 않다는 확신이 서서히 자랐다. 심리학이 빠르게 발전하고 최면 실험이 인간 의식의 복잡한 것을 나타내고 . . . 어둠 속으로 한줄기의 빛이 들어왔다. 즉, A.P. 씨넷트의 [오컬트 세계]가 내가 상상하는 것보다 폭넓은 법칙 하의 자연에 대한 것을 설명하였다. 심령주의 공부를 추가하면서 개인적으로 실험을 하지만 그것들에 대한 영적인 설명이 믿기 어려웠다."

1889 년 초에 스테드가 애니 베산트에게 SD 리뷰를 요청하였다. 그때의 경험을 이렇게 말한다: "한 페이지 한 페이지를 넘길수록 흥미가 빨려 들어갔다; 너무 익숙한 것처럼 보였다; 너무 자연스럽고, 너무 일관성 있고, 너무 섬세하고, 그러면서 너무 지성적이다; 끊어져 있던 사실들이 거대한 전체의 일부분들로 연결되는 그 빛에 눈부셨다. 그리고 모든 수수께끼와 문제들이 사라진 것처럼 보였다. 그 영향은 환영이었고, 나중에 직관이 이해한 것을 두뇌가 소화하는데 점진적으로 진행되었다. 그러나 그 빛을 보았다. 그리고 힘겨운 탐색이 끝났고 바로 그 진리를 찾았다는 것을 알았다. 그리고 저자를 소개해 달라고 요청하였다."

그 요청에 HPB 도 그녀를 만나고 싶다고 답장을 했다. 그렇게 만남이 이루어졌고 후에 애니 베산트가 신지학회에 가입하였다. HPB 가 그 소식을 친척들에게 알렸다: "물질주의자들과 무신론자들과의 싸움이 점점 더 악화될 것이다. 왜냐하면 그들이 아끼는 애니 베산트를 내가 꾀어서 진리의 길에서 벗어나도록 했기 때문에, 모든 자유사상가들, 자유주의자들이 나에게 적이 될 것이다. . . 그녀는 정말 놀라운 여성이다! 스커트를 입은 완전한 데모스테네스이다. 우리한테 없는 유창한 연설가이다."

1888 년 가을호 [루시퍼(LUCIFER)]에서 에소테릭 부문(Esoteric Section)을 운영하겠다고 선언하였다. 미국에 있는 J.D. 벅에게 보낸 편지에서 그 목적이 나타나 있다:

"그것이 필요하다는 것을 모든 곳에서 느꼈습니다. 많은 것을 대중에게 줄 수 없고 오컬티즘에서 어떤 것을 배울 자격이 있는 오래되고 경험 많은 회원들에게 내가 살아 있는 동안 도움이 될 수 있을 것이고 많이 요구가 있습니다. 어떤 독재나 통치 같은 여지가 없고 나를 위한 어떤 영광도 없지만, 가까운 미래에 오해와 비방 그리고 배은망덕한 것들이 일어날 것입니다. 그러나 맹세한 100 명의 신지학도들 중에서 10 명만이라도 올바르고 진정한 길로 가도록 할 수 있다면 행복하게 죽을 것입니다. 많은 사람들이 부름을 받지만, 선택되는 사람은 소수입니다. . . 나는 진리에 눈이 열린 사람들에게 오직 길을 보여줄 수만 있습니다. . ."

1889 년 중순경에 HPB 는 프랑스 퐁텐블로로 가게 되었다. 신지학 역사에서 여기가 중요한 것은 HPB 가 그곳에서 [침묵의 소리] 대부분을 썼기 때문이다. 애니 베산트가 그때를 기억하길, HPB 가 [금잠의 서]에서 놀라운 단편을 번역하고 있는 것을 보았으며, 그것은 지금 [침묵의 소리]라는 제목으로 알려진 책이었다. 영국의 계관 시인인 테니슨이 죽음이 다가올 때 이 시를 읽어왔다고 알려져 있고, 윌리암 제임스도 [종교적 체험의 다양성]에서 구절을 인용했다. 선불교를 서구에 알리는 데 큰 공헌을 한 스즈키 박사도 [침묵의 소리]를 읽고, 그의 약혼자인 베아트리스 레인에게 쓴 편지에서 "여기에 진정한 대승불교가 있다"고 말했다고 한다.

HPB 가 영국을 잠시 떠난 사이 [신지학의 열쇠]가 출판되었다. 이 책은 대화 형식으로 되어 있으며, 신지학에 대하여 좀 더 심오한 공부를 준비하게 해주는 열쇠를 준다고 한다. 다루는 주요 내용들을 보면, 사후 상태의 성질, 정신의 신비, 인간과 우주의 칠중 구조, 윤회와 카르마 등등이다.

HPB 의 건강이 점점 더 악화되어서 이제는 일하는 것이 금지되었고, 휴식을 취하며 건강을 회복하는 것이 가장 중요했다. 그럼에도 불구하고 그녀는 계속해서 글을 쓰고 가르쳤으며, 블라바츠키 롯지에서 있었던 미팅에서 그녀에게 질문한 내용들과 그녀가 대답한 내용들을 [블라바츠키 롯지의 대화록]이라는 이름으로 출판하였다.

HPB 가 살아 있던 나머지 몇 개월 동안 [신지학 용어집]을 준비하였으며 사후에 출판되었다. 그리고 오컬트 소설인 [악몽 이야기]가 다양한 간행물에 게재되었지만, 나중에 [숨길 수 없는 미술관]라는 제목을 모아서 다시 출판하였다.

1891 년 4 월 당시 런던에는 감기가 대유행이었다. HPB 도 감기에 걸렸다. 그리고 그녀 의사에게 본인이 죽어가고 있다고 말했다 한다. 그녀가 지상을 떠나기 2 일 전에 쿠퍼-오클리 부인에게 마지막 메시지를 주었으며, 새벽 3 시에 갑자기 위를 쳐다보며 "이사벨, 이사벨, 연결고리가 끊어지지 않도록 유지해라; 나의 마지막 환생이 실패가 되지 않도록 하라"는 말을 남기고 조용히 눈을 감았다고 한다.

HPB 가 떠나기 전 후로 다양한 신비한 많은 일들이 일어났다고 한다. 집안에서는 별안간 깨지는 소리며 아스트랄 벨 소리, 아무도 치지 않는 피아노 소리 등이 알려졌으며, 가까운 지인들도 신비한 경험을 많이 했다고 알려졌다.

HPB 가 떠났다는 기사가 많은 신문에 게재되었다. 뉴욕 데일리 트리뷴은 다음과 같이 썼다:

"우리 시대의 여성들 중에서 블라바츠키 여사만큼 잘못 알려지고 비방당하고 중상받은 사람이 거의 없다. 악의와 무지가 그녀에게 최악으로 해를 줬다 하더라도, 그녀의 평생에 걸친 일이 그렇지 않다는 것을 입증하기에는 충분하고, 그것은 지속될 것이고 영원히 작용할 것이다.

지난 20 년간 블라바츠키 여사는 가장 고귀한 윤리들의 기본 원리들, 가르침들을 전파하는 데 바쳤다. 19 세기에 인종, 국가, 계급 그리고 편견의 장벽을 무너뜨리고 형제애의 정신을 심어주려는 시도. . . 인류의 재건은 이타주의를 계발시키는 것에 바탕을 두어야 한다고 주장했다. 이것만으로도 현재까지뿐만 아니라 계속 해서 위대한 사상가들 중에 한 명이 된다. . .

또한 현 세대에서 그녀만큼 오랫동안 닫혀 있던 동양의 사상, 지혜 그리고 철학을 다시 여는데 공헌한 사람은 아무도 없다. 그 심오한 지혜와 종교를 설명하고 고대의 문학 작품들이 빛나도록 해서 그 깊이와 범위로 서구 세계를 놀라게 한 사람은 아무도 없었다.

동양 철학과 비전철학에 대한 그녀의 지식은 광범위하였다. 그녀의 작품을 읽은 사람은 그 누구도 이것을 의심할 수 없을 것이다. 그녀의 글들의 톤과 성향은 건강하고 상쾌하며 고무적이다. . .”

영향과 맺음말

HPB 를 만났던 많은 사람들과 그녀의 가르침을 접해본 사람은 그 영향에서 벗어날 수가 없었다. 근대 세계뿐만 아니라 현대 세계의 다양한 분야에서 많은 사람들이 신지학을 공부하거나 관심을 갖고 공부하고 있다. 종교계는 말할 것도 없이 문학계, 예술계, 철학계, 과학계에 미친 영향을 보면 근대 인류의 흐름을 바꾸었다는 것이 진정으로 맞는 말이다.

한 두 가지씩 예를 들면, 당시 과학계에서 원자는 나눌 수 없다고 하였지만, SD 에서 그것은 나눌 수 있으며 다른 아원자들 혹은 입자들로 구성되어 있다고 설명하였다. 또한 원자가 움직이지 않는다고 주장한 과학계와 달리 원자는 끊임없이 움직인다는 것도 말하였다. 시간이 지난 후에 과학계에서 이런 것을 다 인정하였다는 것이 놀라울 따름이다.

인간의 보이지 않는 또 다른 일부분으로 아스트랄체가 이제는 쉽게 받아들여지고 있지만, 당시에는 생소하였고 기독교 세계관에서 볼 때 터무니없는 개념이었다. 과학에서도 인간의 보이지 않는 부분에 대한 많은 연구에서 진전이 이루어졌고, 아스트랄 디자인 체에 대한 증거가 예일대 과학자인 헤럴드 팍스턴 버와 S.C. 노스롭에서 전기적 구조라고 부르는 것에서 보게 된다. 살아 있는 체들 속에는 그 개체를 만드는 전기적인 구조가 있고, 태어나기 이전부터 죽을 때까지 그 체 속에서 그대로 있다고 한다. 체 속에 있는 모든 것이 변하지만, 그 구조는 그대로 있다고 한다.

문학계에서의 영향을 보면, 아일랜드 신지학회 회원으로 적극 활동했던 예이츠는 영적인 현상에 관심이 많았으며, 블라바츠키 여사가 운영했던 비전부문 초기 회원으로 있었다. 그러다가 영적 현상만을 너무 추구하다가 학회를 떠나도록 요청받았다고 한다. 조지 러셀을 수줍게 찾아간 제임스 조이스도 빼놓을 수가 없다. 제임스가 러셀을 찾아간 주된 이유는 당시 러셀이 동양 철학에 대한 많은 정보를 가지고 있었고 다른 작가들과 접촉하는 통로였을 것이라고 말한다. 그가 신지학에 대하여 회의적이었지만, 주기, 윤회, 영원한 어머니 믿음 같은 것에 상당한 흥미를 가졌다고 한다. 그 외에도 영향을 받은 E.M. 포스터, D.H. 로렌스, T.S. 엘리엇, 손턴 와일더 등도 있다.

예술계를 보면, 근대 추상예술의 창시자인 칸딘스키와 몬드리안이 있으며, 또한 파울 클레와 심지어 상징주의 학파의 대표자인 폴 고갱도 신지학에 영향을 받았다고 미술사가인 토마스 부저가 [고갱의 종교]에서 말한다.

음악계를 보면, 구스타프 말러, 그의 친한 친구인 브루노 발터와 공공연하게 환생에 대하여 자주 말했다는 시벨리우스 그리고 신지학이 매우 강력한 영향력이었다는 알렉산더 스크랴빈이 있다.

또한 알버트 골드만에 의하면, 엘비스 프레슬리도 HPB 의 SD 와 침묵의 소리를 공부했다고 한다. 그리고 심지어 무대 위에서도 침묵의 소리에 있는 구절을 낭송하기도 했다고 한다.

이렇게 신지학 운동 이후 전세계적으로 영적인 관심이 폭발적으로 증가하였다. 물질 문명이 한창인 서구에서 물질계 너머의 세계, 삶의 의미와 죽음 너머의 세계, 기존 기독교에서 채워줄 수 없는 어떤 것을 갈망할 때, 동양의 철학과 고대의 지혜가 서양으로 밀물처럼 들어가게 되었다. 이런 영적 문화의 흐름을 만든 사람이 바로 헬레나 페트로브나 블라바츠키 여사였다. HPB 의 삶은 파란만장하였고, 구시대 종교와 체계를 고수하는 사람들에게 많은 비방과 험담을 들었지만, 그녀는 바로 눈앞의 날들을 위해서가 아니라 인류의 미래를 내다보고 후세대를 위하여 씨앗을 뿌린 것이다. HPB 가 남긴 글 중에 하나로 이 소개를 마치고자 한다.

주요 저작

- 씨크릿 독트린(THE SECRET DOCTRINE)
- 아이시스 언베일드(ISIS UNVEILED)
- 침묵의 소리(THE VOICE OF THE SILENCE)
- 신지학의 열쇠(THE KEY TO THEOSOPHY)
- 힌두스탄의 동굴과 정글에서(FROM THE CAVES AND JUNGLES OF HINDOSTAN)
- 신지학 용어집(THEOSOPHICAL GLOSSARY)

정기간행물

- 신지학자(THE THEOSOPHIST)
- 루시퍼(LUCIFER)

보리스 드 지르코프가 편집한 [HPB 전집(Collected Writings)] 15 권에서 그녀의 수많은 단편들과 메모, 편지 등 모든 글들을 집대성하여 출간하였다.

씨크릿 독트린 (THE SECRET DOCTRINE)

상징의 진화 & 세계 종교들의 태고의 상징

발 행 | 2024년 05월 03일
저 자 | H. P. 블라바츠키 (스로타파티 옮김)
펴낸이 | 한건희
펴낸곳 | 주식회사 부크크
출판사등록 | 2014.07.15(제2014-16호)
주 소 | 서울특별시 금천구 가산디지털1로 119 SK트윈타워 A동 305호
전 화 | 1670-8316
이메일 | info@bookk.co.kr

ISBN | 979-11-410-8372-4

www.bookk.co.kr